초등과학을 교육하다

이론과 실천

배진호 | 권난주 | 장명덕 | 신애경 | 정용재 | 나지연 지음

아카데미프레스

초등과학을 교육하다 이론과 실천

발행일 2024년 3월 5일 초판 1쇄 발행
저자 배진호 · 권난주 · 장명덕 · 신애경 · 정용재 · 나지연
발행인 이한성 **발행처** (주)아카데미프레스
주소 서울특별시 마포구 독막로 320, 데시앙 오피스텔 803호 (도화동)
전화 02-3144-3765 **팩스** 02-6919-2456 **웹사이트** www.academypress.co.kr
등록번호 제2018-000184호

ISBN 979-11-91791-18-1 93370
정가 28,000원

머리말

초등과학 교육의 여정에 함께하고 있는 귀중한 독자 여러분께,

이 책을 펼치기 전에 먼저 여러분을 환영하며 진심으로 감사의 인사를 드립니다. 저자로서 이 책을 쓰는 동안에도 초등 교육을 향한 열정과 책임감을 가지고 계신 여러분에게 이 책이 유용한 지식과 영감을 제공하길 기대합니다.

초등 과학 교육은 초등학생들이 자연과학의 신비로운 세계를 탐험하고, 호기심을 키우며, 학문적인 기초를 다지는 과정에서 매우 중요한 역할을 합니다. 그리고 이를 이끌어 나갈 초등 교사는 학문적인 지식과 동시에 창의력, 따뜻한 마음, 그리고 교육에 대한 끊임없는 열망을 지닌 전문가가 되어야 합니다.

이 책은 초등과학 교육에 관한 전반적인 이해와 함께, 교실에서의 실제 적용을 위한 다양한 전략과 효과적인 교수법을 제시합니다. 여러분은 이 책을 통해 학생들에게 과학을 가르치는 데 있어서 기본적이면서도 핵심적인 개념들을 습득하게 될 것입니다.

책의 내용은 학문적인 이론뿐만 아니라 현장에서의 경험과 실제 교육 상황에 대한 인사이트를 반영하고 있습니다. 또한, 여러분 스스로의 교육 철학과 가치관을 발전시키는 데 도움이 되도록 다양한 연구 및 사례를 살펴보며 깊이 있는 학습을 할 수 있도록 안내하고자 노력했습니다.

이 책을 통해 여러분이 얻게 될 지식과 통찰력은 단순히 교과 과정을 가르치는 데 그치지 않고, 학생들의 호기심을 자극하고 지속적인 학습을 유도하는 초등 교사로서의 역할을 더욱 효과적으로 수행할 수 있도록 도움을 드릴 것입니다.

이 책이 여러분의 초등과학 교육 여정에 큰 도움이 되길 바라며 앞으로 여러분이 교실에서 빛나는 교육의 활기찬 주인공이 되길 기대합니다. 앞으로 초등과학 교육의 미래를 함께 이끌어 나가는 친구이자 연구자가 되길 기대합니다.

끝으로 이 책의 귀중한 이론과 연구 결과를 제공하여 준 참고문헌의 저자들과 연구자들에게 감사를 드리고 이 책이 나오기까지 도움을 준 아카데미프레스 출판사에 감사를 드립니다.

2024년 3월

대표저자 배진호

책 소개

이 책은 초등학교 학생, 예비교사, 현장교사를 대상으로 한 교육 및 연구 과정에서 필자가 정리하며 모아온 이론적, 실제적 자료들을 밑바탕으로 삼았다. 이 책에서 필자는 초등과학교육의 기본적인 내용을 가능한 한 쉽게 설명하려고 노력하였고, 또한 이것이 일선 현장에서 어떻게 활용될 수 있고 적용되고 있는지 그 실례를 보여 줌으로써 이론과 실제의 간극을 최대한 줄이고자 하였다. 이 책은 초등 예비교사가 주 독자임을 염두에 두고 쓴 것이나 현장 경험이 적거나 초등과학교육에 대해 막연함을 느끼는 교사에게도 도움이 될 것이다.

저자 소개

배진호 | 부산교육대학교 과학교육과 교수서울대학교 교육학박사

권난주 | 경인교육대학교 과학교육과 교수한국교원대학교 교육학박사

장명덕 | 공주교육대학교 과학교육과 교수한국교원대학교 교육학박사

신애경 | 제주대학교 교육대학 초등과학교육과 교수한국교원대학교 교육학박사

정용재 | 공주교육대학교 과학교육과 교수서울대학교 교육학박사

나지연 | 춘천교육대학교 과학교육과 교수서울대학교 교육학박사

차례

제1장 과학교육의 필요성과 전문성 ········ 13

1.1 과학교육의 필요성 … 15
1.2 초등과학교육의 필요성 … 17
1.3 초등과학교육의 지향점 … 19
1.4 초등교사의 과학 교과 지도 능력 … 22
1. 교사의 지식 측면_ 22
2. 교사의 태도와 신념 측면_ 27
1.5 과학 교과 지도 능력 함양 … 28

연습문제 … 30

제2장 과학과 교육과정 ········ 33

2.1 국가 수준 교육과정의 성격과 개정 절차 … 36
2.2 2022 개정 초등학교 교육과정의 주요 변화 … 38
1. 미래 사회가 요구하는 역량을 함양할 수 있는 교육_ 38
2. 학습자의 삶과 성장 지원_ 40
3. 교육과정 운영의 자율성 확대_ 41
4. 교육환경 변화에 적합한 교과 교육과정 개발 및 지원_ 41
2.3 2022 개정 과학과 교육과정의 주요 내용 … 42
1. 교육과정 설계의 개요_ 42
2. 성격과 목표_ 45
3. 내용 체계 및 성취기준_ 46
4. 2022 개정 초등 과학과 교육과정의 주요 변화_ 51
2.4 과학과 교과용 도서 … 52
1. 과학 교과서_ 53
2. 실험 관찰_ 54
3. 교사용 지도서_ 55

연습문제 … 58

제3장 과학의 본성 59

3.1 과학의 본성의 의미 … 62
3.2 과학의 본성 지도의 필요성 … 63
1. 학생 측면_ 63
2. 교사 측면_ 65
3.3 주요 과학의 본성과 교육적 시사점 … 66
1. 과학 지식의 경험적 특성_ 67
2. 인간의 추론, 상상 및 창의적 산물로서 과학 지식_ 69
3. 과학 지식의 이론 의존성_ 71
4. 과학·기술·사회의 상호 관련성_ 72
5. 과학 지식의 잠정성_ 75
6. 과학적 방법의 다양성_ 76
3.4 과학의 본성에 대한 지도 방법 … 78

연습문제 … 81

제4장 과학의 구성 요소 83

4.1 과학 관련 태도 … 86
1. 과학적 태도_ 87
2. 과학 또는 과학 학습에 대한 태도_ 92
4.2 과학 탐구 과정 기능 … 92
1. 기초 탐구 과정 기능_ 93
2. 통합 탐구 과정 기능_ 103
4.3 과학 지식 … 111
1. 사실_ 112
2. 개념_ 113
3. 법칙_ 113
4. 이론_ 114
5. 모형_ 115

연습문제 … 117

제5장 과학 탐구 수업 121

5.1 과학 탐구 수업의 등장 배경 … 124
5.2 과학 탐구 수업의 특징 … 126
5.3 과학 탐구 활동의 유형 … 128
5.4 과학 탐구 활동 지도의 어려움 … 130

1. 교사 내적 요인_ 131 2. 교사 외적 요인_ 133
5.5 '자유 탐구'의 취지와 지도 방법 … 134
1. 자유 탐구의 도입 취지_ 135 2. 자유 탐구의 지도 방법_ 136
연습문제 … 151

제6장 과학 학습 이론 153

6.1 학습이론과 교수이론 … 156
6.2 교수-학습에 대한 행동주의 관점 … 157
1. 조건형성이론_ 158 2. Gagné의 학습의 속성과 조건_ 162
3. Bandura의 관찰학습과 자아효능감_ 169
4. Keller의 ARCS 모형_ 175
6.3 교수-학습에 대한 인지주의 관점 … 178
1. Piaget의 인지발달이론_ 179 2. Vygotsky의 인지발달이론_ 187
3. Bruner의 교수-학습이론_ 195 4. Ausubel의 교수-학습이론_ 203
6.4 교수-학습에 대한 구성주의 관점 … 212
1. 객관주의와 구성주의_ 213 2. 구성주의와 과학 오개념_ 215
연습문제 … 223

제7장 과학과 수업모형 225

7.1 일반7.1 일반 수업모형 … 228
1. 계획 단계_ 229 2. 진단 단계_ 229
3. 지도 단계_ 229 4. 발전 단계_ 230
5. 평가 단계_ 230
7.2 과학과 수업모형 … 231
1. 경험학습모형_ 231 2. 발견학습모형_ 236
3. 탐구학습모형_ 241 4. 순환학습모형_ 245
5. 개념변화학습모형_ 252 6. STS학습모형_ 256
7.3 과학과 수업모형의 선택 … 260
연습문제 … 262

제8장 과학과 수업방법 265

8.1 일반적인 유의사항 … 268
8.2 관찰학습 … 269
8.3 실험학습 … 273
8.4 조사학습 … 280
1. 조사 대상_ 280
2. 조사 방법_ 281
3. 조사 보고서 작성_ 282
4. 조사 활동 결과 발표_ 282
8.5 토의·토론 학습 … 284
8.6 소집단 협동학습 … 288
8.7 역할놀이 학습 … 295
8.8 교사의 발문과 설명 … 298
1. 발문하기_ 299
2. 설명하기_ 307
8.9 융합인재교육(STEAM) … 312
1. 학습 준거틀_ 313
2. 융합인재교육(STEAM) 프로그램의 운영 및 설계_ 315
8.10 에듀테크 활용 과학교육 … 316
1. 에듀테크 활용 과학교육의 접근_ 317
2. 에듀테크를 활용한 과학수업의 특징_ 319
3. 에듀테크를 활용한 과학수업의 예_ 320

연습문제 … 322

제9장 과학 학습 평가 325

9.1 평가에 대한 새로운 패러다임 … 328
9.2 과학 학습 평가의 목적과 기능 … 331
9.3 과학 학습의 평가 영역과 평가틀 … 332
1. 과학 학습 평가 영역_ 333
2. 과학 학습 평가틀_ 339
9.4 과학 학습 평가의 유형 … 343
1. 평가 시기에 따른 분류_ 344
2. 평가 방법에 따른 분류_ 349
9.5 지필평가와 수행평가 … 350
1. 지필평가_ 350
2. 수행평가_ 365

9.6 평가의 절차 … 382
1. 평가 계획 수립_ 383
2. 평가 도구 및 문항 개발_ 385
3. 평가 결과의 처리_ 390
4. 평가 결과의 활용_ 391
연습문제 … 393

제10장 과학 실험 안전 지도 395

10.1 과학 실험실의 효율적 활용 … 398
10.2 실험 안전 교육과 안전 수칙 … 399
1. 실험 안전 교육_ 400
2. 실험 안전 수칙_ 402
10.3 실험 기구 및 화학 약품의 안전 취급 … 406
1. 가열 기구의 안전 취급_ 407
2. 화학 약품의 안전 취급_ 411
3. 유리 실험 기구의 안전 취급_ 414
4. 전기 기구의 안전 취급_ 422
5. 동식물의 안전 취급_ 424
10.4 안전 사고 대처 요령 … 426
10.5 과학 실험 폐기물 처리 … 428
연습문제 … 431

제11장 과학 수업 계획과 실행 433

11.1 과학 수업 계획의 수립 … 436
1. 연간(학기) 지도 계획_ 437
2. 단원 지도 계획_ 438
3. 차시 지도 계획_ 440
11.2 교수-학습 과정안 작성 요령 … 440
1. 교수-학습 과정안 작성의 필요성_ 440
2. 일반적인 유의사항_ 441
3. 세안 작성 방법_ 443
11.3 과학 수업 실행 과정에서 유의사항 … 458
1. 일반적인 유의사항_ 458
2. 도입 단계에서의 유의사항_ 460
3. 전개 단계에서의 유의사항_ 463
4. 정착 단계에서의 유의사항_ 468
11.4 융합수업의 실재 … 471
1. 융합수업(STEAM)_ 471
2. STEAM 수업의 계획_ 472

3. STEAM 수업의 실행_ 474

연습문제 … 475

제12장 과학교육의 확장 477

12.1 과학 현장학습 … 480
1. 과학 현장학습의 교육적 효과_ 481
2. 과학 현장학습 실행의 어려움_ 483
3. 과학 현장학습의 유형_ 484
4. 과학 현장학습의 절차_ 486

12.2 기타 비정규 과학교육 활동 … 491
1. 교내 과학의 달 행사_ 492
2. 과학 동아리 활동_ 493
3. 과학 캠프_ 493
4. 과학 체험 행사_ 494
5. 과학 경연_ 494

연습문제 … 495

부록 … 497
참고문헌 … 535
찾아보기 … 563

1

과학교육의 필요성과 전문성

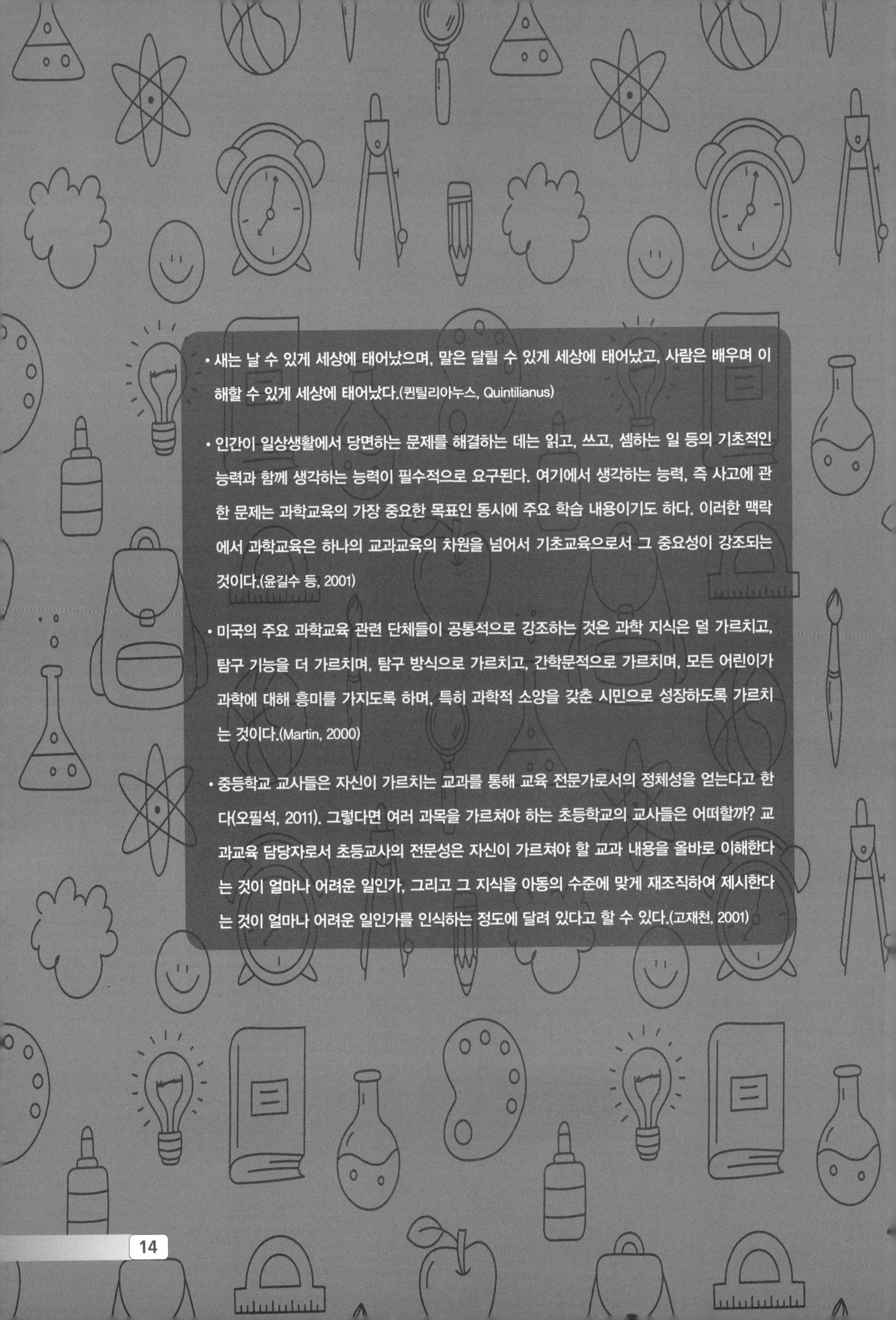

- 새는 날 수 있게 세상에 태어났으며, 말은 달릴 수 있게 세상에 태어났고, 사람은 배우며 이해할 수 있게 세상에 태어났다.(퀸틸리아누스, Quintilianus)

- 인간이 일상생활에서 당면하는 문제를 해결하는 데는 읽고, 쓰고, 셈하는 일 등의 기초적인 능력과 함께 생각하는 능력이 필수적으로 요구된다. 여기에서 생각하는 능력, 즉 사고에 관한 문제는 과학교육의 가장 중요한 목표인 동시에 주요 학습 내용이기도 하다. 이러한 맥락에서 과학교육은 하나의 교과교육의 차원을 넘어서 기초교육으로서 그 중요성이 강조되는 것이다.(윤길수 등, 2001)

- 미국의 주요 과학교육 관련 단체들이 공통적으로 강조하는 것은 과학 지식은 덜 가르치고, 탐구 기능을 더 가르치며, 탐구 방식으로 가르치고, 간학문적으로 가르치며, 모든 어린이가 과학에 대해 흥미를 가지도록 하며, 특히 과학적 소양을 갖춘 시민으로 성장하도록 가르치는 것이다.(Martin, 2000)

- 중등학교 교사들은 자신이 가르치는 교과를 통해 교육 전문가로서의 정체성을 얻는다고 한다(오필석, 2011). 그렇다면 여러 과목을 가르쳐야 하는 초등학교의 교사들은 어떠할까? 교과교육 담당자로서 초등교사의 전문성은 자신이 가르쳐야 할 교과 내용을 올바로 이해한다는 것이 얼마나 어려운 일인가, 그리고 그 지식을 아동의 수준에 맞게 재조직하여 제시한다는 것이 얼마나 어려운 일인가를 인식하는 정도에 달려 있다고 할 수 있다.(고재천, 2001)

여러분은 어려서부터 지금까지 과학을 배우고 있으며, 머지않아 초등학생들에게 과학을 가르쳐야 한다. 초등학생들은 왜 과학을 배워야 할까? 과학 교과에 대한 흥미나 선호도를 조사한 대부분의 연구에서 초등학생들의 평균 응답은 전반적으로 긍정적이다(곽영순 등, 2006; 문선희, 2017; 서영환 등, 2017; 이수영, 2011; 임희준, 2014; 전우수 등, 2003). 하지만 전우수 등의 연구와 이수영의 연구에서 과학 교과를 '좋아하지 않는다'라고 응답한 학생의 비율은 각 11%와 35%로 낮지 않았다. 과학을 좋아하지 않는 학생들도 굳이 과학을 배워야 하는 이유는 무엇인가?

거의 매년 동일한 교과목의 수업을 반복하는 중등교사와는 달리, 초등교사는 매 시간이 새로운 수업이며 이를 준비하는 데 많은 시간과 노력을 기울인다. 하지만 오늘날 우리 사회는 초등교사에게 열의 그 이상의 전문성을 요구한다. 예비 초등 과학교육자로서 여러분은 과학을 잘 가르치기 위해 어떠한 전문성을 갖추어야 하는가?

제1장의 목표는 우리가 왜 과학을 가르치고 배워야 하는지, 왜 어려서부터 과학을 가르치고 배워야 하는지, 과학 교과를 잘 지도하기 위해서는 어떠한 능력을 갖추어야 하는지에 대한 예비 초등교사로서 여러분 생각을 구체화하는 것이다.

1.1 과학교육의 필요성

오늘날 세계 각국에서는 과학을 각급 학교 교육과정의 필수 교과목으로 포함하고 있다. 과학이 학교 교육과정의 필수 교과목으로 가르쳐져야 하는 이유는 무엇인가? 이에 대해 Bennett(2003)는 여러 선행연구에서 제시된 필수 교과목으로서 과학의 필요성에 대한 주장을 크게 세 가지, 즉 '사회 · 문화적 측면의 논거', '실용적 측면의 논거', '민주적 측면의 논거'로 분류하였다. Bennett의 분류를 토대로 과학

교육의 필요성에 대해 살펴보면 다음과 같다.

첫째, '사회 · 문화적 측면의 논거'는 사회 · 문화적 산물로서 과학이라는 학문 그 자체에 대한 학습의 가치에 관한 것이다. 과학은 인류의 엄청난 노력과 희생으로 이룩된 중요한 사회 · 문화적 성취 중 하나이자 현대 사회를 지탱하는 기둥이다(이덕환, 2004). 만약 과학이 인류의 중요한 문명적 성취라면 과학은 모든 사람이 이해할 만한 가치가 있는 것이다(김학수, 1998). 과학에 대한 이해는 우리가 살고 있는 세상, 즉 우리 주위의 자연 현상이나 사물을 이해하는 데 도움을 줄 뿐 아니라 개인적인 성취감과 즐거움을 가져다주며, 이는 모든 사람들이 누려야 할 혜택인 것이다(NRC, 1996).

둘째, '실용적 측면의 논거'는 국가와 인류의 발전을 위한 미래 과학 인재의 육성에 관한 것이다. 오늘날 국가 경쟁력은 인적 자원의 질에 의해 좌우되며, 과학기술 분야 인재 양성의 중요성이 날로 증대되고 있다(이수영, 2011; 안미정과 유미현, 2012; 임희준, 2014). 특히 우리나라와 같이 지하자원이 부족한 국가들에서 미래 유능한 과학자의 육성은 국가 발전은 물론 나아가 인류의 삶을 향상시키는 데 필수적이다. 이에 따라 세계 각국이 기초과학 육성을 위한 투자 확대와 우수 과학 인력의 확보를 위해 총력을 기울이고 있다.

셋째, '민주적 논거'는 합리적인 의사결정자로서의 미래 시민 육성에 관한 것이다. "우리의 선택을 대신해 줄 절대 권력자가 없는 민주사회에서 과학은 과학자의 전유물이 아니라, 사회 구성원 모두가 갖춰야 할 기본적인 상식이다"(이덕환, 2004). 현재 우리가 당면하고 있는 각종 환경오염, 유전자조작, 자원 고갈, 핵폐기물 처리와 같은 과학과 관련된 사회적 쟁점은 소수 과학자에게만 국한된 문제가 아니라 사회의 모든 구성원의 관심사이다. 이러한 문제에 대한 현명하고 합리적인 해결책을 결정하기 위해서는 사회의 모든 구성원이 해당 쟁점과 관련하여 제시된 과학 지식이 믿을 만한 증거에 근거하고 있는지, 제시된 증거가 주장하는 바에 적절한지 등을 판단할 수 있는 최소한의 기본적 능력을 갖추어야 한다. 더욱이 합리적 의사결정을 위해 과학 정보와 과학적 사고방식을 필요로 하는 문제들이 날로 증가하고 있다(NRC, 1996). 따라서 미래 우리 사회의 주역인 학생들은 과학기술과 관련된 사회적 문제들에 대한 합리적 의사결정에 도움이 되는 과학적 사고방식과 과학의 한계 등에 대해 기본적인 이해를 갖출 필요가 있다.

한편 정용재와 송진웅(2002)은 초등학교 교사와 학생을 대상으로 '과학을 왜 공부해야 하는가?'에 대한 응답 결과를 토대로, 과학 학습에 대한 관점을 크게 두 가지 관점, 즉 과학 학습을 하면서 알게 되거나 얻을 수 있는 것 자체(예:과학 지식, 기능, 사고력)에 가치를 두는 '과학의 내재적 가치 중시 관점'과 과학 학습을 통해 얻은 것을 활용해서 수행할 수 있는 과학 외적인 것(예:개인 또는 인류의 일상생활의 편리성 증진, 장래 직업을 위한 준비와 활용, 국가 경쟁력 증진)에 가치를 두는 '과학의 외재적 가치 중시 관점'으로 구분하였다. 이들에 의하면, 교사와 학생 모두 과학의 외재적 가치를 중시하는 관점에 편중되어 있으며, 과학의 내재적 가치를 중시하는 관점은 상대적으로 빈약한 것으로 나타났다.

또한 민주적 논거에 해당하는 '바람직한 의사결정을 하기 위해서'라고 명시적으로 응답한 학생은 전혀 없었으며, 교사의 경우에도 6.3%에 불과했으며, 초등 예비교사를 대상으로 한 연구(장명덕, 2018)에서도 이에 대한 응답은 1.7%에 불과했다. 초등학생의 경우, 이수영(2011)의 연구에서도 비슷한 양상을 보이는데, 흥미로운 점은 과학 교과를 좋아하지 않는 학생일수록 학교에서 과학을 배우는 이유를 외부에서 찾는 비율이 높다는 것이다. 이러한 연구 결과는 교사와 학생 모두 과학 학습의 필요성에 대한 다양하고 적절한 이해를 갖출 필요가 있음을 시사한다.

1.2 초등과학교육의 필요성

초등학교에서부터 과학을 가르쳐야 하는 이유는 무엇일까? 이에 대해 Harlen(2001)의 설명을 중심으로 살펴보면 다음과 같다.

첫째, 우리가 어린이들에게 과학을 가르치든 가르치지 않든 관계없이, 어린이들은 매우 어릴 때부터 주변 세계에 대한 자신의 생각을 발달시킨다는 것이다(Harlen, 2001). 제6장에서 자세히 살펴보겠지만, 과학 오개념에 대한 수많은 연구 결과에 의하면, 어린이들은 학교에서 과학을 배우기 이전에도 자연 현상이나 사물과의 상호작용이나 사회 · 문화적 상호작용 등을 통하여 다양한 자연 현상과 사물에 대해 그들 나름대로의 생각을 구성한다. 그런데 안타깝게도 이러한 생각들은 흔히 자연에 대한 감각적 경험이나 일상적 언어 등의 영향을 받아 구성되기 때문에 현재 널리 받아들여지고 있는 과학 지식과는 일치하지 않는다. 더욱 안타까

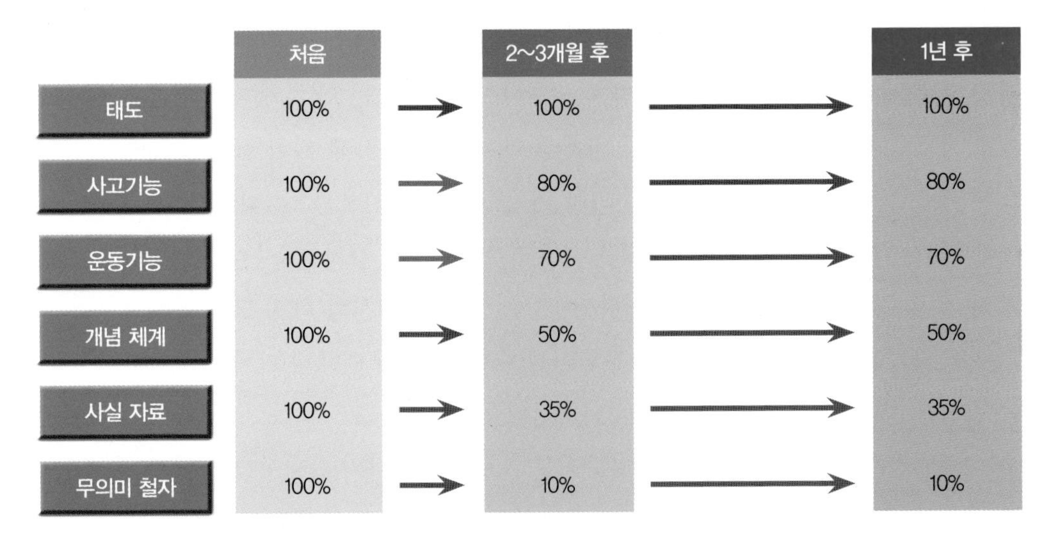

그림 1-1 학습 지속 효과(처음 효과를 100%로 가정할 때)[1]

운 것은 학생들의 오개념은 과학적 개념을 학습하는 데 심각한 장애 요인으로 작용할 수도 있다는 것이다. 따라서 어려서부터 관찰과 실험 등을 통해 수집한 자료에 근거하여 올바른 기본 개념을 구성할 수 있는 기회를 제공하는 것은 어린이들이 자연 세계를 바르게 이해하고 그것을 이해하는 방식을 발달시키는 데 도움이 된다.

둘째, 과학이나 과학 교과에 대한 태도는 다른 교과보다 좀 더 일찍 형성되며, 보통 11세나 12세에 과학에 대한 선호에 분명한 입장을 갖는다는 연구 결과가 있다(Harlen, 2001). 과학 관련 진로 선택은 초등학교 시기부터 이루어지며 초기 영향이 매우 크게 작용한다는 연구 결과도 있다(이수영, 2011; Tai et al., 2006). 또한 **그림 1-1**과 같이 태도에 대한 학습의 지속 효과는 매우 높기 때문에 과학 및 과학 학습에 대한 부정적 인식을 갖게 되면 쉽게 바뀌지 않음을 예상할 수 있다.

이수영(2011)과 전우수 등(2003)의 연구에 의하면, 우리나라 초등학생의 '과학을 좋아한다'는 응답은 65% 내지 89%로 비교적 높은 편이라 할 수 있다. 하지만 여러 연구에 의하면, 초기의 이러한 긍정적 태도는 시간이 지남에 따라 감소한다(곽영순 등, 2006; 김찬종 등, 1999). 과학에 대한 이해가 사회 구성원 모두가 누려야 할 혜택이자 누구나 갖추어야 할 기본 상식이라면, 학생들이 어려서부터 과학 및 과학 교과에 대한 긍정적 태도를 갖도록 해야 한다. 또한 과학을 좋아하는 학생

[1] **그림 1-1**은 Bentley 등(2000)의 저서 p.180의 그래프를 재구성한 것임.

들은 더 좋아할 수 있도록 하고, 과학을 싫어하는 학생들은 긍정적 태도를 갖도록 할 수 있는 차별화된 방안이 마련될 필요가 있다(이미경과 정은영, 2003).

1.3 초등과학교육의 지향점

오늘날 세계 많은 나라와 주요 과학교육 관련 단체들이 추구하는 초 · 중등학교 과학교육의 핵심 목표는 모든 학생의 '과학적 소양의 함양'이다(이명제, 2009; Ozgelen, 2012; Simpson & Anderson, 1981). 우리나라에서는 〈2007년 개정 과학과 교육과정〉 이후부터 최근 〈2022년 개정 과학과 교육과정〉에 이르기까지 교과 총괄목표에서 달성하고자 하는 궁극적인 목표로 과학적 소양의 함양을 명시하고 있다(교육부, 2022b)(p.45 참조).

그렇다면 과학적 소양이란 무엇인가? 과학적 소양을 갖춘 사람은 어떤 사람인가? 지난 수십 년간 많은 국제 과학교육 관련 단체와 학자들이 과학적 소양에 대해 다양한 정의를 내리고 있지만(**그림 1-2**), 그 정확한 의미에 대해 아직도 충분

OECD(2007)에 따르면, 과학적 소양이란, 어느 한 개인의 '문제를 인식하고, 새로운 지식을 획득하고, 과학적 현상을 설명하고, 과학과 관련된 이슈들에 대해 증거에 입각하여 결론을 도출하기 위한 과학적 지식과 그 지식의 사용', '인간의 지식과 탐구의 한 형태로서 과학의 독특한 특징에 대한 이해', '과학과 기술이 우리의 물질적, 정신적, 문화적 환경에 영향을 미치는 방식에 대한 앎' 그리고 '과학과 관련된 이슈들에 기꺼이 참여하려는 마음과 과학에 대한 긍정적인 태도와 가치관'을 말한다.

미국 국가과학교육기준(NRC, 1996)은 과학적 소양을 갖춘 사람이란 다음과 같은 능력을 가지고 있는 사람으로 정의하고 있다: 기본적인 과학적 지식과 그 지식의 의미뿐 아니라 실험과 추론을 이해하고; 일상의 경험에 관한 호기심으로부터 문제를 인식하고 그 답을 찾고 결정하고; 자연 현상을 기술하고, 설명하고, 예상할 수 있으며; 대중지에 실린 과학 관련 기사를 이해하면서 읽을 수 있고, 그 결론의 타당성에 대한 사회적 대화에 참여할 수 있고; 국가나 지역사회의 의사결정에 기초가 되는 과학적 쟁점을 확인하고, 과학 · 기술적 정보에 근거하여 자신의 입장을 표명하며; 과학적 정보를 그 출처나 그것이 생성되는 데 사용된 방법에 기초하여 그 정보의 질을 평가할 수 있고; 증거에 입각하여 논증의 문제를 제기하고 평가할 수 있으며, 그와 같은 논증으로부터 결론을 적절하게 적용할 수 있는 사람.

그림 1-2 '과학적 소양'과 '과학적 소양을 갖춘 사람'에 대한 정의의 예

한 공감대가 형성되어 있지는 않다(교육과학기술부, 2011b; 김찬종 등, 1999; Holbrook & Rannikmae, 2009). 이는 과학적 소양에 대한 의미가 복잡하게 변해 왔고, 과학교육이 이루어지는 맥락에 따라 다양하게 사용되어 왔기 때문이다(이명제, 2009; Millar, 2006). 그렇다면 과학적 소양을 갖춘 사람이란 어떤 사람일까? 이에 대해서도 단체와 학자들에 따라 다르다. 우리나라 교육과정에서도 과학적 소양과 과학적 소양을 갖춘 사람에 대한 분명한 정의는 없다. 다만 과학과 교육과정에 명시된 교과목표를 고려할 때, 과학적 소양을 갖춘 사람이란 과학 교과목표에 명시된 하위 목표들을 달성한 사람이라고 할 수 있다.

과학적 소양이 왜 중요한가? 앞서 '과학교육의 필요성'에서 언급한 바와 같이, 합리적 의사결정을 위해 과학 정보와 과학적 사고방식을 필요로 하는 문제들이 날로 증가하고 있으며, 이러한 문제들은 국가나 사회 구성원 전체의 판단에 의해 결정되어야 하기 때문이다(NRC, 1996). 과학적 소양이 부족한 국가나 사회에서는 비양심적인 선동가와 기업가들이 힘을 얻게 되고, 그로 인해 생기는 국가 사회적 손실은 민주사회의 존립을 위협할 수 있을 정도로 심각해질 수 있다(이덕환, 2004). 따라서 개인들의 과학적 소양의 달성은 많은 과학교육학자들에게 우리 사회가 당면한 많은 문제들에 대한 교육적 해결책으로 여겨지고 있다(Einsenhart et al., 1996).

1960년대 이후 학교 과학교육은 탐구 과정 기능 습득을 강조하면서 훌륭한 과학자를 육성하는 데 초점을 맞추었다고 볼 수 있다(강호감 등, 2007). 강호감 등이 지적한 대로, "물론 이것은 학교 과학교육의 중요한 목표의 하나이지만, 수많은 초등학생 중에서 앞으로 과학을 전공할 학생은 극히 일부라는 점을 유념해야 한다". 즉 모든 학생의 과학적 소양의 함양이 오늘날 학교 과학교육의 핵심적인 목표라는 사실은 초등교사에게 초등학교 과학교육을 통해서 달성하고자 하는 궁극적인 목표가 소수의 과학자나 기술자를 양성하는 것이 아니라 다수의 과학적 소양을 갖춘 일반 시민을 육성하는 데 있다는 점을 유념해야 함을 시사한다(교육과학기술부, 2010).

한편 전 세계적으로 가장 영향력 있는 미국의 교육과정 문서인 NRC(1996)의 '국가과학교육기준(National Science Education Standards)'과 AAAS(1993)의 '과학적 소양을 위한 기준(Benchmarks for Science Literacy)'을 검토해 보면, 우리는 구성주의가 현재 과학교육의 주류 패러다임임을 알게 된다(Peters & Stout, 2006). 그렇다면 구성주의 관점이 과학 교수-학습 활동에 주는 교육적 시사점은 무엇일까? 이에 대해 Bentley 등(2000)은 다음과 같이 제안하고 있다. 첫째, 과학 수업에서 교사는 어린이들의 이러저러한 설명에 대해 질문함으로써 그리고 그들이 자신의 설명을 정교화하도록 격려함으로써 그들의 생각을 좀 더 분명하게 하도록 도와야 한다. 둘째, 과학 수업에서 요리책의 조리법과 같은 것을 줄이고 실제 과학자가 과학을 하는 것과 같이 개방적 탐구가 이루어지도록 해야 한다. 셋째, 과학 수업에서 과학사 등에 더 많은 관심이 주어져야 한다. 예를 들어 교사는 과학 지식의 고안과 협의 과정의 실제 역사적 사례에 대한 학습을 통해 학생들이 과학의 인간적 측면을 학습할 수 있도록 도와야 한다.

미국의 국가과학교육기준(NRC, 1996)은 구성주의적 관점에 근거하여 과학 교수 기준의 변화, 즉 과학 수업에서 더 강조되어야 할 것과 덜 강조되어야 할 것을 구체적으로 명시하고 있다(표 1-1). 표 1-1과 같이, 오늘날 학교 과학교육은 교사의 설명과 아이디어가 수업의 초점인 전통적인 교사 중심의 교수 방법으로부터 학생의 참여와 사고가 수업의 초점인 학생 중심의 교수 방법으로의 교수 관점의 전환을 요구하고 있다(서형두, 2003). 그러나 안타깝게도 여전히 대부분의 과학 수업에서 교사들은 그들이 학생 때 수업을 받았던 방식대로 학생들을 가르치고 있다(곽영순 등, 2009; Michelsohn & Hawkins, 1994).

표 1-1 미국 국가과학교육기준의 '교수 기준'에서 강조점의 변화(NRC, 1996)

보다 덜 강조	보다 더 강조
• 모든 학생들을 똑같게 여기고, 전체로서 학생들에게 대응	• 학생 개개인의 흥미, 장점, 경험, 요구에 대한 이해와 그에 따른 대응
• 교육과정의 엄격한 준수	• 교육과정의 상황에 따른 조정
• 학생의 정보 획득	• 학생의 과학 지식, 탐구 과정에 대한 이해와 적용
• 강의, 교재, 시범을 통한 과학 지식의 설명	• 능동적이고 확장적인 과학 탐구로의 안내
• 획득된 지식의 반복적 사용 요구	• 학생들 사이의 과학적 토의 · 토론 기회 제공
• 단원이 끝날 때마다 사실적 정보에 대한 시험	• 학생의 이해에 대한 지속적인 평가
• 교사의 책임과 권위 유지	• 학생과 교사의 학습에 대한 책임 공유
• 학생들 사이의 경쟁	• 학생들 사이의 협동, 책임 공유, 존중
• 과학 수업 개선을 위한 교사의 개별적인 활동	• 과학 수업 개선을 위한 다른 교사들과의 협력

1.4
초등교사의 과학 교과 지도 능력

사실 초등교사에게는 교사가 되는 순간부터 불가능한 임무가 주어진다(Martin, 2000). 교과 지도를 위해 초등교사는 무엇보다도 가르치는 모든 교과의 기본적 지식에 대해 정통해야 하고, 모든 교과를 효과적이고 효율적으로 가르쳐야 한다. 어느 누구도 모든 일을 다 잘할 수는 없다! 역설적이지만 바로 이러한 점에서 한 교과목의 전문가인 중등교사와는 다른 초등교사의 전문성이 요구된다. 즉 초등교사는 가르치는 모든 교과에 대한 내용과 교수 방법에 있어서의 폭넓은 지식의 소유자로서의 전문성을 갖추어야 한다(고재천, 2001). 이 절에서는 '과학 교과를 잘 지도하기 위해 초등교사는 어떠한 능력을 갖추어야 하는가?'라는 질문에 대한 답을 교사가 갖추어야 하는 '지식'과 '태도와 신념' 측면에서 살펴본다.

1. 교사의 지식 측면

교과 지도와 관련하여 교사가 갖추어야 할 지식은 그림 1-3과 같이 '교과 내용 지식', '일반 교육학 지식', '상황에 관한 지식', '교과 교육학 지식'[2]으로 구분할 수 있다(곽영순, 2007; 임청환, 2003; Carlsen, 1999; Magnusson et al., 1999).

먼저 '교과 내용 지식'이란 물리, 화학, 생명과학, 지구과학과 같은 학문 분야의 지식 체계 및 탐구 방식, 과학이라는 학문의 특성 등에 관한 지식을 말한다. '일반 교육학 지식'은 학급 운영, 학습자와 학습, 초등학교 교육과정과 같이 여러 교과목에 걸쳐 교사가 가지고 있는 일반 교육학적 지식을 의미한다. '상황 지식'은 지역 공동체나 학교 등의 일반적인 교육 환경에 대한 지식이나 특정 학급과 학생들에 대한 특정 상황적 지식을 말한다. 한편 '교과 교육학 지식(PCK)'은 과학과 교육과정, 학생들의 과학 오개념, 과학 교수-학습 방법, 과학 학습 평가 등에 대한 지식을 말한다(조희형과 고영자, 2008; Magnusson et al., 1999; Park & Oliver, 2008).

위와 같이 초등학교에서 과학 교과 지도를 위한 지식 기반은 다차원적이지만, 여기에서는 비교적 범교과적으로 적용되는 '일반 교육학 지식'과 '상황 지식'에

---

[2] '교과 교육학 지식(Pedagogical Content Knowledge, PCK)'은 '교육학적 내용 지식', '교수 내용적 지식', '교수법적 내용 지식', '교수 내용 지식' 등으로 번역되어 사용되고 있다.

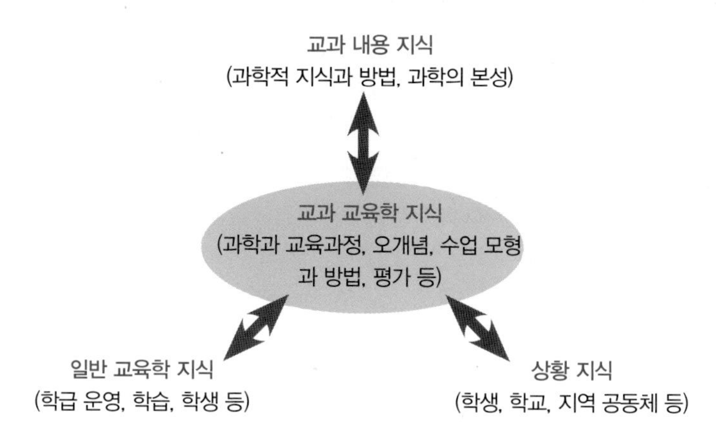

그림 1-3 과학 교과 지도와 관련된 교사의 지식 기반

대해 살펴보기보다는 과학 교과에 독특한 '교과 내용 지식'과 '교과 교육학 지식'에 제한하여 살펴본다.

(1) 과학 교과 내용 지식

국내외 많은 연구에서 제기된 초등 과학 수업에 대한 비판 중 하나는 초등 현장교사와 예비교사 모두 교과 내용 지식이 불충분하거나 부적절하다는 것이다. 즉 상당수의 초등 현장교사와 예비교사 모두 제한된 과학 내용 지식을 가지고 있으며(Olson & Appleton, 2006; Schoon & Boone, 1998), 학생들과 마찬가지로 많은 오개념을 가지고 있다(곽영순, 2007; 서형두, 2003; Olson & Appleton, 2006). 또한 초등 현장교사와 예비교사를 대상으로 한 연구들(예를 들어, 강호감 등, 2004; 곽영순, 2011; 윤혜경, 2004; 이수아 등, 2007)에서 초등 현장교사와 예비교사 스스로도 과학수업에서 겪는 어려움 중 하나로 과학 내용 지식의 부족을 들었다.

그림 1-4의 초등 예비교사의 수업 사례에서 나타난 바와 같이, 교사가 과학 교과 내용 지식에 부족함을 느끼고 학생들의 의외의 질문에 대한 답변의 어려움 등으로 인해 과학 수업에 부담을 느낀다면 학생들에게 유의미한 수업이 되기는 어렵다. 또한 교사의 정확하지 않은 설명으로 인해 학생들이 오개념을 갖게 될 수도 있다. 사실 초등교사는 과학이라는 학문의 전문가가 아니기 때문에 그들의 과학 내용 지식이 불충분하고 불완전하다는 사실은 놀라운 일이 아니다(Akerson, 2005). 그러나 여기서 주목할 점은 교사의 교과 내용 지식은 자신이 가르칠 내용

〈초등 예비교사 A〉
이때 한 아동이 질문이 있다며 손을 들었다. 그 질문의 내용은 '곰팡이가 식물인지 동물인지?'에 관한 것이었다. 솔직히 말해서 순간 조금 당황했다. 물론 곰팡이가 식물 쪽에 속한다고 생각하고 있었지만, 어느 책에서 식물, 동물, 균류 이렇게 세 종류로 생물을 나눈다는 내용을 본 기억이 스쳤기 때문이다. 현재로서 내가 곰팡이가 어디에 속하는지, 왜 그런지 딱히 예를 들어 쉽게 설명해 줄 수 없을뿐더러 오늘 목표를 달성하지 않으면 다음 차시에 다른 교생선생님이 수업을 진행하는 데 차질이 올까봐 그냥 그쯤에서 멈추고 각자 집에 가서 곰팡이가 어디에 속하는지 알아보게 했다(p.81).

〈초등 예비교사 B〉
평소에 책을 많이 읽고 공부 잘 하는 아이가 혜성의 이름에 대해 질문을 했고, 그 질문에 대한 대답을 나름대로 친절하게 해주자, 갑자기 여기저기에서 질문이 쏟아졌다. 다행히, 내가 아는 지식 범위의 질문들이었는데 갑자기 등장한 질문, "그런데 화이트홀은 뭐예요?" 수업을 하면서 그렇게 당황한 적이 없었다. 화이트홀이라는 말만 들어봤지, 그게 무엇인지는 몰랐던 것이다. 의기양양하게 쏟아지는 질문에 답해주던 나는 당황한 기색을 애써 감추면서, 갑자기 질문들 때문에 소란스러워진 반 분위기를 정리하는 듯하며, "이제 나온 질문들은 다음 시간에 계속하자. 질문 받다가 날 새겠다"라고 슬쩍 위기를 모면했다. 그 아이에게는 참으로 미안했지만 그때로서는 방법이 없었다(p.82).

그림 1-4 교과 내용 지식과 관련해 초등 예비교사가 겪는 어려움(윤혜경, 2004)

과 가르치는 방식에 영향을 미칠 수 있다는 점이다. 예를 들어, 교과 내용 지식이 부족한 교사는 흔히 학생 중심의 수업 방법보다는 강의법이나 교과서에 지나치게 의존한다. 또한 교과 내용 그 자체에 대한 재구성이 아니라 활동의 순서, 준비물, 활동 방식 등과 같은 교수 방법 측면의 재구성에 머문다는 점이다(곽영순, 2011). 따라서 초등교사는 올바르고 체계적인 과학 지식을 갖추어 과학 교과 내용 지식에 있어 자신감과 함께 학생 중심의 교수 방법을 전개할 수 있어야 한다.

그렇다면 초등교사는 어느 정도의 과학 지식을 갖추어야 하는가? 과학 교과에는 물리, 화학, 생명과학, 지구과학 분야가 있으며, 지구과학 분야만도 천문학, 기상학, 해양학, 지질학 등 매우 다양하다. 또한 오늘날 알려진 과학 지식은 방대할 뿐 아니라 기하급수적으로 증가하고 있다.

어느 누구도 오늘날 방대한 지식과 정보를 다 알 수 없을 뿐 아니라 학생들에게 다 가르쳐 줄 수도 없다(Martin, 2000). 하지만 초등교사는 과학 교과 지도를 위해 최소한의 교과 내용 지식은 갖추어야 한다. 이에 대한 정답은 없지만 최소한 초등학교 과학 수업에서 다루어지는 핵심 개념 그리고 학년간 개념 체계에 대해서는 반드시 올바른 이해를 갖추어야 한다. 만약 수업 중 교육과정을 벗어난 당혹스런 질문을 받는다면 어떻게 대처해야 할까? **그림 1-5**는 그 대응 방법의 한 예이다. 초등교사는 교과 내용 지식을 어느 정도까지 깊이 이해해야 하는가? 이와 관련하여 원칙적으로 초등교사와 중등교사 사이에 별다른 차이가 없다고 할 수 있으며, 어느 수준까지 쉽게 표현해야 하는가의 측면에서는 초등학생의 발달 단계가 더 낮다는 점에서 초등교사의 전문성이 더 높을 수 있다(고재천, 2001).

교과 내용 지식과 관련하여, 교사는 제3장에서 다루어질 '과학의 본성', 즉 과학이라는 학문 그 자체의 핵심적 특성도 이해하고 있어야 한다(AAAS, 1993; NRC, 1996). 미국의 국가과학교육기준은 물상(물리와 화학), 생명, 지구와 우주뿐 아니라 과학의 본성에 초점을 맞춘 내용 기준을 제시하고 있다(NRC, 1996).

François Rabelais에 의하면 "어린이는 채워져야 할 '물병'이 아니라 붙어야 할 '불'이다." 또한 Piaget는 "교육의 목적은 지식의 양을 증가시키는 데 있는 것이 아니라 발견하고 발명해 낼 수 있는 가능성을 창조하는 데 있다"고 지적한다(신명희 등, 1998). 이러한 비유나 지적은 과학 수업에서 어린이들이 누군가에 의해서 이미 결정된 과학 지식의 습득보다는 과학을 행하는 방법을 배우는 것이 더 중요함을 시사한다(Martin, 2000). 그러나 일선 학교에서 여전히 과학의 최종 산물인 과학 지식의 습득에만 집중하는 경향이 있다. 따라서 초등교사는 교과 내용 지식과 관련하여 '산물로서의 과학', 즉 지식보다는 '과정으로서의 과학', 즉 탐구 과정 기능과 과학적 사고방식에 보다 더 많은 비중을 두는 것이 바람직하다고 할 수 있다(강호감 등, 2007). 이에 대해서는 제4~5장에서 자세히 다룬다.

이상과 같이 과학 교과 내용 지식과 관련하여, 초등교사는 초등학교 과학 수업에서 다루어지는 과학의 기본 개념 및 개념 사이의 상호관계, 과학의 본성, 탐구 과정 기능과 과학적 사고방식에 대한 올바르고 체계적인 이해를 갖추어야 한다.

(2) 교과 교육학 지식

'교과 교육학 지식'(이하 PCK)은 슐만에 의해 처음 사용된 용어로(Shulman, 1986; 1987), 특정 교과 내용을 가르치는 데 필요한 지식을 말한다. 즉 PCK는 교사의 교과 지도 측면에서의 전문성과 관련하여 강조되고 있는 것으로 교사가 수업을 전

엉뚱한 질문 하지 말고[3]

사례. 4학년 도체와 부도체 알아보기

다음 수업은 전기와 전구 단원 중 도체와 부도체의 성질을 이해하고, 여러 가지 물질을 도체와 부도체로 분류해 보는 활동이다. 전기회로에 여러 가지 물질을 연결하여 전기가 통하는지 통하지 않는지 눈으로 확인하면서 도체와 부도체의 성질을 이해하는 것이다. 교사가 먼저 몇 가지 샘플로 시범실험을 하였고 이어서 도체와 부도체에 대한 설명을 하기 시작하였다.

교사: 쇠처럼 전기가 잘 통하는 물질을 도체라고 해요. 그리고 나무젓가락처럼 전기가 통하지 않는 물질을 부도체라고 합니다.
(그때 한 아이가 질문을 하였다.)
학생: 그럼, 반도체는 뭐예요?
교사: (잠시 머뭇거리다가) 엉뚱한 질문 하지 말고 …… 도체와 부도체에 대해서 제대로 이해했어요?

교사는 학생에게 면박을 주며 수업을 계속 진행한다.

◎ 무엇이 문제인가?

학생의 질문은 학생의 사고 과정의 표현이다. 교사가 수업을 하는 동안 학생들은 수많은 경험들이 연상되면서 기존에 알고 있던 개념들의 관계를 파악하기 위해 활발한 사고를 하게 된다. 도체와 부도체의 성질을 배우는 중에 학생은 반도체에 대한 궁금증이 생겼고 그러한 질문은 수업과 관련하여 활발한 사고를 하고 있다는 증거이다. 교사의 기준에 비추어 수업과 직접적 관련이 없다고 해서 엉뚱한 질문이라고 단정 지을 것이 아니라 왜 그런 질문을 하게 되었는지 이해하려는 마음을 갖고 질문에 적극적으로 반응해 주어야 할 것이다.

◎ 어떻게 개선하나?

도체와 부도체에 관한 수업이지만 컴퓨터나 휴대폰 등이 일상화된 현대사회에서 반도체라는 용어가 너무나 익숙하기 때문에 학생들이 이에 대해 궁금증을 갖는 것은 당연하다. 도체와 부도체의 중간쯤 위치하고 있는 반도체에 대해서도 간단하게 언급해 주고 질문에 미처 대답할 준비를 못했다면 "좋은 질문이군요. 반도체라는 어려운 개념을 생각해낸 OO를 칭찬합니다. 그런데 정말 반도체라는 것이 뭘까요?" 하면서 반 전체 학생들과 함께 질문을 공유하고 같이 생각해 볼 수 있도록 유도하는 것이 중요하다. OO가 질문한 반도체에 대해 조사해 본 후 다음 시간에 같이 이야기를 나누자고 말한 뒤 준비한 수업을 계속하는 것도 좋은 방법이 될 것이다.

그림 1-5 수업 중 교육과정을 벗어난 질문에 대한 교사-학생 상호작용의 한 예

[3] 이 내용은 이화진 등(2007)의 해당 내용(p.128)을 연구자의 허락하에 발췌한 것임.

개하는 데 있어 가장 핵심적인 지식이라 할 수 있다(김희경, 2007).

초등교사는 과학의 주요 개념이나 과학적 방법과 같은 교과 내용학적 지식뿐 아니라 '과학 PCK', 즉 과학과 교육과정, 어린이들이 과학을 학습하는 방식, 어린이들이 수업 전에 이미 알고 있는 것, 과학 수업 모형과 수업 방법, 과학 학습 평가 등에 대한 지식을 갖추어야 한다. 숙련된 과학 교사들이 구현하고 있는 좋은 수업의 방향을 분석한 연구 결과(곽영순과 김주훈, 2002)에 의하면, 좋은 과학 수업을 하는 교사들은 학생들이 어떻게 과학을 학습해 나가는지, 어떤 요인들이 학생들의 과학 학습에 영향을 미치는지에 대하여 자료를 수집 · 분석하고 이를 자신의 수업 개선에 적극 반영한다. 또한 좋은 과학 수업을 하는 교사들은 다양한 수업 전략의 중요성을 인식하고 있으며, 상황에 따라 적절한 수업 전략을 활용한다.

'과학 PCK'란 과학이라는 교과의 교육학, 즉 '과학 교과 교육론'에 해당하는 것으로(조희형과 고영자, 2008), 이 책에서 다루어지는 대부분의 내용이 바로 PCK에 관한 것이라 할 수 있다. 따라서 이 책에서 앞으로 다루어질 내용은 궁극적으로 미래 초등교사로서 좋은 과학 수업을 전개해 나가는 데 필요한 과학 PCK의 기초를 체계적으로 다지는 기회 제공을 목적으로 한다고 할 수 있다.

2. 교사의 태도와 신념 측면

많은 초등교사들이 과학을 가르치는 것에 대해 부담을 느끼고 있으며, 과학을 좋아하지 않거나 과학을 가르치는 능력이 충분하지 않다고 생각한다(Bentley et al., 2000). 만약 교사가 과학을 좋아하지 않거나 과학 교과 지도에 대한 부담감을 갖거나 자신감이 결여되어 있다면 좋은 과학 수업이 이루어지리라 기대하기 어렵다.

초등교사의 과학 선호도, 과학 불안,[4] 과학 관련 태도, 과학 학습에서 어린이들의 성공 가능성에 대한 신념, 과학 교수-학습관 등은 학생들의 과학 학업 성취도나 과학 관련 태도 및 교사의 과학 수업 방식 등에 많은 영향을 미친다. 예를 들어, 초등교사의 과학 선호도가 높을수록 어린이들의 과학 성취도가 높고, 교사의 과학에 대한 태도가 어린이들의 과학 수업에 대한 태도에 많은 영향을 미치며, 교사가 어린이들에 대해 긍정적 기대를 가지고 과학 수업에 임할 때 어린이들의 학

[4] 과학 불안이란, 과학 교과의 수행이라는 조건하에서 기인되는 긴장(intension)의 경험으로서 불안이나 두려움(fear), 근심(uneasiness), 걱정(worry) 등의 감정을 말한다(임청환과 최종식, 1999).

습 효과가 높아진다.

따라서 초등교사는 과학에 대한 긍정적 태도, 과학 학습에서 어린이들의 성공 가능성에 대한 긍정적 인식, 과학 수업에 대한 자신감, 현대적인 과학 교수-학습관 등을 가지는 것이 중요하다. 이를 위해 무엇보다도 먼저 여러분 자신의 과학 교과 지도와 관련된 태도와 신념의 현재 상태를 점검할 필요가 있다. 〈부록 1-1〉부터 〈부록 1-3〉에는 여러분의 과학에 대한 태도, 과학 교수효능감 및 과학 교수-학습관을 점검할 수 있는 문항과 여러분의 응답 결과에 대한 해석 방법이 제시되어 있으므로 스스로 자신의 현재 상황을 점검해 보길 바란다.

1.5 과학 교과 지도 능력 함양

미래 초등교사로서 지금까지 논의된 과학 교과를 잘 지도하는 데 필요한 능력을 모두 갖추기란 무척 어려운 일이다. 교사의 신념이나 교수법의 변화는 단기간의 노력을 통해 쉽게 이루어지는 것이 아니라 교수 실제를 통해 부단히 변화해 가는 과정이며(서형두, 2003), 다음과 같은 과학 및 교육 분야에서의 변화와 요구는 초등교사에게 과학 교과를 잘 지도하기 위한 꾸준한 자기 연마를 필요로 한다.

첫째, 오늘날 과학 지식은 급격한 발전과 변화를 겪고 있으며 사회적 쟁점들과의 관련성 또한 증대되고 있기 때문에 교사들에게는 이에 대한 이해를 도모할 수 있는 지속적인 기회가 필요하다(NRC, 1996). 즉 교사는 과학 및 과학교육과 관련된 현안 쟁점들에 관심을 가지고, 동료 교사와 함께 논의하고, 과학 관련 워크숍이나 연수 등의 교육 기회에 적극적으로 참여할 필요가 있다.

둘째, 교사들은 자신의 과학 수업에 대한 분석의 기회를 가져야 하고 이를 동료와 공유할 수 있어야 한다(NRC, 1996). 즉 교사는 자신의 수업을 반성하고, 장점과 약점을 파악하여 보완해야 하며, 변화하는 학생들의 요구에 부응하고 모든 학생들이 성공적으로 학습할 수 있도록 수업을 구성해야 하며, 동료 교사와 성공적 교수 전략을 공유해야 한다(홍미영 등, 2002b).

셋째, 현재 교직을 '증거를 토대로 하는 또는 증거에 정통한' 전문직으로 만들려는, 즉 교사들이 그들의 교수 활동에 기존의 연구 결과를 참고하도록 장려함으로써 '연구'와 '실제' 사이에 훨씬 더 긴밀한 연결이 이루어지도록 하려는 움직임이 있다(Bennett, 2003). 과학교육 연구는 궁극적으로 현장에서 이루어지는 과학교육의 개선을 목표로 수행되므로 교사는 과학교육 연구의 수요자임과 동시의 생산자가 되어야 한다. 여러 교과목을 가르쳐야 하는 초등 현장의 상황을 고려할 때 어려움이 있기는 하지만, 최소한 과학교육 연구의 수요자가 되어야 하며, 이는 전문직으로서의 초등 교직의 위상을 확립하는 길이다. 이를 위해 교사는 과학교육 관련 논문을 검색하고 논문 결과에 대한 비판적 검토를 통해 이를 실제 수업에 활용할 수 있는 능력을 갖추어야 한다.

위와 같이 과학을 잘 가르치는 교사가 되는 길은 학부 시절부터 교사 경력이 끝날 때까지 자기 발전을 위해 노력하는 지속적 과정이라 할 수 있으며(NRC, 1996), 교사는 평생 학습자의 자세로 교과 지도의 전문성 개발을 위해 노력해야 한다. 〈**부록 1-4**〉에는 한국교육과정평가원에서 개발한 '과학과 수업 전문성 기준'(임찬빈과 곽영순, 2006)이 제시되어 있다. 이 자료는 미래 초등교사로서 여러분이 과학 교과 수업의 전문성을 계발해 나가는 과정에서 지속적으로 자신의 강점과 약점을 분석하는 지표로 사용할 수 있다.

연습문제

1. 다음은 '과학을 왜 공부해야 하는가?'라는 질문에 대한 학생들의 실제 응답의 예를 가지고 구성한 수업 상황이다. 과학을 공부해야 하는 이유에 대한 두 학생의 설명의 특징을 분석하시오. 또한 두 학생의 설명 외에 어떤 내용을 추가하면 좋을지 제안하시오.

> 철수: 선생님 과학을 왜 배워야 하나요?
>
> 교사: 철수가 참 좋은 질문을 했구나! 우리가 왜 과학을 배워야 할까요?
>
> 승희: 과학은 창의력과 상상력을 넓혀주는 거라고 생각해요. 이유는 에디슨을 보면 그런데요. 실험을 하다 이것은 이렇게 되겠구나 하는 예지 능력이 생길 수도 있는 것 같아요. 그러므로 상상력이 풍부해지고 과학에 더 빠져드는 것 같아요.
>
> 민수: 생활을 더 편리하게 살 수 있습니다. 예를 들면, 몸이 아플 때 어떻게 해야 좋을지 스스로 판단할 수 있습니다. 또한 가정에서 TV나 라디오가 고장 나면 고칠 수 있어요. 만약 과학 같은 걸 안 배우면 고장 난 것도 못 고쳐 쓰고 그대로 버릴 수밖에 없습니다. 그래서 과학은 꼭 생활에 필요합니다.
>
> 교사: ______________________________

2. '우리는 왜 과학을 가르치고 배워야 하는가?'에 대한 교사의 인식은 실제 과학 수업 내용과 방법에 영향을 미친다고 한다. 왜 그런지 설명하시오.

3. '과학 지식이 풍부한 교사와 과학 교수 방법에 대해 정통한 교사 중 누가 과학을 더 잘 가르칠 수 있을까? 만약 두 입장 중 부득이 어느 입장을 선택하라고 한다면 어느 것을 선택하겠는지 이유를 들어가며 논하시오.

4. 현재 여러분의 상황에서 자신의 과학 교과 내용 지식을 발달시킬 수 있는 방안을 제시하시오.

5. 과학 수업 시간 중 한 학생으로부터 자신이 설명하기 어려운 질문을 받았다고 가정하고 이에 대한 대처 방안을 두 가지 제안하시오.

6. 〈부록 1-1〉~〈부록 1-3〉에 제시된 문항에 답한 후, 그 결과를 토대로 자신의 강점과 약점에 대해 분석하시오.

7. '국회도서관'(https://www.nanet.go.kr), '학술연구정보서비스'(www.riss4u.kr), 교내 도서관 등의 홈페이지에서 초등학생의 과학 오개념에 관한 연구 논문들을 검색해 보고 그 중 한 편을 읽고 느낀 점을 쓰시오.

2

과학과 교육과정

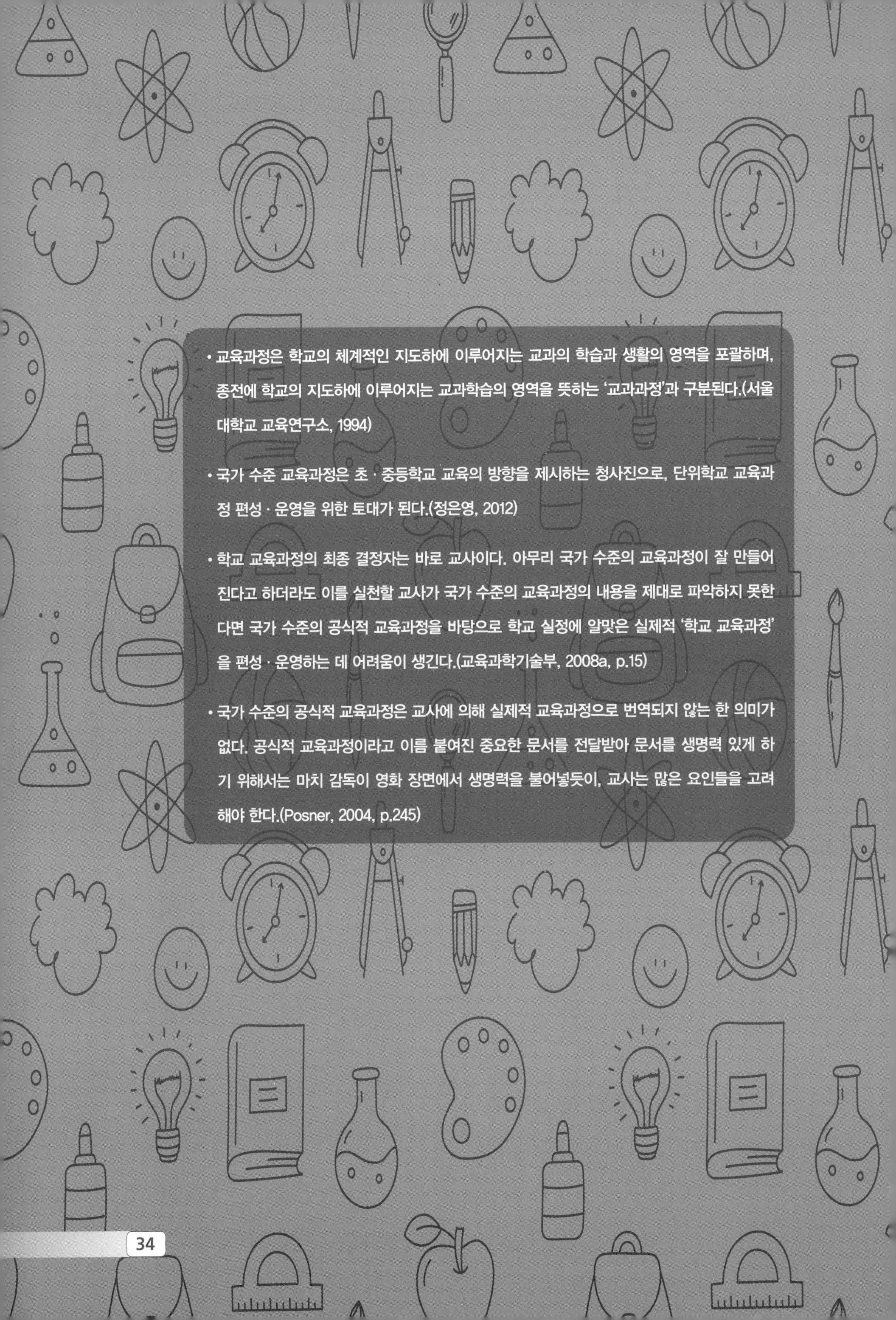

- 교육과정은 학교의 체계적인 지도하에 이루어지는 교과의 학습과 생활의 영역을 포괄하며, 종전에 학교의 지도하에 이루어지는 교과학습의 영역을 뜻하는 '교과과정'과 구분된다.(서울대학교 교육연구소, 1994)
- 국가 수준 교육과정은 초 · 중등학교 교육의 방향을 제시하는 청사진으로, 단위학교 교육과정 편성 · 운영을 위한 토대가 된다.(정은영, 2012)
- 학교 교육과정의 최종 결정자는 바로 교사이다. 아무리 국가 수준의 교육과정이 잘 만들어진다고 하더라도 이를 실천할 교사가 국가 수준의 교육과정의 내용을 제대로 파악하지 못한다면 국가 수준의 공식적 교육과정을 바탕으로 학교 실정에 알맞은 실제적 '학교 교육과정'을 편성 · 운영하는 데 어려움이 생긴다.(교육과학기술부, 2008a, p.15)
- 국가 수준의 공식적 교육과정은 교사에 의해 실제적 교육과정으로 번역되지 않는 한 의미가 없다. 공식적 교육과정이라고 이름 붙여진 중요한 문서를 전달받아 문서를 생명력 있게 하기 위해서는 마치 감독이 영화 장면에서 생명력을 불어넣듯이, 교사는 많은 요인들을 고려해야 한다.(Posner, 2004, p.245)

제1장에서 '우리는 왜 과학을 배워야 하는가?' 등의 질문에 대해 살펴보았다. 이 장에서는 '과학 수업에서는 무엇을 가르치고 배워야 하는가?'라는 물음에 대해 살펴본다.

학교 교육에서 가르치고 배워야 할 '무엇'에 관한 것을 담고 있는 것이 바로 교육과정(curriculum)이다. 교육과정은 관점에 따라 다양한 의미로 해석될 수 있다. 예를 들어, 교육목표를 달성하기 위하여 마련된 '교육 내용'이라는 좁은 의미의 교육과정에서부터 교육 내용뿐 아니라 그 내용을 선정 · 조직하고, 전개하고, 평가하는 과정을 모두 포함하는 넓은 의미의 교육과정에 이르기까지 다양하다(김인식 등, 2000). 우리나라의 국가 수준 교육과정은 수차례의 개정을 거치면서 그 의미가 확대되어 왔다. 초기에는 학교에서 학생에게 가르칠 교과목을 정하고 그 내용을 주제 또는 제목 수준에서 대강 열거해 놓은 것에 불과한 교수요목[1] 수준에서 교육의 목표와 내용, 교육의 방법이나 운영 방식, 교육 평가를 포괄하는 폭넓은 개념으로 발전해 왔다(이홍우 등, 2003; 교육과학기술부, 2008a). 흔히 교육과정의 의미를 단순하게 해석하여 가르쳐야 할 내용, 심지어 교과서의 내용으로만 보는 경우가 있는데(교육과학기술부, 2008a), 이와 같이 '교육과정'과 '교과서'를 거의 같은 의미로 받아들이는 것은 교사들의 교육과정에 대한 이해가 부족하기 때문이다(심재호 등, 2009). 따라서 국가 수준 교육과정과 교사가 인식하는 교육과정 사이의 괴리를 없애기 위해서 교사는 교육과정에 대한 정확한 이해를 위해 노력해야 한다.

우리나라의 경우 국가 수준 교육과정은 교육부가 교육부 고시 형태로 문서화하고, 이 문서를 바탕으로 일선 학교에서 사용할 교과용 도서가 만들어진다(진영은, 2002). 국가 수준 교육과정 등에 근거하여 일선 학교에서는 단위학교 교육과

[1] 가르쳐야 할 내용을 항목별로 나열한 것을 '교수요목'이라고 하며, 우리나라 제1차 교육과정 이전의 시기를 흔히 '교수요목기'라 부른다. 이는 학교에서 학생에게 가르칠 교과목을 정하고 그 내용을 주제 또는 제목 수준에서 대강 열거해 놓은 것에 불과하였기 때문이다(이홍우 등, 2003).

정을 만든다. 이 장에서는 우리나라 국가 수준 교육과정의 성격과 단위학교 교육과정과의 관계, 국가 수준 교육과정의 개정 절차, 2022 개정 초등학교 교육과정의 주요 변화, 2022 개정 과학과 교육과정의 주요 내용, 과학과 교육과정에 따라 개발된 과학과 교과용 도서의 특징 등에 대해 살펴본다.

2.1 국가 수준 교육과정의 성격과 개정 절차

그림 2-1과 같이, 2022 개정 교육과정의 총론 서두에는 교육부가 고시한 교육과정의 성격을 규정하고 있으며, 총론의 내용 중에는 단위학교 차원의 '학교 교육과정'과 교육청 차원의 '학교 교육과정의 편성 · 운영 지침'에 관한 내용이 포함되어 있

이 교육과정은 초 · 중등교육법 제23조 제2항에 의거하여 고시한 것으로, 초 · 중등학교의 교육 목적과 교육 목표를 달성하기 위한 국가 수준의 교육과정이며, 초 · 중등학교에서 편성 · 운영하여야 할 학교 교육과정의 공통적이고 일반적인 기준을 제시한 것이다.

(중략)

['Ⅲ. 학교 교육과정 편성 · 운영' 중 '1. 기본 사항']
가. 초등학교 1학년부터 중학교 3학년까지의 공통 교육과정과 고등학교 1학년부터 3학년까지의 학점 기반 선택 중심 교육과정으로 편성 · 운영한다.
나. 학교는 학교 교육과정 편성 · 운영 계획을 바탕으로 학년(군)별 교육과정 및 교과(목)별 교육과정을 편성할 수 있다.

(중략)

['Ⅳ. 학교 교육과정 지원' 중 '2. 교육청 수준의 지원']
1) 지역의 특수성, 교육의 실태, 학생 · 교원 · 주민의 요구와 필요 등을 반영하여 교육청 단위의 교육 중점을 설정하고, 학교 교육과정 개발을 위한 시 · 도 교육청 수준 교육과정 편성 · 운영 지침을 마련하여 안내한다.
2) 시 · 도의 특성과 교육적 요구를 구현하기 위하여 시 · 도 교육청 교육과정 위원회를 조직하여 운영한다.
가) 이 위원회는 교육과정 편성 · 운영에 관한 조사 연구와 자문 기능을 담당한다.
나) 이 위원회에는 교원, 교육 행정가, 교육학 전문가, 교과 교육 전문가, 학부모, 지역사회 인사, 산업체 전문가 등이 참여할 수 있다.

그림 2-1 2022 개정 교육과정의 성격과 수준(교육부, 2022a)

다. 이것은 2022 개정 교육과정에서 교육과정을 세 수준으로 구분할 수 있음을 의미한다. 즉 교육부가 법률에 따라 고시하는 국가 수준의 '교육과정', 이것을 토대로 시 · 도 교육청에서 지역의 특수성과 교육 중점을 반영하여 작성한 지역 수준의 '학교 교육과정 편성 · 운영 지침', 그리고 단위학교에서 학교의 실정과 학생의 실태에 알맞게 조정한 학교 수준의 '학교 교육과정' 모두를 포함하여 교육과정의 의미를 제시하고, 그 기능과 역할을 부여하고 있다(교육부, 2022a).

이상에서 볼 수 있는 바와 같이 2022 개정 교육과정은 교육부, 시 · 도 교육청, 학교 순의 일방적인 교육과정 편성 · 운영을 지양하고, 교육부, 시 · 도 교육청, 학교가 교육과정 편성 · 운영을 위해 상호보완적 관계를 가지며 교육부와 학교가 직접 상호작용할 수 있음을 언급하고 있다.

국가 수준 교육과정에 대한 이해를 위해 교육과정 개정 절차를 요약하면 그림 2-2와 같다. 국가 수준 교육과정이 개발 및 고시되기까지 여러 과정을 거치게 된다. 교육과정의 개발 과정은 약 2년 정도에 걸쳐 많은 인원과 경비 등 수많은 노

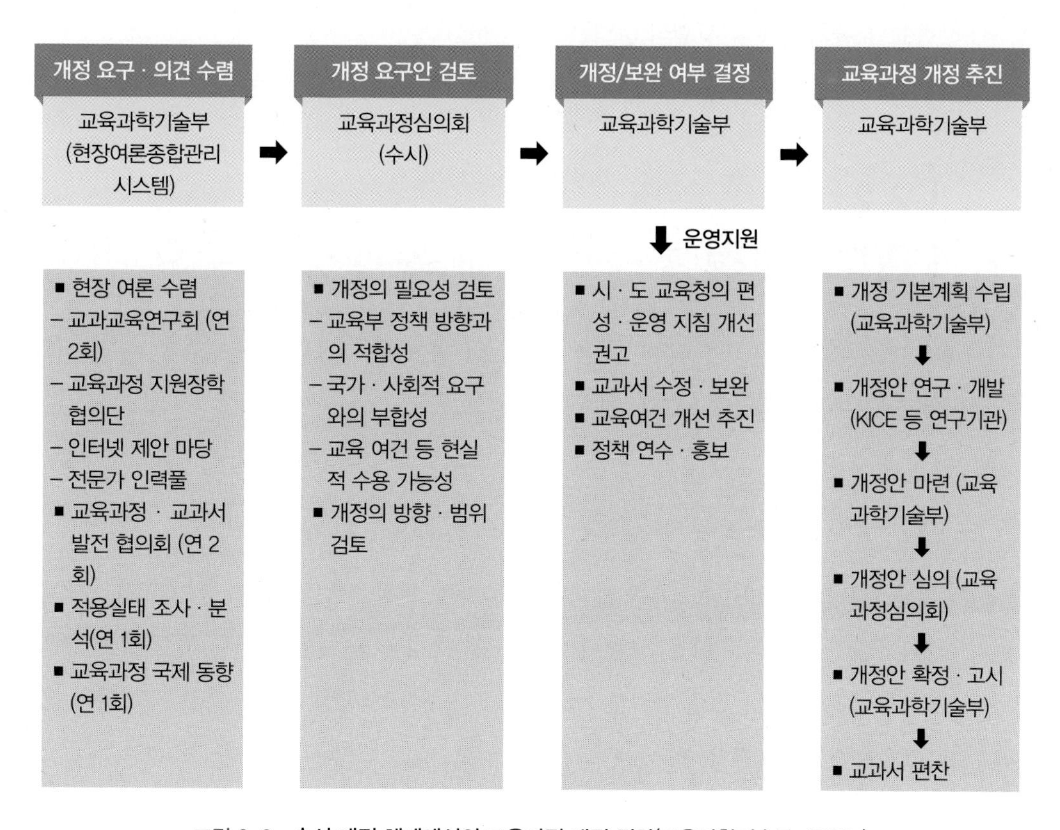

그림 2-2 수시 개정 체제에서의 교육과정 개정 절차(교육과학기술부, 2008a)

력을 요하는 일련의 과정이라 할 수 있다(교육과학기술부, 2008a; 권영민, 2004; 권재술 등, 1998). 일반적으로 '초 · 중등학교 교육과정 총론' 개발이 이루어지고, 총론에 근거하여 각 교과의 각론이 개발되며, 교육부의 교육과정 개정안에 대한 확정 · 고시가 이루어지면, 이어서 교육과정을 토대로 교과서가 개발된다.

교육부에서 고시하는 교육과정 문서는 국가 수준의 기준이지, 그 자체가 각 학교에 알맞은 학교 교육과정이 될 수는 없으며, 교육부에서 전국의 수많은 학교의 교육과정을 학교마다 알맞게 구성해 주는 것은 불가능한 일이다(교육과학기술부, 2008a). 따라서 '학교 교육과정'의 최종 결정자로서 교사는 학교에서 전개할 일련의 교육 실천 계획을 수립하고 중점 교육내용과 방법을 결정해야 한다. 이때 그 근거가 되는 것은 국가 수준의 '교육과정'과 시 · 도교육청의 '학교 교육과정 편성 · 운영 지침'이기 때문에 교사는 이를 자세히 분석하는 동시에 학교의 교원 · 학생 실태, 교육 시설 · 자료 등의 교육 여건을 잘 파악해야 한다. 또한 국가 수준의 교육과정이 개정되면 교사는 개정의 취지, 변화 내용 등에 대한 이해를 바탕으로 개정된 국가 수준의 교육과성이 의도한 바가 학교 현장에서 실현될 수 있도록 학교 교육과정을 구성해야 한다(정은영, 2012).

2.2 2022 개정 초등학교 교육과정의 주요 변화

이전 교육과정과 비교하여, 2022 개정 교육과정에서 더욱 주목하고 있는 개정의 방향과 주요 내용은 다음과 같다.

1. 미래 사회가 요구하는 역량을 함양할 수 있는 교육

2022 개정 교육과정은 '미래 사회가 요구하는 역량을 함양할 수 있는 교육', '학습자의 삶과 성장을 지원', '교육과정 자율성 확대', '교육 환경 변화에 적합한 교과 교육과정 개발 및 지원'이라는 네 가지를 교육과정 개정의 방향으로 제시하고 있다(교육부, 2022b; 표 2-1).

우선, '미래 사회가 요구하는 역량을 함양할 수 있는 교육'은 2022 개정 교육

표 2-1 2022 개정 교육과정에서 추구하는 인간상(교육부, 2022a, p.5)

가. 전인적 성장을 바탕으로 자아정체성을 확립하고 자신의 진로와 삶을 스스로 개척하는 자기 주도적인 사람
나. 폭넓은 기초 능력을 바탕으로 진취적 발상과 도전을 통해 새로운 가치를 창출하는 창의적인 사람
다. 문화적 소양과 다원적 가치에 대한 이해를 바탕으로 인류 문화를 향유하고 발전시키는 교양 있는 사람
라. 공동체 의식을 바탕으로 다양성을 이해하고 서로 존중하며 세계와 소통하는 민주시민으로서 배려와 나눔, 협력을 실천하는 더불어 사는 사람

과정이 추구하는 인간상, 핵심역량 등에 반영되어 있다. 2022 개정 교육과정이 추구하는 인간상은 자기 주도적인 사람, 창의적인 사람, 교양있는 사람, 더불어 사는 사람으로, 미래 사회에 대응하기 위해서는 포용성과 창의성을 갖춘 주도적인 사람이 필요하다는 철학이 반영되어 있다.

아울러 이러한 교육과정이 추구하는 인간상을 구현하기 위해 교과 교육과 창의적 체험활동을 포함한 학교 교육 전 과정을 통해 중점적으로 기르고자 하는 핵심역량을 자기관리 역량, 지식정보처리 역량, 창의적 사고 역량, 심미적 감성 역량, 협력적 소통 역량, 공동체 역량을 제시하고 있다(표 2-2).

표 2-2 2022 개정 교육과정의 핵심역량(교육부, 2022a, p.6)

핵심역량	교육과정 제시문
자기관리 역량	가. 자아정체성과 자신감을 가지고 자신의 삶과 진로를 스스로 설계하며 이에 필요한 기초 능력과 자질을 갖추어 자기 주도적으로 살아갈 수 있는 자기관리 역량
지식정보처리 역량	나. 문제를 합리적으로 해결하기 위하여 다양한 영역의 지식과 정보를 깊이 있게 이해하고 비판적으로 탐구하며 활용할 수 있는 지식정보처리 역량
창의적 사고 역량	다. 폭넓은 기초 지식을 바탕으로 다양한 전문 분야의 지식, 기술, 경험을 융합적으로 활용하여 새로운 것을 창출하는 창의적 사고 역량
심미적 감성 역량	라. 인간에 대한 공감적 이해와 문화적 감수성을 바탕으로 삶의 의미와 가치를 성찰하고 향유하는 심미적 감성 역량
협력적 소통 역량	마. 다른 사람의 관점을 존중하고 경청하는 가운데 자신의 생각과 감정을 효과적으로 표현하며 상호협력적인 관계에서 공동의 목적을 구현하는 협력적 소통 역량
공동체 역량	바. 지역 · 국가 · 세계 공동체의 구성원에게 요구되는 개방적 · 포용적 가치와 태도로 지속 가능한 인류 공동체 발전에 적극적이고 책임감 있게 참여하는 공동체 역량

표 2-3 2022 개정 교육과정의 초등학교 편제와 시간 배당 기준(교육부, 2022a, p.17)

구 분		1~2학년	3~4학년	5~6학년
교과(군)	국어	국어 482	408	408
	사회/도덕		272	272
	수학	수학 256	272	272
	과학/실과	바른 생활 144	204	340
	체육	슬기로운 생활 224	204	204
	예술(음악/미술)		272	272
	영어	즐거운 생활 400	136	204
	소계	1,506	1,768	1,972
창의적 체험활동		238	204	204
학년군별 총 수업 시간 수		1,744	1,972	2,176

① 1시간의 수업은 40분을 원칙으로 하되, 기후 및 계절, 학생의 발달 정도, 학습 내용의 성격, 학교 실정 등을 고려하여 탄력적으로 편성 · 운영할 수 있다.
② 학년군의 교과(군)별 및 창의적 체험활동 시간 배당은 연간 34주를 기준으로 2년간의 기준 수업 시수를 나타낸 것이다.
③ 학년군별 총 수업 시간 수는 최소 수업 시수를 나타낸 것이다.
④ 실과의 수업 시간은 5~6학년 과학/실과의 수업 시수에만 포함된다.
⑤ 정보교육은 실과의 정보영역 시수와 학교자율시간 등을 활용하여 34시간 이상 편성·운영한다.

이상의 맥락 속에서 교과(군)과 창의적 체험 활동으로 편성된 2022 개정 교육과정의 초등학교 편제와 시간 배당은 표 2-3과 같다.

2. 학습자의 삶과 성장 지원

학습자의 삶과 성장을 지원하기 위해 2022 개정 교육과정은 진로연계교육 강화, 교과 교육과정 개선, 고교학점제 시행 등을 제시하고 있다.

첫째, 진로연계교육 강화는 미래 사회에 필요한 역량 함양 및 자기 주도학습 능력 향상에 중점을 두고, 교과와 연계한 진로 활동 등을 통해 학생의 학습과 성장을 지원하기 위함이다. 이를 위해, 기존의 중학교 1학년 자유학기(년)제는 물론, 초등학교 6학년 2학기에 자유학기 프로그램 맛보기, 중학교 생활 이해, 교과별 진로 교육 등을 실시하는 진로연계교육을 새로이 도입하였다. 유사하게 중학교 3학년에도 진로연계교육을 실시하도록 하였다.

둘째, 교과 교육과정의 개선은 깊이 있는 학습이 이뤄질 수 있도록 교과 간 연계와 통합, 삶과 연계한 학습, 학습 과정에 대한 성찰을 강화하는 방향으로 이루어졌다. 아울러, 국가 수준 교육과정의 총론과 교과 교육과정 간의 연계를 강화하고, 교과 교육과정을 통한 학습자의 성장을 지원할 수 있도록 하였다.

셋째, 고교학점제 시행을 통해 학생 개개인의 진로와 적성에 따라 교과목을 스스로 선택하여 이수하고, 누적 학점이 일정 기준에 도달하면 졸업하도록 함으로써 학생 개인별 맞춤형 교육과정이 구현되도록 하였다. 이를 위해 고등학교 수업량 기준을 '단위'에서 '학점'으로 전환하고, 필수이수학점(94단위→84학점) 조정 및 자율선택 학점 이수 범위 확대(86단위→90학점)로 교육과정 편성의 유연성을 확보하였다. 또 학교에서 개설되지 않는 선택 과목을 다른 학교에서 이수하거나 지역사회 기관 등에서 이루어지는 학교 밖 교육도 이수로 인정함으로써 선택 과목 이수 기회를 확대하였다.

3. 교육과정 운영의 자율성 확대

2022 개정 교육과정에서 교육과정의 자율성을 더욱 확대하였다. 교육과정의 자율성 확대를 위해 학교자율시간, 즉 지역 연계 및 다양하고 특색 있는 교육과정 운영을 위해 학교에서 자율적으로 편성 · 운영할 수 있는 시간을 운영하도록 하였다. 학교자율시간의 실효성 있는 운영을 위해, 학교는 한 학기 17주 기준의 수업량을 16주로 유연화하여 학기별 1주의 자율 수업 시간 확보가 가능하도록 하였다. 또 시 · 도교육청과 학교는 학생 · 교사 · 학부모의 요구 및 필요에 따라 교육과정에 제시되어 있는 과목 외에 새로운 과목(또는 활동)을 개설 후 학교자율시간에 운영이 가능하도록 하였다. 예를 들어, 초등학교의 경우, 지역과 연계된 다양한 교육과정 운영 및 학교 여건과 학생의 필요에 맞춘 선택과목(또는 활동) 3~6학년 학년별 2개 이내로(총 8개) 신설 및 운영할 수 있도록 하였다.

4. 교육환경 변화에 적합한 교과 교육과정 개발 및 지원

2022 개정 교육과정은 미래 사회의 요구에 대응하기 위해서 교육 환경 변화에 적합한 교과 교육과정을 개발하고 지원하도록 하였다. 예를 들어, 역량 함양 중심의

교과 교육과정을 개발하고, 학생 참여 중심 수업 활성화와 문제 해결 및 사고 과정을 중시한 평가를 통해 학습의 질을 개선하도록 하였다. 또 빅데이터 · AI를 활용한 맞춤형 교수 · 학습 및 평가 활동을 지원하기 위해 온 · 오프라인 연계 등 원격수업을 반영한 총론과 교육과정 편성 · 운영 기준을 마련하여 제시하였다. 아울러 학교, 교사, 학부모, 시 · 도 교육청, 교육부 등 교육 주체들 사이의 업무 분담 및 협조 체제를 강화하는 교육과정 지원 체제를 구축하고 운영하도록 하였다.

2.3 2022 개정 과학과 교육과정의 주요 내용

전술한 바와 같이, 국가 수준의 교육과정 총론이 개발되면, 이어서 총론에 근거하여 각 교과의 각론, 즉 각 교과의 교육과정이 개발된다. 이렇게 해서 개발된 개정 과학과 교육과정은 크게 '공통 교육과정'과 '선택 중심 교육과정'으로 구분되며, 그 중에서 초등에 해당하는 것은 '공통 교육과정'의 '과학'이다.

2022 개정 과학과 교육과정은 '교육과정 설계의 개요', '성격과 목표', '내용 체계 및 성취 기준', '교수 · 학습 및 평가' 등으로 구성되어 있다. 이 절에서는 '교육과정 설계의 개요', '성격과 목표', '내용 체계 및 성취기준'에 대해 살펴보고, 2022 개정 초등학교 과학과 교육과정의 주요 변화 사항을 제시하였다. '교수 · 학습 및 평가'는 〈부록 2-1〉에 제시되어 있다.

1. 교육과정 설계의 개요

초등학교 3학년부터 중학교 3학년까지의 공통 교과인 '과학' 교육과정 설계의 개요는 표 2-4와 같다(교육부, 2022c, pp.3–4).

표 2-4에서 볼 수 있듯이, 초등학교 3학년부터 중학교 3학년까지의 공통 교과인 '과학' 교과는 미래 사회를 살아갈 시민으로서 '과학적 소양을 갖추고 더불어 살아가는 창의적인 사람'을 육성하는 것을 목적으로 과학 지식 · 이해, 과정 · 기능, 가치 · 태도가 복합적으로 발현되어 나타나는 총체적인 능력인 역량을 함양하고자 설계되었다. 이때 과학 교과에서 기르고자 하는 핵심역량은 총론에서 언급

표 2-4 '과학'의 교육과정 설계의 개요(교육부, 2022c, pp. 3-4)

과학과 교육과정은 미래 사회를 살아갈 시민으로서 '과학적 소양을 갖추고 더불어 살아가는 창의적인 사람'을 육성하는 것을 목적으로 한다. 과학과 교육과정에서는 과학 지식 · 이해, 과정 · 기능, 가치 · 태도가 복합적으로 발현되어 나타나는 총체적인 능력인 역량을 함양하고자 한다.

과학과 교육과정에서는 자기관리, 지식정보처리, 창의적 사고, 심미적 감성, 협력적 소통, 공동체 역량 등과 같은 범교과적이고 일반적인 총론의 역량과 연계하여 과학적 탐구와 문제해결 능력, 과학적 의사결정 능력 등을 기르는 데 초점을 둔다. 이를 위해 과학과 교육과정은 생태 소양, 민주 시민의식, 디지털 소양을 갖추고, 첨단 과학기술을 기반으로 융복합 영역을 창출하는 미래 사회에 유연하게 대응할 수 있는 과학적 소양을 갖춘 사람을 양성하는 것을 목표로 한다.

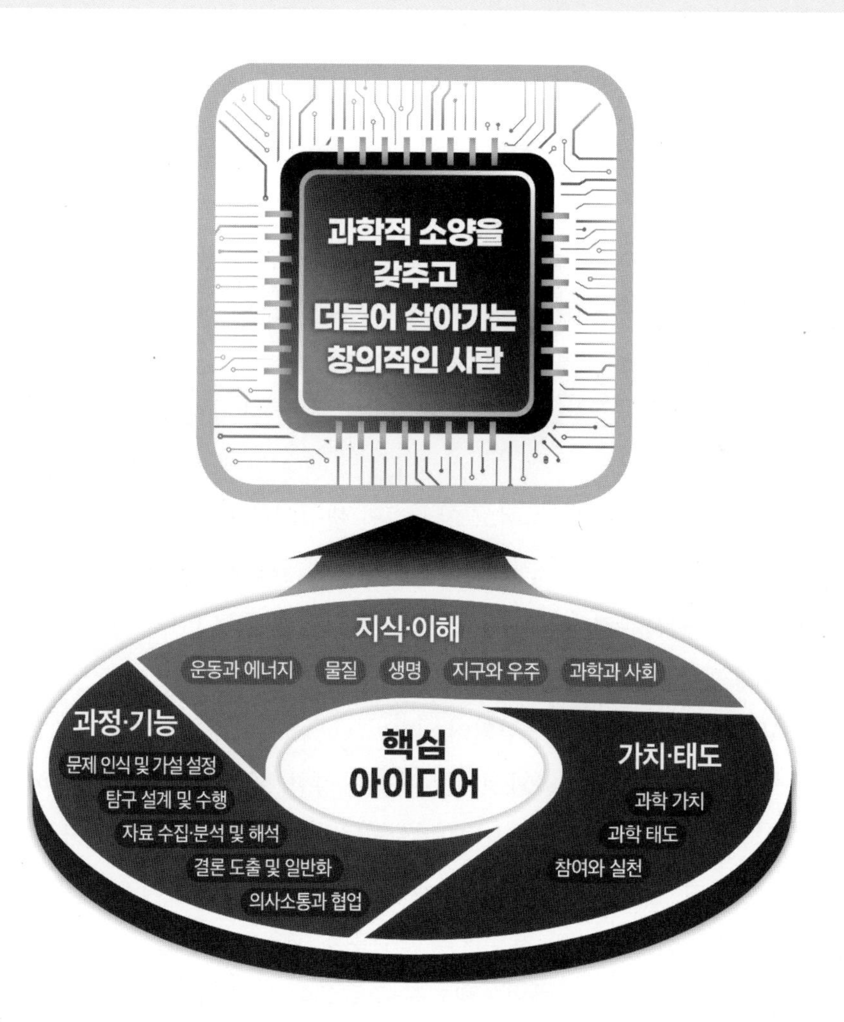

과학과 교육과정의 영역은 운동과 에너지, 물질, 생명, 지구와 우주, 과학과 사회의 5개 영역으로 구성하였다. 운동과 에너지 영역은 자연과 사물 사이의 상호작용이나 법칙을, 물질 영역은 물질의 구조와 성질 및 화학적 변화를, 생명 영역은 인간을 포함한 생명 현상의 원리를, 지구와 우주 영역은 자연 현상의 변화와 지구시스템의 주요 원리를 다룬다. 과학과 사회 영역은 개인과 사회의 지속가능한 발전에서 과학의 역할을 강조하는 현실을 반영한 추가한 영역으로, 과학의 일반적 성격 및 사회적 역할을 중점적으로 다룬다.

(다음 쪽에 계속)

표 2-4 '과학'의 교육과정 설계의 개요(교육부, 2022c, pp. 3-4)

과학과 핵심 아이디어는 과학 영역별로 주요 개념과 일반화된 지식을 중심으로 구성하였다. 운동과 에너지, 물질, 생명, 지구와 우주, 과학과 사회 등 과학의 영역별로 주요 과학 개념과 원리의 일상생활 적용과 통합 · 융합 교육을 체험할 수 있도록 과학의 지식 · 이해, 과정 · 기능, 가치 · 태도를 종합하여 핵심 아이디어를 도출하였다. 이러한 핵심 아이디어는 해당 영역의 학습을 통해 일반화할 수 있는 내용을 진술한 것으로, 과학과 관통개념을 공유하면서 과목별로 위계성과 연속성을 지닌다. 과학과 교육과정은 '성격 및 목표', '내용 체계 및 성취기준', '교수 · 학습 및 평가'로 구성된다. '성격 및 목표'에서는 각 과목의 고유한 특성과 주요 목표를 제시하였다. '내용 체계 및 성취기준'에서는 과목의 핵심 아이디어와 지식 · 이해, 과정 · 기능, 가치 · 태도별 주요 내용 요소 및 학생이 교과 학습을 통해 할 수 있기를 기대하는 도달점을 성취기준으로 제시하였다. 즉, 과학과 성취기준은 다양한 탐구 중심의 학습을 통해 '영역'별 지식 · 이해, 과정 · 기능, 가치 · 태도의 세 차원을 상호보완적으로 함양함으로써 영역별 핵심 아이디어에 도달할 수 있도록 제시하였다. 과학과 지식 · 이해는 과학과 영역별로 학생이 알고 이해해야 하는 내용을 학년군별로 제시하였다. 과학과 과정 · 기능은 학생들이 과학 학습을 통해 개발할 것으로 기대하는 과학과 탐구 기능과 과정에 해당하는 것으로, 문제 인식 및 가설 설정, 탐구 설계 및 수행, 자료 수집 · 분석 및 해석, 결론 도출 및 일반화, 의사소통과 협업을 근간으로 영역별 특성을 반영하였다. 과학과 가치 · 태도는 과학 가치(과학의 심미적 가치, 감수성 등), 과학 태도(과학 창의성, 유용성, 윤리성, 개방성 등), 참여와 실천(과학문화 향유, 안전 · 지속가능 사회에 기여 등)으로 구성하였다. '교수 · 학습 및 평가'에서는 교육과정에서 제시한 성취기준에 도달하는 데 필요한 교수 · 학습 및 평가의 주요 방향을 제시하였다. 과학과 교육과정에서는 학생이 지식 · 이해뿐만 아니라 과정 · 기능, 가치 · 태도를 균형 있게 발달시킬 수 있도록 지도하고, 학생이 행위 주체로서 자신의 역량 함양을 위해 교수 · 학습에 참여하도록 하는 방향, 그리고 교수 · 학습과 연계하여 학생의 학습과 성장을 도울 수 있는 평가 방향을 제시하였다. 특히, 미래 교육 환경에 적합한 다양한 교수 · 학습 활동을 통해 디지털 · 인공지능 기초 소양을 함양하도록 하였다.

하고 있는 6개의 범교과적이고 일반적인 핵심역량(자기관리, 지식정보처리, 창의적 사고, 심미적 감성, 협력적 소통, 공동체 역량)과 연계하여 과학적 탐구와 문제해결 능력, 과학적 의사결정 능력 등을 기르는 데 초점을 두고 있다. 이러한 역량을 기르기 위해 과학과 교육과정의 영역은 운동과 에너지, 물질, 생명, 지구와 우주, 과학과 사회의 5개 영역으로 구성되어 있다.

한편, 2022 개정 교육과정에서 처음 등장한 '핵심 아이디어'에 대해서는 과학과의 경우 과학 영역별로 주요 개념과 일반화된 지식을 중심으로 구성하였다. 운동과 에너지, 물질, 생명, 지구와 우주, 과학과 사회 등 과학의 영역별로 주요 과학 개념과 원리의 일상생활 적용과 통합 · 융합 교육을 체험할 수 있도록 과학의 지식 · 이해, 과정 · 기능, 가치 · 태도를 종합하여 핵심 아이디어를 도출하였다. 이러한 핵심 아이디어는 해당 영역의 학습을 통해 일반화할 수 있는 내용을 서술한 것으로, 과학과 관통개념을 공유하면서 과목별로 위계성과 연속성을 지닌다.

2. 성격과 목표

'과학' 교과의 성격과 목표는 표 2-5와 같다(교육부, 2022c, pp. 5-6).

'과학'은 초등학교 1~2학년에서 학습한 내용과 연계하여 미래 사회를 살아가기 위한 역량을 함양하고, 고등학교 과학 교과목 학습에 필요한 과학 기초 학력을 보장하기 위한 교과로서, 초등학교 1~2학년의 '슬기로운 생활'과 고등학교 1학년의 '통합과학1, 2', '과학탐구실험1, 2', 그리고 고등학교 일반선택, 융합선택 및 진로선택 과목과 긴밀하게 연계된 교과이다. '과학'에서는 다양한 탐구 중심의 학습

표 2-5 2022 '과학'의 성격과 목표(교육부, 2022c, pp.5-6)

가. 성격

'과학'은 '과학적 소양을 갖추고 더불어 살아가는 창의적인 사람'을 육성하기 위한 교과이다. '과학' 교과에서는 모든 학생이 과학의 기본 개념을 익히고, 과학 탐구 능력과 태도를 길러, 자연과 일상생활에서 접하는 현상을 과학적으로 이해하고, 민주 시민으로서 개인과 사회 문제를 과학적으로 해결하고 참여 · 실천하는 역량 함양에 중점을 둔다.

'과학'은 초등학교 1~2학년에서 학습한 내용과 연계하여 미래 사회를 살아가기 위한 역량을 함양하고, 고등학교 과학 교과목 학습에 필요한 과학 기초 학력을 보장하기 위한 교과이다. '과학'은 초등학교 1~2학년의 '슬기로운 생활'과 고등학교 1학년의 '통합과학1, 2', '과학탐구실험1, 2', 그리고 고등학교 일반선택, 융합선택 및 진로선택 과목과 긴밀하게 연계되어 있다.

'과학'은 운동과 에너지, 물질, 생명, 지구와 우주 및 과학과 사회의 5개 영역으로 구성된다. 운동과 에너지 영역에서는 힘과 에너지, 전기와 자기, 열, 빛과 파동 등을 다루며, 물질 영역에서는 물질의 성질, 물질의 변화, 물질의 구조 등을 다룬다. 생명 영역에서는 생물의 구조와 에너지, 항상성과 몸의 조절, 생명의 연속성, 환경과 생태계, 생명과학과 인간의 생활 등을 다루며, 지구와 우주 영역에서는 고체 지구, 유체 지구, 천체 등을 다룬다. 과학과 사회 영역에서는 이들 4개 영역의 내용을 통합적으로 다루면서 과학과 안전, 과학과 지속가능한 사회, 과학과 진로 등을 다룬다.

미래 사회는 첨단 과학기술을 기반으로 혁신적인 융복합 영역이 창출되는 사회로, 과학적 문제해결력과 창의성을 발휘하는 전문가 집단과 과학적 소양을 갖춘 시민이 함께 이끄는 사회이다. '과학'에서는 다양한 탐구 중심의 학습을 통해 '과학'의 5개 영역과 관련된 지식 · 이해, 과정 · 기능, 가치 · 태도의 세 차원을 상호보완적으로 함양함으로써 영역별 핵심 아이디어를 습득하고, 행위 주체로서 갖추어야 할 과학적 소양을 기를 수 있을 것이다.

나. 목표

자연 현상과 일상생활에 대하여 흥미와 호기심을 가지고 과학적 탐구를 통해 주변의 현상을 이해하고, 개인과 사회의 문제를 과학적이고 창의적으로 해결하는 데 민주 시민으로서 참여하고 실천하는 과학적 소양을 기른다.

(1) 자연 현상과 일상생활에 대한 흥미와 호기심을 바탕으로, 개인과 사회의 문제를 인식하고 과학적으로 해결하려는 태도를 기른다.
(2) 과학의 탐구 방법을 이해하고 자연 현상과 일상생활의 문제를 과학적으로 탐구하는 능력을 기른다.
(3) 자연 현상과 일상생활을 과학적으로 탐구하여 과학의 핵심 개념을 이해한다.
(4) 과학과 기술 및 사회의 상호 관계를 이해하고, 개인과 사회의 문제해결에 민주 시민으로서 참여하고 실천하는 능력을 기른다.

을 통해 '과학'의 5개 영역과 관련된 지식 · 이해, 과정 · 기능, 가치 · 태도의 세 차원을 상호보완적으로 함양함으로써 영역별 핵심 아이디어를 습득하고, 행위 주체로서 갖추어야 할 과학적 소양의 증진을 추구한다.

한편 '과학'의 목표는 총괄 목표와 세부 목표로 나뉘는데, 총괄 목표에서는 학습자의 과학적 소양을 기르는 것에 관한 사항을 제시하고 있고, 세부 목표에서는 각각 태도, 탐구능력, 핵심개념의 이해, 과학-기술-사회의 상호관계 이해와 참여와 실천에 관한 사항을 제시하고 있다. 이 중에서 특히 '참여와 실천'은 기존의 교육과정에서는 제시되지 않았던 목표이다.

3. 내용 체계 및 성취기준

교육과정의 '2. 내용 체계 및 성취기준'은 '내용 체계'와 '성취기준'으로 구성되어 있다.

(1) 내용 체계

2009 개정 과학과 교육과정의 내용 체계는 영역명을 제시하는 정도에 그쳤으나 2022 개정 과학과 교육과정은 이전 교육과정과 다르게 핵심개념을 중심으로 내용 체계표를 제시하였고, 2022 개정 과학과 교육과정에서는 핵심 아이디어와 세 가지 범주(지식 · 이해, 과정 · 기능, 가치 · 태도)를 바탕으로 내용 체계표를 제시하였다. 표 2-6은 '운동과 에너지' 영역의 내용 체계이다.

내용 체계표에서 핵심 아이디어는 해당 영역의 학습을 통해 일반화할 수 있는 내용을 서술한 것으로, 운동과 에너지, 물질, 생명, 지구와 우주, 과학과 사회 등 과학의 영역별로 주요 과학 개념과 원리의 일상생활 적용과 통합 · 융합 교육을 체험할 수 있도록 과학의 지식 · 이해, 과정 · 기능, 가치 · 태도를 종합하여 도출한 것이다. 이러한 핵심 아이디어는 과학과 관통개념을 공유하면서 과목별로 위계성과 연속성을 지닌다.

한편, 2022 개정 과학과 교육과정의 내용 체계표에는 과학의 지식 · 이해, 과정 · 기능, 가치 · 태도 등 세 가지 범주별로 주요 내용이 제시되어 있다. 과학과 지식 · 이해는 과학과 영역별로 학생이 알고 이해해야 하는 내용을 학년군별로 제시한 것이다.

표 2-6 '과학' 운동과 에너지 영역 내용 체계(교육부, 2022c, pp.6-7)

핵심 아이디어		• 자연과 일상생활 속의 여러 가지 힘은 물체의 속력과 운동 방향을 변화시키고, 물체의 운동은 힘과 에너지를 통해 예측할 수 있으며, 이는 안전한 일상생활의 토대가 된다. • 전하와 전류는 다양한 전기와 자기 현상을 일으키고, 전기와 자기에 대한 성질은 전구, 전동기 등 여러 가지 전기 기구의 작동 원리로 유용하게 활용된다. • 열은 온도가 높은 곳에서 낮은 곳으로 이동하며, 일상생활에서는 단열 등 다양한 분야에 물질의 열적 성질이나 열의 이동 방식이 이용된다. • 빛과 소리는 반사, 굴절, 진동 등 파동의 특성을 가지며, 그 특성은 거울, 렌즈, 악기, 색의 구현 등 편리하고 심미적인 삶에 도움이 된다.		
구분 \ 범주		학년(군)별 내용 요소		
		초등학교		중학교
		3~4학년군	5~6학년군	1~3학년
지식 · 이해	힘과 에너지	• 밀기와 당기기 • 무게 • 수평잡기 • 도구의 이용	• 위치의 변화 • 속력 • 속력과 안전	• 힘 • 중력 • 마찰력 • 탄성력 • 부력 • 등속 운동 • 자유 낙하 운동 • 일과 에너지 • 중력에 의한 위치 에너지 • 운동 에너지 • 역학적 에너지 보존
	전기와 자기	• 자석과 물체 사이의 힘 • 자석과 자석 사이의 힘 • 자석의 극 • 자석의 이용	• 전기 회로 • 전지의 직렬연결 • 전자석 • 전기 안전	• 전기력 • 대전 • 정전기 유도 • 전압 • 전류 • 옴의 법칙 • 전기 에너지 • 자기력 • 자기장
	열		• 온도 • 열의 이동 • 단열	• 열평형 • 전도 • 대류 • 복사 • 비열 • 열팽창
	빛과 파동	• 소리의 발생 • 소리의 세기 • 소리의 높낮이 • 소리의 전달	• 빛의 직진 • 평면거울에서 빛의 반사 • 빛의 굴절 • 렌즈의 이용	• 시각과 상 • 반사와 굴절 • 거울과 렌즈 • 빛의 합성과 색 • 파동의 발생과 전달 • 파동의 요소와 소리의 특성

(다음 쪽에 계속)

표 2-6 '과학' 운동과 에너지 영역 내용 체계(교육부, 2022c, pp.6-7)

과정 · 기능	• 자연과 일상생활에서 운동과 에너지 관련 문제 인식하기 • 문제를 해결하기 위한 탐구 설계하기 • 관찰, 측정, 분류, 예상, 추리 등을 통해 자료를 수집하고 비교 · 분석하기 • 수학적 사고와 컴퓨터 및 모형 활용하기 • 결론을 도출하고, 자연과 일상생활에서 운동과 에너지 관련 상황에 적용 · 설명하기 • 자신의 생각과 주장을 과학적 언어를 사용하여 다양한 방식으로 표현하고 공유하기	• 자연과 일상생활에서 운동과 에너지와 관련된 현상을 관찰하고 문제를 찾아 정의하고 가설을 설정하기 • 적절한 변인을 포함하여 탐구 설계하기 • 운동과 에너지 사이의 관계를 이끌어내기 위해 자료를 수집하고 이를 그래프로 변환하여 해석하기 • 운동과 에너지와 관련된 다양한 현상을 관찰하여 규칙성을 추리하기 • 모형을 만들어 현상을 설명하거나 예측하기 • 과학적 증거에 기반하여 주장하기
가치 · 태도	• 과학의 심미적 가치 • 과학 유용성 • 자연과 과학에 대한 감수성 • 과학 창의성 • 과학 활동의 윤리성 • 과학 문제 해결에 대한 개방성 • 안전 · 지속가능 사회에 기여 • 과학 문화 향유	

과학과 과정 · 기능은 학생들이 과학 학습을 통해 개발할 것으로 기대하는 과학과 탐구 기능과 과정에 해당하는 것으로, 문제 인식 및 가설 설정, 탐구 설계 및 수행, 자료 수집 · 분석 및 해석, 결론 도출 및 일반화, 의사소통과 협업을 근간으로 하되, 기존의 기초 탐구 과정 기능과 통합 탐구 과정 기능(이 책의 제4장 참조)의 구분을 넘어서고 수학적 사고와 컴퓨터 및 모형 활용하기 등 몇몇 과정 · 기능을 추가로 제시하였다. 아울러 과정 · 기능은 운동과 에너지, 물질, 생명, 지구와 우주, 과학과 사회 등의 영역별 특성을 반영하여 제시되어 있다(신영준 등, 2022). 예를 들어, 생명 영역에서는 다른 영역보다 관찰과 분류가 강조되어 '생물 관찰 및 분류하기'가 과정 · 기능으로 명시되어 있다. 또 과학과 사회 영역에서는 '융합적 사고'가 명시되어 있다.

과학과 가치 · 태도는 과학 가치(과학의 심미적 가치, 감수성 등), 과학 태도(과학 창의성, 유용성, 윤리성, 개방성 등), 참여와 실천(과학문화 향유, 안전 · 지속가능 사회에 기여 등)으로 구성되어 있다(표 2-6 참조). 이는 일반적으로 이야기하는 과학적 태도와 과학에 대한 태도(제4장 참조)를 바탕으로 하되, 과학의 가치 및 참여와 실천 관련 내용이 포함된 것이다. 여기에서 과학의 심미적 가치는 자연의 아름다움을 느끼게 해주는 과학의 가치와 과학 자체의 아름다움을 느끼고 인식하는 것을 말하고, 과학 유용성은 과학이 자연 현상을 설명하거나 일상생활을 살아가는 데에 도움이 된다는 것을 인식하고 실제 유용하게 과학을 활용하려는 태도를 말한다. 자연과 과학에 대한 감수성은 자연과 과학을 즐겨 접하면서 과학과 관련된 현상이나 내용을 민감하게 인지하고 잘 이해하려고 하는 태도를 말한다. 과학 창의성은 과학 관련 문제의 해결에 도움이 되는 새로운 생각을 해내거나 독창적인 산출물을 만들어내는 능력의 중요성을 인식하고 그렇게 하려고 하는 태도를 말한다. 과학 활동의 윤리성은 과학 활동에서 윤리의 중요성을 인식하고 실제로 문제를 해결하거나 탐구를 할 때도 윤리를 지키는 태도를 말한다. 과학 문제 해결에 대한 개방성은 문제를 해결하는 데 있어서 다양한 생각이나 방법이 있을 수 있음을 인식하고 자신의 주장이 오류 가능하다는 것을 인지하면서 개방적 마음으로 문제를 해결하거나 탐구하려는 태도를 말한다. 안전 · 지속가능 사회에 기여는 안전하고 지속가능한 사회의 중요성을 인식하고, 과학적 지식 · 이해, 과정 · 기능, 가치 · 태도를 활용하여 안전하고 지속가능한 사회를 이루는 데에 기여하거나 그러기 위해 노력하는 태도를 말한다. 과학 문화 향유는 과학과 관련된 취미생활이나 과학 관련 영화, 도서 등을 즐기고 과학 행사에 즐겨 참여하는 등 과학 문화에 참여하고 이를 즐기는 것을 말한다. 융합적 접근은 과학 문제를 해결하면서 수학, 공학, 기술, 인문사회, 예술 등 여러 분야에 걸친 내용이나 방법을 고려하고 활용하는 것의 중요성을 인식하고 실제로 그렇게 접근하는 태도를 말한다.

(2) 성취기준

'성취기준'은 표 2-7과 같이 각 학년군별로 흔히 단원이라고 부르는 '영역명', '성취기준', '탐구 활동', '성취기준 해설', '성취기준 적용 시 고려 사항' 등으로 구성되어 있다. 표 2-7은 총 32개(학년군별 16개) 영역 중 '힘과 우리 생활' 한 개 영역을 제시한 것이다.

표 2-7에서 '(1) 힘과 우리 생활'은 '영역명'으로 교과서 상의 '단원명'에 해당한다. '성취기준'은 영역별 내용 요소(지식 · 이해, 과정 · 기능, 가치 · 태도)를 학습한 결

표 2-7 '힘과 우리 생활'의 성취기준(교육부, 2022c, p.13)

<table>
<tr><td>
나. 성취기준
[초등학교 3~4학년]
(1) 힘과 우리 생활
<table>
<tr><td>[4과01-01] 일상생활에서 힘과 관련된 현상에 흥미를 갖고, 물체를 밀거나 당길 때 나타나는 현상을 관찰할 수 있다.
[4과01-02] 수평잡기 활동을 통해 물체의 무게를 비교할 수 있다.
[4과01-03] 무게를 정확히 비교하기 위해서는 저울이 필요함을 알고, 저울을 사용해 무게를 비교할 수 있다.
[4과01-04] 지레, 빗면과 같은 도구를 이용하면 물체를 들어 올릴 때 드는 힘의 크기가 달라짐을 알고, 도구가 일상생활에서 어떻게 쓰이는지 조사하여 공유할 수 있다.</td></tr>
<tr><td>〈탐구 활동〉
• 무거운 물체를 밀 때와 가벼운 물체를 밀 때의 특징 탐구하기</td></tr>
</table>
(가) 성취기준 해설
• [4과01-01] 무거운 물체를 밀고 당길 때와 가벼운 물체를 밀고 당길 때 드는 힘의 크기를 느끼는 데 중점을 둔다.
• [4과01-03] 무게와 질량을 구분하지 않으며 무게를 비교하는 단위로 g, ㎏을 사용한다.
• [4과01-04] 지레, 빗면과 같은 간단한 도구를 이용할 때 힘의 크기가 달라진다는 점을 관찰하는 데 중점을 두며, 도구의 원리나 구조적 특성을 다루지 않는다.
(나) 성취기준 적용 시 고려 사항
• 초등학교 5~6학년군 '물체의 운동', 중학교 1~3학년군 '힘의 작용'과 연계된다.
• 무게를 비교할 때는 용수철저울이나 전자저울 등을 사용하고, 분동을 사용하는 윗접시저울은 다루지 않는다.
• 조사한 내용을 공유할 때 사회 관계망 서비스(SNS)를 활용할 수 있으며, 글과 그림으로 표현한 발표 자료 만들기를 할 수 있다.
</td></tr>
</table>

과 학생들이 궁극적으로 할 수 있거나 할 수 있기를 기대하는 도달점을 나타낸 것이다.

'탐구 활동'은 해당 영역에서 필수로 학습해야 하는 탐구 활동을 제시한 것이다. 단, 교육과정에서 명시적으로 제시된 '탐구 활동'만이 그 영역에서 해야 하는 탐구 활동 전체인 것은 아니다. '성취기준'에서 서술된 내용과 '탐구활동'에서 서술된 내용의 중복 서술을 최소화하기 위해 '탐구 활동'에는 최소한의 필수 탐구만 제시되었지만, 성취기준에서 언급된 내용과 관련된 활동 역시 해당 성취기준을 달성하기 위한 탐구 활동으로 학습할 필요가 있다.

한편 '성취기준 해설'은 해당 성취기준의 설정 취지 및 의미, 학습 의도 등을 설명한 것이고, '성취기준 적용 시 고려 사항'은 영역 고유의 성격을 고려하여 특별히 강조하거나 중요하게 다루어야 할 교수 · 학습 및 평가의 주안점, 총론의 주요 사항과 해당 영역의 학습과의 연계 등을 설명한 것이다.

4. 2022 개정 초등 과학과 교육과정의 주요 변화

이상에서 살펴본 2022 개정 과학과 주요 내용을 고려할 때, 2022 개정 교육과정과 비교하여 2022 개정 초등학교 '과학' 교육과정의 주요 변화는 다음과 같다(신영준 등, 2022, pp. 39–40).

첫째, '과학'의 영역을 조정하고 개념의 위계성과 연계성을 확보하며 내용을 적정화하였다. 우선 '과학과 사회' 영역을 신설하여 '과학'의 영역을 '운동과 에너지', '물질', '생명', '지구와 우주', '과학과 사회' 5개 영역으로 설정하였다. 또 기존의 과학 관련 주요 가치 · 태도에 '과학 활동의 윤리성', '안전 · 지속가능 사회 기여', '과학문화 향유' 등 참여와 실천 요소를 추가하였고, 지식 · 이해, 과정 · 기능, 가치 · 태도 중 둘 이상을 아우르는 성취기준을 제시하였다. 초등학교와 중학교의 내용 요소를 종합적으로 검토하면서 3~4학년군에 '힘과 우리 생활' 단원에서 현상 위주로 힘을 다룸으로써 후속 단원들의 토대를 제공하였고, 학습 내용의 적정화와 교사의 재량권 확대를 위해 한 학기 17주 분량을 16주로 '운동과 에너지', '물질', '생명', '지구와 우주' 영역별 단원 수를 8개에서 7개로 축소하였다(예를 들어, 운동과 에너지 영역에서 기존의 '그림자와 거울', '빛과 렌즈'를 '빛의 성질'로 통합).

둘째, 전통적으로 지켜왔던 '과학' 내 '운동과 에너지', '생명', '물질', '지구와 우주' 영역 사이의 고정 비율을 완화하였다. 즉 초등학교 3~4학년군 생명 영역 단원은 2022 개정 교육과정에서 4개 단원이었으나, 2022 개정 교육과정에서는 5개 단원으로 확대하였다. 반면 5~6학년군에서는 생명 영역 단원을 2개 단원으로 축소하였다.

셋째, 국제적 흐름을 반영하여, 초등학교 저학년에서 '생명' 영역의 비중을 높였고, 전 지구적 이슈가 된 감염병 관련 내용을 통합단원에 포함하였다. 또 3~4학년군의 '힘과 우리 생활'에서 밀기와 당기기 등 힘과 관련된 내용 요소를 포함하였다.

넷째, 민주 시민으로서 개인과 사회 문제를 과학적으로 해결하고 참여 · 실천하는 '역량'을 함양할 수 있도록 구성하였다. 예를 들어, 성취기준 작성 시 학습의 도달점이자 생활 속 문제해결과 관련된 종합적인 성취기준을 포함하였다. '과학과 사회' 영역을 신설하여 슬기로운 삶과 지속가능한 사회를 지향하는 통합단원을 2022 개정 교육과정의 2개 단원에서 학년별 1개 단원, 총 4개 단원으로 확대하였다. 또 이 중에서 진로연계 단원인 '과학과 나의 진로'를 6학년에 배치하였다.

다섯째, 디지털 리터러시, 민주시민 소양, 학습자의 행위 주체성, 생태전환교육 등 미래 역량을 함양할 수 있도록 구성하였다. 예를 들어, 디지털 리터러시 함양, 민주시민 소양 함양, 생태전환교육을 포함하는 성취기준을 제시하였고, 특히 통합단원에서는 건강, 기후변화, 자원과 에너지, 진로 등 과학과 사회의 상호작용을 중심으로 통합적인 주제를 다루면서 미래 역량을 기르도록 내용 요소와 성취기준을 제시하였다.

2.4 과학과 교과용 도서

교육과정 개정안이 확정 · 고시되면 그 다음 작업이 바로 교과용 도서 편찬 작업이다. 우리나라 초등과학 교과용 도서는 과학과 교육과정의 목표를 달성하기 위해 편찬된 교재이며, '과학 교과서', '실험 관찰' 및 '교사용 지도서'로 이루어져 있다. 우리나라 과학 교과서는 2019년 1월 교육부 발표에 따라 국정에서 검정으로 전환되어 편찬되고 있다.

우리나라 과학 교과용 도서는 과학과 교육과정에 근거하여 집필되기 때문에 교육과정이 개정되면 교과서도 새로 개발된다. 또한 과학과 교육과정에서 제시된 영역(즉 단원)의 배열은 반드시 학습의 순서를 의미하는 것이 아니라 예시적인 성격을 지니고 있다. 따라서 교과용 도서를 개발하는 과정에서 학생들의 이해를 증진시키고 교육과정이 학교 현장에서 효율적으로 운영될 수 있도록 단원을 재배열하거나 단원명 등을 조정할 수 있다(한국과학창의재단, 2011). 즉 교육과정의 영역(즉 단원) 순서나 영역명과 교과용 도서의 단원 순서나 단원명은 교과서 개발 과정에서 달라질 수 있다. **표 2-8**에는 2022 개정 과학과 교육과정에 따른 교과용 도서의 단원 순서와 단원명의 예시를 제시하였다.

표 2-8 2022 개정 과학과 교육과정에 따른 교과용 도서의 단원 순서와 단원명(예시)

학년군	학년-학기 \ 분야	운동과 에너지	물질	생명	지구와 우주	과학과 사회
3~4 학년군	3-1	(1) 힘과 우리 생활	-	(2) 동물의 생활 (3) 식물의 생활 (4) 생물의 한살이	-	-
	3-2	(7) 소리의 성질	(5) 물체와 물질	-	(6) 지구와 바다	(8) 감염병과 건강한 생활
	4-1	(9) 자석의 이용	(10) 물의 상태 변화	(12) 다양한 생물과 우리 생활	(11) 땅의 변화	-
	4-2	-	(15) 여러 가지 기체	(14) 생물과 환경	(13) 밤하늘 관찰	(16) 기후변화와 우리 생활
5~6 학년군	5-1	(2) 빛의 성질	(3) 용해와 용액	(4) 우리 몸의 구조와 기능	(1) 지층과 화석	-
	5-2	(7) 열과 우리 생활	(5) 혼합물의 분리	-	(6) 날씨와 우리 생활	(8) 자원과 에너지
	6-1	(10) 물체의 운동	(9) 산과 염기	(11) 식물의 구조와 기능	(12) 지구의 운동	-
	6-2	(15) 전기의 이용	(14) 물질의 연소	-	(13) 계절의 변화	(16) 과학과 나의 진로

1. 과학 교과서

학교 교육은 교과서 중심이 아닌 교육과정 중심으로 운영되어야 한다는 입장에서 보면, 교과서는 단지 교육과정의 목표와 내용을 구현하는 여러 교수-학습 자료 중의 하나라고 볼 수 있다(교육과학기술부, 2010). 즉 과학 교과서는 교육과정의 목표를 구현하기 위해서 교육과정의 내용과 방법을 해석하여 구성한 하나의 예시 교수-학습 자료라 할 수 있다. 따라서 교사는 교과서에만 의존하지 말고, 나름대로 지도 활동이나 방법을 구안하여 지도하거나 다양한 교육과정 자료를 활용하여 지도해야 한다(교육과학기술부, 2010). 그러나 이러한 예시적 성격에도 교과서는 교육과정 구현을 위한 주된 자료로서 과학과 교수-학습에 미치는 영향이 매우 크다(교육인적자원부, 2001). 실제로 여러 연구 결과에 의하면 교과서에 제시된 정보에 근거한 교사 중심의 강의식 수업이 이루어지고 있으며, 교사의 90% 이상이 수업 시간의 95% 이상을 교과서 사용에 할애한다는 연구 결과도 있다(Bentley et al., 2000).

과학 교과서는 그 특성상 학생들의 개인적 요구가 고려되지 않았을 뿐 아니라 모든 학생들이 같은 사전 지식을 갖는다는 가정하에 만들어진 것으로(Martin, 2000), 구성주의 학습관과는 일치하지 않는 한계를 가진다. 하지만 과학 교과서는 학생들에게 정보의 훌륭한 공급원이고, 학년별 일관성과 연계성을 가지며, 교과서의 주제들은 연령과 학년 수준에 적당하다는 등의 장점을 가지고 있다(Martin, 2000). 따라서 교사는 과학 교과서의 효과적, 효율적인 활용을 위해 교과서에 제시된 학습 소재나 학습 활동은 지역의 여건과 학교 사정에 따라 적절하게 조정하고, 장기간의 관찰 또는 기록이 필요한 학습 내용은 사전에 계획을 세워 계절과 시기를 조정하며, 학습 활동 내용을 직접 체험하기 곤란한 경우에는 간접 경험을 통해 지도할 수 있도록 다양한 보조 학습 자료를 활용하여 지도하도록 한다(교육인적자원부, 2001). 예를 들어, 학습 내용에 따라 모형이나 시청각 자료, 소프트웨어, 인터넷 자료 등은 좋은 학습 자료가 될 수 있다. 따라서 이러한 자료가 효과적일 것으로 판단되는 학습 내용의 경우에는 관련 자료들을 미리 준비하여 수업에 활용할 수 있도록 한다(교육과학기술부, 2008b).

또한 교사는 과학 교과서를 역으로 이용할 수 있다. 즉 학생들에게 먼저 탐구 활동을 해 보게 한 후, 탐구 활동을 통해서 알게 된 것을 교과서를 읽음으로써 확인하게 하는 것이다. 더 나아가 교과서의 내용을 일부 재구성하는 것이 학생들의 과학 학습에 더 효과적일 것이라고 판단되면 교과서의 내용을 재구성한 교사 자신만의 교과서를 만들어 활용할 수도 있다(권재술 등, 2012).

2. 실험 관찰

'실험 관찰'은 과학 교과서와 구별되는 보조 교과서이자 학습자가 편리하게 활용할 수 있도록 구성한 학습장으로, 교과서에서 제시된 활동, 과제, 질문 등과 연계성을 갖는다(교육과학기술부, 2010). 일선 초등학교에서 실험 관찰은 학습 정리장뿐 아니라 실험 보고서, 평가 자료 등으로 활용되기도 한다(권치순과 정은숙, 2011). 실험 관찰은 학생들이 과학 시간에 글을 쓰는 시간을 줄이고, 실제로 탐구하고 토의하는 시간을 늘려 탐구 능력 신장에 도움을 주기 위한 자료이므로(교육부, 2014),

단순히 실험 관찰의 여백을 채우기 위한 방편으로 수업을 운영하지 않도록 해야 한다(김정길 등, 1989).

실험 관찰은 제시된 관찰 관점에 따라 관찰 결과를 짧은 시간에 쉽게 기록할 수 있고, 토의할 수 있는 시간은 많이 가질 수 있다는 장점이 오히려 단점이 될 수도 있다. 예를 들어 관찰 결과를 기록할 때 관찰 관점이 주어져 있고 기록할 내용에 대한 틀이 짜여 있어 학생들이 자유로이 기록할 수 없는 경우도 있다. 또한 실험 관찰은 대부분의 내용이 해당 차시 탐구 활동과 관련된 모든 사항을 기록하도록 되어 있지 않다. 예를 들어 가설을 세우거나 의문점이나 더 알고 싶은 점을 기록하고자 할 경우에 이를 기록할 공간이 없는 경우도 많다. 따라서 교사는 다음과 같은 사항을 고려하여 실험 관찰의 효과적이고 효율적인 활용이 이루어지도록 해야 한다(김정길 등, 1989; 방강임, 2010).

첫째, 과학 교과서와 실험 관찰의 내용을 사전에 검토하고, 수업의 어느 단계에서 '실험 관찰'을 활용해야 할 것인지를 미리 파악한다.

둘째, 실험 관찰에는 관찰 또는 실험 결과를 기록하는 난이 있으므로 별도의 학습 기록장을 사용하지 않는 것이 원칙이나 기록란이 부족할 경우에는 별지를 붙여서 사용한다. 또한 내용상 추가해야 할 것이 있다고 판단되면 별지 형태로 추가하는 등의 방법을 활용하여 내용상의 문제점을 보완하여 활용한다.

셋째, 실험 관찰은 학생들의 탐구 능력 신장에 도움이 되도록 개발된 것이므로 실제로 학생들이 탐구 및 토의를 통해 알게 된 과정이나 결과를 기록하게 하고 기록한 내용을 토대로 자료를 해석하도록 지도한다.

넷째, 장기간 관찰을 요하는 내용은 미리 관찰 관점과 관찰시 유의사항을 지도하여 기록하도록 하고 결과 해석에 차질이 없도록 한다.

다섯째, 실험 관찰은 과학 교과서와 함께 사용하도록 편찬되었으므로 교과서 내용을 재구성하거나 대체 활동을 하는 경우에는 실험 관찰도 재구성하여 사용한다.

3. 교사용 지도서

과학과 교육과정에 입각한 교수-학습 자료로서 과학과 교사용 지도서의 가치와 비중은 대단히 크다(신영준 등, 2005). 특히 학교 교육이 교과서 중심이 아닌 교육과정 중심으로 운영되기 위해서는 교육과정과 교과서 사이의 교량 역할을 담당하는 교사용 지도서가 다른 어떤 자료보다 중요하다고 할 수 있다.

초등 과학과 교사용 지도서는 크게 '총론'과 '지도의 실제(각론)'의 두 부분으로 이루어져 있다. 총론에는 과학과 교육과정, 과학 교과용 도서의 개발 방향 및 특징, 과학의 본성과 태도, 과학 탐구 과정, 과학 학습 이론, 과학 학습 모형, 과학 학습의 평가, 과학 실험 안전 지도 등 과학과 학습 지도를 위한 일반론적인 내용이 기술되어 있다. 한편 각론에는 각 단원별로 단원 소개, 단원 학습 계열, 단원 학습 목표, 단원 학습 체계, 차시별 학습 지도에 필요한 전반적 내용 등을 제시하여 교사의 과학 학습 지도에 도움이 되도록 구성되어 있다. 이와 같이 교사용 지도서는 일반적으로 교육과정의 기본 정신을 이해할 수 있는 안내서, 교사의 자질 향상을 위한 과학 교과의 연수 자료 및 효율적인 학습 지도를 위한 지침서로서의 중요한 기능을 갖는다(권종미, 1999; 원민정, 2003).

교사용 지도서 활용시 유의할 점을 몇 가지 제시하면 다음과 같다.

첫째, 일선 현장에서 교과서 내용을 교육과정에서 의도한 방향으로 바람직하게 지도하기 위해 교사는 사전에 과학과 교육에 관한 이론적 배경을 담고 있는 총론의 내용을 파악하고 각론의 학습 지도에 임해야 한다(권종미, 1999; 문금희, 2003).

둘째, 지도서 총론에 제시된 수업 모형이나 수업 방법, 평가 방법 등은 과학 학습 지도에서 사용할 수 있는 다양한 방법 중에서 몇 가지 대표적인 것을 나타낸 것이다. 따라서 그 밖에도 과학 학습 지도에 도움이 되는 다양한 방법을 적극 활용하도록 한다.

셋째, 지도서에 제시된 학기 및 단원별 지도 계획은 지역이나 학교의 실정, 계절 등을 고려하여 조정하도록 한다. 또한 야외 학습이나 장기간에 걸친 관찰 등이 필요한 경우에는 사전에 별도의 계획을 세워야 하며, 실제 활동이 어려운 경우에는 시청각 자료, 소프트웨어, 인터넷 자료 등 대체 활동 자료를 미리 준비하도록 한다.

넷째, 각 단원을 지도하기 전에 교사를 위한 단원 관련 배경 지식, 학생들의 오개념, 대체 자료나 대체 지도 방법 등을 사전에 확인하여 효과적인 단원 학습 지도가 이루어지도록 한다. 교사의 이해를 돕기 위한 단원 관련 배경 지식은 학생들에게 그대로 지도하지 않도록 한다.

다섯째, 차시별 학습 내용 및 활동은 교과서의 학습 내용과 활동을 염두에 두고, 필요한 수업 방법이나 절차를 제시한 예시 자료이므로, 학교나 학생의 특성을 고려하여 창의적인 교수-학습이 이루어지도록 한다(교육인적자원부, 2001).

연습문제

1. 우리나라와 일본은 국가 수준의 교육과정을 운영하고, 영국과 호주에는 국가 수준의 교육과정이 있으나 현장의 교사들에게 강제적으로 부과되지 않으며, 미국에서는 국가 수준의 교육과정 없이 연구 단체들에서 가르칠 내용과 방법을 제시하고 있다(조희형과 최경희, 2001). 우리나라와 같이 국가 수준의 교육과정을 운영할 때의 장점과 단점을 제시하시오.

2. 교육과정과 수업의 이상적인 관계는 아래 왼쪽 그림과 같이, 교육과정에 포함된 목표와 내용을 모두 수업한 경우이고, 실제적 관계는 오른쪽 그림과 같이, 교육과정에 있는 내용의 일부만 수업하고 나머지는 교육과정에 명시되지 않은 내용을 수업한 것이다(대한지구과학교육학회, 2009). 이와 같이 교육과정과 수업의 관계에서 괴리가 생기게 되는 원인을 두 가지 제시하시오.

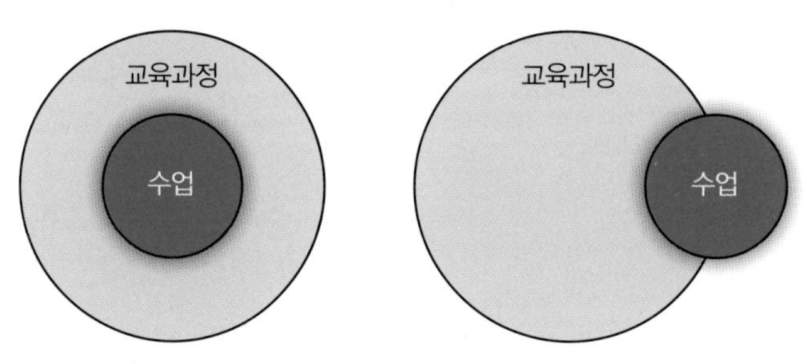

3. 과학 교과서의 3~6학년 전체 단원 중 연계가 가능한 부분을 찾아 마인드맵(생각그물)을 작성하시오.

4. 2022 개정 과학과 교육과정의 '성취기준'은 단원 평가나 학기말 평가에서 어떠한 의미를 갖는지 설명하시오.

5. 과학 교과서의 3~6학년 전체 단원 중 한 단원을 선택한 후 그 단원의 과학 교과서의 내용과 실험 관찰의 내용의 연계상의 문제점과 해결 방안에 대해 논하시오.

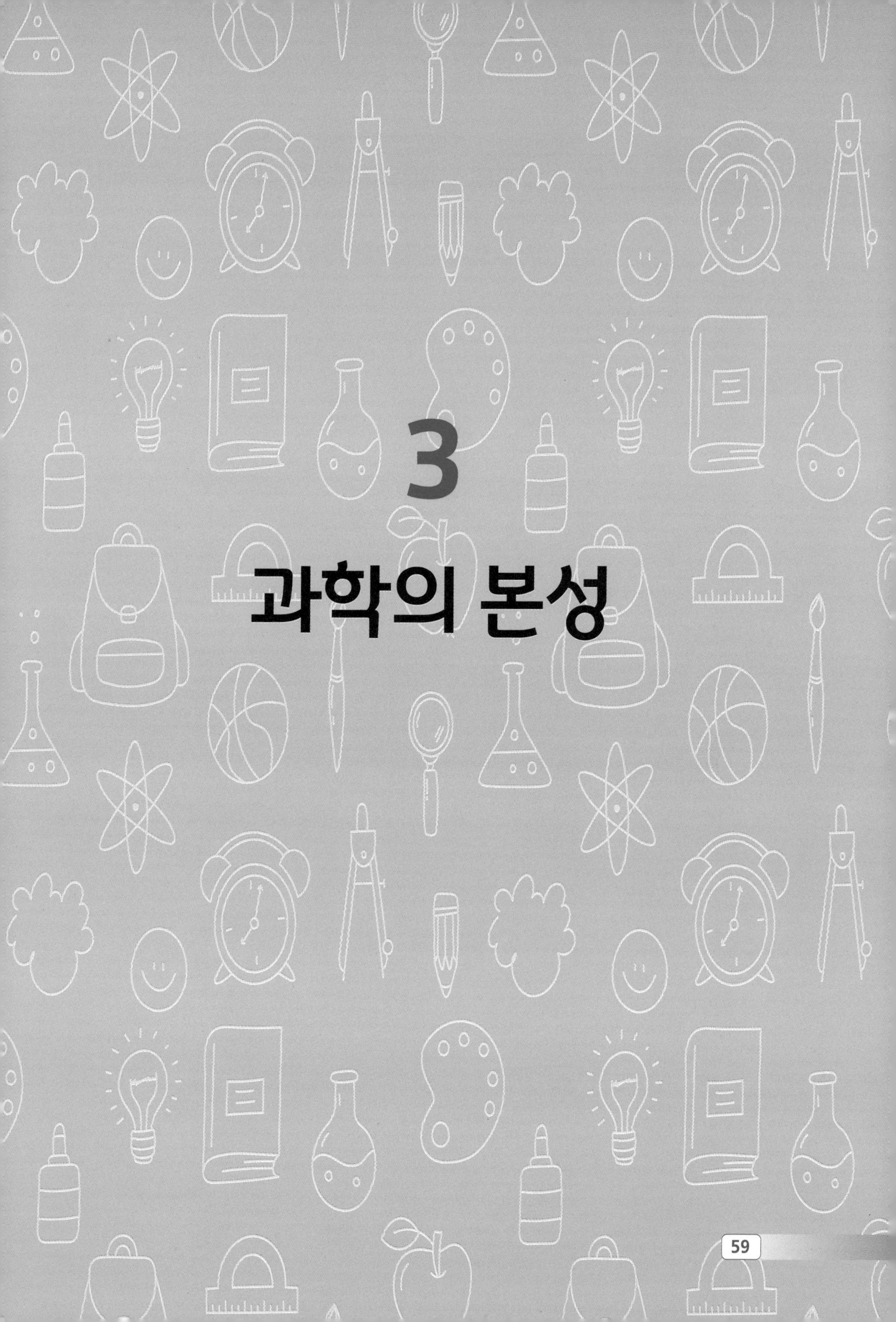

3

과학의 본성

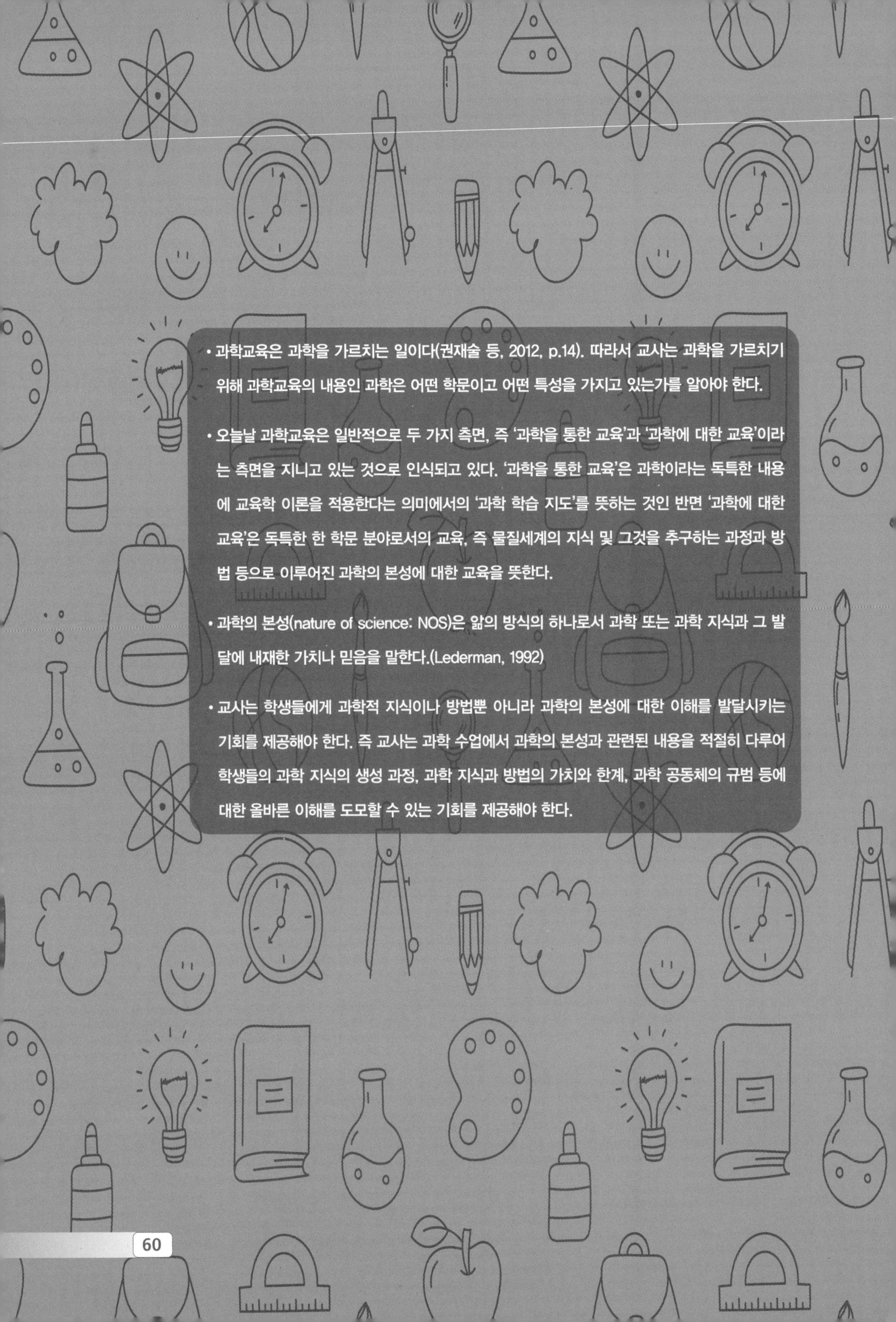

- 과학교육은 과학을 가르치는 일이다(권재술 등, 2012, p.14). 따라서 교사는 과학을 가르치기 위해 과학교육의 내용인 과학은 어떤 학문이고 어떤 특성을 가지고 있는가를 알아야 한다.

- 오늘날 과학교육은 일반적으로 두 가지 측면, 즉 '과학을 통한 교육'과 '과학에 대한 교육'이라는 측면을 지니고 있는 것으로 인식되고 있다. '과학을 통한 교육'은 과학이라는 독특한 내용에 교육학 이론을 적용한다는 의미에서의 '과학 학습 지도'를 뜻하는 것인 반면 '과학에 대한 교육'은 독특한 한 학문 분야로서의 교육, 즉 물질세계의 지식 및 그것을 추구하는 과정과 방법 등으로 이루어진 과학의 본성에 대한 교육을 뜻한다.

- 과학의 본성(nature of science: NOS)은 앎의 방식의 하나로서 과학 또는 과학 지식과 그 발달에 내재한 가치나 믿음을 말한다.(Lederman, 1992)

- 교사는 학생들에게 과학적 지식이나 방법뿐 아니라 과학의 본성에 대한 이해를 발달시키는 기회를 제공해야 한다. 즉 교사는 과학 수업에서 과학의 본성과 관련된 내용을 적절히 다루어 학생들의 과학 지식의 생성 과정, 과학 지식과 방법의 가치와 한계, 과학 공동체의 규범 등에 대한 올바른 이해를 도모할 수 있는 기회를 제공해야 한다.

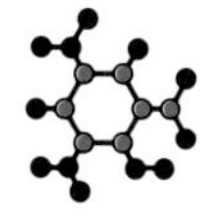

'과학이란 무엇인가?' 이에 대한 여러분의 답은 아마도 단순히 물리나 화학과 같은 어느 한 특정 분야의 지식이라기보다는 많은 학문 분야를 포함하는 포괄적 용어라는 사실을, 더 나아가서는 '인간의 활동으로서 과학'에 이르게 된다(Bentley et al., 2000). 그렇다면 인간의 활동으로서 과학은 어떠한 특성을 가지고 있는가?

과학이 무엇이고 어떠한 특성을 지니고 있는지와 관련하여 과학교육계에서 널리 사용되는 용어가 '과학의 본성(nature of science)'이며, 교과목으로서 과학은 과학의 본성에 대한 이해를 포함하고 있다(Hanuscin et al., 2010). 실제로 많은 국가의 과학 교육과정 문서나 지침 등에는 과학의 본성 지도에 대한 관심이 구체적으로 드러나 있으며(Driver et al., 1996), 과학 수업은 학생들의 과학의 본성에 대한 이해에 도움이 되도록 해야 한다고 제안하고 있다(Bentley et al., 2000). 예를 들어, 미국 AAAS(1993)의 '과학적 소양을 위한 기준'이나 NRC(1996)의 '국가과학교육기준'에 과학의 본성에 대한 내용을 상당 부분 할애하고 있다. 2022 개정 과학과 교육과정에도 과학의 본성에 관한 내용이 포함되어 있으며(〈부록 2-1〉의 초등학교 과학과 교육과정 3. 교수 · 학습 및 평가 가. 교수 · 학습 (2) 교수 · 학습의 방향 (라) 참조), 과학과 교사용 지도서 총론에는 과학의 본성에 관한 내용을 하나의 장으로 다루고 있다.

과학의 본성이 과학 교과 지도에서 중요한 요소로 다루어져야 한다면, 과학 교과를 가르치는 교사는 과학에 대한 자신의 입장을 비판적으로 검토해 보고 과학 그 자체에 대한 이해의 폭을 넓히는 기회를 가져야 한다(Nott & Wellington, 1994). 이 장의 목적은 예비 초등교사로서 과학의 본성에 대한 의미와 지도의 필요성, 주요 과학의 본성과 그 교육적 시사점, 과학의 본성에 대한 학생들의 이해를 위한 좀 더 세련된 지도 방법 등에 대한 이해를 도모하는 것이다.

3.1 과학의 본성의 의미

과학철학, 과학사, 과학사회학, 과학심리학은 과학 그 자체에 대해 연구하는 학문 분야이며, '과학의 본성'은 과학교육계에서 과학 그 자체에 대한 이해를 기술하는 포괄적인 용어이다(McComas et al., 1998). 즉 과학교육 공동체에게 '과학의 본성'이라는 용어는 과학철학, 과학사, 과학사회학 및 과학심리학이 과학 교수-학습에 적용될 때 사용되며, 이들 학문 간의 의견이 일치하는 부분, 즉 그림 3-1에서의 교집합을 의미한다고 할 수 있다(McComas & Olson, 1998, p.50).

지난 수십 년간 과학교육 공동체가 과학의 본성을 개념화한 방식에서 그 강조점에 커다란 변화가 있어 왔다(Abd-El-Khalick & Lederman, 2000). 즉 1960년대에는 과학의 본성을 과학 탐구 과정 기능(예:관찰, 추리, 가설 설정 등)과 동일시하였고, 1970년대에는 과학 지식의 잠정성, 재현 가능성, 역사성, 경험적 특성이 포함되었으며, 1980년대에는 관찰의 이론 의존성과 과학적 설명을 생성하는 데 있어 인간의 창의성의 역할과 같은 심리적 요인, 그리고 과학 지식의 구성과 정당화에 영향을 미치는 사회적 요인이 포함되었다(Tao, 2003).

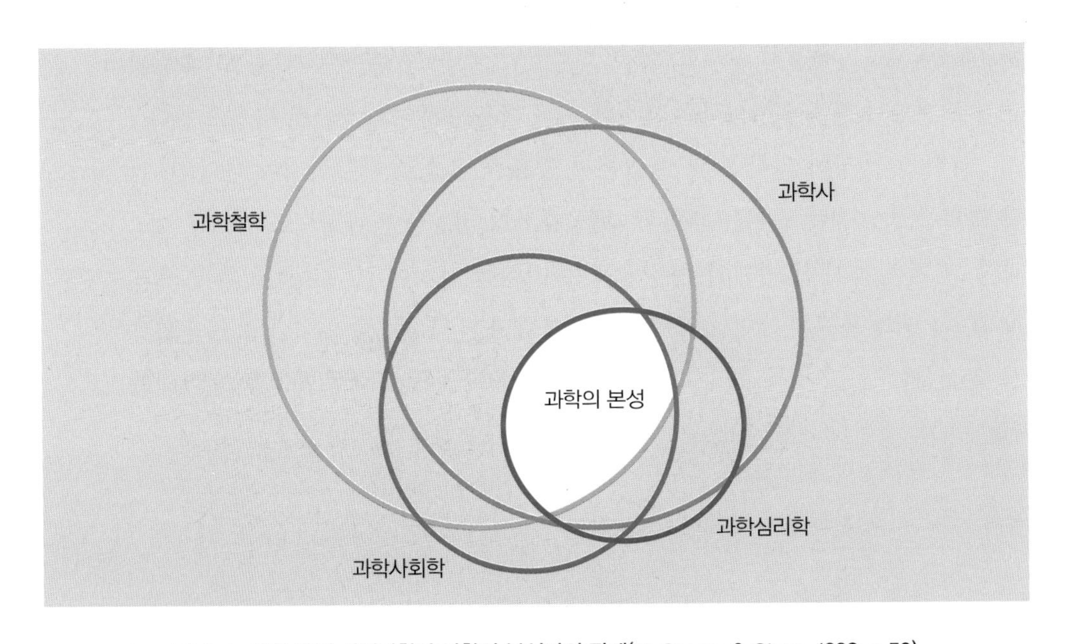

그림 3-1 과학 관련 사회과학과 과학의 본성과의 관계(McComas & Olson, 1998, p.50)

오랜 기간에 걸쳐 많은 학자들이 과학의 본성에 대한 연구를 해오고 있지만 아직까지 모든 학자들이 과학의 본성에 대한 의미와 정의에 대해 일치하는 견해를 보이고 있는 것은 아니다(Lederman et al., 2002). 즉 오랜 기간에 걸친 과학의 본성에 대한 논의에도 이에 대한 다양한 관점들이 존재하며, 과학의 본성에 대한 많은 쟁점들이 여전히 해결되지 않은 채 남아있다. 다만 과학의 본성에 대한 교육은 독특한 한 학문 분야로서 과학 그 자체에 대한 교육, 즉 자연세계와 사물에 대해 과학자가 구성한 지식과 그 지식을 구성하는 과정과 방법 등을 대상으로 한다는 점과 과학의 본성에 대한 교육이 학교 과학 수업에서 중요하게 다루어져야 한다는 것에 대해서는 의견이 일치하고 있다.

3.2 과학의 본성 지도의 필요성

'과학의 본성'이 교사나 학생 모두에게 과학교육의 중요한 부분으로 다루어져야 한다는 점에 대해서 과학교육학자 사이에 광범위한 합의가 있다. 그렇다면 과학의 본성이 학교 과학 교육과정에서 중요한 요소로 다루어져야 하는 이유는 무엇인가? 이 절에서는 학생 측면과 교사 측면에서 그 필요성을 살펴본다. 이를 위해 먼저 〈부록 3-1〉에 제시된 문항을 해결해 보자.

1. 학생 측면

학생 측면에서 과학의 본성에 대한 이해의 필요성은 다음과 같다.

첫째, 학생들의 과학에 대한 관점은 그들이 과학을 학습하는 데 있어 중요한 역할을 하기 때문이다(윤지영과 백성혜, 2016). "과학 시간에 배울 지식이 과학자나 교사로부터 나온다고 생각하는 학생은 스스로 자연을 탐구하려는 태도를 가지기보다는 교사나 교과서에 제시된 지식을 그대로 수용하려는 태도를 가질 수 있다. 반면 과학을 실험이나 관찰을 통해 수집한 자료의 해석과 결론 도출 그리고 이에 대해 정당화하는 과정으로 생각하는 학생은 스스로 자연을 탐구하려는 태도를 가질 것이다. 또한 과학을 자신과 관련이 없는 과학자만의 과학이라고 생각하는 학생에게 과학은 단지 암기해야만 하는 과목으로 여겨질 수밖에 없다. 반면, 과학을 우리를 둘러싸고 있는 세계를 이해하고 설명하려는 시도라고 생각하는 학생은 과학 학습뿐 아니라 일상생활에서도 문제를 해결할 때 비슷한 과정을 시도하려고 할 것이다"(김지나 등, 2008). 한편 과학의 본성에 대한 교육은 학생들의 과학 관련 태도에 긍정적 영향을 미칠 수 있다. 예를 들어, 방미정과 김효남(2010)의 연구 결과는 과학의 본성에 대한 교육이 학생들의 과학 관련 태도에 긍정적 영향을 미칠 수 있음을 시사한다.

둘째, 과학의 본성에 대한 이해는 과학적 소양을 갖춘 시민을 육성하는 데 필수적이라는 인식 때문이다. 과학의 본성은 미국의 과학교육개혁에서 과학적 소양의 중요한 요소로 강조되고 있다(Hanuscin et al., 2010). 즉 '과학 지식' 뿐 아니라 '과학 그 자체'에 대한 학생들의 적절한 이해는 그들로 하여금 과학과 관련된 쟁점들에 대한 현명한 결정을 가능하게 한다(AAAS, 1993; NRC, 2012; Ryder et al., 2001). 드라이버 등(Driver et al., 1996)이 강조한 대로, 과학의 본성에 대한 이해는 개인이 과학 정보의 현명한 소비자가 되고, 사회적으로 이슈가 되고 있는 과학적 쟁점을 이해하고, 의사결정 과정에 참여하는 데 도움을 준다. 대중매체는 지구온난화, 유전자 변형 농산물, 휴대폰 사용이 건강에 미치는 영향 등과 같은 과학과 관련된 사회적 쟁점을 보도한다. 학생들에게 그에 대한 증거는 무엇이고, 어떻게 수집되었는지, 그 증거는 믿을 만한 것인지에 대해 평가할 수 있는 기회를 제공하는 것은 학생들이 과학과 관련된 사회적 쟁점에 대한 현명한 개인적 판단을 하는 데 도움을 준다. 이와 같이 과학의 본성에 대한 교육의 목적은 학생들이 성인이 되었을 때 과학과 관련된 각종 사회적 쟁점에 대해 비판적으로 대응하는 것이 가능하도록 하는 것과 인류의 중요한 문화적 성취 중의 하나인 과학에 대한 올바른 이해를 제공하는 것이다.

한편 과학의 본성에 대한 학생들의 이해를 조사한 여러 연구 결과는 학생들이 과학의 본성에 대해 많은 오개념을 가지고 있음을 보여준다. **〈부록 3-1〉**의 문항에 대한 여러분의 생각은 무엇인가? **〈부록 3-1〉**의 문항을 개발하고 초등학생에게 적용한 노태희 등(2002)의 연구에 의하면, 연구 대상 초등학생 대부분이 현대 인식론과 일치하지 않는 견해를 지니고 있었으며, 이들의 대표적인 오개념은 다음과 같다: (1) 과학의 주된 목적은 발견이나 발명을 통해 인간의 삶을 개선하는 것이다; (2) 과학 이론은 실험이나 관찰을 통해 사실로 확증된 것이다; (3) 모형은 실제로 존재한다는 것이 증명되었다; (4) 과학 이론이 변화하는 것은 예전 이론이 틀렸기 때문이다; (5) (적어도 일부) 과학 이론은 실제로 세상에 존재한다. 이와 같이 학생들은 과학적 설명의 추론적이고 잠정적 특성을 인식하지 못하고, 이론적 모형이 데이터로부터 직접적으로 나온 것으로 그리고 모형의 모든 특징은 실제 세계에서의 특징과 일치한다고 믿는 경향이 있다.

2. 교사 측면

초등교사는 왜 과학의 본성에 대한 바른 이해를 갖추어야 하는가에 대한 설명은 다음과 같다.

첫째, 과학의 본성은 과학과 교육과정의 중요한 요소이자(Nott & Wellington, 1994), 교사의 과학 내용 지식의 한 부분으로 간주되기 때문이다(Hanuscin et al., 2010). 미국의 국가과학교육기준(NRC, 1996)은 과학의 본성을 학교 과학교육에서 다루어야 할 내용으로 포함하고 있다. 즉 과학의 본성은 물리, 화학, 생명과학, 지구과학 분야의 내용 지식과 마찬가지로 교사가 갖추어야 할 교과 내용 지식으로 간주되고 있다. 따라서 과학의 본성에 대한 지도를 위해 교사는 과학의 본성에 대해 올바른 이해를 갖추어야 한다.

둘째, 교사의 과학의 본성에 대한 이해는 교사의 수업 내용과 방법을 결정하는 데 영향을 줄 수 있기 때문이다. 이와 관련하여 과학의 본성에 대한 교사의 이해가 과학 교수 활동에 직접 영향을 미친다는 연구 결과가 있는가 하면 교수 활동에 의미 있는 요소가 아니라는 연구 결과(한기갑, 2004)도 있다. 하지만 교과서에 제시된 같은 내용과 활동을 지도한다 할지라도 각 교사의 과학의 본성에 대한 관점에 따라 수업은 다른 방식으로 진행될 가능성이 없는 것은 아니다. 즉 교사의 과학의 본성에 대한 이해는 실제 과학 수업에 반영되고 직·간접적으로 영향을 미칠 수 있다(Bentley et al., 2000; Nott & Wellington, 1994). 또한 교사의 과학의 본성에 대한 관점에 따라 과학 수업에서 학생들에게 반응하는 방식에도 영향을 미친다. 예를 들어 관찰의 이론 의존성에 관한 이해를 갖춘 교사는 그렇지 않은 교사에 비해 학생들이 제시하는 다양한 의견에 관심을 기울이는 정도에 차이가 있을 수 있다.

셋째, 학생들의 과학의 본성에 대한 이해는 교사의 과학의 본성에 대한 이해와 수업에 의해 영향을 받을 수 있기 때문이다. 즉 교사의 과학의 본성에 대한 이해가 초·중등학교 및 대학 강의에서의 경험으로부터 또는 대중매체를 통해 나름대로 개념화된다면(Bentley et al., 2000; Nott & Wellington, 1994), 교사가 가르칠 학생들 또한 마찬가지로 교사에 의해 직·간접적으로 영향을 받을 수 있다.

한편 초등 교사의 과학 교수, 과학 학습, 과학의 본성에 대한 신념을 연구한 김정인과 윤혜경(2013)에 의하면 초등 교사들 중 83.3%가 과학의 본성에 대하여 전통적인 신념을, 16.7%가 구성주의적 신념을 가진 것으로 나타났다. 과학의 본성에 대한 전통적인 신념은 '객관적 진리로서의 과학 지식'과 '객관적 절차로서의 과학'을 강조한다. 전통적인 신념을 가진 교사 중 88%는 지식 중심의 신념을 가지고 있었으며, 12%는 절차 중심의 신념을 가지고 있었다. 구성주의적 신념을 가진 초등 교사들은 과학 지식은 자연 현상을 설명하기 위해 고안된 설명 체계이며 가변성을 그 특징으로 한다고 인식하고 있었으며 이러한 신념을 가진 초등 교사의 비율은 전통적인 신념을 가지고 있는 초등 교사들에 비해 낮은 편이었다.

3.3 주요 과학의 본성과 교육적 시사점

과학의 본성 중 어떠한 측면이 초등학교 과학 수업에서 다루어져야 하는가? 과학의 본성을 이해하기 위해서는 과학을 이루고 있는 핵심 요소인 과학 지식, 과학적 방법, 과학자, 과학자가 속한 사회·문화적 상황을 통해 그 속성과 특징을 파악해야 한다. 전술한 바와 같이 학자들 사이에 과학의 본성의 측면 중 어느 정도 합의가 이루어진 것이 있는가 하면 합의가 이루어지지 않은 것도 있다. 다르게 말하면 학교 과학에 적절한 수준에서 광범위한 지지를 받고 있는 과학의 본성의 측면이 존재한다(Ryder et al., 2001). 여기에서는 Lederman 등(2002)이 제시한 K-12(유치원~고등학교)에서 다루어져야 할 8가지 과학의 본성에 관한 측면 중 6가지에 대해 살펴보고 그 각각의 교육적 시사점을 알아본다.[1]

---

[1] Lederman 등(2002)이 제시한 나머지 과학의 본성 2가지 요소는 '관찰과 추리의 구분'과 '과학 이론과 법칙의 기능과 관계'에 관한 것으로 이에 대해서는 제4장에서 다룬다.

1. 과학 지식의 경험적 특성

과학적인 설명은 특정한 조건들을 갖추어야 한다. 무엇보다 중요한 조건은 과학적인 설명은 자연 현상이나 사물에 대한 관찰이나 실험을 통해 수집된 증거와 부합해야 한다는 것이다. 즉 인간 활동의 산물로서 과학 지식의 가장 중요한 특징은 경험적인 증거에 근거하며, 경험적인 증거에 우선한 어떠한 전제도 허용하지 않는다는 것이다(권재술 등, 2012). 이는 과학의 범주가 경험적으로 검증될 수 있는 것에 한정되며, 권위나 권위주의 및 관찰된 현상에 대한 초자연적 설명은 과학의 범주에서 제외됨을 의미한다(Bentley et al., 2000; Martin, 2000). 즉 자연세계가 어떻게 변화하는가에 대하여 신화와 개인적인 믿음, 종교적 신념, 신비적 영감, 미신, 권위에 의존하여 설명하는 것은 개인적으로 유용하고 사회적으로 적합할지 모르지만 그러한 설명은 과학적인 것이 아니다(NRC, 1996). 이와 같은 이유로 과학자들은 자연 현상이나 사물에 대한 설명이나 주장이 실험이나 관찰 등에 의한 증거에 의해 뒷받침되지 않는다면 이에 관심을 갖지 않는다.

과학 수업에서 교사는 학생들이 관찰이나 실험 결과에 대한 설명이나 주장을 할 때는 관찰이나 실험 등을 통해 수집된 증거를 토대로 설득력 있게 제시하도록 지도해야 한다. 또한 자연 현상 등에 대한 가설을 세울 때 그 가설은 실험을 통해 검증이 가능한 것이어야 함을 이해하도록 지도해야 한다.

초등 예비교사와 현장교사를 대상으로 한 강호감 등(2004)의 연구 결과에 의하면, 과학 수업에서 '실험 활동'이 어려운 이유로 현장교사들은 '사전 준비가 어려워서(사전 준비를 하기가 귀찮아서)'(23.1%), '실험 활동이 많아서'(15.6%) 등의 응답을 하였다. 즉 절반에 가까운 교사들이 실험 활동 때문에 과학 수업을 부담스러워하는 것으로 나타났다. 이러한 어려움에도 초등학교 과학 수업에서 실험이나 관찰을 해야 하는 이유는 무엇인가? 이에 대한 설명을 몇 가지 제시하면 다음과 같다. 첫째, 대부분의 어린이들은 실험이나 관찰을 하기 때문에 과학 수업을 좋아한다는 점이다. 둘째, 초등학생들의 대부분은 인지발달 단계 중 구체적 조작기에 해당하기 때문에 실험이나 관찰 등의 구체적 조작 활동을 할 때 학습 효과가 크다는 점이다. 셋째는 바로 과학이라는 학문의 특성, 즉 과학 지식은 경험적이라는 점이다.

한편 과학자는 같은 관찰이나 실험을 한다 할지라도 그 결과가 좀처럼 정확하게 일치하지는 않는다(AAAS, 1993). 이는 탐구 대상 또는 탐구 과정에 있어서 예상치 못한 문제 때문이거나 단지 관찰이나 실험에 있어서 불확실성 때문이다. 과학자들이 관찰이나 실험을 할 때 그 과정을 자세히 기록하는 이유는 그 차이를 유발한 것이 무엇인지에 대한 정보를 제공하기 때문이다. 과학 수업에서도 학생들이 자신의 실험이나 관찰 결과를 정확히 기록하고 다른 사람들의 결과와 비교하는 것이 중요하다. 이를 통해 각각의 실험 결과의 차이가 있을 경우 그 차이를 유발한 것이 무엇인지에 대한 정보를 얻을 수 있을 뿐 아니라 동일한 실험을 여러 번 반복하는 효과를 얻을 수 있고 궁극적으로는 실험이나 관찰의 특성을 이해하는 데 도움을 줄 수 있다.

강호감 등(2004)의 연구 결과에 의하면, 현장교사들은 또한 '예상 외의 실험 결과가 나왔을 때 당황스러워서'(27.8%), '실험을 했는데 확실한 결과에 대한 걱정 때문에'(13.0%), '실험이 잘못되면 어쩌나 하는 걱정 때문에'(6.1%) 등의 이유로 '실험 활동'이 어렵다고 응답하였다. 즉 실험 준비와 관련된 어려움 외에도 거의 절반에 가까운 교사가 실험 결과 때문에 실험 활동을 부담스러워한다. 사실 일선 과학 현장과는 달리 초등학교 과학 수업에서는 저가의 장비와 학생의 실험 기구 조작 능력 부족 등의 이유로 개인별 반복실험이나 모둠별 실험에서 정확히 일치하는 실험 결과를 얻기란 쉽지 않은 일이다. 따라서 교사는 개인별 반복실험의 결과나 모둠별 실험 결과가 다를 수 있음을 인식하고 이에 대해 대처해야 한다. 예를 들어 학생들이 실험 결과의 수치 그 자체보다는 그 경향성을 파악하도록 안내하는 것이 한 가지 방안이다.

한편 과학적 생각을 받아들이기 위해서는 먼저 증거가 바탕이 되어야 한다는 것을 학생들이 깨닫도록 고취하는 방법은 다음과 같다(Harlen, 2001, p.23).

- 학생들이 주장하는 의견에 증거를 요구하고, 그것이 학생들이 제시하는 증거와 일치하는 경우 과학적으로 틀린 생각이더라도 받아들이기
- 올바른 사실과 결론이라고 할 수 있는 '정답'만 가치 있다는 생각 피하기
- 학생들이 자신의 증거와 추론을 사용했다면 자신의 탐구를 통해 알아낸 사실을 '정답'으로 인정하기
- 학생들의 경험과 이해의 수준을 넘어서는 설명을 주입시키지 않고 학생들 스스로 자신의 관찰을 이해하도록 허용하기

• 서로 다른 증거가 기존의 생각에 어떤 영향을 줄 수 있는지 토의하기

독일의 기상학자이자 지구물리학자인 Alfred Wegener는 1915년 그의 저서에서 지질학적, 고생물학적, 고기후학적 증거 등을 제시하며 대륙이동설을 제안하였다. 사실 그보다 앞선 1910년 미국의 지질학자 F. B. Taylor도 대륙이동에 관한 논문을 발표했었다. 하지만 Taylor의 논문에는 대륙이동을 뒷받침하는 증거가 미흡하였기 때문에 과학계에서 큰 주목을 받지 못하였고, 대륙이동설의 주창자의 영예는 다양한 증거를 제시하며 가설을 제안한 Wegener에게 돌아갔다.

2. 인간의 추론, 상상 및 창의적 산물로서 과학 지식

과학 지식은 자연 현상이나 사물에 대한 실재 그 자체를 있는 그대로 묘사한 것일까? 많은 학생들이 과학 지식은 실험이나 관찰의 데이터로부터 직접적으로 나온 것으로 그리고 그것은 실제 세계와 정확히 일치한다고 생각하는 경향이 있다. 그 한 가지 예로 물질이 입자로 이루어졌다는 설명(입자설)에 대해 생각해 보자. 그림 3-2와 같이 이 설명은 탄성 충돌을 하는 아주 작은 공으로 원자와 분자를 묘사

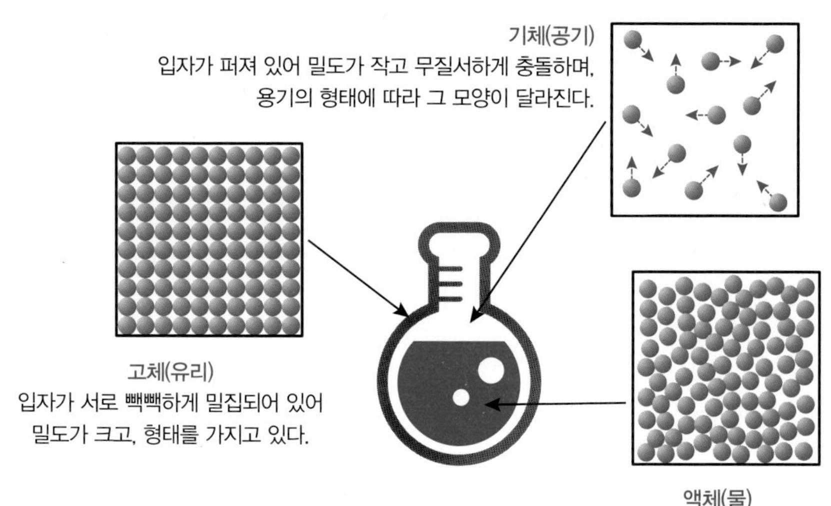

그림 3-2 물질의 입자성
출처: http://www.sciencelearnorg.nz/images/1839-three-states-of-matter에서 변용함.

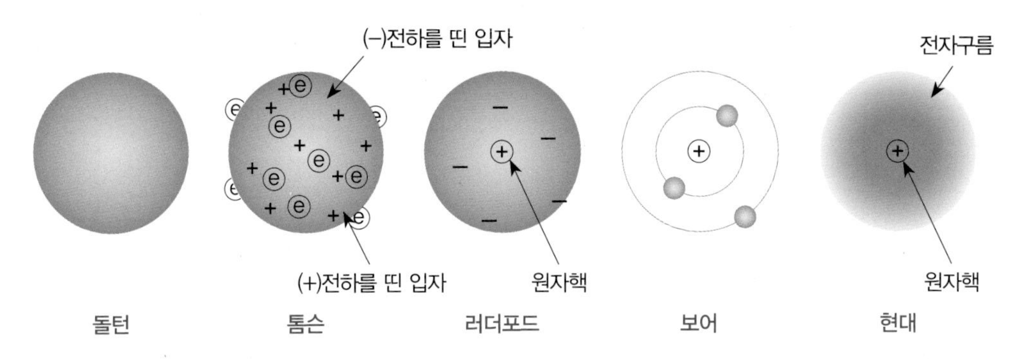

그림 3-3 원자 모형의 변천 과정

한 것으로, 물질의 상태나 운동을 설명하는 데 유용하다. 예를 들어, 물과 에탄올을 섞으면 전체 부피가 줄어들거나 물속에 붉은색 잉크를 떨어뜨리면 천천히 퍼져 나가면서 물 전체가 붉은색으로 변하거나 또는 풍선을 불어 단단히 묶어 놓아도 시간이 지나면 점점 공기가 빠져나가 부피가 줄어드는 현상을 잘 설명한다. 하지만 어느 누구도 실제로 이러한 작은 공을 아직까지 보지 못했다. 그러나 대부분의 초등학생이 이러한 모형에 대해, 실제로 존재하거나 혹은 적어도 실재와 매우 유사하다는 인식을 가지고 있다(김지나, 2008; 노태희 등, 2002).

다음으로 원자 모형에 대해 생각해 보자(그림 3-3). 돌턴의 원자설 이후로 물질에 대한 근본적인 질문은 지금도 계속되고 있다. "원자는 더 이상 쪼갤 수 없는 단단한 공과 같다"는 돌턴의 설명 이후, "양전하가 가득 차 있는 곳을 음전하를 띤 전자가 움직이고 있다"는 일명 톰슨의 건포도 모형으로, "원자의 중심에 크기가 매우 작고 질량이 큰 양전하의 원자핵이 있고 그 둘레를 음전하를 띤 전자가 움직이고 있다"는 러더포드의 모형으로, "원자핵을 중심으로 전자가 일정한 궤도를 그리며 돌고 있다"는 일명 보어의 태양계 모형을 거쳐, 오늘날 "원자핵 둘레에 전자가 구름처럼 퍼져 있다'는 일명 전자구름 모형이라는 현대적 원자 모형으로 변화해 왔다. 과연 현대적 모형은 원자의 실재를 그대로 반영한 것일까?

또 다른 예로 공룡의 멸종 원인에 대한 과학자들의 설명을 생각해 보자. 현재 과학자들은 약 6,500만 년 전 공룡이 멸종되었다는 것에 대해 의견이 일치한다. 그러나 멸종의 원인에 대해서는 과학자들 간에 생각이 다르다. 어떤 과학자들은 당시 일어난 대규모의 격렬한 화산 분출에 의해 공룡이 멸종되었다고 생각한다. 어떤 과학자들은 거대한 운석이 지구와 충돌하였고, 이로 인해 공룡이 멸종되었다고 생각한다. 과학 지식은 경험적이기 때문에 이들 과학자들은 경험적 증거를 토대로 그들의 설명을 제안한다. 그런데 두 설명이 근거로 하고 있는 주요 증거가 일치한다. 그럼에도 공룡의 멸종 원인에 대한 설명이 서로 다르다. 어떻게 이것이 가능할까?

자연 현상에 대한 과학자들의 설명은 부분적으로는 그들이 관찰이나 실험한 것으로부터, 부분적으로는 그들이 생각한 것으로부터 나온다(AAAS, 1993). 상식적인 믿음과는 달리 과학은 생명이 없거나 완전히 이성적인 그리고 질서정연한 활동이 아니다(Lederman et al., 2002). 그러나 많은 학생이 "과학은 창조적이라기보다는 절차적이다"라고 생각한다. 즉 많은 학생이 과학을 일련의 단계를 따르며 무미건조하고 밋밋하고 상상력이 없는 것으로 생각한다. 그러나 실상은 그렇지 않다. 예를 들어 창의적 사고는 의문을 생성하고, 실험을 설계하고, 자료를 해석하고, 결론을 내리는 등의 과학적 연구의 모든 측면에서 볼 수 있다. 과학에서 창의성의 차원은 과학 그 자체의 본성과 그 과정 모두에 스며들어 있다(Bentley et al., 2000).

창의적 사고는 과학에 매우 중요한 요소이다. 과학 지식의 발달은 과학자들의 상당한 독창성과 창의성이 수반된 설명이나 실험 방법 상의 고안들과 관련되어 있다. 과학 수업에서도 학생들의 독창성이나 창의성이 발현되도록 자연 현상이나 사물에 대한 각자의 설명이나 실험 방법 상의 고안 등을 격려해야 한다. 그러나 과학 지식은 과학자의 창의성만으로 생성되는 것은 아니다. 과학자의 창의적 생각은 과학자 자신 그리고 과학 공동체 내에서의 기존 지식, 증거, 논리 등을 통한 검증을 거쳐 과학 지식으로 받아들여지게 된다.

3. 과학 지식의 이론 의존성

과학의 본성과 관련된 주요 오해 중 하나는 '과학자는 매우 객관적이다'라는 믿음이다. 모든 사람은 각자 다른 경험과 지식을 가지고 있으며, 이로 인한 기대와 믿음은 관찰에 영향을 미친다. 즉 동일한 현상이나 사물을 보더라도 관찰자가 가지고 있는 사전 지식이나 신념, 기대 등에 따라 관찰 결과가 달라질 수 있다. 이를 우리는 '관찰의 이론 의존성'이라 한다. 과학자 또한 마찬가지로, 그들의 배경 지식, 경험은 그들이 행하는 관찰과 해석에 영향을 미친다.

과거 '지구 중심의 태양계'라는 관점이 보편적으로 받아들여졌을 당시에 천문학자들은 지구 중심의 관점에서 천체의 운동을 설명하였다. 하지만 오늘날 천문학자들은 '태양 중심의 태양계'라는 관점에서 천체의 운동을 설명한다. 또한 판구조론의 등장 이전에 지질학자들은 '고정된 대륙'이라는 관점에서 지구상에서 벌어지는 지질 현상을 설명하였으나 판구조론 등장 이후에는 '움직이는 대륙'이라는 관점에서 지질 현상을 설명한다. 이와 같이 과학자들은 당시 그 과학 공동체가 공통적으로 인정하고 받아들이는 관점에 근거하여 세상을 바라본다. Kuhn (1962)은 이러한 관점을 '패러다임(paradigm)'이라 불렀다. 과학은 단순히 지식의 집합체라기보다는 세상을 보는 패러다임이다(Peters & Stout, 2006). 이러한 패러다임과 그 변화는 과학교육 그리고 과학을 보다 더 잘 가르치기 위한 방식에 대한 우리의 이해에도 마찬가지로 적용되며, 이에 대해서는 제6장에서 다룬다.

한편 한 연구 집단 내의 과학자들은 사물을 서로 같은 관점에서 바라보는 경향이 있기 때문에 과학자 집단에서조차 연구 방법과 알아낸 것에 대해 완전히 객관적이기 어렵다(AAAS, 1993). 또한 각기 다른 집단의 과학자들은 동일한 현상에 대해 서로 다른 실험 결과를 발표하거나 똑같은 자료로부터 서로 다른 결론을 내릴 수도 있다(NRC, 1996). 과학자들은 이러한 객관성에 대한 문제를 알고 있으며, 이를 해결하기 위한 여러 가지 방안을 강구한다. 그 한 가지 방법은 동일한 문제에 대해 여러 과학자가 독자적으로 연구를 수행하고 그 결과를 비교하는 것이다. 만약 서로의 연구 결과가 일치하지 않으면, 서로간의 불일치를 해소할 수 있는 증거를 찾기 위해 노력한다.

교사는 과학 수업에서 학생들이 동일한 현상의 관찰이나 실험에 대해 서로 다른 설명을 제안할 수 있다는 점을 인식해야 하며, 그림 3-4와 같이, 교사 자신의 기대나 믿음이 학생들의 과학 학습에 큰 영향을 미칠 수 있음을 인식해야 한다. 또한 학생들이 서로 다른 여러 가지 설명을 제안하는 경우, 토론이나 더 많은 관찰이나 실험을 통해 이를 조정, 보완하도록 해야 한다.

4. 과학·기술·사회의 상호 관련성

많은 학생이 과학을 실험실에서 홀로 행하는 고독한 일로 생각하거나 어느 한 개인으로서 과학자가 새로운 아이디어를 생각해내고 그것을 스스로 입증하면 과학지식이 되는 것으로 생각한다.

다음은 물속에 물체를 가로로 넣을 때와 세로로 넣을 때 어느 경우에 무게가 더 많이 줄어드는가를 알아보는 실험을 하고 난 후의 교사와 학생의 대화 내용 중 일부이다. 이 실험의 결과는 이론적으로는 물속에 물체를 가로로 넣든, 세로로 넣든 물속에 잠기면 두 경우 모두 물체의 무게는 같다는 것이다. 이 수업을 진행한 교사는 가로로 넣었을 때 무게가 더 많이 줄어들 것이라는 생각을 가지고 있었던 것으로 추정되며, 이러한 교사의 생각이 수업에 영향을 미침을 보여준다.

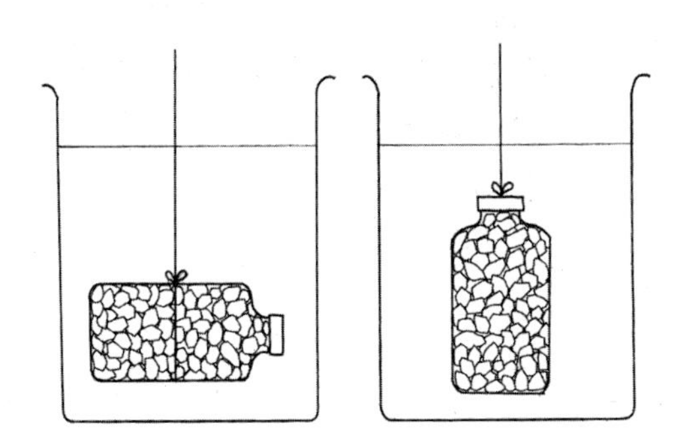

〈물체를 물속에 가로로 넣을 때와 세로로 넣을 때의 무게 변화 실험〉

교 사: 세로로 넣었을 때는 몇 g?
모둠 1: 300g.
교 사: 어, 300g. 가로로 재었을 때는?
모둠 1: 280g.
교 사: 280g. 세로로 했을 때와 가로로 눕혔을 때 어디가 더 무게가 적게 나가지요?
학생들: 가로로 눕혔을 때입니다.
교 사: 그렇죠. 가로로 눕혔을 때 무게가 더 가볍다는 걸 알 수 있어요. 아마 다른 모둠들도 수치는 조금씩 다르지만 같은 실험 결과가 나왔을 거예요. 혹시 그렇지 않은 모둠 있나요?
모둠 2: (손을 듦)
교 사: 어?
모둠 2: 가로가 더 많이 나와요.
교 사: **어, 너희는 결과는 그렇게 됐지만 과정 중에 잘못된 거니까 친구들 결과 … 따라서 하도록 하세요.**

그림 3-4 물속에서의 물체의 무게 변화에 대한 수업 장면[2]

예전에는 개인 또는 몇몇 과학자가 공동으로 연구하는 경우가 많았으나 오늘날에는 우주탐사, 생명공학 등과 같이 많은 과학자들이 공동으로 작업하는 대규모 연구가 많다(교육부, 2018). 또한 어느 한 과학자나 과학자 집단의 연구 결과는 과학 공동체에 의해 자동적으로 받아들여지는 것이 아니다. 해당 분야의 과학 공

[2] 이 내용은 서형두(2003)의 연구에서 실제 수업 장면을 재구성한 것임.

동체의 패러다임 내에서의 새로운 아이디어는 비교적 쉽게 수용될 수 있지만, 매우 획기적이거나 근본적인 변화를 요구하는 새로운 아이디어는 과학자 집단에 의해 쉽게 받아들여지질 않는다. 예를 들어 대륙이동설과 같은 아이디어는 당시 일반적으로 받아들여지고 있던 패러다임의 범위 밖에 있기 때문에 처음에는 거부되었으며, 그러한 새로운 아이디어가 과학 지식으로 수용되기 위해서는 오랜 기간에 걸친 과학 공동체 내에서의 합의 과정이 필요하였다.

오늘날과 같이 과학 활동이 이루어지는 상황에서는 한 집단 내 과학자 각자의 역할 분담 등의 집단의 조직과 운영, 합리적인 의사결정 과정을 거치게 되며, 과학자는 집단 내에서 자신의 견해 또는 자신이 속한 집단의 견해를 다른 사람에게 알리고 자신 또는 자신이 속한 집단의 아이디어에 대한 제3자의 비판에 대비해야 한다(교육부, 2002). 이러한 과학 공동체의 작동 방식에 대한 학생들의 이해를 돕기 위해 교사는 소집단 또는 전체 학급 탐구 활동 과정에서 학생들을 탐구 공동체의 일원으로 참여하게 하며 토론 등의 학생 간 상호작용이 활발하게 이루어지도록 해야 한다.

> "과학도 인간의 다른 문화 활동과 마찬가지로 문화 전반을 아우르는 총체적 관점에서 조명하고 논의해야 한다. 과학과 과학 외의 문화 활동이 서로 격리돼서 성립할 수 있는 것이 아니기 때문이다. 과학의 발달 경로가 어떤 시기에는 다른 분야의 발달 경로와 살짝 스치기도 하고, 때로는 정면으로 충돌하기도 한다. 사회적, 정치적, 종교적 그리고 철학적 문제와의 관계가 특히 그러했다."(Sagan, 1980, p.27)

위 칼 세이건의 주장처럼, 과학은 사회 · 문화와 복잡한 상호 관련성들을 가진 인간의 활동이다. 즉 과학은 사회구조, 권력구조, 정치, 사회 · 경제적 요소, 철학, 종교 등과 영향을 주고받는다(교육부, 2018). 과학의 역사를 통해 그리고 오늘날 유전자 조작, 배아 복제, 정보통신 기술, 원자력 발전과 핵 폐기물 등 과학 연구들을 통해 과학이 사회 · 문화에 영향을 미치고 사회 · 문화가 과학에 영향을 미친다는 사실을 이해하는 것은 어렵지 않다. 이와 같이 탈문화적인 과학은 없으며(Bentley et al., 2000), 과학은 사회와 동떨어진 것이 아니라 사회의 일부이다(NRC, 1996). 이것이 현재 과학 수업에서 STS교육이 강조되고 있는 이유 중 하나이다(제8장 참조).

5. 과학 지식의 잠정성

거의 모든 학생이 "과학 지식은 의심할 여지 없이 확실한 것으로 결코 변하지 않는다"고 생각한다. 실제로 어떤 과학 지식은 매우 잘 확립되어 있고 신뢰할 만하며 많은 증거에 의해 지지되고 있기 때문에 결코 변하지 않을 것처럼 보인다.

지난 수천 년간의 과학사를 통해 우리는 과학 지식이 불변의 진리가 아니라 계속해서 변화하고 발달되어 왔다는 사실을 쉽게 알 수 있다. 예를 들어, 힘과 운동에 대한 지식은 아리스토텔레스, 갈릴레이, 뉴턴, 아인슈타인에 의해 계속해서 변화해 왔음을 알 수 있다. 이와 관련된 또 다른 예는 2006년 화제가 되었던 뉴스, 즉 '명왕성의 행성 지위 박탈'이었다. 2006년 8월 24일, 체코 프라하에서 열린 국제천문연맹(IAU) 제26차 총회에 참가한 2,500여 명의 천문학자들은 '행성 정의 결의안'에 대한 찬반투표를 실시하였고, 이 결의안이 통과되면서 명왕성은 태양계 행성에서 제외되었다. 이에 따라 1930년 발견된 이래 76년 동안 행성의 지위를 누려온 명왕성은 왜소행성으로 재분류되면서, 태양계 행성은 9개라는 영원할 것만 같던 믿음이 사라지고, 과학 교과서의 관련 내용도 바뀌었다.

과학 지식은 어느 정도 신뢰할 만하고 지속성이 있기는 하지만 결코 고정 불변의 절대적인 진리는 아니다. 과학 지식은 새로운 증거에 의해 또는 새로운 이론의 등장에 의해 현존 증거가 재해석될 때 변할 수 있다(AAAS, 1993; NRC, 1996). 이러한 자기 수정 메커니즘은 과학 지식의 중요한 특징 중 하나이며, 현재의 과학 지식은 완성형이 아니라 진행형이다. 이와 같이 과학 지식은 잠정적이며, 그 가치는 옳고 그름이 아닌 그 타당성 여부이다. 과학 수업에서 어떤 자연 현상에 대한 학생들의 설명은 다양할 수 있다. 이에 대해 교사는 어떤 설명을 옳은 것으로, 어떤 설명을 틀린 것으로 평가할 수 있을까? 과학 지식의 잠정적인 속성을 고려하면 교사는 학생들 각자의 설명에 대해 옳다거나 틀렸다고 표현하기보다는 누구의 설명이 더 설득력이 있다거나 다른 설명보다 더 타당한 것 같다는 식으로 표현하는 것이 바람직하다.

한편 과학 지식은 항상 변화한다는 것을 지나치게 사용하지 않는 것이 중요하다. 이는 과학 지식의 점진적 발달과 때때로의 급진적 변화 모두 과학에 대한 이야기를 이루는 요소이기 때문이다(AAAS, 1993). Kuhn(1962)에 의하면, 과학의 발달은 '정상과학(기존 이론의 확립)'과 '과학혁명(새로운 이론의 등장)'의 역동적 과정 속에서 이루어진다. 과학혁명과는 대조적으로 '정상과학'이라 불리는 것은 그 당시 대부분의 시간 동안 지속되고, 당시 많은 과학자가 참여하여 과학의 발전에 기여하였다. 과학혁명이 정상과학보다 우리의 흥미와 관심을 더 많이 끌지만, 이러한 드문 사건들에 집중하는 것은 학생들에게 과학에 대한 왜곡된 이해를 준다(AAAS, 1993). 교사는 학생들에게 그들 자신과 같은 사람들이 과학 활동을 해 왔으며, 앞으로도 그들 자신과 같은 사람들이 과학 활동을 계속해서 해 나갈 것이라는 사실을 깨닫도록 지도해야 한다.

6. 과학적 방법의 다양성

모든 과학 연구에 공통적으로 적용될 수 있는 보편적인 과학적 방법이 존재할까? 과학에 대한 가장 일반적 오인 중 하나는 과학자들이 과학을 행함에 있어서 정해진 조리법과 같은 단계적 절차가 있다는 믿음이다(Lederman et al., 2002).

과학 지식은 관찰 · 측정 · 실험 · 연구 · 추리 · 직관 등의 다양한 방법을 통해서 형성된다(조희형과 최경희, 2001). 이와 같이 과학자들은 다양한 방법으로 과학을 행하고 있으며, 고정 불변의 확실한 과학 지식을 이끌어내는 처방적인 유일한 활동 순서, 즉 단 하나의 과학적 방법은 없다(AAAS, 1993; NRC, 1996; Lederman et al., 2002). 과학의 분야에 따라 주로 활용되는 과학적 방법이 다를 수 있다. 예를 들어, 화학자는 주로 실험을 하지만 지질학자나 천문학자는 연구 대상의 특성 때문에 화학자와 같은 방법을 사용하기 어렵다. 새로운 물질을 만들거나 새로운 기술을 개발하는 경우에는 연구의 목적부터 근본적으로 다르며, 유용성이나 경제성에 대한 고려가 문제 인식의 핵심이 된다(이덕환, 2006).

또한 실제 연구의 과정은 매우 순환적이며 상당히 많은 시행착오를 포함한다(Lawson, 1995). 양일호 등(2006b)의 연구 결과에 의하면, **표 3-1**과 같이 과학자들의 지식 생성 과정은 귀납적 과정, 귀추적 과정, (가설-)연역적 과정 중 어느 하나의 과정을 거치는 것이 아니라 이들 과정이 혼합된 양상을 보인다. 또한 이러한 지식 생성의 과정은 일회적이고 직선적인 과정이 아니라 반복적이며 순환적인 과정을 거쳐 이루어진다. 즉 과학적 방법이라는 문구의 사용은 성공적인 연구를 수행하기 위한 선형적이고 융통성 없는 고정된 절차를 의미하지 않는다(Lawson, 1995). 더 나아가 과학자들의 작업 과정에 대하여 연구하는 과학사회학자들은 순

표 3-1 과학자의 지식 생성 과정(양일호 등, 2006b)

과정			과학자									
			A			B		C		D		
귀납적	단순 관찰		1	7								
	의문 생성					1		1				
	추측/예측					2		2				
	조작방법 설계					3						
	설계 계획에 따른 기기 조작					4		3				
	기기 조작을 통한 관찰					5		4				
귀추적	인과적 의문 생성		2	8		6		5	11	1	11	
	사실 인식		3	9	11				12			
	경험 상황 표상		4		12			6		2	12	21
	원인적 설명자 동정		5		13					3	13	22
	원인적 설명자 차용		6		14	7		7	13	4	14	23
	가설적 설명자 조합				15							
	가설 확인			10								24
연역적	추상적	경험검증 상황 표상			16	8	13	8			15	25
		경험검증 방법 표상			17	9						
		경험검증 방법 차용			18	10				5	16	26
		기준 고안				11		9		6	17	27
	구체적	경험검증 상황 표상					14					
		경험검증 방법 표상					15					
		경험검증 방법 차용			19		16		14	7	18	28
		기준 고안			20		17		15	8		29
	결과 수집				21		18		16	9	19	30
	가설 평가 및 결론 서술				22	12	19	10	17	10	20	31

* 숫자는 지식 생성 순서를 나타냄.

차적인 과학적 방법이란 과학자들이 연구에 이용한 단계에 대한 기술이라기보다는 오히려 그들이 연구 결과를 알리고자 할 때 사용되는 하나의 체제라고 보고하고 있다. 즉 대체로 학술지 논문은 연구 과정에서 실제로 해나간 것의 재구성이다(Weininger, 1990).

교사들 중에는 귀납 또는 가설 연역적인 것이 과학적 방법이며, 과학 개념은 귀납 또는 가설 연역적으로 만들어져야 한다는 제한된 시각을 가지고 있으며, 이러한 생각이 수업에서 가르쳐지는 경우도 있다. 교사는 모든 과학자가 과학을 행함에 있어 따르는 고정된 일련의 단계가 없다는 점을 인식하고 이를 학생들에게 가르쳐야 한다. 그러나 주의할 점은 모든 과학자들이 따르는 고정된 일련의 단계는 없지만 과학적 탐구는 일반적으로 '관련 증거의 수집', '논리적 사고의 사용', '독창성과 창의성'을 포함한다는 것이다(AAAS, 1993). 따라서 교사는 과학 수업에서 학생들이 실험이나 관찰을 통해 관련 증거를 수집하고, 이에 대한 해석을 하는 등에 있어서 논리적 사고를 사용하며, 자연 현상이나 사물에 대한 각자의 설명이나 실험 방법 상의 고안 과정에서 창의력과 상상력을 발휘하도록 격려해야 한다.

과학에 대한 우리의 또 다른 오해 중 하나는 "과학과 과학적 방법은 모든 문제에 대해 답할 수 있다"는 믿음이다. 인류는 과학적 방법을 통해 많은 것을 이루어 냈지만 과학적 방법이 모든 문제를 해결할 수 있는 만병통치약은 아니다. 어떤 문제는 그 특성상 객관적으로 검증될 수 없는 것도 있고 본질적으로 윤리적인 것도 있다. 또한 과학이 과학 관련 사회적 쟁점 해결에 도움이 되는 정보를 제공할 수는 있지만 윤리적, 종교적, 미적, 철학적 문제에 대해서는 답할 수 없다.

3.4 과학의 본성에 대한 지도 방법

앞 절에서 살펴본 바와 같이, 많은 사람이 과학 그리고 과학이 이루어지는 방식에 대해 여러 가지 정형화되거나 왜곡된 이미지를 가지고 있다. 대부분의 초등학생이 가지고 있을 이러한 정형화되거나 왜곡된 이미지는 과학 수업이 과학 지식에만 집중할 때는 개선될 수 없으며, 과학 그 자체에 대한 학습을 필요로 한다. 이를 위해 교사는 학생들의 과학 지식 습득이나 탐구 능력 계발뿐 아니라 과학의 본성

1 맥락적 · 명시적 접근
차시 수업 내용과 연계하여 교사가 관련 과학의 본성을 직접 설명하거나 학생들과 함께 이야기를 나누어 보는 시간을 가지는 방식

2 맥락적 · 암시적 접근
차시 수업 내용과 연계하여 학생 스스로가 관련 과학의 본성을 이해하게 하는 방식

3 탈맥락적 · 명시적 접근
차시 수업 내용과는 별개로 교사가 과학의 본성을 직접 설명하는 방식

그림 3-5 과학의 본성에 대한 지도 방식(교육부, 2014)

에 대한 올바른 이해의 기회를 제공해 줄 필요가 있다. 과학의 본성에 대한 지도 방식은 그림 3-5와 같이 세분화할 수 있다.

그림 3-5에서 **1**의 방법은 차시 학습 상황 속에서 학생들이 학습할 개념이나 실험 활동과 연계하여 관련 과학의 본성을 교사가 직접 설명하거나 학생들과 함께 이야기를 나누어 보는 시간을 가지는 방식을 말한다. 예를 들어, 태양계 구성원으로서 행성에 대한 학습 과정에서 명왕성에 관한 이야기를 통해 과학 지식의 잠정성에 대해, 배추흰나비의 생김새 관찰 후 관찰 결과 발표를 통해 관찰자마다 관찰한 것이 다르다는 것과 연계하여 관찰의 이론 의존성에 대해, 자유 탐구 보고서 발표 후 학생들의 탐구 방법이 다르다는 것과 연계하여 과학적 방법의 다양성에 대해 교사가 직접 설명하거나 학생들과 이야기를 나누는 활동을 할 수 있다.

2의 방법은 차시 학습 상황 속에서 학생 스스로 학습할 개념이나 실험 활동과 연계하여 관련 과학의 본성을 깨닫도록 하는 소극적 방식을 말한다. 예를 들어 행성에 대한 학습 과정이나 배추흰나비의 관찰 과정에서 교사가 관련 과학의 본성을 직접적으로 설명하거나 제시하지 않고 학생들 스스로 학습하는 과정에서 관련 과학의 본성을 인식하고 이해하게 하는 것이다.

3의 방법은 교과서의 내용과 연계하지 않고 과학의 본성만을 별도로 학생들에게 설명하거나 학생들과 이야기 나누는 시간을 갖는 방식이다. 예를 들어 과학 수업 내용과는 별개로 과학의 역사와 관련된 책, 동영상, 교사가 만든 교재 등을 통해 과학의 본성을 가르치는 방식을 말한다.

과학의 본성 지도와 관련된 여러 연구 결과는 과학의 본성을 효과적으로 가

르치기 위해 교사는 과학의 본성을 수업 과정에서 명시적으로 지도해야 함을 보여주고 있다(Hanuscin et al., 2010). 특히 초등학생의 인지적 특성을 고려할 때, 과학의 본성을 과학 수업 과정에서 학생 스스로 자연스럽게 깨닫기를 기대하는 암시적 방법보다는 학습 활동과 관련지어 명시적으로 지도하는 것이 효과적이다(교육부, 2014). 김지나(2008) 그리고 방미정과 김효남(2010)의 연구 모두에서 **1**의 방법을 통한 과학의 본성에 대한 지도가 초등학생의 과학의 본성에 대한 이해에 효과가 있는 것으로 나타났다.

비록 우리는 과학의 본성에 대한 학습이 과학 수업 전체에 걸쳐 명시적으로 이루어져야 한다고 생각하지만, 암묵적인 메시지 또한 중요한 역할을 할 것이라 생각된다(Moss et al., 2001). 예를 들어, 앞서 '1. 과학 지식의 경험적 특성'에서 하렌(Harlen, 2001)이 제안한 방법, 즉 과학 수업 중에 교사가 학생들에게 그들이 주장하는 의견에 증거를 요구하거나 학생들이 제시하는 증거와 일치하는 경우 과학적으로 틀린 생각이더라도 받아들이는 등의 교사의 반응은 학생들에게 과학 지식의 경험적 특성에 대한 암묵적인 메시지를 전달할 수 있을 것이다.

과학의 본성에 대한 직접적인 교수의 필요성에도 초등학교의 과학 교과서에서는 과학의 본성에 대하여 직접적으로 다루지 않으며(방미정과 김효남, 2010), 국내·외 초등학교 과학 교과서의 내용은 과학의 본성을 다양하게 포함하고 있지 못한 실정이다(김지혜 등, 2013). 따라서 초등교사 스스로가 과학의 본성에 대한 현대적 인식을 갖추고 이러한 세련된 인식을 토대로 과학 교과서의 내용과 연계하여 지도하는 방법을 찾아 나가는 것이 현재로서는 최선의 방법이라 할 수 있다.

연습문제

1. 고대 그리스의 학자 피타고라스와 아리스토텔레스는 다음과 같이 지구의 모양과 크기를 주장하였다. 피타고라스와 아리스토텔레스 중 누구의 주장이 더 과학적인지 그리고 왜 그렇게 생각하는지 설명하시오.

> 피타고라스: 공처럼 둥근 모양이 이 세상에서 가장 완벽한 물체의 모양이야. 따라서 우리가 사는 지구도 공처럼 둥글다고 할 수 있지!
>
> 아리스토텔레스: 월식은 지구 그림자와 관계가 있어. 이와 같은 사실로부터 지구의 크기가 약 64,000km라는 것을 알 수 있지.

2. 다음 글과 관련된 과학 지식의 본성은 무엇인지 설명하시오.

> 물이 들어 있는 그릇 속에 타고 있는 작은 초를 똑바로 세워 놓고, 그림 (가)와 같이 촛불을 비커로 덮어 놓았더니, 잠시 후 촛불이 꺼지고 비커 속에 있는 물의 높이가 처음보다 올라갔다. 은주는 물의 높이가 왜 처음보다 올라갔는지 이상하게 생각하다가, "비커 속의 산소가 다 타버려서 없어진 산소가 차지하고 있던 부피만큼 물의 높이가 올라갔다"는 가설을 세웠다. 똘똘이는 자신의 가설을 검사하기 위해 그림 (나)와 같이 크기가 똑같은 두 개의 촛불을 비커로 덮었다. 그때 올라간 물의 높이는 촛불이 한 개인 경우보다 높다는 것을 관찰했다. 은주는 이 실험 결과를 토대로 자신의 가설이 맞다고 생각했다.

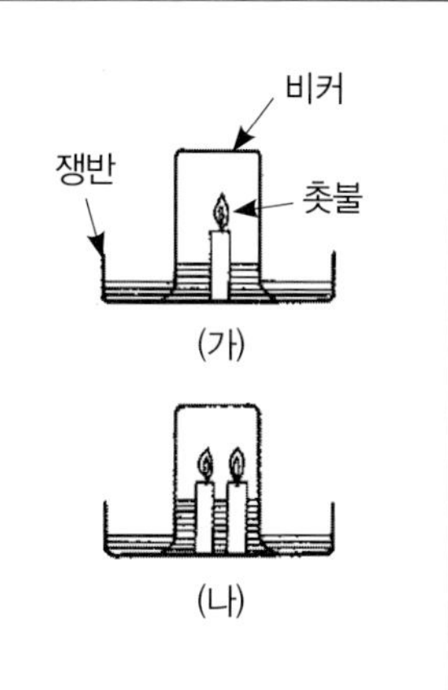

3. 고생물학자들은 공룡의 뼈 화석을 발견하면 이를 복원한다. 뼈 화석에는 공룡의 피부나 눈동자 등이 없음에도 과학자들은 피부결이나 피부색, 눈의 모양을 복원해낸다. 뼈 화석으로 발견된 공룡이 살았을 당시 피부결, 피부색 그리고 눈의 모양을 과학자들은 어떻게 알아내는지 그리고 과학자들은 복원한 공룡의 피부, 색깔 그리고 눈의 모양에 대해 어느 정도 확신하고 있을지 설명하시오.

4. 다음은 과학의 본성에 관한 교사들의 설명이다. 적절하지 못한 곳을 찾고 그 이유를 설명하시오.

교사 1: 만약 여러분이 계속해서 동일한 결과를 얻는다면, 여러분은 자신의 이론이 확증된 것이라고 생각해도 좋다.

교사 2: 과학자들은 데이터를 수집할 때 창의력을 발휘한다. …… 하지만 데이터를 수집한 이후에는 그렇지 않다. 왜냐하면 과학자는 객관적이어야 하기 때문이다.

5. 3~6학년 과학 교과서의 한 단원을 선택한 후, 해당 단원의 교과서 내용과 관련지어 지도할 수 있는 과학의 본성의 예를 한 가지 제시하시오.

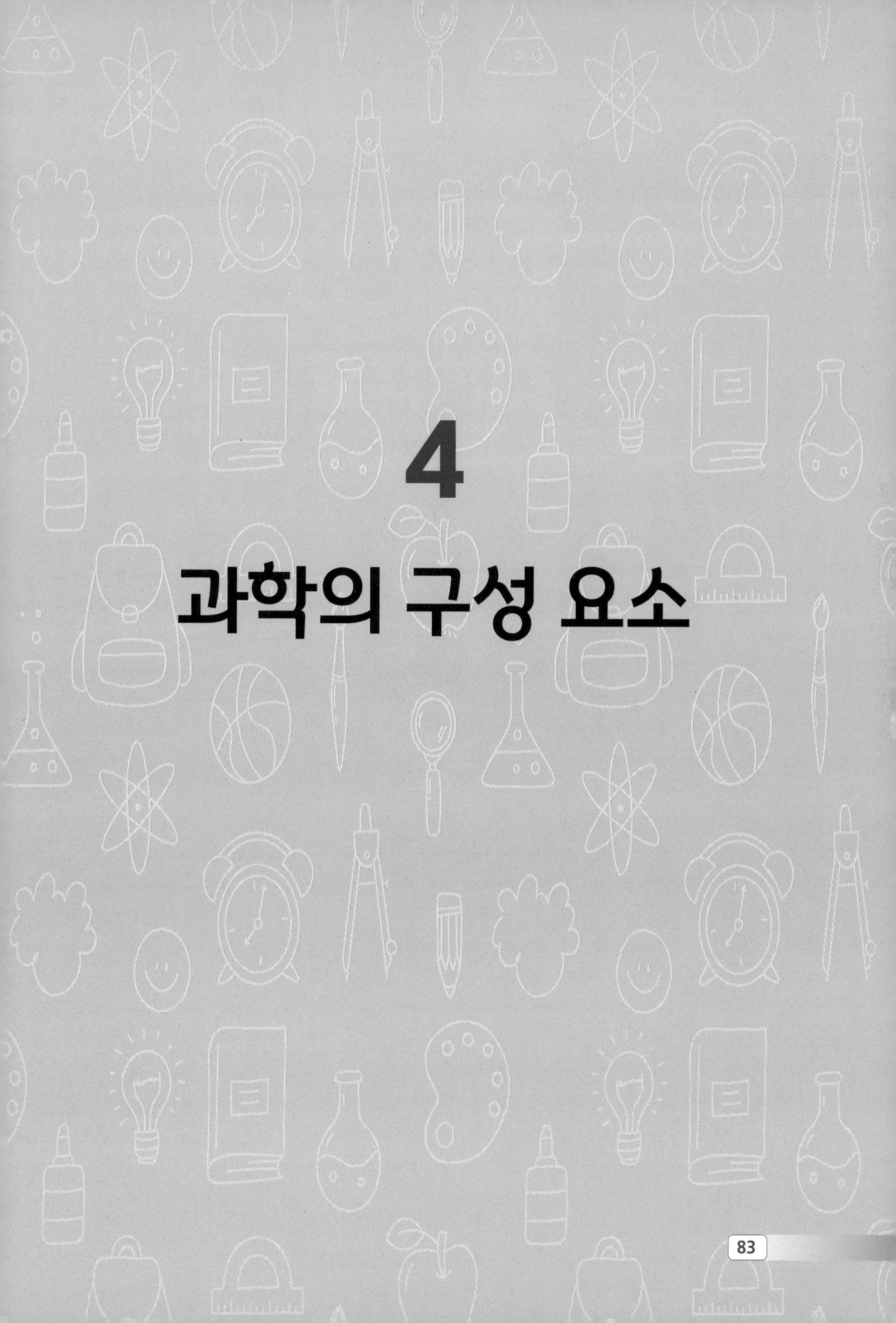

4

과학의 구성 요소

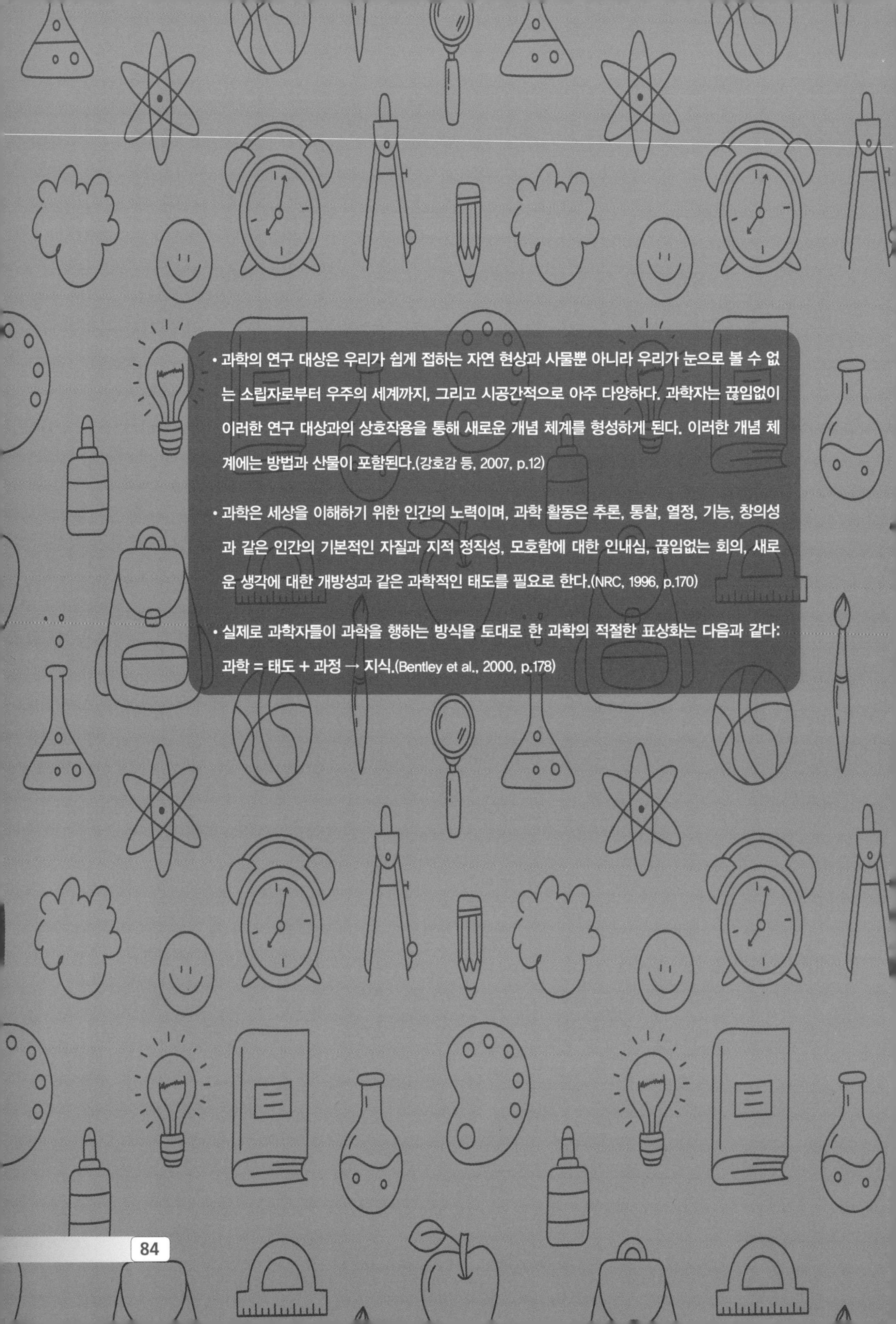

- 과학의 연구 대상은 우리가 쉽게 접하는 자연 현상과 사물뿐 아니라 우리가 눈으로 볼 수 없는 소립자로부터 우주의 세계까지, 그리고 시공간적으로 아주 다양하다. 과학자는 끊임없이 이러한 연구 대상과의 상호작용을 통해 새로운 개념 체계를 형성하게 된다. 이러한 개념 체계에는 방법과 산물이 포함된다.(강호감 등, 2007, p.12)
- 과학은 세상을 이해하기 위한 인간의 노력이며, 과학 활동은 추론, 통찰, 열정, 기능, 창의성과 같은 인간의 기본적인 자질과 지적 정직성, 모호함에 대한 인내심, 끊임없는 회의, 새로운 생각에 대한 개방성과 같은 과학적인 태도를 필요로 한다.(NRC, 1996, p.170)
- 실제로 과학자들이 과학을 행하는 방식을 토대로 한 과학의 적절한 표상화는 다음과 같다: 과학 = 태도 + 과정 → 지식.(Bentley et al., 2000, p.178)

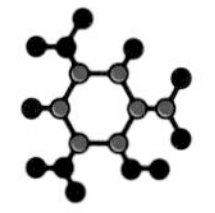

제3장에서 과학의 본성, 즉 과학이라는 학문의 주요 특성에 대해 살펴보았다(그림 4-1의 ❶). 이 장에서는 과학을 이루고 있는 구조에 대해 살펴본다(그림 4-1의 ❷). 모든 학문이 그렇듯 과학은 어떤 관점에서 보느냐에 따라 다르게 정의되는 포괄적인 인간의 활동으로, 과학을 완벽하게 정의한다는 것은 거의 불가능하다. 그러나 여러 학자의 과학에 대한 정의를 살펴보면, 대부분의 경우 두 가지 요소, 즉 '지식 체계'와 '탐구 방법'을 포함하고 있음을 볼 수 있다.[1]

또한 과학교육학자들은 과학 또는 과학교육의 구성 요소로 태도의 중요성을 강조하고 있다. 예를 들어, 윤길수 등(2001)은 "자연을 탐구하는 과정에서 그 방법이 같다 하더라도 이를 수행하는 과학자의 사고방식이나 마음가짐에 따라 그 결과에 많은 차이가 있을 수 있다. 따라서 과학을 탐구하는 과학의 과정에 과학 태도를 포함시켜야 한다"(p.55)고 주장하였다. 이와 같이 과학 관련 태도가 과학 그리고 과학교육의 중요한 측면이라는 인식에 따라 과학의 구성 요소로 지식(지식 체계), 과정(탐구 방법)과 함께 태도(과학 관련 태도)가 포함되고 있다(교육부, 2014; Bentley et al., 2000). 그리고 이러한 세 가지 구성 요소는 초등학교 과학교육의 목표

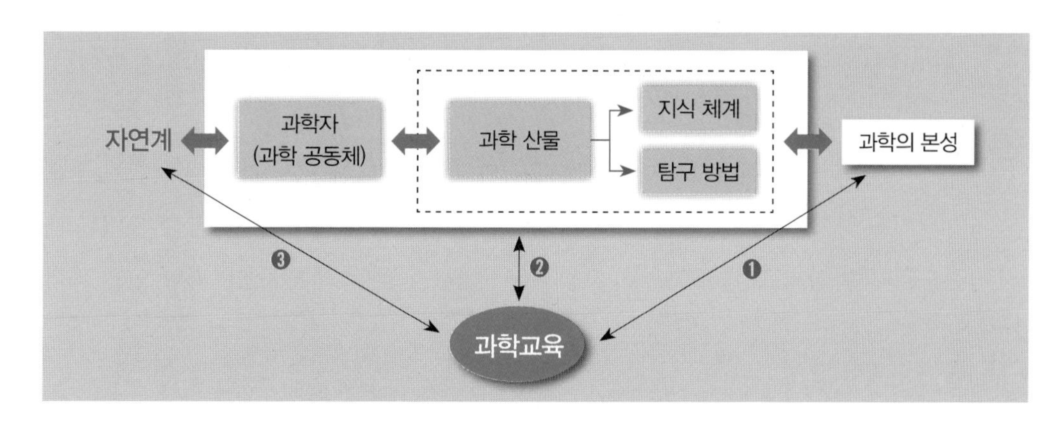

그림 4-1 과학, 과학의 본성, 과학교육의 관계

[1] 학자에 따라서는 지식 체계와 탐구 방법을 모두 과학적 지식으로 포함하기도 한다(그림 4-6 참조).

로 설정되어 왔다(Harlen, 2001). 우리나라 과학과 교육과정과 교사용 지도서에도 과학 지식, 탐구 및 태도는 교과목표의 하위 목표로 설정되어 있을 뿐 아니라 평가의 영역으로 제시되어 있다(교육과학기술부, 2011a; 교육부, 2018).

따라서 학생들에게 무엇을 어떻게 가르칠 것인가를 결정하기 위해서는 교사는 과학의 구성 요소인 과학 지식, 과학 탐구 과정 기능, 과학 관련 태도에 대한 이해가 필요하다. 이 장에서는 이들 구성 요소에 대한 설명과 함께 교육적 시사점에 대해 살펴본다. Harlen(2001)이 지적한 대로 "비록 과학의 세 가지 구성 요소가 별도로 서술되어 있다고 하더라도, 여러분은 이들이 상호의존적이라는 사실을 유념해야 한다". 즉 과학 수업은 과학 지식, 탐구 과정 기능, 태도가 함께 발달되도록 고려되어야 한다. 이 장의 내용 전개는 실제로 과학자들이 과학을 하는 방식을 토대로 과학의 세 가지 주요 구성 요소에 대해 표상화한 Bentley 등(2000)의 제안(**그림 4-2**)에 따라 과학의 출발점인 호기심을 포함한 과학 관련 태도, 과학 탐구 과정 기능, 과학 지식 순서로 살펴본다.

4.1 과학 관련 태도[2]

어린이들에게 과학 활동 경험을 제공하는 이유는 그들이 과학에 대한 근거 있는 태도와 과학적인 태도를 형성하도록 하는 것이다. 이러한 태도는 탐구 과정 기능의 발달에 영향을 주기 때문에 과학교육의 중요한 목표가 된다는 것은 쉽게 알 수 있다(Harlen, 2001).

과학과 관련된 태도는 '과학적 태도'와 '과학에 대한 태도'의 하위 범주로 구분되기도 하고(Gardner, 1975), 과학적 태도, 과학에 대한 태도, 과학 학습에 대한 태도로 세분되기도 한다(교육부, 2018). 여기에서는 '과학적 태도'와 '과학 또는 과학

[2] 이 절에서는 일반적으로 이야기하는 과학 관련 태도를 서술하였지만, 2022 개정 과학과 교육과정에서는 과학의 가치 및 참여와 실천 관련 내용을 포함하여 과학의 심미적 가치, 과학 유용성, 자연과 과학에 대한 감수성, 과학 창의성, 과학 활동의 윤리성, 과학 문제 해결에 대한 개방성, 안전 · 지속가능 사회에 기여, 과학 문화 향유, 융합적 접근 등을 과학과에서 기르고자 하는 가치 · 태도로 제시하고 있다. 이와 관련해서는 이 책의 제2장을 참고하기 바란다.

과학자들의 출발점은 호기심과 해결하고자 하는 의문이나 문제인 것이며, 이를 해결하기 위해 탐구 과정 기능들이 중요한 역할을 하는 관찰, 조사, 실험 등을 통해 지식을 생성하게 된다. …… 내용 또는 지식은 과학적 탐구의 시작이 아니라 결말이다. …… 과학의 세 측면에 대한 보다 적절한 표상화는 다음과 같다 (Bentley et al., 2000, pp.177~178).

과학(Science) = 태도(Attitude) + 과정(Process) → 지식(Knowledge)

그림 4-2 과학의 구성 요소와 표상화

학습에 대한 태도'로 구분하고 각각에 대해 살펴본다.

1. 과학적 태도

'과학적 태도'는 과학을 올바르게 수행하는 것과 관련된 태도를 의미하며(교육부, 2018), 동시에 일반적으로 훌륭한 과학자의 특징을 의미하기도 한다. 과학적 태도의 요소는 학자들에 따라 조금씩 다르며, 여기에서는 2015 개정 과학과 교육과정에 제시된 요소를 중심으로 살펴본다. 한편 일선 현장에서는 과학적 태도와 관련하여 학습 목표의 설정이나 이에 대한 학생들의 평가가 잘 이루어지고 있지 않은 실정이다. 따라서 과학적 태도의 하위 요소별로 학습 목표의 설정과 학습 활동에 대한 평가 진술문의 예시도 함께 제시한다.

(1) 호기심

과학자의 과학 활동의 출발점은 자연세계에 대한 호기심과 의문이며, 이러한 의문을 해결하려는 마음가짐은 과학의 발달에서 매우 중요한 역할을 한다. 이와 마찬가지로 성공적인 과학 수업을 위해 교사는 학생들이 차시 학습과 관련된 자연현상이나 사물 등에 대한 흥미와 호기심을 자극하고 의문을 해결하고자 하는 의욕을 가지게 하는 것이 매우 중요하다.

- 학습 목표: 물체를 이루는 물질에 흥미를 가지고 탐구하려는 태도를 가진다.
- 평가 예시: 물체와 물질에 대한 학습에 흥미와 호기심을 가지고 적극적으로 참여하는 태도가 바람직함.

(2) 합리성

과학에서는 관찰된 현상에 대한 설명을 위하여 사용되는 초자연적 설명보다 결론과 주장을 지지하는 논리적 증거를 중시한다. 이는 합리적 논증 과정을 통하여 검증된 사실을 중시한다는 의미이다. 과학은 초자연적 설명이 아니라 자연적 설명을 추구하며, 미신적 설명에 좌우되어서는 안 된다(교육부, 2018).

- 학습 목표: 암석 관찰 기록에서 관찰한 기록과 생각한 것을 구분할 수 있다.
- 평가 예시: 식물의 잎 관찰하기 활동에서 자신과 친구의 관찰 내용이 서로 다를 때 한 번 더 관찰해 보자고 제안하는 과학적 태도를 보임.

(3) 증거의 존중

제3장에서 살펴본 바와 같이, 과학이 다른 학문과 다른 가장 중요한 특징은 경험적 증거를 중요시한다는 점이다. 과학자들은 자연 현상이나 사물에 대한 설명이나 주장이 실험이나 관찰 등에 의한 증거에 의해 뒷받침되지 않는다면 이에 관심을 갖지 않는다. 또한 과학적으로 사고한다는 것은 증거를 존중하고 증거에 기초하여 사고한다는 것을 의미한다(교육과학기술부, 2011b). 과학 수업에서도 학생들은 자신의 설명이나 주장을 뒷받침하는 증거 자료를 수집하거나 자신이 수집한 자료에 근거한 결론을 이끌어 내려는 등의 자세를 가지도록 해야 한다.

- 학습 목표: 여러 가지 실험과 관찰을 통해 얻은 결과를 바탕으로 산과 염기의 성질을 설명할 수 있다.
- 평가 예시: 산성비의 피해에 대한 글쓰기에서 피해의 사례를 구체적으로 제시하는 등의 증거를 존중하려는 과학적 태도가 우수함.

(4) 비판성

비판성은 어떤 사실이나 견해를 그대로 받아들이지 않고 옳은지 그른지를 하나하나 점검해 보고 판단하는 태도이다. 비판성이 없으면 기존의 권위나 다른 사람의 주장에 대하여 맹목적이 될 수 있으며, 타당한 근거 없이 판단을 하게 된다. 따라서 과학 수업에서 교사는 학생들이 특정 과학 관련 쟁점과 관련된 정보나 자신과 다른 사람의 의견에 대해 비판적으로 검토할 수 있는 기회를 제공해야 한다.

- 학습 목표: 일상생활에서 환경오염을 줄이기 위한 방법들의 장점과 단점을 설명할 수 있다.
- 평가 예시: 일상생활에서 환경오염을 줄이기 위한 방법에 대한 토의 활동에서 제시된 의견의 장점과 단점을 파악하는 능력이 뛰어남.

(5) 객관성

과학을 수행할 때는 특정인에 대한 개인적 감정이나 편견 또는 다른 사람의 비논리적 판단이나 강요에 좌지우지되어서는 안 된다(교육과학기술부, 2011b). 과학 수업에서도 학생들은 최대한 자신이나 다른 사람의 감정이나 의도에 구속받지 않고 자료를 최대한 객관적인 자세로 보고 해석하려는 자세가 필요하다.

- 학습 목표: 친구들이 만든 화산 활동 모형에 대해 공정한 평가를 할 수 있다.
- 평가 예시: 화산 활동 모형에 대한 평가 활동에서 객관적 기준을 제안할 뿐 아니라 협동학습이 잘 이루어진 모둠을 칭찬하고 격려하는 태도가 돋보임.

(6) 정직성

과학자들이 자신들의 관찰 결과를 왜곡되게 보고한다면 이것은 도덕적인 차원의 문제는 물론 과학 연구 전체에 매우 부정적 결과를 초래하게 된다(교육과학기술부, 2011b). 학생들도 과학을 행함에 있어 자신이나 자신이 속한 모둠에서의 관찰이나 실험 결과를 사실 그대로 기록할 수 있어야 한다.

- 학습 목표: 추의 개수에 따라 용수철이 늘어난 길이를 정확히 기록할 수 있다.
- 평가 예시: 용수철의 성질을 알아보는 실험 활동에서 측정한 값이 예상한 값과 다름에도 측정한 결과를 있는 그대로 기록하는 지적 정직성이 우수함.

(7) 개방성

과학자들은 증거에 비추어 어떤 자연 현상에 대하여 다른 설명이 필요하다면 기꺼이 자신의 원래 설명을 수정할 수 있어야 한다(교육과학기술부, 2011b). 학생들도 자신이 예상한 것과 다르게 나온 실험 결과나 자신의 설명보다 다른 친구의 설명이 더 설득력 있을 때 자신의 생각이나 주장을 바꾸려는 자세가 필요하다. 또한 한 과학자가 공개하는 정보는 그 정보가 필요한 다른 과학자에게 많은 도움을 줄 것이며, 자신도 다른 사람들이 공개한 정보를 얻음으로써 연구에 도움을 받을 수 있다(윤길수 등, 2001). 학생들도 자신 또는 자기 모둠의 실험이나 관찰 내용 등을 서로 공개하고 필요한 정보를 상호 교환하는 개방적인 마음을 가져야 한다.

- 학습 목표: 이슬이 생기는 원인에 대한 자신의 처음 생각과 실험 후 생각을 비교하여 설명할 수 있다.
- 평가 예시: 이슬이 생기는 원인에 대한 실험 활동에서 자신의 예상과 다르게 나온 실험 결과와 다른 친구의 타당한 설명을 토대로 새로운 생각을 수용하려는 개방적인 태도를 가지고 있음.

(8) 협동심

오늘날 과학자들은 소규모 또는 대규모의 팀으로 연구하는 경우가 많은데, 이는 공동 연구의 경우 연구의 양과 질 모두에서 효과적이기 때문이다(교육과학기술부, 2011b). 과학 수업에서도 실험, 관찰, 조사 등의 학습 활동이 개별적으로 이루어지기보다는 모둠별로 이루어지는 것이 많으며, 이러한 모둠별 활동 과정에서 모둠 구성원 사이의 협동은 활동이 원활하게 수행되는 데 매우 중요한 과학적 태도이다.

- 학습 목표: 모둠별로 식물의 한살이 관찰 계획을 세울 수 있다.
- 평가 예시: 식물의 한살이 관찰 계획을 세우는 모둠 활동에서 자신에게 주어진 역할을 기꺼이 받아들이고 자신이 할 일을 꼼꼼히 챙기는 등 협동적인 태도가 매우 바람직함.

(9) 실패의 긍정적 수용

유능한 과학자에게도 실패는 연구 과정에서 흔히 겪게 되는 자연스러운 일이다. 과학 활동에서 실패는 지금까지 해온 것에 대한 점검을 통해 똑같은 실패를 예방하게 해주는 효과가 있으므로 얼마든지 긍정적 방향으로 전환시킬 수 있다(윤길수 등, 2001). 과학 수업에서도 학생들은 실험 등의 활동에서 실수나 실패를 할 수 있음을 알아야 하며, 교사는 학생들의 이러한 실수와 오류에 어떻게 대처하느냐에 따라 수업의 질과 효과가 달라질 수 있음을 인식해야 한다(교육과학기술부, 2011b).

- 학습 목표: 자신이 만든 자석을 이용한 장난감의 문제점과 개선 방안에 대해 설명할 수 있다.
- 평가 예시: 자신이 만든 자석을 이용한 장난감의 문제점을 파악하고 이에 근거하여 새로운 장난감을 만들어 내려는 긍정적인 태도를 가지고 있음.

(10) 겸손과 회의

진정한 과학자는 다른 이론의 주장에 타당성이 있으면 겸손하게 받아들이고, 아무리 권위 있는 사람의 이론이라 하더라도 납득하기 어려운 점이 있으면 일단 회의를 가지고 판단하게 된다. 과학자가 권위주의를 가지게 된다면 그것은 반과학적이라 할 수 있다. 만약 갈릴레오가 두 배 무거운 물체는 가벼운 것보다 두 배 빨리 떨어진다는 아리스토텔레스의 이론에 이의를 제기하지 않았다면 과학의 발전은 어떻게 되었을지 생각조차 할 수 없다(교육부, 2018).

- 학습 목표: 친구의 주장이 자신의 주장과 다르더라도 긍정적으로 검토한다.
- 평가 예시: 자신의 주장과 다른 논리적이고 타당한 주장을 긍정적으로 수용하려는 과학적 태도를 가지고 있음.

2. 과학 또는 과학 학습에 대한 태도

'과학에 대한 태도'는 학생들의 과학에 대한 감정, 신념, 가치관 등이 긍정적인지 부정적인지의 성향을 의미하며, '과학 학습에 대한 태도'는 과학 교과나 수업 등에 대한 선호, 만족, 재미, 즐거움 등을 말한다(교육부, 2018).

학생들의 과학이나 과학 학습에 대한 감정이나 인상은 그들이 배우는 과학 지식만큼이나 중요한데, 이는 이러한 감정은 과학 학습 동기나 의욕에 큰 영향을 미치기 때문이다(Bennett, 2003). 이러한 이유로 학생들이 과학이나 과학 학습에 흥미를 느끼고, 그 가치와 의미를 이해하도록 하는 것이 과학교육의 중요한 목표 중 하나이다(곽영순 등, 2006).

따라서 교사는 학생들이 과학이나 과학 학습에 대한 긍정적 이미지를 갖도록 지도할 필요가 있다. 이를 위해 무엇보다도, 제1장에서 살펴본 바와 같이, 교사 자신이 과학이나 과학 교수 활동에 대한 긍정적인 태도와 신념을 갖추는 것이 선행되어야 한다.

4.2 과학 탐구 과정 기능[3]

'과학 탐구 과정 기능'은 과학자들이 지식을 생성하는 데 사용되는 기능을 말한다(Ozgelen, 2012). 과학 탐구의 형태는 다양하지만 대부분의 탐구 형태에 공통적으로 사용되는 과정 기능들이 있다. 이러한 기능을 과학 탐구 과정 기능이라 부르며, 줄여서 '탐구 기능' 또는 '탐구 요소'라고도 한다(교육부, 2018). 현재 과학의 과정, 과학적 방법, 과학적 사고, 과학적 추론, 문제해결 등의 용어가 이러한 기능들을 기술하는 데 사용되고 있지만 과학교육계에서 보편적으로 사용되고 있는 용어

[3] 이 절에서는 일반적으로 이야기하는 과학 탐구 과정 기능을 서술하였지만, 2022 개정 과학과 교육과정에서는 문제 인식 및 가설 설정, 탐구 설계 및 수행, 자료 수집 · 분석 및 해석, 결론 도출 및 일반화, 의사소통과 협업을 근간으로 하되, 이 절에서 서술하고 있는 기존의 기초 탐구 과정 기능과 통합 탐구 과정 기능의 구분을 넘어서고 수학적 사고와 컴퓨터 및 모형 활용하기 등 몇몇 과정 · 기능을 추가로 제시하였다. 또 과정 · 기능은 운동과 에너지, 물질, 생명, 지구와 우주, 과학과 사회 등의 영역별 특성을 반영하여 제시되어 있다. 이와 관련해서는 이 책의 제2장을 참고하기 바란다.

는 '과학 탐구 과정 기능'이다(권재술과 김범기, 1994; Bybee & DeBoer, 1993; Germann et al., 1996).

과학자와 마찬가지로 어린이들도 탐구 과정 기능을 사용하여 자연 현상에 대한 자신의 의문을 탐구해 나간다. 오늘날 과학교육에서는 어린이들의 자연세계를 탐구하는 데 필요한 탐구 기능의 계발을 중시하며, 이러한 기능의 신장을 통해 학생들이 과학뿐 아니라 일상생활의 문제를 합리적으로 해결하는 능력을 갖추길 바라고 있다. 그렇다면 과학 학습에서 탐구 기능이 중요한 까닭은 무엇일까? 이에 대해 Martin(2000)은 다음과 같이 설명하고 있다. 첫째, 과학은 단순히 기존 지식의 습득을 통해 이루어지는 것이 아니라 과학을 행함으로써 이루어지는 것이기 때문이다. 즉 탐구 기능을 사용하는 활동 없이 개념 학습을 하는 경우 암기학습으로 이어질 수 있고, 과학 개념과 분리된 탐구 기능에 대한 학습은 무의미할 수 있으므로 과학 학습에서는 탐구 기능과 개념이 함께 사용되고 발달되는 것이 바람직하다(교육부, 2018). 둘째, 이러한 기능들의 발달을 통해 새로운 문제 상황에서 스스로 문제를 인식하고 이를 해결할 수 있는 능력이 개발되기 때문이다. 과학 탐구 과정 기능은 과학뿐 아니라 학교에서 배우는 다른 모든 교과와 일상생활에도 적용될 수 있기 때문에 '평생 학습 기능'이라고도 한다(김찬종 등, 1999).

일반적으로 과학 탐구 과정 기능은 크게 '기초 탐구 과정 기능'과 '통합 탐구 과정 기능'으로 구분된다. 다만 이러한 구분은 근래에 수학 사고 활용하기, 모형 활용하기 등 좀 더 다양하고 융합적이며 실행을 강조한 과정 기능이 포함되면서 그 구분의 의미가 기존보다 약화되고 있다. 다만 이 절에서는 근래의 좀 더 다양하고 융합적이며 실행을 강조한 과정 기능을 이해하기 위해서도 기본적으로 '기초 탐구 과정 기능'과 '통합 탐구 과정 기능'에 대한 이해가 필요하다는 점에서 이들의 의미와 예시 등에 대해 살펴본다.

1. 기초 탐구 과정 기능

기초 탐구 과정 기능은 탐구의 기초가 되는 기본적인 기능으로 관찰, 분류, 측정, 예상, 추리, 의사소통이 이에 해당한다.

(1) 관찰

'관찰'은 가능한 모든 감각이나 감각을 확장시키는 도구(돋보기, 망원경, 현미경, 청진기, 확성기, 소음계, 음량계, 음파측정기, MBL 등)를 사용하여 자연세계의 사물, 생물, 현상에 대해 필요한 정보를 수집하는 과정이다(교육부, 2018; Abruscato, 1995; Carin, et al., 2005). 과학은 자연세계에 대한 관찰로부터 시작된다고 말할 정도로 관찰은 모든 과학 활동에서 필수적인 과정 기능이다.

표 4-1과 같이, 관찰의 유형은 사용한 '감각 기관의 종류'(관찰할 때 사용한 감각 기관의 종류), 관찰 대상에 대한 '조작 여부'(관찰을 하면서 관찰 대상에 어떠한 조작을 가하느냐), 관찰 대상의 특징에 대한 '정량화 유무'(정성적으로 관찰하느냐, 측정 도구를 사용하여 정량적으로 관찰하느냐), '관찰 대상의 전체성'(관찰 대상의 전체를 관찰하느냐 관찰 대상의 일부만을 관찰하느냐), '관찰 대상의 수'(관찰 대상이 다수인가 하나인가),

표 4-1 관찰의 유형과 예

관찰의 종류		복숭아 관찰
감각 기관의 종류	시각 관찰	전체적으로 둥근 모양이며, 가늘고 짧은 솜털이 표면에 붙어 있다.
	후각 관찰	달콤한 냄새가 난다.
	미각 관찰	맛을 보았더니 새콤하면서도 달다.
	촉각 관찰	껍질을 손으로 만져 보았더니 까칠까칠하다.
	청각 관찰	입으로 베어 물었더니 "와삭"하는 소리가 난다.
조작 여부	단순 관찰	껍질에 솜털이 나 있다.
	조작 관찰	잘라 보았더니 가운데 씨가 있다.
정량화 유무	정성적 관찰	껍질에 아주 작은 솜털이 나 있다.
	정량적 관찰[2]	솜털의 길이는 2mm이다.
대상의 전체성	전체 관찰	전체적으로 둥근 모양이다.
	부분 관찰	초록색인 부분도 있고 붉은색인 부분도 있다.
대상의 수	다수 대상 관찰	솜털의 크기는 거의 일정하다.
	단일 대상 관찰	솜털의 길이는 2mm이다.
대상의 시간 의존성	시간 종속 관찰	깎은 복숭아의 껍질은 시간이 지남에 따라 갈색으로 변한다.
	시간 독립 관찰	껍질에는 초록색인 부분도 있고 붉은색인 부분도 있다.

'관찰 대상의 시간 의존성'(시간 종속적인 관찰이냐 시간 독립적인 관찰이냐) 등에 따라 다양하게 나눌 수 있다(권용주 등, 2005).

학생들이 관찰을 통해 정보를 얻는 것은 스펀지가 물을 흡수하는 것과는 다르다(Harlen, 2001). 우리가 관찰 대상으로부터 수집하는 정보는 선택적이며, 심지어 우리가 맛보고 냄새 맡을 때조차도 각자가 가지고 있는 사전 지식이나 경험, 기대에 영향을 받는다. 이처럼 개인이 가지고 있는 지식이나 경험 등이 다르기 때문에 동일한 자연 현상이나 사물을 관찰하더라도 관찰 결과는 개인마다 다를 수 있다, 이를 소위 '관찰의 이론 의존성'이라 한다. 이는 과학 수업에서 모든 학생이 같은 것을 관찰하더라도 똑같은 관찰 결과를 얻지 않을 수 있음을 의미한다.

또한 우리가 처음 보는 사물이나 생물을 상세히 관찰한다는 것은 쉽지 않은 일이다(Martin, 2000). 따라서 초등학교 과학 수업에서 학생들이 생소한 사물이나 생물에 대해 관찰해야 하는 경우 교사는 학생들에게 관찰 관점을 사전에 제시해 주는 것이 좋다(홍미영 등, 2002). 무엇을, 어떻게 관찰해야 할지를 알고 있으면 그렇지 않은 경우보다 짧은 시간에 보다 많은 내용을 상세히 관찰할 수 있기 때문이다. 이를 위해 무엇을 관찰해야 할지 지침이 되는 **표 4-2**의 양식을 이용할 수도 있다. 이러한 양식은 아동이 관찰한 내용을 발표하고 토론할 때도 유용한데, 이러한 양식이 없는 경우 학생들이 서로 다른 측면에 대한 여러 가지 의견을 마구 쏟아 놓는 혼란스러운 상황을 겪을 수 있다(Harlen, 2001).

표 4-2 3학년 1학기 '동물의 한살이' 단원의 배추흰나비 알과 애벌레의 생김새 관찰하기

구분	알	애벌레
겉모양		
색깔		
크기		
움직임		

한편 관찰은 예상이나 추리, 주관적 느낌, 이미 알고 있는 사실을 기록하는 것이 아니다. 따라서 교사는 학생들이 관찰한 것과 생각한 것을 구분할 수 있도록 지도해야 한다(교육부, 2018). 기타 과학 수업에서 관찰 활동을 지도할 때 유의해야 할 상세한 내용은 제8.1절 '관찰학습'에 제시되어 있다.

(2) 분류

'분류'는 여러 가지 사물, 생물, 자연 현상 등의 공통점, 차이점 및 상호 관련성을 토대로 분류 기준을 세워 무리 짓는 활동을 말하며(교육부, 2018; Abruscato, 1995; Carin et al., 2005), 분류와 유사한 개념으로는 '유목포함'과 '범주화'가 있다.

그림 4-3과 같이, 분류의 유형에는 분류하고자 하는 대상을 몇 갈래의 하위 묶음으로 나누는가에 따라 이분법, 삼분법, 사분법, 다분법이 있으며, 분류하고자 하는 대상을 몇 단계의 하위 묶음으로 나누는가에 따라 일단계 분류(한 번 분류), 이단계 분류(분류한 것 재분류), 다단계 분류(재분류한 것 다시 분류)가 있다(양일호 등, 2006a).

어린이들의 분류 기능에 대한 연구는 두 가지 측면에서 이루어지고 있다. 그 한 가지는 어린이들의 인지 발달에 관한 것이고 다른 하나는 어린이들의 개념 발

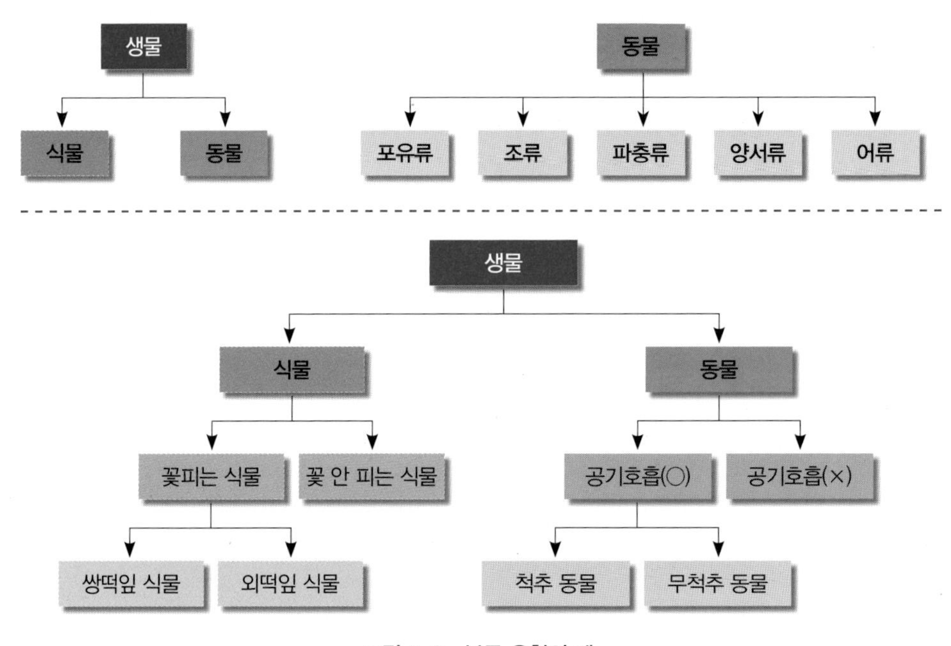

그림 4-3 분류 유형의 예

달에 관한 것이다(Krnel et al., 2003). 분류 기능은 어린이들의 인지 발달 상황을 알 수 있는 분명한 지표 역할을 하고 있다(Adey & Shayer, 1994). 예를 들어, 전조작기 어린이들은 쉽게 드러나는 하나의 특성으로 사물을 분류하는 능력을 가지고 있지만 아직 동일한 사물이 두 가지 이상의 특성을 가질 수 있다는 것을 알지 못한다(Martin, 2000). 즉 이 시기의 어린이들은 단순 속성, 예를 들어 물체의 모양이나 색깔 중 어느 한 가지 특성에 의한 분류가 가능하다(Wood, 1974). 구체적 조작기에 이르면 어린이들은 동일한 사물이 두 가지 이상의 특성을 가질 수 있다는 것을 인식하게 되며, 이단계 분류가 가능하게 된다.

또한 분류 기능은 어린이들이 과학 개념을 형성하거나 효과적인 과학 학습이 이루어지는 데 중요한 역할을 한다(양일호 등, 2006a; Martin, 2000; Krnel et al., 2003). 예를 들어, 학생들에게 강아지, 나무, 물고기, 장미, 비둘기, 당근, 참새 등의 그림카드를 제시하고 특징에 따라 분류하도록 한다면, 식물과 동물로 분류할 수 있을 것이다. 이러한 활동을 토대로 동물과 식물의 개념이 형성된다고 볼 수 있다. 동물, 식물, 암석, 그리고 다른 것들을 명명하고 분류하는 체계는 과학자들이 서로 의사소통을 쉽게 하기 위해 만든 것으로(Howe & Jones, 1999), 그 범주는 다른 기준에 의해서도 분류될 수 있다(양일호 등, 2006a). 이와 마찬가지로 학생들은 제시된 동일한 사물들에 대해 다른 분류 기준을 적용할 수도 있다. 예를 들어, 위 강아지, 나무 등의 그림카드의 생물은 사는 장소에 따라 분류될 수도 있다. 따라서 학생들의 분류 체계를 평가할 때 중요한 고려사항은 그것이 옳고 그름이 아니라 분류된 사물의 차이점을 명확하게 설명해 주느냐 여부이며, 분류 과정에서 학생의 생각을 파악하기 위해 왜 그렇게 분류했는지 묻는 것도 대단히 중요하다(Martin, 2000).

한편 분류를 할 때는 분류의 규칙이 꼭 지켜져야 오류가 발생하지 않게 되는데, 다음은 이에 관한 유의점이다(양일호 등, 2006a, pp.62~64).

- 분류의 기준은 객관적이어야 한다. 이 원칙을 어기면 자신이 분류한 것도 다음에 다시 분류할 때 전혀 다른 분류 결과를 얻게 된다. 예를 들어 '예쁜가?', '내가 좋아하는 것인가?' 등은 사람마다 다르기 때문에 좋은 기준이 되지 못한다.
- 분류의 기준은 명확해야 한다. 분류의 기준이 명백하지 않을 경우에는 항목을 배치하기 어렵다. 예를 들어 '크기가 큰가?' 기준은 크기를 표현하는 데 그

다지 좋은 용어가 아니다. 명확히 하기 위해서는 측정 단위를 기준으로 크기를 표현하는 것이 훨씬 더 실용적이다. 즉 '한 변이 3cm 이상인 것은?'으로 기준을 정하면 분명해진다. 다만 초등학교 수준에서는 가능한 범위를 알고 있으며 제한된 항목인 경우에 한하여 '진한 색은?', '큰 것은?', '무거운 것은?' 등의 기준도 인정된다.

- 분류를 할 때는 일관성을 가지고 항목을 배치해야 한다. 예를 들어 분류 기준을 '자석에 붙는 물체'로 하였다면, 한쪽 갈래에는 자석에 붙는 물체만으로 분류하고, 다른 쪽에는 자석에 붙지 않는 물체만으로 분류가 이루어져야 한다. 단순 오류일 경우가 많으나 분류 개념이 정확하지 않은 경우 이러한 오류가 자주 나타난다.
- 분류된 각각의 항목은 서로 겹쳐지지 않도록 해야 한다. 예를 들어 주어진 물체를 '동물'과 '물에 사는 생물'로 분류한다면, 물고기는 동물로도 분류될 수 있고 물에 사는 생물로도 분류될 수 있다. 이러한 오류는 기준을 분명하게 설정하지 못하였거나 동정하는 과정에서 생겨난다. 초등학교 1~4학년 수준에서 분류 개념이 정확하지 않은 경우 이러한 오류가 자주 나타난다.
- 분류된 각각의 항목을 모두 합치면 분류 이전의 항목과 일치해야 한다. 예를 들어 물체를 '네모인 것'과 '세모인 것'으로 분류할 경우, 동그라미는 어느 항목에도 들어가지 못하게 된다. 이러한 오류는 전체 항목을 분류할 수 있는 기준을 설정하지 못하였거나 동정하는 과정에서 생겨날 수 있다. 또한 분류 개념이 정확하지 않은 경우 이러한 오류가 나타난다.

(3) 측정

'측정'은 관찰 대상의 특징 등을 수량화하는 활동으로, 적절한 측정 도구의 선택과 사용, 측정 단위의 선택, 측정 범위, 어림셈, 오차 등에 대한 이해를 필요로 한다(교육부, 2018). 관찰 활동의 경우, 단순한 관찰(즉 정성적 관찰)에서 끝나지 않고 보다 정밀한 측정(정량적 관찰)을 거치는 경우가 많기 때문에 측정은 넓은 의미에서 관찰의 한 부분이라 할 수도 있다.

초등학교 과학 수업에서 측정하는 것에는 길이, 넓이, 부피, 무게(질량), 시간, 온도가 있으며, 이들은 모두 어린이들이 이해하기 어려운 추상적 개념이다. 따라라서 Martin(2000)이 제안한 대로, 초등학교 저학년의 경우 각자의 측정 체계를 개발하는 기회를 제공해 주어야 한다. 예를 들어 길이를 측정하는 경우 어린이들은 연필, 클립, 뼘, 지우개 등을 이용하여 길이를 측정할 수 있다. 여기서 중요한 점은 어린이들이 길이가 양으로 표현될 수 있고 사물은 이런 식으로 측정될 수 있다는 것을 깨닫도록 하는 것이다(Martin, 2000). 또한 교사는 이러한 활동을 통해 어린이들이 각자의 측정 체계의 불편함을 느끼고 모든 사람이 원활하게 의사소통하기 위해 표준적인 측정 체계(단위 등)가 필요함을 깨닫도록 한다.

정확한 측정이 이루어지기 위해 교사는 어린이들이 (1) 무엇을 측정해야 하는지 측정 대상을 명확히 인식하도록 하고, (2) 측정 대상을 측정하기 위한 적합한 측정 도구를 그들 스스로 선택할 수 있도록 하며, (3) 측정한 값에 적합한 단위를 표시하도록 하고, (4) 반복적인 측정을 통하여 오차를 줄임으로써 정확하고 정밀한 측정값을 얻도록 지도한다(교육부, 2018). 또한 측정과 관련하여 어린이들이 소수에 대해 배우기 이전에는 소수점 아래의 숫자는 무시하도록 안내할 필요가 있다. 예를 들어, 자신의 몸무게를 잴 때 대부분의 경우 체중계의 바늘은 두 숫자 사이에 위치하게 된다. 이때 어느 쪽으로 더 많이 향하고 있는가에 따라 자신의 몸무게를 기록하도록 안내한다. 전자저울의 경우에는 소수점 이하의 숫자 표시 부분을 가리도록 한다.

(4) 예상

'예상'은 관찰이나 측정 결과를 통해 파악한 규칙성에 기초하여 앞으로 일어날 일을 미리 판단하는 것이다(교육부, 2018). 또한 "식초는 산성용액이므로, 푸른색 리트머스 종이를 식초에 넣으면 붉게 변할 것이다"와 같이 적절한 근거를 가지고 어림하는 것도 예상이다.

정확한 예상을 위해서는 주의 깊은 관찰과 정확한 측정이 필요하며(Abruscato, 1995; Carin, et al., 2005), 규칙성을 보이는 자료에서는 '내삽'과 '외삽'을 사용한다. 내삽이란 관찰이나 측정 데이터의 범위 내에서의 새로운 데이터를 추정하는 것인 반면에 외삽은 측정치 범위 밖의 새로운 데이터를 추정하는 것이다(교육부, 2018).

초등학교 과학 교과서에 가장 많이 나오는 질문 중 하나는 '만약 ~한다면 어떻게 될까?'라는 질문이다. 예를 들어 '건포도를 사이다 속에 넣으면 어떻게 될까?', '만약 한쪽 렌즈는 파란색, 다른 한쪽은 빨간색인 선글라스가 있다면 세상은 어떻게 보일까?'와 같은 예상과 관련된 질문은 학생들의 호기심을 자극하는 데 도움이 된다. 더 나아가 학생들이 예상한 것과 실제 일어난 것이 일치하지 않는다면 학생들의 호기심은 더 자극되고 탐구하고자 하는 의문을 생성하게 될 것이다 (Martin, 2000).

학생들의 예상 활동을 지도할 때 교사는 다음과 같은 사항에 유의해야 한다 (양일호 등, 2006a; Martin, 2000).

- 예상은 과학을 하는 데 필수적인 것이고 학생들의 흥미와 호기심을 자극하는 데 효과적이므로, 학생들이 관찰이나 실험을 하기 전에 일어날 현상이나 결과에 대한 자신의 생각을 근거를 들어가며 표현할 수 있는 기회를 제공한다.
- 학생들이 주어진 자료를 토대로 예상하는 경우에는 학생들이 규칙성을 얼마나 잘 파악할 수 있도록 자료가 조직화되어 있는가에 따라 예상은 달라지므로 자료를 체계화하여 제공한다.
- 실험을 통해 얻어진 수치는 실험 오차가 포함된 값이므로 이론적인 값과 일치하지 않는 경우가 많다. 이때 교사는 학생들이 이론적인 값이 아니더라도 얻어진 자료가 경향성을 보이면 규칙성이 있는 것으로 판단할 수 있도록 안내한다. 예를 들어, 추의 개수가 1, 2, 3개로 늘어나면 용수철의 늘어난 길이가 2cm, 4cm, 6cm로 일정하게 증가하는 것이 이론적인 값이다. 그러나 실제 실험하여 얻는 자료는 추의 개수가 한 개씩 늘어날 때마다 용수철의 늘어난 길이는 2.1cm, 4.0cm, 5.9cm와 같이 오차가 발생할 수 있다. 하지만 추가 한 개씩 늘어날 때마다 용수철의 늘어난 길이는 약 2cm씩 증가하는 경향성을 찾을 수 있다.
- 학생들이 예상한 것과 관찰한 것을 구별할 수 있는 기회를 제공하여 관찰과 예상이 서로 다름을 깨닫게 한다.

(5) 추리

'추리'는 직접 관찰한 것에 대해 해석하고 설명하는 과정으로, 사전 지식에 근거하여 관찰한 것에 대한 가능한 결론을 이끌어내는 것을 의미한다(Abruscato, 1995; Carin et al., 2005). 추리는 직접 관찰한 사실과 과거 경험이나 사전 지식 등과 연관시키는 과정을 통해 이루어지기 때문에(교육부, 2018), 추리를 통해 얻은 정보는 정확할 수도, 부정확할 수도, 때로는 틀릴 수도 있으며, 같은 현상을 관찰하고도 학생마다 다르게 추리할 수 있다(교육부, 2018). 예를 들어, 얼음물이 들어 있는 유리컵 표면에 맺힌 물방울을 보고, 학생들은 '얼음의 차가운 기운이 변한 것', '컵 속의 물이 새어나온 것', '공기 중의 수증기가 냉각되어 물로 된 것', '공기 중에 있는 산소와 수소가 결합하여 물이 생긴 것' 등 다양하게 추리할 수 있다.

위와 같이 추리 과정에는 관찰한 사실과 함께 이를 해석하기 위한 사전 지식이 필요하기 때문에, 관련 단서들을 주의 깊게 관찰할수록 그리고 사전 지식이 많고 정확할수록 정확한 추리를 할 수 있다(교육부, 2018). 한편 추리 활동 지도시 유의사항을 몇 가지 제시하면 다음과 같다.

- 추리는 반드시 관찰에 근거해야 하고 많은 관찰 사실을 바탕으로 할 때 좋은 추리를 할 수 있으므로, 교사는 학생들로 하여금 다양한 관찰 사실을 얻도록 안내한다.
- 추리는 잠정적인 설명이므로 성급한 결론에 이르지 않도록 하며(교육부, 2018), 자신의 추리뿐 아니라 다른 사람의 추리의 타당성을 판단하는 활동을 포함한다.
- 학생들의 관찰, 예상, 추리는 서로 다르므로 명확한 사고를 위해서는 이를 구별할 수 있어야 한다(교육부, 2018). 예를 들어, 어떤 학생이 돌하르방 사진을 보고 '현무암으로 만든 것'이라고 기록하였다고 가정하자. 이것은 관찰인가? 예상인가? 추리인가? 아마도 우리는 이것을 관찰이라고 취급할 것이다. 그러나 학생의 기록은 이미 관찰에 근거한 추리이다.

(6) 의사소통

'의사소통'은 과학 탐구의 전 과정에서 사용되는 기능으로, 분명한 의사소통 능력은 과학 활동뿐 아니라 인간의 모든 활동에 필수적이다. '의사소통'은 자신의 생각이나 정보를 다른 사람에게 전하고, 다른 사람의 생각이나 정보를 이해하는 과정을 말하며(교육부, 2018), 언어적인 행위뿐 아니라 비언어적 행위도 포함한다(Martin, 2000).

과학 학습에서 이루어지는 전체 학급 또는 소집단 토의 · 토론 활동은 학생들의 의사소통 능력을 계발하는 좋은 기회를 제공한다. 즉 토의 · 토론 활동은 실험 방법과 결과 등에 대한 자신의 생각을 다른 학생이나 교사에게 알리고 설득하는 능력뿐 아니라 다른 사람의 생각을 듣고 평가하는 능력까지 길러주므로 의사소통 능력 신장에 유용하다 할 수 있다. 또한 과학 내용이나 과학 관련 사회적 쟁점에 대한 토의 · 토론 활동은 서로의 생각을 공유하는 기회 제공을 통한 과학 내용과 과학에 대한 이해와 합리적 의사결정 능력을 기를 수 있는 기회를 제공한다. 토의 · 토론 활동에 대한 상세한 내용은 제8장에서 자세히 다룬다.

과학 글쓰기는 과학을 하는 다양한 방식 중의 하나이다. 과학 글쓰기의 유형은 '과학적 맥락에서의 글쓰기'(예:실험이나 관찰 또는 조사 보고서 등)와 '과학적 대상에 대한 글쓰기'(예:과학 동시, 소설, 만화, 기사, 편지 쓰기 등)로 구분할 수 있다(교육부, 2018). 특히 과학 수업에서 많이 활용되는 실험이나 관찰 보고서 작성 등의 과학 글쓰기 활동은 학생들의 의사소통 기능, 과학의 본성에 대한 이해 등에 도움이 된다. 예를 들어 실험 등의 절차를 다른 사람들이 그대로 따라할 수 있을 정도로 자세하게 기술하고, 자료를 요약 · 해석하기 위해 표와 그래프들을 사용하고, 그리고 다른 사람들의 비평을 위해 자신의 활동을 제출하는 방법을 알게 됨에 따라 학생들은 과학적 방법의 특성을 깨닫게 된다.

한편 Harlen(2001)은 학생들의 공책은 의사소통을 위해 매우 유용한 수단이지만 그 가치가 무시되거나 소홀하게 취급되고 있다고 지적하였다. 우리나라의 경우, 초등학생들이 글을 쓰는 시간을 줄여주기 위해 보조 교과서로서 실험 관찰 책을 제공하고 있다. 실험 관찰에는 글쓰기뿐 아니라 글로 표현할 수 없는 그리기, 표나 그래프 작성하기 등이 포함되어 있다. 학생들이 작성한 실험 관찰의 내용에는 학생들의 관찰 내용, 알게 된 사실이나 그들이 흥미를 느끼고 있는 관찰 대상이 기록되어 있으므로 이를 통해 교사와 학생 사이의 의사소통도 가능해진다. 예를 들어, 교사는 실험 관찰 책에 학생의 활동에 대한 의견을 첨가할 수도 있고 정확한 낱말을 사용하도록 제안할 수도 있다. 종종 학생들이 작성한 실험 관찰의 기록은 불완전하고 정확하지 않다. 이러한 학생들의 기록에 대해 교사는 어떻게 대처해야 할까? 이와 관련한 Harlen(2001)의 제안은 "'어떤 것도 수정하지 않는 것'이다. 수정은 교사의 책임이 아니라 학생의 책임이다. 단지 교사는 학생에게 무엇이 필요한지 보고, 학생이 스스로 수정할 수 있게 지도해 주면 된다."

2. 통합 탐구 과정 기능

'통합(integrated)' 탐구 과정 기능은 '기초(basic)' 탐구 과정 기능이 복합적으로 포함된 탐구 과정 기능으로, 기초 탐구 과정 기능보다 차원 높은 사고 능력을 필요로 한다. 문제 인식, 가설 설정, 변인 통제, 자료 변환, 자료 해석, 결론 도출, 일반화 등이 이에 해당한다. 수준 높은 탐구 학습이 원활히 이루어지기 위해 학생들은 통합 탐구 과정 기능을 획득해야 한다(교육부, 2018).

(1) 문제 인식

'문제 인식'은 자연 현상에 대한 관찰을 통해 의문을 생성하는 것이며(교육부, 2018). 이러한 의문은 과학적 탐구를 위한 추진력을 제공한다(Bentley et al., 2000).

표 4-3과 같이, 과학 수업 등에서 학생들이 생성하는 의문은 추측적, 예측적, 인과적, 방법적, 적용적 의문으로 구분할 수 있으며, 보통 '무엇(what)', '어떻게(how)', '왜(why)' 등의 질문 형태로 표현된다. 이때 학생들이 제기한 의문은 그들 스스로의 관찰 그리고 신뢰할 만한 출처로부터 입수 가능한 과학 지식으로 해

표 4-3 과학적 의문의 유형(이혜정 등, 2004)

유형	정의	예(촛불 관찰)
추측적 의문	현재의 관찰 결과나 관찰된 일련의 사건, 즉 대상 자체의 명칭이나 성분, 구조, 기능 등에 대한 궁금증이 나타난 의문	양초의 성분은 무엇인가?
예측적 의문	현재의 관찰 사실에 대한 변인을 달리했을 때 나타나게 될 현상이나 일련의 사건에 대한 궁금증을 나타낸 의문	심지의 두께는 불꽃의 온도에 영향을 미칠까?
인과적 의문	관찰 사실을 근거로 어떤 현상이 일어나게 된 원인에 대한 궁금증이 나타난 의문	양초를 거꾸로 세우면 왜 불꽃의 방향은 다시 위로 올라갈까?
방법적 의문	현재의 관찰 사실을 다른 방법으로 해결하기 위하여 자신의 지식을 새롭게 구성하고 통합할 수 있는 방법에 대해 궁금해하는 의문	촛불의 크기를 크게 하거나 작게 할 방법이 없을까?
적용적 의문	현재의 관찰 사실이 일상생활에서 어떻게 사용될 수 있는지를 궁금해하는 의문	촛불이 흔들릴 때 생기는 검은 연기가 인체에 주는 영향은?

결될 수 있는 것이어야 한다. 그러나 학생들이 설정한 의문은 실제 조사나 실험을 통하여 해결하기 어려운 경우가 많으므로 탐구 가능한 질문으로 바꾸거나 변형시키는 것을 교사가 도와주어야 한다. 또한 초등학생의 경우 '왜(why)'보다는 '무엇(what)'이나 '어떻게(how)'의 문제를 다루어야 비교적 수월하게 탐구 활동을 수행할 수 있다(교육부, 2018). 왜냐하면 대개의 경우 '~는 무엇인가'와 '~는 어떠한가' 형태의 문제는 비교적 간단한 연구가 수반되는 데 비해 '~의 원인은 무엇인가' 문제는 해결하는 데 상당한 어려움이 따르기 때문이다(강호감 등, 2007).

한편 초등학교 과학 수업의 대부분에서 학생들은 교과서나 교사로부터 주어진 탐구 문제를 다루며, 학생들 스스로 탐구 문제를 찾거나 인식하는 기회가 적다(교육부, 2014). 따라서 학생들이 자연 현상 등에 대해 스스로 의문을 제기할 기회를 제공할 필요가 있는데, 이에 대한 몇 가지 방안을 제시하면 다음과 같다.

- 학생들은 상황에 따라 같은 원리가 적용되는 자연 현상이라 하더라도 이를 상황에 따라 다르게 생각하는 경향이 있으므로(제6장의 과학 오개념의 주요 특징 중 '상황 의존적 사고' 참조), 수업 도입 단계에서 교과서에 제시된 것과 다른 상황을 제시하고 이를 통해 의문을 생성하게 한다. 예를 들어, 교과서에 제시된 내용이 과학적 상황이라면 일상적 상황을 제시한다.
- 수업의 정리 단계에서 학습 활동 과정에서 느낀 궁금한 점이나 더 알아보고 싶은 내용에 대해 질문 형태로 진술하게 한다.
- 단원의 첫 시간에 해당 단원과 관련하여 궁금한 점을 브레인스토밍을 통하여 나열하고 이것을 질문 형태로 서술하게 한다.

(2) 가설 설정

과학 수업에서 학생들은 자연 현상을 관찰하는 과정 중에 의문을 생성하고 그 의문에 대한 잠정적 답인 가설을 세우게 된다. '가설 설정'은 미지의 인과적 원인에 대해 새로운 설명 체계를 제시하는 과정이다(교육부, 2018). 과학과 과학교육에서 가설의 의미는 학자마다 매우 다양한 의미로 사용되고 있으며, 예상을 포함하기도 한다(정진수, 2004). 이와 같이 가설은 예상과 밀접하게 연관되어 있지만 서로 같지는 않다(교육부, 2018). 즉 예상은 어떤 일이 일어날지에 대한 생각을 말한 것이고, 가설은 무엇인가가 왜 일어나는지에 대한 생각을 의미한다. 예상은 경험 의존적인 반면, 가설은 전제 의존적이라 할 수 있다. 예를 들어, (자신의 경험에 근거하여) '풋사과는 신맛이 날 것이다'나 '촛불을 컵으로 덮으면 꺼질 것이다'라는 것은 예상인 반면, (결론의 기초가 되는 판단에 근거하여) '풋사과에는 당분이 적기 때문에 신맛이 날 것이다'나 '촛불을 컵으로 덮으면 산소가 소모되어 꺼질 것이다'는 가설이라 할 수 있다. 그러나 초등학교 수준에서는 가설과 예상을 엄격하게 구분하지 않고 사용하는 경우도 많다(교육부, 2018). 예를 들어, 제7장의 과학과 수업 모형 중 '탐구학습모형'의 가설 설정 단계에서는 현상에 대한 서술적인 진술(일종의 예상)도 포함한다.

일반적으로 초등학교 과학 수업에서 가설 설정은 학생들이 자신의 사전 지식이나 경험에 근거하여 '문제에서 제기된 변인 사이의 관계를 경험적으로 검증할 수 있도록 진술하는 것'을 말한다(교육부, 2018). 즉 상호 연관된 변인을 변화시키면서 다른 변인은 어떻게 될지에 대한 가설을 설정할 경우에는 독립 변인과 종속 변인들 사이의 관계가 나타나 있어야 한다. 예를 들어 '만약 (독립 변인)이 ~될수록 (종속 변인)이 ~일 것이다'의 형태로 표현된다. 초등학생에게 가설이라는 용어 자체가 어렵기 때문에, 학급 학생들의 능력을 고려하여 필요한 경우 "에나멜선을 (　　) 감을수록 전자석의 세기는 (　　)."와 같이 문장을 제시하고 괄호 안에 적절한 말을 넣도록 안내할 수도 있다.

(3) 변인 통제

'변인 통제'는 공정한 검증을 하기 위해 관련 변인을 확인하고, 독립 변인과 종속 변인 외의 다른 변인을 일정하게 통제하는 과정을 말한다(교육부, 2018).

분류 능력과 마찬가지로 변인 통제 능력은 인지 발달의 중요한 지표로 많이 이용되고 있다. 단순 변인 통제 능력은 구체적 조작 단계에서, 복합 변인 통제 능력은 형식적 조작 단계에서 가능하다(Wood, 1974). 즉 구체적 조작기에는 가능한 모든 변인을 열거하고, 단순한 인과관계를 찾을 수 있는 능력이 발달한다. 한편 형식적 조작기에는 관계된 변인들을 개별적 · 종합적으로 생각하고, 두 독립 변인 사이의 상호작용의 효과에 대한 논리적인 접근도 가능하다(Linn, 1980).

변인을 찾고 통제하는 것은 과학적 탐구를 성공적으로 이끌어 나가는 데 있어 필수적인 기능이다. 하지만 많은 초등학생들이 직관적으로 탐구에서 변인을 통제해야 한다는 것을 알지 못하거나, 실험 설계에서 같은 실험을 반복하거나, 가설과 관련이 없는 변인들을 조작하거나, 사전 신념 등의 영향으로 변인 통제에 어려움을 겪는다. 예를 들어, 우리나라 5~6학년 초등학생을 대상으로 한 김선자와 최병순(2005)의 연구 결과에 의하면, 진자 실험 과정에서 약 60%의 학생이 변인 통제 능력이 부족한 것으로 나타났으며, 변인 통제 과정에서 학생들의 사전 신념이 변인 통제 과정에 영향을 미치는 것으로 보고하였다. 한편 변인 통제 지도시 유의사항은 다음과 같다.

- 실험 목적을 분명히 한다. 실험 목적을 확실하게 인식하면 실험에서 원인이 되는 것이 무엇이고, 결과로 나타나는 것이 무엇이며, 무엇을 변화시켜야 하는지가 분명해진다.
- 공정한 검사의 개념을 가르쳐 변인 통제의 필요성을 인식할 수 있도록 한다. 공정한 검사의 개념은 실험군과 대조군의 상황을 보여주고, 실험 조건이 공정한지를 묻는 것을 말한다. 변인 통제된 실험이냐고 묻는 것보다 실험 조건이 공정하냐고 물을 때 학생이 더 쉽게 이해한다.
- 실험의 원인과 결과가 되는 변인들을 파악하여 표로 정리하는 습관을 기르도록 한다. 독립 변인, 통제 변인, 종속 변인의 목록을 작성하고, 각 변인 값을 기록해두는 습관을 기르면, 새로운 실험 상황에 접했을 때 무엇을 파악해야 하는지 자신이 어떤 변인을 모르고 있는지 확실히 알 수 있다.

조작적 정의

많은 과학 활동은 직접 측정하기 불가능하거나 매우 어려운 변인을 간접적으로 측정하거나 조사하는 방법을 이용한다. 예를 들어, 우주의 팽창률은 별빛의 적색편이 정도를 분석함으로써 간접적으로 측정된다. 이와 같이 직접 측정하거나 조사하기 어려운 변인을 관찰 가능한 형태로 정의하는 것을 '조작적 정의'라 한다. 초등학교 수업에서도 조작적으로 정의된 변인을 측정하거나 조사하는 활동이 많다. 예를 들어, 전자석의 세기에 대한 실험의 경우 전자석의 세기를 직접 측정하기 어렵기 때문에 전자석에 붙는 클립의 개수로 전자석의 세기를 간접적으로 측정한다. 산성용액에 대한 조작적 정의의 한 예는 "푸른색 리트머스 종이를 넣을 때 붉은색으로 변하는 용액"이다.

이외에도 초등학생의 경우 변인이나 변인 통제라는 용어 자체가 이해하기 쉽지 않기 때문에 통제 변인은 '같게 해야 할 조건', 독립 변인은 '다르게 해야 할 조건', 종속 변인은 '측정해야 할 조건'이란 표현을 사용하면 학생들이 쉽게 이해할 수 있다.

(4) 자료 변환

'자료 변환'은 관찰, 실험, 조사 등을 통해 수집한 자료의 해석이 용이하도록 수집된 자료를 표, 그래프, 그림, 도면, 사진, 회로도, 흐름도, 도표 등으로 변환시키는 과정 기능이다. 자료 변환은 많은 양의 복잡한 정보를 시각적으로 간결하게 인식할 수 있고, 자료의 경향성과 규칙성을 찾기 쉬우며, 결과를 해석하는 데 유용하다(교육부, 2018).

학생들이 실험이나 관찰 등에서 수집하는 자료는 '양적 자료'일 수도 있고 '질적 자료'일 수도 있으며, 질적 자료인 경우에는 사진, 그림 등의 형태로 자료를 변환할 수 있다. 예를 들어, 학생들이 배추흰나비의 한살이, 자석 주위에 철가루가 늘어선 모양, 구름의 모양 등에 대한 관찰 과정에서 그린 그림이나 사진은 질적 자료이다.

초등학교 과학 수업에서 가장 많이 사용되는 자료 변환의 방법은 표와 그래프이다. 표는 많은 데이터를 체계적으로 정리하여 제한된 지면에 제공하는 방법으로 가장 많이 사용되며, 표로 자료 변환 시 유의사항을 몇 가지 제시하면 다음과 같다(교육부, 2018).

- 결과를 행(가로)과 열(세로)로 표현한다.
- 표는 되도록 단순하게 만든다.
- 표는 간결한 방식으로 상세한 정보를 제공해야 한다.
- 표의 제목은 간결하게 붙인다.
- 표의 내용은 본문과 관계없이 이해되어야 한다.
- 소수점은 1~2개 사용한다.

그래프는 수집된 자료에서 서로 관계가 있는 변인들 간의 상대값을 나타낸

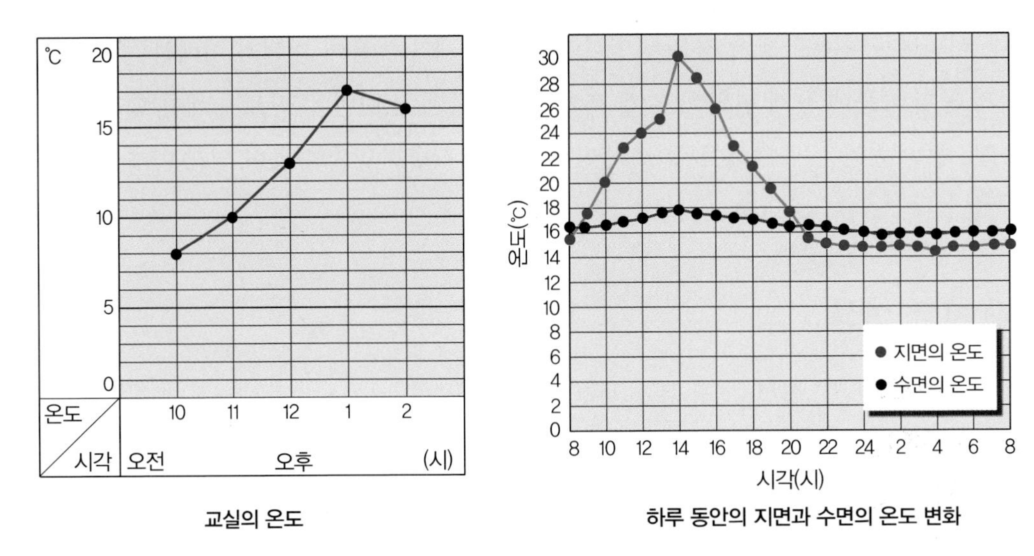

교실의 온도

하루 동안의 지면과 수면의 온도 변화

그림 4-4 꺾은선 그래프의 예

도형으로, 자료의 분포와 전체적인 경향성을 나타내기 쉬운 자료 변환 방법이다. 그래프에는 그림 그래프, 막대 그래프, 띠 그래프, 원 그래프, 꺾은선 그래프 등이 있으나, 초등학교 과학 수업에서 주로 사용되는 것은 막대 그래프와 꺾은선 그래프이다. 막대 그래프는 한 축을 불연속 변수로 하는 양(예:지역별 강수량의 비교)을 비교하는 데 효과적이며, 꺾은선 그래프는 수량의 시간적 변화 상태(예:시간에 따른 기온의 변화)를 나타낼 때 적합하다. **그림 4-4**는 단일 자료의 꺾은선 그래프와 함께 경향과 비교를 동시에 보여주는 다중 꺾은선 그래프의 예이다.

쉽게 예상할 수 있듯이, 초등학생들은 막대 그래프보다 꺾은선 그래프를, 단일 자료의 꺾은선 그래프보다는 다중 꺾은선 그래프를 작성하는 데 많은 어려움을 겪는다. 다중 꺾은선 그래프로 나타내는 활동에서 초등학생들이 겪는 어려움의 몇 가지 예는 다음과 같다(양수진과 장명덕, 2012). 이들의 연구에서 학생들은 '200ml와 500ml의 물이 담긴 두 비커를 알코올램프로 가열하면서 20초 간격으로 측정한 물의 온도 변화표'를 보고 이를 꺾은선 그래프로 나타내는 활동을 하였다.

- 독립 변인을 가로축에, 종속 변인을 세로축에 나타내는 까닭을 이해하지 못하며, 그래프의 가로축을 모눈종이 위쪽에 표시하기도 한다.
- 제시된 표의 값을 토대로 어느 정도 눈금까지 필요한지에 대해서는 생각하지 않고 축에 눈금부터 매긴다(예:'처음 그래프를 배웠을 때 축의 눈금을 끝까지 다 썼

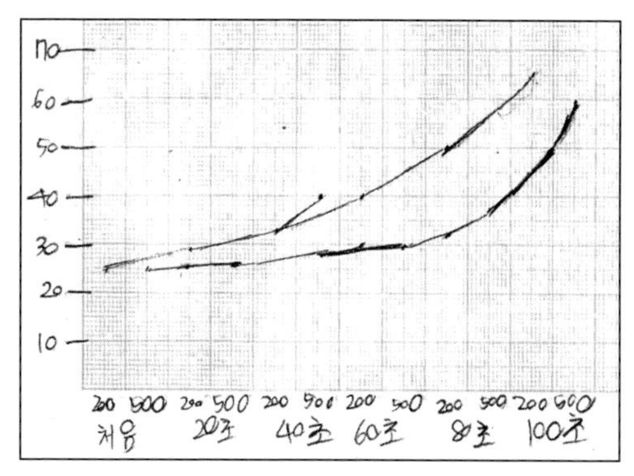

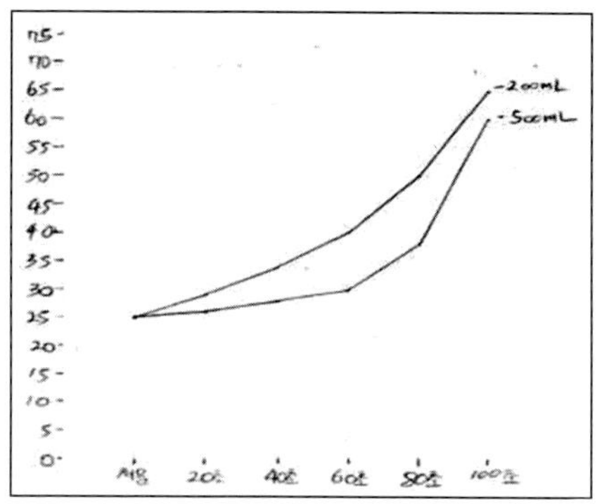

그림 4-5 초등학생이 작성한 다중 꺾은선 그래프의 예

기 때문'이란 이유로 물의 온도를 나타내는 세로축에 0℃부터 100℃까지 매긴다).

- 그래프 눈금의 시작점, 특히 시간의 변화를 나타내는 가로축에 시작점을 바르게 나타내지 못한다(그림 4-5).
- 200ml와 500ml에 대한 그래프를 '같이 그리면 헷갈리기 때문'이거나 '그래프를 따로 그려야 두 그래프의 차이를 더 쉽게 알 수 있기 때문'이라는 이유로 2개 그래프를 그리거나, **그림 4-5**의 왼쪽 그래프와 같이 가로축에 가열 시간과 물의 양 두 변인을 구분하여 표시하고 그래프를 그린다.

(5) 자료 해석

과학자들과 마찬가지로, 과학 수업에서 학생들은 자연 현상이나 사물 등을 관찰하고, 분류하고, 측정하고, 기록한다. 그 다음에 수집한 자료에 근거하여 자료에 나타난 정보를 서술한다. "'자료 해석'은 넓게는 관찰, 실험, 조사 등을 통하여 수집한 모든 자료를 분석하여 자료에 담긴 의미를 파악하고 설명하는 일이라고 할 수 있으며, 좁게는 그림, 표, 그래프 등을 읽고 그 의미를 이해하며 의미 있는 관계나 경향성을 찾아내는 과정을 말한다"(교육부, 2018).

과학 탐구는 알아내고자 하는 대상에 따라 서로 다른 탐구 과정이 요구되지만 어느 경우에든 결과를 분석하여 그 결과가 나타내는 의미를 찾아내는 과정은 반드시 포함된다. 만약 탐구 활동에서 이러한 자료 해석의 과정이 없다면 많은 시간과 노력에도 결국 얻은 것이 아무것도 없다고 할 수 있다. 다르게 말해서 수집한 다양한 형태의 자료를 해석하는 능력이 없이는 자신의 주장을 뒷받침할 증거를 선택하거나 자료에 근거한 어떤 결론도 이끌어 낼 수 없다(Gotwals, 2006).

학생들이 실험이나 관찰 등을 통해 수집한 자료에는 많은 의미 있는 정보가 숨어 있으며, 교사는 학생들이 이러한 정보를 정확히 찾아내도록 지도해야 한다. 이러한 자료 해석의 과정을 통해 학생들은 그들의 의문에 대해 어떤 답을 할 수 있는지 확인할 수 있다. 이와 같이 자료 해석은 다음에 살펴볼 '결론 도출' 또는 '일반화' 과정으로 이어진다. 때로는 교사 또는 교과서에서 주어진 자료에 대한 해석을 통해 예상과 추리 또는 가설을 세우기도 한다.

(6) 결론 도출

'자료 해석'이 수집하거나 주어진 자료의 의미를 기술하는 과정이라면, '결론 도출'은 해석된 자료를 바탕으로 탐구 문제에 대한 답을 얻거나 가설에 대해 판단을 내리는 과정이다(교육부, 2018). 예를 들어 '그림자의 크기를 어떻게 하면 크게 할 수 있을까?'라는 탐구 문제를 해결하기 위해 물체(인형)와 광원(손전등)의 위치를 달리하는 실험을 생각해 보자. 실험 후 '손전등을 인형에 가까이 하면 그림자의 크기가 커진다'거나 '인형을 손전등에 가까이 하면 그림자의 크기가 커진다'라는 진술은 자료 해석이고, '그림자의 크기를 크게 하려면 광원을 물체 가까이 하거나 물체를 광원 가까이 해야 한다'는 결론 도출에 해당한다.

한편 탐구 문제가 간단한 경우 자료 해석과 결론 도출이 같은 경우도 있다(교육부, 2014). 예를 들어 '자석에 붙는 물체는 어떠한 특징을 가지고 있을까?'라는 문제를 탐구하기 위하여 여러 가지 물체를 자석에 붙는 물체와 자석에 붙지 않는 물체로 분류한 후, 분류된 표를 보고 '자석에 붙은 물체는 모두 철로 만들어졌다'고 기술한다면, 이는 수집한 자료에 대한 해석이자 탐구 문제에 대한 결론 도출이라 할 수 있다.

교사는 학생들에게 결론 도출은 실험 결과에 대한 요약정리가 아니라 탐구 문제에 대한 확정적인 진술이라는 설명과 함께 가능한 한 간단명료하게 진술하고, 과도한 예측과 추측을 하지 않도록 안내해야 한다(교육부, 2018).

(7) 일반화

'일반화'는 여러 개의 개별적이고 구체적인 사례나 검증된 사실로부터 일종의 외삽이나 귀납을 사용하여 보다 포괄적인 의미를 이끌어내는 과정을 말한다(교육부, 2018). 예를 들어 모둠별로 여러 가지 금속선(구리, 철, 알루미늄 등)을 가열할 때 길이의 변화를 측정하고 각 금속선의 길이가 모두 늘어난다는 결과를 한데 모아 금속이 열을 받으면 팽창한다는 결론을 이끌어내는 것이 그 한 예이다. 좋은 일반화는 유사한 상황에서 무엇이 일어날지를 정확하게 예측할 수 있고 다른 상황에서는 왜 그것이 일어났는지를 만족스럽게 설명할 수 있어야 한다(Martin, 2000).

일반화의 과정에서 학생들은 실제 구체적 실험 결과와 자료에 근거해야 하고, 지나친 추측이나 과도한 일반화를 하지 않도록 주의하며, 새로운 현상에 대한 설명력이나 예측력을 점검해야 한다(교육부, 2018). 예를 들어 액체가 얼 때 부피 변화를 알아보기 위해 물을 얼리고 그 부피 변화 실험을 한다고 가정하자. 이 실험에서 물은 얼면 부피가 증가한다는 구체적인 사례에 근거하여 액체가 얼면 부피가 증가한다고 기술할 수 있겠지만 이는 과도한 일반화이다. 현재까지 알려진 액체 중 얼 때 부피가 증가하는 것은 물뿐이다.

4.3 과학 지식

그림 4-6과 같이 과학 지식은 크게 '선언적 지식'과 '절차적 지식'으로 구분할 수도 있다(권용주 등, 2003; 조희형과 최경희, 2001).[4] 앞서 언급한 과학 탐구 과정 기능이 절차적 지식에 관한 것이라면, 이 절에서 살펴볼 지식은 선언적 지식에 관한 것이다.

오랜 기간에 걸쳐 생성된 인간의 창조적 산물로서 과학 지식, 즉 선언적 지식은 사실, 개념, 이론, 법칙, 모형 등으로 구분할 수 있다(교육부, 2014). 이러한 과학 지식의 구성 요소 중에서 초등학교 과학 학습의 가장 바탕이 되어야 하는 것은 자연 현상(사실)[5]이며, 특히 인지적으로 구체적 조작기 수준에 있는 초등학생의 경

[4] 학자들에 따라 과학 지식의 속성을 다르게 해석할 뿐 아니라 그 종류도 달리 분류한다. 예를 들어 구성주의를 수용하는 과학교육학자와 인지심리학자는 과학 지식을 교육학적 관점에서 학습자의 마음속에 구성되는 것과 그렇지 않은 것으로 대별한다(조희형과 최경희, 2001).

[5] 최근에는 과학 지식의 잠정성에 기초하여 '사실'이라는 용어가 줄 수 있는 참, 불변성 등의 이미지 때문에 '사실'보다는 '관찰 자료'나 '현상'이라는 용어를 사용하기도 한다(교육과학기술부, 2011b).

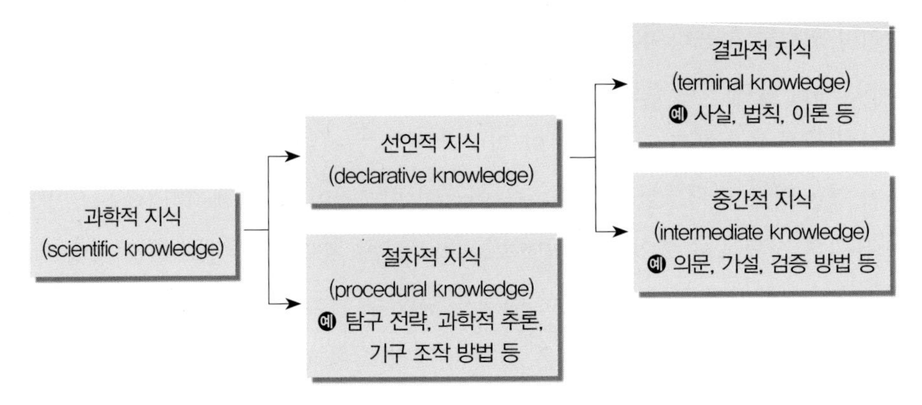

그림 4-6 **과학적 지식의 유형(권용주 등, 2003)**

우에는 추상적 법칙이나 이론보다는 과학 지식을 구성하는 밑바탕이자 출발점인 여러 가지 자연 현상에 대한 이해가 강조될 필요가 있다(교육과학기술부, 2011b). 또한 학생들은 어떤 과학 지식이 어떤 유형의 과학 지식에 속하는지를 아는 것보다 각 유형의 과학 지식의 기능과 서로의 관계를 이해하는 것이 중요하다(Lederman et al., 2002).

1. 사실

'사실'은 관찰과 측정을 통해 얻어진 구체적이고 검증 가능한 정보의 단편이다(교육과학기술부, 2011b). '지구는 자전축을 중심으로 24시간마다 한 번씩 자전한다', '모든 동물의 76%가 곤충이다', '순수한 물이 어는점은 0℃이다' 등이 이에 해당한다.

일반적으로 사실은 우리가 직접 관찰할 수 있는 것들로서, 절대적으로 신뢰할 만한 것으로 간주된다. 하지만 이러한 일반적 믿음과 달리 사실은 관찰의 이론 의존성, 관찰이나 실험상의 불확실성이나 오류 가능성 등으로 인해 확실한 진리라고 할 수 없다(교육부, 2014).

과학 지식의 구성 요소들 사이의 관계를 살펴보면, 사실은 개념이나 법칙, 이론의 토대가 되는데, 사실의 위와 같은 특성 때문에 개념, 이론, 법칙도 잠정성을 지니게 된다. 또한 사실은 자전, 자전축, 동물, 곤충, 어는점과 같은 개념들로 서술되며, "물 분자는 수소 원자와 산소 원자로 이루어져 있다"와 같이 사실이 지칭하는 의미의 개념일 수도 있다. 일반적으로 사실은 법칙과 달리 다른 것을 예상하게 하는 기능이 없으며, 이론과 달리 현상의 원인을 설명하는 기능도 없다(교육부, 2014).

2. 개념

과학적 사실은 그 자체만으로는 별로 의미가 없으므로, 이것들을 검토하여 유의미한 아이디어와 관계들을 형성해야 한다(교육과학기술부, 2011b). '개념'은 몇 개의 사실이나 관찰 결과를 함께 묶은 생각이다(Martin, 2000). 즉 '개념'은 공통된 특성을 가지고 있는 사물, 생물, 현상에 대한 인간의 추상적 관념이다. 예를 들어 '책상'이라는 개념은 어떤 특정한 물건을 지칭하는 것이 아니라 그 재질이나, 모양, 색 등에 상관없이 그 위에 책을 얹어 놓고 읽을 수 있도록 만들어진 모든 물체의 공통적 속성을 말하는 것이다(조희형, 1994). 개념은 개별적으로 다루어야 하는 사물과 사건들의 다양성을 축소하게 되며(교육부, 2014), '화합물', '혼합물', '산', '염기', '공전', '자전', '생물', '무생물', '질량', '마찰', '중력'과 같이 대개 한 단어로 이루어진다.

개념은 크게 '구체적 개념'과 '추상적 개념'으로 구분할 수 있다(한국과학교육학회, 2005). 구체적 개념은 '책상'과 같이 감각적으로 지각하는 것과 관련이 있는 개념으로서, 직접 경험한 것들 중에서 공통된 내용을 추상적으로 파악하여 일반화한 관념이다. 반면 '시간', '온도', '진화'와 같은 추상적 개념은 감각기관을 통한 직접적인 경험과 상관없이 여러 개의 구체적 개념을 바탕으로 순수한 사유 과정을 통한 일반화로 형성된 비교적 복잡한 개념이다.

3. 법칙

'법칙'은 과학적 사실이나 현상들 사이에 드러나는 규칙성이나 경향성을 정리한 진술로, 사실이나 개념보다 더 포괄적 특성을 지닌다(교육과학기술부, 2011b; 교육부, 2014).[6] 예를 들어 "일정한 온도에서 기체의 부피와 압력은 서로 반비례한다"는 보일의 법칙은 '온도', '기체', '부피', '압력', '반비례' 개념 사이의 관계를 진술한 것이다.

보일의 법칙, 뉴턴의 운동법칙, 멘델의 유전법칙, 케플러의 법칙과 같이, 법

[6] 과학적 법칙과 같이, '원리'도 개념들 사이의 관계를 진술한 것이나 원리가 법칙보다 더 포괄적이다(조희형과 최경희, 2001). 이와 같이 원리와 법칙을 구분하기도 하지만 보편적으로는 거의 유사하게 사용된다고 보는 것이 타당하다(권재술, 2012).

칙은 어떠한 가정을 전제하거나 가설에 바탕을 두지 않고 관찰한 현상 사이의 규칙성을 정리한 것일 뿐이지, 왜 그러한 현상이 나타나는지에 대해 설명하지는 않는다. 예를 들어 "질량을 가진 모든 물체는 두 물체 사이에 질량의 곱에 비례하고 두 물체의 질점 사이 거리의 제곱에 반비례하는 인력이 작용한다"는 만유인력의 법칙은 왜 그런 현상이 일어나는지 설명하지는 않는다.

법칙은 다음의 일반성, 보편성, 정합성의 세 가지 조건을 만족시킨다(교육과학기술부, 2011b, p.112): "일반성은 특수하지 않은 일반적인 특성으로 '사과와 지구는 서로 잡아당기는 힘을 가지고 있다'는 진술보다는 '모든 물체는 서로 잡아당기는 힘을 가지고 있다'는 진술이 일반적인 법칙이 될 수 있다. 보편성은 특정한 장소, 시간, 개인 등에 한정되지 않은 어떤 특성을 진술하는 것을 말하며, 정합성은 다른 지식과 모순되지 않고 타당한 특성을 말한다."

4. 이론

'이론'은 사실이나 개념 등으로 이루어진 복합적 지식으로서, 어떤 자연 현상의 원인을 설명할 뿐 아니라 새로운 현상을 예측하는 바탕이 된다(조희형과 최경희, 2001). 예를 들어, 판구조론은 고지구자기나 지진관측 자료, 해저확장설, 맨틀대류 모형 등으로 이루어진 복합적 지식으로 지진이나 화산분출과 같은 현상의 원인을 설명하고 예측하는 근거가 된다.

다른 과학 지식과 마찬가지로 이론은 잠정적 특성을 가지고 있기 때문에 적절성을 기준으로 말할 수 있을 뿐 옳고 그름을 따질 수 없다(교육부, 2014). 즉 어떤 한 이론에 대해 옳다거나 그르다고 말하기보다는 '적절하다' 또는 '적절하지 않다'와 같은 형식으로 말할 수 있다. 또한 이론의 적절성을 판단하거나 경쟁이론들과 비교할 때는 기준이 필요하다. Kuhn에 의하면, 좋은 이론은 정확성(현재의 실험이나 관찰 결과와의 일치), 일관성(내적으로는 물론 다른 영역의 이론과도 일치), 넓은 적용범위(본래 설명하려는 관찰 결과 초월), 단순성(단순할수록 좋은 이론), 유용성(많은 새로운 결과 생산)을 갖추어야 한다(교육과학기술부, 2011b).

이론과 법칙의 기능과 관계

제3장에서 Lederman 등(2002)이 제시한 K-12에서 다루어져야 할 8가지 본성 중 6가

지에 대해 살펴보았다. 이들이 제안한 과학의 본성 나머지 2가지는 '관찰과 추리의 구분'과 '과학 이론과 법칙의 기능과 관계'이다. 그중 과학의 법칙과 이론의 관계를 설명하면 다음과 같다.

법칙은 어떤 이론이 그것을 설명하기 이전에 알려진다. 예를 들어, '보일의 법칙'을 생각해 보자. Robert Boyle이 제안한 이 법칙은 "일정 온도에서 기체의 압력과 그 부피는 서로 반비례한다"는 것으로, 왜 기체들이 그러한 방식으로 운동하는지를 설명하지 않으며, 반복적으로 관찰된 대로 기체의 운동을 기술하고 있다. 이와 같이 법칙은 현상 사이에서 나타나는 규칙성을 정리한 것이지, 왜 그러한 현상이 나타나는지 설명하지 않는다. 이에 반해 '기체 분자 운동 이론'과 같이, 이론은 그 현상이 왜 일어나는지 설명하고자 한다.

위와 같이 이론과 법칙은 그 기능이 서로 다르다. 따라서 이론이 많은 증거들에 의해 뒷받침되면 법칙이 된다거나, 이론이 법칙보다 더 높은 지위에 있다는 생각은 법칙과 이론의 관계를 극단적으로 단순화한 관점이다(교육부, 2014). 이론은 결코 법칙이 되지 않으며, 그 역도 마찬가지다. 오히려 사과와 오렌지가 서로 다른 과일인 것처럼 이론과 법칙은 서로 다른 범주의 지식이다(Bentley et al., 2000).

5. 모형

과학에서 '모형'은 우리가 쉽게 볼 수 없는 사물이나 자연 현상, 이론에 대한 구체적인 표상이다(Martin, 2000). 예를 들어, 원자 모형, 음파 모형, 지구 내부 모형, 태양계 모형 등은 우리가 볼 수 없는 사물이나 현상 등을 시각화할 수 있게 한다. 자연의 사물이나 현상을 설명하는 이론은 추상적 속성으로서 반드시 모형이나 은유 또는 비유로 표현된다(조희형과 최경희, 2001). 모형은 우리가 볼 수 없는 자연 현상이나 사물 등에 대한 주된 특징을 개념화하는 데 도움을 주기 위해 사용되지만 모형은 실재 그 자체가 아니다.

과학 수업에서 모형의 사용은 학생들의 해당 자연 현상이나 사물 등에 대한 이해와 흥미 유발에 도움이 되지만 단순화 · 도식화라는 모형의 특성과 한계로 인해 오해를 불러일으킬 수 있다. 예를 들어 태양계 모형에 대해 생각해 보자. '행성의 크기'는 '행성 간의 거리'에 비하면 매우 작기 때문에 교과서 등의 그림에서 행성들의 크기는 그들 사이의 거리에 비해 상당히 과장되게 그려진다.

> "태양계에 분포하는 행성들의 실제 상대적인 크기와 거리를 알아보기 위해 모든 것을 10억분의 1로 축소해 보자. 그러면 지구의 지름은 약 1.3cm(포도알)가 된다. 완두콩 크기의 달은 지구로부터 약 30cm 떨어진 곳에 위치하게 된다. 태양의 지름은 약 1.5m(운동회 때 공굴리기 경기에 사용되는 공)가 되며, 태양과 지구 사이의 거리는 약 150m가 된다. 목성은 지름이 약 14.3cm(커다란 자몽)가 되며, 태양으로부터 약 780m 떨어진 곳에 위치하게 된다. 토성은 지름이 약 12.1cm(사과)가 되며, 태양으로부터 약 1,430m 떨어진 곳에 위치하게 된다. 가장 멀리 있는 해왕성은 지름이 약 5cm(작은 귤)가 되며, 태양으로부터 약 4,500m 떨어진 곳에 위치하게 된다."(Hewitt et al., 2007, p.629)

이와 같이 모형 구성에서 어려움의 하나는 실제로 존재하는 공간적 관계는 종종 너무나 엄청난 값이기 때문에 태양계 모형과 같이 책 한 페이지 크기로 축소하는 과정에서 왜곡된 모형이 만들어진다는 것이다(Martin, 2000). 따라서 과학 수업에서 모형을 사용할 경우에는 모형과 실재와의 차이점, 모형의 한계 등에 대해 안내해 줄 필요가 있다(교육과학기술부, 2011a; 교육부, 2014).

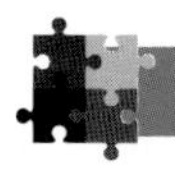

연습문제

1. 다음은 '과학의 정의'에 대한 두 가지 표상화이다(Bentley et al., 2000, p.177~178). (가)와 (나)의 차이점에 대해 설명하시오.

> (가) 과학 = 지식 + 과정 + 태도 (나) 과학 = 태도 + 과정 → 지식

2. 다음은 가상의 초등학생이 쓴 과학 일기 내용 중 일부이다. 이 학생의 일기 내용에 나타난 과학적 태도 요소를 찾고 설명하시오.

> 실험 결과는 예상했던 것과 같았다. 우리는 실험 결과에 따라 결론을 쓸까 하다가 다른 모둠의 실험 결과도 참고하기로 하였다. 그런데 철수네 모둠의 실험 결과를 보았더니 우리 모둠과 달랐다. 그래서 나는 다시 한 번 실험해 보자고 이야기하였다. 그런데 아쉽게도 시간이 부족해서 다시 실험을 할 수 없었다. 철수는 우리 반에서 가장 공부를 잘하는 친구라서 우리 모둠은 고민하다가 각자 알아서 결론을 쓰기로 하였다. 나는 한참을 고민하다가 우리 모둠의 실험 결과에 따라 결론을 썼다. 내가 쓴 것이 맞는 걸까? 철수네 모둠과 우리 모둠의 실험 결과는 왜 달랐을까?

3. 한결이는 못에 에나멜선을 감은 수와 직렬로 연결한 전지의 수를 변화시키면서 전자석의 세기가 어떻게 달라지는지 조사하기 위해 다음과 같이 실험을 하였다. 한결이의 활동에서 부족한 탐구 능력은 무엇인지 설명하시오.[7]

> - 못에 에나멜선을 10번 감고 전지를 1개 직렬로 연결하여 전자석에 달라붙는 클립의 개수 측정
> - 못에 에나멜선을 20번 감고 전지를 2개 직렬로 연결하여 전자석에 달라붙는 클립의 개수 측정
> - 못에 에나멜선을 30번 감고 전지를 3개 직렬로 연결하여 전자석에 달라붙는 클립의 개수 측정

[7] 3~5번 문항은 2001학년도, 2007학년도, 2013학년도 초등 임용고사 기출 문제를 일부 수정한 것임.

4. 다음은 '촛불 관찰하기'를 수행한 후 제출한 관찰 보고서를 평가한 결과이다. 관찰 보고서의 내용을 토대로 평가표의 ①, ②에 해당하는 용어를 설명하시오.

〈관찰 보고서 내용〉	〈관찰 보고서 평가표〉			
	평가 관점	평가 결과		평가 근거
		예	아니오	
양초가 흰색이다.	(①)을(를) 이용한다.		v	감각 중에서 시각만 사용하였다.
촛불이 흔들리면서 연기가 난다.	정성적인 관찰을 한다.	v		초가 타면서 나타나는 성질을 묘사하였다.
초가 녹아 액체가 되어 흘러내린다.	대상의 변화를 묘사한다.	v		시간의 흐름에 따라 초의 변화를 묘사하였다.
초의 길이는 약 10cm이다.	(②) 관찰을 한다.	v		초의 길이를 관찰하였다.

5. 다음은 김 교사와 학생들이 나눈 대화의 일부이다. 물음에 답하시오.

교사: 개구리밥을 관찰하고 특징을 서로 이야기해 봅시다.
은하: 개구리밥은 녹색이야. 잎이 물 위에 떠 있고 뿌리는 물속에 있어. 그런데 줄기는 어디에 있지?
민수: 이 부분 아닐까? 여기가 뿌리, 여기가 줄기, 그리고 여기가 잎.
은하: 글쎄, 내가 볼 때는 잎과 흰 뿌리만 있는데.
(중략)
민수: 이제 보고서에 관찰 결과를 기록하자.
은하: 파리는 날개가 1쌍이고, 다리는 3쌍이다.
민수: 거미는 몸이 3부분으로 되어 있고, 다리가 4쌍이다.
은하: 개미는?
민수: 개미는 몸이 3부분으로 되어 있고, 다리가 3쌍이다.
은하: 그런데 날개가 없네. 곤충은 날개가 있어야 되는데?
민수: 맞아. ㉠ 날개가 없으니까 개미는 곤충이 아닐 거야. '곤충이 아니다'라고 쓰자.

1) 위 대화에서 개구리밥에 대한 은하와 민수의 관찰 결과가 서로 다른 이유를 현대 과학철학의 인식론적 관점에서 설명하시오.

2) 위 대화에서 ㉠을 바탕으로 김 교사는 민수의 탐구능력에 대해 다음과 같이 평가하였다. A와 B에 해당하는 용어는 무엇인가?

> 민수는 탐구 기능 중 A와(과) B을(를) 정확히 구별하지 못하고 있다. 'B은(는) A한 것을 해석하고 설명하는 과정'이므로, 명확한 사고를 위해서는 2가지 탐구 기능을 구별할 수 있어야 한다.

6. 다음은 해저 지형에 대한 그림 모형과 설명의 글이다. 글 내용과 관련하여 모형에서 왜곡된 부분을 찾고 설명하시오.

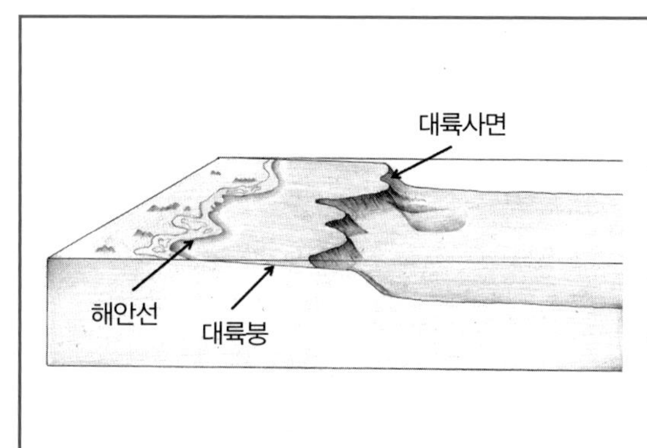

'대륙붕'은 육지나 큰 섬 주변을 둘러싸고 있는 육지 가까운 곳으로 육지의 연장이며 깊이 200m까지인 바다를 말한다. 한편 '대륙사면'은 대륙붕 끝부터 수심 1500~3500m 정도에 이르는 경사가 상당히 급한 곳을 말한다. 큰 바다 밑에 있는 비탈이 급한 곳이라고 보면 된다. 경사는 1~15° 정도이며 평균 4°이다.

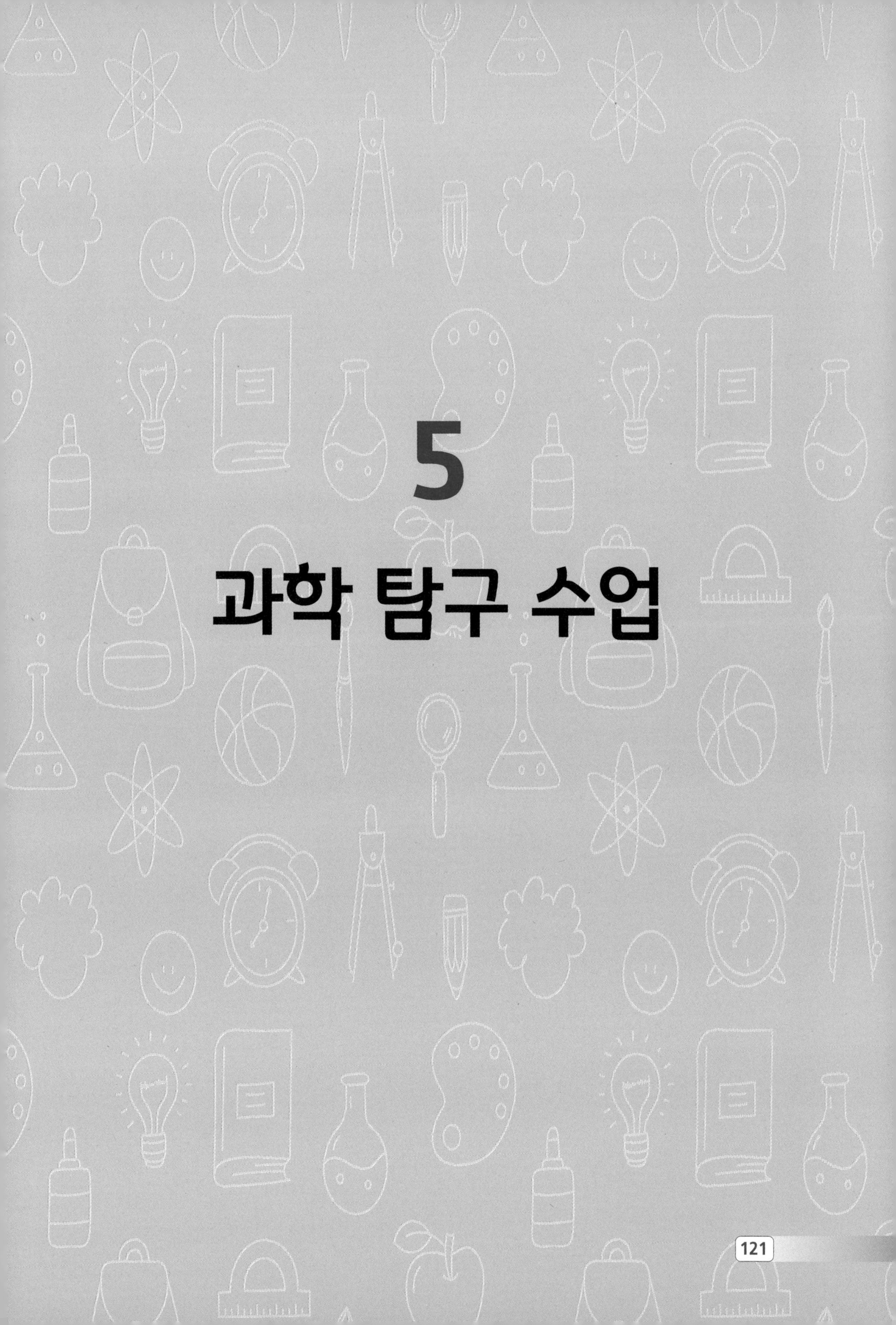

5

과학 탐구 수업

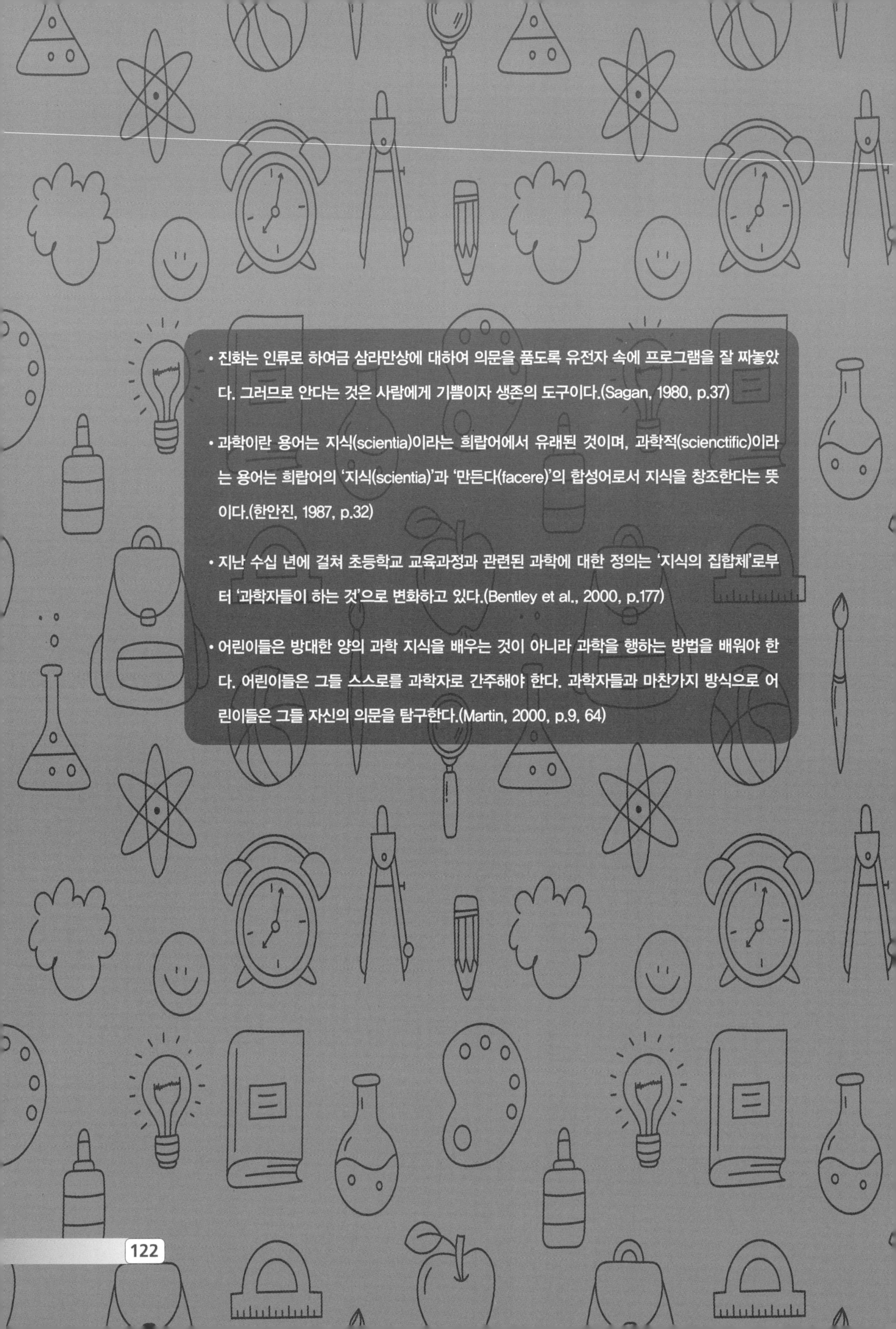

- 진화는 인류로 하여금 삼라만상에 대하여 의문을 품도록 유전자 속에 프로그램을 잘 짜놓았다. 그러므로 안다는 것은 사람에게 기쁨이자 생존의 도구이다.(Sagan, 1980, p.37)
- 과학이란 용어는 지식(scientia)이라는 희랍어에서 유래된 것이며, 과학적(scienctific)이라는 용어는 희랍어의 '지식(scientia)'과 '만든다(facere)'의 합성어로서 지식을 창조한다는 뜻이다.(한안진, 1987, p.32)
- 지난 수십 년에 걸쳐 초등학교 교육과정과 관련된 과학에 대한 정의는 '지식의 집합체'로부터 '과학자들이 하는 것'으로 변화하고 있다.(Bentley et al., 2000, p.177)
- 어린이들은 방대한 양의 과학 지식을 배우는 것이 아니라 과학을 행하는 방법을 배워야 한다. 어린이들은 그들 스스로를 과학자로 간주해야 한다. 과학자들과 마찬가지 방식으로 어린이들은 그들 자신의 의문을 탐구한다.(Martin, 2000, p.9, 64)

이 장의 목적은 그림 4-1의 ❸, 즉 과학 수업에서 학생들의 자연계에 대한 진정한 탐구가 이루어질 수 있도록 교사의 이해를 돕기 위한 것이다. 학생들의 자연계에 대한 탐구와 관련하여 다양한 용어들이 사용되고 있다. 예를 들어 '과학 탐구', '탐구로서의 과학', '탐구 학습', '탐구 활동', '탐구중심 과학학습' 등이 그것이다. 여기에서는 이러한 용어들 중 과학 탐구라는 용어를 사용한다. 그렇다면 과학 탐구란 무엇인가?

'과학 탐구'라는 용어는 크게 두 가지로 해석될 수 있다. 그중 하나는 과학자들이 하는 일을 기술하는 것으로서의 탐구이고, 다른 하나는 과학 교수-학습에 수반되는 과정으로서의 탐구이다(교육부, 2014). 하지만 일반적으로 과학 탐구는 둘 다를 지칭한다(NRC, 1996). 이 장에서는 과학 탐구라는 용어를 과학자들의 연구 활동 및 학생들의 과학 학습 활동을 총칭하는 뜻으로 사용하며, 과학 탐구 지도와 관계되는 여러 가지 사항에 대하여 살펴본다.

사실 과학 탐구라는 용어가 많이 쓰이고 있긴 하지만 그 의미는 단순하지 않다. 예를 들어, 제3장에서 살펴본 바와 같이, 과학 탐구는 '과학적 방법'으로서 대개 교과서에 묘사된 엄격한 순서의 단계보다 훨씬 더 융통성 있고, 단순히 '실험을 행하는 것' 그 이상이며, 실험실에 국한되지 않고, 경험적인 증거의 수집과 논리적 사고, 상상력 및 창의력을 필요로 한다(AAAS, 1993, p.9). 이는 과학 교수-학습 과정으로서 과학 탐구에서도 마찬가지이다. 다만 과학자들과 달리, 초등학생들은 사전 지식, 과학 탐구 과정 기능, 탐구 경험 등이 부족하거나 미숙하기 때문에 과학 수업에서 원활한 탐구 활동이 이루어지기 위해서는 교사의 많은 수고와 인내가 필요하다. 그러나 과학 수업에서 진정한 과학 탐구가 이루어지기 위해서는 무엇보다도 교사의 과학 탐구 수업에 대한 이해가 선행되어야 한다.

따라서 이 장에서는 과학자의 과학 탐구의 측면들을 모델링한 교육적인 접근으로 과학 탐구 수업의 등장 배경, 필요성, 특징, 지도상의 어려움 등을 살펴봄과 동시에 가장 개방적인 형태의 탐구 활동인 학생 주도의 '자유 탐구' 지도 방법에 대해 살펴본다.

5.1 과학 탐구 수업의 등장 배경

1900년 이전 대부분의 교육자들은 과학을 주로 학생들이 직접 교수를 통해 배워야 할 지식의 집합체로 생각하였다(NRC, 2000). 이에 따라 당시 과학의 본질을 과학 활동의 산물, 즉 과학 지식으로 보는 경향이 강하였으므로 학교에서의 수업은 지식 전달 위주의 주입식 교육으로 이루어졌다(권재술 등, 2012; 조희형과 최경희, 2001).

1957년 구소련이 세계 최초의 인공위성 스푸트닉(Sputnik)의 발사에 성공하자 미국을 비롯한 서방 진영이 일종의 위기 의식을 갖게 되었다. 이러한 '스푸트닉 충격'과 1950~1960년대 Dewey, Schwab, Piaget, Bruner 등의 연구 결과에 근거하여 학생들이 과학을 행하는 방법, 즉 과학의 과정을 강조하는 과학교육 개혁 운동이 일어났다(NRC, 2000). 예를 들어, Dewey는 단순히 많이 알고 있는 것이 중요한 것이 아니라 생각하는 힘(사고력)이 중요하다고 강조하면서 과학자의 탐구 방법을 수업에 적용할 것을 제안하였다(정문성, 2013). 또한 과학 지식의 폭발적 증가, 기존 과학 지식의 쇠퇴 가능성과 잠정성을 실감하면서, 과학 지식보다는 가변성이 적고 유용한 과학자들의 과학을 행하는 방법을 가르치는 것이 중요하다는 인식이 더욱 확산되었다. 이러한 복합적인 상황과 필요성에 따라 대두된 것이 과학 탐구 수업이다. 과학 탐구 수업은, Martin(2000)이 주장한 대로, 학생들이 배워야 할 것은 방대한 양의 과학 지식이 아니라 과학을 행하는 방법이라는 입장이다.

이에 따라 1960년대 이후 과학교육은 탐구의 결과로 얻어진 지식을 전수하기보다는 자연을 탐구하는 과정으로 보는 경향이 강하게 대두되어 과정으로서의 과학인 탐구 수업을 강조하고 있다(교육과학기술부, 2011). 그러나 유념해야 할 점은 과학교육학자나 교육과정 관련 문서에서는 과학을 행하는 방법이 과학 지식과 분리되어서는 안 된다는 입장을 지지하고 있다는 점이다. 다시 말해 과학 탐구 수업은 학생들이 단순히 관찰, 추리, 변인 통제 등과 같은 기능을 익히는 기회를 제공하는 것이 아니라 기존의 지식과 탐구 과정 기능을 사용하여 새로운 지식을 생산하는 기회를 제공하는 수업을 의미한다. 이는 2022 개정 과학과 교육과정에서도 드러나는데, 과학적 탐구를 통해 주변 현상을 이해하도록 하고 있다(교육부, 2022, p.5). 이를 도식화하면 **그림 5-1**과 같다.

과학=태도(호기심 등)+사전 지식+탐구 기능 → 새로운 지식

그림 5-1 과학 탐구 수업

전통적인 지식 전달 위주의 수업과 비교하여 탐구 수업이 장점만 있는 것은 아니다. 예를 들어 전통적인 수업 방법에 비해 탐구 수업은 교사의 많은 시간과 수고를 필요로 한다. 그럼에도 과학 탐구 수업이 강조되고 있는 이유는 무엇인가?

과학 수업에서 탐구는 다른 교과와 구분되는 가장 특징적인 활동으로, 학생들의 과학 개념의 습득, 탐구 과정 기능의 계발, 과학에 대한 긍정적 태도 함양뿐 아니라 과학의 본성에 대한 이해에 도움을 줄 수 있다(Abd-El-Khalick et al., 1998). 과학 활동의 중요한 측면 중의 하나는 연구 결과를 보고하고 합의 과정을 거쳐 공인된 지식으로 인정받는 것이다. 과학 탐구 활동에서 결론을 이끌어내는 것으로 활동을 끝내는 경우가 많지만, 학생 자신의 결론을 검토하고 활동 결과를 학급에서 발표하고 토의하는 과정은 과학 활동의 본성, 예를 들어 "과학 지식은 사회적인 의사소통의 과정을 거쳐야 비로소 성립되는 것이다"라는 것을 이해하는 데 도움을 줄 수 있다. 이외에도 과학 탐구 학습은 다른 사람들과의 관찰이나 실험 결과 등에 대한 논의 과정을 통해 학생들의 의사소통 능력, 논리적 사고 능력 등의 향상에도 도움을 준다. 특히 초등학교에서 탐구 수업이 강조되는 이유는 어린이의 호기심 유지, 고차원의 사고를 요하는 학습 활동에의 몰두, 과학과 과학 학습에 대한 긍정적인 태도 계발, 인지 발달 수준에 적합한 구체적인 경험의 제공 등의 측면에서 이점 때문이다(Esler & Esler, 1993). 이상의 것을 종합하면 결국 과학 탐구 학습은 현대 과학교육의 궁극적 목표인 학생들의 과학적 소양 함양에 기여한다는 것이다.

과학 수업에서 탐구가 강조된다 해서, 탐구만이 과학을 가르치는 유일한 방법으로 오해하지 않도록 해야 한다(NRC, 1996). 즉 과학자들의 연구 방법이 다양하듯이 과학 탐구 지도 방법도 다양하며, 상황과 교육 목표에 따라 다양한 시도가 가능할 것이다(윤혜경 등, 2012). 예를 들어 어떤 탐구는 직접 실험이나 관찰을 하지 않고, 인터넷이나 백과사전과 같은 2차 자료에서 찾은 증거를 사용할 수 있다. 더 나아가 학생들은 문학 작품을 읽고 토론하는 활동을 통해 과학 지식에 대한 이해와 탐구 과정 기능을 계발할 수도 있다(Garrison, 2000; Martin, 2000). 즉 직접 조작하는 과학 활동이 탐구를 보장해 주는 것이 아닌 것처럼, 앉아서 책을 읽는 것이 반드시 탐구와 양립하지 못하는 것도 아니다(NRC, 1996).

5.2 과학 탐구 수업의 특징

전술한 바와 같이, 과학 수업에서 탐구는 과학이 다른 교과와 구분되는 가장 두드러진 특징이자 핵심적인 활동이다. 그렇다면 과학 탐구 수업은 어떠한 특징을 가지는가? 이에 대해 미국 국립연구위원회(National Research Council)의 《탐구와 국가과학교육기준: 교수-학습을 위한 안내》 해설서에는 모든 학년 수준에 걸쳐 적용되는 다음의 다섯 가지 기본적 특징이 제시되어 있다(NRC, 2000, pp.24~27).

첫째, 학생들은 과학적인 문제를 다룬다. 과학적인 문제는 자연세계의 사물, 생물 및 현상에 초점을 맞추며, 초자연적 현상 등과 관련된 문제는 과학적으로 탐구하기 부적절하다. 과학적인 문제는 경험적 탐구로 이어질 수 있는 것이며, 자료의 수집과 활용을 통하여 과학적인 현상에 대한 설명이 제안된다. 과학 수업에서 학생들의 호기심과 흥미를 끄는 과학적인 문제는 학생들의 알고자 하는 욕구와 자연 현상에 대한 추가적인 문제를 이끌어낸다. 수업의 도입 단계에서의 탐구 문제는 학습자, 교사, 교과서, 웹자료, 또는 이들의 조합 등으로부터 시작된다. 유익한 과학 탐구는 학생들에게 유의미하고 적절한 문제로부터 시작되지만, 이러한 문제는 학생들의 관찰 그리고 신뢰할 만한 출처로부터 획득된 과학 지식으로 해결될 수 있는 것이어야 한다. 학생들이 탐구 문제에 답하기 위해서 사용하는 과학 지식과 탐구 방법은 손쉽게 찾을 수 있고 다룰 수 있는 것이어야 하며, 학생들의 발달 수준에 적합해야 한다. 유능한 교사는 학생들이 흥미롭고 생산적인 탐구를 체험할 수 있도록 탐구 문제에 초점을 맞추도록 안내한다.

둘째, 학생들은 과학적인 문제에 대한 증거를 수집한다. 과학자와 마찬가지로 학생들도 수업 중 일어나는 탐구에서 과학적인 현상에 대한 설명을 만들거나 그들의 설명을 평가하기 위하여 관찰 결과나 증거를 사용한다. 그들은 식물, 동물, 암석을 관찰하고 그것의 특징을 기술한다. 또 거리, 온도, 시간을 측정하고 기록

한다. 학생들은 화학반응이나 달의 위상을 관찰하고 그 변화를 도표로 그리기도 한다. 또 교사나 다른 여러 가지 학습 자료로부터 또는 웹에서 이러한 증거를 얻기도 한다.

셋째, **학생들은 증거로부터 과학적인 문제에 대한 설명을 구성한다.** 과학적인 설명은 실험이나 관찰을 통해 수집된 증거와 일치해야 한다. 증거로부터 설명을 만들어내는 과정은 분류, 추리, 예상 등의 탐구 과정 기능과 논리적 사고 등과 같은 다양한 인지적 과정 기능의 사용을 필요로 한다. 과학적인 설명은 관찰한 것과 기존에 알고 있는 것과 관련시킴으로써 새로운 것을 아는 방식이다. 다시 말해 과학적인 설명은 현재의 지식을 뛰어넘어 새로운 이해를 제안하는 것이다. 이것은 과학이 기존 지식을 토대로 함을 의미한다. 학생들의 경우 이것은 그들의 현재 이해를 토대로 새로운 생각을 만들어내는 것을 의미한다.

넷째, 학생들은 **다른 설명, 특히 공인된 과학적 설명에 비추어 자신의 설명을 평가한다.** 설명에 대한 평가, 폐기, 수정은 과학이 다른 형태의 탐구와 구분되는 특징이다. 우리는 '증거가 제안된 설명을 지지하는가?', '설명이 탐구 문제에 대한 적절한 답인가?', '증거와 설명의 연결이 논리적인가?'와 같은 질문을 할 수 있다. 학생들은 토론하거나 실험이나 관찰 결과에 대해 비교하거나 교사나 교과서의 설명을 점검함으로써 탐구 문제에 대한 여러 가지 설명들에 대해 검토할 수 있다. 학생들의 설명은 궁극적으로 현재 공인된 과학 지식과 일치해야 한다. 이 과정에서 학생들은 서로의 설명을 비교하거나, 자신의 설명을 교사가 제안한 다른 설명(대개 과학적 설명)과 비교, 점검하면서 결과에 대한 가장 적절한 설명이 무엇인지 평가해야 한다.

다섯째, **학생들은 자신이 제안한 설명을 의사소통하고 정당화한다.** 과학자들과 마찬가지로 학생들이 서로의 설명을 공유하는 것은 다른 학생들이 그들의 탐구에 대하여 질문하고, 증거를 확인하고, 결함이 있는 추론이나 증거를 벗어나는 진술을 찾아내는 기회 등을 제공한다. 또한 서로의 설명을 공유하는 것은 학생들이 수집한 증거, 그들이 제안한 설명 그리고 기존 공인된 과학 지식 사이의 관계를 강화한다. 결과적으로 학생들은 모순을 해결하고 실험이나 관찰을 통해 수집한 증거에 입각한 논의의 기초를 다지며, 새로운 문제 인식의 기회를 제공하기도 한다.

과학 탐구 수업을 한마디로 간단하게 정의할 수는 없지만, 과학 탐구 수업의 핵심적 특징은 과학 지식이 일방적으로 전달 · 수용되는 것이 아니라, 과학적인 문제에 대해 증거에 비추어 검토되고 수정되거나 재구성되는 것이라 할 수 있다(윤혜경 등, 2012). 또한 과학 탐구 수업은 학생들이 그들의 지식을 공유하는 활동을 포함하며, 그 과정에서 교사는 교사-학생 그리고 학생-학생 사이의 활발한 상호작용이 일어날 수 있도록 안내자 또는 조력자의 역할을 수행해야 한다.

한편 위와 같은 과학 탐구 수업의 다섯 가지 특징은 교사가 탐구 활동을 구조화하는 정도나 학생이 탐구를 계획하거나 주도하는 정도에 따라 달라질 수 있다(교육부, 2014). 예를 들어, 탐구 문제가 교사나 교과서에 의해 주어질 수도 있고, 자유 탐구와 같이 학생 스스로 문제를 제기할 수도 있다. 학생이 모든 것을 주도하는 과학 탐구가 항상 바람직한 것은 아니며, 특히 초등학생들의 경우 과학 탐구의 경험이 없거나 적으므로 교사의 적절한 안내가 이루어져야 한다(교육부, 2014).

5.3 과학 탐구 활동의 유형

과학 수업에서 이루어지는 탐구 활동은 여러 가지 유형으로 구분할 수 있다. 예를 들어, Brown 등(2006)은 탐구 활동을 '5.2. 과학 탐구 수업의 특징'에서 언급한 문제, 증거, 설명 및 정당화라는 요소가 포함된 정도에 따라 '탐구의 정도' 그리고 탐구 활동에서 교사의 '안내의 정도'라는 두 개 차원으로 분류하였다(**그림 5-2**).

그림 5-2에서 'A'는 교사가 탐구 문제와 활동을 구체적으로 자세히 설명하며 과학 탐구 수업의 특징을 모두 포함한 경우이다. 예를 들어, 교사 중심적인 수업을 전개하면서도 과학 탐구 수업의 기본적 특징들을 포함하는 수업이 이에 해당한다. 'B'는 교사가 탐구 문제를 제시하고 학생들은 탐구 활동을 하면서 그들이 알아낸 것을 이해하는 경우이다. 예를 들어, 탐구 수업의 모든 특징을 포함하는 A에 비해 상대적으로 교사의 안내를 적게 받는 수업의 경우가 이에 해당한다. 'C'는 학생들이 교사에 의해 안내된 탐구 활동을 하며 탐구 수업의 특징적 요소의 일부에 참여하는 것이다. 'D'는 교사가 제시한 탐구 문제에 대해 학생들이 관찰이나 실험 등을 통한 자료의 수집 및 과학적인 설명을 구성하는 책임을 맡는 경우이다. 다시 말해 학생들은 탐구의 핵심 특징들의 일부에 참여하지만 이때 교사의 안내는 'C'에 비해 적게 제공된다. 'E'는 학생들이 탐구 활동의 모든 단계를 주도적으로 수행

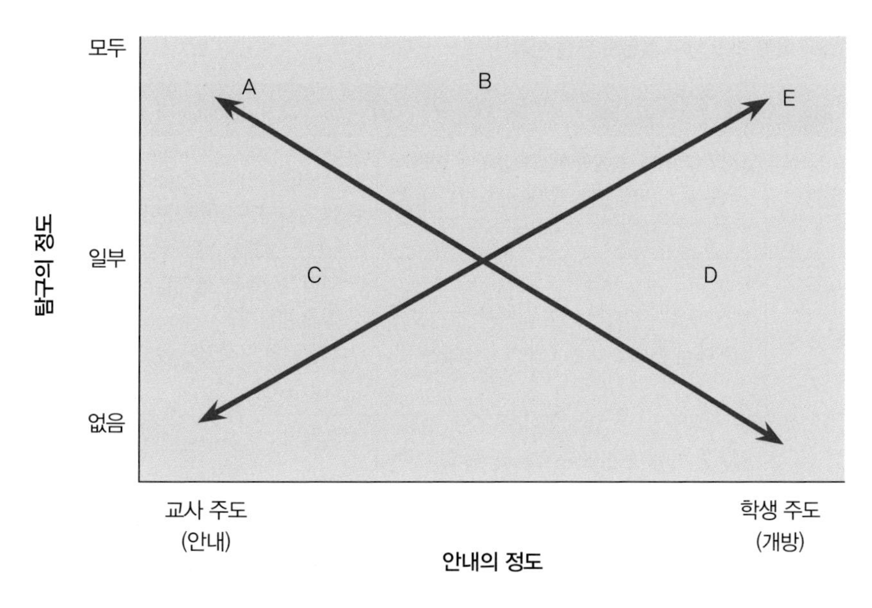

그림 5-2 탐구의 유형(Brown et al., 2006)

해 나가는 경우이다.

그림 5-2와 같이 Brown 등(2006)은 교사 중심의 안내된 탐구부터 학생 중심의 개방된 탐구까지 연속적인 탐구의 유형을 제시하고 있다. 이는 교사가 교과서에 제시된 활동을 학생의 수준과 특성, 학습 내용, 시간 등에 따라 적절하게 변형하거나 재조직하여 탐구의 유형을 조절할 수 있음을 시사한다. 또한 수업이 교사 주도적으로 이루어진다 해서 탐구가 일어나지 않는다고 말할 수 없다는 점도 의미한다. 그러나 교사가 관찰이나 실험 방법을 모두 제시해 주고, 실험 결과도 교사가 정리하고 해석해 준다면, 이는 탐구 활동이라 할 수 없다. 즉 탐구 활동은 학생들이 스스로 사고하는 활동을 포함해야 한다. 탐구 활동은 '사고를 요구하는(minds-on)' 활동이다(Harlen, 2001).

한편 **표 5-1**은 주된 탐구 활동에 따라 탐구의 유형을 구분한 것으로, 각 유형은 서로 독립적인 것은 아니며, 실제 탐구에는 몇 가지 유형이 혼재될 수도 있다(교육부, 2014). 예를 들어 '고구마는 흙과 물 중 어디서 더 빨리 자랄까?'라는 주제의 탐구는 실험 중심 탐구이지만 기르기 활동도 포함하고 있다. 또한 학생들이 실험 중심 탐구를 수행한다 할지라도 조사 활동이 포함되기도 한다. '중요한 것은 학생들이 과학 수업에서 한 가지 유형의 탐구에 치우치지 않고 다양한 탐구 유형을 경험하게 하는 것이다'(교육부, 2014).

표 5-1 탐구 방법에 따른 과학 탐구 활동의 유형 분류[1]

탐구 유형	설명	예시
관찰 중심 탐구	자연현상이나 사물을 주의 깊게 관찰하거나 오랜 시간에 걸쳐 일어나는 변화를 지속적으로 관찰하고 기록하는 것	• 금붕어는 어떻게 숨을 쉬는가? • 달의 모양은 어떻게 변할까?
실험 중심 탐구	의도적이고 계획적으로 설정한 조건이나 상황에서 현상에 대한 정보를 수집하는 것	• 외떡잎식물과 쌍떡잎식물 중 누가 더 빨리 자랄까? • 식용유의 끈적임은 온도에 따라 어떻게 달라질까?
조사 중심 탐구	계획을 세워 문헌이나 인터넷 등 여러 가지 자료를 찾아보거나 직접 조사하는 것	• 최근 10년간 우리나라에서 발생한 지진 조사 • 남극에는 어떤 생물들이 살까?
기르기 중심 탐구	동식물을 직접 기르면서 나타나는 현상, 성장 과정, 적합한 환경 등을 연구하는 것	• 고구마는 물에서도 잘 자랄까? • 버섯은 따뜻한 곳에서 잘 자랄까?
탐사 · 탐방 중심 탐구	갯벌이나 지층이 발달한 지역 또는 과학관이나 연구소 등의 기관을 방문하여 필요한 정보를 얻거나 체험하는 것	• 갯벌에는 어떤 생물이 살고 있을까? • 기상청에서는 어떻게 자료를 수집하는가?
만들기 중심 탐구	어떤 물건을 실제로 만들어 보면서 그와 관련된 과학적 원리를 탐구하거나 기능을 개선시키기 위한 방안을 찾는 것	• 어떻게 하면 고무줄로 악기를 만들 수 있을까? • 간이 손전등 만들기

5.4 과학 탐구 활동 지도의 어려움

1960년대 이후 수십 년에 걸쳐, 과학 탐구는 세계 여러 나라의 과학과 교육과정에서 추구하는 목표 달성을 위한 핵심 교수-학습 방법으로 강조되어 오고 있다. 예를 들어, 미국의 국가과학교육기준에 따르면, 탐구로서의 과학은 과학교육의 기초이며, 학생들의 학습 활동을 선택하고 조직하는 궁극적 원리이다(NRC, 1996). 우리나라에서도 제3차 과학과 교육과정에서 탐구가 도입된 이래 교육과정이 개정될 때마다 탐구 활동 지도의 중요성은 반복되어 강조되어 왔고(교육과학기술부, 2008b; 이봉우, 2005), 2022 개정 과학과 교육과정에서도 여전히 강조되고 있다.

[1] 표 5-1은 교육부(2014)의 p.52 내용을 일부 수정한 것임.

그러나 오랜 기간에 걸친 과학 탐구 활동의 강조에도 상당수의 교사가 여전히 과학을 실험보다 강의나 교과서 중심의 전통적인 방식으로 가르치고 있다(Bentley et al., 2000; Cole & Griffin, 1987; Harms & Yager, 1981; NRC, 2000; Weiss, 1987). 이에 따라 대부분의 학생은 '이미 축적된 지식으로서의 과학'을 학습하며, 일부의 학생만이 '지식을 축적하는 방법으로서 과학'을 학습하는 기회를 갖는다(Shapiro, 1996).

왜, 과학 수업에서 탐구 활동이 제대로 이루어지지 않고 있을까? 초·중등 교사들을 대상으로 한 여러 연구에서 밝혀진 탐구 활동 지도의 어려움과 저해 요인을 '교사 내적 요인'과 '교사 외적 요인' 순으로 살펴보면 다음과 같다.

1. 교사 내적 요인

과학 탐구 수업이 제대로 이루어지지 않는 이유와 관련하여 연구자들이 제시한 교사 내적 요인은 다음과 같다.

첫째, 교사의 탐구 학습에 대한 이해 부족이다. 예를 들어, 최선미와 차희영(2006)의 연구에 의하면, 연구에 참여한 초등교사의 71.4%가 실험과 탐구의 관계를 잘못 이해하고 있는 것으로 나타났다. 즉 이는 탐구 활동과 실험 활동을 동일시하는 오개념을 가지고 있다는 것이다. 탐구 중심의 수업과 실험 중심의 수업은 서로 다르며, 관찰이나 실험을 하지 않고도 탐구 활동은 가능하며, 실험에 의존하지 않는 탐구를 '개념적 탐구'라고 한다(최선미와 차희영, 2006). 예를 들어 간단한 표나 그래프 등의 자료를 제시하고 학생들로 하여금 이를 해석하고 결론을 이끌어내도록 하는 등의 활동은 관찰이나 실험을 직접 하지 않아도 탐구 활동이라 할 수 있다. 초등학생들이 관찰이나 실험 등의 경험적 활동에 참여하는 것은 바람직하지만, 그것이 탐구가 일어나는 것을 보장해 주지는 않으며, '활동하는 것'과 '사고하는 것'이 관련지어져야 탐구라 할 수 있다(교육부, 2014). 한편 윤혜경 등(2012)의 연구에 의하면 초등 예비교사 중에는 과학 탐구 수업에 대해 '정해진 단계나 절차를 따르는 것이 탐구 수업'이라거나 '탐구학습모형의 절차를 따르는 수업'이라고 인식하는 경우가 있었다. 과학자들의 연구 방법이 다양하듯이 탐구 수업도 정해진 모형이 있는 것은 아니다(교육인적자원부, 2001). "과학 수업 모형이나 절차는 수업을 계획하는 데 도움이 되는 수단일 뿐 탐구가 일어나는 것을 보장하지 않으며,

수업의 절차만을 중시하는 경우 예상치 못한 상황에 적절하게 대처하지 못하게 될 수도 있다"(윤혜경 등, 2012).

둘째, 교사의 탐구에 대한 경험 부족으로 인한 지도 능력의 부족이다. 90%가 넘는 예비교사가 과학 탐구 수업에 대한 교육 경험이 없으며(Shapiro, 1996), 많은 교사가 그들이 학생 때 수업을 받았던 대로 과학을 가르친다(Michelsohn & Hawkins, 1994). 만일 교사들이 과학자들과 같은 탐구를 경험하지 못하였다면 탐구식 과학 수업에 어려움을 느낄 것이다(NRC, 1996). 진순희와 장신호의 연구(2007)에 의하면, 우리나라에서도 많은 수의 초등교사가 과학 탐구에 대한 수업을 받지 않았다고 인식하는 것으로 나타났다. 또한 과학 탐구에 대한 수업을 받은 교사들은 과학 탐구란 어떠한 방식으로 하는 것인지를 직접 경험하기보다는 이론적인 설명 위주로 과학 탐구에 대하여 배운 경험이 대부분인 것으로 나타났다. 따라서 초등 예비교사로서 교사 양성 기관에서 교육받는 동안 그리고 현직교사로서 교사 연수 과정에서 실제로 과학을 행하는 기회를 가질 필요가 있다.

셋째, 교사의 과학 교과 내용 지식의 부족이다. 탐구 활동 지도를 잘하는 교사는 교과 내용 지식을 잘 알고 있고 보다 심도 있는 사고와 탐구를 이끄는 방법을 알고 있기 때문에 예상치 못한 것을 다루는 데 있어 능숙하다(Lawson, 1995). 초등교사는 초등교육 전문가이지 과학교육 전문가나 과학자가 아니기 때문에 과학 교과 내용 지식이 부족할 수 있다. 하지만 제1장에서도 언급한 바와 같이 초등교사는 초등학교 과학 수업에서 다루어지는 기본 개념에 대한 정확한 이해 그리고 개념과 개념 간의 상호 관련성과 위계에 대한 체계적인 이해를 갖추도록 노력해야 한다.

기타 교사 내적 저해 요인으로 초등교사들은 '교사의 준비 부족'(예:여러 교과의 지도와 잡무로 인한 과학과의 교재 연구시간의 절대적 부족), '자신감 부족'(예:예상치 못한 상황에 대한 두려움과 학생들이 교사가 모르는 질문을 했을 때의 두려움), '인내심 부족'(예:학생들에게 한 단계, 한 단계 안내하는 질문이 필요하다고 생각하나 그냥 참지 못하고 답을 알려줌), '기존 강의식 수업 방식이 효과적이라는 인식', '탐구 학습 방식에 대한 불편함', '수업 방식의 변화에 대한 거부감' 등을 제시하였다(박정희 등, 2004; 조현준 등, 2008; 진순희와 장신호, 2007; Lawson, 1995).

2. 교사 외적 요인

현장교사들이 제시한 교사 외적 측면에서 과학 탐구 수업 실시의 어려움은 다음과 같다(박정희 등, 2004; 임희준과 김재윤, 2007; 조현준 등, 2008; 진순희와 장신호, 2007; Lawson, 1995).

첫째, 탐구 수업의 주된 외적 저해 요인은 '시간 부족'이다. 앞서 언급한 바와 같이 탐구 수업은 설명식 수업보다 교사들에게 많은 시간과 수고를 필요로 한다. 예를 들어 차시 내용 지도 외에 자료 준비, 과학실 이동, 안전 교육 등의 시간이 필요하다(조현준 등, 2008). 학생들이 학습하는 방법을 배우려면 시간의 소비는 불가피한 것이다. 하지만 학생들이 그들이 수집하는 자료가 탐구 결론의 기초가 된다는 사실을 이해하기만 하면 흥미를 가지고 탐구 활동에 몰두하기 때문에 교사의 관리가 덜 필요할 수 있다(Lawson, 1995). 또한 교사는 시간 부족의 문제를 해결할 수 있는 대안을 강구할 필요가 있다. 예를 들어 교과서에 여러 개의 실험이 제시되어 있는 경우, 이를 모두 수행하기보다는 모둠별로 실험을 배정하고 그 결과를 공유하고 함께 토론하는 것이다.

둘째, 초등학생들의 사고 능력과 탐구 능력의 부족, 탐구에 대한 경험 부족, 학생들의 수준 차이, 학생 스스로 탐구하려는 의지 부족 등이다. 초등교사들은 학생들의 사고 능력과 탐구 능력이 부족하고 보이는 도구에만 관심을 가지는 등 산만하여 탐구 수업이 제대로 이루어질 수 없음을 지적하였다(조현준 등, 2008). 설명식 수업보다 탐구 학습은 분명 떠들썩하고 학생들의 움직임도 많으며(Lawson, 1995), 학생들은 과학자들과 같은 능력을 갖추고 있지도 않다. 하지만 Lawson (1995)이 지적한 대로, 초등학생들은 중등학생에 비해 비록 훨씬 더 미숙하지만 적절히 설계된 탐구 활동에 참여할 수 있다. 예를 들어, 초등학생들의 발달 수준이나 지적 배경 등을 고려하여 교사가 적절한 질문과 제안을 통해 학생들의 탐구 활동을 도와주는 '안내된 탐구'를 실시한다면 이러한 능력의 한계는 어느 정도 극복할 수 있다. 한편 윤혜경 등(2012)은 '교사의 개입 없이 아동 스스로 자유로운 탐색이 가능해야 탐구 수업'이라는 과학 탐구 수업에 대한 초등 예비교사들의 관점을 보고하였다. 윤혜경 등(2012)이 지적한 대로 "이러한 생각은 일면 타당하고 현대적인 학습이론의 관점과 일치하는 것이지만, 학생들이 주도적으로 활동하도록 한다는 것은 교사가 방관하거나 개입하지 않는 것을 의미하지는 않으며, 오히려 이런 경우 교사의 역할은 더 세심하게 계획되어야 할지 모른다".

셋째, 교육과정 또는 교과용 도서의 문제이다. 즉 교과서에 실험 준비물, 방법, 결과까지 제시되어 있다거나 지도할 내용이 너무 많기 때문에, 실험 관찰 책이 학습지 형태의 단편적인 답을 요구하기 때문에, 교사용 지도서에 탐구 활동에 대한 자세한 안내와 예시가 부족하기 때문에, 탐구 학습 자료가 부족하기 때문에 등의 이유로 탐구 활동에 어려움을 겪는 것으로 나타났다. Martin(2000)이 지적한 대로, 원래 교과서는 학생들의 개인적 요구를 무시하고, 모든 학생들이 같은 사전 지식을 갖는다고 가정한다. 이러한 이유로 일부 구성주의자는 초등과학교육에서 교과서를 없애자고 주장하지만 교과서의 여러 가지 장점을 생각해 보면 이를 어떤 방법으로든 이용해야 한다. 이상적으로는 "과학 교과서는 교육과정의 실현을 위한 예시 자료의 성격을 지닌다. 따라서 교사는 교과서에만 의존하지 말고, 교육과정의 목표와 내용을 구현하기 위하여 나름대로 지도 활동이나 방법을 구안하여 지도해야 한다"(교육부, 2014).

이외에도 교사들은 '학급당 인원수', '탐구에 대한 평가의 어려움', '기존의 지식 위주의 평가 또는 입시 체제', '시설 및 자료 부족', '학원 등에서의 선행학습' 등의 교사 외적 요인을 탐구 수업의 저해 요인으로 인식하고 있었다.

5.5 '자유 탐구'의 취지와 지도 방법

'자유 탐구' 활동은 2007 개정 과학과 교육과정에서 처음 도입되었고, 2009 개정 및 2015 개정 과학과 교육과정을 통해 점점 강조되어져 왔다. 2007 개정 과학과 교육과정에 따른 초등학교 '과학' 교과서에서는 뒤쪽 부록에 '재미있는 나의 탐구' 또는 '탐구해 볼까요?'라는 제목으로 제시되었고, 2009 개정 '과학' 교과서에서는 앞쪽 부록에 '재미있는 나의 탐구'라는 제목으로 제시되었다. 또한 2009 개정 과학과 교육과정에서는 '과학' 교과 지도와 관련하여 자유 탐구 지도에 관한 내용을 명시하고 있다. 2007 개정과 2009 개정에 따른 교과서에서는 부록에 자유탐구가 수록되어 있어 초등교사들이 반드시 가르쳐야 할 내용으로 인지하기 어려웠다. 그러나 2015 개정 초등학교 '과학' 국정 교과서에서는 3학년 2학기와 5학년 2학기에

'재미있는 나의 탐구' 제목으로 1단원으로 단원 번호를 부여함으로써 초등교사들이 학생들에게 자유 탐구를 가르칠 수 있는 가능성을 높였다. 그러나 2015 개정 초등학교 '과학' 교과서가 국정에서 검정으로 전환되면서 검정 교과서에서는 출판사마다 다양하게 자유 탐구를 제시하고 있는데, 일반적으로 국정에 비해 덜 강조된 형태로 앞쪽 부록으로 제시되고 단원 번호는 부여하지 않고 있다. 이처럼 자유 탐구의 제시 방법이 교육과정에 따라 변경되는 이유는 자유 탐구에 대한 성취기준이 교육과정에 구체적으로 제시되어 있지 않기 때문이다. 이 절에서는 자유 탐구의 도입 취지와 자유 탐구 활동의 지도 방안에 대해 살펴본다.

1. 자유 탐구의 도입 취지

과학 교과서에 제시된 대부분의 활동은 학생 스스로 탐구하고 싶은 주제를 정하고 이를 해결해 나가는 학생 중심의 높은 수준의 탐구 형태가 아니다. 즉 교과서에 탐구 문제, 탐구 방법, 심지어 탐구 문제에 대한 답이 제시되어 있는 경우도 있다. 따라서 교과서에 제공된 활동만으로는 학생들이 자기 주도적인 개방적 탐구를 경험하기 어렵다. 자유 탐구는 이러한 문제점을 보완하여 학생들이 과학자들의 과학을 행하는 일련의 과정을 경험하게 하는 데 그 목적이 있으며, 구체적인 자유 탐구의 취지는 다음과 같다(교육과학기술부, 2010, p.94).

첫째, 학생 스스로 관심 있는 주제를 선택하여 탐구하게 함으로써 자기 주도적 탐구 기회를 제공하고 탐구 기능 신장과 과학에 대한 흥미와 관심을 제고한다.

둘째, 학생들이 관심 있는 주제를 선택하여 동료와 함께 탐구하게 함으로써 협동심을 기른다.

셋째, 일상생활과 관련된 주제 탐구를 통해 과학이 기술과 사회에 미치는 영향과 기술과 사회가 과학에 미치는 영향을 인식하게 한다.

넷째, 다양한 주제 탐구를 통해 과학 분야의 적성을 발굴하고 진로를 탐색할 기회를 제공한다.

다섯째, 탐구 방법 고안과 탐구 결과 발표를 통해 학생의 창의성과 문제해결력을 제고한다.

자유 탐구를 과학 교과서에 제시할 경우 학생들의 이해를 돕기 위해 하나의 탐구 예시를 각 단계별로 제시하고 있는 사례가 많다. 이는 학생들의 이해를 돕기 위한 목적이지 이것을 따라 하라고 제시한 것은 아니다. 과학 교과서에 이러한 예시를 제시한 것으로 인해 과학교육학자나 교사들로부터 자유 탐구의 의미가 훼손된 것 아니냐는 비판을 간혹 받기도 한다.

2. 자유 탐구의 지도 방법

자유 탐구는 학생들 스스로 장기간 탐구할 수 있는 기회를 제공함으로써 종합적인 탐구 능력을 기르도록 하는 데 그 목적이 있다(교육과학기술부, 2008b). 따라서 자유 탐구의 효과적인 지도를 위해 교사는 학교의 실정과 학생들의 능력에 맞추어 자유 탐구 활동을 수행할 수 있도록 학년 초에 계획을 세워야 한다(교육과학기술부, 2011a). 2015 개정 교육과정에 따른 초등학교 '과학' 검정 교과서에서는 앞쪽 부록으로 자유 탐구가 제시되어 있기 때문에 학교 또는 학급의 여건에 따라 자유 탐구의 지도 시기를 적절하게 교사가 정할 수 있다.

자유 탐구를 위한 시간 배정은 과학과 교육과정에 구체적으로 명시되어 있지 않으나 2015 개정 초등학교 국정 '과학' 교사용 지도서에는 6차시가 배정되어 있다(교육부, 2018a, p.58). '탐구 문제 정하기', '탐구 계획 세우기', '탐구 실행하기', '탐구 결과 발표하기', '새로운 탐구 시작하기'로 총 6차시가 배정되어 있으나, 교사의 판단에 따라 각 활동의 시간 배정은 조정할 수 있다.

자유 탐구 지도와 관련하여 현장교사들이 겪는 어려움 중의 하나는 다음 초등교사의 면담 내용과 같이 '시간 운영의 어려움'이다.

> 교사 A: 6차시를 하기 위해서 투입되는 시간은 좀 더 필요하다고 생각해요. (중략) 평소에 탐구를 강조하고 각각의 탐구 방법에 대한 지도가 필요하다고 생각해요. 그리고 실제로 탐구 주제를 정하는 것만 해도 학생들에게 개인별로 과제를 제시하고 다시 또 피드백하고 하는 과정까지 포함한다면 주제 정하는 것만 해도 2차시 정도 넘게 들거든요. (신현화와 김효남(2010)의 연구에서 초등교사와의 면담 내용)

학생들이 탐구 주제를 정하는 과정뿐 아니라 학생들의 탐구 주제에 따라서 주어진 6시간만으로는 탐구 수행이나 결과 발표를 충분히 하기 어려울 수 있다.

전영석과 전민지(2009)의 연구에 의하면, 많은 교사들은 자유 탐구를 위해 최소 2~10시간 이상의 추가 시간이 필요하다고 응답하였다. 이러한 경우에는 창의적 체험 활동 시간과 연계하여 추가 시간을 확보하면 자유 탐구 지도의 실효성을 높일 수 있을 것이다. 또한 학생들은 자유 탐구를 방학 때도 지속적으로 수행할 수 있으므로(교육과학기술부, 2010), 자유 탐구 활동을 위한 충분한 시간 확보를 위해 학년 초 학교 교육과정, 학급 교육과정을 세울 때 학생들의 탐구 능력과 학교 상황에 따라 적절한 자유 탐구 시간을 계획하고, 융통성 있게 진행할 필요가 있다(신현화와 김효남, 2010). 2015 개정 초등 과학 검정 교과서에서는 출판사마다 자유 탐구를 제시하는 방식이 다르나 일반적으로 자유 탐구를 위해 약 3차시 또는 6차시 정도를 제안하고 있다. 따라서 학급 상황에 따라 교사가 차시를 적절하게 배정하는 것이 바람직하다.

자유 탐구는 주제 선정부터 계획 수립, 탐구 수행, 결과 발표에 이르기까지 학생이 주도하여 창의적으로 수행해야 하므로(교육과학기술부, 2011a), 교사의 적절한 안내와 조언이 없다면 초등학생들은 많은 어려움을 겪을 수 있다. 따라서 교사는 학생들의 자유 탐구 과제 수행이 원활히 진행되도록 지속적이고 체계적으로 적절한 조언과 격려를 제공해야 한다. 특히 이러한 개방적 자유 탐구를 처음 해보는 초등학교 3학년 학생에게는 더욱 그러하다.

자유 탐구는 개별 또는 소집단 자유 탐구로도 가능하며, 모둠 활동이나 개별 활동 형태를 미리 지정하기보다는 학생들이 선택할 수 있도록 기회를 열어주는 것이 좋다. 소집단 형태의 자유 탐구 활동은 모둠 구성원 간의 협동심과 책임감을 배양할 기회를 제공하고, 구성원 간의 언어적 상호작용을 통한 의사소통 능력과 지적 교류 등의 상승효과가 있으며, 교사 입장에서도 효율적인 탐구 지도가 가능하다. 하지만 이순진(2010)의 연구 결과에 의하면, 자유 탐구 수행 과정 동안에 모둠별로 상호작용하는 양상에는 차이가 있다. 즉 모든 학생이 고루 참여하는 모둠이 있는가 하면 한 학생에 의한 지시로 자유 탐구가 수행되는 모둠도 있다. 또한 **그림 5-3**의 학생과 교사의 면담에서 드러난 것을 고려하면 반드시 소집단으로 활동할 필요는 없다.

그림 5-4는 자유 탐구의 전체 과정을 나타낸 것으로, “실제 탐구 활동은 반드시 단계별로 순차적으로 일어나는 것이 아니므로 학생들이 시행착오적으로 탐구

[초등학생]

학생 A: 선생님, 탐구 꼭 모둠끼리 해야 하나요? 아빠랑 여름방학 때 탐구발표대회 때 하려고 계획해 둔 게 있는데 혼자 탐구를 진행하면 안 되나요?

학생 B: 모둠원들이 서로 잘 안 맞았던 거요. 몇몇 친구들은 하기 귀찮다고 떠넘기고, 그래서 그냥 거의 구경만 한 친구들도 있고 그랬어요. 그리고 준비물 챙겨오는 것도 서로 마음이 안 맞아서 정하는 데 시간이 오래 걸렸어요.

학생 C: 시간이 많이 부족했어요. 방과 후에는 다들 학원 가고, 또 이런저런 시간을 맞추기가 힘들었어요. 결국 모일 시간이 부족해서 메일을 주고받거나 전화를 이용하기도 했는데 불편하더라고요. 함께 모여서 해야 서로 의견도 나누고 함께 탐구할 수 있는데 그럴 시간이 좀 부족했던 것 같아요.

[초등교사]

교사 A: 모둠별로 탐구는 대략 4명 정도로 성별이 고르게 섞이게, 과학 탐구에 관심이 많은 아이가 조별로 한 명씩 들어가게 구성하려고 했어요. 모둠으로 자유 탐구가 이루어져야 지도하기가 좋을 것 같아서요. 그런데 반 학생들이 모둠보다는 개별로 탐구하기를 더 선호했어요. 그러다 보니 지도해야 되는 자유 탐구 주제가 많아지고, 탐구 형태가 다 다르다 보니 지도방법에 대해서도 고민이 되더라고요.

교사 B: 탐구 활동 과정에서 책임을 피하고, 다른 친구들에게 미루는 경우가 있어 모둠 친구 간에 말다툼도 생기고, 준비물 챙기는 것도 소란이 있더라고요.

교사 C: 학생들의 능력 차이로 인해 잘하는 아이들 속에서 무임승차하는 아이들이 생겨나서 안타까운 생각이 들기도 했고요. 조별 학습으로 자유 탐구를 진행하다 보니 탐구 능력의 격차도 나타나더라고요.

그림 5-3 모둠별 자유 탐구 운영의 어려움의 예[2]

그림 5-4 자유 탐구 활동 과정(교육부, 2014)

를 수행하는 것을 허용하는 것이 필요하다"(교육부, 2014).

[2] 이 내용은 신현화와 김효남(2010) 그리고 전영석과 전민지(2009)의 연구에서 면담 내용을 발췌한 것임.

(1) 탐구 주제 정하기

이 단계는 자유 탐구의 출발점으로 학생들이 탐구하고자 하는 주제를 탐색하고 구체적인 탐구 문제를 정하는 단계이다(교육부, 2014). 자유 탐구 활동이 교과서 탐구와 구별되는 특징 중 하나는 탐구 주제와 문제를 학생 스스로 결정한다는 것이다. 그러나 그림 5-5와 같이, 대부분의 초등학생이 탐구 주제를 정하는 데 어려움

[초등학생]

학생 A: 주제 정하는 게 어려웠던 것 같아요. 평소에 궁금했던 게 별로 없었거든요. 그냥 당연하다고 생각했지, 관심을 갖고 궁금하게 여기지는 않았거든요. 그래서 어떤 주제로 탐구할지 고민이 많이 됐어요.

학생 B: 처음에 선생님이 자유 탐구 주제를 3가지씩 가져오라고 하였을 때 어떤 기준, 분야에서 주제를 가져와야 할지 고민이 됐어요. 예를 들어, 식물에 관한 거라든지, 날씨에 관한 거라든지……. 선생님이 분야를 정해 주시면 범위가 좁혀지니까 주제를 정하기가 좀 더 쉬웠을 것 같아요.

학생 C: 주제 정하는 게 어려웠어요. 궁금해서 찾아보면 이미 실험이 된 거고. 또 하고 싶지만 실제로 재료, 방법 때문에 못하는 실험도 있고 그래서요.

[초등교사]

교사 A: 주제 정하기를 한 후 괜찮은 주제의 조건에 대하여 아이들과 이야기하고 선택해 보라고 했더니 아이들이 주제를 보고 결정하기보단 똑똑해 보이는 아이, 친한 아이의 것을 무조건적으로 선택하는 모습을 보였어요.

교사 B: 생활 속에서 의문이 들거나 궁금했던 사항이 없다는 학생들도 있었어요. 이 학생들은 대부분 예로 들어 준 탐구 주제를 조금 바꿔서 가져오는 태도를 보여서 자신이 흥미 있어 가져온 주제가 아니라 자유 탐구를 끝마칠 수 있을지 걱정이 되더라고요.

교사 C: '~해보기'라든지, '~는 누가 제일 먼저 발견했을까?'라는 등의 단순한 단답형의 주제를 가져오더라고요. 탐구라는 것이 단순히 어떤 사실을 확인하는 것이 아니라 그 현상에 숨겨진 원리를 알아보는 거라고 지도를 했는데도, 학생들은 어떤 질문이 좋은 질문인지, 또는 과학적인 질문인지, 무엇이 좀 더 탐구해 볼 만한지 주제에 대한 이해가 부족한 것 같아요.

[초등 예비교사]

예비교사: 우리가 직접 자유 탐구를 해야 된다고 생각하니까 엄청난 걸 해야 될 것 같고, 굉장한 걸 해야 할 것 같고 하는 생각이 들어서, 주제 선정하는 데 가장 힘들었어요.

그림 5-5 '탐구 주제 정하기' 단계에서 겪는 어려움[3]

---

[3] 이 내용은 신현화와 김효남(2010), 임성만 등(2010), 전영석과 전민지(2009)의 연구에서 면담 내용을 발췌한 것임.

을 겪으며, 교사는 학생들의 적절한 탐구 주제에 대한 이해 부족 등으로 인해 자유 탐구 지도에 어려움을 겪는다(신현화와 김효남, 2010; 전영석과 전민지, 2009). 초등 예비교사들 또한 실제로 자유 탐구 활동을 하면서 탐구 주제 정하기와 관련된 여러 어려움을 겪는데, 그중 하나는 자유 탐구에 대한 이해 부족이었다(임성만 등, 2010). 임성만 등(2010)의 연구에 참여한 한 초등 예비교사는 탐구는 어렵고 복잡한 것이라는 막연한 생각을 가지고 있어 자유 탐구 주제도 거창한 것을 해야 할 것 같은 부담을 가진다고 응답하였다(그림 5-5).

자유 탐구의 제1단계, 즉 '탐구 주제 정하기'는 다음과 같이 '주제 영역 탐색하기'와 '탐구 문제 만들기'의 두 가지 활동으로 세분화할 수 있다(교육과학기술부, 2011b).

'주제 영역 탐색하기'는 자신의 관심사에 따라 탐구하고 싶은 주제 영역(예: 식물, 동물, 빛, 자석, 컴퓨터, 음식 등)을 찾아보는 활동으로, 일상생활에서 평소에 궁금한 사항이나 과학 시간에 배운 것과 관련하여 궁금하거나 더 알고 싶은 것을 주제로 정한다. 예를 들어 3학년에서 '동물의 한살이'에 대하여 배운 후 교과서에서 다루지 않은 특정 곤충에 대해 조사하는 것이다. 한편 학생들이 정한 탐구 주제가 너무 광범위할 때는 학생들이 다룰 수 있는 좁은 범위의 주제를 찾도록 안내한다. 예를 들어, 식물에서 과일로, 과일은 과일의 씨앗으로 그 범위를 축소해 나간다.

다음으로 '탐구 문제 만들기'에서는 탐색한 주제를 바탕으로 범위를 더욱 좁혀 세부적으로 탐구할 문제를 만든다. 예를 들어, 씨앗을 탐구 주제로 정하였다면 '얼었던 씨앗도 싹이 틀까?', '씨앗은 얼마나 깊이 심는 것이 좋을까?', '씨가 퍼지는 원리는?' 등과 같이 여러 가지 탐구 문제를 생각한다. 이어 그중 하나를 선택하여 탐구할 수 있는 문제로 정교화 · 구체화한다. 탐구 문제를 잘 설정하면 그 문제의 반은 해결한 것과 같을 정도로(박승재와 조희형, 1995), 탐구 문제 만들기는 과학 탐구의 핵심 중 하나라고 할 수 있다. 이는 탐구 문제를 만드는 것이 쉽지 않은 일임을 암시한다.

한편 이 단계 지도 과정에서 교사는 다음과 같은 점에 유의한다.

첫째, 교사는 학생들이 끝까지 스스로 탐구를 수행할 수 있는 흥미로운 탐구 주제와 문제를 찾도록 돕는다. 그러나 이를 정하는 데 어려움을 많이 겪는 학생들, 특히 자유 탐구를 처음 해보는 학생들에게는 교사가 여러 개의 예시를 제시하도록 한다(교육부, 2014, p.65; 교육부, 2018a, p.84). 이와 관련하여 교사는 교사용

지도서에 소개된 예시를 제시하거나 한국과학창의재단에서 운영하는 '사이언스올'(www.scienceall.com)에 등재되어 있는 것을 활용할 수 있다. 이 사이트에는 학생과 교사를 위한 자유 탐구 주제와 사례들이 학년별, 영역별로 안내되어 있다.

둘째, 시간, 비용, 도구 등의 측면에서 실제 탐구 활동이 가능한 것을 택하도록 한다(교육과학기술부, 2011b; 교육부, 2014). 예를 들어, '상추 잎을 딴 곳에서 새로운 잎이 나오는 모습 관찰하기'는 학생들이 직접 기르면서 탐구할 수 있지만, '무중력상태에서도 상추가 잘 자랄까?'는 학생이 직접 장비를 이용하는 것이 불가능하다.

셋째, 최대한 좁은 범위 내에서 스스로 해결 가능한 것을 선택하도록 하며 간단한 조사로 쉽게 답을 찾을 수 있는 것은 피하도록 한다(교육과학기술부, 2011b; 교육부, 2014). 예를 들어 '각 계절의 대표적인 별자리는 무엇인가?'는 책이나 인터넷을 통하여 쉽게 답을 구할 수 있으며, '어떤 것들이 환경을 오염시키는가?'는 너무 넓은 범위를 다루고 있으며, '빛은 어디서 올까?'는 해결 방법이 쉽지 않다.

넷째, 초등학생들이 선정한 것 중에는 안전과 관련하여 다소 위험한 것이나 생명 경시와 관련된 것이 있을 수 있으며(박종선 등, 2011), 이 경우 교사의 적절한 안내가 필요하다. 예를 들어 '개미는 햇빛을 받으면 몇 초 안에 죽을까?', '인공 날개를 달고 높은 곳에서 떨어져도 살 수 있는 방법이 있을까?'와 같은 것은 피하도록 한다.

다섯째, 비슷한 주제에 흥미를 가진 학생들이 모둠을 구성하여 소집단 탐구를 수행하도록 지도할 수도 있다.

다음은 버클리시티칼리지 교수학습센터에서 제시한 좋은 탐구 문제를 정하기 위한 조건이다(교육부, 2018a). 이 조건은 실험 중심 자유 탐구의 경우 활용할 수 있다.

첫째, 검증 가능해야 한다. 실험을 통하여 측정 가능한 변인이 있어야 하고, 우리 주변에서 구할 수 있는 도구나 재료를 이용할 수 있어야 한다. 둘째, 이미 답을 알고 있어서는 안 된다. 다른 사람이 이미 탐구한 것, 책이나 인터넷 등을 통해 답을 이미 알고 있는 것 등은 지양한다. 그리고 추가적으로 탐구할 거리가 있는 것이 좋다. 셋째, 학생들이 흥미와 호기심을 가지게 해야 한다. 학생들의 일상생활과 관련 있는 것이 좋고, 우리 주변에서 쉽게 볼 수 있는 현상과 관련된 것이 좋다. 넷째, 간결하고 명료해야 한다. 탐구 문제를 다른 사람이 쉽게 이해할 수 있어야 하고, 과학적 용어를 사용하며, 독립 변인과 종속 변인이 탐구 문제에 드러나야 한다.

많은 학생들은 궁금한 것에서 탐구 문제를 이끌어내는 것을 어려워한다. 이러한 경우 교사는 가장 먼저 학생들이 궁금해 하는 것을 자유롭게 써 보도록 한 뒤, 그중에서 필요한 도구와 재료를 스스로 준비하여 해결할 수 있는 궁금증을 탐구 문제로 정할 수 있도록 지도해야 한다. 이때 그림 5-6과 같은 분류 활동을 참고한다(교육부, 2020, p.71).

(2) 탐구 계획 세우기

이 단계는 '탐구 문제에 적절한 탐구 방법을 선택하고 필요한 자료와 준비물, 시간 계획 등을 구체적으로 세우는 단계이다'(교육부, 2014).

원활한 자유 탐구 수행을 위해 탐구 기간에 대한 사전 안내가 필요하다. 학생들에게 탐구 기간을 미리 제시하지 않고 자유 탐구 계획을 세우게 하면 탐구 기간이 서로 다르다는 점에서 문제가 생길 수 있다(박종선 등, 2011). 또한 자유 탐구 기간이 길어지면 길어질수록 흥미를 잃을 수도 있다(신현화와 김효남, 2010). 따라서 학생들의 탐구 문제를 토대로 학생들과 협의하여 적절한 탐구 기간을 결정하도록 한다. 〈부록 5-1〉에는 '자유 탐구' 활동 계획서 양식이 제시되어 있으며, 기타 탐구 계획 세우기 단계에서 유의할 점은 다음과 같다(교육과학기술부, 2011b; 교육부, 2014).

첫째, 탐구 문제에 따라 적합한 탐구 방법은 각기 다르므로 탐구 문제를 가장 효과적이고 효율적으로 해결할 수 있는 탐구 방법을 선택한다. 자유 탐구는 표 5-1과 같이 '실험 중심', '관찰 중심', '조사 중심', '기르기 중심', '탐사 · 탐방 중심', '만들기 중심' 자유 탐구 방법으로 이루어질 수 있다. 예를 들어 탐구 문제가 변인을 조작하고 그 결과를 알아보는 것이면 실험 중심 자유 탐구이며, 생물을 가꾸고 기르는 과정을 통해 그 변화를 지속적으로 관찰하는 탐구 주제의 경우에는 기르기 중심의 자유 탐구이다.

둘째, 탐구 계획을 세울 때는 실제로 실행 가능성을 염두에 두면서 구체적으로 세우도록 한다. 예를 들어 부모나 교사의 도움 없이 학생 스스로 할 수 있는지, 쉽게 구할 수 있는 실험재료인지, 정해진 탐구 기간 내에 마칠 수 있는지 등을 고려한다. '씨앗의 종류에 따라 싹트는 데 걸리는 시간은 다를까?'라는 탐구 주제를

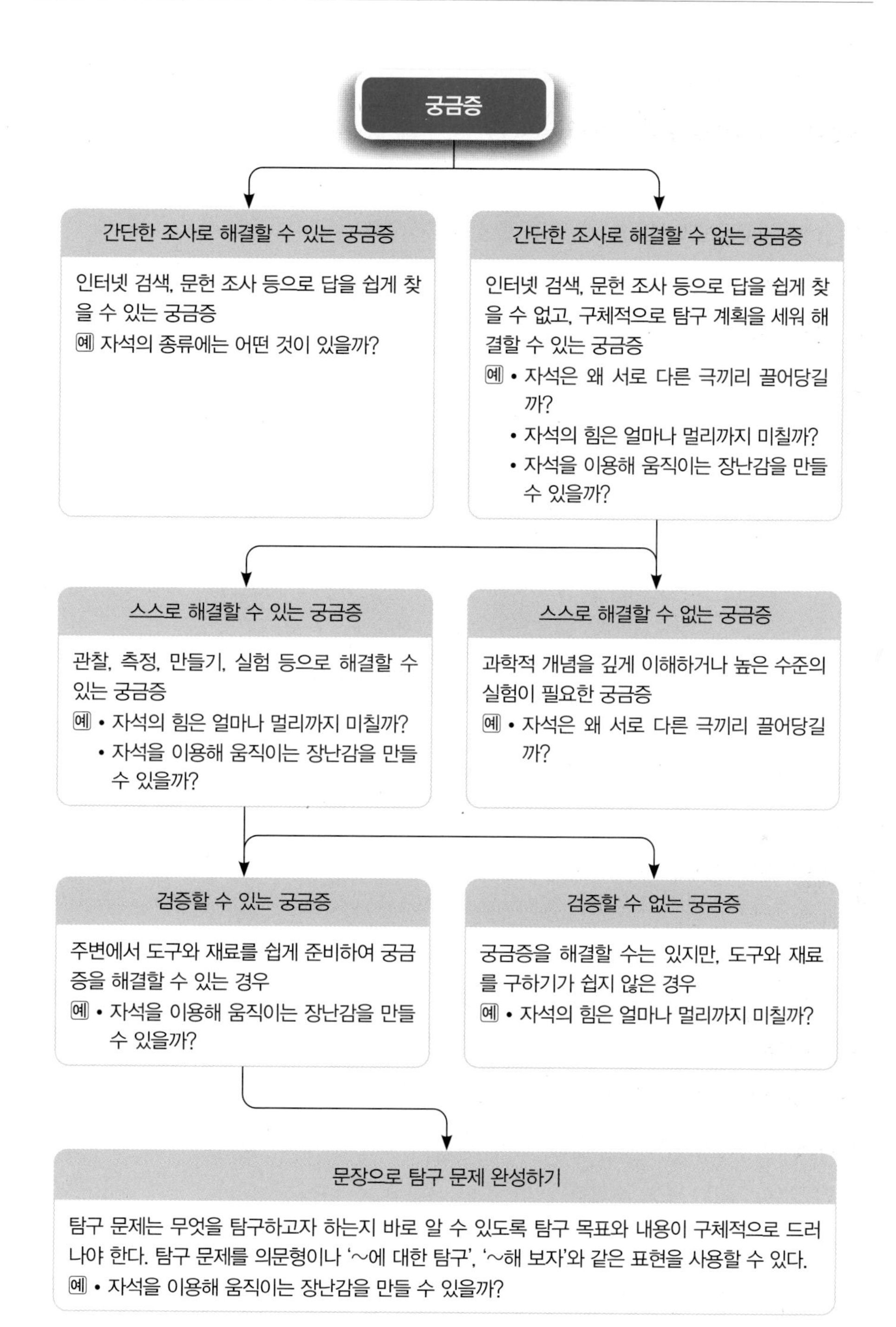

그림 5-6 궁금증을 탐구 문제로 완성하기[4]

---

[4] 그림 5-6은 교육부(2020)의 p.71 내용을 발췌한 것임.

선택하였다면 어떤 씨앗들을 관찰할 것인지, 언제부터 언제까지 관찰할 것인지, 하루에 두 번씩 관찰할 것인지 아니면 하루에 한 번씩 관찰할 것인지 등과 같이 구체적으로 세우도록 한다.

셋째, 탐구 단계별로, 각 시기별로 어떤 탐구 활동을 수행할 것인가에 대한 자세한 시간 계획을 세운다. 예를 들어 '탐사 · 탐방 중심 자유 탐구'의 경우에는 사전에 조사할 사항, 방문 허락을 얻는 방법, 방문 시기와 조사할 내용 등을 계획한다.

넷째, 모둠별로 자유 탐구 활동을 수행할 경우에는 모둠 구성원의 능력과 흥미를 고려하여 각자 할 일을 합리적으로 분배하도록 한다.

(3) 탐구 활동 수행하기

이 단계는 수립한 탐구 계획에 따라 탐구를 수행하면서 그 결과를 기록하고 정리하는 단계이다. 탐구 활동 수행 초기 단계에 교사는 다음과 같은 사항에 대한 사전 안내를 할 필요가 있다(교육부, 2014).

첫째, 필기, 사진, 동영상, 그림 그리기 등 다양한 방법으로 자료를 수집하도록 한다.

둘째, 탐구 일지 등에 수집한 자료를 그때그때 잘 기록하고 정리하도록 한다.

셋째, 탐구 계획대로 실행해 나가지만 필요하면 계획을 수정하도록 한다.

넷째, 안전문제 등 필요한 경우 탐구 수행 과정에서 성인의 도움을 받을 수 있도록 한다.

또한 이 단계에서 교사는 학생들이 계획대로 탐구를 잘 수행하고 있는지 점검하여 지도 조언을 할 수 있으며, 학생들이 탐구 수행 진행 상황을 발표하게 하면 학생들은 서로의 장단점을 보고 도움을 받을 수 있다(교육과학기술부, 2010).

표 5-2에 학생들이 탐구 실행을 하는 동안 교사가 해야 할 일과 하지 말아야 할 일을 정리해 놓았다.

(4) 탐구 보고서 작성하기

이 단계는 "탐구 문제, 탐구 과정, 결과, 결론, 느낀 점 등을 다른 사람에게 명확하게 전달하기 위해 일정한 양식에 따라 기록하는 단계이다"(교육부, 2014).

표 5-2 학생들의 탐구 실행 중 교사가 해야 할 일과 하지 말아야 할 일[5]

해야 할 일	하지 말아야 할 일
학생들끼리 상호 작용할 수 있도록 함.	학생들을 자리에 앉혀 개별로 작업하도록 함.
다른 사람의 관점과 의견을 존중하도록 함.	다른 사람의 의견이 학생 자신의 의견과 다르면 듣지 않도록 함.
개방형 질문을 통하여 학생들이 스스로 생각할 수 있게 함.	단답형의 질문을 하거나 질문을 하지 않음.
탐구 결과를 사전 지식이나 생각과 연결 지을 수 있도록 함.	교사가 가지고 있는 정확한 답과 다른 경우 학생의 의견을 무시함.
탐구 기능을 사용하도록 독려함.	탐구 과정에 따라 단계별로 진행하도록 강요함.
소규모 집단 또는 학급 전체가 탐구 결과에 대해 논의할 수 있도록 함.	학생 개별적으로 교사를 통하여 탐구 결과에 대해 논의할 수 있도록 함.
탐구의 형태에 따라 다양한 방법으로 기록할 수 있도록 함.	결과 기록 틀을 정해 그 형식에 맞춰 기록하도록 함.
교사가 지속적으로 피드백을 제공하고, 다양한 형태의 평가를 통해 그 결과를 학생들이 알도록 함.	교사의 도움없이 학생들이 다른 사람의 탐구와 비교하면서 자신의 탐구를 자의적으로 평가하게 함.

학생 A: 보고서를 쓰는 게 힘들었어요. 그동안 수업 시간에 썼던 실험 보고서는 실험 제목부터 방법이 자세히 나와 있어서 그대로 쓰면 됐는데, 자유 탐구는 제가 스스로 다 써야 하는 거라서 힘들었던 것 같아요.

교사 A: 학생들이 데이터를 얻어서 표나 그래프로 자료를 변환하는 것을 어려워했어요. 여러 번 측정한 실험 같은 경우 "표로 정리하고 맨 오른쪽에 평균을 넣으면 좋겠다"라고 말해줬어요. 그런데 학생들은 표 그리기가 익숙하지 않아 가로, 세로로 넣을 내용도 잘 파악 못하더라고요.

위 교사와 학생의 면담 내용(신현화와 김효남, 2010)과 같이 탐구 보고서 작성과 관련해서는 교사와 학생 모두 어려움을 겪고 있다. 자유 탐구 보고서 작성 방법에 대한 구체적인 설명은 〈**부록 5-2**〉에 제시되어 있다.

[5] **표 5-2**는 교육부(2018a)의 p.73 내용을 발췌한 것임.

(5) 탐구 결과 발표하기

이 단계는 "학생들이 수행한 탐구 과정과 결과를 다른 사람에게 알리고, 발표 내용에 대한 의견을 교환하는 단계이다"(교육부, 2014). 이 활동을 통해 학생들은 자신의 탐구 결과를 설명하는 의사소통 능력 신장, 자신의 탐구 활동에 대한 자기 평가 능력 신장, 추후 자유 탐구 활동에 대한 아이디어 공유의 기회를 제공받을 수 있다(교육과학기술부, 2011b). 이러한 기대 효과를 거두기 위해 교사는 다음 사항에 대해 사전 안내와 준비가 필요하다(교육과학기술부, 2011b; 교육부, 2014).

첫째, 다양한 발표 형식(예: 시청각, 포스터, 전시회, 시연 · 시범, 손수 제작물 등)에 대하여 소개하여 학생들이 자신에게 효과적인 발표 형식을 결정하도록 한다.

둘째, 발표 시기는 학급별로 융통성 있게 진행하며, 동학년 단위의 행사로 진행할 수도 있다. 또한 초등의 경우 국어와 창의적 체험 활동과 같은 타 교과와의 통합적인 시간 운영을 고려해 볼 수 있다.

셋째, 발표 시간을 미리 안내하여 학생들이 발표를 준비하는 데 참고하도록 한다. 보통 5분에서 10분 정도 발표 시간이 주어지며, 종료 30초 전에 종을 이용하여 시간의 흐름을 알려주는 것이 좋다. 또한 만약 발표 시간을 초과했을 경우 교사의 질문을 통하여 미처 발표하지 못한 내용에 대하여 발표할 수 있도록 격려한다.

넷째, 학생들이 자유 탐구 결과 발표를 효과적으로 하기 위해서는 무엇보다 발표 방법에 대한 지도가 필요하다. 청중들의 관심을 집중시키고 제한된 시간 동안 자신의 탐구 결과를 효과적으로 전달할 수 있는 방법에 대하여 지도한다.

다섯째, 발표 장소는 교실뿐 아니라 학교 복도, 강당, 다목적 교실 등을 활용하며 결과 발표의 내용, 방법, 형식 등을 고려하여 결정한다.

여섯째, 발표 자료를 구성하는 순서 등에 따라 역할을 분담하여 발표 준비가 이루어지도록 한다.

일곱째, 다른 학생의 탐구 내용에 대하여 관심을 가지고 질문하거나 평가할 수 있도록 한다.

여덟째, 자신의 탐구 활동에 대하여 스스로 평가하고 반성적으로 사고할 수 있도록 한다.

학생들은 다양한 방법으로 자신들이 수행한 자유탐구를 발표할 수 있는데, 초등학교 교실에서 쉽게 활용할 수 있는 몇 가지 발표 방법에 대해 간략하게 소개하면 다음과 같다(교육부, 2018a, p.77; 교육부, 2020, p.89).

가. 시청각 설명

시청각 설명은 컴퓨터를 활용한 가장 보편적이고 익숙한 발표 방법이다. 일반적으로 파워포인트, 아래아한글 등의 프로그램을 활용하여 발표한다. 사전에 발표 자료를 제작할 때 기초적인 기능을 지도해야 하지만, 문자뿐 아니라 그림, 표, 그래프, 동영상, 사진 등의 삽입이 용이하다는 장점이 있다. 발표 자료는 탐구 과정이 일관성 있게 보이도록 요약하여 구성하고, 발표할 때는 발표 내용을 이해시키는 보조 자료로서 활용하도록 지도한다.

나. 포스터 발표

학생들은 교실에 포스터를 게시하고 포스터 앞에서 발표를 준비한다. 학생들은 다른 친구들이 게시한 포스터를 보면서 질문과 비평을 하고 평가도 할 수 있다. 포스터 발표를 통해 학생들은 실제 과학자들의 활동과 유사한 경험을 할 수 있으며, 탐구 결과를 친구들과 서로 공유할 수 있는 기회를 가질 수 있다. 또한 발표와 질의응답 과정을 거치며 의사소통 능력을 기를 수 있다.

다. 전시회 발표

게시 공간을 마련하여 일정 기간 학생들의 탐구 결과를 전시해 놓는 방법이다. 이 방법은 포스터 발표와는 달리 탐구 결과를 직접 구두로 발표하거나 질의응답 과정을 거치지 않는다. 따라서 게시 자료 아래쪽에 질문과 답변을 하는 공간을 따로 만들어 탐구 결과에 대한 제안이나 질문, 칭찬 등을 직접적으로 할 수 있고, 발표한 학생은 질문에 대한 답을 수시로 게시할 수 있도록 한다. 이와 같은 전시회 발표 방법을 통하여 학생들은 즉각적인 피드백을 받을 수 있고 자신의 탐구 결과를 반성하는 기회를 가질 수 있다.

라. 시연·시범

시연과 시범은 탐구 내용을 말로 표현하기 어려울 때 유용한 발표 방법으로, 실물 혹은 실험 장면을 직접 보여주어 사람들의 흥미와 관심을 유발할 수 있다. 사전에 철저하게 준비하여 발표 시간을 낭비하지 않도록 해야 한다. 청중들을 시연 · 시범 활동에 참여하게 하여 관심과 흥미를 유도할 수 있고, 다른 발표 방법과 병행하면 더 효과적이다.

마. 손수 제작물(UCC)

요즘 학생들이 많이 접하는 손수 제작물을 직접 제작하여 발표하는 방법으로, 시청각 설명이나 포스터 발표에서는 잘 표현하지 못하는 탐구 과정을 잘 표현할 수 있다는 장점이 있다. 영상을 제작할 때는 재미보다 탐구 과정과 원리가 잘 이해될 수 있도록 하는 것이 중요함을 충분히 안내해야 한다.

(6) 탐구 활동 평가하기

학생들의 탐구 활동 과정과 결과에 대해 평가하여 피드백을 제공하는 단계로, 이 단계에서의 유의사항은 다음과 같다(교육과학기술부, 2010, 2011b; 교육부, 2014).

첫째, 자유 탐구는 '계획', '수행' 및 '발표'로 이어지는 비교적 긴 시간에 걸쳐 이루어지며, 지식 습득이 주목적이 아니므로 탐구할 문제를 선정하여 계획을 세우고 자율적으로 탐구해 가는 과정이 중요하다. 따라서 자유 탐구에 대한 평가는 관찰 평가, 면담 평가, 보고서 평가, 포트폴리오 평가 등을 활용하여 결과보다는 과정에 중점을 두어 실시하는 것이 바람직하다.

둘째, 학생들의 탐구 활동 수행 이전에 평가 기준을 교사가 미리 정하거나 학생들과 함께 정하고 이를 공유하는 것이 좋다. 또 교사가 일방적으로 평가할 수도 있지만, 학생들이 자기 평가 또는 동료 평가를 하도록 할 수 있다. 학생들이 서로의 탐구에 대해 평가하는 과정에서 어떻게 과학 탐구를 수행하는 것이 보다 바람직한지에 대하여 학습할 수 있다.

셋째, 평가 결과는 점수화하는 것보다는 학생들에게 피드백을 주는 데 활용하는 것이 바람직하다. 즉 학생들이 자신의 탐구 활동에서 부족한 점을 인식하고 과학적 탐구 능력을 신장시킬 수 있도록 한다. 이를 위해서는 **표 5-3**과 같은 평가 준거가 필요하며 이러한 평가 준거에 따라 교사는 학생들의 자유 탐구 활동 과정과 결과에 대하여 장단점을 파악하는 데 도움을 주게 된다. 참고로 학생들은 성적

표 5-3 자유 탐구의 평가 준거[6]

자유 탐구의 단계	평가 준거	평가
탐구 문제 정하기	• 탐구 문제가 창의적인가? • 탐구 문제가 해결 가능한가? • 탐구 문제를 선정하는 데 적극적인가? • 탐구의 목표가 명확한가?	(상, 중, 하) (상, 중, 하) (상, 중, 하) (상, 중, 하)
탐구 계획 세우기	• 탐구 문제의 해결에 적합한 탐구 방법을 선택하였는가? • 탐구 계획이 구체적인가? • 탐구 계획이 체계적인가? • 탐구 계획을 세우는 데 적극적인가? • 탐구 계획은 실천 가능하게 작성되었는가?	(상, 중, 하) (상, 중, 하) (상, 중, 하) (상, 중, 하) (상, 중, 하)
탐구 활동 수행하기	• 계획대로 일정이 추진되었는가? • 탐구 수행이 지속적인가? • 탐구 수행이 합리적인가? • 탐구 수행을 성실하게 했는가? • 탐구 수행에서 협동하였는가?	(상, 중, 하) (상, 중, 하) (상, 중, 하) (상, 중, 하) (상, 중, 하)
보고서 작성하기	• 결론 도출이 적합한가? • 탐구 보고서가 수행 과정과 일치하는가? • 탐구 보고서의 내용이 체계적인가? • 탐구 보고서의 내용이 우수한가?	(상, 중, 하) (상, 중, 하) (상, 중, 하) (상, 중, 하)
결과 발표하기	• 결과 발표 내용이 정확한가? • 발표 내용이 이해하기 용이한가? • 발표 방법이 창의적인가? • 발표 준비와 발표에 적극적인가?	(상, 중, 하) (상, 중, 하) (상, 중, 하) (상, 중, 하)

에 반영되지 않으면 활동을 성실히 수행하지 않을 수도 있으므로 교사의 판단에 따라서는 수행평가의 일환으로 성적에 반영할 수도 있다.

넷째, 학생 스스로 하지 않고 다른 사람이 대신해 주거나 베껴서 제출할 가능성을 방지하기 위하여 결과 보고서 제출시 그러한 결과를 얻은 과정을 보여주는 증거 자료(예:활동 장면 사진, 방문지에서의 사진, 방문을 요청한 편지나 승인서 등)를 제출하도록 할 수 있다. 또 학생이 직접 수행하였는지의 여부를 판단하기 위하여 질문(예:활동 과정에서 예기치 못한 상황이 발생하지 않았는가, 다시 한다면 어떠한 점을 다르게 하겠는가 등)을 할 수 있다.

2015 개정 초등 과학 국정 교과서 '1. 재미있는 나의 탐구' 단원에서는 탐구

[6] 표 5-3은 교육과학기술부(2011b)의 내용을 발췌한 것임.

표 5-4 자유 탐구 수행에 대한 자기 평가 준거[7]

자유 탐구의 단계	평가 준거	평가	
		그렇다	그렇지 않다
탐구 문제 정하기	• 탐구하고 싶은 내용이 문제에 분명하게 드러나 있나요? • 스스로 탐구할 수 있는 문제인가요?		
탐구 계획 세우기	• 탐구 계획이 탐구 문제를 해결하기에 적절한가요? • 탐구 순서가 자세한가요?		
탐구 실행하기	• 탐구 계획대로 탐구를 실행했나요? • 탐구 결과를 사실대로 기록했나요? • 탐구를 하여 알게 된 것이 탐구 문제에 대한 답이 되었나요? • 안전에 주의하며 탐구를 실행했나요?		
탐구 결과 발표하기	• 탐구 결과를 쉽게 전달할 수 있는 발표 방법인가요? • 발표 자료를 이해하기 쉽게 만들었나요? • 알맞은 목소리와 말투로 발표했나요? • 친구들의 질문에 대한 나의 대답이 적절했나요?		

표 5-5 자유 탐구 수행에 대한 동료 평가 준거[8]

자유 탐구의 단계	평가 준거	평가	
		그렇다	그렇지 않다
탐구 문제 정하기	• 탐구하고 싶은 내용이 분명하게 드러나는 문제였나요? • 스스로 탐구할 수 있는 탐구 문제였나요?		
탐구 계획 세우기	• 탐구 계획이 탐구 문제를 해결하기에 적절했나요? • 탐구 순서가 자세했나요?		
탐구 실행하기	• 탐구를 하여 알게 된 것이 탐구 문제에 대한 답이 되었나요?		
탐구 결과 발표하기	• 발표 자료를 이해하기 쉽게 만들었나요? • 알맞은 목소리와 말투로 발표했나요?		

과정 중에 학생들이 스스로 할 수 있는 자기 평가와 동료 평가를 제시하였다. 표 5-4는 자기 평가의 내용을 정리한 것이고, 표 5-5는 동료 평가의 내용을 정리한 것이다.

[7] 표 5-4는 교육부(2018b)의 pp.6~9 내용을 발췌한 것임.

[8] 표 5-5는 교육부(2018b)의 p.10 내용을 발췌한 것임.

연습문제

1. 다음 글에 제시된 문제점을 극복하는 방법에 대해 설명하시오.

> 탐구 중심의 과학교육에서 학생들 사이의 상호작용을 강조하는 것도 문제가 될 수 있다. 과학 지식은 구성주의적으로 만들어진 것이 아니라 객관적이고 보편적인 것이다. 학생들의 상호작용에 의한 합의로 그 내용이 바뀔 수 없다는 뜻이다(이덕환, 2006).

2. 다음은 진순희와 장신호(2007)의 연구에서 과학 탐구 학습 지도의 어려움에 대한 한 초등교사의 설명이다. 만약 여러분이라면 어떻게 이러한 어려움을 극복할지 설명하시오.

> 교사: 교과서에 실험 방법이 처음부터 끝까지 너무나 자세하게 나와 있기 때문에 아이들이 실험, 관찰, 분류 활동을 할 때 과정을 생각 없이 그대로 따라 가는 것도, 안내가 너무 친절히 되어 있는 것도 하나의 방해 요소가 되지 않나 하는 생각이 들죠.

3. 다음은 초등학생들이 선정한 자유 탐구 주제의 예시이다. 각 주제의 문제점에 대해 설명하시오.

> • 우리나라의 사계절은 어떻게 다를까?
> • 갯벌에는 어떤 생물이 살까?
> • 일식이란 무엇일까?
> • 옛날에는 어떻게 살았을까?
> • 우주에는 끝이 왜 없는가?
> • 이순신 장군은 어떤 사람이었을까?
> • 도마뱀의 재생능력을 이용해서 사람의 잘린 부분을 복구할 수 있을까?

4. 평소 궁금하거나 관심 있는 주제에 대한 자유 탐구를 해보자. 개별 또는 모둠별(2~4인 1조의 모둠)로 탐구 주제를 정하고, 탐구 활동을 수행한 후, 결과 보고서를 작성해 보자. 그리고 자유 탐구를 수행하면서 겪은 점에 대해 토의해 보자.

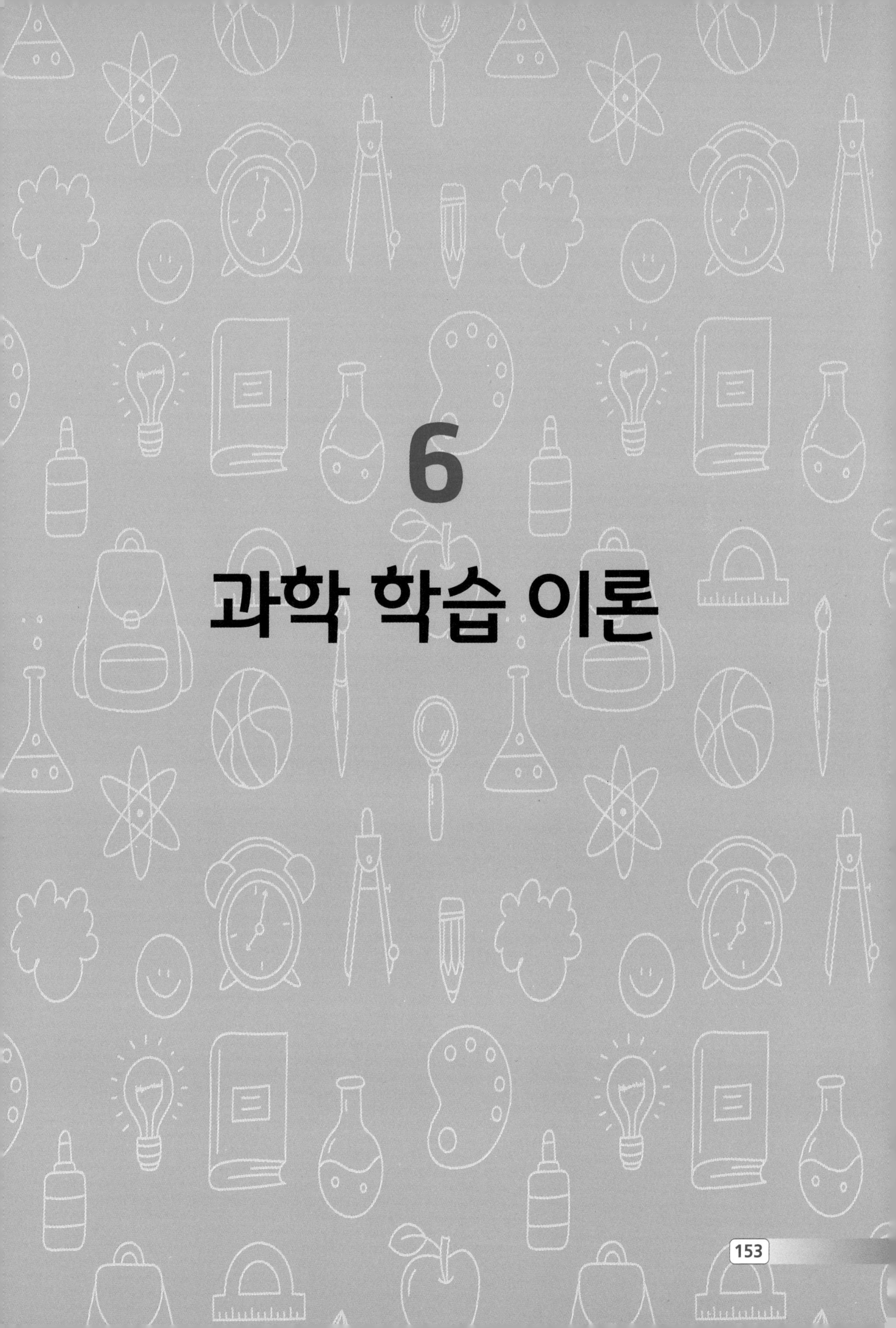

6

과학 학습 이론

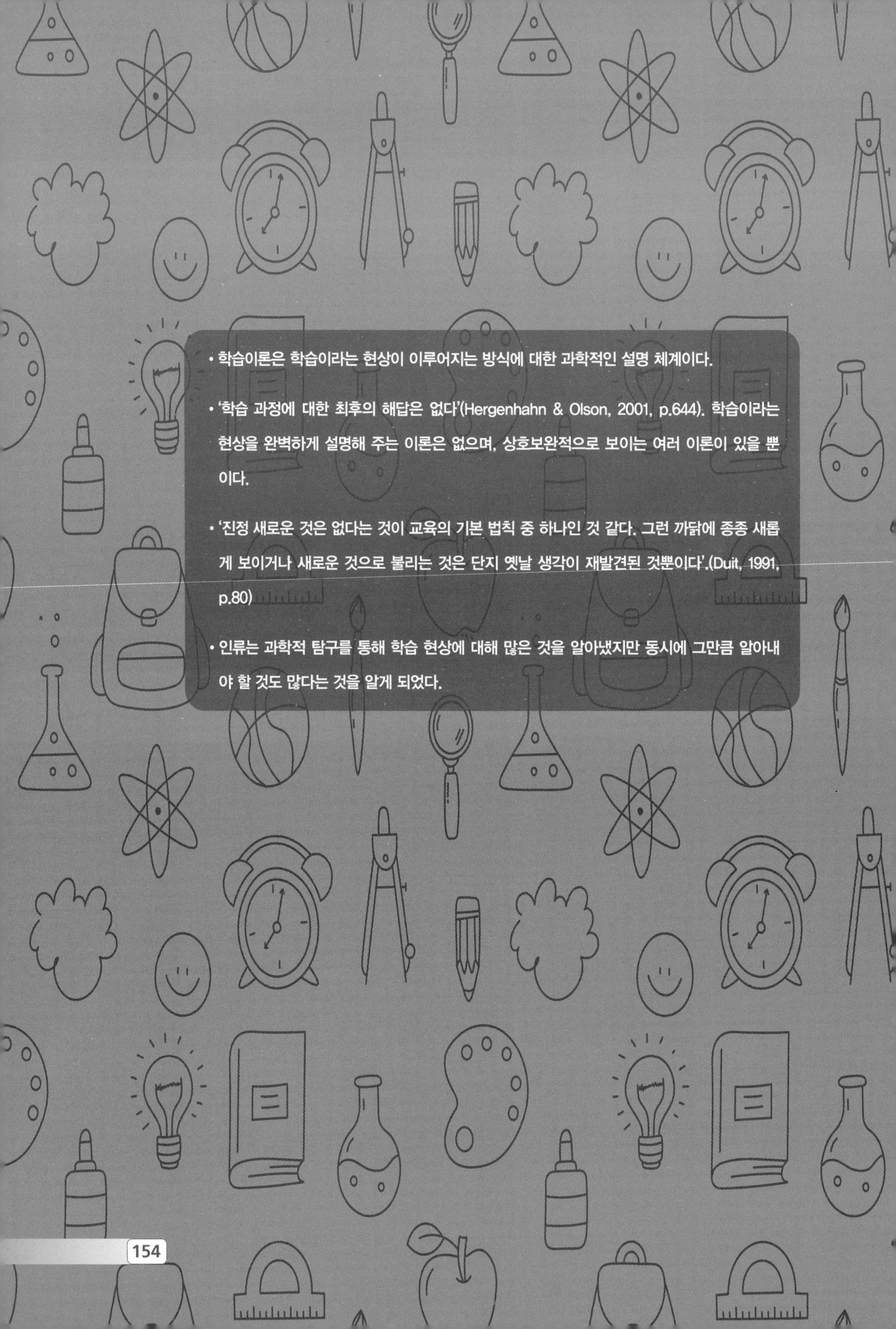

- 학습이론은 학습이라는 현상이 이루어지는 방식에 대한 과학적인 설명 체계이다.
- '학습 과정에 대한 최후의 해답은 없다'(Hergenhahn & Olson, 2001, p.644). 학습이라는 현상을 완벽하게 설명해 주는 이론은 없으며, 상호보완적으로 보이는 여러 이론이 있을 뿐이다.
- '진정 새로운 것은 없다는 것이 교육의 기본 법칙 중 하나인 것 같다. 그런 까닭에 종종 새롭게 보이거나 새로운 것으로 불리는 것은 단지 옛날 생각이 재발견된 것뿐이다'.(Duit, 1991, p.80)
- 인류는 과학적 탐구를 통해 학습 현상에 대해 많은 것을 알아냈지만 동시에 그만큼 알아내야 할 것도 많다는 것을 알게 되었다.

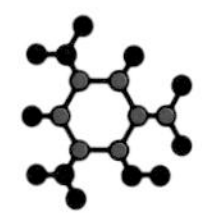

제3장부터 제5장까지 '과학교육'에서 '과학'에 방점이 있는 내용이라면, 제6장은 '교육'에 방점이 있는 내용이다.

'학생들에게 어떻게 하면 과학을 잘 가르칠 수 있을까?'라는 과학 교수 방법에 대한 물음과 이해에 앞서 '학생들은 어떻게 학습하는가?'라는 학습의 과정에 대한 물음과 이해가 선행될 필요가 있다. 학습자와 학습이 이루어지는 과정을 이해하는 것은 효율적인 교수 활동의 첫걸음이며, 효율적인 교수 방법은 교사가 이에 대해 명확하게 이해할 때 이루어질 수 있기 때문이다(신명희 등, 1998).

현재 매우 다양한 학습이론이 존재한다. 이 장에서는 이들 이론 중 과학교육에 많이 적용되고 있는 것을 중심으로 행동주의, 인지주의, 구성주의 패러다임으로 분류한 후,[1] 각 패러다임에 해당하는 주요 학자들이 제안한 학습 현상에 대한 설명을 살펴본다. 여기서 한 가지 유념해야 할 점은 학습이라는 현상이 복잡하고 다양한 속성을 가지고 있기 때문에 학자들 사이에 중복되는 설명이 있을 수 있다는 점이다. 즉 대부분의 이론은 다른 이론들이 갖고 있는 측면들을 동시에 갖고 있기 때문에(Hergenhahn & Olson, 2001), 학자에 따라서는 행동주의자나 인지주의자 또는 인지주의자나 구성주의자로 구분하기 쉽지 않다는 것이다. 그럼에도 이 장에서는 학자들을 그들의 연구나 관점에서 무엇을 주로 강조하느냐에 따라 행동주의, 인지주의, 구성주의 패러다임 중 어느 하나에 포함시켰으며, 이러한 분류에 대해 학자에 따라서는 불만을 가질 수 있다. 따라서 여러분은 어떤 학자가 어느 범주에 속하는가보다는 그 학자의 이론이 제공하는 교육적 시사점에 초점을 맞출 필요가 있다.

이 장에서는 '학습이론'과 '교수이론'의 의미와 차이점을 시작으로 교수-학습에 대한 연구가 학문의 한 분야로서 자리 잡은 20세기 초 행동주의부터 현재까지의 주요 이론을 살펴본다.

---

[1] 과학 지식에 대한 인식론과 관련하여 '객관주의'와 '구성주의'로 양분하기도 한다(p.213 참조).

6.1 학습이론과 교수이론

'학습이론'과 '교수이론(또는 수업이론)'의 차이점은 무엇인가? 사실 가르치는 일과 배우는 일이 서로 독립적일 수 없으므로 흔히 교수이론과 학습이론을 합쳐 교수-학습이론으로 하여 함께 다루고 있으나 엄격히 구분하면 학습이론과 교수이론은 다르다(강호감 등, 2007).

학습'이론'은 학습이라는 현상이 이루어지는 방식에 대한 '과학적'인 설명 체계이다. 여기서 우리가 주목해 볼 필요가 있는 것은 '이론'과 '과학적'이라는 단어이다. 자연과학 분야의 이론과 마찬가지로, 학습이론은 경험적 증거에 입각하여 세운 학습이라는 현상에 대한 설명 체계이자 학습 현상을 바라보는 하나의 관점이다. 따라서 동일한 학습 현상도 이론에 따라 다르게 해석될 수 있으며, 각 학습이론의 가치는 옳고 그름이 아닌 그 타당성과 유용성 여부이다. 또한 어느 한 관점이나 견해가 과학 학습에 대한 완전한 설명을 제공하는 것은 사실상 불가능하다는 점을 아는 것이 중요하다(Bennett, 2003). 즉 학생들의 학습 현상을 완벽하게 설명하는 이론은 없으며, 각 이론은 장점과 단점을 가지고 있고, 서로 상호보완적인 역할을 한다.

학습이론이 학습자가 학습을 하는 방식에 대한 설명 체계라면, '교수이론(또는 수업이론)'은 학습자에게 가르치고자 하는 내용을 효과적으로 가르칠 수 있는 방법에 관한 설명 체계라 할 수 있다. Bruner(1966)에 의하면, 수업이론은 '처방적'이며, '규범적'인 이론이다. 즉 수업이론은 지식이나 기능을 성취하는 가장 효과적인 방법을 제시함과 아울러 특정 수업 방법을 평가할 수 있는 기준을 제공한다는 점에서 '처방적'이다. 또한 교수이론은 지식을 획득하고 기술을 익혀야 할 수준이나 그 수준까지 도달하기에 필요한 조건을 제시한다는 점에서 '규범적'이다. 한편 Bruner는 학습이론에 대해 '처방적'이라기보다는 '서술적'이라고 설명하였다. 예를 들어, Piaget의 인지발달이론의 경우 "학습은 개인이 주변 환경과의 능동적인 상호작용을 함으로써 일어난다"는 학습의 과정이나 "대부분의 7세 아동은 사물을 하나의 속성으로만 분류할 수 있다"와 같이 어떤 사실을 서술하고 있다. 이에 비해 교수이론은 학습이론에 근거하여 학습을 효과적으로 촉진하는 방안을 제시한다. 예를 들어, Piaget 이론에 관심을 가진 학자들은 교수-학습 방법 측면에서 "어린이들이 자연을 이해하기 위해서는 실험이나 관찰 등의 구체적인 조작활동이 필요하다"거나 교육과정 구성과 관련하여 "학습 내용은 학습자의 인지발달 순서에 맞아야 한다"와 같이 학생들이 효과적으로 학습할 수 있는 방법을 제시한다. 이와 같이 학습이론과 교수이론은 서로 다르지만 밀접한 관계가 있다.

6.2 교수-학습에 대한 행동주의 관점

'학습이란 무엇인가?', '학습은 어떻게 이루어지는가?'와 같은 인식론의 문제는 고대 그리스 철학자들로부터 시작되었지만, 이에 대한 연구가 사회과학의 한 학문 분야로서 자리 잡기 시작한 것은 19세기 말 이후이다(변영계, 2005; Hergenhahn & Olson, 2001). 19세기 말, 당시 심리학의 주된 관심은 인간의 의식 현상이었고 연구 방법은 자신의 정신 작용을 관찰하여 보고하는 내성적 방법이었다.

20세기 초 Watson, Pavlov, Thorndike와 같은 초기 행동주의자들은 이러한 자기보고나 자기반성 같은 연구 방법을 주관적이며 비과학적이라고 생각하였다. 즉 자연과학과 같이 동일한 현상에 대해 각 관찰자가 동일한 결과를 보고할 수 있는 객관적 관찰만을 인정받을 만한 것으로 여겼다. 따라서 이들은 관찰할 수 있고 측정할 수 있는 자료에만 관심을 두었으며, 유기체(인간을 포함한 동물)의 내적 과정들(예:사고, 동기 등)은 직접 관찰되거나 측정될 수 없으므로 학습 현상의 연구 대상에서 제외하였다. 이러한 초기 행동주의가 너무 극단적이라는 비판과 함께 신행동주의가 등장하였으며, 그 대표적인 학자가 Skinner, Hull 등이다. 신행동주의 학자들은 동물이나 사람은 외적 자극을 받지 않고도 어떤 행동을 자발적이고 의식적으로 일어나게 한다고 보았다. 이후 Gagné, Bandura, Keller 등의 학자들은 행동주의를 근간으로 하면서도 초기 행동주의자에 의해 배제되었던 영역, 즉 인간의 내적 과정으로 그 범위를 넓혔다.

1920~1950년대 학습에 대한 주류 패러다임으로서 행동주의는 심리학의 과학화에 기여하였으며, 현재도 교육에 많은 영향과 시사점을 주고 있다. 예를 들어, 모든 수업은 학생들로부터 관찰될 수 있고 측정될 수 있는 결과를 이끌어내도록 설계되어야만 한다는 행동주의 원리가 그것이다. 이 절에서는 행동주의의 두

가지 대표적 학습이론인 Pavlov와 Skinner의 조건형성이론을 시작으로 Gagné, Bandura 및 Keller의 이론과 과학교육에의 시사점에 대해 살펴본다.

> 많은 교육학자들은 Gagné를 행동주의자로 분류하는데, 동물 심리학 분야에서의 초기 훈련과 Skinner의 연구 등이 그의 초기 논문들에서 많이 언급되기 때문이다. 그러나 Gagné는 초기 인지주의 심리학자 중의 한 명이었다. 그는 인간의 행동을 설명할 때 행동주의 심리학만으로는 부족함을 인식했고, 뇌의 내부에서 무슨 일이 일어나고 있는지를 파악하기 위해 엄격한 행동주의적 원칙을 깨버렸다(Gagné et al., 2004, 저자 서문).

> Watson 이후 거의 모든 심리학자가 행동을 연구하였다. 인지심리학자들조차도 인지적 사상을 가정하는 지수로 행동을 사용하고 있다. 이러한 이유로 현대의 모든 심리학자가 행동주의자라고 말할 수 있다(Hergenhahn & Olson, 2001, p.67).

위 인용문과 같이 Gagné, Bandura, Keller를 행동주의 학자로 분류하는 것에 대해 동의하는 학자가 있는 동시에 반대하는 학자도 있다는 사실 그리고 인지주의나 구성주의가 행동주의에 영향을 받았다는 사실을 유념하길 바란다.

1. 조건형성이론

학습에 관한 행동주의의 초기 연구는 주로 실험실에서 동물을 대상으로 이루어졌으며, 그 연구 결과를 인간으로 확대했다. 이 절에서는 이러한 행동주의의 두 가지 대표적인 학습이론, 즉 Pavlov의 '고전적 조건형성'과 Skinner의 '조작적 조건형성'에 대해 살펴본다.

(1) Pavlov의 고전적 조건형성

Pavlov(Ivan Petrovich Pavlov, 1849~1936)는 러시아의 생리학자로, 동물의 행동 전반에 관련된 뇌의 기능에 대한 문제를 연구하고 체계적인 이론을 제시하였다(김옥주, 1992). 그의 뇌기능 연구의 출발점은 '조건반사', 즉 종래의 무조건반사와 다르게, 유기체가 전혀 관계없는 자극에 대해 후천적이며 일시적으로 반응하는 메커니즘의 발견이었다. Pavlov의 '조건반사' 개념은 아래 Pavlov의 유명한 실험을 근거로 하고 있다.

> 처음에 개는 음식을 보면 침을 흘리는데, 이것은 자연적인 생리적 현상이다. 이때 개가 본 음식은 '무조건자극'이며, 개의 타액 분비는 '무조건반응'이다. 그 다음에는 '종을 치면서(중성자극)' '음식을 주는 일(무조건자극)'을 반복하게 되면 종소리라는 자극과 침을 흘리는 반응 사이에 연관이 형성된다. 즉 중성자극이 조건자극이 되어, 결국 '종만 쳐도(조건자극)' '개가 침을 흘린다(조건반응)'는 것이다. 즉 무조건자극과 조건자극의 결합에 의한 조건화가 형성된 것이다.

이러한 현상을 설명하기 위하여 Pavlov가 제안한 이론이 '고전적 조건형성(classical conditioning)'이다. 다음은 고전적 조건형성을 수업 상황에 적용한 예이다.

> 얼마 전 과학시간에 성진이는 "계절의 변화가 생기는 까닭은 무엇일까?"라는 선생님의 질문(중성자극)에 손을 들고 답했다. 선생님의 질문에 엉뚱한 대답을 했더니 선생님이 학생들 앞에서, "얘들아 여기 웬 철학자가 한 분 계시는구나"하고 비꼬았다(무조건자극). 그 이후부터 선생님이 질문하려는 태도만 보여도 성진이는 당황해서 자기도 모르게 얼른 고개를 숙이고 눈을 맞추려고 하지 않게 되었다(무조건반응). 이제 성진이는 과학시간에 선생님이 학생에게 질문을 하기 위하여 교실을 쭉 훑어보면(질문이라는 중성자극이 조건자극이 되어), 벌써 얼굴이 달아오르고 가슴이 뛰기 시작한다(조건반응).[2]

과학 수업에서 학습해야 할 과제를 즐겁고 긍정적인 활동(예: 노래 부르기, 게임 등)과 연합시킴으로써 학습을 즐겁게 만들 수 있다. 예를 들어 암석 관찰 수업을 할 때 '돌과 물'이라는 동요를 부르면서 수업을 시작한다고 가정하자. 이때 중성적인 학습과제를 즐거운 활동과 연합시키면 학습도 노래나 게임처럼 즐겁게 느껴지는 긍정적 정서 반응을 유도할 수 있다. 이와 같이 고전적 조건형성은 학생들이 경험하는 비의도적인 다양한 정서 반응을 잘 설명한다(신명희 등, 1998).

---

[2] 이 내용은 신명희 등(1998)의 pp.149~150의 내용을 과학 교과에 맞게 각색한 것임.

하지만 고전적 조건형성은 과학 지식뿐 아니라 탐구 과정 기능의 교수-학습에 비효과적이다. 그것은 고전적 조건형성이 반사적 행동에 한정되며, 조건반사가 일어나기 위해서는 무조건자극에 대해 무조건반응을 일으키는 반사 기제가 갖추어져 있어야 하는데, 인간이 나타내는 조건반응은 놀람 · 두려움 · 즐거움 등 감정적인 반응에 한정되어 있으며, 그것마저도 단순한 행동에 불과하기 때문이다 (조희형과 최경희, 2001).

(2) Skinner의 조작적 조건형성

Skinner(Burrhus F. Skinner, 1904~1990)의 '조작적 조건형성(operant conditioning)' 이론은 Pavlov의 고전적 조건형성에서 시작되었으며, 그의 연구는 'Skinner상자'로 잘 알려진 빈 상자(그는 이를 '실험 공간'이라 불렀음)에서의 동물(주로 쥐, 비둘기)의 행동을 통해 이루어졌다.

> Skinner상자는 비둘기가 쫄 수 있는 버튼과 그 버튼을 쪼았을 때 먹이가 자동적으로 상자 안으로 들어가도록 장치되어 있다. 상자 속에 던져진 비둘기는 우연히 '버튼(변별 자극)'을 '쪼게(행동)'되고 '먹이(강화물)'를 얻게 된다. 이러한 우연이 반복되면 비둘기는 버튼을 쪼는 행동을 점점 빠르게 반복하게 된다.

이 간단한 실험을 통해 Skinner는 이전의 조건반사의 원리로는 설명할 수 없는 새로운 사실을 발견하게 된다. 즉 조건반사는 반드시 환경으로부터 자극이 주어질 때만이 반응이 일어난다는 전제 조건에 따라 이루어진다. 그러나 Skinner는 자극이 없을 때도 반응이 일어나며, 또한 그 결과에 의해 통제가 가능하다는 새로운 원리를 발견하게 된다(임선영, 1994). 이러한 의도적인 반응(또는 행동)의 학습 과정에 관한 것이 바로 '조작적 조건형성'이다(신명희 등, 1998). 그리고 그는 행동이 일어날 수 있는 계기(변별 자극: 버튼), 행동(반응: 쪼기), 반응의 결과(강화물: 먹이)를 '강화 조건'이라고 규정하였다(임선영, 1994).

Skinner는 행동을 '반응적 행동'과 '조작적 행동'으로 구분하였다. 그는 고전적 조건형성에서 발생하는 반응을 '반응적 행동'으로 명명하였는데, 이 '반응적 행동'은 어떤 행동이 일어나게 하는 외부 자극의 영향을 받는다. 이와는 달리 그는 조작적 조건형성을 통해 형성되는 반응을 '조작적 행동'이라고 명명하였는데, 이 '조작적 행동'은 그 행동에 의해 일어나는 결과의 영향을 받는다. 즉 고전적 조건형성이 반응을 유발하는 '조건자극'에 관심을 두었다면, 조작적 조건형성은 '행동의 결과'에 초점을 맞춘다. 그리고 어떤 행동이 긍정적 결과를 낳았는지 아니면 부정적 결과를 낳았는지에 따라 앞으로 그 행동이 계속 나타날 가능성이나 강도가 달라진다고 본다.

이전 행동주의자들과는 달리, Skinner는 동물을 대상으로 한 연구 결과에 근거해서 얻은 학습 원리를 학교 교육에 적용시키는 데도 관심이 많았다(변영계, 2005). 그에 따르면 학습자의 특정 행동에 대한 '선택적 보상'은 그 행동이 일어날 가능성을 높이거나 감소시킨다. 여기서 선택적 보상이란 '강화'와 '벌'을 의미한다. 그의 조작적 조건형성의 가장 핵심 개념은 '강화'로, 학습자가 원하는 것을 제공해 특정 행동을 이끌어내는 것을 말한다. Skinner상자에서 비둘기는 버튼을 쪼면 먹이가 나온다는 사실을 학습하게 되는데, 비둘기가 버튼을 쪼는 행동은 먹이에 의해 강화된 것이다. 만약 버튼을 쪼았을 때 먹이가 나오지 않았다면 버튼을 쪼는 행동을 학습하지 못했을 것이다.

이렇게 어떤 행동을 한 뒤에 유기체가 원하는 것을 제공하는 것을 '강화'라고 한다. 이때 고전적 조건형성과는 다르게 학습자는 자신이 한 행동의 결과, 즉 제공되는 강화가 자신에게 얼마나 유용한지를 바탕으로 행동을 계속할지 아니면 계속하지 않을지를 결정하게 된다. 따라서 조작적 조건형성의 과정은 유기체가 능동적으로 반응하는 과정이라 할 수 있다(김재희, 2012). Skinner의 강화 조건은 이전에는 자극을 관찰할 수 없기 때문에 행동주의 영역에서 배제시켰던 대상들(예: 동기)을 행동주의적으로 해석할 수 있는 개념적 도구로서 이용된다(임선영, 1994). 동기와 관련하여 Skinner는 학습자의 내재적 동기에 대해서는 관심이 적었으며, 효과적인 학습을 위해서는 외재적 동기가 큰 비중을 차지한다고 하였다(변영계, 2005). 이것은 Skinner의 실험에서 실험자가 원하는 행동이 있은 후에 강화를 하여 행동 변화가 일어난다고 보기 때문에 시간적으로 행동에 앞서는 개인의 내재적 동기는 인정하지 않는다는 의미이다. 이러한 외적 강화에 의한 동기 형성을 하는데 있어서, 일반적으로 강화는 행동이 보인 직후에 했을 때 동기 형성이 잘된다고 보았다(변영계, 2005).

강화와 벌의 효과적 사용을 통한 행동 수정, 관찰 가능한 구체적인 행동 목표 형태로의 수업 목표 서술(제11장 참조), 학습자 스스로 학습할 수 있는 개인차를 고려한 프로그램 수업[3] 등 Skinner의 제안은 현재에도 교육 현장에서 적용되고 있다. 그러나 Skinner의 이론도 여러 가지 한계가 있는데, 가장 주된 한계는 그의 이론이 Pavlov의 이론보다는 덜하지만 인간의 수동적 특성만을 고려하였을 뿐 자발적 · 자율적인 속성을 여전히 간과했다는 점이다. 이러한 이유로 그의 학습이론 및 그에 따라 개발된 프로그램 수업은 과학교육과 관련하여 사실적 정보의 학습에는 어느 정도 효과가 있으나 논리적 사고, 창의력 증진 등에는 한계가 있다(조희형과 최경희, 2001).

2. Gagné의 학습의 속성과 조건

Gagné(Robert M. Gagné, 1916~2002)는 기존 실험실에서의 학습에 대한 연구를 실제 교육 환경에서의 연구로 전환한 교육심리학자이다. 즉 이전 행동주의자들이 동물을 대상으로 한 실험실에서의 연구에 근거하여 학습이 이루어지는 과정에 대한 설명 체계를 개발하고 그 결과를 인간에까지 확대한 반면, Gagné는 인간의 학습은 복잡하고 다양하다는 생각에서 출발하여 그 복잡성과 다양성을 설명하는 체계를 개발하였다(Grendler, 2001). 그의 이론은 학습의 누적적 · 위계적 속성, 학습의 내 · 외적 조건, 이를 바탕으로 한 수업 체계를 조직하는 방법 등으로 대표된다. 그의 이론은 행동주의를 근간으로 하지만(조희형과 박승재, 1999), 학습의 조건에 관한 그의 설명 등은 행동주의 관점과 인지적 정보처리이론[4]을 절충한 것으로도 볼 수 있다.

---

[3] 1950년대 프로그램 수업의 내용은 책이나 교수 기계로 제시되었지만, 이제는 컴퓨터로 수업의 내용을 제시할 수 있고, 그것을 컴퓨터 보조수업(CAI)이라 한다(신명희 등, 1998).

[4] 정보처리이론은 행동주의와 인지주의를 접목시킨 학습이론으로서, 인간의 학습을 컴퓨터의 정보처리 과정과 메모리에 비유하여 설명하는 이론이다. 인간의 학습과정을 정보처리 관점에서 설명하는 여러 모델 중 Gagné(1985)가 제안한 모델이 대표적이다. Gagné는 외부 환경으로부터 학습을 목적으로 하는 정보가 학습자의 감각기관(예:눈이나 귀)을 통해 '선택적 지각'이라는 자극의 형태로 변형된 이후 '부호화(기억에 입력)', '저장(기억에 보관)', '재생(기억으로부터 회상)', '수행(예:말하기나 쓰기)' 등의 과정으로 인간의 학습 과정을 설명한다. 기억의 유형에는 단기기억과 작동기억(두 기억은 컴퓨터의 RAM에 해당) 그리고 장기기억(컴퓨터의 하드디스크에 해당)이 있다.

(1) 인간 학습의 다양성과 복잡성

Gagné에 의하면, 이전의 이론들(예를 들어, Pavlov나 Skinner의 이론)은 인간 학습의 특성에 대한 제한된 시각을 제공하기 때문에 복잡한 기능과 능력을 학습하는 데 있어서의 인간의 '학습 능력(capacity)'을 설명할 수 없다고 보았다(Grendler, 2001). 즉 그는 인간의 학습을 자극-반응의 관계로 단순화시킬 수 없으며, 포괄적인 학습 이론의 개발에 있어서 관건은 인간의 학습(된) 능력의 다양성과 복잡성을 설명해야 할 뿐 아니라 그러한 능력이 획득되는 과정을 설명할 수 있어야 한다고 생각하였다.

인간의 학습이 실제로 복잡하고 다면적인 과정이라면 학습을 어떻게 정의할 수 있을까? Gagné(1977a)에 의하면, 학습이란 개인이 사회의 유능한 구성원이 되어가는 메커니즘이며, 학습이 중요한 까닭은 인간이 획득하는 모든 기능, 지식, 태도 등이 학습에 의한 것이기 때문이다. 즉 그는 학습이 서로 다른 다양한 행동(Gagné는 이러한 행동을 '학습(된) 능력'이라고 불렀다)을 낳으며, 이러한 학습 능력들은 학습의 결과물이라고 생각하였다(Grendler, 2001). 그리고 이러한 '학습(된) 능력', 즉 학습의 결과 그 자체는 관찰 가능한 행동 면에서의 변화를 지칭하며, 학습되었다는 사실은 학습 상황에 처하기 전의 행동과 일련의 교수 처방이 이루어진 후에 형성된 행동의 변화를 비교해 봄으로써 확인될 수 있다(대한지구과학교육학회, 2009; 변영계, 2005). 또한 그는 학습자의 이러한 능력들은 환경으로부터의 '자극'과 학습자의 '인지적 처리 과정'에 의해 습득된다고 보았다. 즉 학습을 환경으로부터 오는 자극을 새로운 능력을 획득하는 데 필요한 몇 단계의 정보처리 단계로 변형하는 일련의 인지적 과정으로 보았다(Gagné & Briggs, 1979). 이러한 이유로 학자에 따라 Gagné와 그의 이론을 행동주의의 범주에 넣기도 하고, 학습 현상을 설명할 때 자극-반응 그리고 인간의 내적 과정 모두에 관심을 두었으므로 행동주의와 인지주의의 '연결(bridge)'로 보기도 하며, 자극-반응보다 인간의 내적 과정에 관심을 두었으므로 초기 인지주의자로 보기도 한다.

Gagné에 의하면 다음과 같이 학습의 두 가지 특징이 지적 발달에 있어서 중요한 역할을 한다(Grendler, 2001). 첫째, 인간의 학습은 그저 단순히 서로 분리된 정보의 단편을 획득하는 것이 아니라 상당수의 학습이 다양한 상황으로 일반화된다는 것이다. 둘째, 학습된 복잡한 기능들은 이전 학습을 기반으로 한다는 것

표 6-1 Gagné의 5가지 학습의 범주

범주[=학습(된) 능력]	설명(과학 학습의 예)
언어 정보	언어적 표현, 문장, 그림 등을 통해 사실이나 현상을 기술하고 말할 수 있는 능력(예: 사물의 이름 말하기, 사물 사이의 관계 진술하기)
지적 기능	여러 가지 기호나 상징(숫자, 문자, 단어, 도표 등)을 사용하여 환경과 상호작용할 수 있는 능력(예: 식물과 동물 구별하기, 곤충에 대한 개념 학습)
인지 전략	자신의 방식대로 기억하거나 사고하는, 즉 자신의 머리를 활용하는 방법과 관련된 내재적으로 조직된 기능(예: 학습내용 정리를 위한 마인드맵 작성하기)
운동 기능	신체적 운동을 적절하게 실행하는 능력(예: 용액의 가열이나 현미경 조작하기)
태도	여러 종류의 활동 가운데 어느 것을 선택하는 데 영향을 주는 능력(과학 글쓰기와 과학 토론 중 과학 토론을 선택하는 것)

이다. 다시 말해, 인간의 학습은 '누적적'이라는 것이다. 이와 같이 인간의 지적 발달은 '학습(된) 능력'들의 더욱더 복잡하고 흥미로운 구조들의 구축으로 이해될 수 있다(Gagné, 1968). 이렇게 학습된 능력들은 더욱 복잡한 기능들의 학습에 기여할 뿐 아니라 다른 상황들로 일반화된다. 그 결과 끊임없이 복잡해지는 지적인 능력이 생긴다.

Gagné의 연구 핵심은 인간 학습의 다양성과 복잡성을 반영하는 학습의 범주를 확인하는 것이었다. 이러한 작업을 통해 Gagné는 인간의 학습을 '언어 정보', '지적 기능', '인지 전략', '운동 기능', '태도'의 다섯 개 범주로 구분하였다(표 6-1). 이러한 범주는 Bloom의 인지적, 정의적, 심체적 학습 분류 체계를 발전시킨 것이다(대한지구과학교육학회, 2009).

(2) '지적 기능'의 학습위계

Gagné는 표 6-1의 다섯 가지 학습 범주 중 '지적 기능'의 학습을 표 6-2와 같이 8가지 유형으로 세분화하였다. 이러한 8가지 학습 유형은 위계적인 성격을 띠고 있어서 상위 수준의 기능을 소유하기 위해서는 반드시 하위 수준의 기능을 학습해야 하는 관계를 지니고 있다(한국과학교육학회, 2005). 즉 "문제해결학습을 위해서는 원리학습, 원리학습을 위해서는 개념학습, 개념학습을 위해서는 변별학습, 변별학습을 위해서는 언어연결학습, 연쇄학습, 자극-반응학습, 신호학습이 선행되어야 한

표 6-2 8가지 학습 유형과 위계

유형(학습)	정의(과학 학습의 예)
문제해결학습	이미 배운 원리를 이용하여 새로운 상황에서 당면한 문제에 대한 해결책을 알아내는 학습(예: 기압의 성질을 알고 이를 토대로 일기 예보하기)
⬆ 원리학습	둘 이상의 개념 간의 관계를 이해하여 이를 적용하는 학습(예: 기압, 고기압, 저기압의 개념을 토대로 기압의 성질 알아보기)
⬆ 개념학습	대상들에 있는 공통된 속성을 이해하여 그것을 기준으로 대상을 분류할 수 있게 되는 학습(예: 관찰한 곤충들의 공통점을 토대로 "곤충은 머리, 가슴, 배로 구분된다"는 개념 학습하기)
⬆ 변별학습	몇 가지 대상 중에서 서로 다른 점을 찾아내는 능력을 획득하는 학습(예: 식물과 동물 구별하기)
⬆ 언어연결학습	연쇄학습과 유사하나 개별적인 언어가 순서에 맞게 연결되어 이루어지는 학습(예: 사물들을 보고 각각의 이름 말하기)
⬆ 연쇄학습	각각의 행동이 적당한 순서로 연속해서 이루어지는 학습(예: 현미경 조작 등과 같이 일련의 행동을 정해진 순서에 따라 현미경 조작하기)
⬆ 자극-반응학습	조작적 조건형성, 즉 학습자의 행위에 대한 보상과 결합하여 이루어지는 의지적인 학습(예: 학생들에게 "관찰해보자"라고 말했을 때 학생들이 무슨 뜻인지 알고 관찰하는 것)
⬆ 신호학습	위계상 가장 단순한 형태로, 고전적 조건형성(조건반사)에 의해 무의지적으로 이루어지는 학습(예: 학교의 종소리를 듣고 수업의 시작과 종료를 알게 되는 것)

다"(김찬종 등, 1999). 단순한 하위 지적 기능은 다음 단계의 복잡한 상위 지적 기능에 필수적인 선행 요건이 된다. 이와 같이 '학습위계'는 인간의 능력이나 학습은 단순한 것에서 복잡한 것으로, 단편적인 것에서 일반적인 것으로, 저차원에서 고차원으로 나아가는 계열성을 이루고 있다는 것이다(한국교육심리학회, 2000).

Gagné는 학습 실패의 원인이 과제의 하위 요소에 대한 학생들의 지적 간극이라고 생각하였다. 또한 그는 학습에 의해 행동의 변화가 일어나려면 학습에 임하기 전에 그 학습에 적용할 수 있는 선행학습이 필요하다고 생각하였다(김찬종 등, 1999).

이와 관련하여 Gagné는 최종 목표를 달성하기 위한 성공적 교수의 원리로 최종 학습과제를 구성하는 학습 요소들을 분석 · 추출하고 이를 위계적인 관계로 조직할 것을 제안하였다. 이를 '과제분석'이라 하며, 이를 통한 학습이 '위계학습'이다. 이러한 Gagné의 생각은 두 가지 의미를 포함하고 있다. 즉 학생들이 교과 내용을 학습할 때, 먼저 학습해야 할 것이 있고 나중에 학습해야 할 것이 있다는

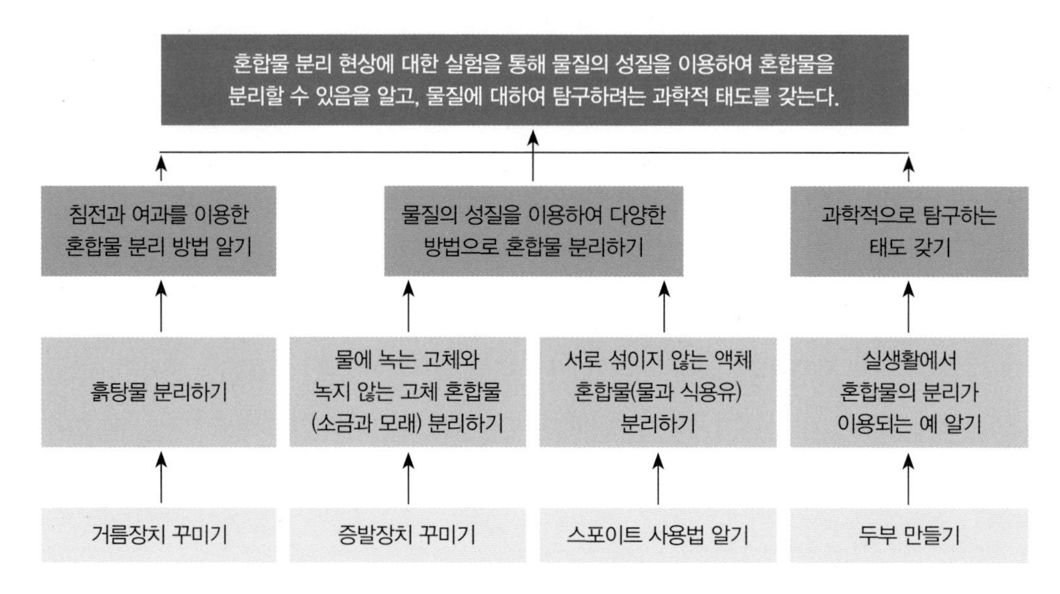

그림 6-1 과제분석과 위계학습의 예

것 그리고 하위 지적 기능의 학습은 상위 지적 기능의 학습에 전이된다는 것이다. **그림 6-1**은 '혼합물 분리하기' 단원의 과제분석과 위계학습의 예이다.

위와 같이 학습의 위계적 속성은 낮은 수준의 학습과제를 배워야 다음 수준의 학습이 가능한 것으로, 과학 지식, 탐구 과정 기능 등의 학습에서 다양하게 해석되고 있다. 예를 들어 '언어연결학습 → 변별학습 → 개념학습 → 원리학습' 순으로 학습이 이루어지는 것과 같이, '길이 → 넓이 → 부피', '지구의 모양 → 낮과 밤 → 계절의 변화' 또는 '관찰 → 변인 통제 → 실험 설계' 순으로 학습하는 것이 그 예이다.

(3) 학습의 조건과 수업이론

Gagné는 학습(된) 능력에 대해 학생들이 학습할 때 충족되어야 하는 '학습의 조건'을 제안하였다(Grendler, 2001). **그림 6-2**와 같이, 학습의 조건은 크게 학습자의 인지적 처리 등이 요구되는 '학습의 내적 조건'과 학생들의 인지 과정을 도와주도록 요청되는 외부 환경으로부터의 자극인 '학습의 외적 조건'으로 구분된다. 학습의 내적 조건은 다시 특정 학습(획득될 특정 학습 능력)에 필요한 학습자의 '내적 상태'와 학습 과정에 있게 되는 일련의 '인지적 처리'로 세분된다. 학습자의 '내적 상태'는 새로운 학습에 영향을 미치는 선행학습과 태도(예:학습에 있어서의 자신감)로 이

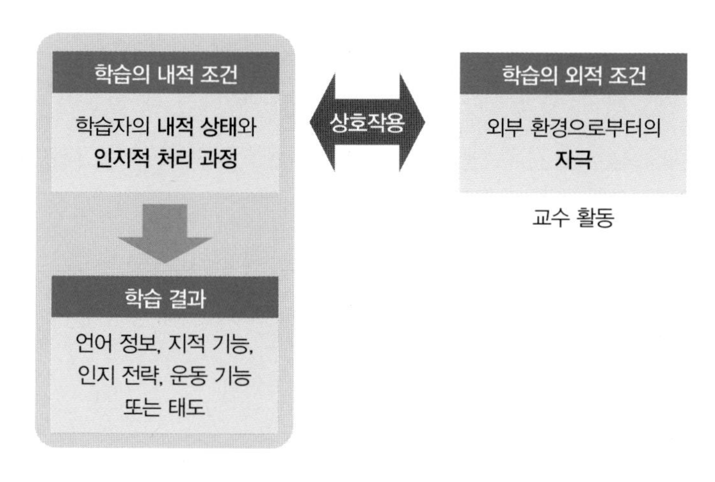

그림 6-2 학습과 교수의 기본 구성 요소

루어져 있다. 학습의 내적 조건으로서 학생들의 인지 처리 과정에 대해 Gagné는 '정보처리이론'의 관점에서 설명하였다(p.162의 각주 4 참조).

Gagné는 **표 6-3**과 같이 크게 3개의 범주로 구분되며 순차적으로 실행되는 9가지 단계를 '학습 단계'라 불렀으며, 각 단계는 해당 단계에서 필요한 학습의 조건이 무엇인가를 보여주는 중요한 지표가 된다(변영계, 2005; Grendler, 2001; Gagné et al., 2004). 또한 그는 **표 6-3**과 같이 이를 전형적인 학습 상황에서 학습의 외적 조건을 제공하는 일련의 절차, 즉 '교수 활동(instructional event)'과 연결시켰다

표 6-3 학습 단계와 교수 활동의 관계

구분	학습 단계	교수 활동
학습 준비	참여	주의집중시키기(학습자의 관심 유도)
	기대	학습목표 제시하기와 동기 부여하기
	장기기억에서 관련 정보 검색 및 단기 기억에 재생	사전학습의 지식 재생 자극하기
획득과 수행	자극 특징의 선택적 지각	학습내용 제시하기
	의미의 부호화	학습안내 제공하기
	재생과 반응	수행 유도하기
	강화	수행의 정확성에 대한 피드백 제공하기
학습의 전이	재생의 신호	수행 평가하기
	일반화	파지 및 전이 촉진하기

(Grendler, 2001).

Gagné가 제안한 교수 활동은 학습이 일어나도록 하는 데 필요한 외적 조건을 제공하는 것으로, 학습자의 내적 정보처리 과정을 자극하는 역할을 한다(변영계, 2005). Gagné가 제안한 교수 활동은 수업을 계획하는 데 있어 지침을 제공해 주지만, 수업에서 이들 교수 활동이 반드시 그 순서에 따라 이루어지거나 모든 교수 활동이 포함되어야 하는 것은 아니다(Gagné et al., 2004). 즉 융통성이 있다.

(4) SAPA

Gagné는 1960년대 미국 과학교육 개혁운동의 일환으로 개발된 SAPA(Science-A Process Approach)라 불리는 초등과학교육 프로그램 개발에 참여하였다.[5] 이 프로그램은 다음과 같은 특징을 가지고 있다(김찬종 등, 1999, p.141).

첫째, 아동의 지적 발달을 고려한다.

둘째, 아동의 지적 발달은 장기간에 걸쳐 이루어지므로 한 권의 책으로 끝나는 것이 아니라 몇 권의 책으로 이루어지도록 한다.

셋째, 이 프로그램은 '과학자들이 알고 있는 것이 무엇인가?'보다는 실제로 '과학자들이 무슨 일을 하고 있는가?'에 초점을 맞춰 탐구 과정을 강조하였다. 따라서 학생들이 과학을 행하는 방법을 배울 필요가 있기 때문에 과학정보를 이해하는 데 필요한 탐구 과정 기능을 습득하는 것이 필요하다.

넷째, 과정 기능은 기초 탐구 과정과 통합 탐구 과정으로 나눌 수 있다. 기초 탐구 과정은 유치원에서 3학년에 적합하며, 관찰하기, 시/공간 이용하기, 분류하기, 숫자 사용하기, 측정하기, 의사소통하기, 예상하기, 추리하기가 이에 해당한다. 통합 탐구 과정은 4학년에서 6학년에 적합하며 좀 더 복잡한 과정 기능, 즉 변인 통제하기, 자료 해석하기, 가설 설정하기, 조작적 정의하기, 실험하기 등이 해당된다.

---

[5] 1960년대 미국의 과학교육 개혁운동 당시 개발된 초등 과학교육 프로그램으로는 SAPA 외에도 SCIS, ESS 등이 있다. SAPA는 과학 탐구 과정 기능 개발에 초점을 두면서 과학의 지식을 습득하게 한다. SCIS(Science Curriculum Improvement Study)는 프로그램 전반에 걸쳐 과학을 행하는 기능들이 가르쳐지기는 하지만 과학의 개념들을 중심으로 짜여 있으며, 아동들이 학습을 통하여 과학의 개념을 형성하도록 시도하고 있다. 한편 ESS(Elementary Science Study)는 아동의 자연현상에 대한 흥미에 더 초점을 두고 아동 스스로의 자유로운 탐구를 중시하면서 과학 지식을 습득하게 한다.

다섯째, 행동주의 심리학을 바탕으로 하고 있다. 예를 들어 아동들은 상위의 과정 기능을 배우기 전에 반드시 하위의 기능을 배워야 한다.

(5) 교육적 시사점과 한계

Gagné는 이전 행동주의 학자들과는 달리 인간의 학습 그 자체에 초점을 맞추어 인간 학습의 복잡성과 다양성에 대해 설명하고자 하였다. 그는 여러 가지 인간의 학습 능력을 제안함과 동시에 학습의 속성을 누적적이고 위계적인 것으로 보았다. 즉 인간의 학습 능력은 단순한 것에서 복잡한 것으로 위계적 계열성을 따라서 그리고 단순한 능력은 더 복잡한 능력의 학습에 기여하면서 점차적으로 발달한다고 생각하였다. 또한 그는 인간의 학습 능력 발달에 필요한 내적 조건과 외적 조건을 제시하고 설명함과 동시에 학습의 외적 조건을 제공하는 교수 활동을 학습자의 학습 과정과 관련지어 제안하였다.

그의 과제분석을 통한 위계학습이나 수업설계를 위한 교수 활동 단계, 그가 참여하여 개발한 SAPA 프로그램 등은 오늘날에도 많은 영향을 미치고 있다(제4.2절 참고). 하지만 모든 이론이 그렇듯 그의 이론에도 한계가 있는데, 예를 들어 그의 학습위계는 학습과제(교과의 학습내용)에 내재된 순수한 논리적 위계에 관한 것이지, 학습자에 의해 학습되는 심리적 위계가 아니라는 점 등이다. 이를 좀 더 구체적으로 설명하면, 빛의 성질에 대한 학습에서 논리적 위계는 '빛의 직진 → 빛의 반사 → 빛의 굴절' 순이지만 초등학생들의 심리적 위계는 '빛의 반사 → 빛의 직진 → 빛의 굴절' 순이며, 빛의 반사는 빛의 직진이나 굴절보다 개념 형성이 더 쉽게 일어날 수 있다(정진우와 정진표, 1995).

3. Bandura의 관찰학습과 자아효능감

Bandura(Albert Bandura, 1925~2021)는 행동주의 학습이론에서 출발하여 인지적 측면을 중시하는 '사회학습이론'을 발전시켰다.[6] 그의 초기 사회학습이론(Bandura, 1977b)은 Gagné와 마찬가지로 행동주의와 인지주의의 '연결(bridge)'로 간주되기

[6] Bandura의 사회학습이론은 행동주의 학습이론에 포함시키는 경우(예:Slavin, 1994; 신명희 등, 1998)가 있는가 하면 인지주의 학습이론의 범주에 포함시키는 경우(예:Hergenhahn & Olson, 2001; 변영계, 2005)도 있다.

도 하는데, 이는 그의 이론이 대체로 행동주의 이론의 원리를 받아들이면서도 인간의 내면에서 일어나는 인지 과정을 중시하기 때문이다. 1980년대 중반, 그의 이론이 사회학습의 맥락에서 인간의 인지에 대해 보다 포괄적 설명을 제공하면서부터 사회학습이론으로부터 확장된 그의 이론은 곧 '사회인지이론'으로 알려지게 되었다(이동형, 2011). 그의 사회인지이론은 인간의 행동이 외부 환경으로부터 영향을 받아 결정된다는 관점으로부터 벗어나 능동적인 인간의 행동을 통해 다른 요인과의 상호작용을 강조했다는 점에서 의미가 있다(최성연, 2009). 여기에서는 그의 이론의 핵심 개념인 '관찰학습' 그리고 그의 '자아효능감'에 근거한 학생의 '과학 자아효능감'과 교사의 '과학 교수효능감'에 대해 살펴본다.

(1) 관찰학습

Bandura의 '관찰학습'은 타인(부모, 교사, 동료 등)의 행동이나 어떤 주어진 상황에 대한 관찰과 모방을 통해 학습이 이루어진다는 것으로, '대리학습' 또는 '모델링'이라고도 불린다. Pavlov나 Skinner의 조건형성 이론에서는 직접적인 자극이나 강화 없이는 어떤 학습도 일어나지 않는다고 가정하지만, 실제로 인간이 하는 학습의 상당 부분은 관찰학습을 통해 이루어진다(신명희 등, 1998). 즉 대부분의 경우 우리는 강화의 조건과는 상관없이 단순히 다른 사람의 행동을 관찰함으로써 학습할 수 있다. 다만 학습한 것을 행동으로 옮기느냐 여부는 강화의 영향을 받는다.

한편 Bandura는 학습자가 타인의 행동을 단순히 모방하는 것이 아니라고 보았기 때문에 관찰학습과 모방을 구별하였으며, 관찰학습에 모방이 포함될 수도 있고 포함되지 않을 수도 있다고 주장하였다(이웅인, 1986). 즉 관찰한 것을 모방하는 것뿐 아니라 관찰은 하였으나 모방하지는 않는 것도 관찰학습에 포함된다(신명희 등, 1998).

학생들은 그들의 동일시 대상으로서 교사가 과학시간에 실험 기구를 어떻게 다루는지, 타인과 어떻게 상호작용하는지 관찰하는 것과 같이 교사의 행동을 관찰하여 많은 것을 학습해 나간다. 또한 실험 관찰 책을 꼼꼼하게 정리한 학생에 대한 교사의 칭찬은 그것을 보는 다른 학생에게 실험 관찰 책을 어떻게 정리해야 하는지 그리고 어떻게 하면 칭찬을 받는지 알게 하는 대리학습의 기회를 제공한다.

실제 모델을 통해서만 관찰학습이 이루어진다면 그 효과는 매우 한정될 수

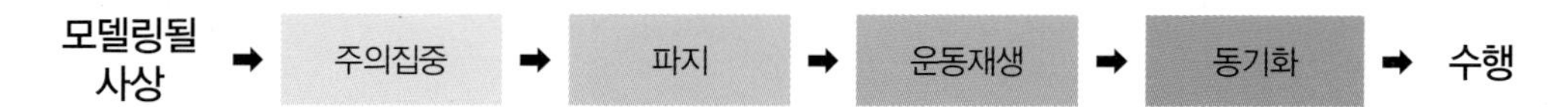

그림 6-3 Bandura의 관찰학습의 과정

밖에 없다. 다행히도 인간은 상징 능력을 가지고 있기 때문에 언어와 시청각 매체(영화와 TV) 등의 상징을 통한 관찰학습도 가능하다(송석재, 2002). 예를 들어, 어떤 자연 현상이나 사물에 대한 교사의 생생한 경험담이나 실험실 안전교육 관련 동영상 시청 등을 통해서도 관찰학습이 이루어질 수 있다.

한편 Bandura(1977b)는 관찰을 통한 학습이 이루어지기 위해서는 **그림 6-3**과 같이, (1) 학습자가 모델의 행동이나 상황의 중요 특징에 주목하여 관찰하는 '주의집중', (2) 관찰한 것을 상징적인 형태(예:이미지나 언어)로 기억하는 인지적 과정인 '파지', (3) 기억된 모델의 행동 등을 따라해 보는 '운동재생', (4) 이렇게 학습한 것을 수행하도록 동기를 부여하는 '동기화'의 네 단계를 고려해야 한다고 하였다. 따라서 관찰하는 것은 무엇이든지 학습된다고 말하는 것은 지나친 단순화이다. 왜냐하면 관찰학습은 교사가 고려해야 하는 위 네 가지 변인의 지배를 받기 때문이다(Hergenhahn & Olson, 2001). 따라서 수업에서 관찰학습을 효과적으로 이용하려면 교사는 Bandura가 제시한 네 단계, 즉 주의집중, 파지, 운동재생 및 동기화 과정을 고려해야 한다.

(2) 과학 자아효능감

'자아효능감'은 Bandura가 제안한 심리적 개념으로, 그가 제안한 이론의 핵심 개념 중 하나이다. 자아효능감은 주어진 목표 달성에 필요한 행동 과정을 조직하고, 실행하는 자신의 능력에 대한 신념을 말한다(Bandura, 1997). 다시 말해, 어느 한 개인이 자신에게 주어진 과제를 성공적으로 수행할 수 있다는 자신의 능력에 대한 신념이나 기대를 말한다(한국교육심리학회, 2000).

Bandura(1977a)는 자아효능감을 설명하기 위해 성취 상황에서 개인의 기대를 '효능감 기대'와 '결과 기대'로 구분하였다(**그림 6-4**). '결과 기대'가 특정 행동 후에 일어날 결과에 대한 학습자의 예상 또는 판단이라면, '효능감 기대'는 그러한 결과가 일어나기 위해 하는 행동의 성공 가능성에 대해 학습자가 갖는 기대나 확신을 말한다. 그는 학생들이 어떤 과제 수행을 시도하고 지속하는 정도는 과제 수행의

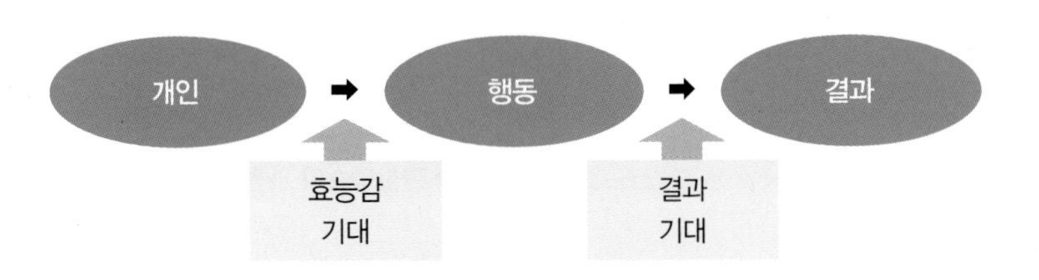

그림 6-4 효능감 기대와 결과 기대의 차이(Bandura, 1977a)

결과에 따르는 보상뿐 아니라 과제 수행의 성공 가능성에 대해 학생들이 갖는 자신의 능력에 대한 확신 정도에 의해 결정된다고 보았다. 또한 효능감 기대가 결과 기대보다 학생들의 과제 수행에 더 큰 영향을 미친다고 보았다. 즉 효능감 기대가 긍정적이고 클수록 그 개인은 과제 수행을 할 때 많은 노력을 기울이고 어려운 상황에서도 끈기를 보인다는 것이다. 이와 같이 개인의 효능감은 행동의 주된 동인이며, 인간의 삶은 개인의 효능감에 의해 유도된다고 할 수 있다(Bandura, 1997).

한편 자아효능감은 상황과 맥락에 따라 다면적 특성을 가지고 있으며(Bandura, 1997), 교수-학습의 실제에서 다양하게 적용되고 있다. 예를 들어 '과학 자아효능감'은 Bandura의 자아효능감 개념을 과학 교과에 적용한 것이다. 즉 '과학 자아효능감'은 학습자의 과학 학습에 대한 자아효능감으로, 학생 자신이 과학을 잘 배울 수 있다고 생각하는 자신의 학습 능력에 대한 믿음을 말한다. 여러 연구에서 과학 자아효능감은 과학 성취도와 과학 관련 교과, 전공 및 직업 선택과 관련이 있음을 보이고 있다. 예를 들어 Britner와 Pajares(2006)의 연구에 의하면, 과학 자아효능감이 과학 성취도에 중요한 예언 변인이며, 자아효능감의 네 가지 출처(실제 성공 경험, 대리 경험, 언어적 설득, 생리적 · 정서적 상태) 중 실제 성공 경험이 가장 큰 영향을 미치는 것으로 나타났다.

Bandura에 의하면, 개인의 자아효능감은 '실제 성공 경험', '모델을 통한 대리 경험(관찰학습)', '언어적 설득' 및 '생리적 · 정서적 상태'라는 네 가지 주요한 근원으로부터 형성된다(Bandura, 1997). 이러한 네 가지 근원과 관련하여 Britner와 Pajares(2006)가 제안한 학생들의 과학 자아효능감을 향상시키기 위한 방법은 다음과 같다.

첫째, 실제 과학 학습에서의 성공 경험은 학생들의 과학 자아효능감의 원천이다. 학생들이 진정한 의미의 과학 탐구 활동에 참여하는 것은 과학 자아효능감 발달에 매우 중요한 성취 경험을 제공한다. 이를 위해 교사는 학생들의 성공을 촉진하고 실패를 최소화할 수 있으며 학생들의 능력에 맞는 도전적 활동을 제공해야 한다. 또한 교사는 학생들이 그들의 활동 경험에 대해 긍정적으로 판단할 수 있는 기회를 제공함으로써 자아효능감 향상에 도움을 줄 수 있다. 학생들의 자아효능감에 가장 큰 영향을 미치는 것은 단순히 경험 그 자체라기보다는 성취 경험에 대한 학생들 스스로의 판단이라 할 수 있다.

둘째, 대리 경험, 즉 관찰학습은 학생들의 자아효능감을 촉진시키는 데 효과적일 수 있다. 예를 들어, 모둠을 구성할 때 모둠 내의 유능한 동료 학생이 다른 학생의 모델이 될 수 있도록 세심하게 배려하는 것이다. 동료 학생의 과제 수행 행동을 관찰하여 그들 자신도 성공적으로 과제를 수행할 수 있다는 자신감을 가질 수 있다. 또한 교사는 과학자를 교실로 초대하여 학생들과 함께 활동하도록 할 수 있는데, 이를 통해 학생들은 그 과학자가 하는 일과 그가 과학자가 되기까지의 과정에 대한 정보를 공유할 수 있다.

셋째, 언어적 설득도 성취 경험을 증진시키는 역할을 한다. 자신에게 의미 있는 다른 사람(예를 들어, 교사나 과학자)으로부터 새롭거나 어려운 과학 과제를 성취할 수 있는 능력이 있다는 말을 들은 학생은 도전적 과제에 직면했을 때 끈기 있게 필요한 노력을 해나갈 가능성이 높다. 그러나 학생들에게 제공되는 격려는 적절하고 진실해야 한다. 학생들은 거짓 칭찬을 빠르게 간파한다. 또한 긍정적인 말로 학생들의 자아효능감을 향상시키는 것보다 부정적인 말로 학생들의 자아효능감을 감소시키기가 훨씬 더 쉽다는 Bandura의 주의를 명심할 필요가 있다. 과학에서 성공하지 못할 것이라는 말을 들은 학생은 과학 활동에 도전하는 것을 회피하고 어려움에 직면했을 때 쉽게 포기하는 경향이 있다.

넷째, 과학이나 과학 학습에 대한 정서적 상태 또한 학생들의 자아효능감 발달에 영향을 미칠 수 있다. 예를 들어 학생들이 과학과 관련된 불안과 두려움을 통제하도록 돕고, 그 불안과 두려움이 학생들의 과학 학업 성취에 좋지 않은 영향을 미친다는 점을 지적하면 학생들의 자기효능감 발달을 촉진할 수 있다. 또한 과학 활동에 두려움을 가지고 임하는 학생의 경우, 교사는 학생들이 그들 자신의 감정을 알고 그러한 감정을 무시해서는 안 된다는 점을 이해하도록 도울 수 있다. 과학 학습에 대한 불안을 감소시키는 또 다른 방법은 당면한 과제에 학생들의 주의를 집중시키는 것이다. 학생들이 특정 활동에 대한 주의를 집중하게 되면 주의를 집중하는 동안에는 두려움과 불안을 잊을 수 있기 때문이다.

(3) 과학 교수효능감

'과학 교수효능감' 또한 Bandura의 자아효능감이 과학 교과에 적용된 것이다. '과학 자아효능감'이 학습자의 과학 학습에 대한 자아효능감이라면, '과학 교수효능감'은 교사의 과학 교수에 대한 자아효능감이다. 즉 과학 교수효능감은 교사 자신이 학생들에게 과학을 잘 가르칠 수 있다고 생각하는 자신의 교수 능력에 대한 믿음이라 할 수 있다. 〈**부록 1-2**〉의 검사 문항에 대한 여러분의 응답 결과는 어떠하였는가?

과학 교수효능감에 대한 연구 결과는 과학 교수효능감이 높은 교사는 학생 중심 또는 탐구 중심의 수업을 선호하고, 열정적으로 과학 수업을 이끌지만, 효능감이 낮은 교사는 교과서 위주의 강의식 학습방법을 선호하며, 과학 수업 진행에 있어서 자신감이 결여되어 있음을 보여준다.

초등 예비교사들의 '일반 교수효능감'(특정 과목의 맥락 없이 자신이 학생들을 잘 가르칠 수 있다는 믿음의 정도)과 '과학 교수효능감'(과학 교과에 국한하여 자신이 학생들에게 과학을 잘 가르칠 수 있다는 믿음의 정도)을 비교한 임희준의 연구(2007)에 의하면, 남학생의 경우에는 과학을 가르치는 것에 대한 자아효능감이 일반적으로 학생들을 가르치는 것에 대한 자아효능감보다 높은 반면, 여학생은 그 반대의 경향을 보였다. 또한 비자연계열 심화전공의 학생들이 자연계열 심화전공의 학생들보다 낮았으며, 고등학교 문과 출신의 학생이 이과 출신의 학생보다 훨씬 낮은 것으로 나타났다. 초등 예비교사의 '과학 교수효능감'과 Bandura의 네 가지 자아효능감의 근원 중 정서적 상태에 해당하는 '과학 교수 불안'의 상관관계를 조사한 최성연과 김성원(Choi & Kim, 2008)의 연구 결과에서 두 변인이 매우 높은 부적 상관을 보였다. 이러한 연구 결과는 초등 예비교사들의 과학 교수효능감이 과학 교과지도에 대한 그들의 정서적 상태에 큰 영향을 받을 수 있음을 시사한다.

(4) 교육적 시사점과 한계

Bandura의 이론은 겉으로 드러나는 행동에만 초점을 맞추는 이전 행동주의 학습 이론에 비해, 학습에 있어서 인간의 내면에서 일어나는 인지 과정을 중시한다. 예를 들어 그의 이론은 행동주의적 접근과 인지주의적 접근을 통합한 사회학습적 관점에서 학습동기를 설명한다(김은주, 2001). 그는 관찰학습의 메커니즘, 자아효능감의 근원, 과학 교수-학습에서 학생과 교사의 자아효능감 촉진 등에 대한 많은 교육적 시사점을 제공하고 있다. 하지만 학급당 학생 수뿐 아니라 여러 교과를 지도해야 하는 초등교사의 경우 학생 개개인의 자아효능감을 발달시키는 일은 쉽지 않은 일이다.

4. Keller의 ARCS 모형

Keller(John McCue Keller, 1938~)는 학습동기에 대한 체계적인 연구와 그에 기초한 수업 설계 연구로 잘 알려진 학자이다. Keller 이전에도 많은 학자들이 학습자의 학습동기와 그 중요성에 대해 언급하였다. 하지만 이전 학자들과는 달리 Keller는 학습동기와 이를 증진시키는 방법에 대해 체계적으로 설명하는 포괄적인 이론 체계를 제안하였다.

Keller는 당시 수업이론에서 동기 문제에 적절하고 체계적인 관심을 두지 않은 것에 대한 비판과 함께 기존 행동주의, 인지주의, 인본주의 이론 등의 학습동기에 대한 다양한 관점을 통합하여 학습동기를 설명하기 위한 이론적 기반을 마련하고자 하였다(Keller, 1979). 또한 Keller는 기존 수업 설계 모형들이 학습에 있어서 그 결과와 외부 환경으로부터의 자극에 지나치게 집중하고 있음을 비판하고 궁극적으로 행동은 개인과 환경의 함수임을 보여주었으며(Keller, 1983), 학습 결과만으로는 학습자가 교수-학습 과정에서 어느 정도 몰두하였느냐를 알 수 없으므로 수업 설계 과정에서처럼 동기 설계 과정에서도 체계적 접근이 필요하다고 역설하였다(박수경, 1998). 이와 같이 Keller의 연구 초점은 학습에 있어서 동기에 대한 이론적 기반을 제공하고, 연구와 실제에 근거한 동기의 개념에 대한 전체 상을 제공하며, 학습자의 동기에 긍정적 영향을 미치는 체계적인 방법을 제공하는 것이다(Francom & Reeves, 2010).

(1) ARCS 모형

학습자의 학습동기는 수업을 설계할 때 반드시 고려되어야 할 속성이다(Gagné et al., 2004). Keller는 기존의 학습동기 등에 관한 여러 이론과 연구를 체계적으로 통합하여 인간의 학습동기를 결정짓는 요소들에 대한 개념화와 각 동기 요소와 관련된 전략을 제시하는 이론을 정립하고 이를 구체화한 ARCS 모형을 개발하였다.

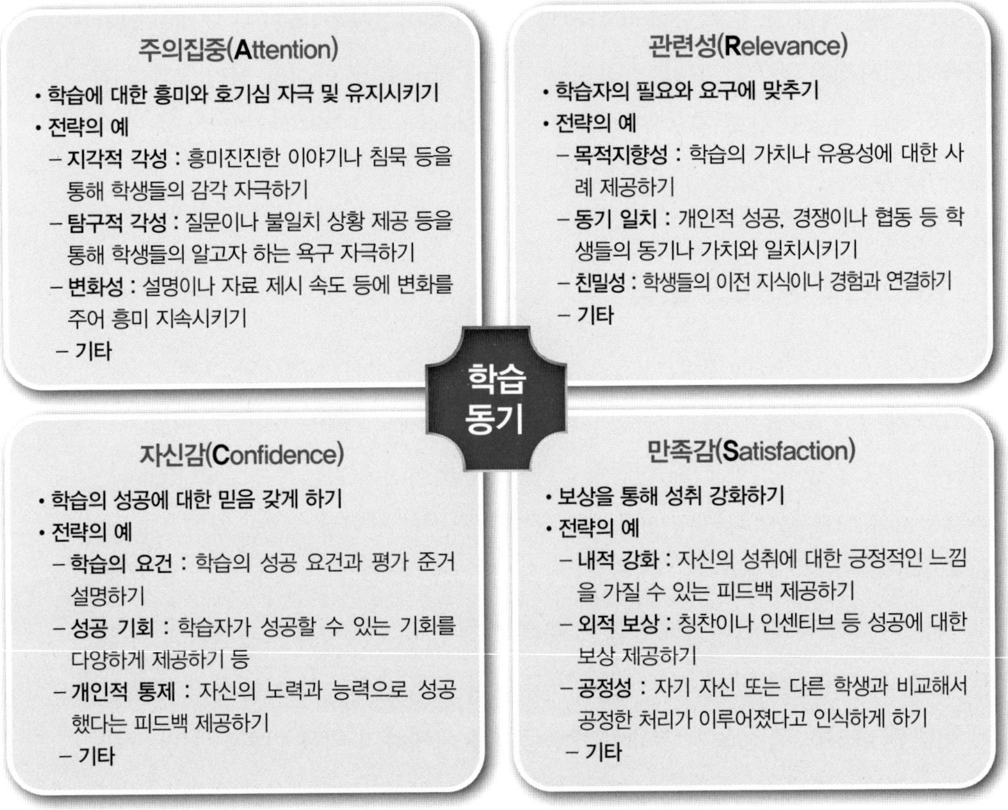

주의집중(Attention)	관련성(Relevance)
• 학습에 대한 흥미와 호기심 자극 및 유지시키기 • 전략의 예 – 지각적 각성 : 흥미진진한 이야기나 침묵 등을 통해 학생들의 감각 자극하기 – 탐구적 각성 : 질문이나 불일치 상황 제공 등을 통해 학생들의 알고자 하는 욕구 자극하기 – 변화성 : 설명이나 자료 제시 속도 등에 변화를 주어 흥미 지속시키기 – 기타	• 학습자의 필요와 요구에 맞추기 • 전략의 예 – 목적지향성 : 학습의 가치나 유용성에 대한 사례 제공하기 – 동기 일치 : 개인적 성공, 경쟁이나 협동 등 학생들의 동기나 가치와 일치시키기 – 친밀성 : 학생들의 이전 지식이나 경험과 연결하기 – 기타
자신감(Confidence)	**만족감(Satisfaction)**
• 학습의 성공에 대한 믿음 갖게 하기 • 전략의 예 – 학습의 요건 : 학습의 성공 요건과 평가 준거 설명하기 – 성공 기회 : 학습자가 성공할 수 있는 기회를 다양하게 제공하기 등 – 개인적 통제 : 자신의 노력과 능력으로 성공했다는 피드백 제공하기 – 기타	• 보상을 통해 성취 강화하기 • 전략의 예 – 내적 강화 : 자신의 성취에 대한 긍정적인 느낌을 가질 수 있는 피드백 제공하기 – 외적 보상 : 칭찬이나 인센티브 등 성공에 대한 보상 제공하기 – 공정성 : 자기 자신 또는 다른 학생과 비교해서 공정한 처리가 이루어졌다고 인식하게 하기 – 기타

학습동기

그림 6-5 ARCS 모형 구성 요소

'가치'와 '기대감' 두 개의 동기 요소로 시작된 1979년 초기 모형은 이후 계속적인 연구를 통해 네 가지 요소, 즉 '주의집중', '관련성', '자신감', '만족감'으로 이루어진 현재의 ARCS 모형(그림 6-5)으로 정교화되었다.

학습동기 이론과 실제 연구의 체계적인 종합의 결과가 바로 ARCS 모형이며(Keller, 1987), 학습 환경에 학생들의 학습동기 유발을 위한 실제적 안내를 제공하고 있다. 여기서 '실제적'이란 의미는 첫째, 교사가 실제로 학습자의 변화를 관찰할 수 있는 학습동기, 둘째, 다른 교사들도 서로 쉽게 이해할 수 있는 학습동기, 셋째, 교사가 스스로 처치할 수 있는 학습동기를 의미한다(권재술 등, 2012, p.280).

Keller의 ARCS 모형은 네 가지 주요 동기 개념 요소와 각 개념 요소 내에서의 수업 전략을 제공하고 수업 상황에서 동기화 전략을 분석, 설계, 개발, 평가하기 위한 틀을 제공한다(Keller, 1987). Keller의 모형을 수업에 적용하면, 학생들의 학습동기 유발을 위해 교사는 학생들의 학습과제에 주의를 획득 · 유지시키고, 학습

표 6-4 ARCS 모형을 적용한 수업의 '마무리' 단계에서 동기화 전략의 예

학습과정	수업내용	동기화 전략
수업 마무리	학습내용 정리하기	① 교사는 관련성을 높이기 위하여 학습 목표와 관련지어 학습할 내용을 정리해준다(R). ② 학습내용을 정리할 때 칠판에 판서를 하거나 그림을 그려서 설명한다(A).
	형성평가	① 교사는 평가기준에 맞는 형성평가 문항을 학생들에게 제시하여 학생들이 문제를 쉽게 해결함으로써 자신감과 만족감을 가지도록 한다(C와 S). ② 수업이 끝난 후 평가에 대한 피드백을 적어서 돌려준다(C와 S).
	차시예고	① 교사는 학생들의 관련성을 높이고 흥미를 유지시키기 위해 다음 학습 내용에 대해 간략하게 소개하고 수업을 마친다(A와 R).

내용이나 과제가 그들과 관련성이 있음을 인식시키며, 학습과제를 성공적으로 수행할 수 있다는 자신감을 고취시키고, 자신의 성취에 대해 만족감을 갖도록 해야 한다. 이와 같이 Keller의 학습동기이론은 학생들이 학습동기를 자극 · 유지시키기 위한 외적인 처방에 초점을 둔다고 할 수 있다(박수경, 1998).

ARCS 모형의 목적은 동기 분야의 이론과 연구결과를 실제 수업에 보다 쉽게 적용하도록 하는 것이다. **표 6-4**는 초등학교 과학 교수-학습에서 Keller의 ARCS 모형을 적용한 한 연구(이미화와 백성혜, 2005)에서 사용된 수업 전략 중 마무리 단계만 발췌하여 수정한 것이다. Keller가 제안한 동기 유발의 네 가지 요소는 서로 별개의 것이 아니라 **표 6-4**와 같이 계속적으로 상호작용한다. 또한 동기화 전략은 수업 도입부에서만 사용되는 것으로 생각하기 쉽지만, **표 6-4**와 같이 수업이 이루어지는 내내 사용되는 전략이다.

(2) 교육적 시사점과 한계

학생들의 학습동기가 성공적인 교수-학습을 위해 매우 중요한 요소라는 것은 누구나 다 아는 사실이다. 그러나 Keller 이전의 동기 이론들이 특정 요소에 관심을 둔 반면 Keller는 학습동기와 관련된 다양한 관점의 이론과 연구들을 종합적으로 통합하여 학생들의 동기에 대한 변인을 개념화하고 교수 설계자나 교사에게 실제 학습 상황에서 어느 정도 유용한 처방적 동기화 전략을 제공하고 있다. 하지만 ARCS 모형은 수업 설계 과정에서 교수-학습의 동기적 측면에 해당될 때만 사용된다는 한계를 지닌다. 즉 학생들의 학습 내용의 이해 과정에 대한 설명을 제공하

지 못한다. 또한 그의 이론은 "현재까지도 여러 연구들에 바탕을 두고 수정 · 보완 작업을 계속하고 있지만, 인간의 '동기'라는 측면이 가진 복합성과 환경적 요인과의 관계 때문에 교수자나 수업 설계자에게 직접적으로 유용한 실제적 동기 전략을 세부화시키는 데는 한계가 있다"(변영계, 2005, p.298).

6.3 교수-학습에 대한 인지주의 관점

1920~1950년대 미국 심리학의 지배적 패러다임은 행동주의였다. 이 기간에 행동주의 연구자들이 관심을 두지 않았던 학습자 내부에서 일어나는 일, 즉 학습자의 인지발달에 대해 여러 학자가 연구를 수행하고 있었다. 그 대표적인 학자가 Piaget와 Vygotsky이다. 이들은 학습을 학습자의 겉으로 드러나는 행동의 변화가 아닌 학습자 내부에서 일어나는 인지 능력의 변화로 보았다. 하지만 초기 학문적 배경과 이후 인지발달 연구에 있어서 초점은 달랐다. 생물학도였던 Piaget는 개인의 물리적 환경과의 상호작용에, 그리고 법학도였던 Vygotsky는 개인의 사회적 환경과의 상호작용에 관심을 가졌다.

Piaget의 맨 처음 연구는 1920년대부터 이루어졌으며, 그의 공동 저서는 그 후 40년 동안에 걸쳐 발간되었다(Bennett, 2003). 하지만 1960년대에 이르러서야 그의 이론은 주목받기 시작하였다. 이는 1950년대까지 널리 유행한 행동주의 패러다임 그리고 기존의 어떤 학문의 계보도 따르지 않은 그의 이론이 가진 독창성 때문이었다. 1960년대에는 행동주의의 유용성에 대한 의문이 제기되고 있었다. 예를 들어 인간은 일생의 초기에는 학습이 불가능해 보이지만 일단 특정 발달 단계에 도달하면 매우 쉽게 학습하는 까닭 등과 같은 문제들은 행동주의 심리학이 설명하기 어려운 것이었다(Bennett, 2003). 이러한 상황에서 어린이들이 경험하는 인지발달 단계를 제안한 Piaget의 이론은 연구자들에게 매력적인 대안이었다. 한편 Vygotsky는 Piaget와 같은 시대의 학자로 1920~1930년대에 인지발달에 관한 중요한 연구를 수행하였으나, 그의 인지발달이론은 1970년대 후반에 들어서면서야 주목받기 시작하였다. 그의 이론이 가진 특징은 학습자 인지발달의 사회 · 문화적 측면과 인지심리학을 통합한 것이다. 1950년대 후반까지는 당시 지배적인 패러다임 그리고 그 이후에는 Piaget의 이론과 정보처리이론에 가려서 빛을 보지 못하다가, 구성주의의 등장과 함께 학습자의 인지발달과 학습에서 언어의 역할 등에 대한 그의 연구가 많은 연구자의 관심을 받기 시작하였다.

이 절에서는 행동주의 학자들과는 달리 학습자 내부에서 일어나는 일에 관심을 두었던 Piaget와 Vygotsky, 그리고 Piaget의 영향을 받은 Bruner와 Ausubel이 제안한 학습자의 인지발달, 학습 과정에 대한 설명, 그리고 그 교육적 시사점에 대해 살펴본다.

1. Piaget의 인지발달이론

Piaget(Jean Piaget, 1896~1980) 이론의 초점은 사람이 태어나면서부터 성인이 될 때까지의 논리적 사고의 발달에 관한 것이다. 생물학자였던 그가 심리학에 흥미를 가지고 연구를 시작하게 된 계기는 심리학을 인간의 인식론에 대한 문제와 생물학적 특성의 연결고리로 생각했기 때문이었다(Pulaski, 1980). 이러한 생각에서 시작된 그의 연구는 생물학과 인식론을 통합하여 인간의 인지발달 과정을 설명한 독창적 이론으로 이어졌다(Wolman, 1982). 그는 인지발달의 과정을 설명하는 데 있어서 인간의 자연적이고 생물학적인 측면(생물학적 유기체로서 개인)[7] 그리고 개인과 환경의 상호작용 측면에 초점을 두었다. 또한 Piaget의 연구의 주된 초점은 일련의 과제에 대한 어린이들의 수행 결과를 토대로 사고가 발달하는 방식을 설명하는 것이었다(Bennett, 2003). 그는 1927년 이래 수천 명의 어린이들을 대상으로 한 관찰과 면담을 통해 어린이들의 지적 발달을 조사하였고, 이렇게 수집된 자료를 기반으로 어린이의 지적 발달 과정과 단계를 이론화하였다(윤길수 등, 2001; Bennett, 2003).

(1) Piaget 이론의 구성 요소

Piaget의 인지발달이론의 핵심 구성 요소는 '인지구조', '도식', '인지기능' 및 '인지내용'이다.

[7] Piaget의 연구는 성숙(생물학적으로 결정된 특성들의 점진적 발달)이 어린이들의 사고 능력의 발달에서 매우 중요한 요인이라는 점을 분명하게 논증하고 있다(Bennett, 2003).

Piaget는 '인지구조'를 설명하기 위해 '도식(schema)'이라는 용어를 사용하였다. 도식은 인지구조를 이루는 단위 요소로, 어떤 시점에서 학습자가 사용할 수 있는 여러 가지 도식들이 학습자의 인지구조를 이룬다. Piaget에 의하면 인간은 몇 가지의 감각 운동적 도식(예:빨기 도식, 잡기 도식)을 가지고 태어나며 이 도식은 환경과의 원초적인 상호작용의 틀을 제공한다(Hergenhahn & Olson, 2001). 그리고 생물학적인 성숙과 환경과의 상호작용 경험이 증가함에 따라 학습자의 인지구조에 점점 복잡한 '유목화 도식', '조작적 도식(또는 간단히 조작)' 등의 정신적인 도식을 형성하게 된다(신명희 등, 1998). 여기서 '조작'이란 학습자 내부에서 논리적 사고 과정을 통해 수행되는 내적인 행위를 말한다. 학습자가 어떤 상황에서 사고하거나 행동하는 방식은 그의 인지구조의 특성, 즉 그가 사용할 수 있는 도식들에 의해 결정된다(권재술 등, 2012; Hergenhahn & Olson, 2001).

'인지기능'은 학습자의 인지발달 과정의 메커니즘으로 '조직화'와 '적응'의 두 가지 기능으로 구분된다. Piaget는 이러한 두 기능은 모든 생명체가 태어나면서부터 가지고 있다고 보았다. 그리고 적응과 조직화라는 두 기능은 상호보완적 관계가 있으며 인지발달의 전 과정을 통하여 부단히 진행된다. 환경과 상호작용의 과정에서 이러한 적응과 조직화라는 기능의 결과로 학습자의 인지구조는 이전보다 더욱 복잡해지고 능률적으로 발달하게 된다. 이러한 과정을 이 책을 읽는 과정에 비유해 보자. 여러분은 이 책을 읽기 전부터 초등 과학교육에 대한 각자의 생각을 가지고 있을 것이고 이를 인지구조라고 가정하자. 제1장의 첫 줄을 읽는 것은 환경과의 상호작용의 시작이며, 제1장의 내용을 읽어나가는 과정은 책이라는 환경과의 상호작용을 통한 학습 경험을 인지구조에 통합하는 '적응'의 과정이라 할 수 있다. 이제 제3장까지 다 읽은 후 잠자리에 들었다고 가정하자. 잠들기 전 제1~3장의 내용에 대해 곰곰이 생각해 보는 과정에서 각 장의 내용이 서로 연결되어 있음을 깨닫게 된다면, 잘 정돈된 인지구조를 가지게 되는 '조직화'의 과정을 경험한 것이다. 이러한 조직화의 과정은 책이라는 환경과의 상호작용 없이 이루어지는 과정으로, 책을 다 읽을 때까지 계속해서 이루어지는 장기간에 걸친 과정이다. 이와 같이 '조직화'는 학습자의 내적 측면에 관계하고, '적응'은 학습자의 외적 측면에 관계하며 두 기능은 상호보완적으로 작용한다.

한편 Piaget는 '적응'은 다시 '동화'와 '조절'이라는 상호보완적 메커니즘을 통해 이루어진다고 보았다. 여기서 '동화'는 자신이 가지고 있는 인지구조(또는 도식)

속에 외부의 대상을 받아들이는 인지적 과정이라면, '조절'은 자신이 가진 기존의 도식이나 구조가 새로운 대상을 동화하는 데 적합하지 않을 때, 그 새로운 대상에 맞도록 이미 가지고 있는 도식이나 구조를 바꾸어 나가는 것이다(신명희 등, 1998). 예를 들어, 제1장을 읽는 동안 내용이 잘 이해된다면 '동화'의 과정을 경험하는 것이고, 내용이 잘 이해되지 않는다면 '조절'의 과정을 경험하는 것이다. 동화와 조절은 동전의 양면처럼 상호보완적 과정이며, 이는 태어날 때부터 성인에 이르기까지 환경과의 상호작용을 할 때마다 지속적으로 일어나는 자기 조정 과정이다(한국과학교육학회, 2005).

한편 '인지내용'은 특정 단계의 학습자가 자신의 인지구조에 따라 자연 현상을 설명하기 위해 사용하는 지식 등을 의미한다(조희형과 최경희, 2001). 예를 들어, 차가 움직이는 이유에 대해 어린이가 "자동차가 자체의 힘을 가지고 있어서"라고 응답하였다면, 이러한 응답 그 자체는 인지내용이며, 이를 통해 이 어린이는 물활론적 자연관을 가지고 있다고 판단할 수 있다. 이와 같이 인지내용은 관찰이 가능한 구체적 특성을 지니며, 인지구조와 인지기능은 관찰 또는 측정된 인지내용을 바탕으로 추론된 추상적 개념이다(조희형과 최경희, 2001). Piaget는 관찰이 가능한 인지내용에 대한 자료를 토대로 그의 인지발달이론을 확립하였다.

(2) 인지발달의 과정

Piaget는 학습자의 인지발달에 영향을 미치는 요인으로 신체적 성숙, 물리적 환경에 대한 구체적인 경험, 언어와 교육을 통한 타인과의 사회적 상호작용, 학습자의 자기조절 과정인 평형화를 들었다. 이 4가지 요인 중 평형화를 제외한 나머지 3가지는 다른 학자들도 언급하였다(변영계, 2005). 그가 처음으로 제안한 '평형화'는 역동적이고 진행 중인 자기조절 과정으로 그의 인지발달이론의 핵심 개념 중 하나이다. 평형화는 온도조절장치가 마치 더위와 추위 사이에서 일정한 균형을 유지하듯 동화와 조절 사이에서 균형을 이루도록 하는 기능을 한다(Pulaski, 1980).

평형화 과정에 대한 이해를 위해 한 가지 예를 생각해 보자. 어떤 학생이 '사과는 속씨식물이고, 딸기는 겉씨식물이다'라는 생각을 가지고 있고, 이 학생에게 배, 수박, 참외, 키위, 딸기 사진을 제시할 때마다 각각 속씨식물인지 겉씨식물인지 분류하게 했다고 가정하자. 수박, 참외, 키위를 보고 각각을 속씨식물이라고 분류하는 경험은 속씨식물이라는 개념에 동화되어 가는 것이며, 이때 학생은 '인지적 평형상태'에 있다고 할 수 있다. 그런데 만약 딸기 사진을 제시하였을 때 딸기를 겉씨식물로 분류하는 것을 보고, 딸기는 속씨식물로 분류해야 한다고 안내한다고 가정하자. 그 학생은 자신의 기존 인지구조와 일치하지 않게 되는 '인지적 비평형 상태'에 있게 된다. 학생은 이제 자신의 기존 생각을 변형시켜야 하는데 이러한 인지구조가 수정되어 가는 과정이 조절이다. 이때 평형 상태가 되면 그전보다 더 높은 인지적 수준에 있게 된다. Piaget는 인지적 비평형 상태(인지적 갈등)를 해결하고 새로운 평형 상태를 이루는 과정을 '평형화'라고 하였으며, 이러한 인지적 평형과 비평형 상태가 지속적으로 일어나는 학습자와 환경의 능동적인 상호작용의 과정에서 학습자의 인지발달이 이루어진다고 하였다.

한편 Piaget는 동화와 조절이 다음과 같이 서로 반대로 작용한다고 주장하였다(Byrnes, 2007).

> 비유적으로 표현하면, 우리가 무언가를 동화할 때는 "내 아이디어의 조직과 정확도는 우수하다. 이 새로운 정보를 어디에 놓을지 찾아라"라고 말하는 것이다. 우리가 조절할 때는 "현재의 조직은 완전하지 못하다. 그것을 재조직하고 새로운 공간을 만들어라"라고 하는 것이다. 어떤 것을 그대로 가지고 있으면서 동시에 변화시킬 수는 없다. 따라서 특정 상황에서는 동화나 조절 중 오직 하나만 작용한다. 이 두 과정 간의 '투쟁' 때문에 오개념의 변화는 교사가 불만을 느낄 정도로 아주 천천히 이루어진다(Byrnes, 2007, p.23).

(3) 인지발달의 단계

Piaget 이론에 의하면, 한 개인의 인지구조는 적응과 조직화의 과정을 통해 질적으로 다른 네 단계, 즉 '감각 운동기', '전조작기', '구체적 조작기', '형식적 조작기'로 구성된 보편적 순서를 따라 발달한다. 한 개인이 태어나면서부터 성인이 될 때까지 인지발달의 과정을 요약하면 다음과 같다.

> 유아가 환경과 상호작용하는 적응의 과정은 감각 운동적이며, 그 반응은 겉으로

드러난다. 이러한 감각 운동적인 경험들이 인지구조에 포함되면서 점차 기존의 인지구조가 변화해 간다. 경험이 증가함에 따라 보다 정교한 인지구조가 발달하고, 이에 따라 아동은 보다 복잡한 장면에 반응할 수 있게 된다. 어떤 대상을 볼 수 없을지라도 계속 존재한다는 사실, 즉 '대상 영속성' 개념이 발달하기 시작하면, 드디어 물리적 환경에 덜 의존하게 되고 인지구조를 보다 많이 활용하게 된다. 이와 같이 적응 행위가 겉으로 드러나지 않고 점차 내적으로 되어가는 과정이 '내면화(interiorization)'이다. 이러한 내면화 과정이 계속됨에 따라 아동의 적응 과정은 보다 내적으로 일어나게 된다. Piaget는 이러한 내적으로 일어나는 정신적 행위를 '조작'이라 불렀으며, 이러한 조작의 가장 중요한 특징은 가역적이라는 것이다. 즉 수행한 조작을 정신적으로 다시 처음 상태로 되돌릴 수 있다는 것이다. 초기 조작은 아동이 직접 경험할 수 있는 사상에 적용되는 것이기 때문에 Piaget는 이를 '구체적 조작'이라 부른다. 그러나 후기의 조작은 물리적 경험과는 완전히 독립적으로 이루어질 수 있기 때문에 아동들은 가설적인 문제도 해결할 수 있다. Piaget는 이러한 후기의 조작을 '형식적 조작'이라 불렀다. 형식적 조작은 구체적 조작과는 달리 외부 환경의 제약을 받지 않는다.

표 6-5는 감각 운동기를 제외한 나머지 세 단계의 주요 특징을 나타낸 것이다. Piaget는 각 발달 단계를 연구 결과를 토대로 연령에 따라 구분하였지만, 각 단계의 연령은 환경에 따라 빠르거나 늦어질 수 있고, 단계와 단계 사이에 뚜렷한 구분이 있는 것은 아니며, 각 단계는 이전 단계나 이후 단계와 상당 부분이 교차된다(권재술 등, 2012). 예를 들어 구체적 조작기에 있는 학생은 과제에 따라 전조작기 또는 형식적 조작기의 사고를 할 수 있으며, 많은 형식적 조작 단계의 대학생도 구체적 조작기의 사고를 하기도 한다(Martin, 2000).

한편 영국 학생 12,000명의 인지발달 수준에 대한 Shayer와 Adey(1981)의 자료를 보면, 만 10세의 학생 중 약 3% 내외가 초기 형식적 조작기, 약 87% 정도의 학생이 초기 및 후기 구체적 조작기, 그 나머지 10%의 학생은 전조작기에 해당한다. 만 12세의 학생 중에도 후기 형식적 조작기에 도달하는 학생은 없으며, 약 10%의 학생이 초기 형식적 조작기에 해당한다. 그리고 약 85%의 학생이 구체적 조작기에 해당하며 그 나머지 약 5%의 학생이 전조작기에 해당한다. 따라서 만 9~12세의 학생 중 대략 80~90%가 구체적 조작기 초기와 후기에 해당한다고 추정할 수 있

표 6-5 인지발달 단계별 주요 특징

단계	주요 특징
전조작기 (2~7세)	• 아주 단순한 수준에서만 정신적인 조작을 할 수 있으며, 논리적 사고보다는 비논리적 사고를 한다. 즉 가역적 사고가 결핍되어 있기 때문에 진정한 의미의 조작적 활동으로 볼 수 없는 사고를 한다. • 언어 발달이 일어난다. 어린이들은 세상을 이미지나 단어로 표현하기 시작하고, 이러한 이미지와 단어는 증가된 상징적 사고를 반영한다. • 대상의 현저한 지각적 특징에 의해 그 대상의 특성을 파악하는 직관적 사고를 한다. • 과정은 무시하고 처음 상태와 마지막 상태에만 초점을 두는 사고를 한다. • 원인과 결과의 관계에 대한 정확한 논리적 사고 능력이 결여되어 있다. • 사물이나 상황의 단지 한 가지의 차원에만 초점을 두고 다른 중요한 특성들을 무시하는 중심화의 사고 특성을 보인다. • 사물을 하나의 속성으로만 분류할 수 있다. 예를 들어, 물체를 모양에 상관없이 색깔로만 분류하거나 색깔에 상관없이 모양으로만 분류한다. • 자기중심적 사고를 한다. 즉 어떤 대상을 볼 때 자신이 보는 관점과 같은 방식으로 다른 사람들도 그 대상을 본다고 생각하여 다른 사람의 관점을 이해하는 데 어려움을 가진다. • 숫자의 개념을 가진다.
구체적 조작기 (7~11세)	• 실제로 볼 수 있는 또는 실재하는 사물이나 현상에 대해 논리적 사고를 할 수 있다. 그러나 사고는 여전히 개인적인 경험과 밀접하게 관련되어 있어서 대상과 상황이 자신에게 친숙한 경우에만 가능하다. • 직관적 사고를 벗어나 논리적 사고 형태인 가역적 사고를 할 수 있다. 즉 사고의 방향을 끝에서 시작으로 되돌릴 수 있는 사고 작용이 가능하다. • 가역적 사고가 가능하여 수(어느 쪽이 더 많은가?, 6~7세), 길이(어느 것이 더 긴가?, 7~8세), 넓이(어느 것이 더 넓은가?, 8~9세), 무게(어느 것이 더 무거운가?, 9~10세), 부피(12세) 등에 대한 보존 개념을 습득한다. • 사물이나 상황의 한 차원에만 집중하지 않고 여러 차원을 동시에 고려할 수 있다(탈중심화). • 사물들을 여러 가지 속성에 따라 분류할 수 있다. 즉 '빨간 사각형'은 '빨강'의 범주와 '사각형'의 두 범주에 속할 수 있다는 것을 이해하고 분류할 수 있다. • 분류(유목화)가 가능하므로 분류를 통해 개념학습을 할 수 있으며 학습한 개념으로 대상을 분류할 수도 있다. • 사물들을 서열화(계열화)할 수 있다. 즉 사물을 크기나 무게와 같은 하나의 차원에 따라 연속적으로 나열할 수 있다. 예를 들어, 구체적인 사물을 보고 "A<B이고 B<C이면, A<B<C이다"하는 것이 가능하다. 구체적 조작기 이전에는 A와 B는 모두 작다는 생각에 고정되어 있어 B가 A보다 크다는 사실이 간과된다. • 결과뿐 아니라 과정에도 집중하는 특성을 보인다.
형식적 조작기 (11~12세 이후)	• 반사실적 문제에 대한 가능성을 추론할 수 있다. • 추상적인 과학적 이론 및 법칙을 이해하고 추상적인 문제를 해결하는 데에 이를 활용할 수 있다. • 비례논리, 조합논리, 확률논리, 변인통제, 가설연역적 논리 등의 차원 높은 논리적 사고가 가능하다. • '조작에 대한 조작', 즉 자신의 사고 내용과 과정을 생각할 수 있다.

다. 이후 우리나라에서도 여러 연구자에 의해 초등학생의 인지발달 수준을 조사하였는데, 문화적 차이, 검사 시기, 검사 도구의 차이로 인해 영국 학생들과 직접 비교가 어렵지만 대체로 이와 유사한 양상을 보일 것으로 추정된다.

(4) 교육적 시사점과 한계

Piaget 이론의 가장 큰 매력은 사람들이 이미 직관적으로 인식하고 있는 것을 형식화한 것과 서로 다른 수많은 상황에서의 관찰 결과에 대한 일반적인 설명을 제공한 것이다. 그러나 다른 모든 이론과 마찬가지로 1970년대 후반부터 그 한계가 드러나기 시작하였다. 그의 이론에 대한 비판은 대체로 발달의 단계를 확인하는 것이 가능한 정도, 특정 사고 수준이 보이는 연령, 교수-학습의 시사점과 관련한 그의 연구에 대한 해석 등에 관한 것이다(Bennett, 2003). 예를 들어, 취학 전 어린이들의 사고 발달에 대한 많은 연구들은 어린이들이 언어와 해석의 어려움 때문에 Piaget가 제시한 과제에 대한 수행이 낮으며, 실제로는 Piaget가 제안한 발달 단계보다 훨씬 더 정교한 사고를 할 수 있다는 것이다(그림 6-6). 또한 모든 보존 과제가 동일한 연령에 성취되는 경우가 극히 드물다거나 대부분의 사람은 특정 연령에서 어떤 주제(예:컴퓨터)에 대해서는 전조작적 사고를 하고, 또 다른 주제(예:수학)에 대해서는 형식적 조작 수준의 사고를 할 수 있다는 사실은 그의 영역-일반적 단계 이론이 한계가 있음을 시사한다(Byrnes, 2007).

하지만 Piaget 연구의 타당성과 시사점에 대한 논쟁에도 과학교육에서의 영향력을 부정할 수 없다. 그의 이론과 연구 방법은 지금도 학생에 대한 이해, 교수-학습의 원리, 교육과정의 구성, 과학교육 연구 등 과학교육 전반에 걸쳐 많은 영향을 미치고 있다. 예를 들어, 과학 교수-학습의 원리와 관련하여, 학생 중심 실험이나 관찰 등에서 구체적 조작 활동의 강조, 학생들의 인지적 갈등 유발 전략의 사용 등을 들 수 있다. 또한 제7장에서 다룰 과학 교수-학습 모형의 대부분은 그의 이론에 직 · 간접적으로 영향을 받은 것이며, 그가 개발 · 적용한 임상 면담법은 오늘날에도 과학교육 연구 등에 유용하게 사용되고 있다. 특히 그의 이론은 과학 및 수학교육에 두드러진 영향을 주었는데, 이는 그가 제안한 인지발달의 각 단계와 관련된 인지 능력과 학교 과학과 수학이 발달시키려는 능력 사이의 상당한 중복 때문이다(Bennett, 2003).

1992년 8월 과학 저널 《네이처(Nature)》'에 매우 흥미로운 연구 논문이 게재되었다. 미국 애리조나대학교의 카렌 윈(Karen Wynn)이 발표한 〈유아의 덧셈과 뺄셈〉이라는 논문으로, 생후 5개월된 유아 32명을 대상으로 아래와 같은 실험을 실시한 결과에 관한 것이다. 아래 【실험 1】에서 가능한 결과는 2개의 인형이 보이는 것이고, 【실험 2】에서 가능한 결과는 1개의 인형이 보이는 것이다. 윈의 연구에 참가한 유아들은 '가능한 결과'보다 '불가능한 결과'에 더 오래 응시하였다. 언어 능력이 없는 이 시기의 유아가 뭔가를 오래 쳐다본다는 것은 무언가 이상하다는 것을 느꼈을 때이다. 이 실험 결과를 근거로 윈은 불과 생후 5개월밖에 되지 않은 유아들도 수 개념을 가지고 있으며, 덧셈과 뺄셈을 할 수 있다고 주장하였다. 앞으로 더 많은 연구가 이루어져야겠지만, 이 연구는 당시 대단한 반향을 불러일으켰다. 왜냐하면 이러한 능력은 Piaget의 인지발달 단계로는 설명할 수 없는 것이기 때문이다.

【실험 1】'1+1'은 1일까? 2일까?

❶ 아래 그림과 같이 종이상자로 만든 작은 무대가 있다.
❷ 무대 옆에서 인형을 든 손이 등장하고 인형을 내려놓고는 무대 밖으로 사라진다.
❸ 유아에게 이 인형이 보이지 않도록 스크린을 올린다.
❹ 무대 옆에서 또 다른 인형을 든 손이 등장하고 스크린 뒤로 인형을 놓고는 사라진다.
❺ 유아가 무대에 놓인 인형을 볼 수 있도록 아래 왼쪽 그림과 같이 스크린을 내린다.
❻ 유아는 무대에서 아래 왼쪽 장면, 즉 '가능한 결과'를 본다.
❼ 이번에는 ❶~❺를 반복한 후, 유아는 아래 오른쪽 장면, 즉 '불가능한 결과'를 본다.

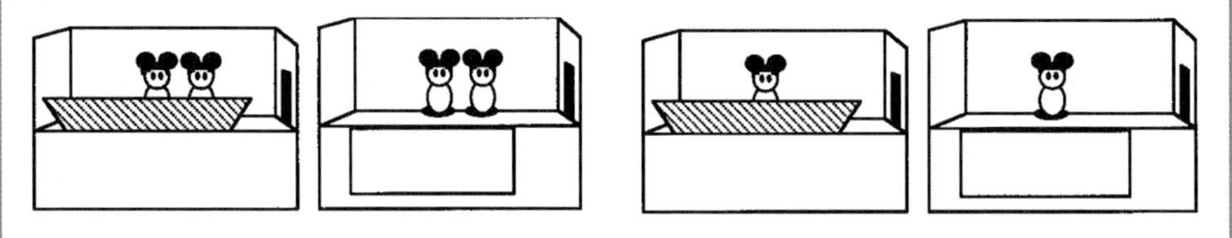

〈실험 1의 '가능한 결과'〉 〈실험 1의 '불가능한 결과'〉

【실험 2】'2-1'은 1일까? 2일까?

❶ 위 그림의 작은 무대에 인형 두 개를 놓는다.
❷ 유아에게 이 인형들이 보이지 않도록 스크린을 올린다.
❸ 무대 옆에서 빈 손이 등장하고 스크린 뒤의 인형 1개를 가지고 나간다.
❹ 유아가 무대에 놓인 인형을 볼 수 있도록 스크린을 내린다.
❺ 유아는 무대에서 이 실험 2의 '가능한 결과', 즉 위 오른쪽 장면을 본다.
❻ 이번에는 ❶~❹를 반복한 후, 유아는 실험 2의 '불가능한 결과', 즉 위 왼쪽 장면을 본다.

그림 6-6 유아의 덧셈과 뺄셈 능력에 대한 카렌 윈(Karen Wynn, 1992)의 실험

2. Vygotsky의 인지발달이론

Piaget와 같은 해에 태어난 Vygotsky(Lev Vygotsky, 1896~1934)는 모스크바국립대학에서 법학을 전공하였으며, 이후 다른 대학에서 심리학과 문학도 전공하였다.

Piaget와 마찬가지로 Vygotsky는 학습자가 자신의 지식이나 경험을 능동적으로 구성한다거나 인지발달이 질적인 변화 과정을 겪는다는 등의 생각에서 유사점을 가지고 있다. 하지만 학습과 인지발달의 과정을 설명하는 데 있어서 Piaget는 '생물학적 유기체로서의 개인'에 초점을 둔 반면, Vygotsky는 '사회적 존재로서의 개인'을 강조하였다. 또한 물리적 대상과의 상호작용을 강조한 Piaget와는 달리, Vygotsky는 인지적 구성은 항상 사회적으로 매개되며 사회적 상호작용에 영향을 받게 되는 것이라고 하였다. 이외에도 두 학자의 이론에 몇 가지 중요한 차이가 있다. 예를 들어 인지발달에 있어서 언어와 학습의 역할에 대해 서로 다른 견해를 가지고 있었다. 여기에서는 Vygotsky의 인지발달이론의 중심이 되는 세 가지 주제, 즉 인지발달의 과정, 인지발달에 있어서 언어의 역할, 인지발달을 위한 교수 방법에 대해 살펴본다.

(1) 인지발달의 과정

Piaget와 마찬가지로, Vygotsky는 인간의 사고가 초보적 사고에서 고차적 사고로 발달한다고 생각하였다(Byrnes, 2007). 그러나 개인의 인지발달에 있어서 물리적 환경과의 상호작용을 사회적 환경과의 상호작용보다 더 중시하였던 Piaget와는 달리, 그는 학습과 인지발달에 있어서 사회적 환경과의 상호작용 그리고 사회적 환경 내에서의 유능한 타인(성인 및 또래)의 영향을 중시하였다.

Vygotsky는 인지발달의 과정을 인간뿐 아니라 다른 고등생물에게도 나타나는 '초보적' 정신 기능(예:반응적 주의집중, 감각 동작)에서 인간만이 가지고 있는 '고차적' 정신 기능(예:의도된 주의집중, 논리적 사고)으로의 전환 과정으로 설명하였다(Byrnes, 2007; Wertsch, 1985). 또한 그는 발달을 '자연적 노선'과 '사회・문화적 노선'으로 구분하였다. 자연적 노선(자연적 발달)은 가장 기초적인 형태에서 기능을 하게 하는 반면, 사회적 노선(사회・문화적 발달)은 초보적 정신 기능을 고차적 정신 기능으로 변화시킨다(Wertsch, 1985). 이러한 변화의 과정은 사회적 관계 속에서 발생하는데, 처음에는 외적인 '개인 간' 수준에서 고차적 정신 기능이 일어나다가

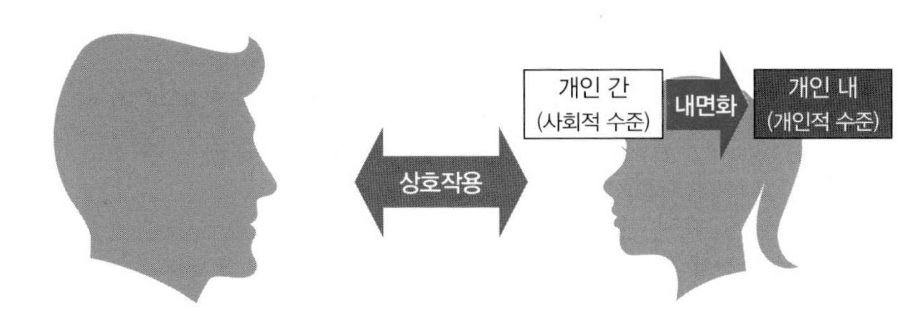

그림 6-7 학습의 내면화 과정

그 다음에는 그러한 기능들이 내적인 '개인 내' 수준에서 이루어지면서 자기 것이 된다. 이와 같이 학습자의 고차적 정신 기능이나 개념의 발달은 두 수준에서 나타난다(그림 6-7). 즉 처음엔 다른 사람들과 상호작용하는 사회적 수준에서 그리고 학습이 내면화되는 개인적 수준에서 일어난다(Vygotsky, 1978).

그림 6-7과 같이 Vygotsky는 '개인 간' 정신 기능이 '개인 내' 정신 기능으로 변화하는 과정을 '내면화'로 설명하였다. Piaget 등의 다른 학자처럼, Vygotsky도 '내면화'를 외적인 수준에서 수행되어 왔던 활동의 유형 중 어떠한 측면이 내적인 수준에서 실행되는 과정이라고 보았다. 하지만 Piaget에 있어 '내면화'는 Vygotsky가 발달의 '자연적 노선'이라고 말했던 것과의 관계 속에서 일어나는 반면, Vygotsky에 있어 내면화의 개념은 단지 고차적 정신 기능의 발달에만 적용되며, 따라서 발달의 '사회 · 문화적 노선'에 적용되는 것이다(Wertsch, 1985). 즉 Piaget는 학습자의 물리적 환경과의 상호작용과 관련하여 학습자 개인의 내적인 수준에서 실행되는 과정을 내면화로, Vygotsky는 사회 · 문화적 환경과의 상호작용과 관련하여 내적인 수준에서 실행되는 과정을 내면화로 보았다. 이와 같이 Vygotsky에 있어서 내면화는 사회적 현상을 심리적 현상으로 변형시키는 과정, 즉 개인이 사회적 상호작용을 통해 얻은 고차적 정신 기능이나 개념을 자신의 내적 정신 과정으로 전환시키는 과정이다. Vygotsky는 이러한 내면화된 고차적 정신 기능이나 개념은 외적인 개인 간 수준의 기능이나 개념의 단순한 복사물이 아니라 발달이 이루어지는 동안 체계적으로 재조직되는 것으로 보았다.

또한 Vygotsky는 '근접 발달 영역'(Zone of Proximal Development; 이하 ZPD)이라는 개념을 도입하여 인지발달 과정을 설명하였다(그림 6-8). ZPD는 사회적 상호작용이 학습자 개인에게 내면화되는 과정에서, 학습자가 타인의 도움 없이 스스

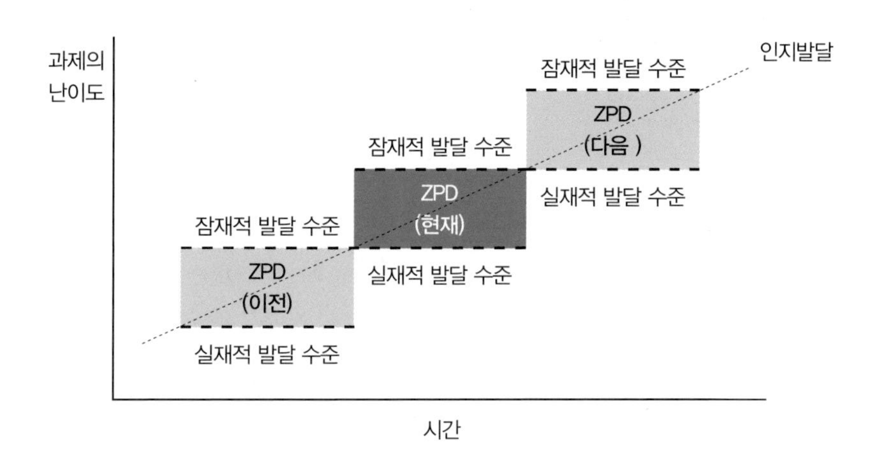

그림 6-8 학습자의 '근접 발달 영역(ZPD)'의 변화와 인지발달

로 문제를 해결할 수 있는 현재의 '실재적 발달 수준'(Actual Development Level; 이하 ADL)과 타인의 도움을 받아야 해결할 수 있는 '잠재적 발달 수준'(Potential Development Level; 이하 PDL) 사이의 개념적인 영역을 말한다. 즉 ZPD는 ADL과 PDL 사이의 인지적 간극이라 할 수 있다. Vygotsky는 학생마다 현재의 ADL이 같더라도 타인의 도움을 받아 어려운 과제를 해결할 수 있는 ZPD는 각기 다를 수 있다는 것을 강조한다. 즉 각 학생의 ZPD의 범위는 그 학생의 현재 능력과 그의 발달 가능성에 의해 결정된다. 또한 각 학생의 ZPD는 고정된 것이 아니라 어려운 과제를 해결해나감에 따라 끊임없이 변화한다.

한편 ZPD는 학생의 인지발달을 촉진하는 방법을 시사한다. 즉 Vygotsky 관점에서 학습은 발달에 선행하는 것이 바람직하며, 수업은 ZPD에 작용하여 아동들의 잠재적인 능력을 깨우치도록 하는 것이다. 이러한 학습과 발달의 관계에 대한 Vygotsky의 관점은 Piaget의 관점과의 차이점이자 그의 인지발달 이론의 핵심이다. Piaget는 발달이 학습에 선행한다고 보았고, Vygotsky는 학습이 발달에 선행한다고 보았다. 다시 말해 Piaget는 개인의 인지발달 수준을 넘어서는 학습과제를 제시한다면 학습이 일어나지 못하기 때문에 개인의 발달 수준에 맞는 학습이 이루어져야 한다고 보았다. 이와는 반대로 Vygotsky는 학습자의 발달 수준을 넘어서는 과제라도 부모나 교사의 도움을 받으면 학습이 이루어질 수 있고 이러한 학습 과정을 통해 학생의 인지발달이 이루어진다고 보았다.

Vygotsky의 과학적 개념의 발달[8]

Vygotsky는 학생들이 경험을 통해 스스로 형성한 개념과 학교에서 배운 과학적 개념과의 관련성에도 관심을 가지고 있었다. Vygotsky는 학생들이 과학적 개념을 이해하는 것 같지 않다는 것을 밝혔다. 자발적 개념은 아동이 주로 자신의 경험에 기초하여 형성하는 개념이다. 자발적 개념이 독특하고 개인적이라는 특성과는 대조적으로 과학적 개념은 일반성으로 특징지어진다. Vygotsky는 아동이 자발적 개념을 쉽게 포기하지 않기 때문에 아동의 자발적 개념을 과학적 개념으로 변화시키는 데 많은 시간이 걸린다고 지적했다. 또한 그는 과학적 개념에 대한 수업을 제공하지 않는다면 아동의 사고는 계속 낮은 수준에 머물 것이라고 주장했다. 이 점에서 Vygotsky의 입장과 Piaget의 입장은 다르다. Piaget는 아동이 스스로 많은 개념을 형성한다고 시사했기 때문이다.

안타깝게도 Vygotsky는 PDL이 무엇인지, 어떻게 학습자의 ZPD가 형성되고 어떤 과정을 거쳐 PDL에 도달하는지에 대한 구체적인 설명은 남기지 못하였다(김기상 등, 2009).

(2) 언어와 자기조절

Vygotsky는 인간의 5가지 주요 인지기능(언어, 사고, 지각, 주의집중, 기억)의 발달에 관심을 가졌다(Byrnes, 2007). 그는 정신의 도구로서 이러한 기능들이 인간의 인지발달에 중요한 역할을 한다고 믿었기 때문이다(변영계, 2005). 예를 들어 '기억' 전략이 인간이 기억할 수 있는 정보의 양을 몇 배로 늘려주는 것과 같이, 이러한 정신 기능은 인간이 선천적인 능력을 확장시키는 것 이상의 일을 한다. 또한 Vygotsky는 이러한 기능들은 우리가 주의를 기울이고, 기억하며, 생각하는 바로 그 방식 자체를 바꾸어 준다고 믿었다.

특히 그의 이론에서 언어는 아주 중요한 위치를 차지하는데, 언어는 그 자체가 정신 기능의 하나이자 다른 정신 기능 발달에 기여하기 때문이다. 모든 고차적 기능과 그들 사이의 관계는 사회적 관계에 기초하고 있다(Wertsch, 1985). 하등동물의 의사결정은 유전적 성향 혹은 환경적 자극에 의해 통제된다. 이와 대조적으로 인간은 문제를 해결할 때 새로운 전략을 개발하거나 다른 사람의 아이디어를

[8] 이 내용은 번스(Byrnes, 2007)의 pp.49~51의 내용을 발췌한 것임.

얻기 위해 언어 기능을 사용할 수 있다. 이때 언어 기능은 인간이 '자극-반응'의 고리를 탈피하고 환경을 통제할 수 있도록 도와준다. Vygotsky에 따르면, 언어에 들어있는 상징은 자극과 반응을 매개하며, 이러한 상징적 매개 능력이 나타날 때 인지발달의 결정적 전환점을 맞는다(Byrnes, 2007). 이와 같이 Vygotsky의 접근방식의 핵심은 사회적, 기호론적, 심리적 현상에 대한 통합적 접근, 즉 사회적 과정과 개인적 과정 사이를 매개하는 기호론적 과정(특히, 인간의 언어)을 도입하여 어린이의 인지발달 과정을 설명하는 것이다.

학습자는 어떻게 스스로 학습해 나가고 수업의 요구에 적응하는가? Vygotsky는 언어 기능의 세 가지 측면, 즉 '의사소통 언어', '자기중심적 언어', '내적 언어'를 설명함으로써 이 질문에 대답하였다(Byrnes, 2007). 즉 Vygotsky는 사고와 자기조절의 도구로서 언어의 역할을 중요하게 생각하였다. 의사소통 언어와 자기중심적 언어는 모두 어린이가 사용하는 것이 귀로 들리는 외적 언어이다. 그 명칭이 암시하는 바와 같이, 의사소통 언어는 어린이가 다른 사람과 의사소통하기 위해 사용하는 언어이다. 이와 반대로 '자기중심적 언어(혼잣말)'는 자기 자신에게 하는 언어이다. 이러한 자기중심적 언어가 내면화된 것이 '내적 언어'이다.

Vygotsky는 자기중심적 언어와 내적 언어가 주의를 집중시켜 행동을 이끄는 기능을 한다고 주장하였다(Byrnes, 2007). 특히 어린이의 경우 자기중심적 언어는 단순한 정서적 표현이나 긴장 완화의 수단이라는 기능을 가지기도 하지만 그보다 더 중요한 기능을 한다는 것이 Vygotsky의 생각이다. 즉 혼잣말의 사용은 어린이가 현재의 정신 기능으로는 쉽게 처리되지 않는 문제를 해결하는 데 필요한 사고 작용과 관련된 기능이다(김지현, 2000). Vygotsky에 따르면 교사는 자기중심적 언어가 내적 언어로 전환되기 이전 상태인 저학년 어린이의 경우에는 자기조절적 언어, 즉 혼잣말의 사용을 허용해 주어야 한다(변영계, 2005).

위와 같이 Vygotsky에 있어 자기중심적 언어는 어린이들이 그들의 사고와 행동을 조직하고 조정하는 수단이다. 즉 Vygotsky는 언어가 학습과 발달을 매개하는 중요한 요인이라 생각하였다. 처음에 언어는 다른 사람들과 상호작용하기 위해 필요하지만 나중에는 내적 언어로 전환되고 내적인 사고 과정이 되어 어린이들이 사고를 조직화하는 데 중요한 역할을 한다. 이러한 언어의 기능과 관련하여 Piaget는 혼잣말을 아동기적 사고의 두드러진 특징인 '자기중심성'을 반영하는 미성숙의 징후로만 간주하였고, 언어를 사고의 부차적인 요인으로 보았다(김지현,

2000; 신명희 등, 1998).

(3) 비계설정

'비계설정(scaffolding)'의 기본 가정은 ZPD, 즉 '학습자가 알고 있고 스스로 할 수 있는 것'과 '유능한 타인의 도움을 받아 수월하게 할 수 있는 것' 사이에 인지적 간극이 존재한다는 것이다. 비계설정은 어린이의 ZPD 내에서 이루어지는 성인과 어린이 간의 상호작용의 과정을 건물을 지을 때 작업자가 딛고 서도록 긴 나무나 쇠파이프를 얽어서 널을 걸쳐 놓은 시설인 '비계'를 설치하는 작업에 비유한 것이다. 즉 비계설정은 어린이의 ZPD 내에서 이루어지는 성인과 어린이 간의 상호작용 과정과 동의어(Stone, 1993)로, 전형적인 1:1 상호작용을 통해 점진적 지원을 해 나가는 학습 모델의 하나로 볼 수 있다. 이러한 상호작용의 중요한 특징은 비계설정자(교사, 유능한 동료, 학부모)가 학습자로 하여금 스스로 진보를 이루도록 단지 충분한 지원만을 해준다는 것이다.

그러나 비계설정은 어린이가 새로운 지식이나 기술을 획득하도록 교사가 작은 단계들을 순서에 따라 배열하는 전통적인 견해와는 다르며, 복잡한 협력적 과정으로 간주되어야 한다. 이상적으로는 비계설정에 교사와 어린이가 동등하게 기여하고, 그 결과 개인 간 관계의 감정적 특성과 학습 상황에 덧붙여지는 가치가 중요한 역할을 하는 자연스런 대화의 과정이 이루어진다(Stone, 1993). 이러한 상호작용의 과정에서 '공유된 의미', 즉 '상호주관성'의 형성을 통해 두 사람의 머리 내부가 아닌 외부에서 새로운 의미를 구성한다(Newman et al., 1989; Rogoff, 1990). 뒤이어 이러한 '외부에서 구성된 의미'와 '개인 간의 과정'은 각 개인의 머릿속에서 재구성(또는 '자기 것')이 된다(Rogoff, 1990). 즉 교사나 학부모가 비계설정을 통해 문화적 지식을 전수하지만 그 지식의 수용자(어린이)는 이것을 수동적으로 받아들이지 않는다. 역동적인 교수-학습의 상호작용을 통해 어린이는 자신의 개인적 지식을 구성해 나간다(Rogoff, 1990). 또한 비계설정의 핵심 요소는 학생들이 혼자서 해결할 수 있는 과제의 부분은 직접 하도록 하고 필요할 때만 도움을 제공하는 세심한 배려와 교사로부터 학생으로 문제 해결의 통제권을 점진적으로 이양하는 것이다(Day & Cordon, 1993).

그림 6-9의 과학 수업 장면과 대화 내용은 학생들의 실험 설계 능력의 계발

수업 장면:

4학년 과학 수업. 씨가 싹트는 조건을 알아보기 위한 모둠별 실험활동을 하고 있다. 학생들은 씨가 싹트는 데 물, 온도, 햇빛이 어떤 영향을 미치는지 알아보기 위한 실험을 설계하고 있다. 책상에는 다양한 실험 재료(강낭콩, 페트리 접시, 탈지면, 물, 스티로폼 상자 등)가 놓여 있다. 교사는 교실을 순회하다가 어느 한 모둠 옆에 멈추어 서서 잠시 동안 이들의 토의 내용을 듣고 질문한다. 다음과 같이 한 학생과 교사의 대화가 진행된다.

대화	비계설정
교사 : 이 실험을 어떻게 설계할지 생각해 보았니?	학습자의 사고에 초점을 맞추고 점검하기 위한 질문을 한다.
승희 : 네. 두 개의 페트리 접시에 탈지면을 깔고 강낭콩을 하나씩 올려놓은 다음 페트리 접시 한쪽에만 물을 부어 탈지면을 젖게 할 거예요.	계획을 명확히 설명한다.
교사 : 하지만 두 콩이 똑같은 것이 아니라면 어떻게 될까? 어쩌면 이 콩들이 각각 다른 줄기의 것이라든가 또는 다른 시기에 딴 것일 수도 있지. 그럴 경우 어떻게 하면 좋을까? 이에 대해 생각해 보렴.	좀 더 생각해야 할 것이 있음을 암시한다. 초점을 두어야 할 문제 범위에 대한 단서를 제공한다(즉 처치집단과 통제집단에 동일한 조건을 확실하게 한다).
승희 : (잠시 생각한다) 똑같은 크기와 생김새를 가진 강낭콩을 골라서 실험하면 어떨까요?	새로운 아이디어를 생성한다.
교사 : 글쎄, 자연이란 완벽하지 않단다. 겉모양이 같아도 그 속은 똑같지 않을 수도 있지. 좀 더 정확히 하려면 어떻게 해야 할까?	좀 더 고려할 필요가 있는 부분에 주의를 집중시킨다. 추가적인 사고 활동을 자극한다.
승희 : (잠시 생각한다) 두 페트리 접시에 생김새가 비슷한 강낭콩을 3개씩 넣어 실험을 하면 어떨까요?	처음 아이디어를 정교화한다.
교사 : 좋아. 이에 대해 계속 생각해 보렴. 너희들은 출발이 좋구나.	학습자의 사고를 인정한다. 독자적인 사고 활동을 격려한다.

그림 6-9 과학 수업에서 비계설정의 예

을 돕는 데 초점을 맞춘 비계설정의 한 예이다. 이러한 비계설정 과정은 구성적이고 반성적인 과정을 일으키고 유지시키기 때문에 학생들을 인지적으로 참여하게 한다. 탐구 중심 과학 수업에서 이와 유사한 시나리오들이 수없이 일어난다. 또한 과학 수업은 토의 · 토론, 발표, 읽기와 쓰기 등을 포함한다. 이들 각각은 학생들의 인지발달을 촉진하는 다양한 기회를 제공하며, 동시에 상황에 민감한 비계설정 기술을 필요로 한다. 즉 훌륭한 비계설정은 우수한 교수 능력의 총체를 필요로 한다(Pressley et al., 1996).

비계설정은 개인 교수와 같은 1:1의 상황에서도 매우 큰 노력을 요구하며, 이러한 요구는 다인수 학급일 때 더욱 증대된다(Hogan & Pressley, 1997). 이는 학생 수가 많을수록 주어진 시간 동안 교사가 모든 학생과 상호작용하는 것이 더욱 어렵기 때문이다. 그러나 더 큰 문제는 다인수 학급은 다양한 ZPD가 존재한다는 것이다. 즉 어떤 학생들의 ZPD에 맞추어진 수업은 다른 학생들의 ZPD를 넘거나 그것에 미치지 못할 것이다. 수적인 문제를 해결하는 한 가지 방법은 학생들을 가능한 한 자주 모둠별로 활동하도록 하는 것이다. 이것은 교사가 개인보다는 모둠으로 비계설정하는 것을 가능하게 하며, 각 모둠이 교사의 관심을 받는 것을 가능하게 한다. 그러나 모둠의 모든 학생들이 비계설정 동안 반드시 교사와 상호작용을 하는 것은 아니다. 비록 학생들이 동료의 필요를 진단하거나 비계설정을 제공할 수 있는 충분한 배경 지식, 경험, 통찰력, 또는 인내심을 가지고 있지 않더라도 그들은 서로의 사고를 촉진시키는 방법을 배울 수 있다. 예를 들어, 모둠 내에서 한 학생이 다른 학생을 돕기 위해 행동으로 시범 보이기, 제안하기, 반론하기, 설명하기, 질문하기 등의 비계설정 방법을 통해 서로의 사고를 촉진할 수 있다(유승희와 이은경, 2010). 일부 학생은 —특별히 교육을 받으면— 효과적인 개인 교수의 역할을 수행할 수 있으며, 때때로 이러한 역할을 함으로써 더 많은 것을 배울 수도 있다.

(4) 교육적 시사점과 한계

Vygotsky의 이론은 학습자의 인지발달 과정에서 사회 · 문화적 측면의 중요성, 사고와 자기조절의 도구로서 언어의 역할, '비계설정자'로서 교사와 같은 유능한 타인의 역할, 동료와의 상호작용의 역할 등에 많은 교육적 시사점을 제공하고 있으며, 현재에도 그의 이론을 토대로 협동학습 등 많은 교수-학습 전략 등이 개발 · 적용되고 있다. 하지만 37세의 젊은 나이에 세상을 떠났기 때문에 자신의 이론을 체계적으로 확립하거나 검증할 시간을 갖지 못하였다. 따라서 그의 이론은 불완전성과 실행을 위한 구체적 지침이 부족하며(권재술 등, 2012), 다음과 같은 한계를 가진다.

첫째, 언어가 인지발달에 미치는 영향을 강조하였으나 언어 외의 다른 기능들이 어떤 영향을 미치는지를 제대로 설명하지 못하였다(변영계, 2005). 또한 언어적 측면에 대한 지나친 강조는 비언어적 소통을 간과하거나 비언어적 소통과 언어적 소통의 관련 역시 별다른 주목을 받지 못하는 결과를 낳는다(김지현, 2000).

둘째, Vygotsky는 Piaget와 마찬가지로 어린이를 능동적인 학습자로 간주하였으나 공유된 활동에서 타인의 역할을 강조한 반면 능동적인 활동 참여자가 되기 위해서는 어린이가 무엇을 해야 하는지에 대해서는 충분히 설명하지 못하였다(변영계, 2005).

셋째, Vygotsky는 모든 대인간의 상호작용을 '사회적 상호작용'으로 보고 모든 사회적 상호작용이 지식의 공유를 가져오는 것으로 받아들인다(김지현, 2000).

넷째, 효과적인 비계설정을 위해서는 교사의 많은 시간과 수고가 필요하다. 예를 들어, 과학 수업을 위해 교사는 특정 학생이 이미 알고 있는 것, 그 학생의 능력 범위, 그리고 그 학생의 오개념을 알 필요가 있다(Hogan & Pressley, 1997). 또한 학생들마다 각기 다른 ZPD를 가지고 있기 때문에 효과적인 비계설정을 위해서는 각 학생의 ZPD를 파악해야 한다.

3. Bruner의 교수-학습이론

Bruner(Jerome S. Bruner, 1915~2016)는 1959년 9월 우즈홀 회의의 종합 보고서를 『The Process of Education』(Bruner, 1960)이란 책으로 출판하였다. 이 책은 당시 미국뿐 아니라 전 세계의 초·중등 과학교육에 지대한 영향을 미쳤으며, 학문 중심 교육과정을 지향한 우리나라 제3차 교육과정(1973)에도 큰 영향을 미쳤다.

Bruner는 Piaget의 이론이 미국 내에서 관심을 받던 당시 저명한 Piaget 이론의 전문가였으며, Piaget 이론을 수용하는 데 그치지 않고 인지발달과 학습과의 관계를 나름대로 정립하고 이를 토대로 수업이론을 제안하였다(권재술 등, 1998). 또한 Bruner의 수업이론에서 강화와 학습의 관계를 중요시하는데, 이는 그의 이론이 인지주의뿐 아니라 행동주의에도 바탕을 두고 있음을 시사한다(조희형과 최경희, 2001). 이후 1980년대에는 그의 이론적 틀을 사회·문화적 측면에까지 확장하여 사회적 구성주의를 옹호하고 있다(변영계, 2005). "나는 우리가 타인으로부터 학습하는 방식에 대한 문제를 다루고 있으며, 나의 모델로 Vygotsky를 선택했는데, 그가 이 문제를 조사한 최초의 인물이기 때문이다"(Bruner, 1985)라고 언급한 대로, Vygotsky의 영향을 받아 인지발달에 있어서 언어 그리고 교수자와 학습자 간의 사회적 상호작용이 중요한 역할을 한다고 주장하였다.

여기서는 1960~1970년대 Bruner가 제안한 이론의 주요 내용과 과학교육에 주는 시사점만을 살펴본다.

(1) 지식의 구조: 교육의 내용과 방법

1960년에 출간된 그의 저서에서 핵심적 물음은 학생들에게 '무엇'을 '어떻게' 가르칠 것인가이다. 이 물음과 관련하여 '지식(또는 교과)의 구조', '나선형 교육과정', '발견학습', '직관적 사고', '분석적 사고', '학습동기' 등의 다양한 개념들이 제시되어 있는데, 이 개념들의 구심점은 '지식의 구조'라 할 수 있다.

먼저 '학생들에게 무엇을 가르칠 것인가?', 즉 교육 내용에 관한 물음에 대한 그의 설명은 해당 교과 지식의 기본적인 구조를 가르쳐야 한다는 것이다. 지식의 구조는 물리학, 생물학, 수학 등의 개별 학문의 구조를 말하며, 지식의 구조를 가르친다는 것은 각 교과마다 가지고 있는 해당 학문의 특성과 핵심적 개념이나 원리를 가르친다는 것이다. "학생들은 무제한의 내용을 무제한의 시간을 들여 배울 수 없다. 따라서 어떻게 하면 제한된 교육 시간 동안 나머지 일생 동안 사고하는 데 중요한 것을 배울 수 있는가 하는 문제가 생기는데, 그 답을 Bruner는 교과의 기본적인 구조에서 찾았던 것이다". 또한 Bruner는 교과를 가르치기 위한 방향을 다음과 같이 제시하였다.

> "지식의 최전선에서 새로운 지식을 만들어내는 학자들이 하는 것이나 초등학교 3학년 학생이 하는 것이나를 막론하고 모든 지적 활동은 근본적으로 동일하다는 것이다. (중략) 물리학을 배우는 학생은 바로 '물리학자'이며, 학생이 물리학을 배우는 것은 다른 무엇보다도 물리학자들이 하는 일과 똑같은 일을 한다는 것이다. 즉 이것은 물리학자들이 하듯이 물리 현상을 탐구한다는 뜻이다. 종래의 교육에서는 이 일을 하지 않고 주로 '다른 무엇'을 해왔다. 이 '다른 무엇'이란 곧, 예컨대 물리학의 경우라면, 물리학의 탐구 결과로부터 얻은 여러 가지 결론에 관하여 교

실에서 논의하거나 교과서를 읽는 것이다."(Bruner, 1960, p.14)

"지식의 구조를 가르친다는 것은 교과를 '토픽'으로 가르치는 것이 아니라 '사고방식'으로 가르쳐야 한다는 것이다."(Bruner, 1972, p.109)

위 Bruner의 언급을 통해 볼 때 '지식의 구조'를 단순히 각 교과에 등장하는 일반적인 개념이나 원리와 동일시하는 것은 제한된 시각이라고 볼 수 있다. 지식의 구조를 가르친다는 것은 다름 아닌 학자들과 마찬가지로 현상을 탐구하도록 한다는 뜻으로 읽을 수 있으며(박채형, 2004), 지식의 구조를 학습한다 함은 기본 개념과 원리 및 그의 적용 방법으로서 탐구 방법론을 학습하는 것을 말한다(진영은 등, 2002). 다시 말해 학생은 과학자가 행하는 과학적인 방법으로 배워야 한다는 것으로 해석될 수 있다. 위 Bruner의 지적에 따르면, 그동안의 지식 교육이 올바른 지식 교육이 되지 못한 까닭은 지식의 본래의 성격인 '지적 탐구 활동'을 강조하지 않은 채로 지적 탐구의 결과물로서의 지식만을 학생들에게 습득시키는 데 몰두하였던 것에 있다.

한편 Bruner는 그의 저서(1960)에서 교과의 구조를 효과적으로 가르치는 방법과 관련하여 탐구와 함께 '발견학습'이라는 용어를 사용하였다. 그러나 그 책에는 표면상 발견학습에 관한 적극적인 규정이나 직접적인 설명은 나타나 있지 않으나,[9] 그의 발견학습의 기본 골격은 "학습자로 하여금 몇 가지 관련된 사실 속에 모종의 원리를 찾아내도록 이끄는 수업 방식"이다(박채형, 2004). 즉 발견학습을 한다는 것은 개인이 수집된 증거(사실)를 뛰어넘어 새로운 통찰에 이르도록 증거(사실)를 재정리하고 변환하도록 하는 것이다(Bruner, 1961). 따라서 발견학습에서 교사는 학습자에게 가르쳐야 할 내용을 최종적인 형태로 제시하는 것이 아니라, 원리나 법칙을 찾아내는 활동이나 정보들 사이의 관계를 학습자 스스로 발견하고 조직하도록 요구되는 상황에서 학습이 이루어지도록 해야 한다.

Bruner가 주장한 발견학습은 당시 대부분의 설명식 수업에서 행해지는 주입

[9] 발견학습은 새로운 것이 아니다. 즉 소크라테스의 대화법, 루소의 아동중심 교육사상, John Dewey의 교육 철학 등에서도 찾아볼 수 있다. 제7장의 과학 교수-학습 모형 중에도 발견학습 모형이 있다.

식 교육과 반대된다는 의미에서 오늘날 과학교육에서 강조하는 탐구학습과 같다고 볼 수 있다(권재술 등, 2012). 즉 종전까지 교과가 '알아야 할 그 무엇'으로 간주되었다면, 지식의 구조라는 개념이 등장한 이후에 교과는 '할 줄 알아야 할 그 무엇'으로 새롭게 태어났다(이홍우, 1992).

(2) 나선형 교육과정과 표현양식

'어떻게 가르칠 것인가?'와 관련하여, Bruner는 발견학습 외에도 나선형 교육과정과 표현양식 개념을 제안하였다.

Bruner는 Piaget와 마찬가지로, 모든 어린이는 연령과 관련된 일련의 단계에 따라 인지발달이 이루어지며, 학습은 어린이가 도달한 인지 수준에 크게 의존한다고 보았다. 그러나 그는 어린이의 학습 준비도에 대해서는 Piaget와 견해를 달리하였다. Piaget는 자신의 연구 결과에 바탕을 두고 어린이의 학습 준비도는 어린이의 인지 수준에 의존한다고 보았던 반면 Bruner는 적절한 형태로만 학습 내용이 제공된다면 어린이는 항상 학습할 준비가 되어 있다고 주장하였다(권재술 등, 2012). 또한 그는 어린이들에게 도전적이지만 유용한 기회들을 제공함으로써 인지발달을 가져올 수 있다고 주장하였다(Bruner, 1960).

이러한 생각을 바탕으로 '나선형 교육과정'이라는 아이디어를 제시하였다. Bruner는 한 학문의 개념이나 원리 등이 그 지적 성격을 동일하게 유지하면서 학생들의 발달 단계가 높아짐에 따라 점차 세련된 형태로 가르치도록 계획된 교육과정을 '나선형 교육과정'이라 하고, 특정 연령층의 어린이들에게 효과적으로 교과를 가르치기 위해서는 그들의 지각 방식에 맞도록 교과의 구조를 번역하여 제시해야 한다고 주장하였다(한국과학교육학회, 2005). 다시 말해 나선형 교육과정은 동일한 학습 요소로서 지식의 구조를 계속적이고 연속적으로 반복·제시하면서, 그것을 학습자의 인지발달 단계에 맞추어 점점 더 폭넓게 심화시켜 지식의 수준을 높여 나가도록 구성하는 것이다(진영은, 2003).

한편 Bruner는 한 교과의 기본 개념이나 원리를 발달 단계에 맞게 번역하는 원리로서 지식 구조의 세 가지 표현양식을 제안하였다(Bruner, 1966). Bruner에 의하면 모든 학문의 지식 구조는 세 가지 '표현양식', 즉 '행동적 표현', '영상적 표현', '상징적 표현'으로 나타낼 수 있다. 그림 6-10과 같이 '행동적 표현'은 신체적 반응

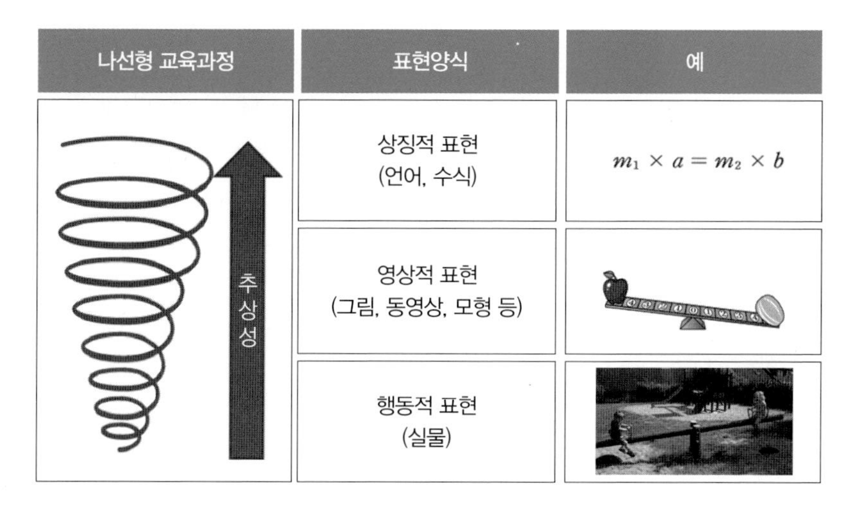

그림 6-10 나선형 교육과정과 표현양식

이나 동작을 통하여 과학 지식을 표현하는 방법이고, '영상적 표현'은 지식이 함축하고 있는 의미를 그림, 도표, 사진 등 이미지를 이용하여 표현하는 방법이며, '상징적 표현'은 상징적인 언어나 명제, 공식 등으로 지식을 표현하는 방식이다(교육부, 2014). 또한 그는 인지발달 순서에 따라 학습 내용을 '행동적 표현 → 영상적 표현 → 상징적 표현'의 순서로 서열화해야 한다고 주장하였다. 즉 Bruner는 아동의 인지발달은 외부 환경을 인식하는 인지구조가 행동적 표상 양식에서 영상적 표상 양식을 거쳐 상징직 표상 양식으로 진행된다고 주장했다. 아동의 인지발달이 낮은 수준에서 보다 높은 수준으로 연속적 진행 과정을 거친다는 점에서는 Piaget와 일치한다. 그러나 Bruner는 어린이의 인지발달은 환경을 이해하고 표상하는 능력이 증가하면서 이루어진다고 보았다(한국과학교육학회, 2005).

(3) 직관적 사고와 분석적 사고

Bruner는 그의 저서(1960)에서 사고를 '직관적 사고'와 '분석적 사고'로 구분하고 이들 사고 과정의 특성 및 상호관계를 설명하였다.

Bruner에 의하면, '분석적 사고'는 한 번에 한 단계씩 진행되는 특성이 있으며, 각 단계들은 분명하여 일반적으로 사고자가 다른 사람에게 해당 단계를 언어적으로 전달할 수 있다. 이와 달리 '직관적 사고'는 면밀하게 잘 계획된 단계를 따라 진행되지 않으며 문제의 함축된 전체적인 지각에 의존하여 이루어진다. 직관적 사고를 통해 사고자는 잠정적인 해답을 얻지만 그가 해답에 이르는 과정에 대한 자각이 없었기 때문에 그가 답을 어떻게 얻었는지 또는 문제의 어떤 면이 해답에 이르게 하였는지 설명하지 못한다. 우리가 어떤 문제를 골똘히 탐구하다가(물론 이 과정에서는 그 문제에 대한 분석적 사고를 중점적으로 수행한다), 어느 단계에 그 해답을 한꺼번에 찾게 되는 '직관적 발견'의 순간에 작용하는 사고가 바로 통찰이요 직관적 사고이다.

발견학습의 과정은 대체로 첫째, 새로운 지식을 획득하는 과정, 둘째, 획득한 지식을 새로운 문제 사태에 들어맞도록 조직하는 변형의 과정, 셋째, 지식을 다룬 방법이 그 문제 사태에 비추어 적합한가를 점검하는 평가의 과정으로 이루어진다(진영은 등, 2002). 이 과정에서 분석적 사고와 직관적 사고는 상호 보완적 역할을 한다. 즉 Bruner의 발견학습은 분석적 사고와 직관적 사고를 적용하여 학습 문제를 해결해 나가는 학습 유형이며, 직관적 사고는 발견학습의 과정에서 결정적 역할을 하는 사고 유형이다.

과학교육에서 분석적 사고 못지않게 직관적 사고가 중요함에도 오늘날 학교에서는 형식을 갖춘 내용을 다룬다는 사실 때문에 직관의 중요성이 과소평가되고 있다. 직관적으로 사고하는 사람은 때로는 올바른 해답을 얻을 수 있지만 때로는 그릇된 해답을 얻을 수도 있다. 그러므로 직관적 사고를 하는 데는 기꺼이 문제의 해결 과정에서 정직한 잘못을 저지를 용기가 있어야 한다. 직관적이라는 평판을 받은 과학자에게 다른 과학자들이 극찬을 아끼지 않는 것은 과학에서 직관이 귀중한 재산이기 때문이며, 우리는 학생들에게 이러한 능력을 길러 주어야 한다. 무엇보다도 교사는 직관적 사고의 결과로 나온 오답과 단순히 무지나 어리석음에서 나온 오답을 구분할 수 있는 감수성이 필요하다. 그리고 교사는 직관이 있는 학생에게 인정과 교정을 동시에 해주어야 한다.

(4) Bruner의 수업이론

Bruner에 의하면, 수업이론은 처방적이고 규범적인 특성을 지니며(p.153 참조), 다음과 같은 네 가지 주요 특징을 갖추어야 한다(Bruner, 1966).

첫째, 수업이론은 학습자에게 학습 성향을 매우 효과적으로 자극할 수 있는 경험들을 구체화해야 한다. 학습 성향은 학습하고자 하는 의욕 또는 동기를 의미한다. 학습 성향은 학습과제나 문제에 대한 호기심에 의해 활성화되며(자극), 성공의 결과로 얻어지는 이득이 실패의 결과보다 크다는 것을 느끼는 한 활성화된 상태가 계속 유지되며(유지), 이를 부단히 지속시키기 위해서는 학습 목표 등을 통해 그 방향을 제시(방향감)해야 한다(조희형과 박승재, 1999). 따라서 교사는 학습자의 내적 동기를 자극, 유지, 방향감을 주는 일에 힘써야 한다(권기, 2001). 방향감을 좀 더 구체적으로 설명하면, 학습과제가 어떤 목표를 향하여 나아가고 있다는 것과 현재 진행 중인 활동이 그 목표를 달성하는 데 관련된다는 것을 학습자들이 알아야 한다는 것으로, 학습자들의 학습이 산발적인 것이 되지 않도록 하려면 교사는 면밀한 계획을 세워야 한다.

둘째, 수업이론은 일련의 지식이 학습자에 의해 쉽게 이해될 수 있도록 구조화하는 방법들을 구체화해야 한다. Bruner는 지식의 구조를 '표현양식(그림 6-10)', '경제성', '효과성'으로 특징지을 수 있다고 보았다. 그에 따르면 '경제성'은 지식과 정보를 최대한 간단히 요약하여 제시할 수 있는 성질을 말하며, '효과성'은 한 가지를 알면 그와 관련 있는 정보를 파생시킬 수 있는 힘을 말한다(조희형과 박승재, 1999). 예컨대, 밀도, 질량, 부피라는 개념을 관련시켜 '밀도=질량/부피'라는 관계가 형성되면 이것이 바로 지식의 구조화의 전형적인 예이다(교육과학기술부, 2010). '밀도=질량/부피'라는 공식은 밀도, 질량, 부피라는 개념들을 최대한 간단히 요약하여 제시한 것이므로 경제성이 높고, 관련된 여러 가지 정보를 파생시킬 수 있으므로 효과성이 크다고 할 수 있다.

셋째, 수업이론은 학습 자료를 제공하는 가장 효과적인 서열(또는 계열)을 구체화해야 한다. 학습 서열은 학습의 효율성을 높이기 위한 것으로 학습자와 학습 자료 간의 매개 방법에 알맞게 학습 순서를 정하는 것이다(교육부, 2014). Bruner는 모든 학생들에게 맞는 단 하나의 학습 서열은 없으며, 최적의 학습 서열은 학습자의 이전 학습 경험, 발달 단계, 학습 자료의 특성이나 개인차 등의 다양한 요인에 의해 결정된다고 하였다(Bruner, 1966). 또한 그는 만약 어린이의 지적 발달이 행동적, 영상적, 상징적 표상의 순서로 이루어지는 것이 사실이라면 최적의 서열은 그와 동일한 방식으로 나아가는 것이며, 학습자가 잘 발달된 기호 체계를 가졌다면 행동적, 영상적 표상 단계를 생략할 수도 있다고 설명하였다.

넷째, 수업이론은 교수-학습 과정에서 상벌의 특성과 간격을 구체화해야 한다. 상벌은 학습자에게 이때까지의 학습 활동의 결과를 알려주고 그 결과에 비추어 앞으로의 학습 활동을 방향 짓도록 해줄 수 있어야 하며, 수업 장면에서 그러한 결과가 교정적 정보로서 학습자들에게 유용하게 활용되기 위해서는 교사는 언제, 어떤 종류의 상벌이 필요하다는 것을 고려하여야 한다(김호권, 1984). 또한 Bruner는 보상을 내적 보상과 외적 보상으로 구분하면서 효과적이고 지속적인 학습을 위해서는 내적 보상이 매우 중요함을 강조하였다. 따라서 수업이론에서는 내적 보상을 유발시킬 수 있는 요소의 마련이 중요한 과제이다(교육부, 2014). Bruner에 의하면 발견학습은 학생들에게 발견의 본질적인 즐거움(내적으로 만족스러운 지적 희열) 때문에 학습동기를 부여받는 자아 보상을 촉진할 수 있다(대한지구과학교육학회, 2009).

(5) 교육적 시사점과 한계

Bruner의 이론은 학생은 과학자가 행하는 방법으로 과학을 배워야 한다는 탐구학습의 강조, 학생의 인지발달 단계와 교과 내용의 전이를 고려한 교과 내용의 서열화, 분석적 사고뿐 아니라 직관적 사고의 중시, 학습자의 내부에서 우러나오는 흥미 또는 의욕 강조 등의 교육적 시사점을 제공하고 있다. 하지만 지식의 구조를 지나치게 강조한 나머지 교과와 교과 사이의 통합이 어려워질 수 있다는 점, 나선형 교육과정에서 모든 기본 개념을 세 가지 표현양식으로 나타내는 데에는 한계가 있고, 행동적 표현이나 영상적 표현이 반드시 인지발달 단계가 낮은 학습자에게만 도움을 주는 것이 아니라는 점, 학습자가 알아야 할 모든 내용을 발견학습으로 가르치면 너무나 시간이 많이 소요된다는 점의 한계가 있다. 또한 지식의 구조에 관하여 오늘날 제기되고 있는 문제들을 두 가지로 요약하면 다음과 같다(권재술 등, 2012, p.301).

첫째, 모든 교과에서 지식의 구조를 뽑아낼 수 있는가 하는 점이다. 지식은 반드시 기본 개념이나 원리들이 상호 관련을 맺고 있다고 보기 때문에 이것이 가능하기는 하지만, 그 학문에 종사하는 대부분의 사람들이 합의할 수 있는 '오직 하나'의 구조만 존재하는 것은 아니다. 학자들은 각각 자기의 학문을 파악하는 방식이 다르므로 학자에 따라 다른 학문의 구조가 제시될 수 있다.

둘째, 지식의 구조를 모든 학생에게 가르칠 수 있는가, 또 그럴 필요가 있는가 하는 점이다. 현재 과학을 배우는 모든 학생이 장차 모두 과학자가 되는 것은 아니다. 따라서 이 문제에 관해서는 오늘날 여러 견해들이 나타나고 있으며, 과학-기술-사회를 접목시키려는 시도도 이러한 문제에 대한 해결의 한 측면으로 해석할 수 있다.

4. Ausubel의 교수-학습이론

Ausubel(David Paul Ausubel, 1918~2008)은, 같은 시기에 활동한 Bruner와 마찬가지로, Piaget의 인지발달이론에 영향을 받았으며, 당시 학교 수업의 부정적 현실, 즉 대부분의 수업이 설명식 수업으로 이루어지고, 학생들은 학습한 개념을 잘 이해하지 못하고 있다는 현실을 해결하고자 노력하였다. 하지만 Bruner와 Ausubel은 당시 문제의 원인을 각기 다른 각도에서 규명하고자 하였기 때문에 각기 다른 각도에서 해결 방안을 찾았다. 즉 Bruner는 많은 교과에 포함된 엄청난 양의 지식을 학습자가 다 학습해야 할 필요가 있는가에 대해 의문을 제기하면서 그 해결책으로 지식의 구조, 발견학습 등을 제안한 반면, Ausubel은 엄청난 양의 지식을 학습자가 학습해야 된다는 사실을 기정사실로 받아들이고, 그 해결책으로 언어화된 지식의 체계를 학습시키되, 기계적 학습이 아닌 유의미학습으로 전환하고자 했다(권기, 2001).

Ausubel은 '인지구조는 무엇이며, 교과 지식이 인지구조 내에서 어떻게 동화[10]되고 조직되며 망각되는가?', '암기학습 과정과 유의미학습 과정은 어떻게 다른가?', '유의미하게 조직된 학습 자료는 무엇이며, 어떻게 조직해야 하는가?', '어떻게 하면 유의미학습을 촉진할 수 있을까?' 등의 문제에 관심을 갖고 연구에 주력하였다. 이를 통해 그는 유의미학습의 조건, 유의미학습과 동화이론, 그리고 유의미학습 촉진을 위한 선행조직자 등을 제안하였다.

(1) 유의미학습의 조건

Bruner와 달리 Ausubel은 지식의 습득이 발견을 통해 이루어지는 것이 아니라 지식에 직접 노출됨으로써 이루어진다는 것을 이론화하였다(Woolfolk et al., 2010).

---

[10] Ausubel은 '동화'와 '포섭'을 같은 개념으로 사용하였다. Ausubel의 이론에서 인지 과정은 포섭 또는 동화의 과정으로 설명한다. 포섭이란 유의미한 학습자료가 기존의 인지구조에 통합되는 것, 동화되거나 일반화되는 과정을 말한다. 그러므로 포섭한다는 말은 학습한다는 말과 통한다(김은주, 2001).

"우리는 사물들, 현상들, 상황들의 세계에 살기보다는 개념들의 세계에 살고 있다는 사실에서 벗어날 수 없다. … 환경과의 직접적인 접촉은 개념적 또는 범주적 필터를 통해 경험된다. … 인간은 자신의 인지구조 내의 특정 개념의 관점에서 '가공되지 않은(raw)' 지각적 경험을 해석한다. 따라서 모든 인간이 하는 학습의 본질적인 특징은 개념학습이다."(Ausubel et al., 1978, p.88)

"Ausubel의 유의미학습의 기본 가정을 간단히 요약하면 다음과 같다:(a) 모든 학습은 본질적으로 개념적이며, (b) 새로운 학습은 개념의 형성 및 습득과 관련되어 있으며, (c) 인지구조 내의 개념들은 포괄적이며(generic), (d) 인지구조 내의 개념들은 일반성, 포괄성, 추상성의 수준에 따라 위계적으로 조직화되며, (e) 인지구조 내의 개념들은 들어오는 관련 정보를 동화, 범주화, 조직화하는 데 이용된다는 것이다."(Rossner, 1982, p.25)

"교육심리학의 모든 것을 단 하나의 원리로 축소해야 한다면, 나는 다음과 같이 말할 것이다:학습에 영향을 미치는 가장 중요한 한 가지 요인은 학습자가 이미 알고 있는 것이다. 그것을 확인하고 그에 맞게 학습자를 가르쳐라."(Ausubel, 1968, p.vi)

위와 같이 Ausubel은 학생들의 개념학습 그리고 개념학습의 원리와 지도 방법에 많은 관심을 가지고 있었다. 이와 관련하여 Ausubel은 '유의미학습'이라는 용어를 사용하였는데, '유의미학습'은 새로운 학습과제가 학습자가 이미 알고 있는 것과 관련되어 학습자가 새로운 의미를 습득하는 학습을 말한다. 다시 말해 유의미학습은 학습자가 자신의 '인지구조에 있는 기존 지식'과 '새로운 지식' 사이의 관련성을 이해할 때 일어난다. 이와 반대되는 것이 암기학습이다.

Ausubel은 학습자가 가지고 있는 인지구조를 어느 한 시점에서 학습자가 유용하게 사용할 수 있는 사실, 개념, 원리 및 이론 등으로 이루어진 학습자의 현재 지식 체계라고 설명하였다(권재술 등, 1998). 즉 인지구조란 학습자가 기억하고 있는 개념 혹은 경험의 조직이나 관계를 일컫는 가설적 구성 개념으로, 그는 학습자의 인지구조를 학습의 가장 중요한 변인으로 보았다(김은주, 2001). 또한 그는 학습자의 인지구조는 일종의 피라미드와 같이 위계 관계를 이루며, 최상부에는 가장 포괄적이고도 추상적인 개념이 위치하고 그 아래로 점차 덜 포괄적이고 덜 추상적인 하위 개념과 연결되어 있다고 보았다(권기, 2001; Ivie, 1998).

그가 말하는 유의미학습은 두 개 이상의 개념, 즉 기존 개념과 새로운 개념 간의 연관성을 이해할 때 일어나고, 유의미한 학습이 되기 위해서는 다음의 세 가지 조건을 충족해야 하며, 만약 이러한 조건들 중 어느 하나라도 빠져 있다면 그 최종 결과는 암기학습이 될 것이라고 하였다(Ausubel & Robinson, 1969, p.46).

(A) 학습자에게 제시되는 학습과제(새로운 개념)는 학습자가 이해할 수 있는 방식으로 관련될 수 있는 것이어야 한다.
(B) 학습자는 새로운 개념이 관련될 수 있는 정착 개념을 기존 인지구조에 실제로 가지고 있어야 한다.
(C) 학습자는 새로운 개념을 그들이 현재 가지고 있는 정착 개념에 관련시키는 시도를 해야 한다.

먼저 조건 (A)와 관련하여, 학습과제는 학습자가 그 과제를 자기 자신의 인지구조에 의미 있게 관련지을 수 있는 것이어야 한다. 예를 들어, 학습과제가 퇴적암에 대한 것이고 학습자가 암석에 대한 지식이 있다면 '퇴적암은 암석의 작은 덩이나 생물의 유해 등이 쌓이고 굳어져 만들어진 암석이다'라는 학습과제는 일반적인 암석 개념의 한 예로 인지할 수 있으므로 학습자는 기존 암석에 대한 지식에 퇴적암을 연결하여 의미를 부여할 수 있다. Ausubel은 '조건 (A)'를 갖춘 과제, 즉 학습자가 그 과제를 자신의 인지구조에 의미 있게 관련지을 가능성이 있는 과제일 때, 그 과제는 '논리적 유의미가'를 가진다고 한다.

그러나 Ausubel은 학습과제가 그 자체로서 절대적 의미를 가지는 것이라고 보지 않았다. 즉 조건 (A)를 갖춘 과제라도, 학습자가 그 과제와 연결시킬 수 있는 관련 '정착 개념(포섭자라고도 함)'을 기존 인지구조 내에 '실제로' 가지고 있지 못하면 유의미학습은 일어나지 않는다. '정착 개념'이란 학습자의 인지구조 내에 이미 형성되어 있는 것으로, 새로운 개념을 학습할 때 인지구조와 관계를 맺을 수 있는 근거를 제공해 주며 파지 과정에서는 그 개념의 의미가 저장될 수 있도록 해주는 주요 개념을 말한다. 예를 들어 학습자가 암석에 대한 어떠한 지식도 가지고 있지 않다면, 학습자는 퇴적암에 대한 개념을 암기에 의해 기계적으로 학습하게 된다. 이와 같이 유의미학습이 일어나기 위해서는 학습과제와 연결시킬 수 있는 관련

'정착 개념'이 학습자의 기존 인지구조 내에 실제로 있어야 한다. 이처럼 학습과제가 학습자가 이해할 수 있는 방식으로 관련될 수 있고, 실제로 학습자가 그와 관련된 정착 개념을 가지고 있을 때, 즉 조건 (A)와 (B)를 모두 갖춘 경우 "그 학습과제가 학습자에게 잠재적으로 유의미하다" 또는 "그 과제가 '잠재적 유의미가'를 가진다"라고 말한다.

한편 조건 (A)와 (B)를 갖추었다 해도, 즉 '잠재적 유의미가'를 가지고 있다고 하더라도, 학습자가 유의미하게 학습하려는 학습 태세(학습과제를 인지구조에 연결하려는 학습자의 성향 또는 의도)를 가지고 있지 않으면 유의미학습은 일어나지 않는다. 어떤 학습과제가 잠재적 유의미가를 가지고 있고, 학습자가 그 과제를 유의미하게 학습하려는 학습 태세를 가지고 있을 때, 그 "학습과제는 학습자에게 심리적으로 유의미하다" 또는 "그 과제가 '심리적 유의미가'를 갖는다"라고 말한다. 즉 최종적으로 학습자가 조건 (A)와 (B)를 모두 갖춘, 즉 잠재적 유의미가를 갖춘 학습과제를 학습하고자 하는 의향이 있고 또 그렇게만 한다면 마침내 유의미학습은 일어나게 되는 것이다. 다시 말해 조건 (A), (B) 및 (C)가 모두 갖추어졌을 때 그 학습과제는 '심리적 유의미가'를 가지며 마침내 유의미학습은 일어나게 되는 것이다.

(2) 학습의 종류

Bruner가 발견학습을 강조하였을 당시 '발견학습은 유의미학습, 수용학습은 암기학습'이라는 견해에 대해 Ausubel은 수용학습도 유의미할 수 있으며 발견학습이 항상 유의미학습인 것은 아니라고 주장하였다(박경은, 2011). 즉 그는 '발견인가? 수용인가?'보다는 '유의미한가? 무의미한가?'가 더 중요한 문제라고 보았다(권재술 등, 2012). Ausubel의 유의미학습을 보다 잘 이해하기 위해서는 학습의 종류에 대한 이해가 필요하다. 그는 학습을 과정이나 방법에 관계없이 하나의 포괄적인 설명 체계로 정의한 기존 학자들과는 달리, 학습이 이루어지는 과정과 방법에 따라 학습을 크게 4가지로 구분하였다. 즉 그는 새로운 지식이 획득되는 방식에 따라 '수용학습'과 '발견학습'으로,[11] 학습자가 기존의 인지구조에 결합시키는 방식에 따라 '암기학습'과 '유의미학습'으로 구분하였다(그림 6-11).

---

[11] '안내된 발견학습'은 학습 내용과 관련된 개념의 발견을 학생들에게 전적으로 맡기는 것이 아니라 교사가 질문, 설명, 제안 등으로 학생들의 발견을 도와주는 학습을 말한다.

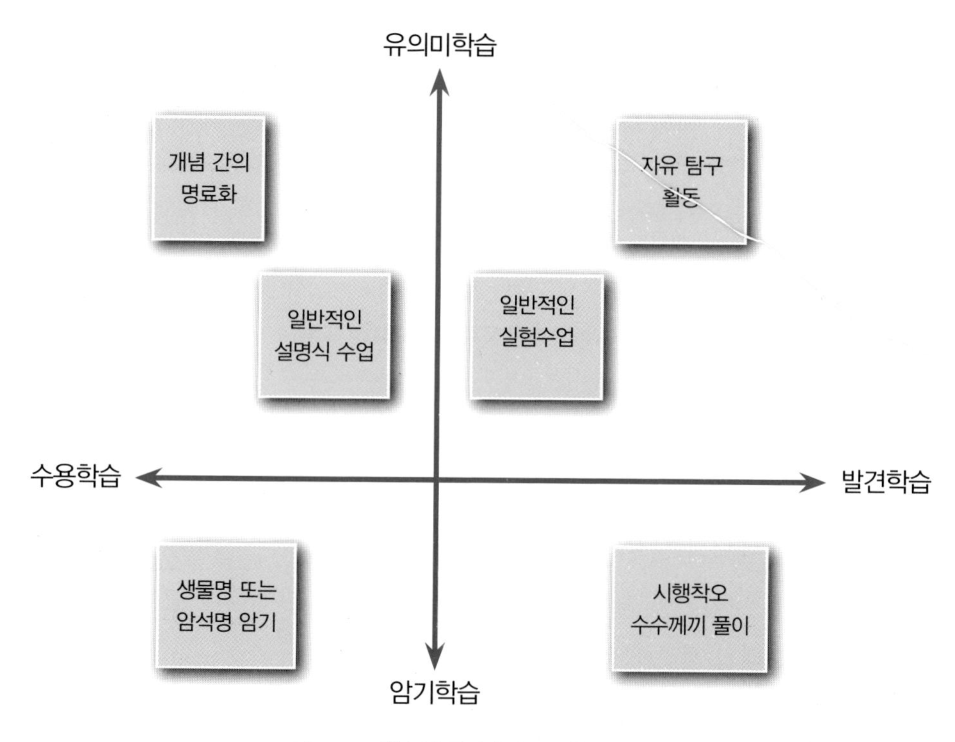

그림 6-11 학습의 종류와 초등 과학 수업의 예

'수용학습'은 교사가 제시하는 학습 내용을 학생이 받아들이는 학습 형태인 반면, '발견학습'은 주어진 자료를 근거로 개념이나 원리를 학생 스스로 발견하는 학습이다. Ausubel에 의하면, 발견학습과 수용학습의 초기 단계는 학습하는 방법에 있어서 분명히 다르지만 최종적으로 발견학습에서 발견되는 내용과 마찬가지로 수용학습에서 교사에 의해 제공된 개념도 유의미할 수 있다는 것이다. 즉 학습은 발견이 아닌 수용의 형태로도 유의미한 학습이 가능하다는 것이다(박경은, 2011). 한편 '암기학습'은 학습할 내용이 학습자의 기존 인지구조 내의 지식에 통합되지 않는 학습으로 기존 지식과는 무관하게 새로운 지식을 기계적으로 암기하는 학습인 반면, '유의미학습'은 학습할 새로운 지식이 학습자의 기존 인지구조 내의 지식과 통합하여 인지구조의 변화가 일어나는 학습이다. 그림 6-11과 같이 이 네 가지 학습은 상호 관련을 맺으며 과학 수업에서 활용되고 있다.

(3) 유의미학습과 동화이론

Ausubel의 학습이론(1960)은 포섭(그는 이후 저서에서는 '동화'라는 용어를 더 선호하였

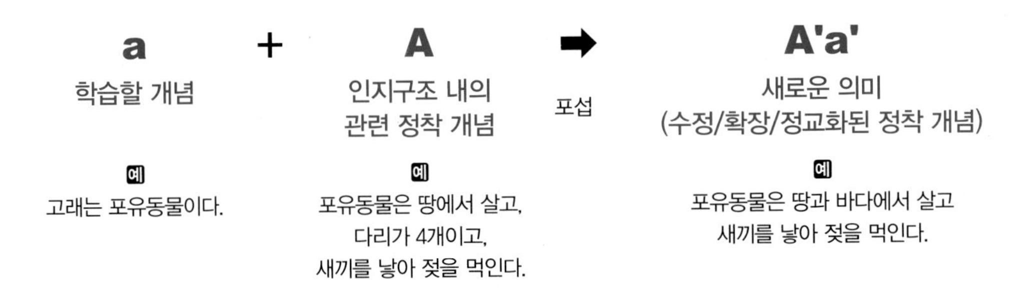

그림 6-12 유의미학습에서 동화(또는 포섭)의 과정

음)이라는 개념을 중심으로 전개되며(Ivie, 1998), 포섭은 유의미학습과 동질의 성격을 갖고 있다. Ausubel에 의하면, 학습은 의미 있게 조직된 학습자료가 인지구조상 상위의 개념과 상호작용하여 그 체계 속에 포섭되는 과정이다(Ausubel & Robinson, 1969). 포섭은 학습할 새로운 개념이 그보다 일반적이며 포괄적인 학습자의 인지구조 내의 개념에 결합하여 정착하는 과정이다.

이러한 과정을 체계화한 것이 그의 '동화이론'이다. 그의 동화이론은 유의미학습이 이루어지는 과정에서 새로운 의미의 '획득(또는 포섭)' 과정 그리고 학습 이후 획득한 개념의 '기억'과 '망각'에 대해 설명하고 있다. 즉 그의 동화이론은 새로운 개념이 어떻게 인지구조 내의 보다 일반적이고 포괄적인 관련 정착 개념과 선택적으로 연관되는지를 설명하는 이론이다.[12]

유의미학습이 이루어지는 동안, 즉 새로운 의미의 '획득' 단계에서 학습될 개념은 인지구조 내의 기존 정착 개념과 연결되면서 기존 정착 개념은 확장되거나 수정되거나 정교화된다. 즉 그림 6-12와 같이, 교사에 의해 제시된 개념과 이전에 학습된 관련 정착 개념의 상호작용에 의해 새로운 의미가 획득된다. 예를 들어, 새로운 개념 a가 인지구조 내의 관련 정착 개념 A와 상호작용을 하여 유의미하게 학습될 때, 두 개념은 모두 a′와 A′로 수정되면서 결국 결과물인 A′a′를 형성한다(Ausubel, 2000).

위와 같이 일어난 유의미학습은 그의 동화이론의 첫 번째 단계이며, 이후 '기억-망각'의 단계가 이어진다. 시간이 흐르면서 학습자의 인지구조 내의 새로운 의

[12] Ausubel은 자신이 사용한 '동화'라는 용어에 대해 Piaget의 동화와 같은 개념이지만, Piaget는 동화학습 과정의 조건이나 동화학습을 기초로 한 메커니즘을 전혀 언급하지 않았다고 설명하였다(Ausubel, 2000).

미는 서서히 잊히게 되지만 이러한 망각의 과정에서도 유의미학습이 일어난 후에는 '유의미망각'이 진행된다. 즉 새로운 의미(A'a')는 시간이 지남에 따라 포섭과정을 거치기 전에 존재하였던 관련 정착 개념(A)과는 다른 형태의 개념(A')이 포섭된 학습과제(a)를 잃어버린 후에도 유지하게 된다. 이와 같이 새로운 의미는 시간이 경과함에 따라 a'는 전혀 상기되지 않으며 A'가 되는데, 이를 Ausubel은 유의미망각이 일어난다고 하였다(박경은, 2011). 예를 들어, 앞서 '고래는 포유동물이다'라는 학습과제는 망각되어도 포유동물에 대해 획득한 새로운 개념(A')은 유지된다. 즉 정착 개념들은 이전과 비교하여 달라진 것으로 간주된다. 따라서 망각이 일어났다 해서 학습의 효과가 완전히 사라지는 것은 아니며, 새로운 학습과제에 보다 원활하게 대처할 수 있는 형태로 유지하게 되는 것이다(권재술 등, 2012). 다시 말해, 비록 새로운 의미에 대한 '유의미망각'이 일어났더라도 새로운 의미(확장, 수정 또는 정교화된 정착 개념)는 새로운 모든 관련 자료를 위한 학습을 촉진하는 증가된 잠재력이 있다. "예를 들어 학습 후에 망각이 일어나 고래라는 학습 사례를 잊어버린다 해도 포유동물에 대한 개념이 이미 변화되었기 때문에 오리너구리가 포유동물일지 조류일지 고민하게 될 때 적어도 오리너구리가 물속에서 산다는 특징만으로 포유동물이 아닌 조류일 것이라고 판단하지는 않을 것이다."(권재술 등, 2012, p.324)

(4) 선행조직자

Ausubel은 유의미학습을 촉진하고 망각을 저지하는 방안으로 '선행조직자'라는 특별한 자료의 활용을 제안하였다. 유의미한 학습은 학습과제가 학습자의 인지구조 내의 관련 정착 개념에 포섭될 때 일어나며, 이를 위해서는 인지구조 내에 학습과제가 정착할 수 있는 개념이 존재해야 한다. 만약 학습자의 인지구조 내에 관련 정착 개념이 존재하지 않는다면 학습과제를 제시하기 전에 관련 정착 개념을 제공할 필요가 있다. 이를 위하여 Ausubel이 제안한 것이 바로 선행조직자(advanced organizer)이다. '선행'이란 그것이 학습과제를 제시하기에 앞서 제공된다는 것을 나타내며 '조직자'란 그것이 학습과제를 조직하는 근거가 된다는 것을 의미한다(권기, 2001).

선행조직자는 본 학습과제에 앞서 교사에 의해 의도적으로 제시되는 특별한 도입 자료로서, 인지구조의 안전성과 명료성을 높여 유의미학습을 촉진하고 학습된 내용에 대한 파지 효과를 높이기 위한 수업전략이다. 선행조직자는 이미 포섭된 내용의 특성을 강화하여 망각을 방지하는 것도 돕는다. 선행조직자에 대한 조작적 정의는 미흡하지만, Ausubel은 선행조직자에 대해 비교적 상세한 기술적 정의를 내렸고, 이것이 선행조직자를 구성하는 데 있어 길잡이 역할을 한다(김은주, 2001). 선행조직자는 앞으로 배울 내용보다 포괄성, 일반성, 추상성이 높은 자료로서, 일반적으로 수업의 도입 단계에서 제시된다. 이때 선행조직자는 학습할 내용을 직접적으로 포함하지 않아야 하며, 학습할 내용에 대한 단순한 요약이어서도 안된다(김은주, 2001). 즉 선행조직자는 흔히 수업을 시작하기 전에 제시하는 수업의 개요나 수업이 끝난 다음에 제시하는 수업의 요약과 구분된다. 왜냐하면 수업의 개요나 요약은 학습할 내용과 비슷한 수준의 추상성 · 일반성 · 포괄성을 갖기 때문이다. 선행조직자는 주요 개념을 설명하는 글이나 그림, 삽화, 도표, 모형, 영화, 슬라이드, 컴퓨터 프로그램, 개념도(〈부록 6-1〉 참조) 등으로 제시할 수 있다.

한편 선행조직자는 새로 학습할 과제와 관련 있는 개념이 학습자의 인지구조 내의 존재 여부에 따라 두 가지 유형, 즉 '설명조직자'와 '비교조직자'로 구분된다. '설명조직자'는 학습자의 인지구조 내에 학습과제와 관련된 개념이 존재하지 않을 때, 즉 생소할 때 학습과제를 정착시키는 역할을 하는 선행조직자를 말한다. 예를 들어 학생들의 인지구조에, 곤충에 대한 개념이 없는 상태에서 곤충에 대해 가르치기 위해 먼저 생물과 동물에 대해 도입하는 것을 말한다. '비교조직자'는 학습자의 인지구조 내에 학습과제와 관련된 개념이 존재하기는 하지만 이들이 서로 연결되지 못하고 독립적으로 존재할 때 이들을 관련지어 주는 선행조직자를 말한다. 예를 들어 화성암의 일종인 화강암과 현무암을 가르치기 위해 이전 학교에서 배운 퇴적암(이암, 사암, 역암)과 암석을 크게 화성암, 변성암, 퇴적암으로 구분하는 것을 수업시간에 도입하여 유사점과 차이점을 파악하게 하는 것을 말한다. 이와 같이 선행조직자는 학습자의 인지구조 내에서의 관련 정착 개념의 역할이나 인지적 다리 역할을 하며, 개념들을 유의미하게 서로 연결시켜 준다.

당연한 이야기지만 선행조직자의 내용은 학생들이 이해할 수 있는 것이어야 한다. 흔히 과학 수업에서 사용되는 비유가 학습과제를 인지구조 내에 정착시키는 역할을 하는 것은 사실이지만, 그렇다 해서 도입한 비유가 무조건 선행조직자라고 인식하는 것은 잘못된 것이다(권재술 등, 2012). 예를 들어, 모발습도계의 원리를 설명하기 위한 다음의 비유 사례를 생각해 보자.

> 교사: 머리카락은 참 과학적이야. 비가 오는 날에는 좀 길어지고, 날씨가 맑은 날에는 좀 짧아지거든. 그것을 이용해서 만든 것이 모발습도계야! 왜 이런 말이 있잖아! 어른들이 "비가 오는 날에는 파마하지 말아라"는 말! 파마는 고불고불해야 되잖아!(고성자 등, 2007)

위 교사의 비유는 파마에 대해 평소 관심이 없는 학생들에게 비유 그 자체가 학습해야 할 또 하나의 학습과제로 받아들여지게 될 뿐 아니라 포괄적이고 추상적인 상위 개념으로서의 선행조직자라는 조건을 갖추고 있지도 못하다.

(5) 교육적 시사점과 한계

Ausubel은 Piaget의 인지발달이론을 수용하면서도 그에 머물지 않고 자신만의 이론을 정립하였다. 예를 들어 Piaget가 범교과적인 학습자의 논리적 사고 발달에 관심을 두었다면, Ausubel은 교과를 이루고 있는 개념의 획득 과정과 효과적인 지도 방법에 관심을 두었다. 또한 Ausubel은 Bruner와 같은 이론적 배경을 근간으로 하면서도 교육 방법에서 Bruner와 서로 대립되는 입장을 취한다. 즉 Bruner는 발견이라는 문제해결 활동을 통한 새로운 지식의 습득을 강조한 반면, Ausubel은 교사가 새로운 학습과제를 학습자의 기존 인지구조 내의 지식과 유의미하게 연결될 수 있도록 조직한다면 발견학습 못지않은 효과를 거둘 수 있다고 주장하였다.

Ausubel이 제안한 학습자의 선행 지식이 새로운 내용의 학습에 미치는 영향, 과학 지식 습득과 관련하여 유의미한 학습이 이루어지는 과정, 유의미학습이 효과적으로 일어나기 위한 조건, 선행조직자 등의 원리는 과학과 교육과정 구성, 학습지도 전략 및 자료 개발 등에 많은 시사점을 제공하고 있다. 하지만 Ausubel의 설명을 과학교육에 적용할 때 다음과 같은 한계가 있다.

첫째, 그의 이론은 가르치려는 개념이 많은 경우 이를 위한 설명식 수업에는 유용하지만 학습자의 탐구 기능의 발달에 대한 시사점을 제공하지 못하였다.

둘째, 학습자가 기존 지식을 바탕으로 새로운 지식을 획득해 나가는 과정만을 강조하고, 학습자의 기존 오개념과 처치 방안에 대한 적절한 설명을 제공하지 못하였다.

셋째, 교사가 새로운 학습과제에 관련된 학습자의 기존 개념을 파악할 수 있는 방법에 대한 시사점이 부족하다.

넷째, 선행조직자는 학습자들이 학습할 내용보다 일반적, 포괄적, 추상적인 내용으로 구성해야 하는데, 이것이 실제로 매우 어려워 학생들이 잘 이해하지 못하는 경우가 많다.

6.4 교수-학습에 대한 구성주의 관점

지금까지 학습자가 지식, 기능, 태도 등을 학습하는 과정에 대한 교육심리학적 측면에서 여러 학자들의 설명을 살펴보았다. 이제 학생들에게 가르쳐야 할 지식 그 자체에 관한 물음, 즉 "지식이란 '무엇'이며, '어떻게' 생성되는가?"라는 인식론 측면의 문제에 대해 살펴볼 것이다.

과학 교수-학습이론은 교육심리학뿐 아니라 과학 지식에 대한 인식론과 깊은 관련이 있다. '지식이란 무엇인가?', '지식은 어떻게 생성되는가?', '학생들은 지식을 어떻게 획득하고, 획득된 지식은 어떻게 발달하는가?' 이러한 인식론적 질문과 관련된 두 가지 상반된 관점이 '객관주의'와 '구성주의'이다. 앞서 살펴본 1920~1970년대에 학습이라는 현상에 대한 대부분의 학자들의 설명은 객관주의적 패러다임에 근거한 것이다(조영남, 2003). 1980년대 이후부터 기존 객관주의에 대한 대안으로 등장한 구성주의는 현재 과학교육의 주류 패러다임이며(Peters & Stout, 2006), 학습의 본질과 학습이 이루어지는 과정에 대한 전통적 견해에 근본적인 변화를 요구하고 있다(조영남, 2003).

우리나라 과학과 교육과정에서 지향하는 기본 교수-학습관은 구성주의적 관점이다. 따라서 과학과 교육과정에 충실한 교육이 이루어지기 위해서는 구성주의 관점의 교수-학습의 기본 원리 및 다양한 교수 방법에 대한 적절한 이해가 필요하다. 이 절에서는 객관주의와 구성주의 학습관, 구성주의의 발전 과정, 구성주의 교수-학습 원리 등에 대해 살펴본다.

객관주의	구성주의
지식 : 인식의 주체와 독립되어 존재하는 보편 타당하며 불변적 특성	지식 : 인식의 주체에 의해 결정된 마음의 산물로 잠정적인 특성
학습 : 지식의 습득	학습 : 지식의 구성
교사 : 지식의 효과적, 효율적 전달자	교사 : 지식 구성의 안내자, 조력자
학생 : 지식의 수동적 수용자	학생 : 지식의 능동적 구성자
방법 : 강의, 암기, 반복, 대집단 활동	방법 : 토론, 문제해결학습, 소집단 활동

그림 6-13 객관주의와 구성주의 비교

1. 객관주의와 구성주의

앞서 언급한 바와 같이 '지식'과 '지식의 형성'에 대한 상반된 인식론은 크게 객관주의와 구성주의로 구분할 수 있으며, 그림 6-13은 두 관점의 차이점을 간략히 나타낸 것이다.

객관주의 인식론에서는 개인의 사고와는 별개로 시 · 공간, 사회, 문화를 초월하여 보편적으로 적용할 수 있는 참되고 진리인 지식이 객관적으로 존재한다고 생각한다. 이러한 관점에 따르면 과학 학습은 기존에 발견된 객관적이고 절대적인 과학 지식을 습득하는 과정이 되고, 이 과정에서 학생은 지식의 수동적 수용자, 교사는 지식의 전달자 역할을 한다.

반면 구성주의 인식론에서는 개인이 어느 특정 사회에 속해 살아가면서 자신의 사회적, 문화적 경험과 자신의 인지적 작용을 통하여 주어진 현상을 이해해 가며, 그 결과로 생성되는 것이 지식이라는 입장이다. 즉 구성주의는 근본적으로 외부 세계에 대한 지식을 인간의 '구성물'로 간주하는 관점으로, 객관적이고 보편적인 성격의 지식이나 진리가 존재한다는 전제를 부정한다(강인애, 1997; 방선욱, 2005; 한국과학교육학회, 2005). 이러한 관점에 따르면 과학 학습은 자연 현상이나 사물에 대한 사회적 상호작용을 통한 개인의 개별적 의미를 구성하는 과정이고, 이 과정에서 학습자는 지식의 능동적 구성자, 교사는 지식 구성의 촉진자 역할을 한다.

한편 지식을 개인의 의미 구성으로 보는 구성주의도 다시 크게 '인지적 구성주의'와 '사회적 구성주의'로 양분할 수 있다(교육부, 2014; 방선욱, 2005; Powell & Kalina, 2009)(그림 6-14).[13] 이러한 구분의 기준이 되는 것은 지식의 구성에 있어서

[13] 학자들에 따라 구성주의는 더 세분화되거나 다른 방식으로 분류된다. 예를 들어 Matthews(1994)

인지적 구성주의

개인의 인지적 작용

지식 : 세계에 대한 개인의 고유한 관점
학습 : 인지구조의 적극적인 재구성
교수론 : 적절한 물리적 경험 제공
→ 인지갈등 유발
→ 새로운 인지구조 구성
소집단 활동 : 사고를 위한 하나의 자극
이론적 근간 : Piaget의 인지발달이론

사회적 구성주의

사회적 상호작용

지식 : 언어에 의하여 사회적으로 공유된 관점
학습 : 공동체의 문화 습득 및 동화
교수론 : 경험, 개념, 모델의 접촉 등의 사회적 상호작용 기회(환경) 제공
→ 공동체의 문화 습득 및 동화
소집단 활동 : 지식 공동체의 문화를 접하는 과정
이론적 근간 : Vygotsky의 인지발달이론

그림 6-14 **인지적 구성주의와 사회적 구성주의 비교**

'개인의 인지적 작용' 측면을 강조하는지 아니면 개인이 참여하고 있는 '사회·문화와의 상호작용' 측면을 강조하는지 여부이다. '인지적 구성주의'는 주로 Piaget의 이론을 그리고 '사회적 구성주의'는 Vygotsky의 이론을 그 근간으로 하고 있다(교육부, 2014).

Piaget와 Vygotsky 모두 개인은 능동적으로 자신의 지식과 이해를 구성한다는 점에서 생각이 일치한다. 하지만 지식의 구성 과정에서 Piaget는 기존 지식과 새로운 지식의 균형을 이루기 위한 학습자의 내적 과정을 강조한 반면 Vygotsky는 개인의 참여가 이루어지는 사회적 상호작용의 중요성을 강조하였다(Pritchard, 2009). 따라서 인지적 구성주의는 지식의 구성 과정에서 학습자 개인의 개별적 인지작용을 가장 주요한 요인으로 보기 때문에 개개인의 인지구조 변화에 주된 관심을 두며 상대적으로 사회·문화적 요인은 크게 고려하지 않는다.[14] 반면 사회적 구성주의는 개인의 지적 기능과 인지발달은 사회적 상호작용이 내면화되어 이

는 구성주의를 하나는 개인 내부에서 일어나는 개인적이고 개별적인 지적 구성 과정으로서의 '심리학적 구성주의'와 사회제도의 산물로서의 '사회학적 구성주의'로 양분하고, 심리학적 구성주의를 다시 좀 더 개인적이고 주관적인 관점을 강조한 '급진적 구성주의'와 각 개인의 인지적 구성에서 언어 집단의 중요성과 그 상호작용을 강조한 '사회적 구성주의'로 세분하였다(한국과학교육학회, 2005). 한편 Hogan과 Pressley(1997)는 Piaget와 Vygotsky 이론의 혼합을 '사회적 구성주의'로 간주하였다.

[14] 인지적 구성주의가 사회적·문화적 요인을 무시했던 것은 아니다. 단지 Piaget에게 있어서 상호작용이란 개인 간의 상호작용보다는 자연 현상이나 사물과의 상호작용을 일컫고 있으며, 인지적 구성주의 역시 사회적 상호작용을 중요시하지만, 근본적으로 사회적 구성주의가 부여하는 절대적 중요성과 가치라기보다는 개인의 인지적 작용과 발전을 촉진시키는 부수적 요인으로 보고 있다(방선욱, 2005).

루어지는 것으로 보고, 개인의 사회 · 문화적 동화 과정을 강조한다.

과학교육에서 구성주의는 1980년대 인지적 구성주의에서 1990년대 사회적 구성주의를 포함한 구성주의로 발전하였다(Bennett, 2003; Hogan & Pressley, 1997). 인지적 구성주의에 근거한 연구 결과는 자연 현상과 사물에 대해 학생들이 가지고 있는 생각이 공인된 과학적 지식과 일반적으로 일치하지 않는다는 중요한 메시지를 제공하였다. 1980년대 후반 인지적 구성주의의 한계가 표면화되고 있었는데, 그 단적인 것이 사회적 맥락 내에서의 학습자 사이의 지식 구성에 역동적인 역학 관계를 설명하는 데 실패한 것이다(Bennett, 2003). 이에 따라 1990년대에는 학습 환경의 특징과 학습에서 언어의 기여를 받아들인 사회적 구성주의가 각광받게 되었다.

현재 과학교육에서 구성주의는 그 범위가 넓어져 과학 학습은 개인적 과정과 사회적 과정 모두가 밀접하게 관련되는 지식의 구성으로 간주되고 있다(Bennett, 2003). 다시 말해 현재 구성주의는 개인의 인지 작용과 사회적 상호작용을 통한 맥락에 적합한 지식 구성을 강조한다(조영남, 2003). 이러한 관점에서 본다면 과학 수업에서 교사는 자연 현상과 사물에 대한 학생 각자의 상호작용을 통한 의미 구성뿐 아니라 교사-학생 그리고 학생-학생 사이의 상호작용을 통한 의미의 사회적 적합성과 융화성의 기회를 제공해야 하며, 교사는 비계설정을 통해 학생들의 지식 구성 과정을 촉진하도록 해야 한다.

2. 구성주의와 과학 오개념[15]

지난 수십 년간의 과학 오개념에 대한 수많은 연구에 의하면, 학생들은 학교에서 과학을 배우기 이전에도 자연 현상이나 사물과의 상호작용이나 사회 · 문화적 상호작용 등을 통하여 다양한 자연 현상과 사물에 대해 그들 나름대로의 생각을 구성한다. 안타깝게도 이러한 생각들은 흔히 자연에 대한 감각적 경험이나 일상적 언어 등의 영향을 받아 구성되기 때문에 현재 공인된 과학적 지식과 일치하지 않

[15] 자연 현상이나 사물에 대한 공인된 과학적 지식과 일치하지 않는 학습자의 생각에 대해 연구자에 따라 다양한 용어들이 사용되고 있고, 오개념이란 용어에 대한 부정적 시각도 있다. 그러나 '오개념'은 이미 교사와 일반인들 사이에서 나름의 의미를 가지고 있을 뿐 아니라(한국과학교육학회, 2005; Gomez-Zwiep, 2008) 과학 교사용 지도서에서도 이 용어를 주로 사용하고 있기 때문에 여기에서는 공인된 과학적 지식과 다른 학생들의 생각을 오개념이라는 용어로 통일하여 서술한다.

음이 밝혀졌다.

과학 오개념은 현재 널리 받아들여지고 있는 과학적 지식과 일치하지 않는 자연 현상이나 사물에 대한 학습자의 생각 또는 이해를 말하며, 연구자에 따라 대안적 개념틀, 대안 개념, 대안적 생각, 선개념, 사전지식, 선지식, 오인, 오해, 일상과학, 상식과학, 소박한 믿음, 유년적 사고, 어린이 과학 등과 같은 다양한 용어들이 사용되고 있다. 다음은 초등학생들이 가지고 있는 오개념의 몇 가지 예이다.

- 모든 빛은 눈에 보인다.
- 그림자는 항상 검은색이다.
- 얼음을 만지면 차가운 것은 얼음의 냉기가 손으로 들어오기 때문이다.
- 열은 열량이 많은 곳에서 적은 곳으로 이동한다.
- 촛불의 속불꽃이 겉불꽃보다 온도가 높다.
- 설탕물의 아랫부분이 가장 달다.
- 모든 금속은 자석에 붙는다.
- 거미는 곤충이다.
- 딸기는 겉씨식물이다.
- 식물은 주로 땅으로부터 흡수한 양분을 통하여 성장한다.
- 버섯은 식물이다.
- 여름에는 태양과 지구 사이가 가깝기 때문에 덥다.
- 줄무늬가 있으면 퇴적암이다.
- 모든 현무암에는 구멍이 있다.
- 화산은 용암이 분출하여 쌓인 것이다.

일반적으로 학생들의 오개념은 과학적 개념을 학습하는 데 장애 요인으로 작용하며, 전통적 수업 방식으로는 좀처럼 영향을 받지 않는다. 이에 따라 1980년대부터 학생들의 오개념을 과학적인 개념으로 변화시키는 데 도움이 되는 다양한 수업 전략이 개발되고 있다.

과학의 기본 개념에 대한 이해는 과학교육의 중요한 목표 중 하나이다. 학생들의 오개념이 학습에 결정적 영향을 미치며 전통적 수업 방식으로는 좀처럼 교정되지 않는다는 점을 고려할 때, 교사는 학생들의 오개념에 대한 이해 그리고 오개념 교정에 효과적이라고 알려진 수업 전략에 대한 지식을 갖추어야 한다. 아울러 학생들과 마찬가지로 교사들도 많은 오개념을 가지고 있으므로, 교사는 교육과정에 제시된 기본 개념들에 대한 적절한 이해를 갖추도록 지속적으로 노력해야 한다.

(1) 오개념의 형성 원인

학생들의 오개념 형성의 원인은 내적 요인과 외적 요인으로 구분된다. 먼저 학습자의 내적 요인은 어린이들의 지각과 논리적 사고의 특성에 기인하는 것으로, 이에 대한 몇 가지 예를 살펴보면 다음과 같다(교육부, 2014; 권재술과 김범기, 1993; 박지연과 이경호, 2004; 송진웅 등, 2004; Duit, 1991).

- **지각에 의존하여 생각한다.** 어린이들은 주어진 상황에서 직접적으로 관찰 가능한 특징에 우선하여 생각하려는 경향이 있다. 이러한 지각 우위의 사고 또는 현상 중심적 사고의 한 가지 예는 설탕이 물에 녹으면 설탕이 눈에 보이지 않기 때문에 사라졌다고 생각한다는 것이다.
- **직관적(또는 제한적)으로 사고한다.** 어린이들은 자연 현상이나 사물에 대해 판단 · 추리 등의 사고 작용이 아닌 감각적 인상에 근거하여 생각하려는 경향이 있다. 예를 들어, 얼음을 녹지 않게 보관하려면 쇠로 만든 상자가 천으로 만든 상자보다 적합하다고 생각하는데, 이는 철은 원래 차가운 성질이 있기 때문이라고 생각한다.
- **부분적인 것에만 주의를 집중한다.** 자연 현상에 대하여 전체적인 상호작용을 고려하지 못하고 부분적인 것에만 주의를 집중하여 현상에 대한 제한된 범위 내에서만 경험이 일어난다. 예를 들어 전기회로에 사용되는 모든 전지가 반드시 연결되어야 불이 켜진다고 생각한다(제6장 연습문제 5번 참고).
- **변화하는 것에 초점을 맞추어 생각한다.** 어린이들은 평형 상태에서 일어나는 상호작용을 깨닫지 못하고 변화하는 상태에만 관심을 집중하려는 경향이 있다. 이러한 변화 중심적 사고의 한 가지 예는 탁자 위에 물체가 놓여 있을 때 어린이들은 힘이 작용하지 않는다고 생각한다.
- **자신의 관점을 지지하는 것만 관찰하려 한다**(제3장의 연습문제 2번 참고).

- 상황에 따라 다르게 생각한다. 과학자는 다양한 상황을 동일한 방식으로 설명하지만, 어린이들은 상황에 따라 다르게 생각하는 상황 의존적 사고를 한다. 예를 들어, 물을 가열하면 수증기가 되는데 이때의 수증기는 열이라고 생각하고, 이슬이 증발하면 수증기가 되는데 이때의 수증기는 공기라고 생각한다.
- 단순 인과적으로 사고한다. 어린이들은 어떤 현상이 여러 요인의 복합적 작용으로 일어났다고 생각하지 못하고, 단순한 원인-결과의 관점에서 추론을 시도하려는 경향성을 지닌다. 예를 들어, 비커에 담긴 물을 알코올램프로 가열하면 학생들은 알코올램프의 불꽃에 의해 비커의 물이 직접 데워진다고 생각한다.
- 사건의 순차성을 선호한다. 어린이들은 현상을 설명할 때 시간에 따른 순차적인 인과관계에 따라 설명한다. 즉 사건의 동시성을 깨닫지 못하고 순차적으로 지각하여 시간의 방향을 고집한다. 예를 들어, 뉴턴의 제3법칙에서 작용은 파악하나 동시에 반작용이 존재함은 깨닫지 못한다.
- 분화되지 않은 개념을 사용한다. 학생들이 사용하는 일부 생각들은 과학자가 사용하는 것과는 다른 훨씬 더 광범위한 일련의 속뜻을 담고 있다. 즉 과학자의 개념과 다른 일상생활의 개념(더 포괄적이거나 의미가 명료하지 않은 개념)을 흔히 사용한다. 예를 들어, 무게라는 용어로 질량, 밀도, 힘 등의 개념을 모두 포괄하여 사용한다.

한편 학생들의 오개념은 교사의 설명이나 교과서, 일상의 언어나 언어의 모호성, 또래 문화, 부모 등의 외적 요인에 의해서도 형성된다.

(2) 개념변화의 조건과 수업 전략

학생들의 기존 경험과 개념으로부터 출발하는 것은 과학 교수에서 자주 사용되는 전략이다. 그러나 이러한 전략을 사용하기 전에 교사가 알아야 할 것은 학생이 기존에 자신이 가지고 있는 생각을 포기하고 이전과는 완전히 새로운 과학적 관점을 가지는 것은 엄청난 정신적 도약을 필요로 한다는 것이다(Duit, 1991). 또한 자신의 생각을 포기하는 일은 오랫동안 잘못된 생각을 갖고 있었다는 것을 인정하는 것이기 때문에 매우 어렵다(송진웅 등, 2004). 실제 과학의 역사를 살펴보면 과학의 혁신가들이 그 시대에 널리 받아들여지던 생각을 깨뜨리고 현대 우리가 당연하다고 생각하는 결론에 도달하기가 얼마나 어려웠는지 알 수 있다(NRC, 1996).

이에 따라 1970년대 후반부터 과학 오개념에 대한 조사 연구가 활발히 진행됨과 동시에 여러 학자들에 의해 학생들의 오개념을 과학적인 개념으로 변화시키는 데 효과적인 방법이 모색되었다. 1982년에 발표된 Posner 등의 연구 결과는 그 기폭제가 되었는데, 이들은 성공적인 개념변화를 위한 다음의 네 가지 조건을 제안하였다(Posner et al., 1982).

- 첫째, 기존 개념은 불만족스러워야 한다. 학생들은 현재 자신들이 가지고 있는 생각으로는 새로운 관찰이나 실험 결과를 설명할 수 없다는 것을 느껴야 한다.
- 둘째, 학습할 새 개념은 학생들이 이해할 수 있는 것이어야 한다. 학생들이 스스로 과학적 생각을 구성하기 어려운 경우 교사가 과학 개념을 소개하게 되는데, 이때 학생들에게 소개되는 새로운 개념은 학생들이 쉽게 이해할 수 있어야 한다.
- 셋째, 새 개념은 그럴듯하게 생각되어야 한다. 새 과학 개념은 자신의 처음 생각으로는 설명되지 않던 상황을 설명하는 데 얼마나 더 적절한지 느껴볼 수 있는 기회를 제공하여야 한다.
- 넷째, 새 개념은 유용해야 한다. 학생들에게 새로운 상황을 제시하여 재구성한 생각을 적용함으로써 새로운 생각이 얼마나 활용 가능성이 많은지를 인식하게 해야 한다.

위의 개념변화 조건은 이후 여러 개념변화 모형의 이론적 기초가 되어 왔다(제7장 참조). 개념변화의 촉진을 위해 지금까지 제안된 모형들이 공통적으로 지적하고 있는 또 하나의 조건은 다음과 같다.

수업 전반부에서 학생들이 학습할 개념에 대한 자신의 생각을 분명하게 표현할 수 있는 기회를 제공하고 이에 대한 검토가 이루어지도록 한다. 수업 후반부에서 학생들이 자신의 처음 생각과 학습을 통해 재구성한 생각의 변화를 비교할 수 있는 기회를 제공한다.

과학교육에서 구성주의의 주된 교수-학습 목표는 개념의 발달과 변화에 있다(조희형과 최경희, 2002). 즉 교수-학습 절차는 학생들이 가지고 있는 오개념을 과학적 개념으로 바꾸어주는 것이다. 따라서 학생들의 오개념을 과학적 개념으로 변화시키기 위해 교사는 학생들이 가지고 있는 오개념을 조사하고 그 원인을 분석하여 그에 따른 적절한 전략으로 대처해야 한다(김효남, 1990).

먼저 교사는 수업 전 가지고 있는 학생들의 선개념을 파악할 필요가 있다. 학생의 기존 생각을 알아내는 것은 개념변화를 목적으로 한 수업의 출발점으로, 조사한 학생 개념을 바탕으로 해야 개념학습이 효과적으로 이루어질 수 있기 때문이다. 학생들의 오개념은 임상적 면담법, 개념도 등 다양한 방법으로 조사할 수 있으나, 초등학교에서 매 시간의 과학 수업에서 학생들의 오개념을 조사하는 것은 교사에게 많은 시간과 수고를 요하며, 연구 방법에 따라 충분한 경험과 기술이 요구된다. 따라서 학생들이 수업 전 가지고 있는 오개념은 나이, 능력, 성별, 문화를 초월한다(Wandersee et al., 1994)는 점 그리고 학생들의 오개념에 대한 연구가 상당 부분 이루어졌다는 점을 고려할 때, 기존 연구 논문이나 서적을 참고하는 것이 효율적 방법이 될 수 있다. 교사용 지도서에는 해당 단원 학습과 관련된 오개념이 제시되어 있는 경우가 있으므로 이를 활용한다.

한편 Berg와 Brouwer(1991)가 지적한 대로 학생들의 오개념에 대한 이해나 사전 확인만으로는 오개념에 대처하는 데 충분하지 않기 때문에 교사는 학생들의 오개념을 효과적으로 다룰 수 있는 수업 전략에 대한 적절한 지식도 갖추어야 한다. 이에 대해서는 제7장에서 살펴본다.

(3) 교육적 시사점과 한계

과학 학습은 학습자의 사전 경험이나 지식의 영향을 받는다는 구성주의 견해는 오늘날 과학교육에서 가장 큰 영향력을 가진 관점으로(Bennett, 2003), 과학교육 전반에 걸쳐 여러 가지 준거 및 지침이 되고 있다. 구성주의가 과학 학습에 주는 구체적인 시사점을 교수-학습 그리고 평가 측면에서 살펴보면 다음과 같다(강호감 등, 2007, p.115).

- 과학의 교수-학습 측면: '학생 중심의 수업', '교사는 학생을 가르친다는 시각에서 학생들이 스스로 배울 수 있도록 돕는다는 입장', '학생들의 대화와 토론의 중시', '학습자의 선행 지식을 변화시킬 수 있는 수업 전략', '직접 해보는 과학', '사고하는 과학' 학습 등이 강조된다. 또한 이를 반영한 학습 방법으로 탐구학습, 협동학습, 역할놀이 등 다양한 학습 방법을 이용할 것을 권장한다.
- 과학 학습 평가 측면: '집단 또는 개인별 서열화 등의 양적 평가에서 개인별 성장 위주의 질적 평가', '단순한 암기 위주의 평가에서 실생활에 적용할 수 있는 능력 평가', '결과 중심의 평가에서 과정 중심의 평가', '수업 후에 주어지는 시험에 의한 단순한 평가가 아니라 수업 내에서 이루어지는 학습자의 학습 평가 중시' 등이다.

한편 행동주의나 인지주의 관점과 마찬가지로, 구성주의적 관점도 필연적으로 한계가 있으며, 과학철학자, 심리학자, 교육학자, 과학교육학자 등으로부터 비판을 받고 있다. 그중 몇 가지 예를 소개하면 다음과 같다(최경희와 조희형, 2002).

- 구성주의는 과학적 이해를 경시하거나 무시한다.
- 구성주의는 모든 사람이 갖고 있는 생각, 즉 상식에 지나지 않는다.
- 절대적 진리를 알 수 없기 때문에 모든 지식은 주관적이고 잠정적이며 불확실하다는 논리적 모순에 빠져있다.
- 실체의 존재를 부정한다.
- 모든 개념은 서로 다르다는 생각, 즉 인식하는 세계는 사람의 수만큼 다양하다는 생각에 빠지게 한다.

구성주의에 대한 인식론적 측면에서의 가장 근본적인 문제는 전통적으로 과학에 주어졌던 진리성에 관한 것이라 할 수 있으며, 구성주의적 입장을 취할 때 과학의 옳고 그름에 대한 궁극적 추구가 무의미해진다는 점이다(송진웅 등, 2004). 또한 현실적인 측면에서 학생의 개념변화를 위한 과학 교수-학습은 일반적으로 전통적인 교수 방법에 비해 너무 많은 시간이 소요되며, 교사에게는 사전에 오개념 조사 등의 많은 수고를 요구한다는 점이다.

앞으로 구성주의는 어떤 상태로 있을까? 아마도 이 영역의 연구가 발달하고 그 초점이 확대됨에 따라 과학교육 공동체 내의 일부 연구자들이 구성주의의 어떤 측면들에 대해 더욱 비판적으로 되어가는 것은 피할 수 없을 것이다(Bennett, 2003). 왜냐하면 어느 한 학습이론이 복잡다단한 인간의 학습에 대해 완전한 설명을 제공하는 것이 사실상 불가능하기 때문이다.

연습문제

1. 학습이론과 관련하여 다음 주장의 의미에 대해 설명하시오.

> "학습이 이루어지는 과정에 대한 최후의 해답은 없다."(Hergenhahn & Olson, 2001)

2. Skinner의 '조작적 조건 형성'과 Bandura의 '관찰학습'의 차이점을 과학 수업에서의 사례를 들어 설명하시오.

3. 다음 그림은 과학 교수-학습에 대한 세 가지 관점을 나타낸 것이다. 각 관점의 의미에 대해 설명하시오.

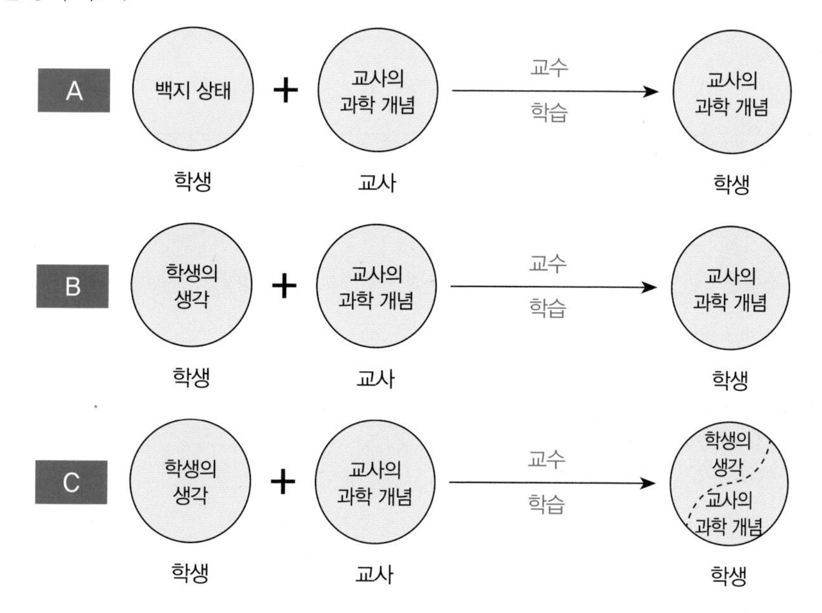

4. 그림 6-15와 같이 '소집단 활동'에 대한 인지적 구성주의의 견해와 사회적 구성주의의 견해는 다르다. '소집단 활동'에 대한 두 견해의 차이점을 예를 들어 설명하시오.

5. 다음은 전기 회로에 관한 문항과 이에 대한 학생들의 정답률을 나타낸 것이다. 이 문항의 정답 그리고 학생들의 정답률이 의미하는 바에 대해 설명하시오.[16]

아래 그림과 같이 전지와 전구 및 스위치가 연결되었을 때 스위치를 닫으면 전구에 불이 켜질까? 안 켜질까? 그렇게 생각하는 이유는?

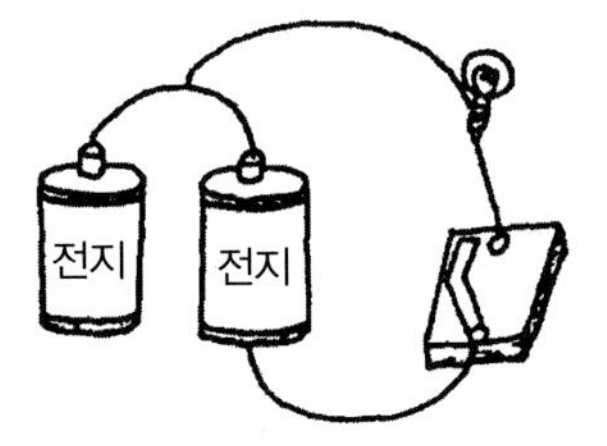

학년	정답률(%)
4학년	6
5학년	34
6학년	17

6. 구성주의 관점에 의하면 교사의 질문에 대한 학생들의 답은 옳거나 그를 수 없다. 만약 그렇다면 학기말 평가 등의 시험에서 각 문항에 대한 학생들의 응답을 모두 정답으로 처리해야 하는가? 이에 대한 자신의 입장을 밝히시오.

7. 3~6학년 과학 교과서의 한 단원을 선정하고, 그 단원에서 학습할 주요 과학 개념과 관련된 학생들의 오개념의 예를 학술지 논문에서 찾아 정리하시오(검색 사이트는 제1장의 연습문제 7번 참고).

[16] 이 문항의 그림과 데이터는 전우수(1993)에서 인용한 것임.

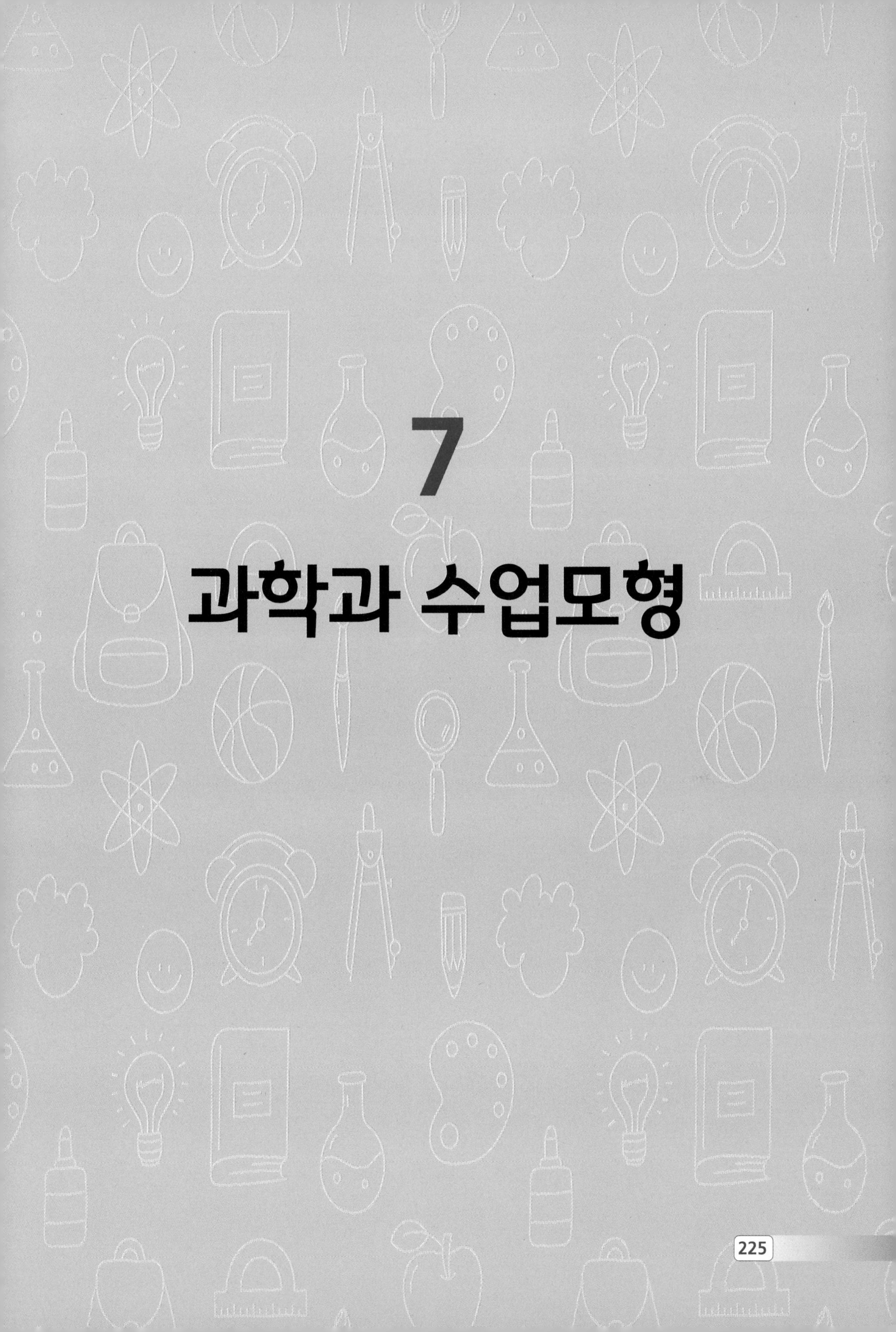

7

과학과 수업모형

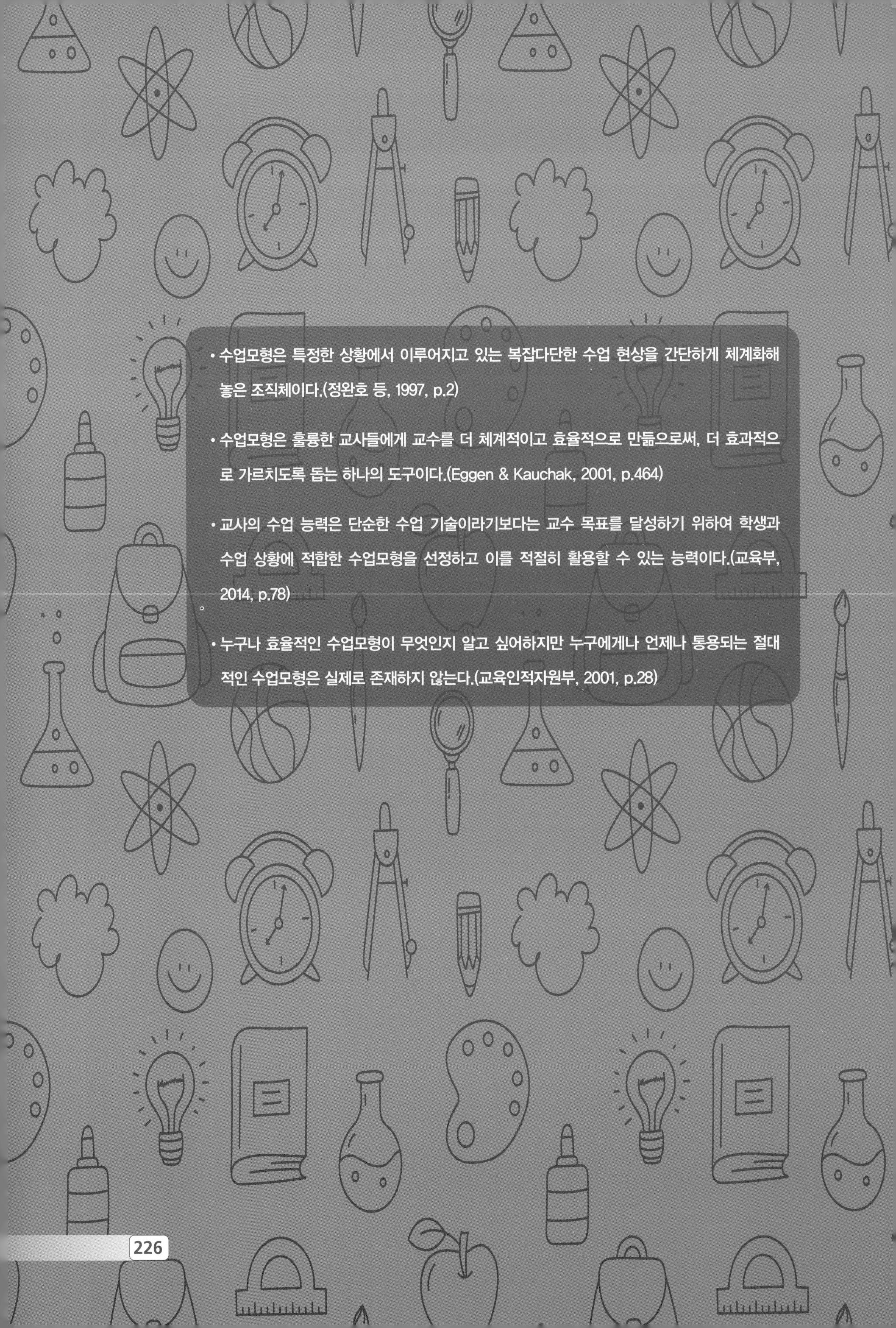

- 수업모형은 특정한 상황에서 이루어지고 있는 복잡다단한 수업 현상을 간단하게 체계화해 놓은 조직체이다.(정완호 등, 1997, p.2)
- 수업모형은 훌륭한 교사들에게 교수를 더 체계적이고 효율적으로 만듦으로써, 더 효과적으로 가르치도록 돕는 하나의 도구이다.(Eggen & Kauchak, 2001, p.464)
- 교사의 수업 능력은 단순한 수업 기술이라기보다는 교수 목표를 달성하기 위하여 학생과 수업 상황에 적합한 수업모형을 선정하고 이를 적절히 활용할 수 있는 능력이다.(교육부, 2014, p.78)
- 누구나 효율적인 수업모형이 무엇인지 알고 싶어하지만 누구에게나 언제나 통용되는 절대적인 수업모형은 실제로 존재하지 않는다.(교육인적자원부, 2001, p.28)

제6장에서 '학생들은 어떻게 학습하는가?'라는 물음에 대한 여러 학자들의 설명을 살펴보았다. 이 장부터는 '어떻게 하면 과학을 잘 가르칠 수 있을까?'라는 물음에 대한 보다 실제적인 내용을 살펴본다. 그 첫 단계로 수업모형에 대해 살펴본다.

자연 현상은 간단한 모형으로 표현함으로써 이해하기 쉬워진다. 교수-학습의 실제 상황도 매우 복잡하지만 핵심적인 특징들을 가지고 모형화하면 수업의 과정도 알기 쉬운 형태로 나타낼 수 있다. 교육학자들은 이를 '수업모형', '학습모형' 또는 '교수-학습모형'이라 부른다. 수업모형은 수업의 주요 단계를 나타낸 것으로 실제의 상세한 부분은 생략되어 있다. 즉 수업모형은 교수-학습 과정의 중요한 몇 단계를 제시하고 있지만, 수업모형의 각 단계는 실제 교수-학습의 과정을 구현하기 위한 뼈대로서의 역할만 할 뿐 그 살을 입히는 과정에서 교사의 창의성과 통찰을 필요로 한다. 또한 수업모형의 단계는 정해진 절대적인 단계가 아니며 교사가 창의성을 발휘하여 융통성 있게 재구성할 수도 있다.

과학과 수업모형은 과학철학, 심리학, 학습이론 등에 근거하여 시대에 따라 발전하여 왔으며, 현재까지 다양한 모형이 개발 · 적용되고 있다. 과학 수업을 효과적으로 진행하기 위해 교사는 학습 내용이나 활동에 적합한 수업모형을 선택하는 것이 매우 중요하다(김찬종, 1996). 학습 내용이나 활동에 적합한 수업모형을 선택하지 못하면, 교사는 수업을 효과적이고 효율적으로 진행하는 데 많은 어려움을 겪는다. 따라서 교사는 지금까지 개발된 과학과 수업모형의 철학적 · 심리학적 배경, 모형이 사용될 수 있는 적용 환경과 조건, 그리고 모형 자체에 대한 정확한 이해를 바탕으로 최적의 수업모형을 선택할 수 있는 능력을 갖추어야 한다(교육부, 2014).

이 장에서는 과학 수업에서 많이 활용되는 수업모형을 위주로 그 특징을 살펴본다. 여기서 유념해야 할 점은 학생들의 학습 유형이나 성향이 다양해서 한 가지 수업모형만을 고집하는 것은 특정 학생에게는 이득이 되지만 그렇지 않은 다른 학생들에게는 결정적인 해가 될 수 있다는 것이다(교육인적자원부, 2001). 또한 수업모형의 각 단계마다 교사의 적절한 안내가 수반되어야 효과적으로 수업이 이루어진다는 것이다.

7.1 일반 수업모형

효과적인 과학 수업을 전개하기 위해서는 먼저 한 단원이나 학기에 대해 전체적이고 체계적인 계획이 필요한데, 이때 적합한 모형이 일반 수업모형이다(김찬종 등, 1999). 이 절에서는 여러 가지 일반 수업모형 중 1970년대에 개발된 한국교육개발원의 '수업과정 일반모형'을 살펴본다.

수업과정 일반모형은 '모든' 교과의 수업이 거쳐야 할 단계와 절차를 규정한 것으로, 그림 7-1과 같이 다섯 단계로 이루어져 있다(김윤태 등, 1976). 이 모형은 우리나라 초 · 중등학교 모든 교과 수업에 적용할 목적으로 한국교육개발원에서 개발하여 현장 적용을 거친 것으로, 모든 교과 수업이 따라야 할 일반적인 흐름을 제시하고 있다.

수업과정 일반모형의 다섯 단계는 한 단위의 학습과제(대개 교과의 '단원')를 학습시키는 데 거쳐야 할 과정을 나타낸 것으로, 수업의 계획에서부터 평가에까지 이르는 각 단계는 단원이 바뀔 때마다 원칙적으로 되풀이되는 일련의 과정으로 볼 수 있다. 이 모형의 각 단계별 구체적인 활동 내용은 다음과 같다.

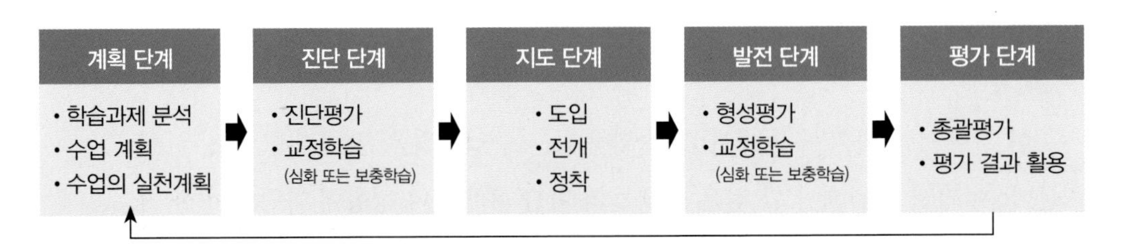

그림 7-1 한국교육개발원의 '수업과정 일반모형'

1. 계획 단계

'계획 단계'는 수업이 이루어지는 일련의 과정에서 첫 단계이다(김윤태 등, 1976). 이 단계에서는 해당 단원 수업을 계획하기 위하여 학습과제를 분석하고 수업 계획과 수업의 실천 계획을 세우는 일을 하게 된다. '학습과제 분석'은 수업의 목표와 내용 구조를 파악하기 위하여 이루어진다. '수업 계획'은 학습과제의 분석 결과를 토대로 어떤 목표를 위하여 어떤 방법으로 가르칠 것인가를 결정하는 일이며, '수업의 실천계획'은 수업 계획의 실현을 위하여 교재, 교구 등 물적, 인적 조건을 구비하고 배치하는 일이다. 학습과제를 분석하는 일과 이를 토대로 수업 계획을 세우는 일은 상당한 전문적 소양과 시간이 소요되는 작업이다. 이 작업은 과학 교과용 도서 개발팀에서 하기 때문에 교사는 교사용 지도서에 제시된 단원별 내용과 지도 계획을 참고하면 된다. 따라서 계획 단계에서 교사가 할 일은 교사용 지도서의 단원 내용을 참고하여 학교 실정에 맞게 '수업의 실천 계획'을 세우는 것이다.

2. 진단 단계

이 단계는 진단평가를 실시하여 학습 결손을 발견하고, 교정하여 주는 단계이다(김윤태 등, 1976). '진단평가'는 해당 단원을 학습하는 데 기초가 되는 선수학습의 정도를 파악하기 위한 것이다. 진단평가 결과에 따라 학생들은 '무결손아', '부분적 결손아', '전반적 결손아' 세 집단으로 분류된다. 무결손아에게는 심화학습을, 결손아에게는 그에 알맞은 보충학습의 기회를 제공한다. 학생들은 진단 단계를 거치는 동안 해당 단원을 학습하는 데 필요한 최소한의 선수학습 능력을 갖추게 된다.

3. 지도 단계

이 단계는 해당 단원에 대한 수업이 본격적으로 진행되는 단계이자 그 단원에 배당된 시간의 대부분이 사용되는 단계이다(김윤태 등, 1976). 이 단계의 수업은 각 교과의 특성에 따라 다양한 형태로 이루어지나 그 흐름은 일반적으로 '도입', '전개', '정착'의 과정을 거치게 된다. '도입'에서는 목표 제시, 동기 유발, 선수학습과 관련 짓기의 활동이 주로 이루어진다. '전개'에서는 여러 가지 방법에 의한 교수-학습 활동이 전개된다. 그런데 '전개'에서 어떻게 전개해야 하는지에 대한 구체적인 처방이 제시되어 있지 않기 때문에 교사 스스로 전개 방식을 결정해야 한다(김찬종 등, 1999). 이어 '정착'에서는 그 시간에 배운 내용을 정리하고, 연습, 적용하는 활동이 전개된다.

지도 단계에서는 교과별 특성에 따라 매우 다양한 수업이 이루어지며, 각 교과별로 개발된 수업모형이 이 단계에서 적용된다. 즉 이 단계에서 다음 절에 소개될 과학과 수업모형이 적용된다. 이와 같이 '수업과정 일반모형'과 '과학과 수업모형'은 상호 보완적인 관계를 가진다.

4. 발전 단계

'발전 단계'는 '지도 단계'에 의한 수업이 3~4시간씩 진행된 뒤에 주기적으로 오는 단계이다(김윤태 등, 1976). 주지 교과의 경우 한 단원을 마칠 때까지 보통 이 단계를 2~5회 거치게 된다. 이 단계에서는 형성평가를 실시하고, 그 결과에 따라 보충 또는 심화학습을 하게 된다. 이것은 학습이 진행되는 중간 중간에 학습 상황을 점검하고 그 결과를 피드백하기 위한 것이다. 심화학습은 형성평가 결과 '무결손아'가, 그리고 보충학습은 '결손아'가 그 결손 정도에 따라 하게 되는 교정학습이다. 현재는 형성평가의 의미 변화에 따라 발전 단계를 지도 단계의 일부로 포함시킬 수도 있다(제9.4절 참조).

5. 평가 단계

이 단계는 지도 단계와 발전 단계가 순환되면서 해당 단원의 수업이 끝나면 학생의 학습 성취도를 알아보기 위하여 최종적으로 '총괄평가(단원평가)'를 실시하는 단계이다(김윤태 등, 1976). 이 평가 결과는 학생의 성적을 판정하는 외에 각종 통계 처리를 거쳐 여러 가지 교육 개선을 위한 피드백 자료로 활용된다.

7.2 과학과 수업모형

앞 절에서 제시한 '수업과정 일반모형'이 모든 교과에서 한 단원 정도의 수업을 계획하고 실시할 때 공통적으로 사용하기에 적합한 일반적인 모형이라면, 이 절에서 살펴볼 과학과 수업모형은 단원의 각 차시에서 적용할 수 있는 모형이다. 이 절에서는 지금까지 개발된 다양한 과학 교수-학습모형 중 2022 개정 과학과 교육과정에 따라 개발된 초등 과학 교사용 지도서에 제시된 주요 수업모형을 중심으로 살펴본다. 이들 수업모형은 일선 현장에서 실제로 가장 많이 활용되는 모형이라 할 수 있으며, 이들 모형의 개발 과정을 간략히 살펴보면 다음과 같다.

1957년 구소련의 스푸트닉호 발사 성공 이후 등장한 1960년대 학문중심 교육사조는 학생들에게 각 분야의 전문가들이 수행하는 탐구 방식대로 가르칠 것을 강조하였다(제5.1절 참조). 이러한 학문중심 교육사조의 영향 그리고 Piaget의 인지 발달 이론에 근거하여 SCIS 초등과학 프로그램의 '순환학습모형' 그리고 Kauchak과 Eggen(1980)의 '경험학습모형', '발견학습모형', '탐구학습모형'이 개발되었다(김한호, 1995)(그림 7-2).

한편 1980년대 이후 세계 과학교육의 중요한 두 가지 패러다임을 든다면, 하나는 학생의 과학 관련 선개념 조사와 효과적인 개념변화 전략 등을 탐색하는 '구성주의 과학교육 운동'이고, 다른 하나는 기존 과학자 양성 중심의 학문적 접근에서 탈피하여 과학을 사회 · 기술적 맥락에서 이해시키고 그 상호 관련성을 학습시키고자 하는 '과학-기술-사회(STS) 교육 운동'이라 할 수 있다(송진웅 등, 2004). 이러한 교육 운동과 관련하여 개발된 대표적인 수업모형이 학생들의 개념변화와 개념학습을 위한 '개념변화학습모형'과 '순환학습변형모형'(4E, 5E, 7E, POE, PEOE) 그리고 학생들의 과학-기술-사회의 관련성 이해를 위한 'STS학습모형' 등이다.

1. 경험학습모형

'경험학습모형'은 그림 7-2와 같이 과학 발달의 첫 단계인 '경험 단계'에 대응하는 모형으로, 경험학습모형에서의 일차적인 강조점은 탐구기능의 숙달과 그 결과인 정보의 수집에 있다(Kauchak & Eggen, 1980). 학생들이 자연 현상과 사물을 바르게 이 절에 소개되는 수업모형 중 경험학습모형, 발견학습모형 및 탐구학습모형은 Kauchak과 Eggen(1980)이 과학의 발달 과정과 Piaget의 인지발달이론에 근거하여 개발한 수업모형이다. 이들은 '경험 단계', '개념 단계', '탐구 단계'의 세 가지 기본 단계를 거쳐 과학이 발달한다고 주장하였다. 물론 모든 과학 분야가 반드시 이와 같은 단계를 거쳐 발달하는 것은 아니다.

Kauchak과 Eggen에 의하면, '경험 단계'는 과학의 새로운 분야가 발달하는 첫 단계로, 관찰 과정에 크게 의존한다. 아직까지 관찰한 결과를 해석할 만한 체계적인 개념, 일반화 등이 형성되어 있지 않기 때문에 관찰에 의한 데이터 수집이라는 일차적인 목적을 달성한다. 직접적인 관찰 결과에 많이 의존하며, 이 단계의 주된 관심은 우리 주위의 세계를 경험하는 데 있다. 경험 단계를 벗어나면 과학자들은 자신이 얻은 결과로부터 개념이나 일반화를 찾기 시작한다. 추리 과정을 통해 자신의 관찰 결과를 설명하고 기술하는 개념, 일반화 등이 형성된다. 이러한 단계가 '개념 단계'이다. 그 다음은 '탐구 단계'로, 과학자들은 '개념 단계'에서 형성된 개념과 일반화의 타당성을 검증하기 위해 해결되어야 할 문제에 대한 실험을 실시한다. 이와 같이 실험 과정을 통해 개념이나 일반화된 것을 탐구하고 검증하는 것이 탐구 단계의 가장 중요한 특징이다. Kauchak과 Eggen은 이러한 과학의 발달 단계별로 그에 해당하는 수업모형을 개발하였는데, '경험학습모형', '발견학습모형', '탐구학습모형'이 그것이다.

'경험학습모형'은 전조작기, '발견학습모형'은 구체적 조작기, '탐구학습모형'은 형식적 조작기의 학생들에게 적합한 수업모형이다(Kauchak & Eggen, 1980). 이들이 제시한 세 가지 수업모형은 학습자의 지적 발달 수준을 고려한 것이기는 하지만 학습 내용이나 과학교육 목표 등의 요인도 고려해서 적절한 수업모형을 선택하는 것이 바람직하다. 예를 들어 초등학생의 대부분이 구체적 조작기에 있다고 '발견학습모형'만 사용할 것이 아니라 학습 내용에 따라 적절한 수업모형을 선택해야 한다.

그림 7-2 Kauchak과 Eggen(1980)의 수업모형

인식하기 위해서는 무엇보다 먼저 그것에 대한 직접적 경험을 통하여 친숙해져야 한다. 특히 저학년 학생들의 경우, 자연 현상에 대한 경험을 획득하고 과학을 즐기는 것에 집중해야 하며, 추상적 개념은 학생들이 성숙하고 지적 능력이 발달됨에 따라 점진적으로 제시되어야 한다(AAAS, 1993).

'경험'학습모형이란 용어가 암시하듯이, 학생들이 자연 현상 · 사물 · 생물에 대한 구체적이고 감각적인 경험을 통해 자연 현상이나 사물 등에 친숙해지도록 하는 것을 목적으로 한다. 예를 들어, 학습 활동이 암석 관찰과 분류에 관한 것이라면 이에 대한 설명이나 그림을 통해서가 아니라 학생들이 직접 암석을 눈으로 보고, 만지는 등의 활동을 하게 하는 것이다. 그러나 동물의 한살이에 대한 학습과 같이 이러한 상황이 불가능할 때도 있는데, 이러한 경우에는 그림이나 사진, 비디오 등의 시청각 자료를 활용한다.

이 모형에서의 학습 활동은 기초 탐구 기능 계발에 강조점을 둔다. 즉 학습

활동을 통하여 개념을 지도한다 할지라도, 일차적으로는 학생들의 관찰, 분류, 측정 등의 기초 탐구 기능의 발달에 초점을 두어야 한다는 것이다. 예를 들어, 경험학습모형을 적용하여 여러 가지 식물을 관찰하거나 분류하는 활동을 진행한다고 가정하자. 이때 학생들은 관찰이나 분류 활동을 통해 식물에 대한 여러 가지 사실이나 개념을 획득하게 될 수도 있지만, 그보다 더 중요한 것은 학생들이 얼마나 잘 관찰하거나 분류하느냐 하는 것이다.

위와 같이 경험학습모형은 교수-학습 활동을 통하여 학생들에게 과학 지식을 획득하도록 지도하기 위한 것이라기보다는 학생들에게 해당 자연 현상이나 사물 등에 대한 구체적인 경험을 제공하고, 관찰, 분류 등의 기초 탐구 기능을 익히게 하며, 관찰이나 분류 대상에 대한 정보를 수집하도록 하는 것이 주된 목적이라 할 수 있다.

이 모형은 자연 현상이나 사물 등에 대한 직접적 경험이 적은 전조작기 학생들에게 적합한 모형이지만, 아주 생소한 학습 소재를 도입하는 경우에는 학생들의 지적 발달 수준에 관계없이 모든 학생들에게 적용할 수 있다.

(1) 모형의 단계

경험학습모형은 '일반적으로' 그림 7-3과 〈부록 11-1〉과 같이 '자유 탐색', '탐색 결과 발표', '교사의 안내에 따른 탐색', '탐색 결과 정리'의 네 단계로 이루어진다. 여기서 '일반적으로'라는 표현을 쓴 이유는 학습 내용에 따라서는 일부 단계를 반복하거나 생략할 수도 있다는 것을 강조하기 위한 것이다. 예를 들어 수업 내용에 따라 '탐색 결과 발표'와 '교사 안내에 따른 탐색'을 2회 반복할 수 있다.

(2) 모형 적용의 유의점

경험학습모형을 적용할 때 유의해야 할 사항을 몇 가지 제시하면 다음과 같다.

첫째, 학생들이 직접 관찰하거나 분류할 수 있는 실물을 미리 충분히 준비하고, 여의치 않은 경우에는 적절한 그림, 사진 등의 자료를 활용하도록 한다.

둘째, 학생들이 개별적으로 활동하게 할 수도 있지만 모둠별 활동을 통해 학생-학생 사이의 긍정적 상호작용을 경험하도록 도와준다.

셋째, 필요한 경우 교사가 먼저 어떤 기준을 정하고 분류의 시범을 보이거나

자유 탐색

- 학생들이 미리 준비된 학습 자료의 모양이나 색깔을 살펴보고, 냄새를 맡고, 만지고, 두드려보는 등 다양한 방법으로 자유롭게 탐색하게 한다.
- 분류 활동의 경우에는 자기 나름의 다양한 방식의 분류 기준에 따라 분류하게 한다.
- 학생들은 이 단계를 통하여 주어진 자료와 친숙해지고 많은 정보를 수집하여 다음 활동 단계로 갈 수 있는 준비를 하게 된다.

탐색 결과 발표

- 자유 탐색 단계에서 관찰이나 분류 활동을 통하여 얻은 결과를 발표하게 한다.
- 교사는 학생들의 활동이 적절했는지, 또는 보완할 부분이 무엇인지를 파악한다.
- 학생들은 발표 활동을 통하여 다른 사람들의 발표 내용을 경청하고, 자신의 탐색 결과와 비교한다.

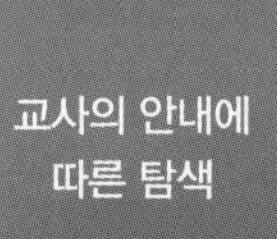

교사의 안내에 따른 탐색

- 먼저 학생들의 결과에 대하여 여러 가지 질문을 한다. 이러한 질문을 통해 교사는 학생들의 관찰이나 분류에서 미숙했거나 미처 생각하지 못한 점을 파악하게 된다.
- 이런 점이 발견되면 교사는 새로운 관찰 관점이나 분류 기준을 암시하거나 제시하여 학생들이 추가적으로 탐색 활동을 할 수 있는 기회를 제공한다.
- 분류 활동의 경우 학생들의 분류 기준이 비과학적이라면 더 과학적인 기준에 접근하도록 안내한다.

탐색 결과 정리

- 학생들 스스로 탐색한 내용과 교사의 인도에 따라 탐색한 결과를 토의를 통하여 정리하게 한다.
- 교사는 학급 전체의 결과를 종합하여 학생 자신이 탐색한 결과를 스스로 정리하였다는 성취감을 심어준다.

그림 7-3 경험학습모형의 단계

교사가 정한 기준에 따라 분류하게 할 수도 있다. 특히 저학년 학생들의 경우 분류 능력이 부족하기 때문에 교사가 시범을 보일 수도 있다. 하지만 가능하면 학생들이 개별 또는 모둠별로 나름대로의 기준을 정하고 이에 따라 분류하도록 하는 것이 좋다.

넷째, 분류 활동의 경우, 가능한 한 여러 가지 기준에 따라 분류하게 함으로써 분류 기준의 다양함을 인식할 수 있는 기회를 제공한다(기타 '관찰'과 '분류' 활동의 유의점은 제4장과 제8장 참조).

다섯째, 필요한 경우 과학자들이 사용하는 분류 기준이 무엇인지에 대해 설명한다.

(3) 모형의 적용 예시

본시 주제		물체를 다양한 방법으로 분류하기
학습 목표	탐구	• 여러 가지 물체를 관찰하고 모양, 색깔 등을 비교하여 설명할 수 있다. • 물체를 다양한 기준을 세워 분류할 수 있다.
	태도	• 물체 분류 활동에 관심과 호기심을 가지고 적극 참여한다.
준비물		연필, 공책, 구슬, 지우개, 풍선, 가위, 주사위, 집게 등

단계	교수-학습 활동
자유 탐색	○ **준비된 자료를 보며 공부할 내용을 생각하기** – 학습 문제 확인 : 물체를 다양한 방법으로 분류하기 ○ **주어진 물체를 자유롭게 관찰하고 관찰 결과 발표하기** – 공책은 종이로 만들어져 있고, 부드럽습니다. – 공은 말랑말랑하고 잘 튑니다. – 기타 ※ 유의점 : 학생들이 자유롭게 관찰할 수 있도록 충분한 시간을 주며, 관찰을 할 때는 자신의 모든 감각(미각 제외)을 이용한다는 사실을 알려준다. ○ **주어진 물체를 다양한 기준에 따라 분류하기** – 모양, 색깔, 촉감, 단단하기, 물질 등의 분류 기준에 따라 분류한다. ※ 유의점 : 필요한 경우, 분류의 의미를 알려준다. '분류: 공통적인 성질을 가지고 있는 물체끼리 무리 짓는 것'
탐색 결과 발표	○ **분류한 결과 발표하기** – 한 가지 물질로 만들어진 물체(예: 구슬)와 두 가지 이상의 물질로 만들어진 물체(예: 연필) – 말랑말랑한 물체(예: 지우개)와 딱딱한 물체(연필, 주사위 등) – 둥근 물체(공, 구슬 등)와 둥글지 않은 물체(공책, 가위 등) – 기타 ※ 유의점 : 학생들의 분류 기준을 평가하지 않고 어떠한 분류 방법이든 수용한다. 학생들이 발표하는 분류 방법을 칠판에 적어둔다. 학생들의 분류 기준이 옳은지, 수정할 부분은 어떤 것인지 파악하여 다음 단계에서 지도할 수 있도록 한다.
교사의 안내에 따른 탐색	○ **칠판에 쓴 친구들의 분류 방법 중에서 좋은(과학적인) 분류 기준을 선택하고 그 이유 발표하기** – 좋아하는 것과 좋아하지 않은 것으로 분류하는 것입니다. 왜냐하면 저도 좋아하는 것으로 나눴기 때문입니다. – 모양으로 분류하는 것입니다. 왜냐하면 모양은 분류 기준으로 명확하기 때문입니다. – 기타 ○ **좋은(과학적인) 분류 기준은 무엇이라고 생각하는지 발표하기** – 똑같은 수로 나눌 수 있는 방법입니다. – 기준이 명확한 것입니다. – 기타 ※ 유의점 : 학생들의 발표 내용을 토대로 과학적인 분류 방법에 대해 학생들에게 설명한다. 또한 분류 기준이 적절하지 못한 학생의 경우에는 자신의 분류 방법에 따라 다시 분류하게 하여 처음과 나중에 분류된 것이 다름을 보고 자신의 분류 기준의 문제점을 깨닫게 한다.

교사의 안내에 따른 탐색	○ **물체를 이루고 있는 물질의 종류에 따라 분류하기** – 플라스틱으로 만들어진 물체와 그렇지 않은 물체로 분류하기 – 철로 만들어진 물체와 그렇지 않은 물체로 분류하기 – 기타 ※ 유의점 : '탐색 결과 발표' 단계에서 학생들 중 이루고 있는 물질의 종류에 따라 분류한 학생이 있었으면, 필요한 경우 그 학생의 분류 기준에 대해 발표시킴으로써 다른 학생들의 이해를 돕는다.
탐색 결과 정리	○ **지금까지 물체를 분류한 기준과 내용을 토의를 통해 정리하기** ※ **유의점** : 자신의 분류 기준과 교사가 안내해준 분류 기준에 따라 분류한 내용을 정리하도록 안내한다. 또한 지금까지 분류 활동에서 느낀 점을 발표하고, 이를 통해 물체 분류 기준의 다양함을 깨닫게 한다.

2. 발견학습모형

발견학습모형은 Kauchak과 Eggen(1980)이 주장한 과학 발달의 두 번째 단계인 '개념 단계'에 대응하는 모형이다. 이들에 의하면, 발견학습모형은 '탐구 기능의 사용', '과학 지식의 습득'(개념과 일반화) 그리고 '과학의 본성에 대한 이해'를 목적으로 한다.

이 모형은 귀납적인 활동을 기본 골격으로 하는데, 귀납적인 활동이란 여러 구체적인 사물이나 현상의 관찰이나 실험 그리고 그 결과에 대한 기술을 통해 그들 사이에 보이는 규칙성을 찾아내는 것이다(교육과학기술부, 2010). 따라서 학생들에게 제시할 적절한 자료를 준비하는 것이 매우 중요하다. 특히 학생들의 규칙성 발견을 위해 '자료 제시'가 2회에 걸쳐 이루어지므로, 첫 번째 자료 제시와 추가 자료 제시 단계에서 제시된 자료들이 서로 다른 특성을 가지도록 한다.

자석의 인력과 척력을 알아보는 학습을 예로 들면, 첫 번째 자료 제시 단계에서 2개의 막대자석을 같은 극과 다른 극끼리 가까이 하는 실험을 통해 그 힘을 직접 느껴보는 활동을 제시하고, 추가 자료 제시 단계에서는 2개의 자석의 배열 방법에 따라 철가루가 늘어선 모양을 관찰하도록 하는 활동을 제시하는 것이다. 이 밖에도 '적용 및 응용' 단계를 위해서는 자료 제시 단계에서 제시하지 않았던 새로운 자료를 준비해야 한다. 예를 들어, 막대자석과 수레를 이용한 게임을 해보는 활동을 제시한다.

발견학습모형은 학생들 스스로 관찰이나 실험을 통하여 수집한 자료를 해석함으로써 규칙성을 발견하고, 이를 통해 개념을 형성하는 데 강조점을 둔다. 즉 기초 탐구 기능(관찰, 분류, 추리와 예상 등)과 통합 탐구 기능(결론 도출, 일반화 등)을 익히고, 과학 개념 획득의 기회를 목적으로 하는 모형이다. 또한 이러한 과정을 통해 학생들은 과학적 개념이 형성되는 과정을 이해하게 된다. 이 모형을 적용한 학습 활동은 학생 중심의 적극적인 참여로 이루어져야 하고, 교사는 학생 스스로 조사하고 일반화할 수 있도록 질문을 주로 활용해야 하며, 수집한 자료의 중요한 부분을 암시적으로 강조함으로써 학생의 개념 형성 과정을 촉진하도록 한다(교육과학기술부, 2010).

발견학습모형은 구체적 조작기의 학생들에게 적합한 모형이지만, 학습 내용에 따라서는 전조작기나 형식적 조작기의 학생들에게도 적용할 수 있다. 즉 이 모형을 적용하기 위해서는 학생들의 지적 발달 수준도 중요하지만 학습할 내용 특성도 중요하다. 만약 학습 주제가 귀납적으로 과학 개념 등을 습득하는 것이라면 이 모형을 적용하는 것이 효과적이다.

(1) 모형의 단계

Kauchak과 Eggen(1980)은 발견학습모형을 일곱 단계로 제시하였으나 우리나라에서는 다섯 단계로 수정된 것을 사용하고 있다(그림 7-4). 이 모형은 '탐색 및 문제 파악', '자료 제시 및 관찰 탐색', '추가 자료 제시 및 관찰 탐색', '규칙성 발견 및 개념 정리', '적용 및 응용' 단계 순으로 진행되며, 필요한 경우 그림 7-4와 같이 피드백을 통해 일부 단계를 반복할 수도 있다.

(2) 모형 적용상의 유의점

발견학습모형의 효율성을 높이기 위한 몇 가지 유의점을 제시하면 다음과 같다.

첫째, 이 모형에서의 관찰이나 실험 활동은 학생 중심으로 이루어져야 한다. 하지만 학습자의 능동적 학습 과정을 중시한 나머지 자칫 방만한 수업이 되기 쉽다(정완호 등, 1997). 따라서 초등학생들의 지적 배경과 발달 수준을 고려할 때 학습할 내용의 발견을 전적으로 맡기는 발견학습보다는 교사가 질문, 설명, 제안 등으로 학생들을 도와주는 '안내된 발견학습'이 적절하다(홍미영 등, 2002a). 다만 발견학습모형은 기본적으로 학생 스스로 규칙성을 발견하기를 기대하는 모형이므로, 학생 스스로 발견하는 것이 불가능해 보이거나 특정한 과학 개념이나 원리의 학습이 반드시 필요한 경우라면 다른 수업모형의 적용을 고려해보는 것이 필요하다.

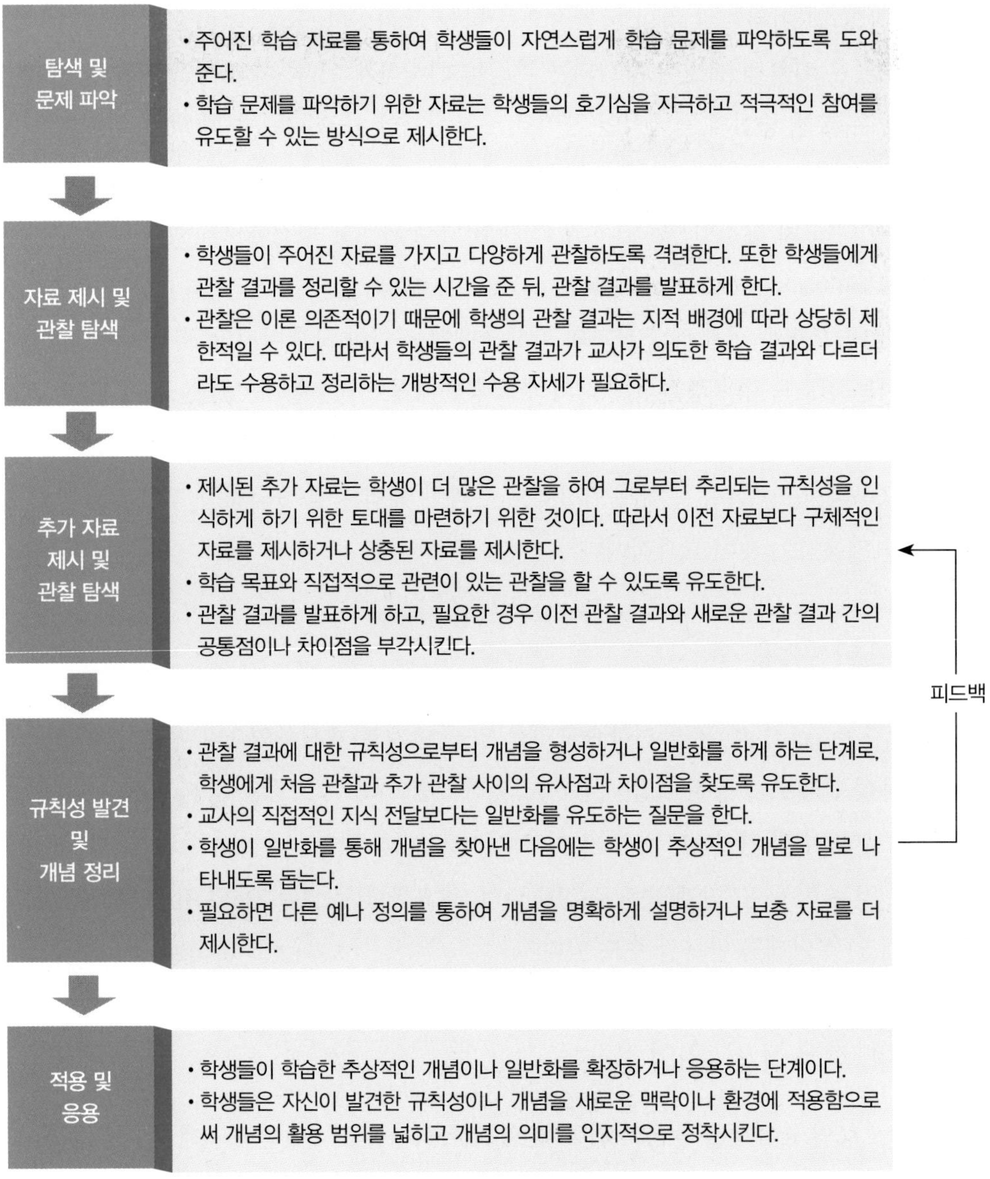

단계	내용
탐색 및 문제 파악	• 주어진 학습 자료를 통하여 학생들이 자연스럽게 학습 문제를 파악하도록 도와준다. • 학습 문제를 파악하기 위한 자료는 학생들의 호기심을 자극하고 적극적인 참여를 유도할 수 있는 방식으로 제시한다.
자료 제시 및 관찰 탐색	• 학생들이 주어진 자료를 가지고 다양하게 관찰하도록 격려한다. 또한 학생들에게 관찰 결과를 정리할 수 있는 시간을 준 뒤, 관찰 결과를 발표하게 한다. • 관찰은 이론 의존적이기 때문에 학생의 관찰 결과는 지적 배경에 따라 상당히 제한적일 수 있다. 따라서 학생들의 관찰 결과가 교사가 의도한 학습 결과와 다르더라도 수용하고 정리하는 개방적인 수용 자세가 필요하다.
추가 자료 제시 및 관찰 탐색	• 제시된 추가 자료는 학생이 더 많은 관찰을 하여 그로부터 추리되는 규칙성을 인식하게 하기 위한 토대를 마련하기 위한 것이다. 따라서 이전 자료보다 구체적인 자료를 제시하거나 상충된 자료를 제시한다. • 학습 목표와 직접적으로 관련이 있는 관찰을 할 수 있도록 유도한다. • 관찰 결과를 발표하게 하고, 필요한 경우 이전 관찰 결과와 새로운 관찰 결과 간의 공통점이나 차이점을 부각시킨다.
규칙성 발견 및 개념 정리	• 관찰 결과에 대한 규칙성으로부터 개념을 형성하거나 일반화를 하게 하는 단계로, 학생에게 처음 관찰과 추가 관찰 사이의 유사점과 차이점을 찾도록 유도한다. • 교사의 직접적인 지식 전달보다는 일반화를 유도하는 질문을 한다. • 학생이 일반화를 통해 개념을 찾아낸 다음에는 학생이 추상적인 개념을 말로 나타내도록 돕는다. • 필요하면 다른 예나 정의를 통하여 개념을 명확하게 설명하거나 보충 자료를 더 제시한다.
적용 및 응용	• 학생들이 학습한 추상적인 개념이나 일반화를 확장하거나 응용하는 단계이다. • 학생들은 자신이 발견한 규칙성이나 개념을 새로운 맥락이나 환경에 적용함으로써 개념의 활용 범위를 넓히고 개념의 의미를 인지적으로 정착시킨다.

피드백

그림 7-4 **발견학습모형의 단계**

둘째, 경험학습모형과 마찬가지로 시청각 매체가 가지는 여러 가지 이점을 충분히 활용하는 전략도 필요하다. 최소 두 가지 이상의 활동을 해야 하기 때문에 많은 시간이 소요될 수 있다. 따라서 상황에 따라 시청각 매체를 이용하는 방법도 고려할 수 있는데(정완호 등, 1997), 시청각 매체는 간접 경험의 기회를 제공하여 개념 형성에 도움을 줄 수 있다(제6장 관찰학습 참조). 예를 들어, 두 번째와 세 번째 단계에서 이루어지는 자료 제시 중 한 번은 시청각 자료를 제시하거나 피드백의 과정에서 시청각 자료를 세 번째 자료로 제시할 수 있다.

셋째, '규칙성 발견 및 개념 정리' 단계에서 관찰 결과 속에 내재된 과학 개념을 발견하는 일은 학생 중심으로 진행될 수 있도록 인내를 가지고 안내하여야 하며, 교사가 직접 지식을 제시하면 학생들의 활동을 제한시킬 수 있으므로 주의해야 한다(교육부, 2014). 이 단계에서 학생들은 관찰 결과에 대하여 토의하더라도 곧바로 정확한 개념을 발견하기 어려운 경우가 많으므로 교사는 이러한 학생들의 생각을 질문이나 토의를 통하여 학생들이 수용할 수 있는 표현으로 정리해 줄 필요가 있다. 또한 학생들이 규칙성을 발견하지 못하거나 개념 형성이 미흡할 경우에는 피드백을 하고, 새로운 자료를 제시하여 학습 목표를 달성할 수 있게 한다.

(3) 모형의 적용 예시

본시 주제	수성 사인펜 잉크 색소 분리하기	
학습 목표	지식	수성 사인펜의 잉크가 여러 가지 색깔로 번지는 까닭을 설명할 수 있다.
	탐구	• 수성 사인펜 잉크가 퍼지는 현상을 자세히 관찰하고 기록할 수 있다. • 관찰한 현상의 공통점을 찾고 발표할 수 있다.
준비물	페트리접시, 분필, 거름종이, 동전, 비커, 수성 사인펜 세트, 유성 사인펜(검정), 코팅재료 등	

단계	교수-학습 활동
탐색 및 문제 파악	▣ **학습 동기 유발하기** **역할놀이** 실수로 흰옷에 묻은 수성 사인펜 자국을 지우기 위해 물로 닦는 모습. 이어 수성 사인펜이 번진 옷을 보고 고민하는 친구의 모습 ○ **친구의 고민은 무엇인가요?** ○ **옷에 묻은 사인펜 자국에서 볼 수 있는 현상은 어떤 것들이 있나요?** – 색이 물을 타고 올라갔습니다. – 여러 색깔로 번져 있습니다. ※ 유의점 : 역할놀이에서 사용된 번진 옷을 모든 학생들이 볼 수 있도록 실물화상기를 이용한다. ○ **생활하면서 이와 비슷한 경험이 있었다면 발표해 볼까요?** – 사인펜으로 스케치를 하고 물감을 칠하니까 스케치한 곳이 번졌습니다. ▣ **학습 문제 제시하기** ○ **친구의 고민과 여러분의 경험을 바탕으로 오늘 공부할 내용이 무엇인지 말해 볼까요?** – 각자의 생각을 발표한다. ※ 유의점 : 학생들의 발표를 들은 후 칠판에 학습 문제를 쓴다.

자료 제시 및 관찰 탐색	▣ 실험 1 : 수성 사인펜과 유성 사인펜에 물을 떨어뜨렸을 때의 변화 관찰하기 ○ 교과서 58쪽의 실험을 해 보려고 합니다. 그림을 보고 실험 방법을 설명해 볼까요? – 실험 방법을 설명한다. ※ 유의점 : 학생 스스로 방법을 찾을 수 있도록 충분한 시간을 준다. ○ 실험을 하고 그 결과를 실험 관찰에 적어 볼까요? – 실험을 실시하고 그 결과를 적는다. ○ 검정 유성 사인펜과 수성 사인펜으로 거름종이 위에 자신의 이름을 쓰고 글씨 위에 스포이트로 물을 떨어뜨렸을 때, 어떤 변화가 있나요? – 유성 사인펜은 변화가 없습니다. – 수성 사인펜은 글자가 번집니다. – 수성 사인펜 잉크는 여러 가지 색깔로 번집니다. ○ 이 실험에서 알 수 있는 사실을 이야기해 봅시다. – 수성 사인펜 잉크는 물에 녹습니다. – 유성 사인펜 잉크는 물에 번지지 않습니다. – 수성 사인펜은 여러 가지 색깔로 분리됩니다. ○ 수성 사인펜만 물에 번진 이유는 무엇입니까? – 수성 사인펜의 잉크는 물에 녹아 잘 번지는 성질이 있기 때문입니다. – 수성 사인펜의 색소와 물이 섞이는 성질이 있기 때문입니다.
추가 자료 제시 및 관찰 탐색	▣ 수성 사인펜 잉크의 색소 분리 실험하기(실험 2와 실험3) ○ 분필(실험2)과 거름종이(실험3)를 사용하여 수성 사인펜의 색소를 분리하는 실험을 해보도록 하겠습니다. 실험 방법에 대해 발표하도록 할까요? – 교과서에 제시된 실험 방법에 대해 발표한다. ○ 그럼 실험을 해 볼까요? 실험을 하면서 관찰한 내용은 실험 관찰에 자세히 기록하도록 합시다. – 개인별로 두 실험 중 하나를 선택하여 실시한다. ○ 분필로 한 실험의 결과를 발표해 봅시다. – 검정색은 분필 아래 부분부터 보라, 파랑, 빨강, 노랑 등 여러 색으로 분리되었습니다. – 파란색과 빨간색도 여러 가지 색으로 분리되었습니다. ○ 거름종이로 한 실험의 결과도 발표해 봅시다. – 검정색은 보라, 파랑, 빨강, 노랑 등의 색으로 분리되었습니다. – 색깔에 따라 번져 가는 빠르기가 다릅니다.
규칙성 발견 및 개념 정리	▣ 실험 결과의 공통점 찾고 정리하기 ○ 그럼 오늘 3가지 실험 결과의 공통점이 있다면 무엇인지 발표해 봅시다. – 수성 사인펜의 잉크가 물에 녹는 성질이 있습니다. – 수성 사인펜은 여러 가지 색소의 혼합물이라는 것을 알게 되었습니다. – 검정색 수성 사인펜은 보라, 파랑, 노랑 등의 여러 색으로 분리됩니다. – 색깔마다 분리되는 속도가 달랐습니다. ※ 유의점 : 다양한 의견이 나오지 않을 경우 힌트를 준다. ○ 수성 사인펜의 잉크가 여러 가지 색소로 분리되는 까닭은 무엇일까요? – 수성 사인펜의 잉크가 물에 녹아 잘 번지는 성질 때문입니다. – 수성 사인펜의 잉크는 여러 가지 색소로 이루어진 혼합물이기 때문입니다. – 색소에 따라 물과 이동하는 속도가 다르기 때문입니다. ※ 유의점 : 위 세 번째의 답변이 나오지 않을 경우, 검정 수성 사인펜의 결과들을 비교하여 각 색소에 따라 이동 거리가 다름을 깨닫게 한다.

	○ 오늘 실험을 통해 알게 된 사실을 발표해 봅시다. ※ 유의점 : 발표된 내용을 바탕으로 개념을 정리한다.
적용 및 응용	▣ **책갈피 만들기** ○ **수성 사인펜의 잉크 색소 분리 방법을 활용하여 우리가 사용할 책갈피를 만들어 봅시다.** – 수성 사인펜의 잉크가 여러 가지 색소로 분리되는 원리를 생각하며 책갈피 만들기 ○ **오늘 공부한 것을 통해 새롭게 알게 되었거나 더 알고 싶은 내용이 있으면 말해 봅시다.**

3. 탐구학습모형

탐구학습모형은 과학 발달의 세 번째 단계인 '탐구 단계'에 대응하는 모형이다 (Kauchak & Eggen, 1980).[1]

경험학습모형이나 발견학습모형에서는 먼저 자료가 제시되는 데 비하여 탐구학습모형에서는 문제를 인식하고 가설을 형성하는 일이 먼저 온다. 즉 이 모형은 가설을 세우고 검증하는 절차를 핵심으로 하는 모형으로 '가설검증학습모형'으로도 불린다. 대부분의 과학자가 연구하는 가설 연역적인 과정을 경험함으로써 학생들은 측정 등의 기초 탐구 기능과 가설 설정, 변인 통제 등의 통합 탐구 기능을 익히고, 가설-검증 과정을 통해 과학 지식을 획득하게 된다. 이 모형에서 학생들은 검증 가능한 가설을 세워야 하며, 이에 대한 검증은 실험 결과가 열쇠를 쥐고 있으므로 실험 설계 과정에서 변인 통제를 정확히 해야 한다(교육과학기술부, 2010).

탐구학습모형은 가설 설정, 변인 통제, 결론 도출 등과 같은 고차원적 사고 능력을 요구하기 때문에 형식적 조작기의 학생들에게 적합하지만, 수업 내용이 자연 현상이나 사물 등에 대한 탐구 문제를 가설-검증 방식으로 해결하는 경우에는 다음 '(3) 모형의 적용 예시'와 같이 학년에 관계없이 활용될 수 있다.

(1) 모형의 단계

Kauchak과 Eggen(1980)은 탐구학습모형을 네 단계로 제시하였으나, 우리나라에서는 그림 7-5와 같이 여섯 단계로 수정한 것을 사용하고 있다(교육과학기술부,

[1] 과학 탐구는 여러 가지 의미로 사용된다. 넓은 의미로 탐구는 자연을 탐구하는 모든 방법을 말하며, 좁은 의미로는 대표적인 탐구 방법으로 일컬어지는 가설 검증적인 방법을 지칭한다(교육과학기술부, 2010). 여기서 탐구학습모형이란 좁은 의미인 가설 검증적인 탐구를 바탕으로 한 수업모형을 의미한다.

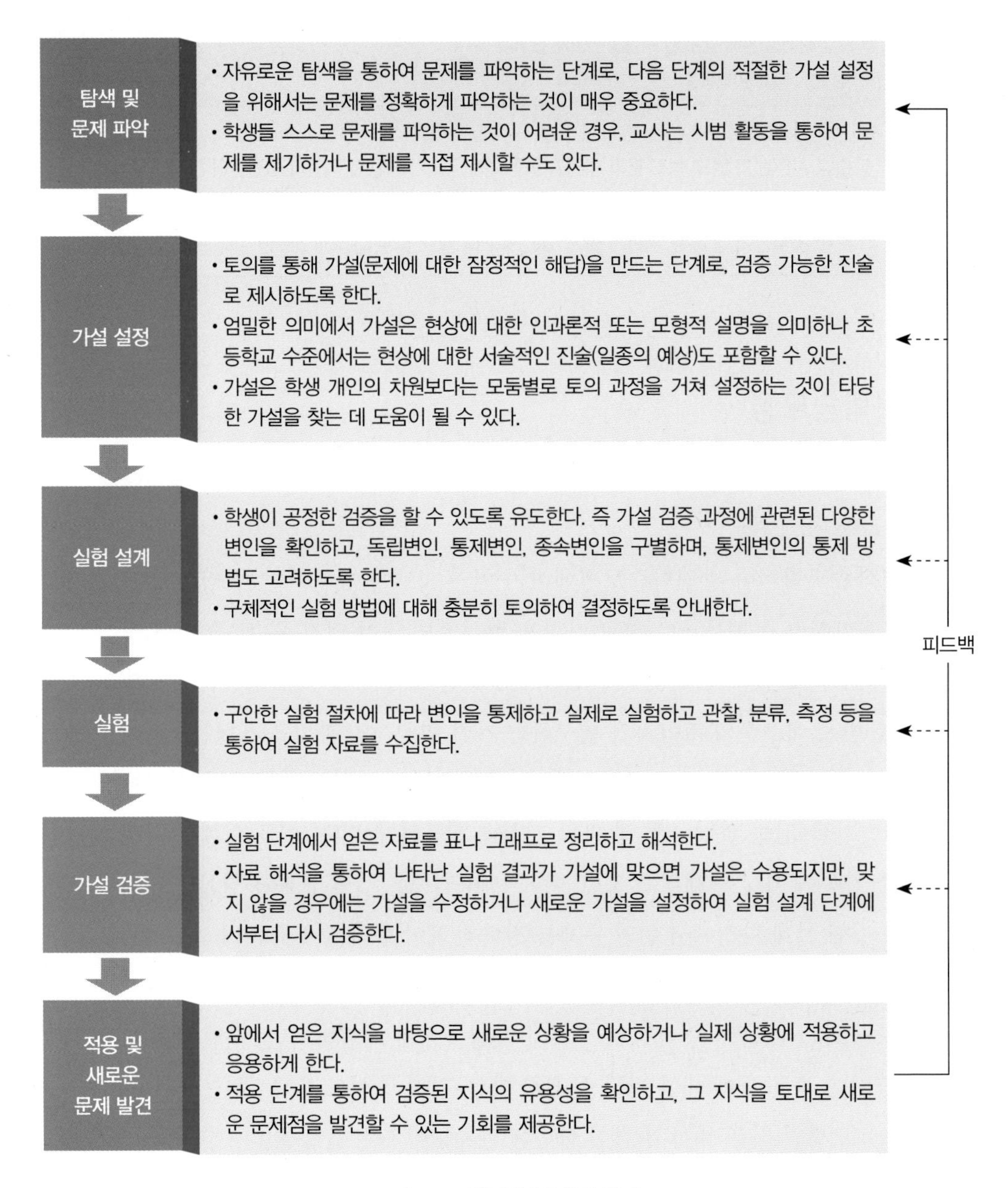

그림 7-5 **탐구학습모형의 단계**

2010; 교육부, 2014).

(2) 모형 적용상의 유의점

탐구학습모형을 적용할 때 주요 유의사항을 몇 가지 제시하면 다음과 같으며, 기타 세부적인 유의사항은 제4장의 '통합 탐구 기능'과 제8장의 '실험학습'에 제시되어 있다.

첫째, 학생 스스로 탐구할 수 있는 기회를 제공해야 한다. 하지만 "학생들은 과학자처럼 이론적 배경이나 연구 방법론으로 무장되어 있지 않으므로 많은 과학교육학자들은 '안내된 탐구'가 좀 더 적절한 과학 학습 지도 방법이라고 주장한다"(한국교원대학교 과학교육연구소, 2008). 더욱이 초등학생들의 대부분은 구체적 조작기에 있으므로 교사는 학생들이 어려움을 겪을 것으로 예상되는 부분에서 적절한 안내와 뒷받침을 제공해야 한다.

둘째, 실험 과정이 구체적으로 '어떻게' 이루어져야 하는지에 대하여 학생들이 스스로 생각하도록 안내해야 한다. 그렇지 않으면 단순한 기계적 기능으로서의 실험이 되기 쉽다. 예를 들어, 실험 과정이 교사나 어떤 우수한 학생이 제시한 방법으로 논의 없이 진행된다면, 외형적으로만 실험이고 인지적으로는 비탐구적인 요리책 활동이 될 위험이 있으므로 학생들은 실험 설계 과정에 적극적으로 참여하고 자신의 생각을 토의 · 토론을 통하여 제시하도록 한다(교육부, 2014).

셋째, 학습 지도를 하는 데 시간이 많이 걸릴 수 있으며, 단순한 개념을 많이 전달해야 하는 경우에는 비효율적이다(정완호 등, 1997).

(3) 모형의 적용 예시

본시 주제	그림자의 크기를 달리하여 봅시다.	
학습 목표	지식	광원과 물체의 위치가 달라질 때 그림자의 크기가 변함을 설명할 수 있다.
	탐구	그림자의 크기 변화에 대한 가설을 세울 수 있다.
	태도	실험 결과에 근거하여 자신의 생각을 설명한다.
준비물	스크린, 손전등, 판지, 플라스틱 거울판, 종이 인형	

단계	교수-학습 활동
탐색 및 문제 파악	▣ **그림자 연극 보기** 1. (그림자 연극을 본 후) 거미 인형의 그림자 크기가 어떻게 변했나요? – 그림자 연극에서 거미의 그림자가 커졌어요. 2. 거미 인형의 그림자가 커진 이유는 무엇일까요? – 거미 인형이 커져서 그렇습니다. – 거미 인형을 불빛에 가깝게 했기 때문입니다. 3. 오늘 공부할 내용은 무엇일까요? ※ 유의점 : 다양한 발표를 수용하되 거미 종이 인형의 그림자 크기 변화에 초점을 맞추어 문제를 파악하게 한다.

<table>
<tr><td>가설 설정</td><td>
▣ 그림자의 크기가 변하는 것에 대하여 가설 세우기
1. 어떻게 하면 종이 인형의 그림자 크기를 변하게 할 수 있을지 생각해 볼까요?
※ 유의점 : 초등학교 3학년 학생들에게 '가설'은 사용하기 어려운 용어이므로, 다음과 같이 두 변인 사이의 관계 패턴으로 기술하여 예상하게 한다.
○ 종이 인형의 그림자가 커지는 경우
– (　　　　)을/를 (　　　　)에 가깝게 하면 그림자가 커질 것이다.
– (　　　　)을/를 (　　　　)에 가깝게 하면 그림자가 커질 것이다.
○ 거미의 그림자가 작아지는 경우
– (　　　　)을/를 (　　　　)에 멀게 하면 그림자가 작아질 것이다.
– (　　　　)을/를 (　　　　)에 멀게 하면 그림자가 작아질 것이다.
2. 자신의 생각을 발표해 봅시다.
※ 유의점 : 교사는 학생들이 세운 가설에 대해 긍정적인 반응을 보여준다.
</td></tr>
<tr><td>실험 설계</td><td>
▣ 실험 설계하기
1. 종이 인형의 그림자가 커지고 작아지는지 알아보기 위해 어떻게 실험을 하면 좋을까?
※ 유의점 : 학생들이 교과서의 실험 방법을 보지 않고 교사가 제시하는 준비물을 보고 자유롭게 이야기하게 한다. 학생들의 의견을 토대로 실험 설계를 하는 것이 좋지만 만약 여의치 않은 경우에는 교과서의 실험 방법을 읽어보고 자신의 실험 계획과 다른 점을 비교하게 한다.
2. 준비물을 활용하여 모둠별로 실험 계획을 세워보자.
3. 실험 계획을 발표해 보자.
※ 유의점 : 실험을 설계할 때 학생들은 모둠별로 실험을 결정한다. 먼저 '같게 해야 할 조건', '다르게 해야 할 조건', '관찰 또는 측정해야 할 조건'에 관한 의논을 한 후 실험 장치에 대해 결정하고, 실험 준비물을 준비하여 실험 순서를 결정하도록 한다.
</td></tr>
<tr><td>실험</td><td>
▣ 실험하기
【실험 방법】
① 실험 관찰 89쪽에서 말 탄 장군, 거미, 코끼리 인형을 떼어냅니다.
② 종이 인형의 바닥에 풀칠을 해서 받침대에 붙여 세웁니다.
③ 손전등을 비춰 벽면에 종이 인형의 그림자가 생기게 합니다.
④ 손전등과 인형 사이의 간격을 달리하면서 그림자의 크기가 어떻게 변하는지 관찰해 봅니다.
⑤ 친구들이 한 방법과 내가 한 방법을 비교해 봅니다.
※ 유의점 : 교사는 순회하면서 필요한 자료가 모두 있는지 살펴서 보충해 주고, 올바른 방향으로 실험 결과를 기록하는지도 살핀다.
</td></tr>
<tr><td>가설 검증</td><td>
▣ 실험 결과 확인하기
○ 손전등을 고정시키고 인형을 전등 쪽으로 가까이 하면 그림자의 크기는 어떻게 변하였습니까?
– 인형의 그림자가 커졌습니다.
○ 손전등을 고정시키고 인형을 전등에서 멀리 하면 그림자의 크기는 어떻게 변하였습니까?
– 인형의 그림자가 작아졌습니다.
○ 인형을 고정시키고 손전등을 가까이 하면 그림자의 크기는 어떻게 변하였습니까?
– 인형의 그림자가 커졌습니다.
○ 인형을 고정시키고 손전등을 멀리 하면 그림자의 크기는 어떻게 변하였습니까?
– 인형의 그림자가 작아졌습니다.
</td></tr>
</table>

가설 검증	▣ **실험 결과를 토대로 가설 검증하기** ○ **이 실험을 통해 무엇을 알 수 있나요?** 〈손전등의 위치에 따른 그림자의 크기〉 – 손전등을 인형에 가까이 하면 그림자의 크기가 커지고 손전등을 멀리 하면 그림자의 크기가 작아진다. 〈종이 인형의 위치에 따른 그림자의 크기〉 – 인형을 손전등에 가까이 하면 그림자의 크기가 커지고 인형을 멀리 하면 그림자의 크기가 작아진다. ○ **여러분이 처음에 생각하였던 것과 실험 결과가 일치합니까, 일치하지 않습니까?** – 처음 생각과 실험 결과가 일치합니다.
적용 및 새로운 문제 발견	▣ **일상생활의 경험 발표하기** ○ **그림자의 크기가 점점 작아지거나 점점 커지는 일상생활의 경험을 발표해 봅시다.** – 밤에 가로등을 지날 때 ▣ **궁금하거나 더 알고 싶은 것 발표하기** ○ **오늘 활동을 하면서 궁금한 점이나 더 알고 싶은 점에 대해 발표해 봅시다.** – 그림자는 왜 검은색일까?

4. 순환학습모형

순환학습모형은 과학의 기본 개념학습을 촉진시키기 위해 개발되었다(최병순, 1990; 한국과학교육학회, 2005). 순환학습모형의 단계와 각 단계의 명칭은 몇 번의 변신을 하였으며(권재술, 1992), 현재 이 모형의 두 번째 단계의 명칭은 '용어 도입' 또는 '개념 도입'이 혼용되어 사용되고 있다.[2] 여기에서는 2022 개정 과학과 교육과정에 따라 개발된 교사용 지도서에 제시된 단계의 명칭, 즉 '탐색', '용어 도입', '개념 적용'이라는 용어를 사용한다. 한편 이 모형에서 '순환'이라는 용어를 쓴 것은 원래 탐색, 용어 도입, 개념 적용의 3단계가 계속해서 되풀이되면서 이루어지기 때문이다. 즉 순환학습모형이 교육과정을 구성하는 데 이용될 때 교육과정은 나선형 형태를 취하는데, 이는 앞서 학습된 용어와 개념이 대개 그 다음의 순환학습모형에서 적용되기 때문이다(Lawson, 1995).

'탐색' 단계에서는 학생들이 새로운 자연 현상, 실험 도구 및 자료 등을 접하

[2] Lawson은 이 두 번째 단계를 '개념 도입'이라기보다는 '용어 도입'이라고 명명하는 것이 더 적합하다고 주장한다(권재술, 1992). Lawson에 의하면, 개념은 정신적인 사고 양태(pattern)이기 때문에 학생들 스스로의 머릿속에서 그려져야 한다는 것이다. 따라서 이러한 과정은 오히려 '탐색 단계'에서 이루어지고, 두 번째 단계는 학습자의 머릿속에 그려져 있는 어떤 형태나 인상을 대표하는 용어를 제시해 주는 단계라고 주장하였다.

고 이를 자기가 가지고 있는 기존 개념을 사용하여 설명을 시도해 보기 때문에 이 설명의 시도에서 실패를 경험하게 되는데, 이 실패의 경험은 곧바로 인지적 갈등을 유발하게 된다(권재술, 1992). 또한 순환학습모형은 학생들이 과학자의 과학 활동의 본성을 이해하는 기회를 제공하는 모형이다. 과학자는 자신이 흥미를 가지고 있는 자연 사물이나 현상을 탐색하여 그 속에서 어떤 유형이나 규칙성을 찾아내고, 그것을 가장 잘 표현할 수 있는 용어나 개념을 창안해내며, 그러한 개념을 확장하거나 심화하여 적용할 수 있는 상황이나 사례를 탐색한다(교육부, 2014). 이후 학생들은 교사에 의해 소개된 과학적 개념이나 용어를 사용해 탐색 단계의 경험이나 발견 내용을 조직화하고 적용하게 된다. 이러한 점에서 순환학습모형은 과학개념 학습에 좀 더 유리한 모형이라 할 수 있다.

앞서 살펴본 세 모형과는 달리 순환학습모형은 교사의 보다 적극적 개입을 필요로 한다. 예를 들어, '탐색' 단계에서 학생들이 자신이 발견한 규칙성을 표현하게 되는데, 이때 학생들이 사용한 개념이나 용어는 과학적 개념이나 용어와 일치하지 않는 경우가 많다. 그러한 경우 그 다음 단계에서 교사는 과학적 개념이나 용어를 학생들에게 소개하게 된다.

이 모형은 유연성이 있는 수업모형이다(Lawson, 1995). Lawson에 의하면, 탐색 단계에서는 일반적으로 학습자가 자연 현상과 물리적 접촉을 하게 되지만 모든 수업에서 그렇게 되어야 하는 것은 아니다. 어떤 경우에는 과학사적인 사례 제시 과정이 탐색 단계의 활동이 될 수도 있는 것이다. 뿐만 아니라 동영상 등의 시청각 자료의 활용이나 교사의 시범과 강의도 탐색 단계의 수업 형태가 될 수 있다.

(1) 모형의 단계

그림 7-6과 같이, 순환학습모형은 순환적인 학습의 세 단계, 즉 탐색, 용어 도입, 개념 적용으로 이루어진다.

(2) 모형 적용상의 유의점

순환학습모형을 적용할 때는 다음과 같은 사항들에 유의해야 한다.

첫째, '탐색 단계'에서 학생들 스스로 모든 규칙성을 찾아내는 것이 어려울 수 있으므로 필요한 경우 교사는 적절한 안내를 제공한다.

탐색

- 제시된 학습 자료를 자유롭게 탐색하면서 규칙성을 발견하도록 한다. 이때 교사는 최소한의 안내를 제공하며, 학생들이 가능한 한 많은 새로운 규칙성을 확인하도록 격려한다.
- 이 단계에서는 인지적 갈등을 유발하는 것이 중요하다(여기서 인지적 갈등은 어떤 용어를 사용해야 하는지 차원의 갈등일 수도 있다). 따라서 제시되는 자료는 학생들에게 너무 익숙하거나 지나치게 생소하지 않은 것, 즉 제시된 자료에 대한 탐색을 통해 인지적 갈등을 경험하면서도 그것에서 규칙성을 확인할 수 있어야 한다.
- 관찰하고 발견한 것을 자신의 언어로 기술하고 표현하게 한다. 이는 학생들의 표현과 서술을 다음 단계에서 교사가 도입하는 과학적 개념과 연결하기 위한 것이다. 이 과정에서 교사는 학생들에게 어떠한 도움도 주지 않도록 한다. 학생들이 경험하거나 수집한 자료와 그 해석을 통해 학생들 스스로 직관적 통찰을 얻는 것이 이 단계의 주요 목적이다.

↓

용어 도입

- 학생들이 탐색 단계에서 발견한 규칙성과 그것을 표현한 언어나 명칭을 발표하게 한다.
- 학생들이 발표한 것을 과학적 용어나 개념과 직접 연결해 준다. 이때 용어나 개념은 교사, 교과서, 시청각 매체 등을 통해 도입된다. 과학적 용어나 개념은 과학자들의 오랜 연구와 합의를 거쳐 만들어진 것이므로, 이를 학생 스스로 생각해내기가 쉽지 않기 때문이다.
- 개념이나 용어 도입을 통해 학생들은 인지적 갈등을 해소하게 되는데, 이때 개념이나 용어는 간단한 말에 의한 정의로서 도입되는 것이 아니라 분류 등을 통해 이루어져야 하며, 학생들의 표현과 과학적인 표현 사이의 공통점과 차이점도 명확하게 해준다.

개념 적용

- 학생들이 학습한 용어나 개념을 새로운 상황이나 문제에 적용해보는 학습 경험을 제공한다. 이러한 과정을 통해 학습한 개념이나 용어의 활용 범위를 넓히고 인지적으로 정착시키도록 한다.

그림 7-6 순환학습모형의 단계

둘째, '탐색 단계'에서 학생들의 인지적 갈등 유발은 학생들의 기존 개념으로는 쉽게 동화할 수 없는 간단한 시범 실험, 자료 제시 뒤 토론 활동 등을 통해서도 이루어질 수 있다(교육부, 2014).

셋째, '개념 적용' 단계에서 학생들이 학습한 그 용어나 개념의 유용성을 느끼고 심화시키기 위한 과제는 학생들에게 친근한 일상생활 관련 문제를 제시함으로써 구체적인 사례로부터 그것을 일반화하는 기회를 제공함과 동시에 과학과 실생활의 관련성을 깨닫도록 하는 것이 효과적이다.

넷째, 순환학습모형은 한 차시 수업 내에 이 순서로 전개되어야 한다는 것은 아니다. 즉 다음의 예시와 같이 한 단계 다음에는 반드시 그 다음 단계가 이어지는 것이 아니며 동일한 단계가 되풀이될 수도 있다.

(3) 모형의 적용 예시[3]

본시 주제		혼합물이란 무엇일까요?
학습 목표	지식	혼합물의 의미를 예를 들어가며 설명할 수 있다.
	탐구	여러 가지 물질을 혼합물인 것과 혼합물이 아닌 것으로 분류할 수 있다.
	태도	모둠 활동에서 자신이 맡은 역할을 성실히 수행한다.

단계	교수-학습 활동
탐색 1	**▣ 음식에 섞여있는 물질의 섞기 전과 후의 성질 비교하기** **1. 교과서에 나와 있는 오곡밥, 멸치볶음, 팥빙수를 먹어 보았던 경험 발표하기** – 대보름에 오곡밥을 먹었는데, 콩이 들어 있어 싫었다. – 멸치볶음은 좋아하는데, 안에 든 고추는 매워서 눈물이 났다. – 더울 때 팥빙수를 먹었더니, 달콤하고 시원하고 맛있었다. **2. 위 음식 중 멸치볶음에 대해 관찰하고 발표하기** 〈준비물(모둠): 멸치, 고추, 간장, 깨, 물엿, 젓가락, 숟가락, 그릇〉 **○ 멸치볶음에 들어가는 물질을 보고, 멸치볶음에 어떤 물질이 들어가는지 발표하기** – 멸치볶음에는 멸치, 고추, 물엿, 깨, 간장(또는 소금) 등이 들어간다. **○ 멸치볶음에 들어가는 물질을 각각 관찰하고 발표하기** – 멸치는 길쭉하고 짜다. – 고추는 초록색이고 맵다. – 깨는 갈색이고 고소하다. – 물엿은 투명하고 달다. – 간장은 검은색이고 짜다. ※ **유의점 :** 다양한 관점으로 관찰할 수 있으나, 색깔과 맛은 꼭 관찰하도록 한다. 다음에 진행되는 성질을 비교하기 위해 이 두 가지 관점에서의 관찰이 필요하다. **○ 멸치볶음에 들어가는 물질을 서로 섞어 멸치볶음을 만든 후, 그 모습을 관찰하고 발표하기** – 각 물질이 서로 뒤엉켜 있다. – 멸치, 고추, 깨는 각각 따로 보이는데, 설탕과 간장은 완전히 섞여 구분되어 보이지 않는다. ※ 유의점 : 간장과 물엿을 먼저 잘 섞은 후 나머지 물질을 넣어야 잘 섞을 수 있다. **○ 멸치볶음에 섞여 있는 물질을 각각 먹어보면서, 각 물질의 성질을 관찰하여 발표하기** – 멸치는 고유의 짭짤한 맛이 남아 있다. – 고추의 색깔은 초록색이고, 여전히 매운 맛이 난다. – 깨의 고소한 맛은 섞은 후에도 그대로이다. – 설탕은 여전히 단맛이 난다. – 간장의 짠맛은 섞은 후에도 그대로이다.

[3] 이 내용은 한국교원대학교 과학교육연구소(2008)의 pp.186~195의 내용을 재구성한 것임. 순환학습모형은 일반적으로 3단계로 이루어지나 이 지도안은 4단계로 이루어져 있다. 즉 탐색 단계가 2회 반복되어 있다.

<table>
<tr><td>탐색
1</td><td>○ 멸치볶음에 섞여 있는 물질의 섞기 전과 후의 성질 변화에 대해 이야기하기
※ 유의점 : 섞여 있는 물질의 색과 맛을 중심으로 성질 변화를 말하는 것이 좋다. 또한 실제 멸치볶음을 만들 때, 각 물질을 그냥 섞는 것이 아니라 가열한다. 물엿의 경우 가열하면 갈색으로 약간 변하므로, 멸치볶음을 만들기 전과 후에 같다고 말하기는 엄밀한 의미에서 어렵다. 따라서 여기서는 그냥 섞는 것으로 한다.

– 각각의 물질을 섞기 전과 후의 물질의 성질은 변하지 않았다.
※ 유의점 : 멸치의 경우 멸치 고유의 맛과 색깔이 변했다고 생각할 수도 있다. 그러나 간장과 설탕으로 인하여 멸치 고유한 맛을 느끼기 어렵고, 간장이 묻어 원래 색깔을 찾기 어려울 뿐이다.</td></tr>
<tr><td>탐색
2</td><td>▣ 과일 샐러드 만들기
〈준비물(모둠): 여러 종류의 과일, 숟가락, 그릇〉

1. 과일 샐러드를 만들기 전과 후의 과일의 맛과 색깔의 변화에 대해 예상하고 발표하기
– 맛은 변하지 않을 것이다.
– 색깔은 변하지 않을 것이다.

2. 학생들이 가지고 온 과일의 색깔, 맛을 관찰하여 발표하기
– 키위는 초록색이고 시다 등
– 방울토마토는 빨간색이고 새콤하다 등
– 귤은 오렌지색이고 새콤하다 등
– 사과는 껍질은 붉고, 속살은 흰색, 맛은 새콤하다 등
※ 유의점 : 실험 관찰 35쪽에 기록한다.

3. 모둠별로 과일 샐러드를 만들고, 만든 과일 샐러드의 모습을 관찰하고 발표하기
– 여러 가지 과일이 골고루 섞여 있다.
– 섞여 있지만, 각각의 과일을 구분할 수 있다.

4. 과일 샐러드를 먹어 보면서 각 과일의 색깔과 맛을 관찰하고 발표하기
– 키위는 여전히 초록색이고 시다.
– 방울토마토는 여전히 빨간색이다.
– 귤은 여전히 오렌지색이고 새콤하다 등
– 사과는 여전히 새콤하고, 속살은 흰색이고 껍질은 붉다.
※ 유의점 : 실험 관찰 36쪽에 기록한다.

5. 과일 샐러드를 만들기 전과 후 과일의 성질이 변했는지 이야기하기
– 과일의 성질이 섞기 전과 후에 변하지 않았다.
– 여러 가지 과일이 섞여 있으면서 과일 고유의 맛과 색깔을 그대로 지니고 있다.</td></tr>
<tr><td>용어
도입</td><td>▣ 여러 가지 물질이 섞인 음식을 통하여 '혼합물' 용어 도입하기
1. 멸치볶음, 과일 샐러드의 차이점과 공통점 찾기
– 차이점 : 음식마다 맛이 다르다, 음식에 들어간 물질이 다르다 등
– 공통점 : 모두 먹는 것이다, 음식에는 여러 가지 물질이 섞여 있다 등
※ 유의점 : '맛있다'와 같이 사람마다 다르게 느낄 수 있는 공통점보다 모든 사람이 공감할 수 있는 공통점을 찾도록 유도한다.

2. 섞여 있는 물질은 각각 섞기 전과 섞은 후 성질이 변했는지 이야기하기
– 성질이 변하지 않았다.</td></tr>
</table>

용어 도입	**3. 모둠별로 앞에서 나왔던 음식과 같이 두 가지 이상의 물질이 섞여 있으면서 성질이 변하지 않는 것에 이름을 붙이고 그 까닭 이야기하기** – 개성집단 : 여러 가지가 모여 있으면서 각각의 성질이 그대로 있으므로 – 톡톡 : 같이 모여 있지만 각각의 성질이 톡톡 튀므로 – 무변 : 성질이 변하지 않으므로 ※ 유의점 : 맛과 색깔 등의 물질의 성질이 변하지 않는 특성을 생각하여 이름을 붙여보게 한다. **4. 모둠마다 다른 이름을 붙였으나 과학자들이 붙인 이름은 무엇인지 설명하기** – 두 가지 이상의 물질이 섞여 있고, 그 성질이 변하지 않는 것을 '혼합물'이라 한다. ※ 유의점 : 사람마다 각자 생각한 대로 이름을 붙여 말한다면, 다른 사람이 말한 이름이 무엇을 뜻하는지 알 수 없으므로 한 가지 이름으로 정해서 불러야 함을 알게 한다.
개념 적용	**▣ 혼합물을 찾고, 그 이유 말하기** **1. 모둠별로 오늘 아침 먹은 것 중 혼합물인 것을 말하고, 그 이유 말하기** – 밥은 쌀, 콩, 검정쌀로 이루어져 있고 그 성질이 변하지 않기 때문에 – 국은 물, 미역, 소고기, 소금 또는 간장, 참기름으로 이루어져 있기 때문에 – 맛김은 김, 소금, 올리브유가 섞여 있기 때문에 – 기타 **2. 모둠별로 다음을 혼합물인 것과 혼합물이 아닌 것으로 분류하고, 그 이유 발표하기** 〈보기 : 고무줄, 바닷물, 철사, 꿀물, 1회용 젓가락〉 – 혼합물인 것 : 바닷물, 꿀물 이유: 두 가지 이상의 물질이 섞여 있다. – 혼합물이 아닌 것 : 고무줄, 철사, 1회용 젓가락 이유 : 한 가지 물질로 이루어져 있다.

(4) 순환학습모형의 발전 및 변형

순환학습모형은 4E, 5E, 7E, POE 및 PEOE 모형 등 다양한 형태로 변형되고 확장되었는데, 이러한 변형모형들은 구성주의 학습 이론과 원리에 근거하여 개발된 것이다. 예를 들어, 5E 모형은 구성학습 이론에 근거한 개념학습을 위해 참여(engagement), 탐색(exploration), 설명(explanation), 정교화(elaboration), 평가(evaluation)의 5단계로 순환학습모형을 확장한 모형이다. POE 모형은 관찰할 현상의 결과를 예상하고 정당화하는 '예상', 실제로 관찰한 사실이나 실험을 통해 얻은 결과를 서술하는 '관찰', 예상과 관찰 사이의 불일치를 해결하는 '설명'의 세 단계가 순환적 과정이라는 측면에서 순환학습의 변형이라 할 수 있다(교육과학기술부, 2011). PEOE 모형은 초기 설명의 중요성을 강조하기 위하여 설명 단계가 추가된 모형이다. 이와 같은 순환학습의 변형모형들은 학생들의 오개념을 과학적 개념으로 변화시키는 것이 쉽지 않음을 시사한다.

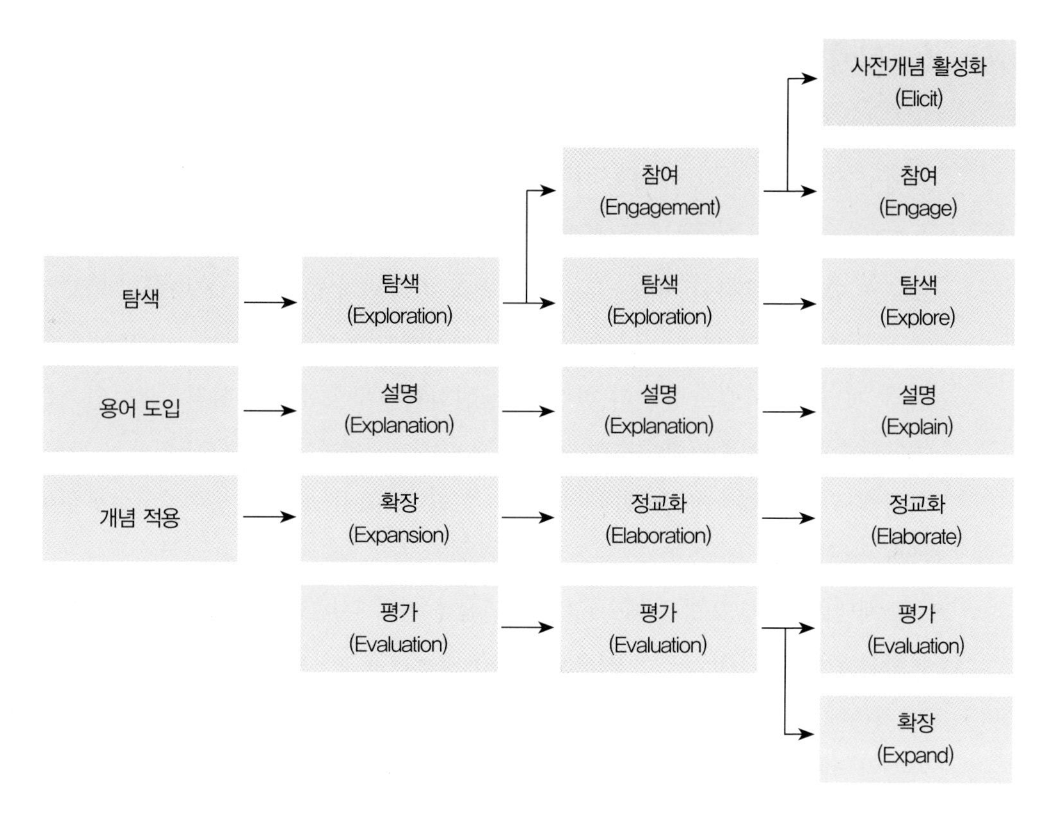

그림 7-7 **순환학습모형의 변형:4E, 5E 및 7E**

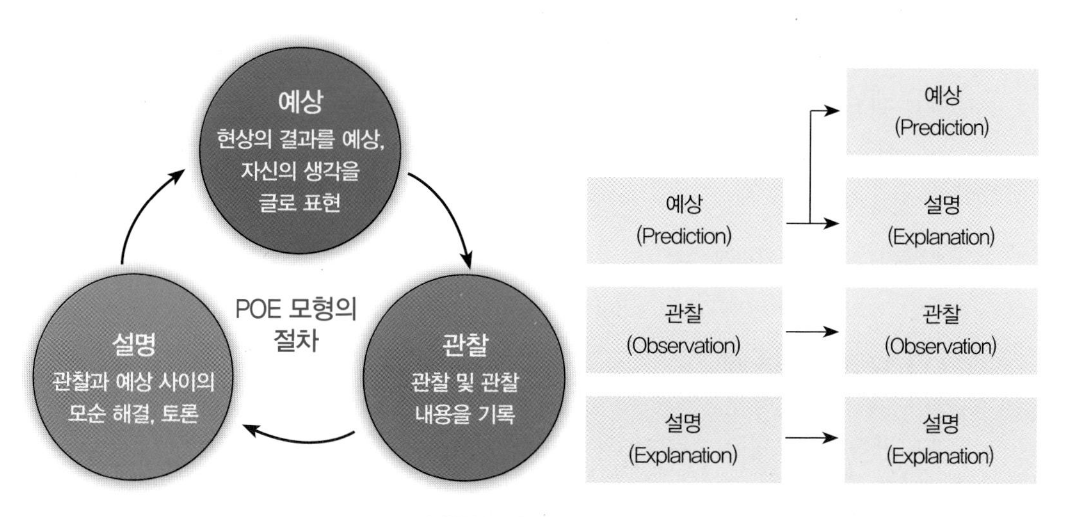

그림 7-8 **순환학습모형의 변형:POE와 PEOE 모형**

5. 개념변화학습모형

제6장에서 살펴본 바와 같이, 학생들은 과학 개념을 배우기 전에는 물론이고 배운 후에도 여전히 많은 오개념을 가지고 있으며, 이러한 오개념은 과학 학습에 장애 요인으로 작용할 수 있다. 자연 현상에 대한 학생들의 오개념은 지금과 같은 수업으로는 쉽게 과학적인 개념으로 대체되거나 변화되지 않으므로 특수한 수업모형이 필요하다. 이를 위해 여러 수업모형이 제시되고 있으며, 이러한 수업모형을 가리켜 '개념변화학습모형'이라 한다. 개념변화학습모형에는 반성적 모형, 인지갈등학습모형, 구성주의학습모형 등이 있으며(한국교원대학교 과학교육연구소, 2008), 여기에서 설명하는 개념변화학습모형은 드라이버(Driver)의 구성주의학습모형에 관한 것이다.

개념변화학습모형은 제6.4절에서 언급한 바와 같이 Posner 등이 제안한 개념변화를 위한 네 가지 조건을 기초로 한다(Posner et al., 1982). 즉 인지적 갈등을 일으켜 기존에 가지고 있는 학생들 '자신의 생각에 대해 불만족을 느끼게' 하고, '이해 가능한' 새로운 생각(과학적 개념)을 만들거나 교사가 제시하며, 학생들로 하여금 새로운 과학 개념이 '그럴듯하며', '활용 가능성이 많다'는 것을 느끼게 하는 과정을 포함하고 있다. 또한 이 모형의 첫 단계에서는 학생들이 자신의 생각을 충분히 인식할 수 있도록 하기 위하여 자신의 생각을 표현할 수 있는 기회를 제공한다.

특히 이 모형에서는 학생들이 자신의 기존 생각으로 설명될 수 없는 새로운 경험을 함으로써 인지적 갈등을 경험하여 자신의 생각의 한계를 인식하고 이를 불편하게 느끼게 하는 것이 필요하다. 이것이 바로 학생 자신이 주체적으로 참여하는 개념변화의 기본 요건이 되기 때문이다(송진웅 등, 2004).

이 모형은 많은 학생들이 오개념을 가지고 있다고 보고된 차시 주제의 경우에 효과적이므로, 교사는 수업 전 학생들의 대표적인 오개념을 파악하는 것이 중요하다(교육과학기술부, 2011b).

(1) 모형의 단계

개념변화학습모형은 **그림 7-9**와 같이 크게 '개념 표현', '개념 재구성', '개념 응용' 및 '개념변화 검토'의 네 단계로 이루어지며, 두 번째 '개념 재구성' 단계는 다시 4단계로 세분화된다.

개념 표현

- 학생들이 학습할 내용과 관련된 각자의 생각(선개념)을 표현하는 단계이다.
- 교사는 학습 내용과 관련된 현상이나 예를 제시하고, 학생들은 이를 관찰하고, 자신의 언어로 설명하도록 한다.
- 학생들은 자신의 생각(선개념)을 정리하여 공책에 적게 한다.

개념 재구성

명료화 · 교환

– 학생들이 자신의 생각을 서로 발표하게 하여 다른 학생의 생각에 비추어 자신이 가지고 있는 생각을 더욱 명료하고 정교화하게 한다.
– 이때 다른 학생의 관점이나 교사의 관점과 자기의 관점이 다를 경우 갈등이 일어날 수도 있다.

갈등 상황 경험

– 기존 생각으로 설명되지 않는 인지적 갈등 상황을 겪도록 한다.
– 학생들로 하여금 자신의 현재 개념에 불만족을 느끼게 하고 새로운 생각(과학적 개념)이 필요함을 인식하도록 한다. 이러한 과정은 자신의 생각을 바꾸려는 내적 동기를 제공한다.

새로운 개념 구성

– 자신의 기존 생각을 대체할 수 있는 새로운 생각을 구성하게 한다.
– 학생들이 스스로 구성하기 어려운 개념은 교사가 제시한다.
– 학생들이 새로운 개념을 충분히 이해할 수 있도록 한다.

새로운 개념 평가

– 자신의 처음 생각과 비교하여 새로운 생각이 얼마나, 어떻게, 왜 타당한지 평가하게 한다.
– 새로운 생각이 더 타당하다는 것을 충분히 인식하게 한다.

개념 응용

- 학생들이 새로운 생각을 친숙하거나 생소한 상황에 다양하게 적용하는 기회를 제공한다.
- 이 과정을 통해 학생들이 새로운 개념이 얼마나 유용한지 깨닫게 한다.

개념변화 검토

- 자신의 생각이 처음 수업 시작할 때와 수업이 끝날 즈음에 어떻게 변해 왔는지를 비교하여 반성하게 한다.
- 오개념이 바꾸지 않았으면 피드백을 한다.

(개념변화 검토 → 개념 표현: 개념 비교)

그림 7–9 **개념변화학습모형의 단계**

(2) 모형 적용의 유의점

개념변화학습모형을 적용할 때 유의할 점은 다음과 같다(교육과학기술부, 2010; 교육부, 2014).

첫째, 개념변화학습모형은 과학의 모든 내용에 적용 가능한 것이 아니며, 비교적 많은 학생들이 오개념을 가지고 있는 내용을 가르칠 때 사용해야 한다.

둘째, 이 수업모형의 절차에 따라 수업을 전개할 때 대체로 2차시의 시간이 요구된다.

셋째, 가능한 한 학생들 스스로 새로운 과학적 개념을 생각하도록 유도하며, 학생들이 스스로 구성하기 어려운 경우에는 교사가 과학적 개념을 직접 제시한다.

넷째, '개념변화 검토' 단계에서 공책에 적은 처음 생각과 활동 후 알게 된 새로운 생각을 비교할 때 처음 생각이 틀린 것이 아니라 새로운 것을 알게 되었다는 것에 초점을 둔다.

(3) 모형의 적용 예시

본시 주제	이슬은 어떻게 생길까요?	
학습 목표	지식	• 차가운 물체 표면에 물방울이 생기는 까닭을 설명할 수 있다. • 이슬이 생기는 까닭을 설명할 수 있다.
	태도	실험 결과에 근거하여 새롭게 알게 된 사실을 수용하는 개방적인 태도를 가진다.
준비물	유리컵, 얼음, 찬물, 수건, 검정색 잉크, 이슬 사진, 동영상 자료	

단계	교수-학습 활동
개념 표현	▣ **이슬을 보았던 경험 발표하기** ○ **우리의 일상생활에서 이슬을 보았던 경험 발표하기** – 풀잎에 맺힌 이슬, 거미줄에 맺힌 이슬, 자동차 ▣ **이슬 발생 실험 장치를 만들고 실험하기** **실험 방법** ① 유리컵의 표면을 깨끗이 닦는다. ② 유리컵에 찬물을 2/3 정도 넣고, 얼음 몇 조각을 넣는다. (유리컵에 찬물과 얼음을 너무 많이 넣어 넘치지 않도록 한다) ③ 시간이 지나면서 유리컵의 표면에 어떤 현상이 일어나는지 관찰한다. ○ **어떤 현상이 일어날지 예상하기** – 아무 변화가 없을 것이다. 유리컵에는 구멍이 없기 때문이다. – 물방울이 생길 것이다. 왜냐하면 컵 속의 물이 빠져 나오기 때문이다. – 물방울이 생길 것이다. 왜냐하면 컵 주위의 공기(수증기)가 차가워져 물방울이 되기 때문이다.

<table>
<tr><td>개념
표현</td><td>○ 유리컵 표면에서 일어나는 현상을 관찰하고 그 결과 기록하기
– 처음에는 유리컵 표면에 아무것도 없었는데, 차츰 시간이 지나면서 뿌옇게 흐려지며 점점 물방울 크기가 커지면서 아래로 흘러내렸다.
○ 유리컵에 맺힌 물방울은 어떻게 해서 생긴 것인지에 대한 자신의 생각 쓰기
※ 유의점 : 처음 개념과 재구성한 개념을 비교하기 위한 것이다.</td></tr>
<tr><td>개념
재구성</td><td>명료화 • 교환
▣ 유리컵에 물방울이 맺힌 까닭에 대한 자신의 생각 발표하기
○ 유리컵에 맺힌 물방울은 어떻게 해서 생긴 것일까?
– 유리컵에 든 물이 새어나온 것이다.
– 얼음이 녹으면서 생긴 물이 새어나온 것이다.
– 공기 중의 수소와 산소가 변한 것이다.
– 유리컵 주위의 공기가 차가워져 물방울이 된 것이다.
※ 유의점 : 학생들의 생각을 칠판에 적는다. 칠판에 적은 생각 중 자신의 생각과 일치하는 것에 손을 들게 하여 전체 학생들의 생각을 파악한다. ‘생각의 재구성’ 단계에서 두 번째 실험 결과가 나왔을 때, 얼마나 많은 학생들이 갈등을 경험하게 되는지도 알게 됨.
○ 다른 친구들의 생각을 듣고 자신의 생각을 검토하고, 필요하면 자신의 생각을 수정한다.
※ 유의점 : 다른 친구의 생각을 들은 후, 자신의 의견을 다시 수정할 수 있도록 허용적 분위기 조성. 다만 처음 생각을 기록한 것을 지우기보다는 그 밑에 수정한 생각을 적도록 한다.
갈등 상황 경험
▣ 유리컵에 찬 물과 얼음 조각을 넣고 잉크를 타서 실험하기
○ 컵 표면에 맺힌 물방울의 색깔은 어떤가?
– 검은색이 아니다.
– 처음 실험 결과와 같다.
※ 유의점 : 맺힌 물방울을 수건으로 닦아보도록 하여, 물방울의 색깔이 어떤지 확인하게 한다.
○ 자신의 처음 생각으로 설명이 되는가?
– 그렇다. 수증기가 차가워져 물방울이 된 것이라는 처음 생각과 일치한다.
– 아니다. 컵 속의 물이 빠져 나온 것이라고 생각했는데, 아닌 것 같다.
※ 유의점 : 만약 산소와 수소가 변한 것이라고 생각하는 학생이 있을 경우에는 ‘왜 유리컵에서만 물방울이 생기는 걸까?’, ‘책상에는 왜 생기지 않는 걸까?’ 등의 질문을 통해 학생들이 새로운 생각을 구성하는 데 도움을 준다.
새로운 개념 구성
▣ 유리컵에 맺힌 물방울이 생긴 까닭에 대한 자신의 생각 정리하기
○ 두 실험 결과와 관련지어 유리컵의 표면에 물방울이 생긴 까닭을 공책에 적어보자.
○ 모둠별 논의를 통하여 새롭게 구성된 내용을 발표해 볼까?
– 공기 속에 있는 수증기가 찬 유리컵의 표면에서 차가워지면서 생긴 것이다.
새로운 개념 평가
▣ 자신의 처음 생각과 새로운 생각 중 어느 것이 적절한지 생각해 보기
○ 자신의 처음 생각과 새로운 생각 중 어느 것이 두 실험에서 일어난 현상을 더 잘 설명하는가?
– 새로운 생각</td></tr>
</table>

<table>
<tr><td>개념
응용</td><td>▣ 새로운 생각 적용해 보기
○ 냉장고에 있는 차가운 캔 음료수를 꺼내 식탁 위에 올려놓으면 어떤 현상이 일어날까?
– 캔 주위에 물방울이 맺힐 것이다.

○ 전자저울에 차가운 음료수를 놓으면 시간이 지남에 따라 저울의 숫자는 어떻게 변할까?
– 숫자가 점점 커질 것이다. 왜냐하면 공기 중의 수증기가 음료수 캔에서 차가워져 물방울로 달라붙어 있기 때문이다.
※ 유의점 : 위 두 실험 장면의 동영상을 보여주어 학생들의 이해를 돕는다.

▣ 이슬이 생기는 까닭 알아보기
○ (풀잎에 맺힌 이슬 사진을 보여주며) 풀잎 위에 맺힌 물방울은 어디에서 왔을까?
– 공기 중에서

○ 이슬이 생기는 까닭은 무엇일까?
– 이슬은 공기 중의 수증기가 차가운 물체의 표면에서 냉각되어 생긴 것이다.
※ 유의점 : 학습한 내용을 바탕으로 일상생활의 현상을 과학적으로 표현하는 활동을 통하여 새로운 생각을 내면화할 수 있도록 유도한다.</td></tr>
<tr><td>개념
변화
검토</td><td>▣ 자신의 예상과 재구성한 생각 비교하기
○ 처음의 자신의 생각과 실험을 통해 알게 된 사실을 정리해 보자.
※ 유의점 : 공책에 적은 자신의 처음 생각은 파란색으로 그리고 실험 후 알게 된 사실은 붉은색으로 표시한다. 자신의 초기 개념과 실험을 통해 알게 된 새로운 개념의 변화를 스스로 알 수 있도록 허용한다. 초기의 개념이 틀린 것이 아니라 새로운 사실을 알게 되었다는 것에 초점을 두고 설명한다.

○ 수업 초반에 예상한 것과 비교하여 자신의 생각이 어떻게 변하였는지에 대해 과학일기 쓰기</td></tr>
</table>

6. STS학습모형

STS학습모형에 대한 이해를 돕기 위해 STS교육운동의 등장 배경에 대해 간략히 살펴보자. 1960년대 학문중심 교육사조는 이후 과학교육에 혁신적 변화를 가져왔으나 과학의 학문적 속성을 지나치게 강조하여, 과학 관련 직업을 선택하지 않는 학생들에 대한 교육과정으로 타당한지에 대한 의문이 제기되었다(교육과학기술부, 2010). 즉 모든 학생을 위한 과학교육의 필요성이 제기되었다. 또한 현대 사회에서 일어나는 과학 및 기술과 관련된 사회적 문제들은 대부분 사회·문화적 가치관과 집단 이익이 연루되어 있어 학문적 접근법만으로는 해결할 수 없다. 그런 문제는 반드시 민주적이고 합리적인 의사결정 과정을 통해 해결할 수밖에 없기 때문에 과학교육에서는 과학·기술 관련 문제에 대한 합리적인 의사결정 능력 함양을 중요시해야 한다(권재술 등, 2012). 이에 따라 과학 기술과 관련된 일상적·사회적 쟁점(예:각종 환경오염, 에너지 고갈 등)에 대한 학생들의 문제 해결 능력과 합리적인 의사결정 능력을 키워주는 과학교육의 필요성이 제기되었다.

1980년대 이후 STS교육은 과학교육에 많은 영향을 미치고 있으며, 우리나라 과학과 교육과정에서도 기본 개념, 탐구 능력, 과학적 태도뿐 아니라 과학이 기술의 발달과 사회의 발전에 미치는 영향을 인식하는 것을 교과 목표로 명시하고 있다(제2장 참고).

STS교육을 위한 수업모형은 정형화된 틀이 있을 수 없으나 우리나라에서는 보통 '문제로의 초대', '탐색', '설명 및 해결방안 제시', '실행'의 네 단계로 이루어진 모형을 'STS학습모형'으로 많이 사용하고 있다(권재술 등, 2012). 이 모형은 미국 아이오와주립대학교에서 구성주의에 기반한 교사교육 프로그램이었던 'Iowa Chautauqua Program'의 골격에서 따온 것이다(Yeager, 1990; 최경희, 1997).

그림 7-10과 같이, 'STS학습모형'은 학습 내용과 활동이 과학 · 기술이 우리 생활에 주는 이로움(예:여러 가지 도구, 일기예보 등) 또는 과학 · 기술의 발달로 인한 여러 가지 일상생활의 문제나 사회적 문제(예:환경오염 등)와 관련된 것일 때 적용하면 효과적이다.

(1) 모형의 단계

STS학습모형은 '문제로의 초대', '탐색', '설명 및 해결방안 제시' 및 '실행'의 네 단계로 이루어진다. 그림 7-10과 같이, 학습 내용과 활동에 따라 각 단계에서의 구체적인 활동은 달라질 수 있다.

(2) 모형 적용의 유의점

STS학습모형을 적용할 때는 다음과 같은 사항들에 유의해야 한다.

첫째, 학습 주제는 일상생활과 밀접하고 친숙한 것이어야 하며, 논쟁거리나 문제를 해결하는 과정은 학생 중심 활동이 되도록 구성해야 한다(대한지구과학교육학회, 2009).

둘째, 활용되는 수업 방법은 매우 다양하므로 과학 교과의 모든 수업 방법을 다 사용할 수 있다 해도 과언이 아니다(권재술 등, 2012, p.404). 그중 가장 많이 활용되는 방법은 '토의 · 토론', '실험', 문제에 관련이 있는 장소를 직접 방문하여 확인해 봄으로써 문제를 정확히 인식하고 의사결정하는 데 도움이 되는 '현장조사(인터뷰 등)', 사진이나 동영상 등의 '멀티미디어 자료 활용', '역할놀이', 통계자료 등의

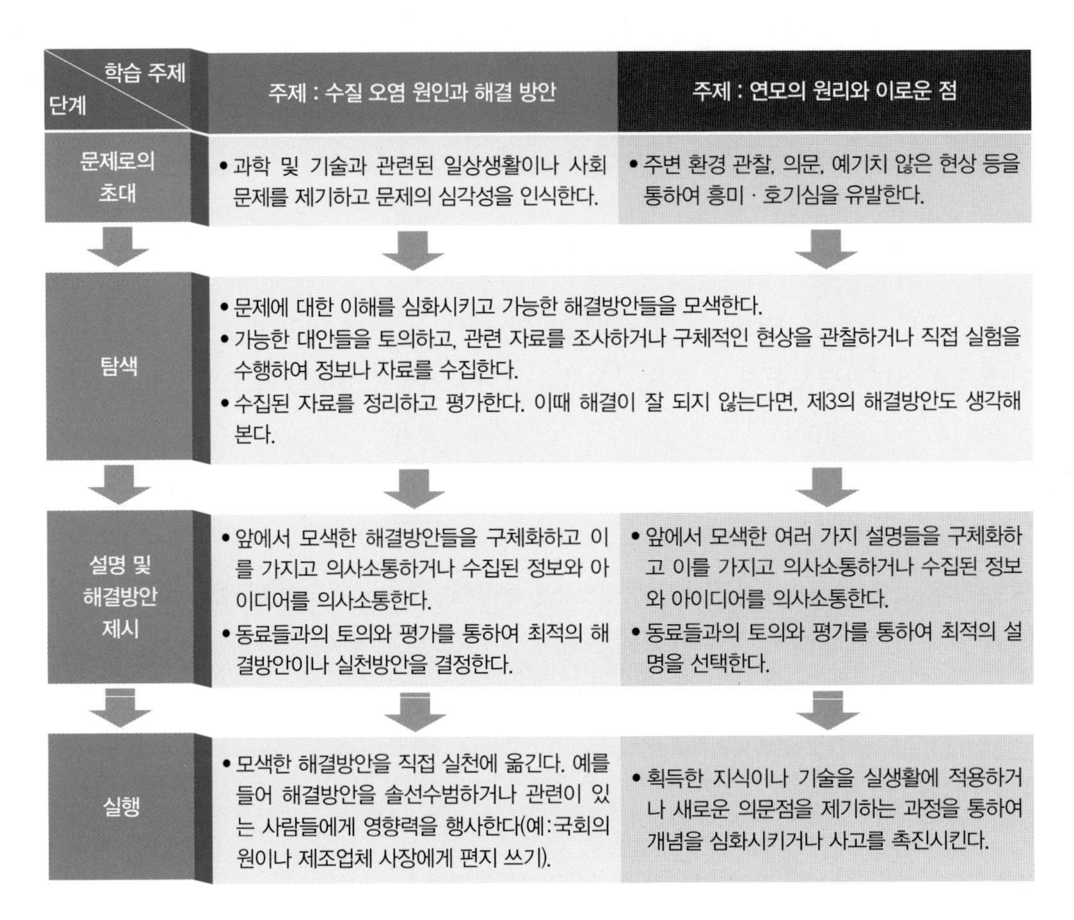

학습 주제 / 단계	주제 : 수질 오염 원인과 해결 방안	주제 : 연모의 원리와 이로운 점
문제로의 초대	• 과학 및 기술과 관련된 일상생활이나 사회 문제를 제기하고 문제의 심각성을 인식한다.	• 주변 환경 관찰, 의문, 예기치 않은 현상 등을 통하여 흥미 · 호기심을 유발한다.
탐색	• 문제에 대한 이해를 심화시키고 가능한 해결방안들을 모색한다. • 가능한 대안들을 토의하고, 관련 자료를 조사하거나 구체적인 현상을 관찰하거나 직접 실험을 수행하여 정보나 자료를 수집한다. • 수집된 자료를 정리하고 평가한다. 이때 해결이 잘 되지 않는다면, 제3의 해결방안도 생각해 본다.	
설명 및 해결방안 제시	• 앞에서 모색한 해결방안들을 구체화하고 이를 가지고 의사소통하거나 수집된 정보와 아이디어를 의사소통한다. • 동료들과의 토의와 평가를 통하여 최적의 해결방안이나 실천방안을 결정한다.	• 앞에서 모색한 여러 가지 설명들을 구체화하고 이를 가지고 의사소통하거나 수집된 정보와 아이디어를 의사소통한다. • 동료들과의 토의와 평가를 통하여 최적의 설명을 선택한다.
실행	• 모색한 해결방안을 직접 실천에 옮긴다. 예를 들어 해결방안을 솔선수범하거나 관련이 있는 사람들에게 영향력을 행사한다(예: 국회의원이나 제조업체 사장에게 편지 쓰기).	• 획득한 지식이나 기술을 실생활에 적용하거나 새로운 의문점을 제기하는 과정을 통하여 개념을 심화시키거나 사고를 촉진시킨다.

그림 7-10 STS학습모형의 단계

'자료 해석', '브레인스토밍' 등이다.

셋째, 학생들이 스스로 정보를 수집한 다음 자신들의 기준에 비추어 중요한 것을 결정해 볼 수 있는 기회를 제공하며, 정보를 비판적으로 분석 · 처리하는 방법까지 획득할 수 있게 한다(교육부, 2014).

넷째, 교사는 교과서뿐 아니라 다양한 수업 자료를 사용해서 수업을 진행하는 등 훌륭한 안내자, 조력자의 역할을 수행한다.

(3) 모형의 적용 예시

본시 주제	환경을 깨끗하게 하기 위해서는 어떻게 해야 할까요?
학습 목표	• 물이 오염되는 원인을 설명할 수 있다. • 물이 오염되지 않게 하는 방법을 알고 실천한다.
준비물	수질 오염 관련 신문기사나 동영상, 우리 고장 상수원 자료

단계	교수–학습 활동
문제로의 초대	**○ 신문이나 TV에서 보았던 물의 오염 사례에 대해 이야기해 봅시다.** – 유조선의 기름이 바닷물로 흘러나와 바닷물이 오염되었다. – 강으로 폐수가 흘러나와 강물이 오염되고 물고기가 죽었다. ※ 유의점 : 학생들이 그동안 보아왔던 물의 오염 사례를 이야기하면서 이 차시에서 조사할 물의 오염 사례를 미리 접할 수 있는 기회를 제공한다. **○ 요즘 물을 사먹거나 집안에 정수기를 설치하는 사람이 많이 늘고 있는 까닭을 이야기해 봅시다.** – 물이 오염되었기 때문에 – 수돗물에 여러 가지 화학 물질을 넣기 때문에 **○ 수질 오염의 심각성을 알 수 있는 사례를 학생들에게 제시한다(신문 자료 등 제시).** ※ 유의점 : 신문이나 TV 뉴스의 자료를 통해 물의 오염의 심각성을 깨닫게 한 후, 이 차시의 학습 활동과 자연스럽게 연결시킨다.
탐색	**○ 우리 인간의 활동에 의해 물이 오염된 사례와 원인을 조사해 봅시다.** ※ 유의점 : 인터넷이나 신문기사를 통해 자료를 수집하고 수집된 자료를 체계적으로 분석하는 기회를 제공한다. **○ 우리 고장의 상수원에 대해 알아봅시다.** – 자료를 보고 수원지에서 취수한 물이 수돗물로 가정까지 오는 경로에 대해 이야기하기 – 우리 고장에서 물의 오염 사례와 원인에 대해 이야기하기
설명 및 해결방안 제시	**○ 조사한 내용을 정리하고 모둠별로 발표해 봅시다.** **○ 깨끗한 물을 얻기 위하여 국가와 사회가 해야 하는 노력에 대해 토의해 봅시다.** – 화학 물질, 기름, 농약 등을 처리할 경우 바르게 처리한다. – 공장이나 주유소, 지하 유류 비축 기지 등에 위생시스템을 설치한다. – 농약 뿌리는 양을 줄이고 환경 보호 차원의 새로운 농약을 개발한다. **○ 깨끗한 물을 보존하기 위하여 우리가 해야 할 일에 대하여 토의해 봅시다.** – 물을 오염시키는 물질을 버리지 않는다. – 세제 사용을 줄이고 조금씩 사용한다. – 물을 아껴 쓴다. – 비누나 치약을 적게 쓰고 물을 절약하고 쓰고 남은 물로 걸레를 빤다. – 음식찌꺼기를 하수구에 버리지 않고 분리한다.
실행	**○ 모색한 해결 방안을 직접 실천해 봅시다.** – 위생 처리 장치가 설치되지 않은 곳을 찾아가 그곳의 사진을 찍고 관리자에게 보낸다. – 집에서 쓰는 세제 중 집에서 만들어 사용할 수 있는 것은 만들어 사용한다. – 물을 아껴 쓴다.

7.3 과학과 수업모형의 선택

그림 7-11은 적절한 과학과 수업모형을 선택하는 절차를 도식적으로 나타낸 것이다. 한 가지 유념해야 할 점을 미리 말하면, 교과서 집필자는 수업모형을 염두에 두고 교과서의 내용과 활동을 구성하지 않는다는 점이다. 따라서 해당 차시에 적절한 수업모형을 결정하기 어려운 경우도 있다. 예를 들어, 두 가지 수업모형이 모두 가능한 경우도 있다.

그림 7-11에 제시된 수업모형의 선택 절차를 구체적으로 설명하면 다음과 같다. 적절한 수업모형의 선택을 위해 먼저 교사는 해당 차시에서 다루어야 할 학습 내용과 활동을 검토해야 한다. 우리가 아침식사로 뭘 해 먹을지 결정하기 위해서는 어떤 음식 재료가 있는지를 살펴보아야 하듯이, 수업모형 선택에서 가장 먼저 해야 할 일은 재료, 즉 교과서의 차시 학습 내용과 활동을 검토하는 것이다. 따라서 교사는 교과서의 학습 내용과 활동 그리고 교사용 지도서에 제시된 학습 목표를 살펴본 후 학습 목표를 학생들이 큰 어려움 없이 스스로 달성할 수 있다고 판

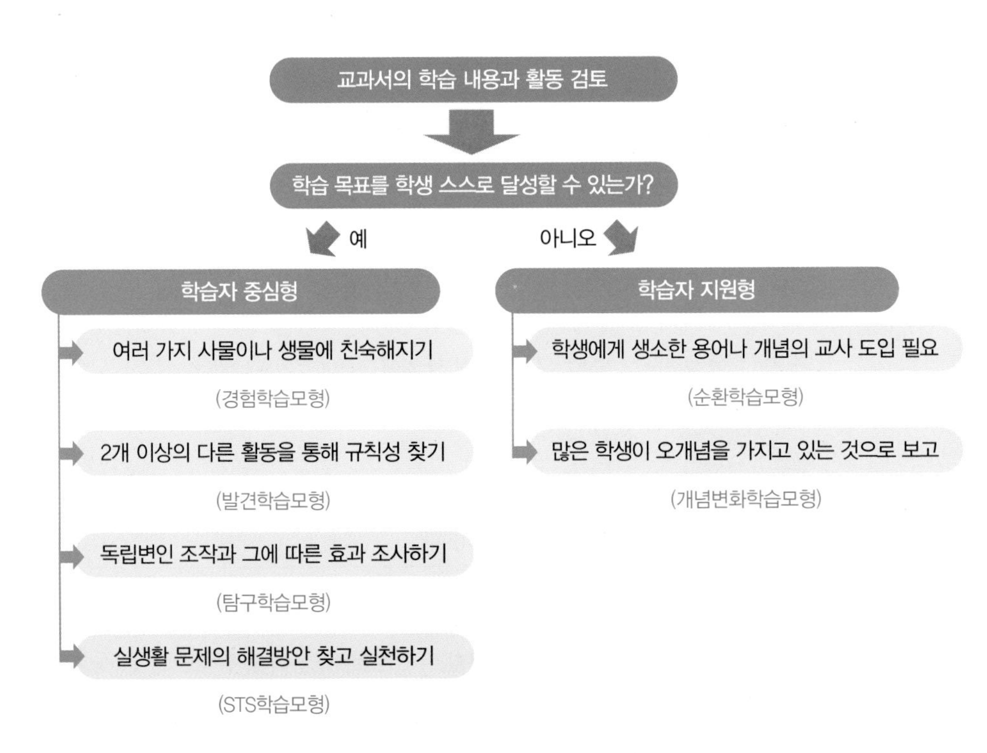

그림 7-11 **적절한 과학 수업모형의 선택 절차**

단되면, '학습자 중심형', 그렇지 않다고 판단되면 '학습자 지원형'으로 결정하면 된다.

'학습자 중심형'에 해당하는 수업모형은 '경험학습모형', '발견학습모형', '탐구학습모형', 'STS학습모형'이다. '경험학습모형'은 학습 활동이 여러 가지 사물이나 생물 등을 관찰하거나 분류하는 활동을 통해 자연에 친숙해지는 것을 주목적으로 하며, 특별히 학습 내용이 새로운 개념의 획득을 목적으로 하지 않는 경우에 적합한 모형이다. '발견학습모형'은 두 가지 이상의 서로 다른 활동을 학생들이 수행하고 이를 통해 그 규칙성을 스스로 발견하고 일반화하는 경우에 적합한 모형이다. '탐구학습모형'은 주로 한 가지 실험 소재가 제시되어 있고, 실험의 조건을 달리하여 그 효과를 조사하는 활동에 적합한 모형이며, 'STS학습모형'은 실생활과 관련된 문제에 대한 해결방안을 모색하고 실천하는 활동에 적합한 모형이다.

'학습자 지원형'에 해당하는 수업모형은 '순환학습모형'과 '개념변화학습모형' 등이다. 학습자 지원형은 학생 스스로의 활동을 지향하는 학습자 중심형보다 교사의 적극적인 개입이 필요한 경우, 특히 학생들이 학습할 개념이나 용어를 학생 스스로 생각하기 어려운 경우에 적합한 모형이다. '개념변화학습모형'은 여러 연구에서 또는 교사용 지도서에 학생들이 오개념을 가지고 있음이 분명하고 이 오개념이 다른 이후 차시에도 영향을 미친다고 판단될 때 사용하기 적합한 모형이다. '순환학습모형'은 학생들이 스스로의 활동을 통해 규칙성을 발견하지만 그 규칙성에 대한 과학적인 개념이나 용어(예:척추동물과 무척추동물, 자극, 자화, 생태계, 먹이그물과 같은 용어나 개념)를 학생들이 스스로 생각해 내기 어려운 경우에 적합한 모형이다.

연습문제

1. 다음은 '기체도 부피가 있을까?'라는 차시 주제의 실험을 나타낸 것이다. 최 교사는 귀납적인 과학 활동을 토대로 개발된 모형에 따라 두 가지 실험을 모둠별로 실시하는 수업 지도안을 구성하려고 한다. (1) 최 교사가 선택해야 할 수업모형은 무엇인지, (2) 이 모형에서 [실험 1]과 [실험 2]의 활동은 각각 모형의 어느 단계에 포함되어야 할지, (3) 최 교사가 선택해야 할 학습모형의 '4단계'에서 주로 사용되는 탐구 과정 기능의 명칭은 무엇인지 설명하시오.

> [실험 1]
> 공기와 물이 각각 들어 있는 주사기의 피스톤을 손으로 눌렀다가 놓았을 때 일어나는 변화 관찰하기
>
> [실험 2]
> 물이 거의 찬 페트병을 누르면서 페트병 속 공기방울의 부피 변화 관찰하기

2. 다음은 '여러 가지 방법으로 전구 2개 연결하기' 주제에 대한 학습 목표이다. 이 학습 목표에 도달하기 위해 배 교사는 가능하면 학생들이 스스로 탐구하면서 규칙성을 발견할 수 있도록 하고자 한다. 배 교사가 의도하는 수업에 적합한 교수-학습모형의 2번째와 4번째 단계의 명칭과 이 단계에 적합한 학습 활동을 구체적으로 제안하시오.

> 학습 목표
> - 2개의 전구를 직렬과 병렬로 연결할 수 있다.
> - 전구의 직렬과 병렬 연결에서 전구의 밝기 차이의 특징을 설명할 수 있다.

3. 다음은 연습문제 2번 수업에서 민수가 작성한 실험 보고서의 일부 내용이다. 민수의 보고서를 보고 박 교사는 반 학생들이 오개념을 가지고 있다고 판단하고 이를 교정하기 위한 수업을 계획하고자 한다. 민수가 가지고 있는 오개념은 무엇인지 설명하시오. 또한 박 교사가 선택해야 할 모형의 각 단계를 그림으로 나타내시오.

민수의 보고서

[예상]
전구 2개를 직렬 연결한 것이 전구 2개를 병렬 연결한 것보다 밝을 것이다. 왜냐하면 직렬 연결한 것이 병렬 연결한 것보다 전선이 짧고 단순하기 때문이다.

[실험 후]
예상한 대로 직렬 연결한 것이 병렬 연결한 것보다 더 밝았다. 그런데 우리 모둠에서 순희와 나는 직렬 연결한 것이 더 밝다고 하였고, 진수와 민지는 병렬 연결한 것이 더 밝다고 하였다.

4. 3~4학년 과학 교과서의 한 단원을 선택하고 그 단원의 각 차시별로 적절한 수업모형을 결정하고 그 모형이 적절한 이유를 설명하시오.

5. 이 책에서는 순환학습변형모형의 각 단계에서 이루어지는 활동에 대해 언급하지 않았다. 그러나 2022 개정 과학과 교육과정에 따라 개발된 교사용 지도서에서는 순환학습변형모형인 5E 모형과 POE 모형의 세부 단계에 대해 설명하고 있다. 교사용 지도서에 제시된 내용을 읽고 3단계 순환학습모형의 단계별 활동과 비교하여 설명하시오.

8

과학과 수업방법

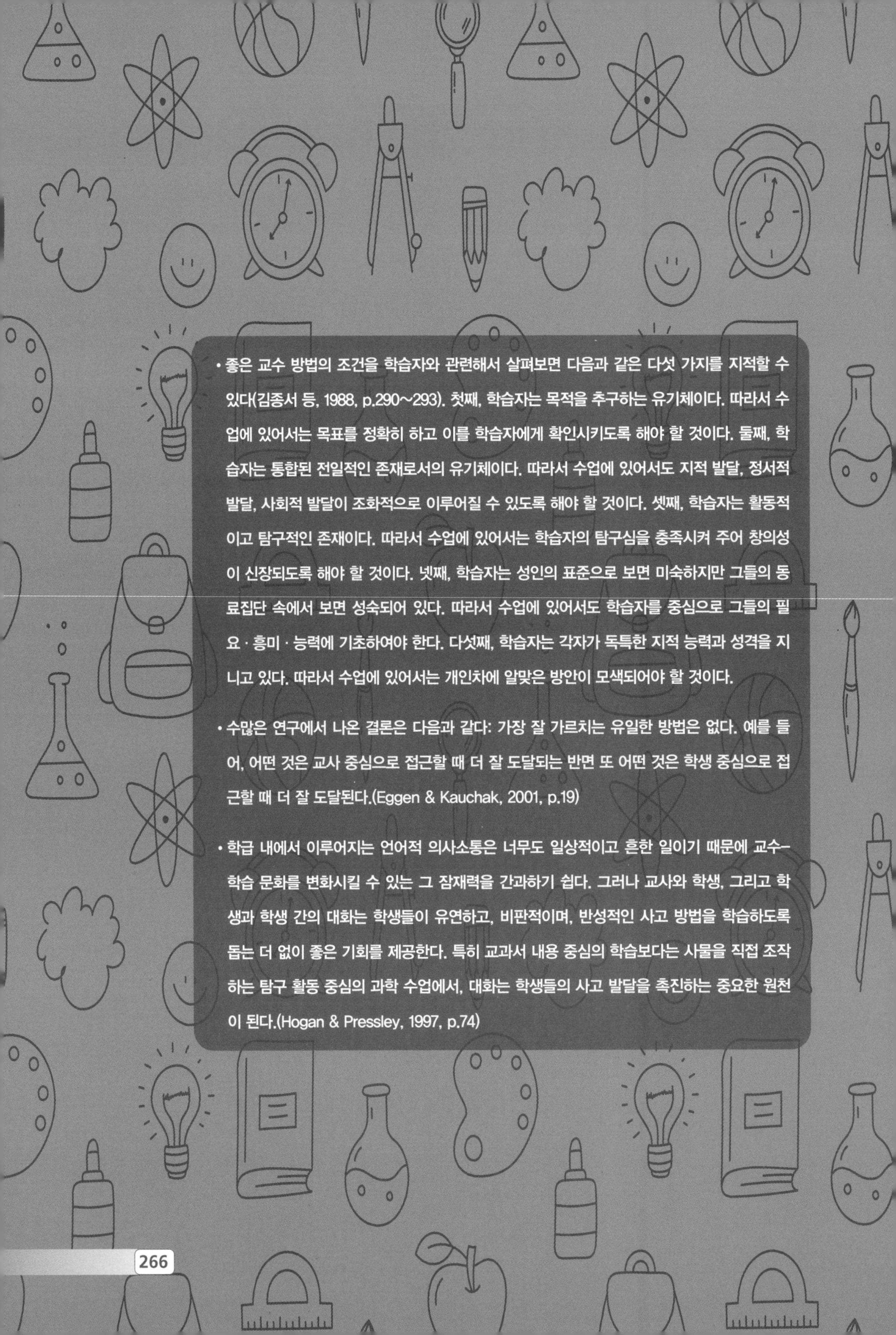

- 좋은 교수 방법의 조건을 학습자와 관련해서 살펴보면 다음과 같은 다섯 가지를 지적할 수 있다(김종서 등, 1988, p.290~293). 첫째, 학습자는 목적을 추구하는 유기체이다. 따라서 수업에 있어서는 목표를 정확히 하고 이를 학습자에게 확인시키도록 해야 할 것이다. 둘째, 학습자는 통합된 전일적인 존재로서의 유기체이다. 따라서 수업에 있어서도 지적 발달, 정서적 발달, 사회적 발달이 조화적으로 이루어질 수 있도록 해야 할 것이다. 셋째, 학습자는 활동적이고 탐구적인 존재이다. 따라서 수업에 있어서는 학습자의 탐구심을 충족시켜 주어 창의성이 신장되도록 해야 할 것이다. 넷째, 학습자는 성인의 표준으로 보면 미숙하지만 그들의 동료집단 속에서 보면 성숙되어 있다. 따라서 수업에 있어서도 학습자를 중심으로 그들의 필요 · 흥미 · 능력에 기초하여야 한다. 다섯째, 학습자는 각자가 독특한 지적 능력과 성격을 지니고 있다. 따라서 수업에 있어서는 개인차에 알맞은 방안이 모색되어야 할 것이다.

- 수많은 연구에서 나온 결론은 다음과 같다: 가장 잘 가르치는 유일한 방법은 없다. 예를 들어, 어떤 것은 교사 중심으로 접근할 때 더 잘 도달되는 반면 또 어떤 것은 학생 중심으로 접근할 때 더 잘 도달된다.(Eggen & Kauchak, 2001, p.19)

- 학급 내에서 이루어지는 언어적 의사소통은 너무도 일상적이고 흔한 일이기 때문에 교수-학습 문화를 변화시킬 수 있는 그 잠재력을 간과하기 쉽다. 그러나 교사와 학생, 그리고 학생과 학생 간의 대화는 학생들이 유연하고, 비판적이며, 반성적인 사고 방법을 학습하도록 돕는 더 없이 좋은 기회를 제공한다. 특히 교과서 내용 중심의 학습보다는 사물을 직접 조작하는 탐구 활동 중심의 과학 수업에서, 대화는 학생들의 사고 발달을 촉진하는 중요한 원천이 된다.(Hogan & Pressley, 1997, p.74)

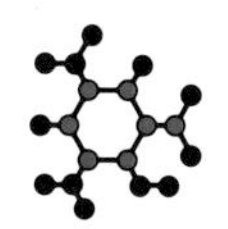

교수-학습 방법 또는 수업 방법[1]은 교사가 학생들로 하여금 학습 목표를 달성하는 데 도움이 되도록 학습 활동을 적절하게 선택하고 배열하여 어떻게 가르칠 것인가와 관련된 일련의 절차이다(이대형 등, 2004). 이러한 정의 중 이 장에서 다루어질 내용은 여러분이 선택할 각 학습 활동(즉 교과서에 제시된 관찰이나 실험 활동 등)의 지도 방법에 관한 것이며, 어떻게 배열할지 등에 대한 내용은 여러분에게 맡긴다. 즉 여기에서 살펴볼 내용은 하드웨어적인 것이며 소프트웨어적인 것은 각자의 몫이다.

제7장에서 여러 가지 과학과 수업모형의 특징과 그 선택 절차에 대해 살펴보았다. 수업모형을 결정한 일이 집을 한옥으로 지을 것인지 양옥으로 지을 것인지 그리고 한옥으로 지을 경우에는 그 내부 구조가 어떠한지에 관한 작업이라면, 제8장의 내용은 집의 각 공간을 꾸미는 작업에 관한 것이다. 즉 이 장에서 살펴볼 내용은 제7장에서 설명한 과학과 수업모형의 각 단계에서 활용될 교수-학습 활동방법에 관한 것이며, 관찰, 실험, 토의 · 토론 등 다양한 방법이 사용될 수 있다. 이들 방법은 수업 과정 중 특정 단계에서만 사용되거나 한 차시 전체 수업의 주된 방법으로도 사용될 수 있다. 예를 들어 이 장에서 살펴볼 관찰학습의 경우 순환학습모형의 '탐색' 단계에서만 사용되거나 경험학습모형 전체의 주요 방법으로 사용될 수도 있다.[2]

이 장에서는 초등학교 과학 수업에서 활용할 수 있는 교수-학습 방법으로 강의, 관찰, 실험, 토의 · 토론, 조사 및 과제 연구, 견학 등을 중심으로 살펴본다.

---

[1] 과학교육 분야에서의 교수-학습 방법에 관한 연구를 살펴보면, '교수-학습 방법'에 대한 구체적인 정의를 내리고 있는 경우는 거의 없으며, 교수-학습 방법이 수업 전략, 학습 지도 방법, 교수법, 수업 기법 등의 용어와 구분되지 않고 사용되고 있다(홍미영 등, 2002b). 실제로 이러한 용어들을 정의하거나 엄격하게 구분하기란 쉽지 않다. 따라서 이 장에서는 과학과 교육과정과 초등학교 교사용지도서를 토대로 '교수-학습 방법' 또는 줄여서 '수업 방법'이라는 용어를 사용한다.

[2] '견학'에 관한 내용은 제10장에서 자세히 다루며, 이 책에서 소개한 방법 외에도 교사 자신의 취향이나 학생들의 특징에 따라 다양한 방법들이 가능하다.

8.1 일반적인 유의사항

과학 교수-학습 방법을 살펴보기 전에 각 방법의 활용과 관련하여 공통적으로 유의해야 할 사항을 몇 가지 제시하면 다음과 같다.

첫째, 초등학교 과학 수업에서는 "실험이나 관찰 등의 구체적 조작 활동을 우선으로 하고, 컴퓨터를 활용한 실험과 인터넷과 멀티미디어 등을 적절히 활용한다"(교육과학기술부, 2011a). 이와 같이 과학 수업 방법으로 관찰이나 실험 등이 강조되는 이유는 어린이들의 '실험과 관찰에 대한 관심과 흥미'(제1장)와 '인지 발달 단계'(제6장) 그리고 과학이라는 학문의 '경험적 특성'(제3장) 등의 이유 때문이다. 이러한 실험이나 관찰 등의 구체적 조작 활동을 통한 학습은 '과학 개념 학습의 촉진', '과학적 방법에 대한 이해 도모', '과학(적) 태도의 계발' 및 '과학 학습에 대한 학생들의 동기 부여' 등의 교육적 효과가 있다(Bennett, 2003). 따라서 실제 실험이나 관찰이 가능한 탐구 활동의 경우에는 가능한 한 실험이나 관찰을 하도록 하며, 다만 실제 실험이 불가능하거나 안전의 문제가 있는 등의 경우에는 컴퓨터를 활용한 실험과 인터넷, 멀티미디어 등을 적절히 활용한다(교육과학기술부, 2008b).

둘째, 성공적인 과학과 수업을 위해서는 모든 학생이 능동적이고 구성적인 참여를 요구하는 학습 환경을 조성하는 일이 매우 중요하다(Vosniadou, 2001). 현재 우리나라를 포함한 세계 여러 나라의 과학과 교육과정에서 지향하는 기본 교수-학습관은 구성주의적 관점이다. 이러한 관점에 기초한 과학 수업에서는 교사-학생 그리고 학생-학생 간의 다양한 의사소통이 이루어지도록 해야 하며, 이때 교사는 학생들이 자신의 의견을 명료하고 조리 있게 표현하면서도 다른 사람의 의견을 경청하고 존중하는 태도를 가지도록 지도해야 한다.

셋째, 교수-학습 방법은 가능한 한 학생 중심으로 이루어지도록 고려해야 한다. 이 장에서 소개되는 관찰, 실험, 조사 등의 수업 방법이 학생 중심으로 이루어지기 위해 교사는 무엇보다 학생들이 활동의 목적을 명확히 인식할 수 있도록 안내해야 한다. 모둠별로 활동할 때는 몇몇 학생만이 중심이 되어 활동을 이끌어 나가거나 다른 학생의 활동에 방관자적 역할을 하는 학생이 없도록 지도하고, 필요한 경우 과학의 협동 연구 사례를 제시함으로써 상호협력의 중요성을 인식시키도록 한다(교육과학기술부, 2008b). 이 장의 제8.8절 '교사의 발문과 설명'의 경우 그 특성상 교사 중심으로 이루어지게 되는데, 이러한 경우에도 최대한 학습자 입장에서 이루어져야 한다.

넷째, 어느 한 가지 방법을 한 차시 내내 지속적으로 사용할 수도 있으나, 그보다는 적어도 15~20분 간격으로 다른 방법을 활용해야 효과적이다(김찬종 등, 1999). 학급 학생들은 능력과 흥미 등에서 개인차가 있으며, 동일한 내용을 동일한 방법으로 지도하여도 학습 내용을 이해하는 정도나 학습에 흥미를 보이는 정도는 학생에 따라 많은 차이가 있다(교육과학기술부, 2008b). 따라서 과학 교수-학습 효과를 높일 수 있도록 교사는 다양한 수업 방법을 활용하도록 한다.

다섯째, 실험이나 관찰 등의 과학 활동 중에는 한 시간 동안에 모두 마치는 것이 어려운 경우가 종종 있으므로 활동의 특성상 필요한 경우 연차시 학습으로 운영하도록 한다.

여섯째, 제6장의 Bandura의 '관찰학습'에서 살펴본 바와 같이, 교사는 자신이 사용하는 교수 방법이 학생의 학습 방법이 될 수 있음을 유념해야 한다. 학생들의 학습 전략은 교사에 의해 직접적으로 또는 간접적으로 가르쳐질 수 있다(Vosniadou, 2001). 간접적으로 가르쳐진다는 것은 학생들이 교사가 사용하는 교수 전략에 대한 관찰을 통해 그들의 학습 전략을 발달시켜 나갈 수 있다는 뜻이다. 교사의 효과적인 교수 전략은 학생의 효과적인 학습 전략이 될 수 있다.

8.2 관찰학습

제4장에서 설명한 대로, 과학 탐구 과정 기능으로서 '관찰'이 학생들이 직접 경험을 통해 과학적 사실로서의 정보를 수집하는 방법이라면, 과학 교수-학습 방법으로서 '관찰학습'은 이러한 관찰이라는 탐구 방법을 주로 활용하여 이루어지는 학습 활동을 말한다.

초등학교 과학 교과서에는 식물의 잎 관찰하기, 동물의 생김새 관찰하기, 구름 관찰하기, 여러 가지 씨앗 관찰하기, 암석 관찰하기 등 관찰 활동이 위주인 학습 주제가 매우 많다. 이러한 사물이나 생물 등에 대한 관찰 활동에서 어린이들은 그들이 가지고 있는 모든 감각을 활용함으로써 꽤 많은 사실을 알아낼 수 있다.

예를 들어, 학습 주제가 식물의 잎 관찰하기라면, 어린이들은 시각을 이용하여 잎의 모양, 크기, 색깔, 잎맥의 모양 등의 사실을 모은다. 또한 냄새를 맡아 보기도 하고, 손으로 그 표면을 문질러 보거나 무게를 느껴 보기도 하고, 흔들어 보거나 다른 사물에 부딪칠 때 나는 소리를 조사하는 등의 후각, 촉각, 청각을 사용하여 잎에 대한 다양한 정보를 수집한다. 또한 어린이들은 그들이 관찰한 것을 다양한 방식으로 표현하거나 관찰 결과를 바탕으로 분류하는 활동 과정을 통해 자연 현상이나 사물 등에 대한 이해를 넓혀 나간다.

위와 같이 관찰학습은 어린이들에게 과학 학습의 바탕이 되는 자연 현상, 사물, 생물에 친숙해지는 경험과 관찰한 결과에 대한 이해의 기회를 제공하는 매우 유용한 학습 방법이다. 하지만 관찰학습과 관련하여 초등학생들, 특히 저학년 학생들은 많은 어려움을 겪는다. 초등학교 과학 수업에서 관찰학습이 효과적으로 이루어지기 위해 교사가 유의할 점을 제시하면 다음과 같다.

- 관찰하고자 하는 동기를 부여하고 관찰의 목적을 분명하게 알도록 해야 한다(윤길수 등, 2001). 효과적인 관찰학습이 이루어지기 위해 교사는 학생들의 관찰 대상에 대한 호기심 유발을 통해 탐구하려는 의욕을 가지게 하고, 관찰의 목적에 대한 명확한 이해를 통해 어린이들이 문제의식을 가지고 관찰 활동에 참여하도록 안내해야 한다.
- 교사 중심의 설명식 관찰 수업보다는 가능한 한 학생 중심의 발견식 관찰 수업이 이루어지도록 한다(p.272 참조). 초파리의 한살이 단원에서 발견식 관찰 수업(학생들이 직접 초파리를 채집하여 기르면서 관찰 수업을 진행)과 설명식 관찰 수업(교과서, 사진자료, 비디오, CD, 인터넷 등 여러 가지 수업 매체를 활용)이 학습 흥미도에 미치는 영향을 조사한 연구(박강은과 김덕구, 2002)에 따르면, 설명식 관찰 수업보다 발견식 관찰 수업을 한 학생들의 흥미도에 통계적으로 유의미한 차이가 있다.
- 어린이들이 가능한 자신의 감각 기관을 최대로 이용한 다각도의 관찰 활동을 하도록 안내해야 하며, 특별한 경우가 아니면 미각은 사용하지 않도록 한다. 신동훈 등(2006)의 연구에 의하면, 관찰 수업에서 교사와 학생 모두 단순한 시각적 관찰에 머무르고 있다. 학생의 관찰 유형이 시각적 관찰에 머무르는 이유는 교사의 안내 유형이 단순한 시각 관찰에 치우쳐 있기 때문이고, 교사가

안내하는 관찰 유형은 교과서에 제시된 관찰 유형에 영향을 받기 때문인 것으로 생각된다.

- 관찰 대상에 대한 세심한 관찰이 이루어지도록 충분한 시간을 제공해야 한다. 시간은 관찰하는 기회를 제공하는 데 있어 중요한 차원으로, 관찰하고자 하는 대상에 따라 다르지만 대략 10분 정도가 충분하다(Harlen, 2001).
- 관찰의 관점을 사전에 제시해야 한다(홍미영 등, 2002a). 초등학생은 관찰 방법 등에 대한 지식이 부족하기 때문에 단 한 번의 관찰을 통해 관찰 대상에 대한 상세한 정보를 얻기 쉽지 않다. 따라서 교사가 학급 학생들의 발달 수준에 맞게 사전에 관찰 관점과 관찰에 필요한 최소한의 지식을 안내해 준다면, 학생들은 관찰해야 할 것을 놓치지 않을 수 있고, 짧은 시간에도 많은 것을 관찰할 수 있으며, 학생들이 관찰한 것을 토대로 개념을 획득하는 데도 효과적이다. 또한 교사는 교과서에 제시된 관찰 관점이 학생의 발달 수준에 비해 너무 포괄적이거나 너무 구체적이라고 판단되면 학급 학생들의 수준에 맞게 조정하도록 한다. 때에 따라서는 학생들에게 관찰하는 방법에 대하여 교사가 보다 적극적으로 보여주거나 가르치는 것이 필요한 경우도 있다(홍미영 등, 2002b).
- 수시로 어린이들의 관찰을 자극하고 관찰에 초점을 맞추도록 안내하는 적절한 질문을 제공하여 어린이들이 피상적인 특징을 넘어 세부 사항을 관찰할 수 있도록 도와준다(Harlen, 2001).
- 관찰을 위한 기구의 사용법을 올바르게 체득하도록 한다(Harlen, 2001). 예를 들어, 현미경을 사용하는 경우 그 사용 방법에 대한 안내가 이루어져야 한다. 또한 온도계, 확대경, 자 또는 저울과 같은 도구들을 사용하면 사물에 대해 더 많은 정보를 얻을 수 있다는 것도 알아야 한다(AAAS, 1993). 한편 정량적인 관찰을 할 때, 반드시 자나 저울을 사용하여야 하는 것은 아니며, 길이의 경우 손가락 마디로 표시하거나 무게의 경우 다른 물체와 비교하여 나타낼 수도 있다(교육과학기술부, 2011).
- 관찰학습 활동은 직접적인 관찰에서 끝나는 것이 아니라 그 결과를 기록하거나 표로 만들어 정리하는 단계까지 이루어져야 한다(윤길수 등, 2001). 어린이들은 관찰학습 활동에서 사물이나 현상을 주의 깊고 정확하게 관찰하여 정직하게 기록하고 또 그 기록을 정리해야 한다. 필요한 경우, 기록 및 스케치 요령을 익히도록 한다. 어린이들에게 그림을 그리도록 하는 일은 그들이 세부

사항에 주목하도록 북돋아 준다(Harlen, 2001). 가능한 한 정확하게 사물을 기술하는 것이 과학에서 중요한 이유는 사람들이 자신이 관찰한 것과 다른 사람들이 관찰한 것을 비교하는 것을 가능하게 하기 때문이다(AAAS, 1993). 관찰한 것을 잘 기록하기 위해 학생들은 관찰 시간, 관찰 장소, 직접 관찰한 것 등을 정확하고 간결하게 기록해야 한다.

- 어린이들은 자신이 관찰한 것에 대해 이야기하고, 다른 사람들의 관찰과 자신의 관찰을 비교하는 데도 많은 시간을 가져야 한다(AAAS, 1993). 교사는 어린이들이 자신이 관찰한 내용을 모둠이나 전체 학급 토의에서 이야기할 수 있도록 관찰학습 활동을 구성해야 한다. 이러한 의견 교환의 과정을 통해 어린이들은 사람마다 관찰하는 것이 다르다는 것을 깨닫고 자신이 미처 관찰하지 못한 정보를 공유할 수 있다(Harlen, 2001). 또한 이러한 정보 교환의 과정은 정확한 학습 결과를 얻는 데 도움이 된다. 하지만 교사는 학생들이 관찰한 것 그리고 관찰 결과에 대한 토의 과정에서 과학적으로 정확한 설명을 생각해낼 것이라고 기대해서는 안 된다. 관찰은 이론에 의존하므로, 보는 만큼 아는 것이라기보다는 아는 만큼 보이는 것(Chalmers, 1982)이기 때문에 교사의 적절한 안내가 필요하다. 한편 교사는 어린이들이 동일한 것에 대해 기술한 것이 서로 다를 때, 누가 옳은가에 대해 논하기보다는 다시 한 번 자세히 관찰하는 것이 일반적으로 좋은 생각이라는 것을 알도록 한다(AAAS, 1993).
- 초등학생들은 사용하는 언어가 제한되어 있기 때문에 관찰 결과를 의사소통하는 과정에서 어려움을 겪을 수 있다(홍미영 등, 2002b). "이를 극복하기 위한 방안으로 여러 가지 표현에 대한 예시 자료를 주고 선택하거나 언어가 아닌 그림이나 몸동작으로 표현하게 하는 방법 등이 있으나 경험이 부족하고 인지 발달 단계가 낮은 초등학생에게 있어서 관찰 결과를 의사소통하는 것은 여전히 어려운 과정이다"(홍미영 등, 2002b).
- 관찰 대상을 나누어 준 뒤에는 학생들이 교사의 설명에 집중하지 않는 경향이 있으므로, 관찰에 대한 안내를 미리 제시하는 것이 효과적이다(홍미영 등, 2002b).
- 장기간에 걸친 관찰 활동의 경우, 예를 들어 사전에 여러 날 동안의 날씨 조사를 해야 하거나 동식물의 사육과 재배가 필요한 경우에는 관찰한 결과를 지속적으로 정확하게 기록하도록 안내한다.

표 8-1 관찰 수업의 과정(신동훈 등, 2006)

과정		개념 정의
관찰 전 활동	① 동기 유발	학습 내용에 대해 호기심을 가지도록 자극하는 과정
	② 학습 목표 확인	학생들에게 학습 목표를 제시하여 확인시키는 과정
	③ 관찰 대상 제시	관찰 대상을 학생들에게 제시하고 관찰 대상에게 설명하는 과정
관찰 활동 과정	④ 자유 관찰	교사 안내 이전에 자유로운 관찰 과정
	⑤ 관찰 방법 안내	교사 주도로 관찰 방법이나 대상 변화를 안내하는 과정
	⑥ 단순 관찰	오감을 사용하여 관찰하는 과정
	⑦ 관찰 방법 추가 안내	단순 관찰 후 빠진 관찰의 유형을 찾아보게 하거나 조작 방법을 안내하는 과정
	⑧ 조작 관찰	물리적 조작을 가한 후에 관찰하는 과정, 실험 기구나 시약을 사용하는 과정
관찰 후 활동	⑨ 관찰 내용 기록	관찰한 내용을 그림으로 그리거나 글로 기술하는 과정
	⑩ 관찰 내용 확인	토의나 발표를 통하여 관찰한 내용을 서로 확인하는 과정
	⑪ 규칙성 발견	관찰한 내용에서 공통점과 차이점을 찾고 규칙성을 알아내는 과정
	⑫ 학습 정리	배운 내용을 확인하며 정리하고 차시를 예고하는 과정

신동훈 등(2006)의 연구에 따르면, 초등학교 과학 수업에서 관찰 수업 지도는 크게 세 단계, 세부적으로는 12단계의 순서로 이루어지고 있으며(표 8-1), 이러한 과정은 교사가 학생들의 효율적인 관찰학습 지도 계획을 수립하는 데 도움이 될 수 있다. 예를 들어, 교과서에 제시된 관찰학습 활동 중 수업의 흐름상 어떠한 과정을 더 보완해야 하는지 등에 대해 검토함으로써 관찰 활동을 재구성할 수 있다.

8.3 실험학습

"'관찰'이 주로 오감을 이용해서 정보를 수집하는 것이라면, '실험'은 관찰하고자 하는 현상을 인위적으로 재현하여 정보를 얻을 수 있도록 하는 것이라고 할 수 있다"(교육인적자원부, 2001). 학생들은 과학의 고유한 탐구 방법으로서 실험 활동을 통해 과학적 방법과 지식을 습득한다.

식물의 뿌리 관찰하고 분류하기[3]

수업 사례

김 교사는 식물의 뿌리 단원을 지도하기 위해 학생들에게 주변에서 볼 수 있는 식물을 채집해 오도록 미리 과제를 주었다. 수업이 원활하게 진행될 수 있도록 수업 시작 전 각 모둠마다 큰 도화지를 펼쳐 놓았다.

"오늘은 식물의 뿌리에 대해 공부해 볼 거예요. 식물의 뿌리는 크게 두 종류로 구분할 수 있어요. (칠판에 원뿌리 그림과 수염뿌리 그림을 붙이며) 바로 이런 종류인데요, 원뿌리와 곁뿌리를 가진 식물을 쌍떡잎식물, 수염뿌리를 가진 식물을 외떡잎식물이라고 해요. 원뿌리를 가진 식물이 무슨 식물이라고요?"

"쌍떡잎식물이요."

"수염뿌리를 가진 식물은요?"

"외떡잎식물이요."

"좋아요. 자, 이제 여러분들이 가져온 식물을 도화지 위에 놓아 보세요."

학생들은 왁자지껄하며 자신이 가져온 식물을 도화지 위에 올려 놓는다. 교사는 이번 시간에 학습할 주제와 관련하여 활동을 안내하기 위해 학생들의 주의를 모으려 애쓰지만 도화지 위에 식물을 늘어놓는 활동에 빠진 학생들은 선생님의 말씀을 들으려 하지 않는다. 여러 번 종을 울려 겨우 학생들의 주의를 집중시킨다.

"자, 조용조용! 선생님 말대로 식물을 분류해 보세요. (칠판의 원뿌리 그림을 가리키며) 먼저 식물의 뿌리가 이 그림처럼 생긴 식물을 골라내 보세요. (수염뿌리 그림을 가리키며) 그러고 나서 이 그림처럼 생긴 식물도 따로 모아 보세요."

학생들은 선생님이 제시한 그림을 보며 친구들이 가져온 식물을 분류하는 활동을 시작한다.

수업 분석

이 수업은 무엇이 문제인가? 결론은 수업 접근방식이 적절하지 않다는 것이다. 이 수업의 학습 주제는 학생들이 식물의 뿌리를 관찰하고 그 결과에 따라 분류하는 것이다. 수업 사례에서 볼 수 있듯이 교사들이 흔히 범하게 되는 실수는 다양한 사례로부터 기준에 의해 공통점과 차이점을 찾아가며 결론을 이끌어내는 귀납적 수업으로 진행해야 하는 수업임에도 연역적으로 결론부터 먼저 제시하고 그것에 의해 분류하도록 했다는 점이다. 또한 다양한 식물의 뿌리를 관찰하는 과정을 통해 자연스럽게 식물의 뿌리 모습을 분류해 보도록 유도하였다면 식물을 연구하는 과학자들의 활동과 유사한 경험과 사고의 단계를 밟을 수 있는 경험을 제공할 수 있었을 것이다. 또한 한 가지 중요한 점은 결론은 학생들의 몫임에도 김 교사는 학생들이 활동을 통해 발견해야 할 결론을 미리 제시하는 잘못을 범하고 있다.

---

[3] 이 내용은 이화진 등(2007)의 p.77의 내용을 연구자의 동의하에 인용한 것임.

표 8-2 실험의 목적에 따른 실험 수업의 유형

유형	목적
확인 실험	교사의 설명 등을 통해 이미 학습한 추상적 지식과 관련된 현상에 대한 구체적인 경험을 제공한다.
탐색 실험	잘 짜인 계획이나 절차 없이 개방적 상황에서 새로운 자료와 현상을 자유롭게 탐색하고 조사하게 하며 이에 대해 흥미를 가지게 한다.
귀납적 실험	과학적 사실을 수집하고 이를 의미 있는 개념이나 일반화로 조직하게 한다. 교사는 정답을 학생들에게 주기보다는 질문을 통하여 그들 스스로 찾게 한다.
가설-연역적 실험	자연 현상 등에 대한 문제나 의문을 가지고 이를 해결하기 위해 가설을 형성하고 자료를 모으고 분석함으로써 가설을 검증하고 결론을 유도한다.
기능 개발 실험	실험 기구나 장비를 다루는 학생들의 기능을 습득하게 한다.
과정 개발 실험	과학적 문제 해결 방법에 관심을 가지도록 하며 과학 탐구 과정 기능을 익힐 수 있는 기회를 제공한다.

"실험학습은 과학실에서만 하는 학습이 아니라 과학실과 같은 환경에서 학생이 실험하거나 탐구하는 과정에 역점을 두는 학습을 말한다"(교육인적자원부, 2001). 실험은 가능한 한 과학실에서 하는 것이 좋지만 대부분의 일선 초등학교에서 과학실은 1~2개에 불과하기 때문에 모든 과학 수업을 과학실에서 진행하기 쉽지 않다. 그런데 교사들 중에는 실험학습이라고 하면 가설을 설정하고 그 가설을 검증하는 활동이 포함되어야 한다고 생각하지만, 실험학습은 실험을 통하여 기대되는 학습의 결과에 따라 표 8-2와 같이 여러 가지 유형으로 구분할 수 있다(교육부, 2014; 권치순 등, 1993).

한편 표 8-3과 같이, 실험 수업의 유형은 실험의 문제, 방법, 실험 결과의 제시 여부에 따라 네 가지 수준으로 구분할 수 있다(Herron, 1971). 예를 들어, 교사가 어떤 문제와 그 해결을 위한 실험 과정을 모두 제시하고, 학생들은 교사가 지시한 대로만 실험을 진행하며, 실험 결과도 교사가 정리해 준다면 제0수준에 해당한다. 이러한 제0수준에 해당하는 유형의 실험은 '비탐구적 실험학습'이라 할 수 있다.

초등학교 교과서에 제시된 실험 활동의 대부분은 표 8-3의 제1수준에 해당한다. 이와 관련하여 초등학교 5학년 2개 단원에 제시된 실험 활동을 탐구 요구 수준(표 8-3)에 따라 재구성한 두 연구(김분숙 등, 2006; 임채성 등, 2005)의 결과를 간략히 소개하면 다음과 같다.

표 8-3 실험 수업의 유형

탐구 수준	실험 문제	실험 방법	실험 결과(해답)
제0수준	제시	제시	제시
제1수준	제시	제시	개방
제2수준	제시	개방	개방
제3수준	개방	개방	개방

제7차 과학과 교육과정 5학년 1학기 2개 단원을 탐구 요구 수준에 따라 재구성하였으며, 실험반은 제2수준 그리고 비교반은 제1수준의 실험 수업을 실시하였다. 연구 결과, 제1수준보다 제2수준의 실험 수업이 학생들의 인지적인 측면, 즉 학습 기억력을 높이고 유지하는 데 효과적인 것으로 나타났다. 반면 정의적 영역의 경우 제2수준을 적용한 실험 수업보다는 제1수준의 실험 수업이 더 효과적인 것으로 나타났으며, 제1수준은 대체로 실험 수업이 쉬웠다는 응답이 많은데 비해 제2수준은 보통이거나 어려웠다는 비율이 높았다. 이러한 결과는 학생들은 익숙지 못한 활동에 대한 불안감을 가지고 있었고, 차시가 거듭됨에 따라 활동 시간이 줄어들고 보다 익숙하게 활동했다는 점을 고려하면 제2수준의 실험 수업을 통해 학생들의 정의적 특성에 긍정적 효과를 줄 수도 있을 것으로 예상된다.

이들 연구의 중요한 시사점 중 하나는 교사가 교과서에 제시된 실험 수준을 조절할 수 있으며, 이를 통해 교과서의 한계를 극복하고 학생들의 인지적 측면에 보다 도움이 되는 학습을 전개할 수 있다는 것이다.

한편 초등학교 과학 실험 수업에서 교사들은 여러 가지 현실적인 문제로 어려움을 겪고 있으며(박종욱과 김선자, 1996), **표 8-4**는 박종욱과 김선자의 연구에서 분류 · 정리된 과학 실험 수업에서 발생하는 문제의 일부를 제시한 것이다.

초등학교 과학 수업에서 효과적인 실험학습이 이루어지도록 하기 위해 교사가 유의할 점을 살펴보면 다음과 같다.

- 효과적인 실험학습이 이루어지기 위해서는 모든 학생에게 해당 실험의 목적을 분명하게 이해시키고 실험 활동에 대한 동기 유발을 통해 적극적인 참여가 이루어지도록 해야 한다.

표 8-4 초등 과학 실험 수업에서 발생하는 문제 유형

실험 재료 및 시약	실험 기구	실험 과정	실험 결과
• 구입(채집)의 어려움 • 시약이나 재료 불량 • 실험 후 환경오염 등	• 없거나 불량 • 초기화의 어려움 등	• 방법의 오류 • 안전 사고의 위험 • 사육 · 재배의 어려움 등	• 결과 비교시 미세한 차이 • 불분명하거나 전혀 다른 실험 결과 등

- 실험 수업을 하기 이전에 반드시 실험 준비물의 확인과 함께 사전 실험을 할 필요가 있다. 초등학교 실험의 대부분은 명확한 결과를 얻도록 잘 고안되어 있지만 그렇지 못한 경우도 있으므로 사전 실험을 통해 예상치 못해 발생할 수 있는 문제를 사전에 제거하는 것이 필요하다(홍미영 등, 2002b).
- "과학 교육보다 과학 훈련에 가까운 실험이 되지 않도록 해야 한다"(홍미영 등, 2002b). 홍미영 등이 지적한 대로 학생들이 실험 기구에 대한 올바른 사용법을 익히는 것도 중요하지만 그 기구를 왜 사용하는지, 그것이 왜 올바른 기구 사용 방법인지에 대하여, 그리고 교과서에 제시된 실험 방법을 무조건 따라 하듯이 진행되는 실험에서 벗어나서 왜 그와 같은 방법으로 실험하는지 등에 대하여 호기심을 갖고 생각해 보는 기회 제공이 필요하다.
- 실험에서 같게 해야 할 조건, 다르게 해야 할 조건, 측정해야 할 조건을 명확히 한 후 실험을 실시하도록 안내해야 한다. 제4장의 '변인 통제'에서 언급한 바와 같이 많은 초등학생이 변인 통제 능력이 부족하기 때문에 같은 실험을 반복하거나 가설과 관련이 없는 변인들을 조작하는 등의 어려움을 겪는다. 또한 실험 과정에서 일어난 모든 사항을 자세히 기록하도록 안내한다. 실험 과정의 모든 사항을 자세히 기록하는 이유는 실험 과정에서의 문제점을 파악하기 용이하고 동일한 실험을 무의미하게 반복하는 것을 피할 수 있기 때문이다.
- 실험을 통해 얻은 자료는 표나 그래프로 변환하도록 안내한다. 학생들이 작성한 표나 그래프는 자료 해석을 용이하게 할 뿐 아니라 의사소통의 기능도 한다. 한편 보조 교과서 '실험 관찰'에는 해당 실험에 대한 표나 그래프의 양식이 제공되어 있지만 많은 학생들이 그래프를 작성하는 데 어려움을 겪을 수 있으므로 필요한 경우 그래프 작성 방법에 대한 안내를 하도록 한다.
- 실험 결과가 명확하지 않거나 의도한 것과 다른 결과가 나왔을 때 당황하지 말고 일단은 학생들의 실험 결과를 긍정적으로 수용하고 실험 과정을 점검하

도록 한다. 이러한 실험 결과는 학생들이 변인 통제를 제대로 하지 않은 경우와 같이 학생들의 실수로 인한 경우가 많지만, 정밀도가 떨어지는 실험 기구의 사용이나 대규모 또는 장시간에 걸친 자연 현상에 대한 모형실험(예:바람의 발생 원인을 알아보기 위한 '대류 상자 실험')과 같이 실험 자체의 한계 등에 의해서도 생길 수 있다. 실험 결과가 의도한 바대로 나오지 않더라도 이것은 실제 과학에서는 흔히 있는 일이고, 결코 수업이 실패하였다는 것은 아니며, 이러한 경우 교사는 적절히 개입하여 학생들이 실험이 제대로 되지 않은 원인을 분석하도록 안내한다(홍미영 등, 2002b). 또한 과학 수업에서 항상 실험 결과가 모둠별로 일치해야 하거나 확실해야 한다는 관념에서 벗어나도록 하는 것이 필요하다(홍미영 등, 2002b). 모둠별로 다양한 실험 결과가 나올 경우 실험 과정에 대하여 서로 비교하고 그 차이의 원인에 대해 생각해 보도록 안내한다.

- 실험 전과 실험 후 학생들의 실험 결과에 대해 각자의 예상이나 그 결과에 대해 활발한 논의가 이루어지도록 한다. 학교 실험 수업에서 강조되어야 할 것은 결과를 얻는 것이라기보다는 결과에 대해 논의하는 것이다(NRC, 1996). 그러나 실제 과학 수업에서의 토의 과정은 가장 그럴듯하게 들리는 한 학생의 주장을 그대로 따라 적거나 한 학생이 토의를 주도해 나가는 등의 진정한 의미의 토론이 이루어지지 않을 가능성이 많으므로 학생들의 토의 · 토론 방법에 대한 안내(제8.5절 '토의 · 토론 수업' 참조)와 함께 교사의 적절한 피드백이 필요하다.
- 실험학습의 어려움으로 많은 교사들이 시간 부족을 들고 있다(제5장 참조). 이는 달리 생각해 보면, 토의 · 토론 활동이 제대로 이루어지지 않고 있음을 시사한다고 볼 수 있다. 이러한 경우, 즉 모둠별 실험 활동에서 학생들이 실험하는 데 소요되는 시간이 길어 토의 · 토론을 할 시간이 없을 경우에는 시범실험으로 대체하는 것도 방법이 될 수 있다(그림 8-1 참조). 또는 해당 차시에 여러 가지 실험이 제시되어 있는 경우, 모둠별로 실험을 배정하고 그 결과를 공유하는 것도 한 가지 방법이다.
- 초등학교의 경우 대체로 정성적으로 실험을 지도하는 것이 적합하며, 정량적인 실험을 한다고 할지라도 실험에서 측정된 자료의 구체적인 값에 집착하기보다는 전체적인 경향성을 파악하는 데 중점을 두도록 한다. 정량적인 실험을 너무 강조하는 것은 이 시기의 지적 발달 수준에 비추어 볼 때 적절하다고

실험학습은 실험의 주체에 따라 '개별 실험', '모둠별 실험', '시범 실험'으로 나눌 수 있으며(교육인적자원부, 2001), 시범 실험은 교사의 시범 실험, 교사와 학생(보조자로서 학생)의 시범 실험, 학생의 시범 실험 등으로 구분할 수 있다(권치순 등, 1993).

시범 실험보다는 개별 실험이나 모둠별 실험이 더 효과적이지만 실험 기구나 재료를 사전에 충분히 확보하지 못하였거나 안전상의 문제가 발생할 수 있다고 판단되거나 또는 학생들의 토론 활동이 더 의미 있다고 생각될 때, 교사는 시범 실험을 실시할 수 있다. 일반적으로 시범 실험에서는 교사가 실험 과정을 수행하고 학생들은 다 같이 관찰하거나 얻어진 자료를 가지고 해석 · 토론하게 되는데, 이때 유의할 사항은 다음과 같다(권치순, 1993; 교육부, 2014).

첫째, 시범 실험을 통해 달성하고자 하는 목적을 명확하게 해야 한다.

둘째, 시범 실험은 가능한 한 실물을 이용하여 실제로 현상이 일어나게 해야 한다.

셋째, 시범 실험이니만큼 실수나 실패가 없어야 한다. 이를 위해서 교사는 적어도 한 번은 사전 시범 실험을 반드시 실시하여야 한다.

넷째, 모든 학생들이 쉽게 볼 수 있도록 하여야 한다. 이때 실물화상기와 프로젝션 TV를 활용하여 실험 장면을 촬영한다면 효과적이다. 만약 유수대 실험과 같이 야외에서 시범실험을 해야 하는 경우에는 학생들을 계단에 앉게 하여 전체 학생들이 잘 볼 수 있도록 한다.

다섯째, 시범 실험자의 목소리는 교실의 뒤쪽에 있는 학생에게도 들릴 수 있도록 하여야 한다.

여섯째, 시범 실험을 할 때는 학생에게 흥미가 유발되도록 생동감 있게 하여야 한다. 훌륭한 시범자는 배우와도 같다. 그의 연기적인 기술로 학생들은 흥미롭게 고무되고 그 실험에 몰두하게 된다.

일곱째, 시범 실험의 시작은 질문으로 시작해야 한다. 만약 테이블 위에 어떠한 기구가 놓여 있다면 그 쓰임에 대해 질문하여야 하며, 대답할 시간을 주어야 한다.

그림 8-1 시범 실험의 활용 시기 및 유의사항

보기 어려운데(교육인적자원부, 2001), 실험 기구의 한계, 학생들의 측정 능력 등의 한계가 있기 때문이다.

- 안전 사고의 가능성이 있는 실험을 할 때는 실험 전에 반드시 안전교육을 실시하여야 한다(제10장 참조). 대부분의 실험은 보통 교실에서도 별 어려움 없이 수행할 수 있을 만큼 간단한 자료들을 사용하지만(윤길수 등, 2001), 여러 종류의 실험 기구와 시약 등을 다루는 경우뿐 아니라 간단한 실험의 경우에도 어디에서 무슨 일이 일어날지 알 수 없다.

8.4 조사학습

'조사'는 탐구 문제에 대하여 관련된 자료를 찾고 탐색하는 것을 말한다(교육부, 2014). 일반적으로 조사학습에서 학생들은 주어진 과제를 해결하기 위해 구체적 계획을 세워 그 계획에 따라 자료를 수집, 정리, 해석하는 활동을 한다. 이러한 과정에서 학생들은 능동적으로 지식을 구성하게 된다. 즉 조사학습은 학생들에게 지식 전달 위주의 교육 방법에서 벗어나 자기 주도적 학습 환경을 제공함으로써 그들의 능동적인 지식 형성에 도움을 준다. 하지만 이러한 장점에도 조사학습의 상당수는 형식적으로 이루어지는 경우가 많다. 이는 많은 학생들이 어떤 자료를 어디에서 어떻게 찾아야 하는지, 조사한 결과는 어떻게 정리해야 하는지 등에 경험이나 지식이 부족하기 때문이다(홍미영 등, 2002b).

따라서 조사 활동을 과제로 제시할 경우 학생들은 인터넷이나 백과사전 등의 자료를 그대로 베껴오는 경우가 많고, 학생들이 조사할 수 있는 범위가 제한되어 있어 조사 결과가 거의 동일한 경우가 많으며, 이러한 조사 결과를 바탕으로 발표 및 토론을 하게 되면 수업은 그 효과가 극히 제한적일 수밖에 없게 된다(권인자, 2001; 이화진 등, 2007; 홍미영 등, 2002b).

효과적인 조사학습이 이루어지기 위해 교사는 학생들의 능력을 고려한 치밀한 사전 계획을 세우고 그에 기초하여 조사학습을 실시해야 한다. 즉 효과적인 조사학습을 위해 교사는 학생들과 함께 사전에 '무엇을 조사할 것인가?', '어떤 방법으로 조사할 것인가?', '조사한 것을 어떻게 엮을 것인가?'를 결정해야 한다. 무엇보다도 초등학생의 경우, 특히 저학년 학생들의 경우 조사하는 방법부터 학습하게 하는 것이 우선적으로 필요하다. 이를 위해 교사가 구체적으로 조사 방법에 대해 안내해 주거나 조사하는 방법을 시범적으로 보여주는 것이 좋다. 고학년에서는 개별이나 모둠별로 스스로 조사 계획을 세우도록 한 다음 발표하게 함으로써 자신들이 세운 조사 계획의 단점을 보완하도록 하는 것이 좋다.

1. 조사 대상

초등학교 과학 수업에서 이루어지는 조사학습은 대개 교과서에 제시된 과제를 수행하는 형태로 이루어진다. 따라서 대부분의 경우 무엇을 조사할 것인가에 대해서는 큰 문제는 없다. 다만 교사는 조사 대상의 종류나 범위를 안내하면 효과적인 경우가 있다. 예를 들어, 우리 몸의 각 기관, 태양계 행성, 환경오염의 원인에 대한 조사 활동의 경우 모든 기관, 행성, 환경오염에 대해 조사하도록 하기보다는 각자 또는 모둠별로 한 가지, 즉 심장, 목성, 물의 오염과 같이 어느 하나에 대해 집중적으로 조사하게 하는 것이다. 이러한 방법은 학생들의 조사 결과가 같아서 생기는 발표나 토론에서의 단순함을 피하는 데 도움을 준다.

2. 조사 방법

학생들은 조사 과제의 해결을 해당 장소나 현장에서 직접적인 관찰과 경험을 통하여 수행할 수도 있고, 관계 기관이나 전문가 등의 방문을 통하여 수행할 수도 있으며, 책이나 관련 서적, 신문, 잡지, 인터넷 등을 활용한 간접 경험을 통하여 수행할 수도 있다(교육부, 2014). 과학 수업에서 조사학습의 대부분은 문헌이나 인터넷 조사 등의 간접적 경험을 통해 이루어진다.

자료 수집 등을 위해 문헌 조사를 하는 경우에는 자료의 출처를 명확하게 밝히고 타인의 자료를 표절하지 않도록 안내하는 것이 매우 중요하다(교육부, 2014). 또한 조사 활동을 개인별 또는 모둠별로 수행할 수 있으며, 모둠별 조사 활동을 수행할 경우 적절한 역할 분담과 의사소통 능력이 요구된다.

최근 발생한 지진 조사하기, 여러 가지 식물의 잎, 줄기, 뿌리, 꽃에 대해 자료를 찾아 비교하기, 여러 행성의 특징에 대한 자료 찾기, 환경 문제와 관련된 자료 찾기와 같은 주제의 경우 웹을 이용하면 효과적인 학습 주제들이다.[4] 이와 같이 웹 자료를 활용하면 학생들은 자기 주도적으로 다양한 자료를 검색하여 얻을 수 있으며, 학생들은 이러한 정보로부터 능동적으로 지식을 구성하게 된다. 또한 학생들이 주어진 과제에 적극적이고 활발하게 참여하게 되어 과학과에 대한 부정적

[4] 정보통신기술(ICT) 교육은 'ICT 소양 교육'과 'ICT 활용 교육'으로 구분된다(한국교육학술정보원, 2001). ICT 활용 교육은 각 교과의 교수-학습 목표를 가장 효과적으로 달성하기 위하여 ICT를 교과 과정에 통합시켜 교육적 매체로서 ICT를 활용하는 교육이다. 교육용 CD-ROM 타이틀을 이용하여 수업을 하거나 혹은 인터넷 등을 통한 웹 자료를 활용하여 교수-학습을 하는 것이 그 예이다. 한편 ICT 소양 교육은 창의적 체험활동 시간에 학생들이 컴퓨터, 각종 정보기기, 멀티미디어 매체, 응용프로그램을 다룰 수 있는 기본적인 소양을 기르는 것을 말한다.

태도를 개선하고 학습 동기를 부여하게 되는 효과도 크다(이용섭, 2004).

하지만 웹의 특성상 시·공간을 넘어 방대한 정보를 얻을 수 있으나 초등학생의 경우 정보의 양 그 자체가 학습의 장애물로 작용할 수 있다(홍미영 등, 2002b). 또한 조사 대상이 학생 수준에 맞지 않거나 신빙성이 없는 경우가 있는데, 초등학생들은 이를 판단하기 어렵다. 따라서 특정 학습 활동 주제에 관련된 유용한 웹사이트를 교사가 미리 선정하고 안내하여 한정된 범위 내의 자료를 검색하도록 하는 것이 효과적이다.

한편 학교 밖을 벗어나 조사학습을 나가야 할 경우에는 유의점, 준비 사항, 안전 수칙 등에 대한 사전 지도가 반드시 필요하다. 예를 들어, 지역 환경 문제에 대한 정보를 수집하기 위하여 관련 기관을 방문할 때 지켜야 할 예절이나 지역 주민을 인터뷰할 질문 목록 등에 대하여 학생들에게 미리 알려줄 필요가 있다.

3. 조사 보고서 작성

다음으로 학생들은 그들이 조사한 결과를 정리하는 보고서를 작성하도록 해야 한다. 조사 보고서는 자신 또는 모둠의 조사 결과를 다른 사람들에게 제시하고 의사소통하는 중요한 수단이므로 이를 작성하는 과정은 조사학습의 중요한 활동 중 하나이다.

조사 보고서는 핵심적인 내용이 간결하면서도 누구나 관심을 끌 수 있도록 체계적으로 기술해야 한다. 하지만 전술한 바와 같이, 학생들은 인터넷 등의 자료를 그대로 베껴오는 경우가 많다. 이러한 문제점을 해결하는 방법의 하나는 보고서 작성 방법에 대하여 학생들이 쉽게 이해할 수 있도록 교사가 직접 제작하거나 다른 학급 학생들이 제작한 예시 자료, 또는 인터넷 검색을 통해 찾은 예시 자료를 보여주는 것이다. 예를 들어 **그림 8-2**와 같은 예시 자료를 학생들에게 복사하여 나누어 주고, 이를 이용하여 보고서를 쓰는 양식과 분량을 안내하면 효과적이다.

4. 조사 활동 결과 발표

이 단계에서 교사는 다양한 표현 방식을 활용하여 학생들에게 자신 또는 자신의 모둠에서 수행한 활동 결과를 다른 사람들에게 명료하고 설득력 있게 발표할 수 있는 기회를 제공해 주어야 한다.

– 행성 탐사 보고서 예시 자료

아름다운 토성의 고리

1. 토성 탐사 목적

태양계의 행성들 중 목성, 토성, 천왕성, 해왕성이 고리를 갖고 있다. 이들 중 토성의 고리만이 지구에서 관측 가능하다. 따라서 토성의 아름다운 고리를 직접 관측하고 자료를 조사하여 고리에 대한 비밀을 알아보고자 한다.

2. 탐사할 문제

1) 토성 고리의 모양은 어떠한가?
2) 토성 고리를 이루는 물질은 무엇인가?
3) 토성 고리는 어떻게 형성되었는가?

3. 탐사 방법

1) 인터넷을 이용하여 자료를 조사하였다.
2) 천문대에 가서 토성을 직접 관찰하였다.

4. 탐사 내용

1) 토성 고리의 모양

레코드판처럼 생긴 토성의 각 고리에는 A에서부터 E까지의 7개 고리로 분류되며, 각 고리 사이에는 여러 개의 간극이 있다. 지구에서는 A, B, C 세 개의 고리가 관측된다. 또한 각 고리들은 많은 고리들로 이루어져 있으며 간극에도 수십 개의 고리가 있다. A고리와 B고리 사이에는 카시니 간극이라는 틈이 있다. B고리는 세 개의 고리 중에서 가장 밝고 폭이 넓다. C고리는 B고리의 안쪽에 있는데 아주 희미하고 투명하다. 이 고리들은 넓지만 매우 얇다. 가장 밝은 부분의 폭은 7만km에 달하지만 두께는 겨우 150m 밖에 되지 않는다. 그래서 이들을 바로 옆에서 보면, 마치 사라진 것처럼 보인다.

〈토성 고리의 전체 모습〉

〈토성의 고리〉

〈옆에서 본 토성의 고리〉

2) 토성 고리를 이루는 물질

토성의 고리는 무수히 많은 가는 고리가 모여 있는 것이다. 그리고 그 가는 고리는 주로 눈 덩어리, 얼음 조각 등으로 직경 수 cm ~ 수 m 정도인 것들이며, 최대라고 해도 10m라고 한다. 즉 토성 고리의 정체는 토성 주위를 돌고 있는 무수히 많은 크고 작은 얼음 조각들과 먼지인 것이다. 토성의 고리는 얼음 조각을 많이 포함하고 있어 태양 빛을 잘 반사시킨다.

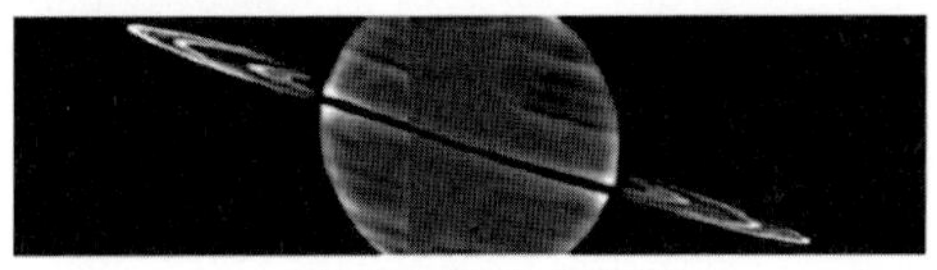

〈저무는 태양 빛에 빛나는 토성의 고리〉

3) 토성의 고리의 형성

고리가 어떻게 형성 되었는지의 생성 원인에 대해서 아직 명확한 답은 없다. 그러나 유력한 가설로 토성이 형성될 때 남은 물질이 위성이 되지 못하고 고리로 남았거나 또는 위성으로까지 진화는 하였지만 성장과정에서 충돌한 위성의 잔해가 고리를 형성하였다는 것이다.

5. 탐사하면서 느낀 점

다른 행성들도 고리를 가지고 있지만 지구에서 관측되지 않는다. 그러나 토성의 고리는 매우 크고, 얼음 알갱이로 구성되어 지구에서도 관측된다는 것과 토성의 많은 위성들 중에 가장 큰 타이탄에는 지구와 같은 질소로 된 대기가 있다는 사실을 알게 되었다. 질소와 같은 대기를 가지고 있다면 혹시 생명체가 존재하는지에 대하여 더 조사해 보고 싶다.

그림 8–2 보고서 예시 자료(http://www.edunet.net/)

조사 활동에 대한 발표가 효과적으로 이루어지기 위해 교사는 학생들이 발표하기 전에 그 내용을 미리 점검하여 발표의 중복을 피하도록 하며, 아울러 발표자가 발표 내용을 숙지하여 자료를 그대로 읽는 식의 발표가 이루어지지 않도록 안내할 필요가 있다. 또한 우리 몸의 각 기관이 하는 일, 강의 상류, 중류, 하류의 모습, 태양계 행성에 대한 조사 결과 발표의 경우에는 그 일이 일어나는 과정, 위치나 논리적 순서 등에 따라 발표가 이루어지도록 한다. 예를 들어, 강의 모습의 경우 강의 상류부터 차례대로, 우리 몸의 각 기관을 발표시킬 때는 기관이 하는 일의 순서에 따라 발표하도록 안내하여 학생들의 이해를 돕도록 한다.

한편 각자 조사 활동을 수행한 경우에 모든 학생이 발표한다는 것은 시간적으로 어려움이 있다. 이러한 경우에는 몇 명만 전체 학급 발표를 하게 하고 다른 학생들은 모둠을 이루어 모둠 내에서 발표하도록 고려할 필요가 있다. 예를 들어, 강의 상류, 중류, 하류에 대해 각각 1명씩 발표하고 나머지 학생들은 그들의 모둠에서 발표할 수 있는 기회를 제공하도록 한다.

발표를 마친 후에는 서로의 조사 내용에 대하여 질의 응답할 수 있는 기회를 제공하거나 자신의 조사 활동에 대하여 자기 평가를 하는 기회를 제공하여 향후 조 사학습 활동을 하는 데 도움이 되도록 한다.

8.5 토의·토론 학습[5]

명희는 등굣길에 신기한 곤충을 보았다. 명희는 이 곤충이 무엇인지 궁금하여 김 교사에게 물어 보았다. 김 교사는 명희의 설명으로는 무슨 곤충인지 알 수 없었다. 이때 한 학생이 그 곤충이 무엇인지 조사해 보자고 제안하였다. 김 교사는 학급 학생들이 곤충에 대해 탐구할 수 있는 좋은 기회라고 생각하고 학생들에게 우리 마을에 사는 곤충에 대해 조사해 보자고 제안하였다. 김 교사는 먼저 학생들에게 어떻게 조사할 것인지에 대해 서로 토의하도록 안내하였다. 그런데 무엇을 가장 먼저 할 것인가에 대해 학생들은 '백과사전이나 인터넷으로 기본적인 지식을 먼저 공부하자는 의견'과 '우리 마을에 사는 곤충을 먼저 채집하자는 의견' 두 편으로 나뉘어 열띤 토론을 벌였다.

위 예화와 같이 '토의'와 '토론'은 목적이 다르다. '토의'는 어떠한 사안에 대해 '협의'하는 것이 목적이고, '토론'은 '찬반 토론'처럼 서로 다른 주장을 가지고 있는 사람들이 자기의 주장을 펼쳐 상대방을 설득하는 것이 목적이다(김미숙 등, 2010). 이처럼 토의와 토론은 서로 다르지만 토의와 토론이 분리되어 진행되는 경우가 드물고 토의와 토론을 엄격히 구분하기 힘든 경우가 많기 때문에 '토의 · 토론'이라는 용어를 사용하는 것이 실용적이다(정문성, 2013).

과학교육의 중요한 목표 중 하나는 합리적 의사결정을 내릴 수 있는 시민 양성으로, 이러한 시민을 양성하는 데 토의 · 토론은 중요한 역할을 한다(교육부, 2014). 토의 · 토론 학습은 교사-학생, 학생-학생 사이의 언어적 상호작용을 촉진하고 이를 통해 서로의 생각을 공유하는 수업 방식을 말한다.

과학 수업에서 토의 · 토론 학습은 학생과 교사 모두에게 여러 가지 가치가 있다. 학생들에게는 흥미 유발, 논리적 · 비판적 · 반성적 사고의 촉진, 자료 수집

---

[5] "수업 목표를 달성하기 위해 수단으로 사용하는 토의와 토론이기 때문에 구태여 분리할 필요가 없으며, 오히려 이 두 방법을 함께 사용하는 것이 더욱 현실적이고 실용적이다. 그래서 토의 · 토론이라는 용어를 함께 사용하는 것이 바람직하다"(정문성, 2013, p.21). 이 책에서는 정문성(2013)이 제안한 대로 이 절의 명칭을 '토의 · 토론'으로 하였으며, 본문에서는 상황에 따라 '토의', '토론', '토의 · 토론'을 혼용하여 사용하였다.

과 분석 및 의사소통 등의 탐구 능력 신장, 협동적인 학습 활동 경험, 과학자의 합의 과정 경험 등의 교육적 효과를 가져다준다(교육부, 2014; 권치순 등, 1993). 교사는 학생들에 대한 정보, 즉 학생들의 토의 · 토론 과정을 지켜봄으로써 그들이 무엇을, 어떻게, 어느 정도 알고 있는지 명확하게 파악할 수 있으며, 보다 효율적인 토의 · 토론 수업의 운영을 위한 정보도 얻을 수 있다(권치순 등, 1993; 김찬종 등, 1999).

과학 수업에서 토의 · 토론 활동은 탐구 계획을 수립할 때, 모둠을 구성할 때, 관찰이나 실험 결과를 해석할 때, 수업 내용을 정리할 때와 같이 과학 수업의 전 과정에서 유용하게 사용될 수 있다. 예를 들어, 관찰이나 실험 전 미리 자연 현상이나 물체에 대한 토론 활동은 관찰을 위한 자극제를 제공하여 학생들이 어떤 종류의 증거나 정보를 찾을 수 있는 준비가 되도록 한다(Harlen, 2001). 또한 관찰이나 실험을 통해 수집한 자료는 토의 · 토론의 주제로 매우 가치가 있는데, 이는 전술한 바와 같이, 학교 실험 수업에서 강조되어야 할 것은 결과를 얻는 것이라기보다는 결과에 대해 논의하는 것이기 때문이다(NRC, 1996). 과학 수업의 마지막 단계에서 학습한 내용을 검토하거나 요약하기 위해 교사가 질문하면 학생은 답하는 방법을 자주 이용하지만 토의 · 토론을 이용하여 학생들이 학습한 내용을 스스로 검토하거나 요약하게 할 수도 있다(조희형과 박승재, 1999).

과학 수업에서 토의 · 토론 학습은 전체 학급이나 소집단으로 이루어질 수 있다. 소집단 토의 · 토론과 관련하여 많은 교사가 어린이들이 소집단 활동을 할 때 모든 집단을 한 번에 감독할 수 없는 점을 걱정하는데, 이에 대해 Harlen(2001)은 다음과 같이 제안하였다.

> "교사가 한 모둠에서 지도를 하는 동안 다른 모둠은 어떻게 지도해야 하는가? 그 해답은 다음과 같다. 교사가 없는 모둠은 교사가 그들과 함께 있으면 할 수 없는 방식으로 학습한다. 그리고 이 방법이 가장 소중한 학습 유형이다. 교사는 한 번에 모든 집단을 지도할 수 없다. 또한 교사가 늘 함께 있으면 학생은 '권위'가 없는 곳에서 토의할 기회를 갖지 못할 것이다. 교사가 없는 것이 오히려 학생을 자유롭게 하고 소리내어 생각하게 하며, 자신의 생각을 다른 사람이 비판하도록 만든다."(pp.110~111)

전체 학급 토의 · 토론에서 교사는 조정자로서의 역할을 해야 하지만, 소집단

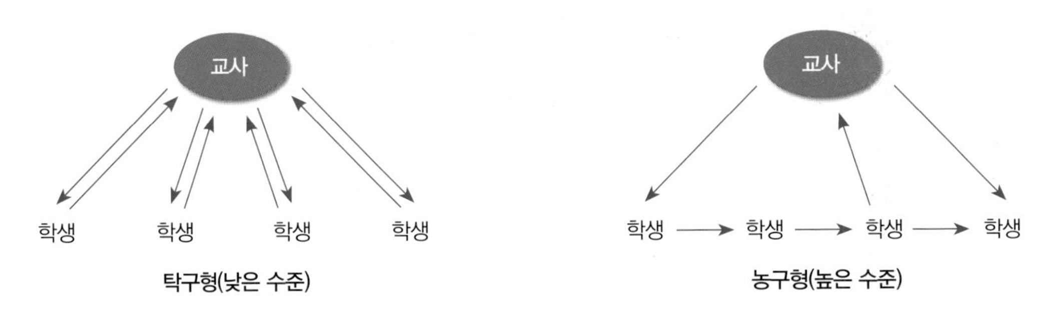

그림 8-3 교사-학생의 토의 · 토론 유형

토의 · 토론에서 교사는 각 집단을 순회하며 조력자의 역할을 하면 된다.

한편 Carin과 Sund(1997)는 토의 · 토론 과정에서 학생과 교사의 상호작용을 '탁구형'과 '농구형'으로 분류하였다(그림 8-3). 탁구형은 '교사-학생' 사이의 상호작용은 계속해서 일어나지만 '학생-학생' 사이의 상호작용이 거의 일어나지 않는 토의 · 토론의 형태인 반면, 농구형은 교사가 일단 화두를 던지면 '학생-학생' 사이의 상호작용이 계속해서 이루어지고 간헐적으로 '교사-학생' 사이의 상호작용이 일어나는 형태이다. 탁구형이 낮은 수준의 토의 · 토론 형태라면 농구형은 높은 수준의 토의 · 토론 형태이며, 탁구형이 교사 주도적인 형태라면 농구형은 학생 주도적인 형태이다. 학교 과학 수업에서는 교사와 학생뿐 아니라 학생과 학생이 서로 빈번하게 의사소통을 통해 학습하는 방식이 선호되어야 한다(권재술 등, 2012).

토의 · 토론의 중요성에도 수업에서 이를 활용하는 것은 쉬운 일이 아니다(교육부, 2014). 실제로 여러 과학 수업의 관찰 결과를 발표한 연구에 의하면, 과학 수업에서 활용되는 토론의 경우 학생의 사전 지식 부족, 학생의 토론 능력 부족, 교사의 토론 지도 능력 부족, 일부 학생만 활동 참여 등의 한계로 인해 '토의 아닌 토의'로 이루어지는 경우가 많다(홍미영 등, 2002b). 과학 수업에서 학생들의 활동 시간의 비율을 조사한 Newton 등(1999)의 연구에서도 전체 학생 활동 시간의 약 2%만이 학생-학생 사이의 토론에 사용되고 있다. 그 주된 이유로 교사들은 토론 수업에 필요한 능력과 자신감 부족, 시간의 부족 등을 들었다. 따라서 과학 수업에서 토의 · 토론 학습이 효과적으로 활용되기 위해서는 무엇보다 교사의 효과적인 지도 방법에 대한 이해와 자신감이 선행되어야 한다.

효과적인 토의 · 토론 활동이 이루어지기 위해서는 다음과 같은 사전 준비와 어느 정도의 체계가 필요하다(강호감 등, 2007; 교육과학기술부, 2008b; 교육부, 2014; 이

대형 등, 2004; 이화진 등, 2007).

- 모든 학생이 자유롭게 의견을 제시할 수 있도록 수용적, 협조적, 민주적인 분위기를 조성하는 것이 무엇보다도 중요하다. 이는 학생들은 자신의 의견이 존중되고, 받아들여질 때 적극적으로 참여하기 때문이다. 또한 토의 · 토론에서 남의 의견을 경청하는 행동은 민주 시민의 자질일 뿐 아니라 자신의 생각과 다른 학생의 생각을 비교하고 평가하여 좋은 토론을 하기 위해 반드시 필요하다는 것을 이해시키도록 한다.
- 토의 · 토론의 목적을 분명히 한다. 예를 들어, 지적 기능을 습득하기 위한 것인지 아니면 사회적인 기능이나 태도를 기를 것인지를 분명히 한다.
- 토론 주제는 수업 목표와 부합하고, 학생들의 능력 수준에 적절하며, 흥미나 관심 등을 끌 수 있는 것으로 한다.
- 구체적인 시간 계획을 수립한다. 토론을 위하여 선정된 주제와 방식에 대하여 학생들에게 할당할 수 있는 시간과 전체 논의를 정리할 수 있는 시간 등을 결정해야 한다.
- 토론에 적합한 좌석의 배치를 한다. 예를 들어 서로 눈을 마주 바라볼 수 있고 시선이 집중되지 않는 원탁형이나 개방형의 좌석 배치가 바람직하다.
- 학생들이 실증적 근거를 가지고 자신의 주장을 펼치도록 한다. 이를 위해 토론 주제는 학습자들이 공통적인 지적 경험을 가질 수 있도록 신문기사, 잡지, 책 등의 사례를 제공하거나 비디오 등 각종 시청각 매체 등을 고려할 수 있다. 또한 과제를 미리 제시하여 일정 기간 과제를 직접 해결한 후 그 결과를 가지고 토론하게 하는 것도 효과적이다.
- 소집단 토의 · 토론 학습을 할 경우, 모든 학생이 적극적으로 참여할 수 있도록 적절한 수의 모둠을 편성한다. 또한 모둠의 모든 구성원이 각자 역할을 분담하여 과제를 수행한 후 각자 얻은 결과를 놓고 서로 토의하도록 한다. 이어 전체 토론 과정을 통해 각 모둠의 결정이나 해결 방안의 장단점을 서로 비교하고 논쟁하도록 한다.
- 소집단 토의 · 토론 학습을 진행할 때, 토의 주제와 학습 방법을 묶어 한꺼번에 자세히 안내하고, 토의에 필요한 시간을 충분히 제공해야 한다. 한 가지 주제를 주고 학생들을 집중시키고, 다른 주제를 주고 또다시 집중시키는 등

의 방법은 학생들을 해당 활동에 집중하지 못하게 방해하며, 과제 수행 속도가 서로 다르므로 학생들을 이끌어가기 어렵게 된다.

- 토의 · 토론 결과를 발표할 때는 모든 모둠의 과제 수행 정도를 파악한 후 적절한 발표 시점을 선택해야 학생들의 집중도를 높일 수 있다.
- 토의 · 토론의 마무리 단계에서는 그 결과를 전체 집단에게 상기시키고 간단한 질문과 대답을 통하여 토의 · 토론 과정에 대한 전반적인 평가를 한다.

현대 사회는 과학 기술과 관련된 다양한 사회적 쟁점이 있으며, 이러한 쟁점들에 대해 대체로 찬성과 반대 의견이 공존하는 경우가 많다. 이러한 문제에 대한 교육적 접근방식인 STS 수업에서는 찬반토론이 많이 활용되며, 표 8-5는 이러한 찬반토론의 진행을 위한 절차를 나타낸 것이다(교육부, 2014; 김미숙 등, 2010).

8.6 소집단 협동학습

'소집단 학습'은 학급 전체 학생을 몇 개의 작은 학습 집단으로 나누고 각 집단별 활동을 통해 소기의 학습 효과를 거두는 교수-학습 방법이다. 이러한 소집단 내에서 학생들이 상호작용하는 방식은 다음과 같이 크게 세 가지 형태로 구분할 수 있다.

> 첫째는 모두 똑같은 과제를 부여받고, 집단 내에서 각자 개별적으로 작업하는 것으로서, 이것이 전통적인 '소집단 학습'이다. 둘째는 집단 내에서 구성원들은 서로 다른 과제를 갖고 작업한 다음 나중에 서로 그 과정과 결과를 합쳐 집단 전체에 하나의 산물을 만들어내는 것이다. 셋째는 집단 내 구성원들이 처음부터 하나의 과제를 갖고 모든 과정에서 함께 참여하여 수행하고, 결과물도 함께 만들어내는 것이다. 소집단 협동학습은 위의 세 가지 중, 대체로 두 번째와 세 번째 방식의 집단 내 개인작용을 전제로 하는 것이다(이성호, 1999, p.252).

전통적인 과학 수업에서도 실험 활동과 토의 및 의사결정 활동에서의 소집단 학습이 강조되어 왔지만 학생들을 단순히 소집단으로 조직하는 것만으로는 그 효

표 8-5 찬반토론의 진행 순서

토론 준비	• 학생들에게 토론 주제와 토론 활동을 하는 까닭을 설명해 준다. • 주제와 관련된 정보나 지식을 학생들이 미리 준비할 수 있도록 안내한다. 즉 학생들에게 논제를 사전에 알려서 그 주제에 대해 충분히 생각하고 조사한 후에 토론에 참여할 수 있게 한다. 이것이 준비되지 않았을 경우 토론에 참여하는 학생은 주장에 대한 근거를 댈 수 없으며, 토론의 질이 낮아지게 된다. • 사회자는 교사가 할 수도 있으며 학생이 할 수도 있다. 학생이 사회자를 맡은 경우, 다음 사항을 주지시킨다. – 토론할 때 사회자가 가져야 할 가장 중요한 자세는 공평함과 공정함이므로 찬성과 반대쪽에 말할 기회를 공평하게 주고, 공정하게 토론을 이끌어 가도록 한다. – 진행 속도가 적당하여야 한다. 너무 빠르면 상대방의 의견을 이해하지 못하고 지나칠 수 있으며, 너무 느리면 지루해질 수 있다. – 모든 학생이 참여할 수 있도록 격려하고 두세 명이 시간을 독점하지 않도록 조절한다. – 주제에서 벗어나지 않도록 유도한다. – 토론이 끝나면 그 내용을 요약해 준다.
토론 시작	• 사회자는 토론 주제에 대하여 간단히 설명하고 토론을 하는 목적을 말한다. 그리고 토론자들에게 토론 순서나 제한 시간, 진행에 관하여 설명한다. • 토론의 규칙을 안내하고 사용되는 용어에 대하여 설명해 준다. 토론은 서로 대립되는 생각을 가진 사람들이 자신들의 의견을 주장하고, 다른 사람들을 설득하여야 하기 때문에 토의와 달리 다음과 같은 토론 규칙을 안내하여야 한다. – 토론자들은 상대편 토론자를 비꼬거나 공격적인 말투를 쓰지 않는다. – 다른 사람이 발언하고 있는 데 끼어들어 말을 자르지 않는다. – 처음부터 끝까지 서로 존중하면서 정중하고 예의 바른 태도를 가진다. – 토론은 말싸움이 아니라 논리적인 설득을 하는 활동이라는 점을 알린다. – 적절한 근거를 들어 상대방을 설득하기 위해 노력한다. – 상대방의 의견에 귀를 기울이며 옳은 내용이 있으면 인정한다.
토론 중	• 사회자의 진행에 따라 '찬성' 혹은 '반대' 편에서 먼저 발표를 한다. • 먼저 발표하는 사람이 자신이 '찬성' 혹은 '반대'하는 이유를 설명하면, 반대 의견을 가진 사람이 옳은 것은 인정하고 다르게 생각하는 부분에 대해서는 자신의 의견을 말한다. • '찬성–반대–찬성–반대'의 순서로 진행할 수도 있고, 찬성 2명이 발표한 후에 반대 2명이 의견을 말할 수도 있다. • 토론자는 자신과 반대 의견을 가진 사람에게 질문해서 그 답변을 듣고 자신의 생각과 비교해 볼 수도 있다.
토론 마무리	• 사회자는 지금까지의 토론 내용을 종합 · 정리하여 발표한 후 토론을 마무리한다.

과가 제한적이다. 이에 구성원 사이의 상호 의존성을 강조하는 일종의 강화된 소집단 학습 형태인 협동학습이 강조되고 있다(노태희 등, 1998).

협동학습은 일반적으로 학습 능력이 각기 다른 학생들로 이루어진 소집단을 조직하고, 소집단의 구성원 모두가 동일한 학습 목표를 향하여 상호의존적으로 활동하게 함으로써 집단에 부여된 학습 목표를 공동으로 달성하고 서로의 학습을 극대화하기 위한 수업 방법이다(홍미영 등, 2002b; Johnson et al., 1993; Slavin, 1994). 협동학습은 실험이나 관찰, 토의 · 토론, 조사, 역할놀이뿐 아니라 '자유 탐구' 활동 등을 수행하는 데도 이용될 수 있다.

협동학습의 성공적 실행을 위해서는 '긍정적인 상호의존성', '개별적 책무성', '면대면의 촉진적 상호작용', '사회적 기술', '집단 과정'의 다섯 가지 기본 요소가 필수적이며, 이들 기본 요소를 간략히 설명하면 다음과 같다(Johnson & Johnson, 1999, pp.70~71).

- 긍정적인 상호의존성: 교사와 학생들은 각 소집단에게 분명한 과제와 공동 목표, 각 구성원의 역할을 제시하고 제공받아야 하며, 학생들은 집단 내의 모든 구성원이 함께 노력하는 것이 집단의 성공을 위해 중요하다는 것을 이해해야 한다.
- 개별적 책무성: 집단 내 각 개인은 그 자신의 역할에 대한 책임감을 가져야 한다. 즉 타인의 활동에 편승하는 무임승차는 없어야 한다.
- 면대면(face-to-face)의 촉진적 상호작용: 학생들은 정보를 교환하고, 피드백을 제공하고, 결론을 논의하고, 서로를 격려하고 돕는 것이 필요하다. 즉 그들은 서로의 성공에 대해 관심을 가져야 한다.
- 사회적 기술: 학생들은 집단 내에서 활동하는 방법을 배워야 한다. 즉 학생들은 의사결정, 신뢰 구축, 의사소통, 갈등 조정 기능 등을 학습 능력으로서 의도적으로 정확히 배워야 한다.
- 집단 과정: 학생들은 지속적으로 그들의 집단이 얼마나 잘 그 기능을 하였는지 평가하고 만약 효과적이지 않았던 것들이 있었다면 그것을 개선하는 방법을 결정해야 한다.

한편 소집단 협동학습은 다음과 같은 두 가지 이유로 구성주의 학습 원리를 적용하는 데 매우 적합한 교수-학습 방법으로 간주되고 있다(박수경, 1998, pp.26~27).

첫째, 협동학습은 실제 상황에서 과제를 수행하는 것과 일치한다는 점이다. 실제 상황에서 문제 해결은 독자적으로 하기보다 여러 사람의 공동 참여와 작업을 통해 수행함으로써 개인에게 맡겨진 문제 해결에 대한 인지적 부담의 정도가 줄어든다.

둘째, 학습자들은 다양한 시각들을 접함으로써 자신이 구성한 지식의 타당성을 검증해 볼 수 있다. 즉 서로 다른 시각과 관점 간의 갈등 속에서 자신의 시각과 위치를 규명해 봄으로써 개인에 한정된 지식의 구성에서 벗어나 사회에서 구성원들이 상호 인증하는 지식을 구성하게 된다는 것이다.

협동학습은 많은 장점이 있는가 하면 단점 또한 많이 있으므로 교사는 장점들은 극대화시키고, 단점들은 극소화시키려는 노력을 기울여야 한다. 예를 들어, 어린이들은 서로 생각이 일치하는 것을 좋아하기 때문에, 집단 내 구성원의 생각이 서로 다를 수도 있다는 사실을 수용하는 것이 쉽지 않다. 이러한 경우 교사는 비록 한 팀의 구성원이지만 서로 결론이 다를 수 있다는 것 그리고 실제로 그럴 때는, 그렇다고 말하고 그 이유를 말해야 함을 알게 하는 것이 중요하다. 또한 교사는 소집단 활동도 학습 활동의 연장선으로 생각하여 교실을 순시하면서 학생들의 학습을 관찰하거나 안내하면서 학생들의 학습을 도와야 하며, 소집단 토의 과정에서 구성원들 간에 논쟁이 있을 경우 중재하는 역할도 담당해야 한다. 즉 학생 중심의 활동을 한다 할지라도 교사의 적절한 개입과 조력은 필수이다(이화진 등, 2007). 효과적인 소집단 협동학습을 위한 전개 과정에서 고려해야 할 사항이나 운영상의 유의점을 구체적으로 제시하면 다음과 같다(문명숙, 1999; 박성익, 1997b; 최영재와 안미경, 2001; 허경미, 2011; Slavin, 1994).

- 일반적으로 학생들의 능력, 성별 등이 이질적이 되도록 4~6명을 하나의 집단으로 구성하며, 이때 교우 관계, 과학 교과에 대한 흥미 등도 함께 고려한다.
- 소집단별로 역할 분담을 하여 구성원 모두 집단 활동에 참여하도록 하고 각 역할이 하는 일과 필요성에 대하여 설명한다(표 8-6). 집단 구성원 각자의 역할은 교사가 학습자들의 능력 수준을 파악하여 적합한 역할을 부여하거나 각 역할에 가장 알맞다고 생각되는 사람을 이유를 들어 추천하게 하여 배정할 수도 있다. 이때 교사는 개별적 책무성과 긍정적 상호의존성을 강조한다.
- 정기적으로 자기 역할이 아닌 다른 역할도 경험해 보도록 한다. 예를 들어,

표 8-6 소집단 협동학습을 위한 역할 분담 예시

역할 이름	하는 일
주관자 (이끔이)	수업 준비를 확인하고, 모둠의 의견 차이를 조정하며, 토의를 이끌어 가는 등 모둠 활동이 원활히 이루어지도록 관리한다. 만약 모둠 내의 의견 조정이 이루어지지 않으면 교사에게 도움을 청한다.
자료 담당자 (나눔이)	실험 기구, 실험 재료, 활동지 등을 받아오고, 실험이나 수업의 뒷정리를 담당한다. 또한 과제 해결에 필요한 정보 등을 교사 및 다른 모둠으로부터 얻어오며, 실험 활동에 중심적 역할을 한다.
기록자 (기록이)	실험 방법, 실험 결과, 토의 내용, 실험상의 문제점 등을 기록하고 정리하며, 정리한 내용을 모둠 구성원들과 검토한다.
발표자 (알림이)	모둠에서 정리한 내용을 전체 학급에 구두로 보고하거나 칠판에 기록한다.
점검자 (점검이)	구성원 모두가 맡은 바에 충실히 임하도록 그룹의 기능을 균형적으로 유지시킨다. 실험이나 토의 등의 활동에 적극적으로 참여하는 조원을 격려하는 등 모둠 활동이 잘 이루어지도록 점검한다.

차시마다 또는 일정한 간격으로 그 역할을 돌아가며 맡도록 한다.

- 좌석 배치는 서로의 시선 접촉이 잘 되도록 그림 8-4와 같이 하는 것이 좋다. 이때 학습 능력이 부족한 학생들은 우수 학생과 나란히 앉히거나 교사의 지도가 손쉽게 미치는 곳에 위치시킨다.
- 기본적인 활동 수칙을 안내한다. 예를 들어, 활동이 시작되면 신속하게 자리를 배치하고, 지나친 소음, 소란 등이 일어나지 않도록 하며, 옆자리에 앉아있는 급우의 말에 귀를 기울이고, 옆 모둠에 방해가 되지 않도록 자신의 모둠 구성원이 들을 수 있는 목소리로 말한다.
- 학습 과제나 활동의 특성에 따라 다르지만, 대체로 전체 학습 → 소집단 학습 → 전체 학습(개인별 정리)의 순서로 운영됨이 바람직하다.
- 집단별로 활동하다 보면 자신의 집단 활동에만 집중하고 다른 소집단의 학습이나 의견에는 무관심해지기 쉬우므로 전체 학습에 관심을 가지도록 한다.
- 평가시에는 가능하면 소집단별 평가를 실시하도록 하고, 집단 간 선의의 경쟁을 하도록 한다.
- 소집단 활동 과정에서 고립 학생이나 문제 학생이 발견되면 문제점을 파악하고 개별 지도를 한다.

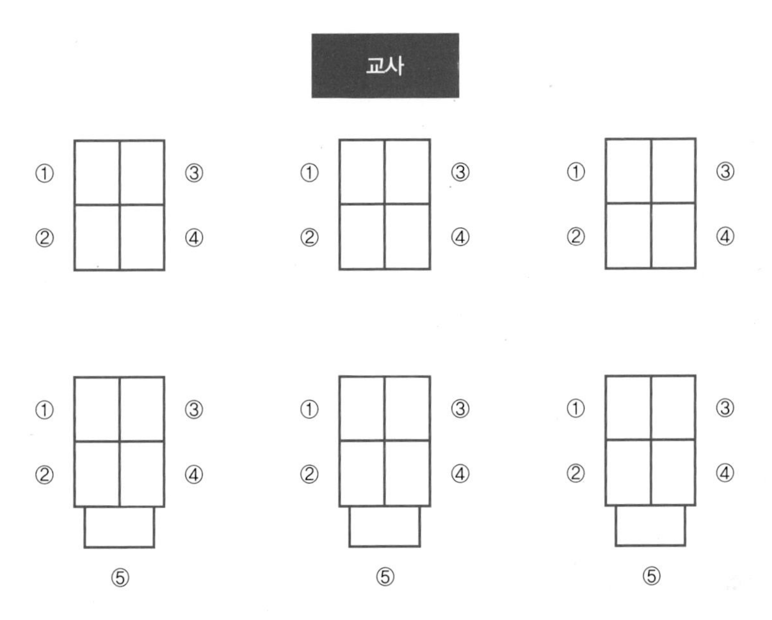

그림 8-4 **소집단 협동학습을 위한 좌석 배치도 예시 [성적 수준: ① 상, ② 하, ③ 중하, ④ 중상, ⑤ 중]**

- 소집단 활동의 원활한 운영과 모둠원 간의 결속을 위해 정규 학습 활동뿐 아니라 과외 학습 활동에도 소집단 활동을 권장한다.
- 주기적으로 협동학습이 잘 기능하였는지 다음과 같은 평가 관점에 따라 평가하도록 하고 그 개선 방안에 대해 토의하도록 한다. 평가 관점의 예: '집단 구성원 모두가 서로에게 도움이 되었는가?', '서로를 존중하고 격려하였는가?', '다른 사람의 말을 주의 깊게 들었는가?', '모두가 학습 활동에 참여하였는가?', '모두가 확실히 이해하였는가?', '자기 집단에서 활동하였는가?', '작은 목소리로 이야기하였는가?'
- 일정한 주기(2주, 1개월, 단원학습의 종료시, 학기별 등)로 집단을 재조직한다. 이때 그동안의 소집단 활동을 평가하고 이를 반영하여 모둠 편성 방법을 계속 수정 · 보완하여 최대한의 학습 효과를 올리도록 한다.

협동학습을 위한 다양한 접근방식이 있으며, 초등학교 과학 수업에서 적용 가능한 대표적인 협동학습의 유형으로는 STAD, TGT, Jigsaw I · II, GI, Co-op Co-op 등이 있다. 각각의 수업 상황에 따라 다르기는 하지만, 여러 가지 협동학습 모형은 '도입', '과학 기자재 분배', '팀별 탐구 활동', '활동 결과에 대한 토의', '기자재 정리', '팀 구성원 평가'와 같은 기본형에 귀착된다(김찬종 등, 1999). 표 8-7은 김

표 8-7 과학 수업에서 소집단 협동학습의 절차

단계		주요 활동
1단계	도입	■ 소집단 활동을 시작하기 전에 전체 학생들을 대상으로 다음과 같은 교수 활동이 이루어진다. • 교사는 성공의 준거를 설명하고 요구되는 행동을 상세화한다. • 학습자 중심의 과학 활동을 용이하게 하되 지나친 소음, 소란, 혼동이 일어나지 않도록 한다. • 칠판 등에 수업목표를 적는다. • 적절한 활동 정보, 안전 수칙 및 다음과 같은 행동 수칙을 안내한다. – 활동이 시작되면 조용하고 신속하게 자리를 배치한다. – 옆자리에 앉아있는 급우의 말에 귀를 기울인다. – 옆의 모둠에 방해가 되지 않되 모둠원이 들을 수 있게 말한다. – 항상 자기팀에서 활동한다. – 자기에게 할당된 업무를 성실히 수행한다. • 질문 사항을 먼저 말하게 하고, 학생들의 질문에 답한다.
2단계	과학 기자재 분배	■ 자료 담당자는 지정된 장소에 가서 실험 기구, 실험 재료, 활동지 등을 가져온다.
3단계	팀별 탐구 활동	■ 각 팀의 주관자는 자기 모둠원들과 지시사항을 점검하고 모든 모둠원이 활동 절차를 이해하도록 한다. 도움이 필요한 경우에는 주관자가 교사에게 도움을 요청한다. ■ 자료 담당자가 실험 기자재 설치를 하고 교사는 각 모둠을 둘러보며 실험 기자재, 활동 절차, 안전 수칙 등이 제대로 사용되거나 지켜지고 있는지 확인한다. ■ 기록자와 발표자는 데이터를 기록하고, 실험 결과를 칠판에 적는다. ■ 교사는 학생들이 과제를 수행하는 데 또는 협동적으로 활동하는 데 어려움이 있는지 관찰하고 과제 완수에 필요한 정보 등을 상기시킨다.
4단계	활동 결과에 대한 토의	■ 교사는 칠판에 기록된 결과들에 대한 토의를 진행하고, 모둠별 데이터의 유사점과 차이점을 설명하고, 독서, 학습지, 기타 개별화된 강화를 수반하는 후속 활동들을 제시한다.
5단계	기자재 정리	■ 자료 담당자는 활동 공간의 청결 상태를 확인하고, 모든 기자재를 점검하여 지정된 장소에 반납한다.
6단계	팀 구성원 평가	■ 모둠이 얼마나 효과적으로 기능을 하였는지 평가하고 모둠활동에서 잘한 것과 개선해야 할 점에 대해 토의한다.

찬종 등(1999)이 제안한 것을 토대로 일부 수정하여 표로 나타낸 것으로, 실험 활동을 중심으로 한 소집단 협동학습의 절차에 관한 것이다.

8.7 역할놀이 학습

'역할놀이'는 글자 그대로 어린이들에게 친근하고 흥미로운 '놀이'를 기반으로 하기 때문에 과학 교수-학습의 유용한 전략으로 활용될 수 있다. 그러나 과학학습에서 역할놀이는 과소평가되거나 충분히 활용되고 있지 못한데(Craciun, 2010; McSharry & Jones, 2000), 이는 흔히 역할놀이가 무엇인지 그리고 그것이 과학교육에서 어떻게 사용되는지에 대한 오해 때문이다(McSharry & Jones, 2000).

역할놀이는 대개 어린이들에게 어떤 가상적인 역할을 부여한 후 각자 주어진 역할을 수행하게 하는 절차에 따라 실시된다(조희형과 최경희, 2001). 예를 들어, 어린이들에게 동물에 대해 가르칠 때 사자나 코끼리가 되어 흉내를 내보게 하거나 식물의 구조와 기능을 학습한 뒤에 식물의 뿌리, 줄기, 잎, 꽃, 열매가 되어보는 활동을 통해 자신이 동물이나 식물이 되어 느낌과 생각을 표현하도록 할 수도 있다. 이 외에도 과학교육에서 사용되는 역할놀이에는 여러 가지 유형이 있는데 실험이나 조사, 비유 역할놀이, 과학 연극, 인터뷰, 가상 회의나 토론 및 모의 법정 등 다양하다(Craciun, 2010; McSharry & Jones, 2000).

초등학교 과학 수업에서 이루어지는 모둠별 탐구 활동 그 자체도 역할놀이의 한 형태라 할 수 있다. 즉 모둠 구성원이 각각 실험의 조정자, 실험 기구의 조작자, 실험 결과의 기록자, 활동 과정의 평가자 등의 역할을 맡아 주어진 주제에 관한 실험을 수행한다(조희형과 박승재, 1999). **그림 8-5**는 실험 활동을 위한 역할놀이의 예이다. 과학 연극의 경우, 대개 상황에 대한 간략한 소개나 정보가 주어지고 참가자들은 자신들이 포함해야 할 개념과 문제의 범위에 대해 지침을 받아 주어진 역할의 연기를 수행하게 되며, 대본은 주어지지 않으며 개인 혹은 모둠별로 주어진 역할의 대사를 즉흥적으로 만들어내야 한다(한국과학교육학회, 2005). **〈부록 8-1〉**에는 과학 연극을 위한 대본이 제시되어 있다.

'최근 들어 과학교육에서 과학 본성의 이해 및 과학-기술-사회 상호관계의 이해가 강조되면서 역할놀이가 과학교육에서도 주요한 수업 방법의 하나로 활용되고 있다'(한국과학교육학회, 2005). 예를 들어, 환경 문제와 관련하여 각자 시민, 과학자, 기술자, 주민, 공장주, 공무원 등의 역할을 맡아 수행해 봄으로써 과학 및 기술로부터 야기된 사회적, 윤리적 문제에 대한 해결 방안을 찾아가는 과정에서 과 다음은 계절에 따라 별자리가 달라지는 까닭을 알아보기 위한 역할놀이 활동이다. 이 활동을 위한 준비물과 실험 방법은 다음과 같다.

• 준비물

계절별 대표적인 별자리를 그려 넣은 검은색 도화지, 갓 없는 전기스탠드, 회전의자

• 실험 방법

① 갓 없는 전기스탠드 주위에 네 명의 어린이가 계절별 별자리를 들고 서 있는다.
② 별자리 그림과 갓 없는 전기스탠드 사이에 회전의자를 놓고, 지구 역할을 하는 사람이 갓 없는 전기스탠드를 등지고 앉는다.
③ 지구 역할을 하는 사람이 전등 주위를 돌면서 밤에 보이는 별을 관찰한다.

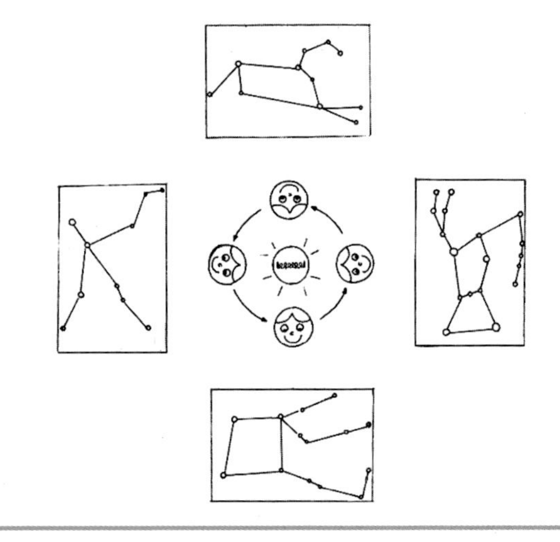

그림 8-5 **실험 활동으로의 역할놀이(교육과학기술부, 2011b)**

학-기술-사회의 상호관계를 인식할 수 있는 기회를 제공할 수 있다.

역할놀이는 초등학생들에게 효과적인데, 이들은 아직 자기중심적 사고 단계를 완전히 벗어나지 못하였기 때문에 역할놀이를 통한 사회적 상호작용은 객관적 사고 체계로의 전환에 도움이 된다(조희형과 박승재, 1999). 또한 역할놀이에서는 학생들이 그 역할에 전적으로 참여하기 때문에 인지적, 정의적, 심체적 영역을 포함한 전체적인(holistic) 학습이 이루어지게 한다(홍미영 등, 2002b). 과학 교수-학습 방법으로서 역할놀이 학습의 교육적 효과를 종합하면 다음과 같다(교육인적자원부, 2001; Craciun, 2010).

- 학생들의 학습에 대한 관심과 흥미 및 자발적 참여를 유발한다.
- 수줍음이 많은 학생에게 학습활동 참여 유도와 자신감을 키워줄 수 있다.
- 학습자가 학습 내용과 능동적인 관계를 맺도록 한다.
- 스스로 역할놀이를 만듦으로써 학습에 대한 이해를 제공한다.
- 학생들이 자신의 경험을 바탕으로 학습 내용을 구성할 수 있다.
- 다른 시각에서 문제를 바라볼 수 있다.
- 다른 사람이 자기와 다른 견해를 가질 수 있다는 것을 이해하게 된다.
- 자신의 의견이나 과제 수행 결과를 여러 가지 방법으로 제시할 수 있다.
- 과학과 관련된 사회적 쟁점에 대해 가르칠 수 있다.
- 공동 작업을 통해 의사교환, 사회화 등 범교과적인 기능을 발달시킬 수 있다.
- 비유 역할놀이는 과학 개념을 학습하는 데 도움을 줄 수 있다.

일반적으로 강의보다 역할놀이를 통해 획득한 지식이 더 오랫동안 파지되고, 강의보다 역할놀이에서 더 많은 탐구 기능과 그 기술이 습득될 수 있지만(김찬종 등, 1999), 역할놀이는 과학 지식의 논리적 구조를 이해시키는 데는 강의법보다 못하며, 과학적 탐구력을 신장시키는 데는 탐구 수업보다 비효과적이다(조희형과 박승재, 1999).

역할놀이는 표 8-8과 같이 6단계를 거쳐 적용될 수 있으며, 반드시 이 순서를 지킬 필요는 없다(박성익과 권낙원, 1989). 즉 상황에 따라 어떤 단계를 반복하거나 생략할 수 있다.

한편 역할놀이를 모둠별로 운영하고자 할 때는 각 모둠별로 자율적으로 각자의 역할을 결정하도록 안내한다. 만약 각 모둠이 거의 비슷한 역할놀이를 할 것으로 판단되는 경우, 모든 모둠이 다 발표하기보다는 한 모둠이 대표로 역할놀이를 하는 방법을 시범 보이고 다른 모둠은 각자의 자리에서 역할놀이를 해보게 하는 것이 효과적이다(이화진 등, 2007). 이화진 등이 지적한 대로 "각 모둠이 순서대로 앞에 나와 같은 역할놀이를 하는 것을 지켜보는 것은 지루한 일이며, 학생들은 누가 더 잘 하나에만 관심을 가질 뿐이다".

표 8-8 역할놀이 학습의 적용 절차 예시

단계	설명
상황의 선정	• 역할놀이의 상황은 학습 목표와 부합하는 것이어야 한다. • 교과서, 대중매체, 실생활 등의 다양한 출처로부터 선정할 수 있다 • 가능한 한 모든 학생들에게 쉽게 이해할 수 있고 친숙한 것이어야 한다. • 개인의 사생활을 침해할 가능성이 있는 것은 배제한다.
준비	• 학생들이 그들의 느낌이나 생각을 스스럼없이 솔직하게 표현할 수 있는 분위기를 조성한다. • 상황을 도입할 때는 학생들의 관심과 호기심을 끌 수 있도록 한다. • 상황을 도입할 때 필요하다면 교사가 상황에 대한 배경을 설명하거나 간단한 토의를 한다. • 간단한 소품을 활용하면 효과적이므로 사전에 준비하도록 한다.
실연자의 선정	• 역할은 가능한 한 지원자 중심으로 선정하는 것이 바람직하다. • 싫어하는 학생들에게 역할을 억지로 맡기지 않도록 하며, 즐겁게 참여하도록 유도하는 것이 좋다. • 역할을 맡은 학생에게 자신의 역할이 무엇인지 충분히 인식시킨다.
청중의 준비	• 이 활동의 목적을 모든 학생에게 이해시킨다. • 역할놀이의 핵심이 연기 기술이 아니라 전달하려는 생각이나 개념에 있음을 주지시킨다. • 역할 수행자 외의 학생들은 훌륭한 관람자가 되도록 지도한다. • 학생들은 관람자로서 주의 깊고 예의바른 태도로, 보고 들으며, 평가할 수 있도록 안내한다.
실연	• 학생들이 역할놀이를 가능한 한 자연스럽게 수행하도록 정서적으로 안정된 환경을 조성한다. • 역할을 맡은 학생이 당황하거나 자신의 역할에 대하여 잘 모르면 잠시 중단하고 간단한 질문이나 설명 등을 통해 그들의 역할로 되돌아가도록 도와준다. • 역할 수행 과정에서 모호한 부분이 있거나 혼란이 있다고 생각되면, 재연해 보도록 한다. • 관람하는 학생이 역할 수행자에게 이러저러한 지시를 하면 역할 수행자가 자신의 생각을 연기하는 것이므로 나중에 의견을 말하도록 지시한다. • 활동이 원활히 진행되지 않거나 학생들이 지루해하거나 산만해지면 놀이를 짧게 끝내도록 한다.
실연에 대한 토론과 평가	• 역할놀이가 끝나면 역할 수행자의 연기력이 아닌 학습 내용에 대한 토의 · 토론과 평가를 하게 한다. • 필요한 경우 재연하도록 한다. • 학생들이 제안된 여러 가지 의견이나 생각에 대해 요약하거나 결말을 짓도록 도와준다.

8.8 교사의 발문과 설명

초등 과학 수업에서 교사는 발문[6]과 설명을 통해 학생들의 자연 현상이나 사물

[6] '발문'은 교사가 학생의 후속 행동을 유도하기 위해 의도적으로 하는 질문을 의미하며, '질문'은 실

등에 대한 탐구 과정에서 그들의 사고를 자극하고 이해를 촉진한다. 앞서 살펴본 과학 수업 방법에서 교사의 질문과 설명은 필수불가결한 요소이며, 심지어 교사는 질문과 설명만으로도 차시 과학 수업을 진행할 수 있다. 따라서 과학 수업에서 교사의 질문과 설명은 교수 활동의 핵심이며, 과학 수업은 질문과 설명의 연속이라 할 수 있다.

1. 발문하기

그림 8-6과 같이, 초등학교 과학 수업은 질문으로 시작해서 질문으로 끝난다 해도 과언이 아닐 정도로 교사는 다른 어떤 기법보다 질문을 많이 이용한다(Martin, 2000).

교사의 적절한 질문은 학생들의 학습 활동에 대한 흥미와 호기심을 유발할 수 있을 뿐 아니라 학생들이 답변을 생각하는 과정에서 인지적 작용을 촉진시킴으로써 학습 효과를 높일 수 있다. "교사의 질문의 빈도와 학업 성취도의 관계에 대한 연구들은 효율적으로 가르치는 교사들이 질문법을 자주 사용한다는 점을 보여주며, 과학 과목에서의 빈번한 질문은 성취도를 높이는 것으로 보인다"(신명희 등, 1998). 과학 수업에서 교사의 질문은 학생의 흥미와 동기 유발, 사전 지식 파악, 사고나 개념 발달 촉진, 학습 내용에 대한 이해도 점검, 학습 내용의 정리나 요약, 평가 등의 다양한 측면에서 유용하게 이용될 수 있으며 학습의 효과를 높이는 데도 기여한다.

교사의 좋은 질문은 수업을 성공적으로 이끄는 중요한 교수-학습 전략임에도 실제 수업을 분석해 보면, "학생의 생각할 기회를 제공하고 사고력을 키워주기 위한 질문을 하고 있다고 교사 대부분이 믿고 있지만, 실제로 교사 자신이 질문 후에 학생에게 대답할 기회조차 주지 않고 자신이 생각하는 정답을 제시하는 경우가 많음이 드러나고 있고, 학생의 발표 시간을 억제하거나 응답 자체를 막아 버리기 위해 질문을 하는 경우도 발견된다"(이창덕, 2003). 과학 수업에서 일어나는 상당수의 대화가 학생들에게 단순한 회상 또는 기술만을 요구하며, 학생들이 자신의 생각이나 설명에 대한 어떠한 실제적인 사고에 몰두하는 기회를 거의 제공

제로 모르거나 의문이 생겨 묻는 것을 의미한다(교육인적자원부, 2001). 그러나 흔히 발문과 질문은 구분하지 않고 혼용하고 있으므로 이 책에서도 엄격히 구분하지 않고 혼용하여 사용하였다.

핀치클램프의 역할[7]

다음은 산소발생 실험에서 핀치클램프의 역할에 대한 교사와 학생의 대화 내용이다.

교 사: (핀치클램프를 들어 보이며) 이건 핀치클램프라고 해요. 잘 보세요. 선생님이 이 끝을 손으로 꽉 누르면 어떻게 되죠?

학생들: 가운데가 벌어져요.

교 사: 이 끝을 손으로 꽉 잡으면 핀치클램프 중간 부분이 벌어지죠. 여기에 고무관을 끼울 수 있어요. 그런 다음 손을 놓으면 어떻게 될까요?

학생들: 고무관이 꽉 물렸어요.

교 사: 고무관을 통해 액체가 흘러갈 수 있을까요?

학생들: 아뇨.

교 사: 만일 핀치클램프가 없는 상태에서 깔때기에 과산화수소수를 넣는다면 어떻게 될까요?

학생 A: 그대로 흘러서 밑에 있는 플라스크에 들어가요.

교 사: 그렇다면 핀치클램프는 여기서 어떤 역할을 하죠?

학생 B: 과산화수소수가 들어가지 못하게 막아줘요.

교 사: 만일 과산화수소수를 내려 보내려면 핀치클램프를 어떻게 하면 될까요?

학생들: 양끝을 손으로 꽉 눌러서 열어줘요.

교 사: 핀치클램프는 과산화수소수가 들어가는 양을 조절하는 역할을 하기도 하지만 하는 일이 또 있어요. 뭘까요? 만일 핀치클램프가 없다면 어떻게 될까 생각해 보세요.

학생C: 그냥 과산화수소수가 주르륵 흘러 들어가죠.

교 사: 그래요. 그것은 방금 말했던 역할이죠. 그것 말고 또 어떤 일이 벌어질까요?

학생들: 잘 모르겠어요.

교 사: 선생님이 힌트를 좀 줄게요. 플라스크 안에서 발생한 산소가 어디로 갈까요?

학생 D: 알았어요. 산소가 가지로 빠져 나가지 않고 깔때기 쪽으로도 나가요.

학생 E: 발생된 산소가 위로 새는 것을 막아줘요.

교 사: 맞았어요.

그림 8–6 실험 기구에 대한 설명 과정에서 교사 발문의 예

하지 못하고 있다(Lemke, 1990). 즉 교사 질문의 대부분이 과학 지식의 기억이나 이해 수준의 질문이며, 분석, 종합, 평가 등 고차원적 사고를 요구하는 질문은 적다(교육인적자원부, 2001). 또한 과학 수업에서 행해지는 상당수의 질문은 교사가 학생들로부터 자신이 바라는 생각을 '뽑아내기' 위한 시도의 형태를 취하고 있다(Shapiro, 1998). 비록 과학 수업에서 이루어지는 대화가 개방적 질문들을 포함하고 있다

[7] 이 내용은 홍미영 등(2002a)의 p. 211 내용을 연구자의 동의하에 인용한 것임.

할지라도 궁극적으로 추구되는 학생들의 대답들은 분명히 그 교사의 마음속에 존재하며, 학생들의 사고를 자극하거나 학생들의 생각이나 설명을 알아보기 위한 질문은 수업 시간에 훨씬 적게 사용된다(Bennett, 2003).

한편 질문의 유형은 다양한 방식으로 구분될 수 있다. 예를 들어, 비생산적 질문과 생산적 질문으로 구분할 수도 있으며(Harlen, 2001), 폐쇄적 질문, 개방적 질문, 관리적 질문, 수사적 질문으로 나눌 수도 있다(김찬종 등, 1999). 표 8-9는 김찬종 등(1999)의 분류 기준에 따라 구분된 질문의 유형별 특징과 예를 나타낸 것이다. 표 8-9와 같이, 질문은 단지 의문문의 형식에 따라 기능이 고정되어 있는 것이 아니라 상황에 따라 진술, 명령, 청유 등 다른 기능을 할 수도 있다(황석종, 2011).

표 8-9에서 각 질문은 각기 다른 역할을 한다. 예를 들어 폐쇄적 질문은 학생이 수업 목표에 해당하는 특정 현상 등에 주의를 기울여야 할 때나 배웠던 것을 회상하고 기억해야 할 때 적절하다. 개방적 질문은 문제에 대한 창의적 사고나 종합적 사고를 요할 때 적합하다. 따라서 교사는 어느 한쪽에 치우칠 것이 아니라 수업 상황에 따라 개방적 질문과 폐쇄적 질문을 그 기능에 알맞게 선택하여 균형 있게 사용해야 한다(교육부, 2014). 또한 교사는 암시하기, 제안하기, 격려하기, 힌트 제공하기 등의 질문을 '비계설정'의 수단으로 사용하여 학생들의 학습을 촉진하고 사고를 자극할 수 있다(Hogan & Pressley, 1997). 예를 들어 그림 8-7과 같이 교사는 학생의 응답에 대해 다양한 역할을 하는 후속 질문을 이용한 피드백을 통해 학생들의 사고를 자극할 수 있다.

과학 수업에서 교사는 학생들에게 다양한 자극을 주고 깊이 사고할 수 있는 질문을 던져야 한다. 질문이야말로 탐구적으로 이끌어가는 데 결정적 역할을 하며, 학생들에게 자신이 탐구 활동에 참여하고 문제 해결에 공헌하고 있음을 실감하게 하기 때문이다(한안진, 1987). 따라서 교사가 좋은 질문을 하기 위한 방법에 대한 이해와 연습은 효과적인 질문을 위해 매우 중요하다.

먼저 좋은 질문을 하는 방법을 '질문 계획', '질문 방법', '학생의 대답에 대한 반응'으로 구분하여 제시하면 다음과 같다(권치순 등, 1993; 교육인적자원부, 2001; 교육부, 2014; 신명희 등, 1998; 이화진 등, 2007; 한안진, 1987; 홍미영, 2002b).

표 8-9 질문의 유형

유형		설명	예
폐쇄적 질문	인지적 기억 질문	받아들일 만한 답이나 반응이 제한되어 있고 구체적인 사실, 개념, 절차 등 기본적 정보를 기억하게 하는 질문	• 누가 ○○을 발견했는가? • 연소의 3요소는 무엇인가? • 용액이란 무엇인가? • 자석에는 몇 가지 종류의 극이 있는가? • 산성 용액은 푸른색 리트머스 종이를 무슨 색깔로 변하게 하는가?
	수렴적 사고 질문	받아들일 만한 답이나 반응이 제한되어 있고, 주어진 자료나 학습한 내용을 종합·분석하도록 요구하며, 이해 수준의 정신적 활동을 자극하는 질문	• 어느 것이 관찰이고 어느 것이 추리인가? • 비커에서 일어나고 있는 일에 대해 말하여 보자. • 전구에 불이 들어오는 전기회로를 그려 보아라. • 그림자가 어떻게 해서 만들어지는지 한 문장으로 뭐라고 말할 수 있는가? • 이 그래프의 의미가 무엇인지 설명해 볼까?
개방적 질문	발산적 사고 질문	받아들일 만한 답이나 반응이 많으며, 창의적이고 통합적인 사고를 자극하는 질문	• 그림자에 관하여 여러분이 알아낸 것은 무엇인가? • 어떻게 실험하면 좋을까? • 석유와 석탄이 고갈된다면 어떻게 될까? • 만약 식물에게 붉은 빛만 쬐게 한다면 어떤 일이 일어날까? • 만약 인간이 식물과 같은 방식으로 영양분을 섭취한다면 인간의 생활은 어떻게 달라질까?
	평가적 질문	받아들일 만한 답이나 반응이 많으며, 주로 의사결정과 판단을 요구하는 질문	• 실험 결과로 보아 어느 가설이 맞다고 생각하는가? • 새끼나 알을 많이 낳는 동물도 있고, 한 마리만 낳는 동물도 있다. 이렇게 함으로써 이로운 점과 불리한 점은 무엇일까? • 우주 개발에 막대한 비용을 투자하는 것과 세계의 기아와 빈곤을 퇴치하는 것 중에서 더 중요한 것은 무엇인가?
관리적 질문		학급 운영을 원활히 하거나 토론을 촉진하기 위한 질문	• 그 주제는 이 시간과 관련이 없으니 다음에 이야기하기로 하자. • 이렇게 해보면 어떻겠니? • 선생님도 지금은 확실히 무엇이 정답인지 모르겠지만, 재민이가 말한 것이 가장 그럴듯하네요. 또 다른 그럴듯한 생각이 없으므로 나중에 더 생각해 보도록 하죠. • 여러분, 그것이 오늘 우리가 알게 된 사실이죠? 그럼 여러분이 말한 것을 실험 관찰 책에 적어 볼까요?
수사적 질문		어떠한 것을 강화하기 위하여 사용하는 질문으로 학생들의 응답을 기대하지 않는 경우가 많음.	• 훌륭한 과학자의 생각과 같구나. • 참 좋은 생각이다. • 잘 들었어요, 철수. 너는 두 가지 다른 생각의 중요한 차이점을 인식했구나? • 영희가 참 예리하게 잘 살펴보았군요. 선생님도 미처 보지 못했는데 말이예요.

- 문제의 틀을 잡거나 목표를 분명하게 말하기
  - 예 그 말은 네가 하고자 하는 것이 두 번째 실험에서 더 높은 수치를 보인 까닭을 해결하는 것처럼 들리는구나.
- 의견의 충돌과 차이점에 주목하게 하기
  - 예 철수야, 민수는 그 답이 '세다'라 생각하고, 너는 그것이 '약하다'라고 생각하는구나. 이를 해결하기 위해 서로 논의를 계속해 보면 좋겠구나.
- 토론의 초점을 다시 맞추기
  - 예 이제까지 우리는 한 가지 사항에 대해서는 합의를 이루었어요. 두 번째 실험 결과에 대해 살펴볼까요?
- 아이디어의 상호작용 유도하기
  - 예 영희가 질문한 것이 뭘까요? 누가 그것을 한번 자세하게 말해 볼까요?
- 말을 한 사람에게 다시 물어보기
  - 예 선생님은 모르겠는걸. 네가 생각한 것이 무엇이지?
- 설명을 위한 기준을 의사소통하기
  - 예 나는 너의 주장을 뒷받침할 수 있는 근거를 듣고 싶구나.
- 정교화 요구하기
  - 예 네가 얘기했던 그 세기에 대해서 얘기해 보겠니?
- 학생의 진술을 다시 진술하거나 요약하기
  - 예 그러니까 네가 얘기하는 것은 결국 동전은 자석에 붙지 않는다는 뜻이지?

그림 8-7 학생의 사고 자극을 위한 교사의 질문 유형

✻ 질문 계획

- 교사의 질문이 수업의 질을 결정하는 중요한 역할을 하므로 교사는 즉흥적인 것이 아닌, 계획되고 의도적인 질문을 해야 한다. 이를 위하여 학습 지도 계획을 세울 때 전체 단계를 질문의 형태로 세우는 것도 바람직하다.
- 각각의 질문은 전체 수업 목표와 연결되어 있어야 하며, 각 질문들은 서로 위계적으로 조직되어야 한다. 즉 수업 목표를 달성하기에 적합한 순으로, 쉬운 것부터 시작하여 어려운 것 순으로 논리적인 계열에 맞추어 질문을 조직한다.
- 단순한 '예-아니오'를 요구하는 질문은 되도록이면 피하며, 다양한 수준의 질

문을 균형 있게 선정한다. 상황에 따라 단순한 지식이나 기억의 재생을 요구하는 질문, 과학 지식이나 개념, 원리 등을 새로운 사태에 적용하는 질문, 실험이나 관찰 결과를 가지고 자신의 생각을 뒷받침하도록 요구하는 질문, 인지적 비평형을 유발하여 개념적 갈등을 일으킬 수 있는 질문 등 다양한 종류의 질문을 균형 있게 선정한다.

- 폐쇄적 질문과 개방적 질문을 적절히 사용한다. 수업 초기에는 다양한 답이 가능한 개방적 질문을 하고, 수업이 끝나갈수록 제한된 내용의 답을 요구하는 폐쇄적 질문이 되도록 한다. 처음부터 너무 폭이 좁은 발문을 하게 되면 학생들의 사고를 제한하는 결과를 초래하게 된다.
- 질문은 학생들이 금방 알아차릴 수 있도록 학생에게 알맞은 친숙한 용어를 사용하여 간단하고, 구체적으로 한다. 질문이 복잡하고 길고 장황한 것은 학생들을 혼동시킨다. 예를 들어, '닫힌 회로'에 대해 처음으로 배울 때는 "어느 것이 닫힌 회로인가?"라고 처음부터 묻기보다는 "전기의 한 극에서 다른 극까지 제대로 연결되어 끊어진 곳이 없는 회로는 어느 것인가?"와 같이 질문한다.
- 질문은 구조적으로 완전한 문장이어야 한다. '영양분은 만들어지는가, 어디서?' 보다는 '식물의 어디에서 영양분이 만들어지는가?'가 더 적당한 문장이라는 것이다. 즉 정확하게 표현된 문장의 질문이 정확한 답을 하는 데 필요하다는 것이다.

✲ 질문 방법

- 미리 세운 질문 계획을 참조하되 학생들의 반응에 따라 유연하게 대처하는 것이 필요하다.
- 질문 후에는 학생들이 답변을 준비할 수 있는 적당한 시간을 제공한다. 이 시간에 학생들은 교사의 질문에 대하여 생각하고 자신의 답을 정교화하기 때문이다. 기다리는 시간이 길수록 학생 반응의 양이나 질이 증가하며, 성취도가 낮은 학생도 더 많은 반응을 하게 된다. 질문의 내용과 학생의 수준에 따라 다르지만 최소한 3~5초 이상의 시간을 제공한다. 비판적 사고나 창의적 사고가 요구되는 질문의 경우에는 15초 이상이 필요한 경우도 있다.

- 질문을 먼저 한 후, 어느 정도의 시간이 지나면 대답할 학생을 지명한다. 이것은 모든 학생에게 생각할 기회를 주기 위한 것이다. 그러고 나서 응답자를 지명하는데, 성취도가 높은 학생과 낮은 학생, 희망자와 비희망자에게 동등한 기회를 주고 친절하게 피드백을 준다. 그러나 저학년 학생들의 경우에는 불안을 감소시켜주기 위해 호명하고 질문하는 것이 효과적일 수 있으므로 예상할 수 있는 순서에 따라 답하게 하는 것이 좋다.
- 학생 스스로 답을 찾을 수 있도록 질문을 세분화하여 한 가지씩 단계적으로 질문한다. 필요한 경우 다른 학생들에게 답할 수 있는 기회를 제공한다.
- 질문과 응답이 교사와 학생 간에만 오고갈 것이 아니라 학생과 학생 사이에도 오고갈 수 있도록 한다.
- 질문에 학생의 생각을 많이 이용한다. 그러나 학생의 반응을 그대로 반복하는 것은 피한다.
- 하나의 질문에 대한 학생의 반응과 이에 대한 교사의 단정적 발언으로 끝나는 1회성 질문보다는 같은 질문이라도 여러 학생에게 이어서 묻는다든가 한 학생의 응답에 대해 다른 학생들에게 되묻도록 하는 것이 학생들의 참여와 사고를 촉진하는 데 효과적이다.
- 모든 학생을 격려하기 위해 모든 학생에게 고루 질문을 하되 그들의 능력에 맞게 질문을 한다. 예를 들어 학습 능력이 부족한 학생에게는 낮은 수준의 질문을 하면서 점차 수준을 높여 나간다.
- 학생들이 토의를 하는 경우 빈번한 질문은 오히려 방해가 될 수 있으므로 주의한다.

✲ 학생의 대답에 대한 반응

- 학생에게 정답만 나오기를 바라는 것은 매우 위험한 생각이다. '학생의 본분은 소신껏 틀리기'라는 이화진 등(2007)의 지적처럼, 관대한 분위기를 보장하고, 긍정적 태도를 취하며, 자신의 의사를 적절히 표현하는 데 곤란을 겪는 학생들에게 용기를 준다. 또한 학생의 오답에 대해 구체적으로 틀린 곳을 지적과 함께 격려가 섞인 칭찬을 해 줌으로써 자기의 결점을 찾게 하고 계속적으로 학습 활동에 적극 참여하도록 해야 한다.

- 학생들로부터 만족할 만한 답이 나오지 않는다 해서 조급해하지 말고 시간을 주고 생각해 보도록 하거나 힌트 등을 제공하도록 한다. 조급한 마음에 교사의 자문자답이 계속 반복되면 자신들이 답하지 않아도 된다는 생각과 함께 더 이상 발표를 위한 사고 과정에 몰입하지 않게 된다.
- 학생 응답을 주의 깊게 듣는다. 학생의 응답이 교사가 질문에서 의도했던 수준에 도달했는지 점검하여 도달하지 않았다면 그러한 반응이 나오도록 유도한다.
- 정답이 나왔다고 바로 멈추지 않는다. 첫째 번 학생이 보다 완전한 답을 할 수 있는 기회를 준 후에 다른 학생에게 응답 기회를 준다. 이를 통해 그 학생의 오개념, 불완전한 정보, 제한된 경험에 관한 단서를 얻을 수 있다.
- 학생으로부터 나오는 질문이나 암시가 비록 보잘것없다고 생각될지라도 전체 학생 앞에서 묵살해 버림으로써 탐구 의욕을 저하시키고 수치감을 주어서는 안 된다. 때로는 이런 암시가 오히려 문제를 해결하는 데 결정적 역할을 할 수도 있으며, 학생의 발표 의욕을 증가시키는 데 중요한 요소가 될 수도 있다.
- 학생들이 질문에 대한 답을 확실히 알지 못한다면 그들이 재치 있는 추측을 하도록 격려하고, 학생들이 질문 내용을 잘못 이해한 것으로 나타나면 그들이 이해할 수 있게 다시 질문한다.
- 질문에 대한 답변이 명확하지 않거나 답변에 대한 이유나 근거를 물어야 할 경우에는 추가 설명을 요구하는 질문을 한다. "왜 그렇게 생각하니?", "어떻게 알 수 있을까?"와 같은 질문들은 학생들이 그들의 아이디어를 조직화하는 데 도움이 된다.
- 학생 응답에 대한 평가는 나머지 학생의 몫으로 맡긴다. 한 학생의 응답에 교사의 즉각적인 평가는 발표 학생과 교사만의 활동으로 자칫 흐를 수 있다. 발표하지 않고 자리에 앉아있는 학생들이 질문과 발표 내용을 귀담아 듣고 발표 내용이 옳고 그른지 판단하는 기회를 제공하는 것은 발표 학생과 교사만의 상호작용이 아닌 전체 학생이 수업에 적극적으로 동참하게 하는 학습 분위기를 조성하는 데 도움이 된다.
- 학생의 질문에 대해 모르는 것은 모른다고 솔직하게 인정하는 것이 바람직하다. 모르는 것이 자랑은 아니지만 죄도 아니다. 만약 모르는 것을 아는 척하

며 설명할 경우 교사의 신뢰에 금이 갈 수도 있다.

교사가 자신의 질문하는 능력을 계발하는 또 다른 방법은 연습이다. 이와 관련하여 Harlen(2001)이 제안한 세 가지 활동을 소개하면 다음과 같다.

첫째, 과학 수업을 촬영하고 녹음된 자신의 질문을 분석하는 것이다. Harlen이 지적한 대로, 처음에는 자신의 수업 방식에 조금 실망할지 모르지만 시간이 지난 후 질문의 유형이 어떻게 바뀔 수 있는지 주목하면 매우 고무적인 일이 될 것이다.

둘째, 초등학교 과학 교과서에 있는 질문을 분석하는 것이다. Harlen에 의하면, 이러한 활동을 수행했던 많은 교사는 질문 유형에 대한 인식이 증가되었고 스스로 생산적 질문을 만드는 능력이 향상되었다고 말한다.

셋째, 특정한 상황을 설정하고 질문을 찾는 연습을 하는 것이다. 예를 들어, 여러분이 강의를 듣는 상황을 생각해 보자. 스크린은 왜 흰색일까? 강의자의 목소리가 최적으로 들리는 위치는 어디일까? 동료들이 선호하는 자리는 어디일까? 항상 같은 자리를 앉는 친구와 매번 자리를 바꾸는 친구는 누구인가?

2. 설명하기

'설명식 수업'은 교사가 학습 내용을 학생들에게 전달하면, 학생들은 그것을 듣고 생각하면서 학습하는 교사 중심의 교수-학습 방법이다.[8] 대부분의 교사들은 설명식 수업을 선호하는데, 설명식 수업은 학습 내용을 효율적이고 효과적으로 전달하는 한 가지 방법이기 때문이다.

설명식 수업은 권위적이라든가 또는 학습자가 자신의 학습 과정에서 '수동적' 역할을 한다는 점 등으로 시대에 뒤떨어진 방법이라고 비판을 받기도 한다. 하지만 이와 같은 비판은 정당하지 않은데, 본질적으로 다른 사람에게 정보를 제공하거나 설명하는 데 있어 권위적이지 않은 것은 없다(Ivie, 1998). 또한 외형적으로 설명식 수업은 일방적 의사소통으로 보이지만, 내용적으로는 교사와 학생 사

[8] 흔히 '강의'와 '설명식 수업'이 혼용되고 있다. 엄밀한 의미의 강의는 주로 대학 수준에서 적용되고 있으며, 초·중등학교에서 이용되는 방법에는 '설명식 수업'이라는 용어가 더 적절하다(대한지구과학교육학회, 2009). 이 절에서는 강의를 포함하는 용어로 '설명식 수업'이라는 용어를 사용한다.

이에 끊임없는 상호작용이 일어나는 역동적 과정이며, 능숙한 설명은 학생들에게 배우는 즐거움과 만족을 줄 수 있다(신명희 등, 1998). 제6장에서 살펴본 Ausubel의 유의미학습의 다른 면이 설명식 수업이며, 교사는 자신이 알고 있는 것을 학생들과 공유할 의무를 가지고 있다(Ivie, 1998). Ausubel의 유의미학습 이론은 학습할 내용을 학생들이 의미 있게 수용할 수 있도록 교사가 언어적으로 설명하는 방법을 체계화한 것으로, 그의 이론은 유의미 수용학습, 유의미 언어학습 또는 설명식 수업이라고도 불린다. 이와 같이 설명식 수업은 과학 교육에서 나름대로의 위치를 차지하고 있다(Martin, 2000).

초등학교 과학 수업의 경우 실험이나 관찰 등의 구체적인 활동에 초점을 두고 학생 중심의 수업을 전개해야 하지만 설명식 수업이 필요한 경우도 많다. 예를 들어, 다음 단계의 학습을 위해 배경 지식을 제공해야 할 필요가 있을 때, 학생들이 특정 정보나 지식을 알아야 되고 이를 교사만이 전달할 수 있을 때, 수업 중 한 학생이 제기한 '왜'라는 질문에 대해 학생들 스스로 생각해내기 어렵다고 판단될 때, 실험 과정이 다소 복잡하거나 위험할 때, 학생들이 자료 변환이나 가설 설정, 변인 통제 등에 어려움을 겪을 때와 같이 매우 많은 상황에서 교사의 적절한 설명이 필요하다. 따라서 대부분의 과학 수업이 교사의 설명으로 진행된다고 말해도 과언이 아닐 정도로 설명은 과학 수업의 주된 전략 중 하나이며, 수업의 성패 여부는 교사가 얼마나 설명을 잘 하였는가에 따라 결정된다(조희형과 박승재, 1999). 따라서 초등교사는 학생들을 가르칠 때 초등학생들의 발달 단계와 수준에 맞게 지식과 정보를 설명할 수 있는 능력을 갖추어야 한다.

한편 과학 수업에서 설명하기와 관련하여 흔히 활용하는 것이 '비유'이다(Ogborn et al., 1996). 비유는 친숙하지 않은 추상적인 과학 개념을 친숙한 구체물이나 상황에 빗대어 설명하는 교수 전략으로(김영민과 박승재, 2001), 초등학교 과학 수업에서 널리 활용되고 있다. 비유는 학생들에게 친숙한 소재를 활용하여 추상적인 과학적 개념을 구체적이고 상상 가능한 형태로 시각화해 줄 수 있기 때문에(Orgill & Bodner, 2007) 어려운 개념이라도 비유를 통해 설명을 하면 학생들이 쉽게 이해할 수 있다.

그러나 비유물과 목표물이 완전히 1:1 대응 관계를 갖기 어렵고 그 속성이 크게 다르기 때문에 초등학생을 대상으로 하는 과학 수업에서는 비유의 한계를 언급하고 비유물에 대한 학습이 아니라 목표물에 대한 학습임을 분명히 할 필요가 있다(김영민과 박승재, 2001). 그렇지 않으면 비유 그 자체가 학생들의 개념 이해를 오히려 방해하거나 또 다른 오개념을 유발할 수도 있다. 예를 들어, 학생들의 이해를 돕기 위해 '전기회로(전기)'를 '물회로(물)'에 비유한 경우를 생각해 보자. 꼬마전구, 전구소켓, 집게전선, 스위치, 건전지를 연결하고 스위치를 닫을 때 전류가 흐르는 것을 물이 흐르는 것에 비유하면 학생들이 전기회로에 대해 이해하는 데 도움을 줄 수 있다. 하지만 이러한 비유는 전구의 병렬연결의 경우 오개념을 유발하게 된다. 즉 학생들은 물의 양이 반으로 나누어져 흐를 것이라고 사고함으로써 전류의 양이 반으로 줄어들게 된다고 생각하게 된다.

초등학교 과학 수업에서의 설명하기와 관련된 몇 가지 예는 **그림 8-6**과 **그림 8-8**과 같다. **그림 8-6**은 과학 실험과 관련하여 교사의 질문을 중심으로 한 설명하기의 예이고, **그림 8-8**은 학생들의 과학 개념의 이해를 돕기 위한 비유를 이용한 설명하기의 예이다. 한편 기존에 발표된 과학 동시를 이용해서 과학 실험 기구의 사용법이나 과학 개념을 설명할 수도 있는데, **그림 8-9**는 권난주(2007)의 '과학 동시'에 실린 동시의 예이다.

초등학교 과학 수업에서 한 차시 내내 설명식 수업 방법만 사용하는 것은 바람직하지 않으며, 실험이나 토론 등 다른 수업 방법과 함께 활용하는 것이 좋다(교육과학기술부, 2010). 하지만 교사가 한 차시에 걸쳐 과학의 본성에 대해 탈맥락적 접근방식(제3장)으로 지도하고자 하는 경우와 같이, 차시 수업을 교사 중심의 설명식 수업으로 진행해야 할 경우도 있을 수 있다. 이러한 경우에는 가능한 한 초등학생의 발달 단계, 심리적 특성, 설명식 수업의 단점 등을 최대한 고려해야 한다. 과학 수업에서 설명하기 또는 설명식 수업의 효과를 높이기 위한 구체적인 고려사항은 다음과 같다(권치순, 1993; 박완희, 1993; 이화진 등, 2007).

- 유의미한 학습이 되도록 학생들이 이미 알고 있는 내용과 관련시켜야 한다. 그렇지 않으면 무의미한 수업이 되기 쉽고 학생들은 산만해지고 소란스러워진다. 필요하다면 흥미로운 짧은 이야기 등을 선행조직자로 사용한다.
- 초등학생들은 주의집중이 잘 안 되는 나이에 있기 때문에 학생들의 주의를 모으는 것은 아주 중요하다. 이를 위해 다양한 시청각 매체를 이용하여 학생들의 직관이나 감각적인 경험을 제공하며 설명한다.
- 설명 중에는 학생들의 표정 등을 살펴 잘 이해하고 있는가를 확인하고, 이해

포화 용액과 불포화 용액의 원리[9]

소금을 한 숟가락 넣고 유리 막대로 저었을 때는 물에 소금이 모두 녹지만, 소금을 계속 넣으면서 유리 막대로 저으면 어느 순간부터는 소금이 물에 더 이상 녹지 않고 비커 바닥에 가라앉는다. 왜 이런 일이 생길까? 그 이유는 바로 물에 녹을 수 있는 소금의 양이 정해져 있기 때문이다. 이와 같이, 어떤 온도에서 일정량의 용매(예:물)에 용질(예:소금, 설탕)을 녹일 때, 용질이 최대한 녹아 있어서 더 이상 녹지 않는 용액을 '포화 용액'이라 한다. 그리고 용질이 최대한 녹을 수 있는 양보다 적게 녹아 있어서 용질을 더 녹일 수 있는 용액을 '불포화 용액'이라 한다.

이 원리는 10인승 엘리베이터에 사람들이 타는 상황에 비유하여 설명할 수 있다. 즉 10인승 엘리베이터에는 사람이 최대 10명까지 탈 수 있으므로 이미 10명이 모두 탔다면 더 이상 사람이 탈 수 없지만, 10명보다 적게 탄 엘리베이터에는 10명까지 사람이 더 탈 수 있다. 이와 같이 엘리베이터에 최대로 탈 수 있는 사람의 수가 정해져 있는 것처럼 '포화 용액과 불포화 용액' 원리도 어떤 온도에서 일정량의 용매에 녹을 수 있는 물질의 양이 정해져 있다는 것에 기초한 것이다.

엘리베이터 정원만큼 사람이 탔을 때

엘리베이터 정원보다 사람이 적게 탔을 때

그림 8-8 과학 개념 설명을 위한 비유의 예

가 잘 안 되는 것 같으면 질문을 하여 요점을 확인시킨다. 때때로 이해한 학생이 학생들의 용어로 설명해 보도록 하는 것이 효과적인 경우가 있다. 어른들의 설명보다 동료 학생들이 설명해 주는 또래 학습이 학생들에게 보다 쉽게 이해될 때가 많다.

- 학습자들 모두가 알아듣기 쉽게(평이한 설명), 설명의 내용과 용어가 학습자들의 수준이나 경험에 알맞게(적합한 설명), 설명하는 내용의 전후가 논리적으로 일관성이 있게(논리적 설명), 보기나 증거를 제시하며(구체적 사실의 제시) 설명하도록 한다. 하지만 내용은 장황하지 않고 간단명료해야 한다.
- 특별한 경우를 제외하고는 두 가지 이상을 동시에 설명하지 않는다. 정보가

[9] 이 내용은 강훈식과 서지혜(2012)의 논문에서 연구자의 동의하에 인용한 것임.

복사(輻射)[10]

꼭 손과 손을 잡아야 하는
'전도'가 아니었으면 좋겠다.

굳이 말과 말을 주고받아야 하는
'대류'가 아니었으면 좋겠다.

그저 눈과 눈을 마주쳐도 좋은
'복사'였으면 좋겠다.

무언가를 통하지 않고도
서로에게 닿을 수 있는

너와 나의 마음은
'복사'를 닮았으면 좋겠다.

온도계

당신이 나를 볼 땐
높은 곳에서 내려다보지 마세요.

그러면 나는 너무 겁이 나서
당신은 작아져버린 나를 볼 거예요.

당신이 나를 볼 땐
낮은 곳에서 올려다보지 마세요.

그러면 나는 너무 거만해져서
당신은 더 커져버린 나를 볼 거예요.

당신이 나를 볼 땐
같은 곳에서 나와 눈높이를 맞춰 주세요.

그러면 당신은 이제야
진정한 나의 본모습을 볼 거예요.

그림 8-9 과학 동시

한꺼번에 너무 많이 제시되면 학생들에게 혼란을 준다. 따라서 단계별로 끊어서 설명한다. 즉 학생들의 이해 여부를 확인한 후 다음 단계로 나가는 식으로 단계를 세분화하여 설명하는 것이 적절하다.

- 설명의 순서는 쉬운 것, 구체적인 것, 단순한 것을 먼저 설명하고 어려운 것, 추상적인 것, 복잡한 것일수록 나중에 설명한다.
- 설명하고자 하는 내용의 특성에 따라 귀납적으로 또는 연역적으로 설명한다.
- 질의응답 시간을 허용하며, 교사의 질문, 학생들의 질문, 토론 등을 통해 설명에 대한 학생들의 반응을 정확히 파악한다.
- 결론이나 요점은 설명을 시작할 때와 끝마칠 때 두 번 제시한다.
- 성심성의껏 설명하는 태도를 보인다. 교사의 이러한 태도는 다른 사람과의 상호작용에 대한 학생들의 모방, 즉 관찰학습의 기회를 제공하기 때문이다.

[10] 이 두 동시는 권난주(2007)의 p.62와 p.210의 내용을 저작권자의 동의하에 인용한 것임.

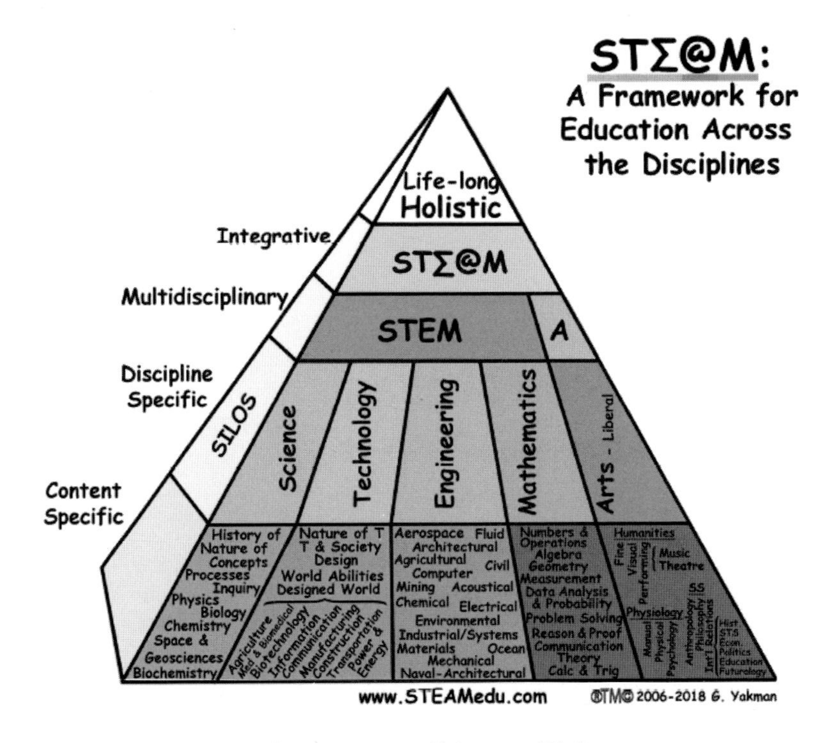

그림 8-10 Yakman의 STEAM 피라미드

출처: https://steamedu.com/downloads-and-resources/

8.9 융합인재교육(STEAM)

융합인재교육(STEAM, 그림 8-10)은 "과학 기술에 대한 학생의 흥미와 이해를 높이고 과학 기술 기반의 융합적 사고력(STEAM Literacy)과 실생활 문제 해결력을 배양하는 교육"을 말한다(교육부, 2019). 미래사회의 다양한 문제를 해결하고, 국가경쟁력을 갖추기 위하여 도입된 융합인재교육은 과학(Science)을 중심으로 기술(Technology), 공학(Engineering), 예술(Arts), 그리고 수학(Mathematics)의 통합적 접근이다.

통합적 접근 교수학습 방법 또는 융합교육[11]의 흐름을 따라 올라가면 1980

---

[11] 융합이라는 용어는 통합, 복합, 통섭, 융섭, 소통 등의 의미와 동일 범주에서 이해될 수 있다(최민자, 2010). 융합인재교육도 융합교육, 통합교육, 융복합 교육, 창의융합교육 등으로 혼용하고 있으며, 통합의 수준과 방법의 차이에 따라 구분하기는 쉽지 않다. 하지만 학생들의 창의성과 융합적 소양을 기르고자 하는 교육적 목표를 가지고 있다.

년대부터 확산된 STS (Science-Technology-Society) 교육이 있으며, 2000년대 들어와서 미국과 영국을 중심으로 STEM (Science, Technology, Engineering, and Mathematics) 교육이 교과간의 소통과 협력을 주도하였다(권난주와 안재홍, 2012). 이후 2006년 미국의 Yakman은 기존 STEM 교육에 예술(Arts)을 결합하여 STEAM 이라는 용어를 처음으로 사용하였다. 우리나라의 융합인재교육은 STEM 교육에 Arts를 예술, 인문사회로 범위를 확대함으로서 예술적 감성과 교양교육을 덧붙여 학문적 통합에서 예술의 중요성과 가치를 높이 평가하고 있다(권혁재와 권난주, 2015; 김성원 등, 2012; 김진수, 2011; 백윤수 등, 2011; 박현주 등, 2012). 창의인재육성을 위한 교육에 예술이 주목받는 까닭은 과학과 예술이 어떤 방식으로든 관계를 갖기 때문이다. 레오나르도 다 빈치가 "예술의 과학과 과학의 예술을 연구하라"라고 말하였듯이, 성공한 예술가와 과학자는 매우 박식한 경향이 있고, 관심사가 방대하여 학문적 경계를 넘나드는 경향이 있다(Root- Bernstein & Root-Bernstein, 1999). 예술교육과 타 학문과의 연계활동은 학생들의 호기심, 개방성, 합리적 사고 등의 사고기질(thinking disposition) 형성에 크게 기여한다(태진미, 2011). 즉 과학과 예술은 상상력과 창의성 측면에서 상당한 공통점과 유사성을 발견할 수 있기 때문에 과학과 예술의 융합은 강조되고 있다.

1. 학습 준거틀

✲ 상황 제시: 상황을 제시해 자기 문제로 인식하기

다른 수업방법에서 도입이 학생들의 호기심과 관심을 불러일으키기 위한 동기유발을 사용한다면, 융합인재교육에서는 수업 전체를 포괄하는 상황을 제시하는 것으로 시작한다. 상황 제시를 통하여 문제와 자신과의 관련성을 높여 문제 해결의 필요성과 의지를 높여주는 단계이다.

✲ 창의적 설계: 스스로 문제해결방법을 찾기

창의적 설계의 과정에서 가장 핵심적인 부분은 학생 스스로 생각해 낸 아이디어가 활동에 반영하도록 하는 것이다. 주어진 상황에서 최선의 해결책을 찾아 문제를 해결하는 창의적 설계 과정은 다양한 아이디어의 발산과 합리적 의사결정의

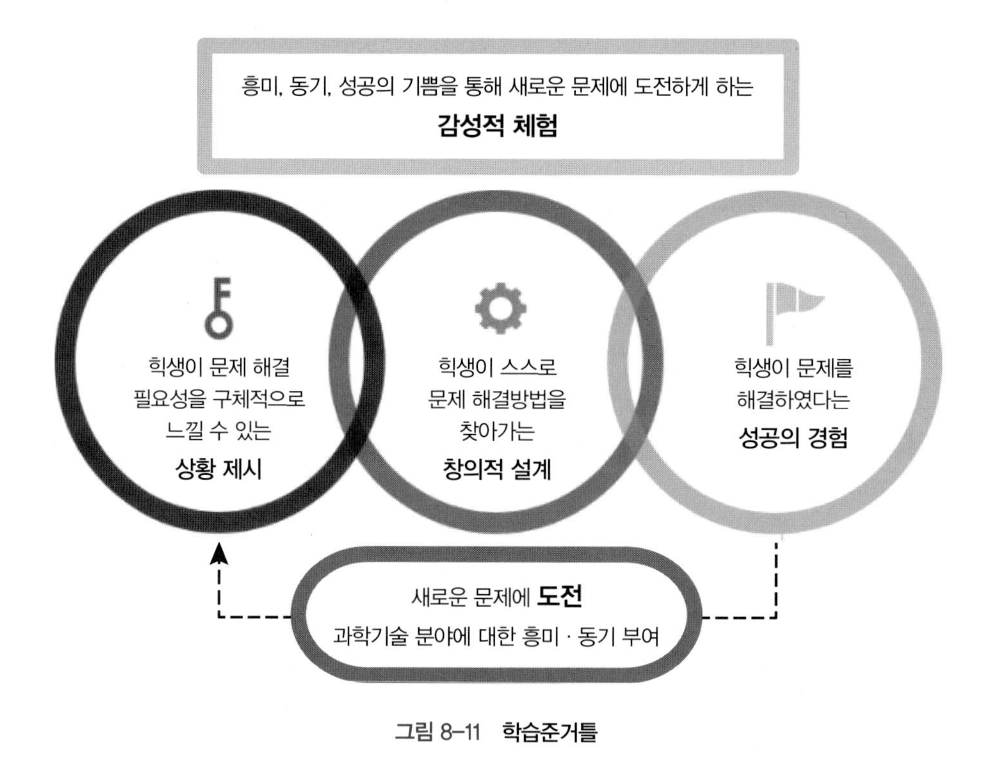

그림 8-11 학습준거틀

과정을 거친다. 확산적 사고와 수렴적 사고를 동시에 반복적으로 경험함으로써 창의적 사고가 향상되고(김영채, 2007), 이는 융합적 문제 해결력과 자기 주도적 학습 습관을 형성하는데 도움을 준다(백윤수 등, 2012).

이 단계에서는 사고 과정에서 그치지 않고 최종 산물을 만들어내는 실천 단계까지 포함한다. 때로는 학생들의 아이디어를 실제 제작하는 과정에서 학생들의 수준을 넘는 공학적 요소가 필요한 경우도 있기 때문에 창의적 사고 과정으로도 의미는 있지만 최종 산물을 만들어가는 과정에서 보다 의미 있는 경험이 제공될 수 있다(박현주 등, 2012). 최근 SW교육과 연계하여 산물을 만드는 메이커 교육으로 진행되기도 한다.

✲ 감성적 체험 : 성공의 기쁨으로 새로운 문제에 도전하기

감성적 체험은 융합인재교육을 통해 학생들이 흥미, 동기, 성취의 기쁨 등을 바탕으로 새로운 문제에 도전하고자 하는 열정을 추구하는 선순환의 경험을 하도록 하는 것이다(백윤수 등, 2012). 일반적인 수업에서 '도입-전개-정리'의 과정 중 '정리'와 비교하기도 하는데, 감성적 체험은 수업의 정리 단계 또는 결과 발표 및 평가 부분에 국한되지 않으며, 수업진행 시간 전체에서 기획되어야 한다(박현주 등, 2013). 즉 감성적 체험 단계는 상황 제시를 통해 문제를 자신의 것으로 인식하고 창의적 설계과정을 통해 해결하면 학생들이 성공의 기쁨을 느끼는 것이 중요하며, 새로운 문제에 열정적으로 도전하도록 하여 과학기술 분야에 흥미와 동기를 부여해 주는 과정이다.

2. 융합인재교육(STEAM) 프로그램의 운영 및 설계

융합인재교육 프로그램을 운영할 때는 다음과 같이 3가지 유형으로 현장 적용이 가능하다.

- (교과 내 수업형) 과학교과 내에서 STEAM 요소를 추가하고, 학습 준거틀에 따라 재구성이 가능하다. 수업 시간 확보 및 진행 측면에서 가장 쉽게 적용할 수 있다.

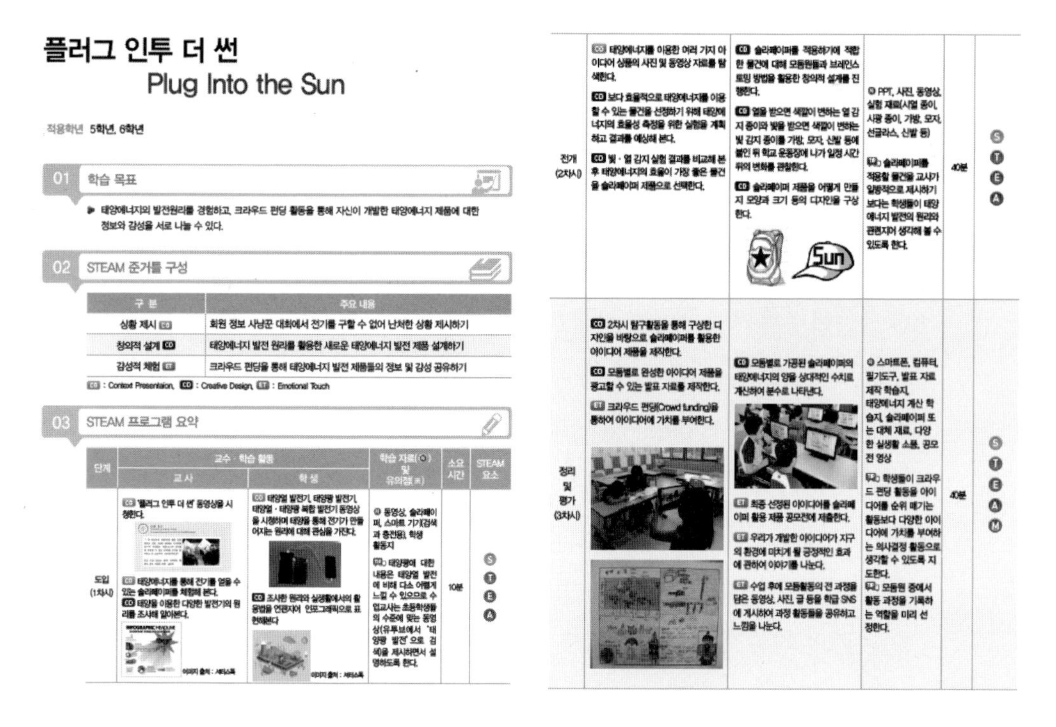

플러그 인투 더 썬
Plug Into the Sun

적용학년 5학년, 6학년

01 학습 목표

▶ 태양에너지의 발전원리를 경험하고, 크라우드 펀딩 활동을 통해 자신이 개발한 태양에너지 제품에 대한 정보와 감성을 서로 나눌 수 있다.

02 STEAM 준거틀 구성

구분	주요 내용
상황 제시 CP	회원 정보 사냥꾼 대회에서 전기를 구할 수 없어 난처한 상황 제시하기
창의적 설계 CD	태양에너지 발전 원리를 활용한 새로운 태양에너지 발전 제품 설계하기
감성적 체험 ET	크라우드 펀딩을 통해 태양에너지 발전 제품들의 정보 및 감성 공유하기

CP : Context Presentaion, CD : Creative Design, ET : Emotional Touch

03 STEAM 프로그램 요약

단계	교수·학습 활동		학습 자료(◎) 및 유의점(※)	소요 시간	STEAM 요소
	교사	학생			
도입 (1차시)	CP '플러그 인투 더 썬' 동영상을 시청한다. CP 태양에너지를 통해 전기를 얻을 수 있는 솔라페이퍼를 체험해 본다. CD 태양을 이용한 다양한 발전기의 원리를 조사해 알아본다. 이미지 출처 : 셔터스톡	CP 태양열 발전기, 태양광 발전기, 태양열·태양광 복합 발전기 동영상을 시청하며 태양을 통해 전기가 만들어지는 원리에 대해 관심을 가진다. CD 조사한 원리와 실생활에서의 활용법을 연관지어 인포그래픽으로 표현해본다 이미지 출처 : 셔터스톡	◎ 동영상, 솔라페이퍼, 스마트 기기(검색과 충전용), 학생 활동지 ※ 태양광에 대한 내용은 태양열 발전에 비해 다소 어렵게 느낄 수 있으므로 수업교사는 초등학생들의 수준에 맞는 동영상(유투브에서 '태양광 발전'으로 검색)을 제시하면서 설명하도록 한다.	10분	S T E A
전개 (2차시)	CP 태양에너지를 이용한 여러 가지 아이디어 상품의 사진 및 동영상 자료를 탐색한다. CD 보다 효율적으로 태양에너지를 이용할 수 있는 물건을 선정하기 위해 태양에너지의 효율성 측정을 위한 실험을 계획하고 결과를 예상해 본다. CD 빛·열 감지 실험 결과를 비교해 본 후 태양에너지의 효율이 가장 좋은 물건을 솔라페이퍼 제품으로 선택한다.	CD 솔라페이퍼를 적용하기에 적합한 물건에 대해 모둠원들과 브레인스토밍 방법을 활용한 창의적 설계를 진행한다. CD 열을 받으면 색깔이 변하는 열 감지 종이와 빛을 받으면 색깔이 변하는 빛 감지 종이를 가방, 모자, 신발 등에 붙인 뒤 학교 운동장에 나가 일정 시간 뒤의 변화를 관찰한다. CD 솔라페이퍼 제품을 어떻게 만들지 모양과 크기 등의 디자인을 구상한다.	◎ PPT, 사진, 동영상, 실험 재료(시열 종이, 시광 종이, 가방, 모자, 선글라스, 신발 등) ※ 솔라페이퍼를 적용할 물건을 교사가 일방적으로 제시하기 보다는 학생들이 태양에너지 발전의 원리와 관련지어 생각해 볼 수 있도록 한다.	40분	S T E A
정리 및 평가 (3차시)	CD 2차시 탐구활동을 통해 구상한 디자인을 바탕으로 솔라페이퍼를 활용한 아이디어 제품을 제작한다. CD 모둠별로 완성한 아이디어 제품을 광고할 수 있는 발표 자료를 제작한다. ET 크라우드 펀딩(Crowd funding)을 통하여 아이디어에 가치를 부여한다.	CD 모둠별로 가공된 솔라페이퍼의 태양에너지의 양을 상대적인 수치로 계산하여 분수로 나타낸다. ET 최종 선정된 아이디어를 솔라페이퍼 활용 제품 공모전에 제출한다. ET 우리가 개발한 아이디어가 지구의 환경에 미치게 될 긍정적인 효과에 관하여 이야기를 나눈다. ET 수업 후에 모둠활동의 전 과정을 담은 동영상, 사진, 글 등을 학급 SNS에 게시하여 과정 활동들을 공유하고 느낌을 나눈다.	◎ 스마트폰, 컴퓨터, 필기도구, 발표 자료 제작 학습지, 태양에너지 계산 학습지, 솔라페이퍼 또는 대체 재료, 다양한 실생활 소품, 공모전 영상 ※ 학생들이 크라우드 펀딩 활동을 아이디어를 순위 매기는 활동보다 다양한 아이디어에 가치를 부여하는 의사결정 활동으로 생각할 수 있도록 지도한다. ※ 모둠원 중에서 활동 과정을 기록하는 역할을 미리 선정한다.	40분	S T E A M

그림 8-12 융합인재교육 우수 프로그램(예시)

출처: 한국과학창의재단 (2018). STEAM 우수 프로그램북; 2017 STEAM 우수 프로그램 공모대회 우수작 모음. 한국과학창의재단. (https://steam.kofac.re.kr).

- (교과 연계형) 큰 주제를 중심으로 관련 교과(과학, 미술, 실과, 수학 등)로 성취기준에 따라 해당 차시를 편성하여 운영한다. 프로젝트, 팀 티칭, 코 티칭 등 다양한 형태의 수업도 가능하다.
- (창의적 체험활동 및 방과 후 수업 적용형) 학생들이 주 2~3회씩 참여하는 것으로 수업의 질을 높일 수 있으며, 장기간으로 심도 있는 활동이 융합적 사고를 촉진할 수 있다.

융합인재교육 프로그램이 융합인재교육의 특성에 부합하는지를 판단하기는 쉽지 않다. 융합인재교육이 도입될 초기에는 프로그램에 STEAM 요소를 모두 포함시키기 위해 부자연스러운 흐름이 나타나기도 하였다. 또한 어떠한 틀 속에 맞추기 위해 노력하였으나 점차 융합인재교육이 추구하고자 하는 방향으로 개선되고 있다.

따라서 융합인재교육 수업을 설계할 때는 융합인재교육의 특징과 범위를 확인하여 지향하는 방향을 살펴보고, STEAM 요소가 제대로 반영되었는지 판단하는 것이 좋다.

8.10 에듀테크 활용 과학교육

4차 산업혁명과 지능정보화시대로 빠르게 변화하는 사회에 과학교육도 여러 가지 에듀테크(EduTech)를 활용한 수업이 개발되고 연구되고 있다. 에듀테크는 교육(Education)과 기술(Technology)의 합성어로 인공지능, 빅데이터, 증강현실(AR), 가상현실(VR), 온라인 플랫폼 등의 디지털 신기술과 교육내용이 융합되는 융합형 교육방법이라고 볼 수 있다(이현청, 2018). 에듀테크를 활용하여 학습자 맞춤 교육을 제공함으로써 교육의 효과와 효율성을 높이고자 하는 접근이다.

기존의 전통적 과학실험에서 대부분의 탐구가 자료수집과 자료변환에 많은 시간과 노력이 필요했다(Friedler et al., 1990). 미국의 경우 이미 30여 년 전 컴퓨터 기반 과학실험 시스템(Microcomputer Based Laboratory; MBL)을 활용하여 왔으며, 우리나라도 2000년 초반 과학교육 활성화를 위해 학교현장에 보급되기 시작하였다. MBL 실험에 사용되는 센서로부터 수집한 자료를 통합형 인터페이스를 통해 컴퓨터로 자료를 수집하고, 수집된 자료는 실시간으로 분석하여 그래프로 변환되어 정확하고 빠르게 탐구결과를 확인할 수 있게 되었다. 최근 급격한 사회적 변화에 따라 디지털 과학교육은 MBL 실험이 컴퓨터 기반에서 운용되고, 각각의 센서와 인터페이스를 가지고 있어야 하는 한계를 넘어 보편화되고 진화된 스마트기기를 통해 에듀테크를 활용한 과학교육으로 확대되고 있다. 에듀테크를 활용한 과학수업은 시각적인 시뮬레이션이 가능해지고, 교사와 학생, 학생과 학생 간 활발한 상호작용이 이루어질 수 있다. 학생들은 추상적인 과학 개념을 쉽게 이해하고 체험할 수 있으며, 개별 맞춤 학습과 실시간 피드백으로 과학학습의 흥미와 효율성을 향상시킬 수 있다.

1. 에듀테크 활용 과학교육의 접근

에듀테크를 활용한 과학교육은 다양한 방법과 목적으로 접근할 수 있다.

첫째, 실감형 콘텐츠는 가상현실(Virtual Reality: VR)과 증강현실(Augmented Reality: AR) 같은 기술을 사용하여 직접 관찰이 어려운 내용이나 평면으로 나타내기 어려운 내용, 추상적인 내용이나 위험하거나 많은 시간과 비용이 필요한 실험 등을 학습하는데 유용하다(Al-khalifah & McCrindle, 2006). 사용자가 현실적으로 느끼는 경험을 제공할 수 있다. 이를 활용한 과학수업의 예시는 **표 8-12**와 같다.

둘째, 인터렉티브 온라인 플랫폼을 통해 가상공간에서 스스로 탐구 내용을 조사하거나 동영상 강의를 보고, 가상공간의 다른 사람과 대화가 가능하다. 자기주도적 상호작용이 가능한 학습환경은 학생들의 학습 참여도와 주의력을 높이는데 도움이 되며, 이를 통해 과학 흥미와 과학에 대한 태도에 긍정적 영향을 미친다(곽희관과 신동훈, 2023). 또한 학생들은 온라인으로 간단한 퀴즈를 게임처럼 해결하거나 온라인 시험과 평가를 보고 즉시 결과를 확인할 수 있다. 자동화된 채점을 통해 학생들이 문제에 대한 피드백을 빠르게 받을 수 있으며, 학생의 문제 해결 수준에 따라 맞춤형 학습이 전개될 수도 있다.

셋째, 협업과 토론을 촉진하기 위한 접근이 가능하다. 별도의 로그인 없이 제공받은 링크 주소나 QR코드를 통해 접속이 빠르게 되며, 서로의 의견을 나누고 공유하여 적극적인 학습 참여를 독려할 수 있다. 또한 자신의 탐구결과물을 스마

표 8-12 실감형 콘텐츠의 유형에 따른 수업 예시(차현정 등, 2022)

콘텐츠 유형		탐구형	방문형	제작형
개요		• 관찰하는 데 긴 시간을 요구하는 주제 • 관찰/실험이 어렵거나 실험 결과가 뚜렷하게 관찰되지 않는 주제	• 직접 방문하기 어려운 공간을 교실에서 간접적으로 방문	• 코스페이시스 등을 활용하여 가상 공간을 학생들이 제작
영역	운동과 에너지	• 빛의 반사나 굴절 과정 관찰		
	물질	• 물의 다양한 상태를 간접 관찰		
	생명	• 다양한 동·식물 모습을 긴 시간 동안 관찰 • 다양한 환경에 사는 식물의 모습 관찰 • 신체 내·외부 기관, 근육, 심장, 소화 과정 및 혈액 순환 과정 관찰		• 생태계 공간 제작
	지구와 우주	• 강이나 바닷가 주변의 지표 관찰 • 지층이나 화석 관찰 • 화산, 용암, 화산분출물 관찰 및 체험 • 지구, 달, 달의 위상 변화 관찰 • 태양, 행성, 별자리, 천체, 우주 관찰 • 태양 남중고도 변화, 계절 변화 관찰 • 구름, 비, 눈 만들어지는 과정 관찰	• 자연사박물관 방문 • 과학관 방문	
	통합	• 공룡 관찰 • 핀치새 관찰 • 다양한 형태의 에너지 간접 체험 및 관찰	• 현장 체험 학습 사전 지도	• 공룡 세상 재현 • 학생별 관심 있는 주제로 가상 전시관 꾸미기 활동

트기기에서 바로 입력하거나 사진 촬영 후 업로드 함으로써 실시간으로 자료의 공유가 이루어진다. 과학적 의사소통 능력은 보다 강조되고 있으며, 다른 사람과의 협업도 미래 사회에서 요구되는 중요한 핵심역량으로 꼽힌다. 과학적 문제 해결 과정과 결과를 공동체 내에서 공유하고 발전시키기 위해 자신의 생각을 주장하고 타인의 생각을 이해하며 조정하는 기회를 제공할 수 있다. 말, 글, 그림, 기호 등 다양한 양식의 의사소통 방법과 컴퓨터, 시청각 기기 등 다양한 매체를 통하여 제시되는 과학기술 정보를 이해하고 표현하는 능력, 증거에 근거하여 논증 활동을 하는 능력 등을 함양할 수 있다.

2. 에듀테크를 활용한 과학수업의 특징

에듀테크를 활용한 수업의 장점을 최대한 활용하고 단점을 극복하기 위해서는 교사들이 적절한 플랫폼과 수업방법을 선택하고 알맞은 학습 환경을 조성하는 등 신중한 계획과 시행이 필요하다. 에듀테크를 활용한 과학수업의 장점과 단점을 정리하면 그림 8-13과 같다.

장점

- 시각적인 학습 경험 강화: 에듀테크를 통해 학생들은 시뮬레이션, 3D 모델링, 인터랙티브 시각 자료 등을 통해 추상적인 개념을 더욱 쉽게 이해할 수 있다.
- 개별 맞춤 학습: 학생들의 학습 능력과 성향을 파악하여 맞춤형 학습 경로를 제공할 수 있다. 이는 학생들이 더욱 효율적으로 학습할 수 있게 도와준다.
- 실시간 피드백과 평가: 온라인 학습 플랫폼은 실시간으로 학생들의 학습진행 과정을 파악하고, 문제를 해결하는 과정에서 잘못된 부분을 즉시 피드백해 줄 수 있다.
- 주도적 학습: 학생들은 본인의 학습 속도와 흥미에 따라 자율적으로 학습할 수 있다. 이로 인해 학생들의 학습 동기와 자기 효능감이 증가하고, 학습을 지속할 수 있다.
- 학습 자료의 접근성과 보관 용이성: 디지털 콘텐츠를 활용한 에듀테크는 인터넷을 통해 언제 어디서나 접근이 가능하며, 학생들은 학습 자료를 쉽게 보관하고 재학습할 수 있다.

단점

- 기술 의존성: 에듀테크는 기술에 의존하기 때문에 기술적 문제나 인터넷 연결 등의 이슈로 학습에 차질이 생길 수 있다.
- 사회적 상호작용 부족: 온라인 학습은 실제 교실에서의 상호작용을 제한할 수 있으며, 학생들 간의 대면 토론과 협동의 기회가 줄어들 수 있다.
- 디지털 활용 능력의 개인차: 모든 학생들이 에듀테크에 대해 동일하게 호기심과 흥미를 갖지는 않을 수 있다. 스마트기기와 플랫폼에 익숙하지 않은 일부 학생들은 전통적인 교수법이 더 흥미로울 수 있다.
- 정보의 선택 능력: 인터넷과 디지털 콘텐츠의 다양성으로 인해 학생들은 잘못된 정보로 오개념이 생길 수 있고, 과도한 정보의 양에 부정적일 수 있으며, 올바른 정보를 선택하는 능력이 필요하다.
- 보안과 개인정보보호 문제: 온라인 학습은 학생들의 개인정보를 디지털 형태로 저장하고 전송해야 하기 때문에 보안과 개인정보보호에 대한 관리와 주의가 필요하다.

그림 8-13 **에듀테크를 활용한 과학수업의 장단점**

3. 에듀테크를 활용한 과학수업의 예

에듀테크를 활용한 과학수업의 예시를 살펴보며 각 에듀테크별로 어떤 수업을 할 수 있는지 구체적인 수업 흐름을 참고할 수도 있다. 에듀테크는 유형에 따라 소통, 학습 콘텐츠, 창작, 학급관리용으로 활용될 수 있다. 이 장에서는 학습 콘텐츠의 자기 주도 학습을 위한 실감형 콘텐츠(Quiver)와 SW교육(엔트리), 그리고 소통을 위한 텍스트 활용 마인드맵(XMind)을 사례로 제시하였다(그림 8-14).

[실감형 콘텐츠 Quiver] - 학년: 4학년 - 주제: 화산이란 무엇일까요? - 수업도구 설명: 몰입형 색칠 경험을 제공하는 증강현실 색칠 앱으로 대화형 교육 AR 경험을 제공 - 수업흐름: 우리나라를 상징하는 백두산의 예를 살펴보고 화산과 화산이 아닌 산의 차이를 알아 본 후, Quiver Vision 앱을 활용하여 나만의 화산을 그리고 화산이 분출하는 모습을 생생하게 체험함. (Education Starter Pack 내 화산 자료 활용)	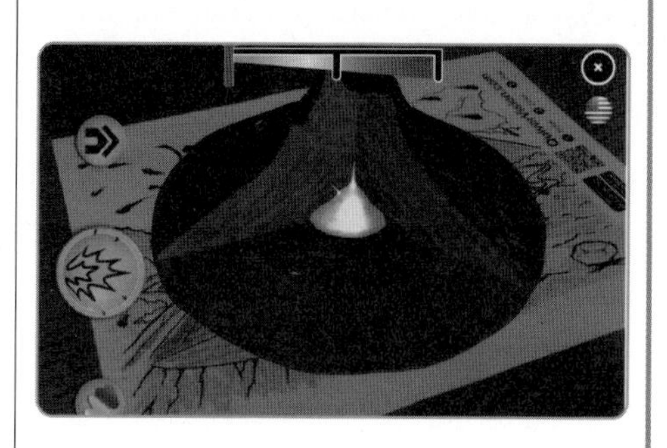
[SW교육 엔트리] - 학년: 6학년 - 주제: 전지의 연결 방법에 따른 전구의 밝기 - 수업도구 설명: 초급인 블록 기반 코딩부터 고급의 엔트리파이선을 통한 텍스트코딩까지 모두 가능하여 산출물을 만들어내는 비영리 소프트웨어 교육 플랫폼 - 수업흐름: 전지와 전구를 연결하는 방법에 따른 전구의 밝기를 비교하기 위해 다양한 연결 방법에 따른 전구의 밝기를 관찰하고 엔트리를 활용하여 전구의 숫자와 전지의 숫자에 따라 전구의 밝기가 달라지는 프로그램을 제작함.	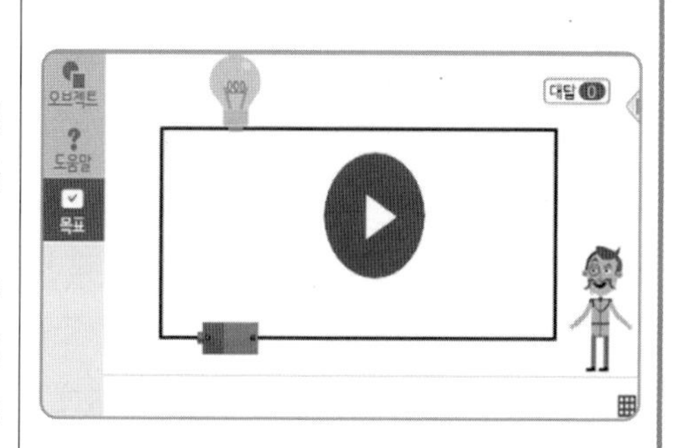
[마인드맵 XMind] - 학년: 6학년 - 주제: 연소와 소화 - 수업도구 설명: 다양한 스타일과 디자인의 마인드맵을 제작할 수 있는 수업 도구 - 수업흐름: 단원 학습 마무리 차시에서 연소의 필요조건, 연소할 때 생기는 물질, 화재 발생 대처법 등의 내용에 대해 마인드맵으로 정리하고 발표하기	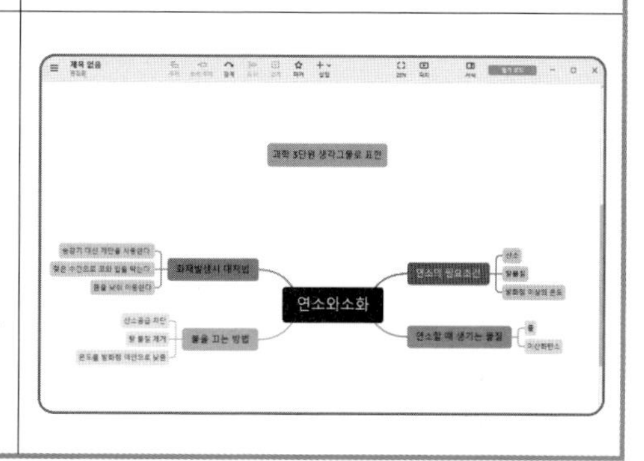

그림 8-14 에듀테크를 활용한 과학수업(예시)

출처: 교육부, 한국교육학술정보원 (2022). 에듀테크 수업 활용 가이드북. 교육부와 한국교육학술정보원 (https://www.keris.or.kr/).

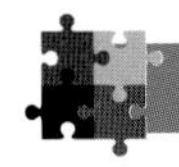

연습문제

1. 다음 관찰 수업에서 나타난 문제점 세 가지를 찾고 그 개선 방안에 대해 논하시오.

어항 속의 생물 관찰하기[12]

김 선생님은 교실에서 학생들과 함께 "고기를 잡으러 산으로 갈까요~"라는 노래를 부르면서 수업을 시작하였다. 학생들에게 오늘 수업할 내용은 어항 속에 있는 물고기의 생김새를 관찰해서 실험 관찰에 나와 있는 물고기 모양을 완성하는 것임을 알리고, 각 모둠별로 미리 준비한 어항과 색연필, 돋보기를 나누어 주었다. 학생들은 모둠별로 육안 또는 돋보기를 이용해 어항 속의 붕어를 관찰하였고, 색연필로 물고기 모양을 그려 예쁘게 색칠하였다. 학생들이 이 활동을 어느 정도 마치자 김 선생님은 이번에는 물고기가 어떻게 움직이고 숨을 쉬는지 관찰하여 보자고 학생들에게 제안하였다. 7분 정도 지난 다음, 김 선생님은 학생들에게 관찰한 결과를 말해 보라고 하였지만 학생들은 별로 반응이 없었다. 김 선생님은 붕어의 아가미가 닫힐 때 입이 열리며 물과 먹이가 들어가고, 입이 닫히면서 아가미가 열리고 물이 나온다고 설명한 다음, 물고기가 움직이는 모습의 동영상 자료와 먹이 먹는 모습의 애니메이션 자료를 2번 반복해서 보여주었다. 김 선생님은 물고기의 지느러미는 몇 장이며, 각 명칭은 무엇인지를 퀴즈 형태로 학생들에게 물어 보면서 수업을 마무리하였다.

2. 과학 수업에서 흔히 나타나는 문제점 중의 하나는 '실험(또는 관찰) 결과에서 결론으로의 비약'이다. 이 문제점의 의미를 설명하고, 실제 과학 수업에서 일어날 수 있는 예를 제시하시오.

3. 토의 · 토론 학습은 모든 교과에서 활용되는 수업 방법이다. 다른 교과 수업에서와 달리 과학 교과 수업에서 특별히 주의할 점이나 차이점이 있다면 설명하시오.

[12] 이 수업의 예는 홍미영 등(2002b)의 p.23의 내용을 연구자의 동의하에 인용한 것임.

4. 소집단 협동학습은 매우 유용한 과학 수업 방법이지만 여러 가지 단점도 있다. 다음은 그중 한 가지 예이다. 이와 같이 소집단 협동학습의 단점의 예를 세 가지 제시하고 그 교육적 대처 방안에 대해 논하시오.

> "내가 무슨 얘기를 하면, 아무도 귀담아 듣지 않고 … 괜히 핀잔만 듣는데 … 에이, 가만히 있자."와 같이 소집단 내에서 다른 친구들에 비해 학습 능력이 부족한 학생은 자기가 기여할 가치가 없다는 것을 깨닫게 된다.

5. 기존 과학 교수-학습 과정안을 구한 후, 그 과정안에 기술된 질문의 유형을 표 8-9의 기준에 따라 분류하시오.

6. 과학 개념과 관련된 비유의 예를 제시하고 그 비유의 한계에 대해 논하시오.

7. 과학 동시나 비유 등의 방법은 학생들에게 의인화 등에 의한 오개념을 형성할 수 있기 때문에 사용을 자제해야 한다는 입장과 이러한 방법은 학생들에게 흥미와 쉽게 개념을 이해하는 데 도움을 준다는 두 입장이 있다. 여러분은 어느 입장을 지지하는지 근거를 들어가며 논하시오.

8. 융합인재교육(STEAM)에서 상황 제시-창의적 설계-감성적 체험을 도입-전개-정리로 잘못 이해하고 있는 경우가 많다. 감성적 체험이 정리 단계에 국한되지 않고 수업시간 전체에서 다루어져야 하는 까닭을 논하시오.

9. 에듀테크 활용 과학수업의 지도 사례를 찾아보고, 교사가 에듀테크를 활용한 수업에서 고려해야 하는 점을 논하시오.

10. 인공지능의 발달에 따른 미래 과학수업의 변화를 예상해보고, 교사의 역할이 축소되는 영역과 확대되는 영역을 구분하여 미래 교사의 역할에 대하여 논하시오.

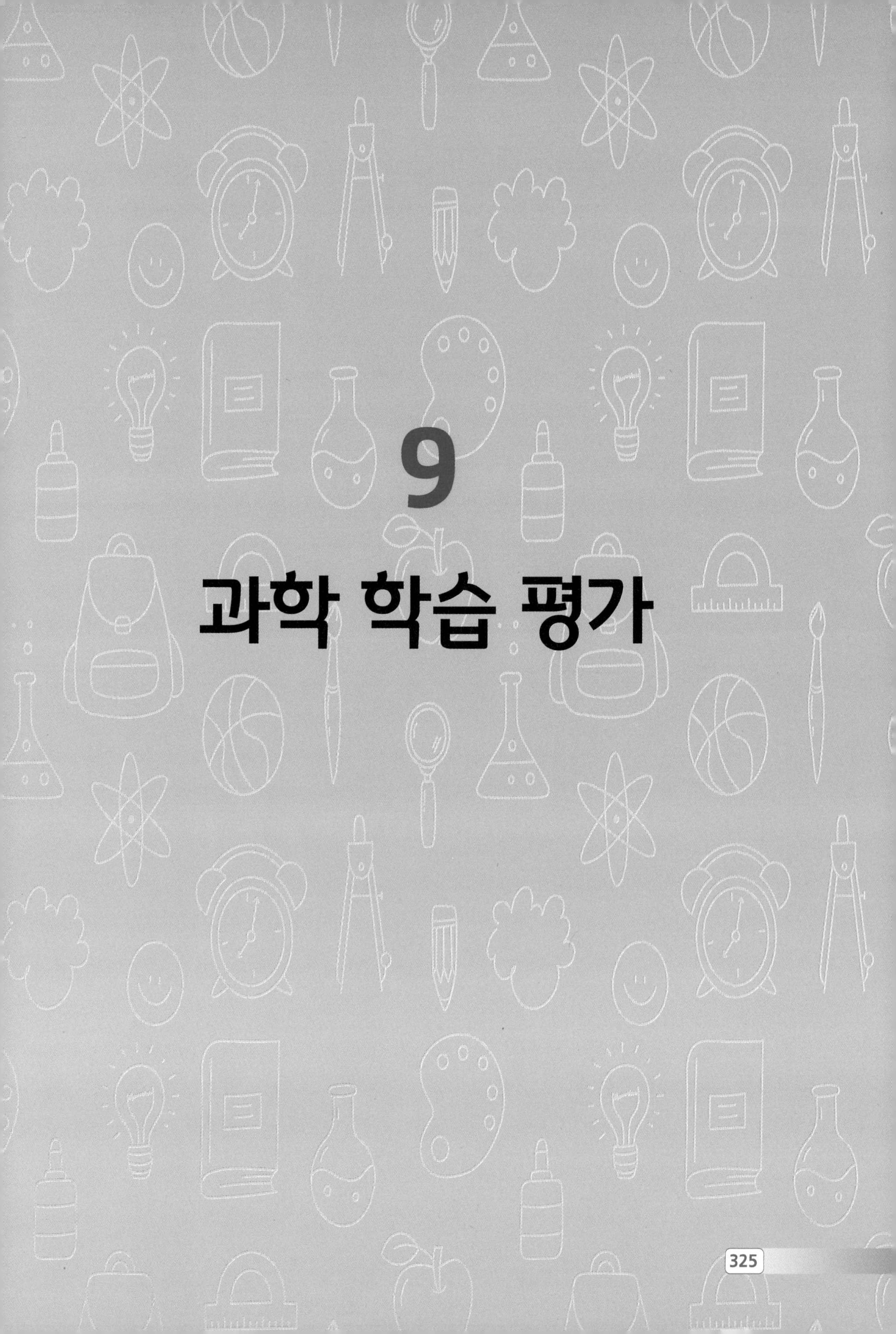

9

과학 학습 평가

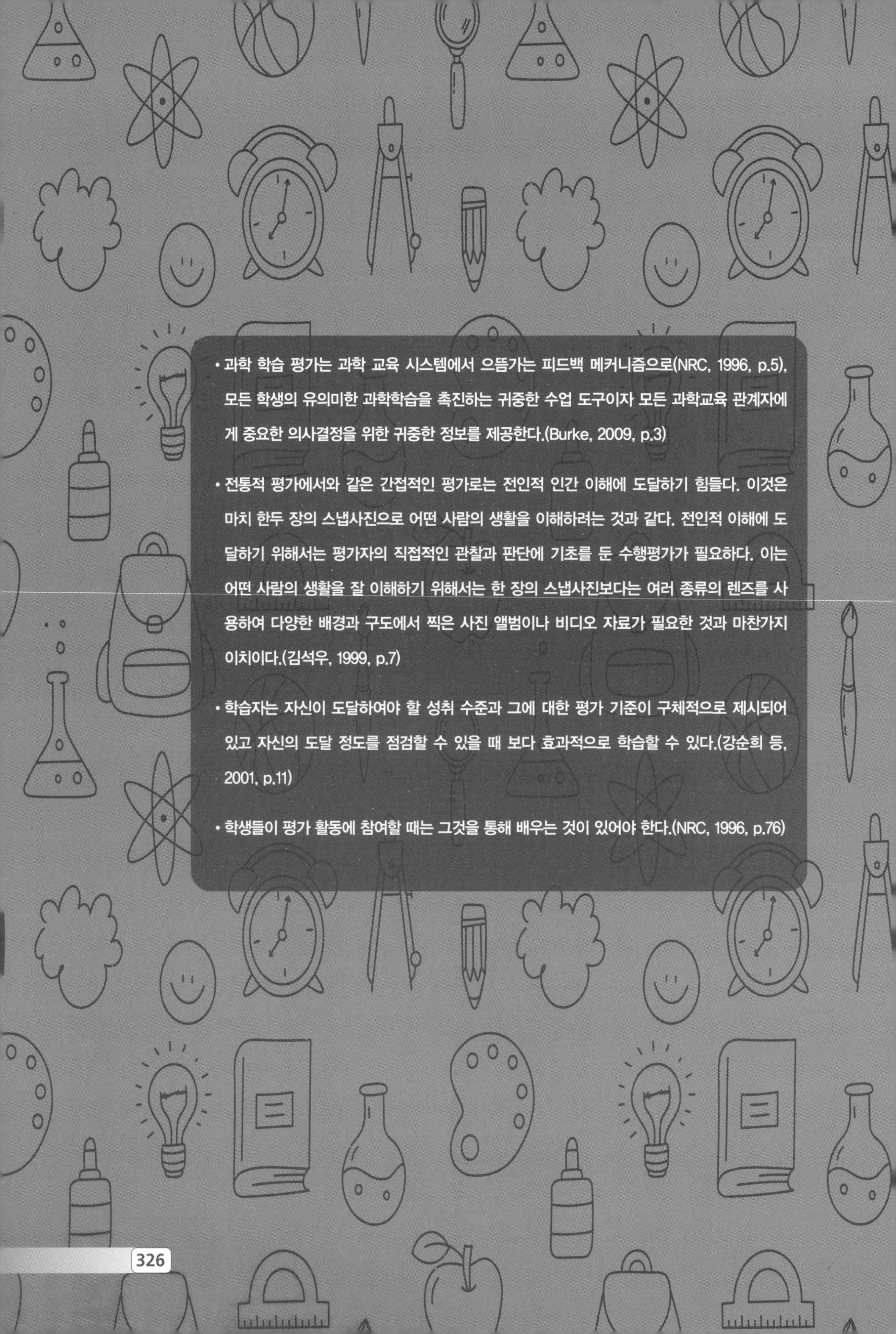

- 과학 학습 평가는 과학 교육 시스템에서 으뜸가는 피드백 메커니즘으로(NRC, 1996, p.5), 모든 학생의 유의미한 과학학습을 촉진하는 귀중한 수업 도구이자 모든 과학교육 관계자에게 중요한 의사결정을 위한 귀중한 정보를 제공한다.(Burke, 2009, p.3)

- 전통적 평가에서와 같은 간접적인 평가로는 전인적 인간 이해에 도달하기 힘들다. 이것은 마치 한두 장의 스냅사진으로 어떤 사람의 생활을 이해하려는 것과 같다. 전인적 이해에 도달하기 위해서는 평가자의 직접적인 관찰과 판단에 기초를 둔 수행평가가 필요하다. 이는 어떤 사람의 생활을 잘 이해하기 위해서는 한 장의 스냅사진보다는 여러 종류의 렌즈를 사용하여 다양한 배경과 구도에서 찍은 사진 앨범이나 비디오 자료가 필요한 것과 마찬가지 이치이다.(김석우, 1999, p.7)

- 학습자는 자신이 도달하여야 할 성취 수준과 그에 대한 평가 기준이 구체적으로 제시되어 있고 자신의 도달 정도를 점검할 수 있을 때 보다 효과적으로 학습할 수 있다.(강순희 등, 2001, p.11)

- 학생들이 평가 활동에 참여할 때는 그것을 통해 배우는 것이 있어야 한다.(NRC, 1996, p.76)

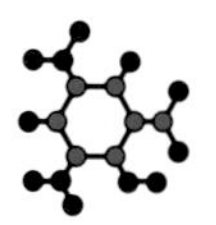

지금까지 초등학교 과학 수업에서 '무엇을 가르칠 것인가?' 그리고 그것을 '어떻게 가르칠 것인가?'에 관한 내용을 살펴보았다. 이 장은 '어떻게 가르칠 것인가?'라는 물음과 관련이 있으면서도 '그 교육적 효과에 대한 정보를 어떻게 수집 · 판단 · 활용할 것인가?'에 관한 내용이다.

평가는 과거 오랜 기간에 걸쳐 교육의 과정에서 부수적 역할을 하는 것으로 간주되어 왔으나, 오늘날에는 교육의 개선을 위한 핵심적 수단으로 간주되고 있다. 또한 일선 교육 현장에서는 평가에 대한 패러다임의 변화와 함께 새로운 평가 방법들이 제안되고 있다. 이러한 대안적 평가 방법들은 단순히 평가의 한 기법이라기보다는 평가에 대한 인식 자체의 변화를 요구한다. 현재 학습 '평가(assessment)'는 교사가 학생들의 학습에 대해 판단할 수 있는 정보를 얻는 가능한 모든 수단이며, 단순히 학생들이 학습 수준을 측정하는 '시험 또는 검사(test)'의 상위 개념이다(Hart, 1994; Hein & Price, 1994). 다시 말해 평가는 검사를 포함하여 학생들의 학습에 대한 정보를 얻기 위해 사용되는 모든 절차를 포괄하는 일반적인 용어이다(Linn & Gronlund, 1995). 하지만 우리는 여전히 평가라 하면 시험을 연상하고, 시험이라 하면 점수나 등수, 등급 혹은 합격이나 불합격을 연상하게 된다(강호감 등, 2007). 이는 아직도 측정 중심의 교육 평가관이 변화되지 않은 채 학생 성적을 숫자 정보로 표현하는 데 우리가 너무나 익숙해져 있기 때문이다(최호성, 1996).

평가는 교사 전문성의 척도인 교과 교육학 지식(PCK)의 중요한 구성 요소이며(제1장 참조), '평가 소양(assessment literacy)'이라는 용어가 등장할 정도로 강조되고 있다. 이 장에서는 평가에 있어서의 패러다임의 변화, 과학 학습에서 평가의 목적, 기능 및 유형을 간략히 살펴보고, 평가의 영역, 방법, 평가 도구 개발, 평가 결과의 활용에 대한 이론과 실제에 대해 살펴본다.

9.1 평가에 대한 새로운 패러다임

1990년대 산업화 사회에서 정보화 사회로의 전환에 따른 시대적 요구, 주류 학습 이론으로서 구성주의의 영향, 기존의 객관식 또는 선다형 검사의 한계 등으로 인해 교육에서 평가에 대한 패러다임의 변화가 일어났다(표 9-1).

지금까지 기존 평가 방법의 대안으로 여러 가지 새로운 학습 평가 방법이 제안되고 있다. '참평가', '직접평가', '대안적 평가', '수행평가', '포트폴리오 평가' 등이 그 예이다. 이러한 용어들은 강조점이 약간씩 다르나[1] 모두 전통적인 선다형 지필검사의 대안, 그리고 일상생활과 관련된 과제에 대한 학생의 수행을 직접 평가한다는 공통점이 있다(임영득 등, 1999). 즉 이것들은 모두 종전의 지필 위주의 평가에 대한 비판적 입장을 보이며, 평가가 학생 스스로가 자신의 지식이나 기능을 나타낼 수 있도록 산출물을 만들거나 행동으로 나타내거나 답을 구성하도록 요구한다는 점에서 공통적이다(이종일, 1996). 그중 수행평가는 가장 빈번히 사용되는 용어로(이선경, 1999), 모두 수행평가의 일부로 포함시켜 이해할 수 있을 것이다(김석우, 1999).

한편 수행평가에 대한 정의는 학자에 따라서 다양하다. 예를 들어, 백순근(1999)은 "학습자 스스로가 자신의 지식, 기능 또는 태도를 나타낼 수 있도록 답을 작성(서술 혹은 구성)하거나, 발표하거나, 산출물을 만들거나, 행동으로 나타내도록 요구하는 평가 방식"으로 수행평가를 정의하였고, 김석우(1999)는 수행평가에 대한 국내외 여러 학자들의 견해를 종합하여 수행평가를 "전통적인 선다형 평가에 대한 대안적 평가 방법으로 학습자가 실제 세계와 유사한 상황에서 자신의 지식이나 기능을 다양한 방법으로 수행해 보이는 것을 교사가 직접 관찰하고 판단하는 평가 방법"이라고 정의하였다.

---

[1] '참평가'는 실생활의 문제들과 직접 관련된 '참으로 가치 있는' 과제를 어떻게 수행하는가를 평가하는 방식을, '직접 평가'는 간접적이고 대리적인 과제(예: 지필평가)에 의존하는 전통적 평가와는 달리 학생들의 능력과 기술에 대한 증거를 관찰이나 면접 등과 같은 직접적인 방법으로 확보하는 평가 방식을, '포트폴리오 평가'는 장기간 누적된 자료를 판단의 근거로 사용하는 평가 방식을, '대안적 평가'는 전통적인 검사에 대한 대안으로서 제안되었기에 대안 평가라는 이름으로 불리기도 한다(김석우, 1999; 임영득 등, 1999).

표 9-1 학습 평가에 대한 패러다임의 변화

구분	과거	현재
정의	단순히 학생들의 학업 성취 수준을 확인하는 행위	학생들의 학습에 대해 판단할 수 있는 가능한 한 최대한의 정보를 수집하는 행위
시기	학습을 마친 후	학습이 이루어지는 내내
초점	학습 결과	학습 과정
방법	양적 평가	질적 평가
목적	학생의 선발, 배치 또는 서열화	학생 개개인의 특성이나 강 · 약점 파악 및 피드백

그렇다면 이러한 새로운 형태의 평가 방법이 필요한 이유는 무엇인가? 이에 대해 Hein과 Price(1994)가 제안한 이유를 몇 가지 설명하면 다음과 같다.

- 현행 시험은 교사들이 학생 개개인에 대한 다양한 정보를 얻는 데 부적절하다는 것이다. 몇 개의 주어진 답지 중에서 하나를 선택하거나 빈칸을 채워 넣도록 하는 형식으로는 학생들로부터 과학 학습에 대한 단편적 정보만을 얻을 수 있기 때문이다. 이에 따라 전통적인 지필평가보다는 면접, 관찰, 보고서, 포트폴리오 등과 같은 학생들의 성취 수준을 좀 더 자세히 가늠해 볼 수 있는 평가 방법이 강조되고 있다.
- 과학 교육과정에서의 강조점이 달라지고 있다. 학생들이 과학 활동을 하는 동안 과학의 내용을 배우는 것보다는 과학을 행하는 데 능동적으로 참여하는 것이 강조되고 있다. 즉 학생들이 내용을 학습하는 것뿐 아니라 과학적으로 생각하고 과학에 대해 긍정적으로 생각하는 것을 중요시하는데 전통적인 시험을 통해서는 이러한 측면을 평가하기가 매우 어렵거나 불가능하기 때문이다.
- 학습에 대한 새로운 인식이 표면화되고 있다. 현재 주류 패러다임인 구성주의는 학생들이 학습 활동에 적극적으로 참여함으로써 스스로 의미를 구성한다고 주장하고 있다. 또한 구성한 의미의 중요성을 스스로 평가하고, 모둠 활동 및 토의 등을 통하여 사회적 합의가 학습에서 중요한 부분임이 밝혀지고 있다. 평가자에 의해 결정된 문항에 응답하도록 하는 시험지나 선다형 문항으로는 구성주의에서 요구하는 학습을 바르게 평가할 수 없기 때문이다.

한편 새로운 패러다임의 평가는 다음과 같이 교수-학습 과정과 평가의 통합, 실생활과 관련된 평가, 평가를 통한 자기 주도적인 학습 능력의 개발 등을 요구하고 있다.

표 9-1과 같이 평가는 교수-학습 과정의 일부로 간주되며, 학생들의 학습 성과를 알아보는 데 그치지 않고, 피드백을 통하여 학습에 좀 더 도움을 줄 것을 강조하고 있다. 즉 평가의 역할을 학습이 모두 끝난 후에 학생들의 성취나 수행 능력을 평가하는 것으로 한정하기보다는, 학생들이 교수-학습의 과정에서 진정한 학습이 일어나도록 도와주는 쪽에 중점을 두어야 한다.

- 평가는 학생들이 학습한 지식이나 기능을 실제적인 상황에서 적용할 수 있는 기회를 제공해야 한다. 흔히 학생들은 그들이 학교에서 배웠던 것을 실제 생활 문제를 해결하는 데 적용하지 못하는데, 수업 시간에 배운 것이 실제 생활 상황에 적용되었을 때 학습은 보다 의미가 있다(Vosniadou, 2001).
- 새로운 평가는 평가를 통해 학생들이 자기 주도적인 학습자가 되는 데 도움이 되어야 한다. 학생들은 평가 과제와 기준에 대해 교사와 대화하는 과정에서 자신들의 학습 활동을 평가하는 데 필요한 정보를 얻을 수 있다. 이러한 정보는 자기 자신과 친구들에게 그것을 적용해 볼 수 있는 기회를 제공함으로써 학생들이 자기평가 기능을 계발하는 데 기여하며, 이와 같은 기능의 계발을 통해 학생들은 자신들의 학습을 책임질 수 있게 된다(NRC, 1996).

2015 개정 교육과정에서는 평가가 교수 · 학습의 일부분으로 이루어지도록 '과정 중심 평가'를 강조하고 있다(온정덕 등, 2015). 과정 중심 평가가 도입된 것은 학습 결과 중심의 학생 평가 패러다임을 강조하는 기존의 총괄평가, 지필 중심 평가 방식의 영향력을 줄이고, 형성평가, 과정에 대한 평가, 수행평가 등과 같은 학생의 학습 과정에 대한 평가 패러다임을 확산하고자 하는 의도이다. 즉 과정 중심 평가는 "교육과정의 성취기준을 기반으로 수업과 평가를 연계한 평가계획에 따라 교수-학습 과정에서 보이는 학생의 특성과 변화에 대한 자료를 다각도로 수집하여, 학생의 성장과 발달을 지원하기 위한 적절한 피드백을 제공하는 평가"이다(박지현 등, 2018, p.6.). 2022 개정 교육과정에서도 이러한 방향성을 유지하여 학습의 결과뿐 아니라 과정도 함께 평가하도록 강조하고 있다(교육부, 2022).

9.2 과학 학습 평가의 목적과 기능

"평가를 '왜' 해야 하는가?"는 학습 평가의 핵심 문제임에도 대부분의 교사는 이 문제보다는 '무엇을', '어떻게' 평가할 것인가 하는 문제에 더 많은 관심을 갖는다(김창식 등, 1991). 따라서 과학 학습 평가에서 '무엇을', '어떻게' 평가할 것인가라는 문제에 대하여 살펴보기 전에 "평가를 '왜' 해야 하는가?"라는 학습 평가의 핵심 문제에 대해 살펴보자.

과학 학습 평가는 학생들의 과학 학습을 도와주기 위하여 다양한 방법을 통해 학생들로부터 과학 학습에 대한 정보를 얻기 위해 실시되며 이러한 정보는 교사, 학생, 학부모는 물론 교육부나 교육청 등의 교육 정책자에게도 유용하게 이용된다(그림 9-1). 예를 들어, 교사는 학생 개개인의 학습 과정에 대한 이해, 학업 진전 상황이나 학습 결손 여부 파악뿐 아니라 자신의 수업 방법에 대한 평가와 개선 등에 활용할 수 있다. 교육 정책적 측면에서는 학생들의 과학 학업 성취도에 대한 실태를 파악하고 과학교육의 성과를 분석하거나 과학교육 정책을 개선하는 데 활용할 수 있다(이인제와 김범기, 2004). 이와 같이 과학 학습 평가는 모든 과학교육 관계자들에게 유용한 정보를 제공하는 과학교육 시스템에서 으뜸가는 피드백 메커니즘인 것이다(NRC, 1996).

한편 교사는 학생들의 과학 학습을 촉진하는 바람직한 평가를 실시하기 위해 다음과 같은 요소를 고려해야 한다(교육부, 2014, p.124).

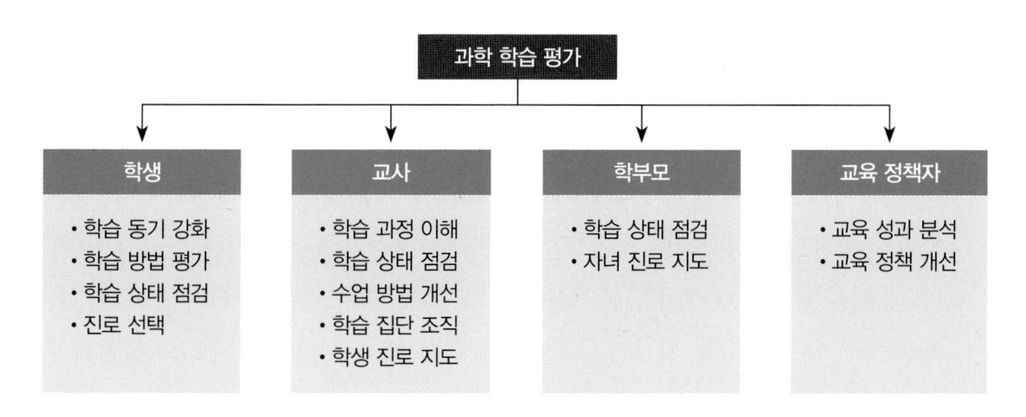

그림 9-1 과학 학습 평가의 기능

- 단원이나 차시의 학습 목표를 교사와 학생이 공유한다. 이는 학습을 시작할 때부터 지향하는 바를 교사뿐 아니라 학생들도 명확하게 인식함을 뜻한다. 나아가 일부 학습 목표는 학생들의 관심과 필요에 따라 결정할 수도 있다.
- 사전에 수행해야 할 '기준'을 학생과 교사가 공유한다. 수행 기준이란 특정 과제나 목표에서 우수한 성취를 보이는 수행의 특성을 말한다. 이 기준은 우수한 성취가 무엇인지 구체적인 지침과 안내를 준다.
- 목표나 과제가 분명하고, 이에 대한 수행 기준이 논의된 다음에 학생들은 학습 활동과 과제를 수행한다. 이 과정에서 학습자의 지식과 능력이 향상된다.
- 수행 과정과 결과에 대하여 자기 평가 또는 교사 평가, 동료 평가, 또는 부모로부터의 평가와 피드백을 받는다. 이 피드백을 바탕으로 자기 조정을 실시한다.
- 교사는 평가 결과를 바탕으로 학생들의 장단점을 파악하고 부족한 부분을 보완할 수 있는 학습 기회를 제공한다.

평가의 목적 및 기능과 관련하여 유념해야 할 점은 '평가의 한계'이다. 즉 어떠한 평가 방법도 학생의 학습을 완벽하게 평가할 수 없으며, 평가와 관련된 대부분의 정보는 학생이 이전에 학습한 결과를 반영한 것일 뿐 현재의 수행보다 앞서는 잠재적 능력이나 특성을 잘 반영하지 못한다는 점이다.

9.3 과학 학습의 평가 영역과 평가틀

과학 학습 평가에서 '무엇'을 '어떻게' 평가할 것인가에 대해서는 보는 관점과 기준에 따라 다양한 접근이 가능하다. 일반적으로 '무엇을 평가할 것인가?'의 경우, 과학과 교육과정에 명시되어 있는 '교과 목표'와 '성취기준'에 근거하여 평가 '영역'과 '내용'을 결정하는 것이 바람직하다(제2장 참조). 2022 개정 과학과 교육과정은 과학 지식, 과학 탐구 능력, 과학 관련 태도 육성, 과학과 기술 및 사회의 상호관계 이해 및 실천을 교육 목표로 설정하고 있으며 지식 · 이해, 과정 · 기능, 가치 · 태도의 세 차원에서 과학 학습이 이루어지도록 구성되어 있다. 따라서 과학 학습 평가 또한 과학 지식, 과학 탐구 능력, 과학 관련 태도, 과학과 기술 및 사회의 상호관계 이해 및 실천을 평가하고, 이때 지식 · 이해, 과정 · 기능, 가치 · 태도를 균형 있게 평가해야 하며, 지식 · 이해 중심의 평가를 지양하게 하고 있다(교육부, 2022; 〈부록 2-1〉). 한편 '과학과 기술 및 사회의 상호관계 이해'라는 하위 교과 목표는 지식, 탐구 또는 태도 영역에 대한 평가를 할 때 평가 문항이나 과제의 상황(맥락)을 고려하여 반영될 수 있도록 한다. '내용'의 경우에는 과학과 교육과정뿐 아니라 과학 교과용 도서도 참고하여 결정해야 한다.

과학 교과에서는 과학 지식, 과학 탐구 능력, 과학 관련 태도 등이 균형 있게 평가되어야 하지만 안타깝게도 일선 현장에서 이루어지는 과학 학습 평가는 '교과 목표'를 포괄하는 균형 잡힌 평가가 제대로 이루어지지 않고 있는 실정이다(나종철, 2006; 이인제와 김범기, 2004; Gejda & LaRocco, 2006). 예를 들어, 현재 초등학교에서 활용되고 있는 과학과 지필평가 문항의 경우 어느 한 영역에 편중되는 평가가 이루어지거나(나종철, 2006), 과학 관련 태도를 학생 평가 내용에 포함시키지 않기도 한다(이인제와 김범기, 2004). 이러한 문제의 원인은 과학 교과서에서 지식과 탐구만이 부각되어 있다든가 또는 교사가 탐구나 태도보다는 과학 지식을 중시한다든가, 태도 평가의 경우 지필평가가 어렵다는 등 복합적이다.

이 절에서는 과학과 교육과정에 명시되어 있는 평가 영역에 근거하여 각 영역별 세부 내용에 대해 살펴본다. 또한 과학 학습 평가를 할 때 이들 영역이 고루 반영될 수 있도록 하기 위한 도구로서 '평가틀'과 그 작성 방법을 살펴본다. 한편 '어떻게 평가할 것인가?', 즉 평가 방법에 관한 내용은 이후 내용 중간 중간에 다루어지도 하지만 제9.5절에서 구체적으로 다룬다.

1. 과학 학습 평가 영역

(1) 과학 지식

과학 지식 영역의 평가를 위한 평가틀은 여러 가지가 있지만 가장 널리 이용되고 있는 것은 1956년 Bloom의 평가틀로, 이후에 등장한 여러 평가틀의 기초가 되었다(교육부, 2014). Bloom과 Krathwohl(1956)은 교육 목표[2]를 인지적, 정의적, 심체적 기능의 세 가지 영역으로 구분하였으며, 과학 지식의 학습은 이 중에서 인지적 영역에 해당된다(김창식 등, 1991). 여기서 인지적 영역은 '지식', '이해', '적용', '분석', '종합', '평가'의 여섯 수준으로 세분되지만, 학교 현장에서는 실용적으로 '지식(또는 기억)', '이해', '적용(적용, 분석, 종합, 평가의 통칭)'의 세 수준으로 세분하는 것이 일반적이다(교육부, 2014).[3]

'지식(또는 기억)'은 과학 수업에서 학습한 내용을 단순히 기억해내는 능력을 말한다. 즉 '지식(기억)'은 의미를 알든 알지 못하든 상관없이 학생들이 학습한 내용을 그대로 재생해 낼 수 있는 능력을 말하며, 기억 능력은 다시 '재인'과 '회상'으로 구분된다(김찬종 등, 1999). '재인'이란 주어진 답지 중에서 가장 옳은 것을 골라 낼 수 있는 능력으로 흔히 선다형과 같은 문항을 통해 측정할 수 있다(그림 9-2). 반면 '회상'이란 스스로 기억한 것을 재생해내는 능력으로 흔히 단답형이나 서술형 문항을 통해 측정된다(그림 9-10의 (1)번 문항).

'이해'는 그림 9-2의 두 번째 문항과 같이, 배운 것을 단순히 기억하는 것을 넘어 사실이나 자료 등의 의미를 이해하는 능력을 말한다. '적용'은 학습한 내용을 새로운 상황에 활용할 수 있는 능력을, '분석'은 주어진 자료를 구성 요소로 나누거나 조직 원리를 찾아낼 수 있는 능력을, '종합'은 주어진 자료와 알고 있는 것을 바탕으로 새로운 것을 구성해내는 능력을, '평가'는 주어진 자료를 내적 또는 외적 준거에 따라 가치 판단을 하는 능력을 말한다(김찬종 등, 1999).

과학 지식과 관련하여 2022 개정 과학과 교육과정은 학생들이 학습할 각각의 과학적 개념에 대한 이해뿐 아니라 그 개념을 적용할 수 있는 능력에 대한 평가를 강조하고 있다. 따라서 교사는 과학 지식 평가에서 학생들의 기본 개념에 대한 단순 암기보다는 개념의 이해 그리고 이를 일상생활 등의 다양한 문제 상황에서 적용하는 능력에 대한 평가가 이루어지도록 해야 한다.

---

[2] Bloom(1956)의 교육 목표 분류는 2001년 신 교육목표분류학(Anderson & Krathwohl, 2001)으로 수정되기도 하였다. 여섯 수준의 인지적 영역은 '기억하다', '이해하다', '적용하다', '분석하다', '평가하다', '창조하다'의 동사형으로 수정되었다.

[3] 초등학교의 경우에는 더 실용적으로 '지식'과 '이해'로 양분하기도 한다. 또한 '지식', '이해', '적용', '종합(분석, 종합, 평가의 통칭)'으로 구분하기도 하며(권치순 등, 1993), 지식(기억)을 제외한 나머지는 지식과 탐구 능력이 상당 부분 중복되거나 지식보다 탐구 능력에 가깝기 때문에 탐구 능력에 포함시키기도 한다(김창식 등, 1991; 조희형과 최경희, 2001).

■ (재인) 다음과 같은 특징을 가진 동물은 어느 것입니까? ( )

• 날개막이 있다.	• 털로 덮여 있다.
• 긴 꼬리가 있다.	• 이빨이 있다.

① 닭 ② 까치 ③ 참새 ④ 도마뱀 ⑤ 하늘다람쥐

■ (이해) 다음 중 속력이 가장 빠른 것은 어느 것입니까? ( )

① 1초에 10m를 가는 자동차
② 10초에 50m를 가는 사람
③ 10초에 150m를 가는 치타
④ 1분에 1200m를 가는 말
⑤ 10분에 3600m를 가는 오토바이

그림 9-2 '지식(기억)'과 '이해' 평가 문항의 예

과학 지식을 평가하는 방법은 간단히 수업 전이나 수업 도중에 흔히 사용되는 구두 질문에서부터 전국 규모의 학력 측정시험에 이르기까지 아주 다양한 방법들이 있다(이인제와 김범기, 2004). 즉 과학 지식의 평가는 일반적으로 지필평가 형태로 이루어지나 관찰이나 면담(구술고사)을 통해서도 가능하다.

(2) 과학 탐구 능력

과학 지식과 마찬가지로 과학 탐구 과정 기능을 평가하기 위한 평가틀도 여러 가지가 제안되어 사용되고 있으며, 그중 널리 사용되는 것이 1960년대 SAPA의 탐구 과정 요소이다. SAPA(Science-A Process Approach)는 1960년대 미국에서 연구·개발된 탐구 과정에 초점을 맞춘 초등 과학 프로그램 중 하나로, 원래 평가틀이나 그 목표로 작성된 것은 아니다(조희형과 최경희, 2001). SAPA에서는 탐구 과정 요소를 여덟 가지 기초 탐구 과정 기능(관찰, 분류, 시공간 관계 사용, 수 사용, 의사소통, 측정, 예상, 추리)과 여섯 가지 통합 탐구 과정 기능(변인 통제, 조작적 정의, 가설 설정, 실험, 자료 해석, 모델 설정)으로 구분하고 있으며, 그 밖에 실험 실기 능력(실험 기구 다루는 능력)을 추가하기도 한다(교육부, 2014).

2022 개정 과학과 교육과정에서도 '과정 · 기능'이 문제 인식 및 가설 설정, 탐구 설계 및 수행, 자료 수집 · 분석 및 해석, 결론 도출 및 일반화, 의사소통과 협업

을 근간으로 만들어져 있으며, 세부 내용으로 관찰, 측정, 분류, 예상, 추리, 의사소통 문제인식, 탐구 설계, 자료 수집, 자료 해석, 모델 설정 등이 제시되어 있다(교육부, 2022). 따라서 이와 관련된 학생들의 탐구 능력을 평가할 필요가 있다.

2022 개정 과학과 교육과정에서는 학생들의 탐구 능력 평가와 관련하여 탐구 수행 능력뿐 아니라 이를 일상생활 문제의 해결에 적용하는 능력의 평가에도 초점을 맞추고 있는데, 이는 교사가 과학 탐구 능력에 대한 평가와 관련하여 과학적 상황의 학습 문제 해결뿐 아니라 일상생활의 문제 해결에까지 전이될 수 있도록 고려해야 함을 시사한다.

과학 탐구 과정 기능이나 실험 실기 능력 평가는 지필검사로도 가능하지만(그림 9-3), 제9.5절에서 소개될 수행평가 방법 중 하나를 활용하는 것이 더 바람직하다.

■ 그림은 양팔저울을 이용하여 물체의 무게를 비교한 것입니다.

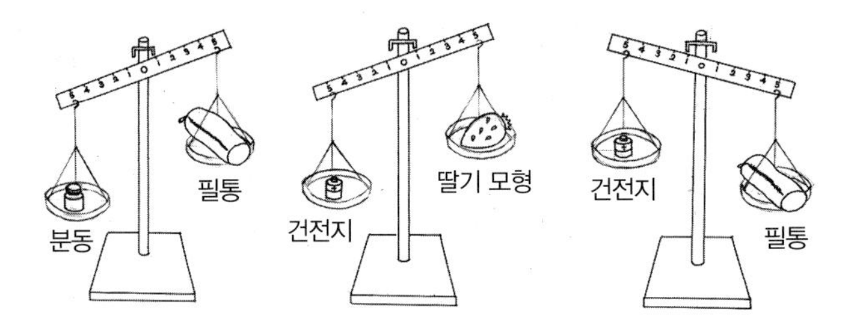

물체의 무게를 옳게 비교한 것은 어느 것입니까? (　　)

① 필통 〉 딸기 모형 〉 분동 〉 건전지
② 필통 〉 딸기 모형 〉 건전지 〉 분동
③ 딸기 모형 〉 건전지 〉 필통 〉 분동
④ 딸기 모형 〉 필통 〉 건전지 〉 분동
⑤ 분동 〉 필통 〉 건전지 〉 딸기모형

■ 윗접시저울의 사용 방법으로 적당하지 <u>않은</u> 것은 어느 것입니까? (　　)

① 물체를 올려놓은 후 영점을 조절한다.
② 물체와 분동을 각각 다른 접시 위에 올려놓는다.
③ 분동은 큰 것부터 올려놓는 것이 좋다.
④ 분동을 접시에 올려놓을 때는 집게를 이용한다.
⑤ 저울이 수평이 되면 분동의 무게(질량)를 합하여 무게를 잰다.

그림 9-3 과학 탐구 기능과 실험 기구 조작 능력 평가를 위한 지필평가 문항의 예

(3) 과학 관련 태도

1970년대에 들어서면서부터 정의적 영역에 대한 평가의 강조와 함께 학생의 태도와 인지적 요소 사이에 관련이 있다는 연구 결과가 발표된 이후, 과학 학습 평가에서 과학 관련 태도는 과학 지식 및 과학 탐구 능력과 마찬가지로 중요한 평가 영역으로 다루어지고 있다(김창식 등, 1991; 조희형과 최경희, 2001). 2022 개정 과학과 교육과정에서도 '가치 · 태도' 차원에 과학 가치(과학의 심미적 가치, 감수성 등), 과학 태도(과학 창의성, 유용성, 윤리성, 개방성 등), 참여와 실천(과학문화 향유, 안전 · 지속가능 사회에 기여 등)이 제시되어 있으며 이를 평가하도록 강조하고 있다(교육부, 2022).

하지만 "평가 영역에 과학 지식, 탐구 능력, 태도가 있는데 '태도' 영역에 대한 평가가 어렵고 실제로 활용할 수 있는 좀 더 구체적인 평가틀이 있었으면 좋겠다"는 현장 초등학교의 답변(곽영순, 2004)이나 "정의적 영역의 평가에서 어려움을 느끼는 이유에 대해서는 초 · 중등 교사들이 첫째로는 평가 방법 및 기준 설정의 어려움을 지적하였고, 둘째로는 학생수 과다로 정확한 평가가 곤란하다는 의견을 보였다"는 연구 결과(강호감 등, 1996)는 일선 초등학교 현장에서 여전히 과학 관련 태도에 대한 평가가 평가 도구와 기술 부족, 기타 여러 가지 현실적 문제(예: 다인수 학습, 교사의 잡무) 등의 이유로 제대로 이루어지지 않음을 시사한다. 또한 평가하더라도 주로 성실성의 측면이 평가되거나 교사의 직관에 의해 평가되고 있는데, 이는 정의적 영역에 속하는 과학 행동과 이를 평가하기 위한 구체적인 준거를 알지 못하기 때문이다(강호감 등, 1996). 따라서 과학 관련 태도(p.84 참조)를 평가하기 위한 각각의 평가 방법의 특징을 숙지하고 교실 상황을 고려하여 선정하는 능력을 배양할 필요가 있다(이인제와 김범기, 2004).

제4장에서 살펴본 바와 같이, 과학 관련 태도는 크게 '과학적 태도'와 '과학 또는 과학학습에 대한 태도'로 구분하기도 하고, 과학적 태도, 과학에 대한 태도, 과학 학습에 대한 태도로 세분하기도 한다. 과학 관련 태도는 **그림 9-4**와 같이, 지필평가로도 가능하지만, 일반적으로 교사의 관찰평가나 학생 자신의 자기평가 등의 평가 방법을 통해 이루어진다. 이에 대해서는 제9.5절에서 자세히 살펴본다.

■ 다음 중 실험 활동을 할 때 바람직한 태도에는 ○, 그렇지 않은 태도에는 ×표 하시오.
- 모둠별로 실험을 한 후에는 각 모둠별로 실험 결과를 발표하고 비교하는 것이 좋다. (　　)
- 내가 예상한 것과 실험 결과가 다르면 실험이 잘못된 것이므로 내가 예상한 대로 적는다. (　　)
- 내가 좋아하는 친구와 그렇지 않은 친구의 주장이 서로 다를 때, 누구의 생각이 더 타당한지 생각해 보고 판단해야 한다. (　　)

그림 9-4 과학 관련 태도 지필평가 문항의 예

(4) 상황 차원의 고려

과학 학습 평가에서 '상황' 또는 '맥락' 차원이 최근 들어 강조되고 있다. 그 까닭을 다음의 두 가지 측면에서 생각해 볼 수 있다.

첫째, 학생들은 학교에서 학습한 과학을 일상생활에서도 활용할 수 있어야 한다는 사회적 요구 때문이다(교육과학기술부, 2010). 현대 사회에서 과학 기술의 영향력이 크게 증대되고 우리 생활의 모든 측면과 긴밀한 관계를 갖게 됨에 따라 과학-기술-사회의 상호작용에 대한 올바른 인식이 과학교육에서 다루어져야 할 중요한 목표가 되었다. 이에 따라 우리나라 과학과 교육과정에서도 과학적 소양의 함양을 위해 과학의 기본 개념, 탐구 능력, 태도뿐 아니라 과학이 기술의 발달과 사회의 발전에 미치는 영향에 대한 인식을 교과 목표로 명시하고 있다.

둘째, 학생들은 학습한 상황과 유사한 상황에서는 배운 내용을 잘 활용하지만 새로운 상황이나 일상적 상황에서는 잘 활용하지 못하는 경우가 많기 때문이다(교육부, 2014). 예를 들어, 학생들은 동일한 개념이 적용되는 상황이라도 과학적 상황의 문항에서는 그들이 학습한 지식을 사용하여 설명하지만 일상적 상황의 문항에서는 감각적 경험을 통해 얻은 생각이나 개념을 사용하려는 상황 의존적 사고의 경향성을 보인다(노금자와 김효남, 1996).

따라서 과학 학습 평가에서 교사는 학생들이 학습한 지식이나 기능 등을 친근한 일상생활 경험 등에 관련시켜 보는 기회를 제공해 주는 것이 중요하다. 일반적으로 과학 학습 평가에서 상황 차원은 **표 9-3**과 같이 과학적 상황, 기술적 상황, 일상적 상황으로 구분할 수 있다(교육부, 2018).

2. 과학 학습 평가틀

'과학 학습 평가틀'은 체계적인 평가를 실시하는 데 있어 필수적이며, 평가틀에는 2차원 평가틀(표 9-2)과 3차원 평가틀(표 9-3)이 있다.

표 9-2와 같이, 흔히 '행동'과 '내용' 영역을 표로 작성한 2차원적 평가틀을 '이원 분류표'라 부른다. 이원 분류표의 가로 칸에는 '행동' 영역의 하위 범주를 표시하고, 세로 칸에는 '내용' 영역을 세분하여 표시한다. 이원 분류표는 표 9-3과 평가의 목적, 방법, 내용, 학생의 수준 등의 상황에 맞게 교사가 단순화하거나 변형하여 사용할 수 있다(교육부, 2014).

'내용' 영역은 교과서의 차시 주제, 개념 또는 단원의 명칭을 중심으로 구분된다. '내용' 영역의 세분화 정도는 평가하고자 하는 범위 등에 따라 달라진다. 예를 들어, 학기말 평가와 단원평가의 경우 '내용' 영역의 세분화 정도가 달라진다. 표 9-2A는 '힘과 우리 생활'이라는 한 단원의 차시 주제에 따라 구분된 것이고, 표 9-2B는 단원명에 따라 구분된 것이다. 한편 '행동' 영역은 과학 지식, 탐구, 그리고 태도로 구분하거나 2022 개정 과학과 교육과정의 세 차원처럼 지식 · 이해, 과정 · 기능, 가치 · 태도로 구분할 수 있다. 이들 세부 영역은 교사가 단순화하거나 변형할 수 있다. 예를 들어, '탐구'에서 '관찰 · 분류'를 '관찰'과 '분류'로 세분하거나 '관찰 · 분류'와 '측정'을 '관찰 · 분류 · 측정'으로 합치거나 '실험 기구 사용'을 빼는 등 상황에 따라 세분화 정도를 달리 할 수 있다.

이제 표 9-2B와 같이 평가틀을 만들고 '힘과 우리 생활' 단원의 평가 문항을 개발한다고 가정하자. 첫 번째 차시 '힘과 우리 생활 단원에서 배울 내용을 알아봅시다' 주제의 경우에는 이 단원에서 공부할 내용이 무엇인지 전체적으로 생각해 보는 차시이다. 따라서 행동 영역의 과학 관련 '태도' 중 '과학 학습에 대한 태도'에 대한 평가가 가능할 것이라고 생각할 수도 있을 것이다. 만약 그렇다면 이 주제명과 '과학 학습에 대한 태도'가 서로 교차하는 칸에 ○이나 V 표시를 하게 될 것이다. 이와 같이 평가할 내용과 요구하는 행동이 만나는 칸에 표시해 나가면서 평가에 포함시킬 것을 결정한다.

한편 이원 분류표에 '상황' 차원이나 '평가 방법' 차원을 추가하여 3차원 평가틀을 구성할 수도 있다. 표 9-3은 '상황' 차원을 포함한 3차원적 평가틀이다. 한편 학습 내용에 대한 이해도는 상황 차원에 따라 달라지듯이, 평가 방법에 따라 다르

표 9-2A 과학 학습 평가를 위한 이원 분류표의 예 1

행동 / 내용	지식			탐구										태도		계
	기억	이해	적용	관찰·분류	측정	예상·추리	의사소통	문제 인식	가설 설정	변인 통제	자료 변환·해석	결론 도출·일반화	실험 기구 사용	과학 학습에 대한 태도	과학적 태도	
힘과 우리 생활 단원에서 배울 내용을 알아봅시다	- - -	- - -	- - -	- - -	- - -	- - -	- - -	- - -	- - -	- - -	- - -	- - -	- - →	○		
물체를 밀거나 당길 때 나타나는 현상을 관찰할 수 있다																
⋮																
계																

표 9-2B 2022 개정 과학과 교육과정에 따른 과학 학습 평가를 위한 이원 분류표의 예 2

행동 / 내용	지식 · 이해			탐구 · 기능							가치 · 태도			계
	기억	이해	적용	문제 인식	가설 설정	탐구 설계	탐구 수행	자료 수집	자료 분석 및 해석	결론 도출 및 일반화	의사 소통과 협업	과학 가치	과학 태도	참여와 실천	
힘과 우리 생활 단원에서 배울 내용을 알아봅시다													○		
물체를 밀거나 당길 때 나타나는 현상을 관찰할 수 있다															
⋮															
계															

표 9-3 과학 학습 평가를 위한 3차원 평가틀의 예

행동·상황 / 내용	지식			탐구									태도		상황			계
	기억	이해	적용	관찰·분류·측정	예상·추리	의사소통	문제인식	가설설정	변인통제	자료변환·해석	결론도출·일반화	실험기구사용	과학 학습에 대한 태도	과학적 태도	과학적 상황	기술적 상황	일상적 상황	
1. 힘과 우리 생활																		
2. 동물의 생활																		
3. 식물의 생활																		
4. 생물의 한살이																		
계																		

게 나타날 수 있다. 즉 같은 내용을 선다형 문항으로 평가하는 경우와 서술형 문항으로 평가하는 경우 학생의 이해도는 다르게 나타날 수 있으므로, 평가 방법이 중요한 하나의 차원이 될 수 있다. '평가' 차원은 지필평가(선다형, 진위형, 단답형, 서술형 등)와 수행평가(관찰, 면담, 실험 실기, 보고서 평가 등)로 구분할 수 있다. 평가틀에 평가 방법 차원을 반영하고자 한다면, 표 9-4에서 '상황' 차원 대신 '평가 방법' 차원을 넣거나 새로운 칸을 추가하면 된다.

이원 분류표는 평가의 범위가 넓은 단원 또는 학기말 총괄평가나 학업 성취도 문항을 출제하고자 할 때 주로 작성되며, 평가 목표를 타당하게 표집하기 위한 출제 계획서의 역할을 하며, 출제한 문항에 대한 분석을 할 때 그 타당성과 적절성을 검토하는 자료로도 활용된다. 예를 들어, 평가 문항의 내용이 이원 분류표와 일치하는가, 측정하려고 한 내용 요소와 행동 요소를 잘 담고 있는가, 평가 문항의 내용이 교과 내용과 일치하는가, 평가 문항들이 골고루 혹은 학습양의 비율에 맞추어 대표성이 높은가, 실생활과 관련된 문제를 적절히 포함하고 있는가의 측면에서 검토할 수 있다. 또한 평가 후에 한 학생의 틀린 문항을 이원 분류표에 표시하면 그 학생의 약점이 무엇인지 파악할 수도 있다.

한편 이원 분류표에서 각 행동 영역의 평가 비중을 얼마로 해야 하는가에 대한 절대적인 기준은 없으며 교사가 교육과정의 목표와 방향을 고려하여 비중을 조절하여야 한다.

9.4 과학 학습 평가의 유형

과학 학습 평가의 유형은 그 분류 기준에 따라 다양하게 나누어진다. 여기에서는 평가의 시기와 방법에 따른 과학 학습 평가의 유형을 살펴본다. 평가는 평가의 '시기'에 따라 진단평가, 형성평가 및 총괄평가로, 평가의 '방법'에 따라 크게 지필평가와 수행평가로 구분할 수 있다.

1. 평가 시기에 따른 분류

과학 교수-학습 과정의 여러 단계에서 평가는 그 자체가 교수-학습의 방법으로 이용되기도 하고, 또 교수-학습 방법의 선택을 위해 토대가 되기도 한다. 일선 교육현장에서 교과학습 이전 단계에서는 '진단평가'를, 교과학습 중에서는 '형성평가'를, 그리고 교과학습 종료시에는 교육 목표의 달성, 즉 성취기준 도달 여부를 판정하기 위해서는 '총괄평가'를 실시한다. 한편 이 세 가지 유형의 평가(진단평가, 형성평가 및 총괄평가)와 평가 방법의 관계를 비교하면 지필평가와 수행평가는 세 가지 유형의 평가들이 활용할 수 있는 평가 방법 중 하나라고 할 수 있다.

(1) 진단평가

"학습에 영향을 미치는 가장 중요한 요인은 학습자가 이미 알고 있는 것이다. 이것을 확인하고 그에 맞게 학습자를 가르쳐라."(Ausubel, 1968). 이러한 Ausubel의 지적처럼, 교사가 교수 활동을 시작하기 전에 학습자가 이미 알고 있거나 잘 모르는 내용을 미리 파악할 수 있다면 보다 효과적이고 효율적인 교수 활동이 이루어질 수 있다. 이와 같이 학생들의 선수학습의 상황 등을 파악할 목적으로 실시하는 평가를 '진단평가'라 한다. 진단평가는 흔히 학년이나 학기 초 또는 단원 시작 전에 실시한다. 교사들은 진단평가의 결과를 통해 학생들의 학습 수준을 확인하고, 학습 곤란의 원인을 찾아내며, 부족한 부분을 학습하도록 돕기 위한 계획을 세울 수 있다.

초등학교 과학 수업에서 진단평가는 주로 단원 학습 이전에 예비적인 지식이나 실험 기구 조작 및 탐구 과정 기능에 대한 평가로 이루어질 수 있다. 진단평가의 방법으로는 지필평가, 구두 질문, 토의 등을 들 수 있는데, 이것은 어디까지나 교사의 판단에 따라 적절히 채택되어야 한다. 진단평가는 학생들의 초기 상태를 진단할 목적으로 이루어지며 그 결과는 교수-학습의 목표를 달성한 정도와 관련이 없기 때문에 학업 성취도의 평가 수단인 성적에 포함해서는 안 된다(한국과학교육학회, 2005; Burke, 2009).

일선 학교에서 학년 초 진단평가는 비교적 잘 이루어지고 있지만 단원 시작 전의 진단평가가 제대로 이루어지는 경우는 많지 않은데, 이는 구체적인 진단적 정보를 제공해 줄 수 있는 평가 문항을 제작하는 데 많은 노력과 시간을 필요로 하기 때문이다. 그렇다면 대안은 무엇인가? 한 가지 방안은 새 단원을 시작할 때 단원의 핵심 개념이나 주요 탐구 활동의 실험 방법에 대한 각자의 생각을 적어보게 하거나 간단한 구두 질문이나 토의 · 토론을 실시하는 것이다.

(2) 형성평가

'형성평가'라는 용어는 1967년 Michael Scriven에 의해 교육과정 및 교수 개선과 관련하여 처음 사용된 이후, 지난 수십 년에 걸쳐 그 의미가 변해왔다(Burke, 2009). 즉 행동주의 이론에 근거한 전통적인 관점에서의 형성평가는 수업 활동이 진행되는 과정(예:단원 학습의 과정) 중 학습의 위계 속에서 일정 단계가 끝날 때마다 학습자의 목표 도달 정도를 확인하고 피드백을 주기 위한 단위 평가로 간주된다(성을선 등, 2000). 즉 일반 수업모형(그림 7-1)과 그림 9-5의 첫 번째 그림이 이에 해당한다. 이러한 개념의 형성평가에서는 교수-학습 활동과 평가가 별개로 구분된다.

하지만 구성주의의 영향으로 형성평가의 개념도 변화해 왔다. 새로운 평가의 패러다임을 보면, 학습과 평가는 베틀의 씨줄과 날줄과 같은 역할을 하며 수업의 전체적인 부분이 된다(그림 9-5의 세 번째 그림). 즉 현재 구성주의 관점에서 형성평가는 교수-학습 활동의 일부이다. 더 나아가 형성평가는 학년 내내 계속해서 행해지는 계속적인 평가로, 학생들의 진전 상황을 점검하고, 학습 기준을 달성하기

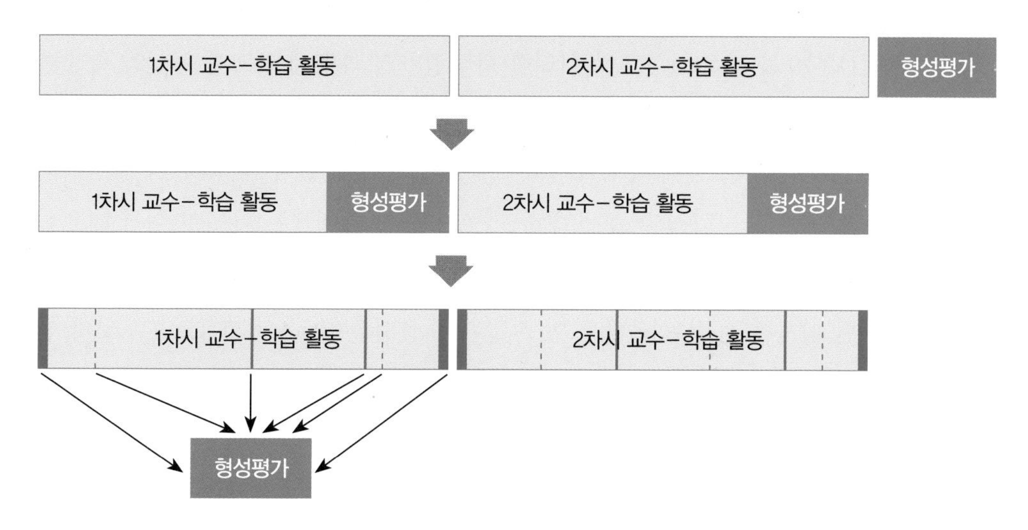

그림 9-5 형성평가의 시기에 대한 관점의 변화 과정

위해 학생들이 해야만 하는 것에 대한 의미 있고 즉각적인 피드백을 주기 위해 사용되며, 해당 교과목이 가르치는 내내 수업을 개선하기 위한 것이다(Burke, 2009).

형성평가는 또한 그 방법에 있어서도 형식화된 평가뿐 아니라 교사와 학생의 상호작용 속에서 이루어진 대화나 피드백까지를 형성평가에 포함시키고 있다(성을선 등, 2000). 형성평가는 '계획된 형성평가'와 '상호작용 형성평가'로 구분할 수 있는데, '계획된 형성평가'는 수업 초반에 학생들의 사전 지식을 파악하기 위해 계획적으로 이루어지는 평가와 수업 후반부에 학습 내용의 이해 정도를 확인하기 위해 이루어지는 평가이다. '상호작용 형성평가'는 수업 도중 교사와 학생 사이의 상호작용에서 이루어지는 평가로, 수업 도중 교사와 학생이 상호작용을 하는 어떤 순간에도 가능하다(Bell & Cowie, 1997). 즉 상호작용 형성평가는 학생들의 반응을 예측할 수 없으며 상황에 따라 달라진다는 점에서 계획된 형성평가와 구별된다(성을선 등, 2000).

따라서 학생들이 실험 등을 수행하는 것을 관찰하고, 학습자에게 질문하고, 학습자의 설명이나 토론 내용을 듣고, 학생의 그림, 그래프, 글을 확인하는 등 학생의 학습 상황을 점검할 수 있는 모든 과정이 형성평가의 과정이라 할 수 있다. 이렇게 보면, 사실 의식적으로, 무의식적으로 교사는 늘 형성평가를 행하고 있는 것이다. 이러한 관점의 형성평가는 탐구 중심 수업에 매우 적합하다고 볼 수 있다. 그 이유는 학생들의 탐구 활동과 그 과정에서 이루어지는 토의 · 토론에 형성평가를 손쉽게 포함시킬 수 있으며, 학생들이 활동하는 동안에 교사는 학습의 다음 단계에 대한 데이터(예:학생의 활동에 대한 관찰 등)에 근거한 결정을 가능하게 하기 때문이다(Keeley, 2011). 또한 이러한 형성평가의 과정에서 교사는 만약 학생들이 여전히 혼란해하고 있는 것을 알게 되면, 수업 중간에 멈춰서 다른 방법을 활용하는 등의 전략을 통해 학생들의 학습을 향상시키게 된다. 이와 같이 형성평가는 학생들에게는 그들의 학습에 대한 피드백을, 교사에게는 자신의 수업 내용이나 방법을 생각해 보는 기회를 제공한다.

한편 평가에 관련된 수많은 연구 결과를 종합한 Black과 Wiliam(1998)의 연구는 형성평가가 학생의 성취도, 특히 성취 수준이 낮은 학생의 성취도 향상에 큰 기여를 한다는 분명한 증거를 제공한다. 이러한 사실은 실제 과학 수업을 개선하기 위해서는 교사에게 형성평가의 의미와 중요성에 대한 적절한 인식이 필요함을 시사한다(교육부, 2014).

표 9-4 형성평가 실시 횟수에 대한 교사들의 응답 결과(%) (남정희 등, 1999)

구분 / 항목	전체	학교급		
		초	중	고
매 시간마다	22.8	27.7	17.9	23.1
주 1회 정도	31.5	36.9	38.8	18.5
월 1~2회	29.9	24.6	35.8	29.2
연 1~2회	5.6	3.1	0.0	13.8
거의 안함	6.6	3.1	6.0	10.8
기타	3.6	4.6	1.5	4.6
계	100	100	100	100

하지만 초·중·고등학교 교사들의 형성평가에 대한 인식을 조사한 연구(남정희 등, 1999)에 의하면, 상당수의 교사들이 형성평가를 학습의 향상을 위한 목적보다는 학습 목표 달성 정도나 학습 내용의 이해 정도에 대한 확인의 목적으로 더 중요하게 인식하고 있음을 보여준다. 이것은 형성평가를 학습 향상을 목적으로 학생들의 학습 상황을 파악하고 피드백을 주기 위해 교사와 학생에 의해 행해지는 학습 과정이라고 보는 구성주의 입장에서의 평가관과는 차이가 있는 것이다(남정희 등, 1999). 또한 과학 수업에서 실제로 이루어지고 있는 형성평가의 실시 횟수를 보면(표 9-4), 수업 중 수시로 형성평가를 실시하는 교사는 약 20%에 불과하다. 이러한 결과는 교사들이 형성평가를 교수-학습 과정과 분리된 것으로 인식하기 때문으로, 형성평가에 대한 인식이 교수-학습 과정 속에 통합된 것으로 전환되어야 함을 시사한다(남정희 등, 1999).

형성평가를 효과적으로 사용하기 위해서는 평가가 교수-학습 활동과 의도적으로 연결될 필요가 있으며(Keeley, 2011), 형성평가를 위한 구두 질문이나 지필평가의 문항은 수업을 실시하고 개선해야 할 교사가 수업 내용 중 중요한 것을 모두 포함하여 제작하는 것이 좋다. 초등 과학 수업에서 '계획된 형성평가'를 위한 문항을 개발하고자 할 때, 교사용 지도서 등에 제시된 형성평가 문항을 활용할 수도 있다. 이 경우 제시된 평가 문항을 그대로 사용하기보다는 비판적으로 검토하고 필요한 경우 수정하여 사용할 필요가 있다. 또한 학생들이 자신의 학습 상태를 파악할 수 있도록 '자기평가'도 형성평가의 한 가지 방법으로 매우 유용하다(교육부, 2014). 자기평가를 통하여 학생들은 자신의 성취 수준이 어느 정도인지 파악할 수 있을 뿐 아니라 그것으로 학습에 대한 자극을 받을 수도 있고(한안진, 1987), 자신의 학습에 좀 더 책임감을 가지게 된다(교육부, 2014).

(3) 총괄평가

형성평가와 마찬가지로 '총괄평가'도 1967년 Michael Scriven이 형성평가의 개념과 대비시키면서 처음 사용한 용어이다(한국과학교육학회, 2005). 총괄평가는 일련의 수업이 끝났을 때 학생들이 학습한 것에 대해 최종적인 판단을 하거나 성적을 부여하기 위해 실시하는 평가로, 이미 완결된 수업 활동의 효과성을 결정하는 데 사용된다(Burke, 2009). 예를 들어, 한 단원, 학기 또는 학년이 끝난 후에 실시하는 단원평가, 중간고사, 학기말고사, 학년말고사는 일반적으로 학생들에게 성취 기준을 충족시키거나 개선의 기회를 제공하지 않고 최종 결과만을 제시해 주기 때문에 총괄평가에 해당한다.

위와 같이 총괄평가는 어떤 시기에 학생이 성취한 것, 주로 점수나 등급에 대한 요약된 정보를 제공한다(교육부, 2014). 이러한 총괄평가의 결과는 다른 집단과 비교할 수 있는 정보를 제공하거나 교사의 교수 방법의 개선을 위한 자료로도 활용될 수 있다. 또한 총괄평가는 금년의 학생들을 돕기에는 너무 늦지만 내년의 학생들을 잘 지도하도록 교사들에게 도움이 될 수도 있다(Burke, 2009).

진단평가와 형성평가는 비형식적으로 이루어지는 경우가 많은 데 비해, 총괄평가는 일반적으로 형식적 평가에 의해 이루어지며(한국과학교육학회, 2005), 총괄평가는 학생들의 점수나 등급의 요약된 정보를 제공하기 때문에 총괄평가 문항의 개발은 다른 평가보다 더 체계적이고 복잡한 과정을 거친다(제9.6절 참조). 일반적으로 진단평가와 형성평가는 지도교사 단독으로, 중간 및 기말고사와 같은 총괄평가는 같은 학년의 지도교사들이나 인근 학교 교사와 공동으로, 시 · 도 및 전국 규모로 행해지는 총괄평가는 전문적인 평가기관이 중심이 되어 주로 평가한다(권치순 등, 1993).

과학 교과의 총괄평가는 대개의 경우 한 학기에 1~2회 실시되며, 주로 지필평가로 실시한다. 평가 문항의 수는 20~25개가 적절하고, 문항 형식은 주 · 객관식을 혼용하는 것이 좋으며, 이원 분류표 등을 이용하여 평가하고자 하는 범위 내의 학습 내용을 고르게 반영하고, 각 문항의 타당도나 난이도 등을 면밀히 고려해야 한다.

학기 또는 학년말에 이루어지는 각 학생의 과학 교과에 대한 종합적 평가는 총괄평가의 결과뿐 아니라 교사의 계속적인 관찰이나 누가기록 등에 의한 수행평가의 결과도 종합적으로 반영한다.

2. 평가 방법에 따른 분류

각 교과마다 교육 목표, 내용, 방법 등이 다르기 때문에 평가의 방법 또한 달라야 한다. 과학 학습 평가는 평가할 내용과 대상의 특성에 따라 다양한 도구와 방법을 활용하는 것이 가능하며 실제로 그렇게 하는 것이 바람직하다.

과학 학습 평가 방법은 크게 '지필평가'와 '수행평가'로 나눌 수 있다. 과학 교과의 지필평가와 수행평가의 상관관계를 조사한 김은희(2013)의 연구에 의하면, 지필평가와 수행평가 간에 유의미한 상관을 보이는 것으로 나타났다. 즉 수행평가가 높은 학생의 지필평가 결과가 높은 것을 알 수 있다. 그러나 "과학에 흥미가 있고, 독서를 많이 하고 다른 학생들이 모르는 것을 많이 아는 학생들일지라도 선다형 시험에서는 높은 점수를 받지 못하는 경우가 종종 있다"(이선경, 1999). 또한 초등 현장 교사들은 수행평가만으로 학생들의 성취 수준을 가늠하는 것은 문제가 있다고 생각한다(곽영순, 2004). 곽영순(2004)의 연구에서 초등 현장교사들은 수행평가가 과제 중심으로 진행되고 있어서, 학생들의 전반적인 기초학력 수준을 진단하기 어렵다고 지적하였다. 아울러 "수행평가에서 잘했다고 과학을 잘하는 것은 아니어서" 학생들의 "과학에 대한 학습 능력을 제대로 평가하기에는 애매"하다는 지적과 함께 수행평가와 함께 지필평가를 절충할 필요가 있다고 주장하였다.

위와 같이 지필평가와 수행평가는 서로 상관이 있지만 같은 내용을 선다형 문항으로 평가하는 경우와 면담 방식으로 평가하는 경우 학생의 이해도는 다르게 나타날 수 있다. 이러한 문제점을 보완하기 위해 교사는 지필평가와 수행평가의 장·단점과 각각의 세부 유형에 대해 이해하고 평가하고자 하는 목표와 내용에 따라 적절한 방법을 선택하여 사용하는 것이 중요하다. 이에 대한 상세한 내용은 다음 절에서 다룬다.

9.5 지필평가와 수행평가

과학 학습 평가에서는 평가 영역이나 내용의 성격에 따라 평가 방법으로 선다형, 서술형 및 논술형, 관찰, 보고서 검토, 실기 검사, 면담, 포트폴리오 등의 다양한 방법을 사용할 수 있다(교육부, 2018). 이러한 과학 학습 평가에서 활용되는 평가 방법은 학자에 따라 다양한 방식으로 분류된다. 예를 들어, 학자에 따라 서술형 평가와 논술형 평가를 엄격히 구분하거나 이 둘을 합쳐 논문형 평가로 구분하기도 하고, 서술형이나 논술형 평가를 지필평가로 구분하기도 하고 수행평가로 구분하기도 한다. 또한 포트폴리오 평가를 수행평가에 포함시키거나 별도의 평가 방법으로 구분하기도 한다. 따라서 여기에서는 새 과학과 교사용 지도서(교육부, 2018)의 분류에 근거하여 크게 지필평가와 수행평가로 양분하고, 서술형과 논술형 평가는 지필평가로, 포트폴리오 평가는 수행평가의 한 방법으로 구분하여 살펴본다.

1. 지필평가

지필평가는 수행평가 방법에 비하여, 비교적 많은 학습 내용 그리고 많은 학생을 대상으로 동시에 신속하게 측정할 수 있으며 분명한 답이 있어 그 결과를 비교적 객관화할 수 있다는 등의 장점이 있다. 선다형, 서술형 및 논술형 등의 지필검사는 지식의 평가나 탐구 사고력의 평가에 활용할 수 있으며, 리커트 척도의 질문지를 통해 과학에 대한 관심이나 흥미, 과학적 태도 등 정의적 영역에 대한 평가를 할 수 있다(교육과학기술부, 2008b).

흔히 선택형이나 단답형의 지필평가는 학생들의 고차원적 사고 능력을 평가하는 데 부적절하거나 과학 지식에 대한 평가는 가능하지만 탐구 과정 기능이나 과학 관련 태도를 평가하는 데 부적절한 것으로 간주된다. 하지만 지필평가로도 이러한 능력에 대한 평가가 가능하다. 예를 들어, 앞서 살펴본 그림 9-3의 문항은 과학 탐구 과정 기능과 실험 기구 조작 능력 평가를 위한 지필평가 문항이었다. 또한 그림 9-8의 '관계 분석형' 문항은 전술한 과학 지식 평가에서 '적용', '분석', '종합', '평가'와 같은 높은 인지적 수준의 사고를 요하는 것이다. 이와 같이 과학 학습 평가에서 지필평가는 과학 지식에 대한 평가뿐 아니라 과학 탐구 과정 기능이나 과학 관련 태도에 대한 평가(그림 9-4)에도 활용될 수 있다.

지필평가는 크게 '선택형'과 '서답형'으로 구분된다(교육부, 2014). '선택형'은 주어진 답지 중에서 정답을 선택하는 형태라면, '서답형'은 정답을 학생이 스스로 작성하는 것이다. 평가받을 학생 수가 많을 때, 보다 신뢰로운 평가 문항을 원할 때 등의 상황에서는 '선택형'이 적절하며, 평가 대상 학생 수가 적을 때, 학생들의 문장 구성력이나 표현 능력도 함께 평가해 보고자 할 때 등의 상황에서는 '서답형'이 적절하다.

(1) 선택형

선택형은 응답에 필요한 정보를 제공해 주고 그중에서 정답이라 생각하는 것을 골라내는 방법의 문항을 말한다. 선택형은 선다형, 진위형, 연결형(배합형), 배열형으로 분류할 수 있으며, 선택형 문항은 그 문항 형식 자체가 구조화, 객관화되어 있다는 것이 특징이다(국립교육평가원, 1996).

가. 선다형

선다형 문항은 선택형 문항 유형 중 가장 많이 쓰이는 형식이다. 선다형은 학생들로 하여금 여러 개의 답지 중에서 맞는 답지 혹은 가장 알맞은 답지를 고르도록 하는 형태의 문항으로, '문두'와 그에 잇따르는 2개 이상의 '답지'로 구성된다. 선다형 문항은 매우 쉬운 것부터 매우 어려운 것까지 출제할 수 있으므로 학업 성취도 검사에 흔히 사용된다.

선다형 문항의 난이도는 답지를 어떻게 만드느냐에 따라 달라진다. 만약 답지들을 단순하게 제작하면 단순 기억 능력을 측정하는 문항이 되며, 복합적인 답지를 제작하면 고등 정신 능력까지 측정할 수 있는 특징을 지니게 된다(성태제, 2009). 따라서 선다형 문항이 암기 위주의 교육을 유도한다는 주장은 타당하지 않다(진영은 등, 2002).

선다형 문항은 다음과 같이 최선다형, 정답형, 다답형, 합답형, 부정형 등으로 세분될 수 있으며 각각의 특징은 다음과 같다(국립교육평가원, 1996).

■ (최선답형) 실험 중 손을 데었을 때 취해야 할 가장 적절한 행동은 어느 것입니까? (　　)

① 데인 부분을 입으로 빤다.
② 부모님께 즉시 전화로 말씀드린다.
③ 선생님께 즉시 말씀드리고 치료를 받는다.
④ 살짝 데였으므로 참았다가 집에 가서 약을 바른다.
⑤ 다른 친구에게 방해되지 않도록 수업이 끝날 때까지 참는다.

■ (합답형) 〈보기〉의 전기회로에서 스위치를 닫을 때 불이 켜지는 것을 고른 것은 어느 것입니까? (　　)

〈보기〉

ㄱ.　ㄴ.　ㄷ.　ㄹ.

① ㄱ, ㄷ　② ㄱ, ㄹ　③ ㄴ, ㄷ　④ ㄴ, ㄹ　⑤ ㄷ, ㄹ

그림 9–6 선다형 중 최선답형과 합답형 문항의 예

- 최선답형: 여러 가지 답지 중에서 '가장 타당한' 또는 '가장 적절한' 답을 찾게 하는 형태의 문항이다(그림 9-6). 다른 답지들도 답이 되지만 그중에서 정답의 정도가 가장 큰 것을 선택하게 하는 것으로 선다형 가운데 좋은 형태의 하나이지만 출제하기가 쉽지 않다.
- 정답형: 여러 개의 답지 중에서 한 개만이 정답이고 다른 것은 오답인 문항 형태이다.
- 다답형: 답지의 정답이 여러 개인 유형으로, 응답자로 하여금 여러 개의 답을 골라야 함을 알리는 지시에 밑줄을 그어 표시한다.
- 합답형: 여러 개의 답지 중에서 두 개의 정답이나 그 이상의 정답이 합해서 정답이 되는 유형이다(그림 9-6). 합답형 문항에서 〈보기〉의 각 항목이 출현 횟수를 균등하게 조정하지 않으면 정답의 단서를 줄 수 있다. 조합형이라고도 하며, 선다형 문항 작성시 어려운 점의 하나는 서로 대등한 오답을 작성하는 점인데, 조합형은 이러한 어려움을 여러 가능한 선택항들을 짝지어 놓음으로써 손쉽게 해결할 수 있다(김창식 등, 1991).
- 부정형: 여러 답지 중에서 한 개의 오답을 고르게 하는 유형이다(그림 9-3의 두 번째 문항). 이때는 반드시 '아닌', '틀린' 등의 부정적 표현에 밑줄을 긋거나 다

른 방법으로 주의를 환기시켜야 한다. 출제하기가 비교적 쉬우나 학생들은 틀린 것을 고르면 틀린 것을 기억할 가능성이 많기 때문에 특별한 경우를 제외하고는 그다지 좋은 문항 형태는 아니다.

한편 선다형 문항을 출제할 때 유의해야 할 몇 가지를 제시하면 다음과 같다.

- 문항은 학생들의 입장에서 쉬운 용어로 간결하고 분명하게 서술한다.
- 문항의 질문 형태는 가능한 한 긍정 문항이 되도록 한다. 특히 '~이 아닌 것은 ~ 아니다'와 같은 이중 부정은 피한다.
- 문항의 질문에 답을 암시하는 내용이 없게 한다.
- 한 문항의 설명 내용이 다른 문항의 정답을 추리할 수 있는 단서가 되지 않게 한다.
- 일반화를 강조하거나 절대적인 뜻을 가진 말(예:항상, 전혀, 대체로, 언제나, 결코, 가끔, ~하는 경향이 있다 등)을 사용하지 않는다.
- 문항은 구체적이고 실제적인 자료를 사용한다.
- 응답에 필요한 모든 조건을 제시한다.
- 정답은 분명하고 오답은 그럴듯하게 만든다.
- 문항 내용, 특히 답지에 똑같은 어구가 반복되지 않게 한다.
- 가능한 한 답지를 짧게 한다.
- 답지의 길이는 가능한 한 비슷하게 하고, 그 길이가 짧은 것부터 배열한다.
- 답지에 논리적인 순서가 있다면 그 순서대로 배열한다.
- 답지의 숫자는 작은 수부터 큰 수로 배열하고 답지가 간단한 단어일 경우에는 가나다순으로 배열한다.

나. 진위형

진위형 문항은 제시된 진술문의 옳고 그름을 판단하게 하는 형태의 문항으로, 초등학교에서 많이 사용된다. 진위형 문항은 단순 진위형, 수정형, 군집형, 진위 변형의 네 가지 형태로 세분할 수 있으며(국립교육평가원, 1996), 각각의 특징 및 예는 **표 9-5**와 같다.

표 9-5 진위형 문항의 유형과 특징

유형	특징
단순 진위형	**한 개의 진술문을 주고 그것이 옳은지, 틀린지를 판별하도록 하는 유형** 예 다음 글을 읽고 맞으면 ○, 틀리면 ×를 하시오. 1. 산성 용액은 푸른 리트머스 시험지를 붉게 만든다. … (　) 2. 화강암 알갱이의 크기는 현무암의 알갱이보다 크다. … (　) 3. 자기력은 자석의 양극에만 존재한다. … (　)
수정형	**틀린 곳을 수정해서 옳게 고치게 하는 유형** 예 다음 글 중 틀린 내용을 찾아 그곳에 밑줄을 긋고 바르게 고쳐 쓰시오. 1. 용암은 땅속 깊은 곳에서 암석이 높은 열에 의하여 녹은 물질이다. 2. 양팔저울은 용수철의 성질을 이용하여 무게를 재는 저울이다. 3. 식물의 세 가지 중요한 부분은 '꽃', '잎', '줄기'이다.
군집형	**한 가지에 대해 여러 각도의 진위형 진술문을 주고 각각 진위를 판단하게 하는 유형** 예 다음 개구리의 한살이에 대한 설명으로 맞는 것은 ○, 틀린 설명은 ×를 하시오. 1. 올챙이는 허파로 숨을 쉰다. … (　) 2. 개구리는 땅 위에 둥지를 짓고 알을 낳는다. … (　) 3. 올챙이는 자라면서 뒷다리가 먼저 나온다. … (　) 4. 땅 위로 올라온 개구리는 다시 물로 돌아가지 않는다. … (　) 5. 다 자란 개구리는 짝짓기를 하고 알을 낳아 번식한다. … (　)
진위 변형	**진위형을 좀 변형시킨 것으로 근본적으로는 진위형과 마찬가지이나 측정하는 능력이 보다 높은 정신작용을 요구하는 유형** 예 다음 진술이 어떤 경우에도 맞으면 ○, 틀리면 ×표, 경우에 따라 맞을 수도 있고, 틀릴 수도 있으면 △표를 하시오. 1. 우유는 혼합물이다. … (　) 2. 기체는 무게가 없다. … (　) 3. 산성 용액은 신맛이 난다. … (　)

한편 진위형 문항을 작성할 때 유의해야 할 사항을 몇 가지 제시하면 다음과 같다(성태제, 2009, pp. 164~169).

- 하나의 진술문에는 하나의 내용만 포함되도록 한다. 여러 가지 내용이 포함되어 있으면 다수의 내용을 알지 못한 학생이나 일부만 모른 학생 모두 0점 처리된다.
- 진술문은 가능한 한 간단명료한 단문으로 질문한다. 긴 진술문은 독해력이 요구되므로 독해력이 없으면 측정하고자 하는 영역에 대한 지식은 있으나 답을 맞히지 못하게 된다.

- 교과서에 있는 것과 똑같은 문장으로 질문하지 않는다. 교과서 문장 그대로 진술하면 학생들이 기억력에 의하여 문항의 답을 맞힐 확률이 높을 뿐 아니라 깊게 생각하지 않는 경향이 있다.
- 답의 단서가 되는 부사어를 사용하지 않는다. '절대', '항상', '모두', '전혀', '오직' 등의 부사어는 틀린 답의 단서가 될 수 있다. 반대로 '흔히', '간혹'이란 부사어는 진술문이 옳음을 암시한다.
- 부정문의 사용을 삼간다. 이중부정은 더욱 삼간다. 부정문이 사용된 질문이 때로는 긍정문으로 인식되어 실수로 틀리는 경우가 생기게 된다. 부득이한 경우 부정문을 사용할 때 학생의 주의를 환기시키기 위하여 밑줄을 긋는다.
- 정답이 ○인 문항과 ×인 문항의 비율을 비슷하게 한다. 예를 들어, 10개항의 진위형 문항이 있다면 ○가 답인 문항과 ×가 답인 문항의 비율을 4:6 혹은 5:5 또는 6:4로 유지하는 것이 바람직하다. 즉 가능한 한 추측에 의하여 문항의 답을 맞힐 수 있는 기회를 최소화하도록 한다.
- 정답의 유형이 고정되지 않고 랜덤하게 한다. 예를 들어, 정답 유형이 '○×○×…'로 되거나 '○ ○××…' 등의 어떤 규칙성을 가진 유형이 되지 않도록 문항을 배열한다.

다. 연결형(또는 배합형)

연결형 문항은 '지시문', '문제군', '답지군'으로 구성되어 있으며, 지시문의 지시에 따라 학생이 문제군과 답지군에서 가장 적합한 항목끼리 서로 연결하도록 되어 있다(그림 9-7). '문제군'과 '답지군'은 그 위치상의 차이일 뿐 근본적 차이는 없다(김창식 등, 1991). 일반적으로 문제군에 제시되는 항목보다 답지군에 제시되는 항목 수가 많도록 하면 추측에 의한 정답률을 낮출 수 있다. 배합형은 단순 배합형, 복배합형, 분류 배합형, 관계 분석형 등으로 세분되며(국립교육평가원, 1996), 각각의 문항의 예는 **그림 9-7** 및 **그림 9-8**과 같다.

- 단순 배합형: **그림 9-7**과 같이, 문제군과 답지군이 한 세트로 되어 있는 경우이며, 가장 보편적으로 사용되는 유형
- 복배합형: **그림 9-8**의 첫 번째 문항과 같이, 한 개의 문제군에 대해 두 개 이상

■ **[지시문]** 다음은 여러 동물의 어미와 새끼를 나타낸 것이다. 어미와 새끼를 알맞게 선으로 연결하시오.

[문제군]	[답지군]
(1) 매미 •	• ㄱ. 송아지
(2) 닭 •	• ㄴ. 올챙이
(3) 개구리 •	• ㄷ. 굼벵이
(4) 모기 •	• ㄹ. 병아리
	• ㅁ. 망아지
	• ㅂ. 고도리
	• ㅅ. 장구벌레

그림 9-7 배합형(단순 배합형) 문항

의 답지군이 관련되도록 연결시키는 유형

- 분류 배합형: 어떤 조건, 개념, 법칙, 진술, 사실 등(이것이 문제군이 되는 셈이다)에 따라 주어진 답지를 각각 분류하게 하는 유형
- 관계 분석형: 답지군에 있는 두 개의 현상, 설명, 법칙 사이에 인과관계가 있는가를 분석해서 주어진 문제군에 따라 분류하게 하는 유형

한편 배합형의 문항을 출제할 때 유의할 점을 몇 가지 제시하면 다음과 같다(성태제, 2009, pp.193~195).

- 지시문이 명확해야 한다. 문제군의 문제에 대한 답지군의 답지들을 선택할 때 혼동이 없도록 지시문을 정확히 제시해야 한다.
- 문제군과 답지군은 가능한 한 짧아야 한다.
- 문제군의 문제들은 왼쪽에, 답지군의 답지들은 오른쪽에 배열하고 번호를 각기 달리한다. 예를 들어, 문제군의 문제 번호를 ①, ②, ③으로 하였다면 답지군의 답지들은 ㉠, ㉡, ㉢, ㉣, ㉤으로 한다. 최근에는 문제군의 문제를 위에 그리고 답지군의 답지를 아래에 두는 문항 형태도 있다(그림 9-8의 두 번째 문항과 세 번째 문항).
- 전술한 바와 같이 답지군의 답지 수는 문제군의 문제 수보다 많아야 한다. 추측의 영향을 줄이기 위한 것으로 일반적으로 답지군의 답지 수는 문제군의

■ (복배합형) 다음 식물의 각 부분의 위치와 기능을 (가)와 (나)에서 찾아 그 기호를 쓰시오

〈위치〉 〈기능〉 1. 줄기 (　　) (　　) 2. 뿌리 (　　) (　　) 3. 잎 (　　) (　　) 4. 열매 (　　) (　　) 6. 꽃 (　　) (　　)	㉮ ㉯ ㉰ ㉱ ㉲	㉠ 씨를 보호하고 퍼뜨린다. ㉡ 물을 흡수하고 몸을 지탱한다. ㉢ 물과 양분을 이동한다. ㉣ 씨를 만든다. ㉤ 영양분을 만든다.

■ (분류 배합형) 다음의 동물들을 〈보기〉에서 제시한 A, B, C, D의 범주에 따라 분류하시오.

〈보기〉

A. 조류(새)　　B. 포유류(젖먹이)　　C. 어류(물고기)　　D. 양서류

(　　) 독수리　(　　) 소　(　　) 개
(　　) 고래　(　　) 도롱뇽　(　　) 올챙이
(　　) 꽁치　(　　) 박쥐　(　　) 닭

■ (관계 분석형) 다음은 주장과 그 주장에 대한 이유를 나열한 것이다. 〈보기〉의 요령에 따라 답란을 채우시오.

〈보기〉

- 만일, 주장과 이유가 모두 타당하고, 그 이유가 주장에 대하여 적절할 때는 → 'ㄱ'을
- 만일, 주장도 증거도 타당하나, 그 이유가 주장에 대하여 적절하지 못할 때는 → 'ㄴ'을
- 만일, 주장은 적절하나 이유가 타당하지 않을 때는 → 'ㄷ'을 답란에 써넣으시오.

① 이 물체는 철로 만들어졌다.	자석이 붙기 때문에	(　　)
② 공기도 무게가 있다.	이에 대한 철수의 설명이 옳기 때문에	(　　)
③ 달에는 공기가 없다.	달에는 사람이 살지 않기 때문에	(　　)

그림 9-8 배합형 문항의 예

문제 수보다 1.5배 내외 정도가 되게 한다.

- 문제군과 답지군이 모두 한쪽에 게재될 수 있도록 편집한다. 왜냐하면 문제군과 답지군의 일부분이 다음 페이지로 넘어가면 전체 문제들과 답지들을 볼 수 없으므로 정답을 선택하는 데 불편함을 줄 수 있고, 때로는 실수로 잘못 연

■ 다음은 어떤 자연 현상이 일어나는 과정을 순서 없이 늘어놓은 것입니다. 순서에 맞게 나열하시오.

① 강이나 바닥에 쌓이면서 퇴적물이 눌리어 부피가 줄어들고 다져진다.
② 작게 부서진 자갈이나 모래가 흐르는 물에 의하여 운반된다.
③ 햇빛, 비, 바람 등에 의해 암석이 작게 부서진다.
④ 퇴적물이 퇴적암이 된다.
⑤ 퇴적물 알갱이 사이가 좁아지고 엉겨붙는다.

( ) → ( ) → ( ) → ( ) → ( )

그림 9-9 배열형 문항의 예

결할 수 있다.

라. 배열형

배열형 문항은 열거된 문장이나 상황들을 논리적 순서에 의하여 배열하는 형태의 문항으로, 주로 과학 실험 절차나 과학적 사실의 순서 등에 관한 문항 개발에 사용된다(그림 9-9).

(2) 서답형

서답형은 정답을 학생이 스스로 작성하도록 하는 형태의 문항이다. 서답형은 단답형, 완성형(괄호형), 논문형(서술형과 논술형)으로 구분하기도 하며, 완성형을 단답형에 포함시켜 단답형과 논문형으로 구분하기도 한다. 선택형 문항과 비교하여 서답형 문항의 장점과 단점을 간략히 요약하면 표 9-6과 같다.

표 9-6 서답형 문항의 장점과 단점

장점	단점
• 학생들의 반응의 자유도가 크다. • 고등 정신 기능을 평가하는 데 효과적이다. • 비교적 문항 제작이 쉽다.	• 채점의 객관성과 신뢰성을 유지하기 어렵다. • 문항의 수가 제한된다. • 채점하는 데 많은 시간과 노력이 든다.

■ (가)는 배설기관을 나타낸 것이고, (나)는 A를 지나기 전과 지난 후의 혈관 속 혈액을 나타낸 것입니다.[4]

A

(가)

노폐물

A를 지나기 전 혈액　　A를 지난 후 혈액

(나)

(1) A의 이름을 쓰시오.

(2) (나)를 통해 알 수 있는 A의 역할을 쓰시오.

그림 9-10　단답형 문항의 예

가. 단답형

'단답형' 문항은 학생들에게 적당한 단어, 문장, 숫자, 기호 등의 제한된 형태로 응답을 요구하는 문항 형태를 말한다. 단답형은 서술형과 객관식을 절충한 것으로, 기억의 회상을 요구한다는 점에서는 서술형과 같은 성격을 보이지만 서술형에 비해 반응의 자유도가 매우 낮다는 점에서 객관식 문항과 유사하다(김창식 등, 1991). 단답형은 답지가 주어져 있지 않은 단순 재생 문항으로서 전통적으로 많이 쓰여 온 방법이다. **그림 9-10**에서 (1)번 문항은 과학 지식에 대한 '기억' 중 '회상'에 해당하는 문제이며, (2)번 문항은 '이해'에 관한 문항이라고 볼 수 있다. 만약 학생이 이 배설기관(신장 또는 콩팥)을 알고 있다면, '이해'의 과정 없이도 '회상'을 통해 이 문제를 해결할 수도 있다.

한편 단답형 문항을 출제할 때는 다음과 같은 사항에 유의해야 한다(김창식 등, 1991; 진영은 등, 2002).

• 간단한 개념 정의, 수식, 공식, 사실, 법칙 등으로 대답할 수 있는 내용을 문항

[4] 이 문항은 각각 2012학년도 한국교육과정평가원 초등 6학년 국가수준 학업성취도 평가 문항임. 한국교육과정평가원 홈페이지 '자료마당/기출문제' 코너에는 여러 교과의 좋은 평가 문항이 탑재되어 있음. 좋은 문항을 만들기 위해서는 무엇보다도 좋은 문항을 많이 볼 필요가 있음.

으로 출제한다.

- 질문이 명확해야 한다.
- 정답의 수는 하나 또는 몇 개로 한정해서 대답이 나올 수 있도록 한다.
- 문제 내에 답에 대한 단서를 주지 않도록 한다.
- 교과서에 있는 문장을 그대로 사용하는 것을 피하는 것이 바람직하다. 교과서에 있는 문장을 그대로 사용하면 학생들이 교과서에 있는 문장을 그대로 외우려 들 것이다.
- 정답이 여러 가지로 나타날 수 있는 경우에는 모두 정답으로 간주해야 한다.
- 내용을 묻는 문항일 때는 철자나 맞춤법, 띄어쓰기 등으로 감점하지 않는다.

나. 괄호형

괄호형(또는 완성형) 문항은 진술문의 일부를 괄호나 네모 등의 형태로 비워 놓고 그곳에 적합한 단어, 기호 등을 써 넣게 하는 문항을 말한다. 대체로 채점의 객관성은 높지만, 주로 암기 결과만을 측정하게 되므로 고차원적 사고 능력을 측정하기에는 미흡한 점이 있다(한국교육평가학회, 2004). 완성형 문항은 '불완전 문장형', '불완전 도표형', '제한 연결형'으로 세분할 수 있다(국립교육평가원, 1996). 그림 9-11과 같이, '불완전 문장형'은 진술문을 불완전하게 제시하여 완전한 진술문으로 만들게 하는 방법이고, '불완전 도표형'은 도표를 불완전하게 제시하여 완전한 도표를 만들게 하는 방법이며, '제한 연결형'은 불완전한 진술문을 주고 그곳에 들어갈 낱말을 순서 없이 혼합해서 답지로 제시한 후 골라 써 넣게 하는 방법이다.

완성형 문항을 출제할 때는 다음과 같은 원리에 따라 작성하도록 한다(김창식 등, 1991; 진영은 등, 2002).

- 질문이 명확해야 한다.
- 문장 중에서 중요한 용어나 개념만을 (　　)로 처리해야 한다.
- (　　)의 길이와 수를 적절하게 제한해야 한다. 예를 들어 한 문장 안에 (　　)의 수를 한두 개 정도로 제한하는 것이 좋다.
- 진술문 속에 정답을 암시하는 내용이 들어 있지 않도록 한다.
- 질문의 (　　) 뒤에 있는 '조사(토씨)'를 통해 정답이 암시되지 않도록 한다(그

■ (불완전 문장형) 그림은 무게가 똑같은 나무도막을 이용한 수평잡기의 실험 결과입니다. 아래 (　　) 안에 알맞은 말을 쓰시오.

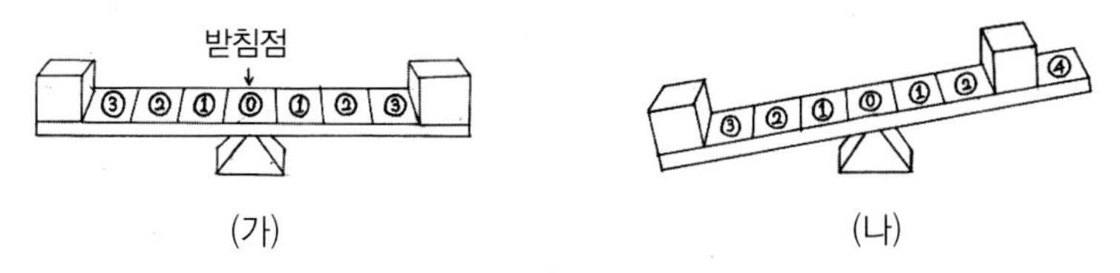

널빤지의 양쪽에 올려놓은 물체의 무게가 같은 경우에는
(　　　　　　　　　　　　　　　)이/가 서로 같을 때 수평을 이룬다.

■ (불완전 도표형) 다음은 동물을 어떤 기준에 따라 분류한 것입니다. ㉠에 들어갈 적절한 분류기준을 쓰시오.

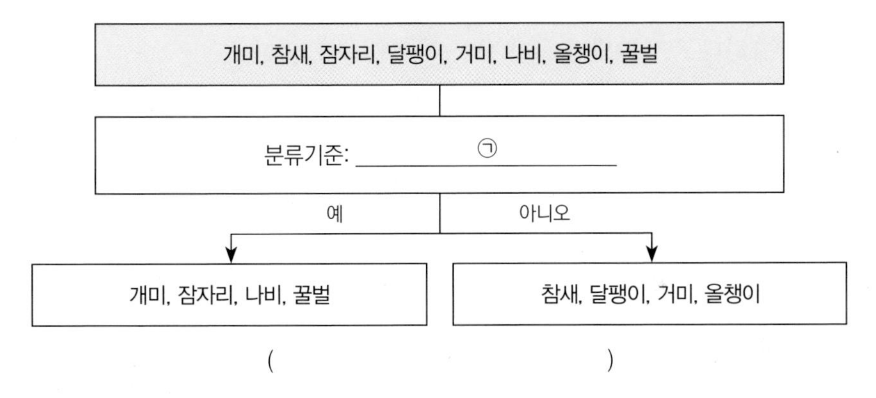

(　　　　　　　　　　　　　　)

■ (제한 연결형) 다음 문제에 들어갈 알맞은 말을 〈보기〉에서 찾아 문장을 완성하시오.

〈보기〉

허파, 숨통, 물, 세포, 플랑크톤, 밥, 우유, 아가미, 젖

고래는 (　　　　　)(으)로 숨을 쉬고, 포유동물과 마찬가지로 (　　　　　)을(를) 먹인다.

그림 9-11 괄호형(완성형) 문항의 예

림 9-12).

- 채점시에는 각각의 (　　)를 채점 단위로 한다.
- 하나의 답이 나오도록 문항을 제작한다. 그러기 위해서는 문항을 구성하는 문장 내의 애매모호한 단어의 사용을 줄여야 한다.

■ 토씨를 이중으로 표시해 주어야 하는 경우의 예

- 주격조사: _________은(는), _________이(가)
- 목적격 조사: _________을(를)
- 신분이나 자격: _________(으)로, (으)로서
- 접속 조사: _________와(과)
- 수단이나 방법: _________(으)로, _________(으)로써

그림 9-12 조사(토씨)의 사용

- 계산 문제인 경우에는 단위나 소수점 이하 몇째 자리까지 계산해야 하는가 등을 분명하게 하는 것이 바람직하다.
- 필요하다고 생각되면 글자 수를 지정할 수도 있다.

다. 서술형과 논술형

서술형과 논술형 문항은 지식에 대한 적용 능력, 비판 능력, 창의력, 종합적 판단 능력, 문장 표현 능력 등의 고등 정신 능력을 측정하기 위한 문항의 형태이다(국립교육평가원, 1996). 서술형과 논술형은 주어진 주제에 대하여 학생이 문장 형태로 답을 제공하는 문항 형식으로, '반응의 자유도가 매우 높다는 점', 즉 학생이 비교적 자유롭게 자신의 생각을 조직해서 자기가 원하는 방식으로 표현할 수 있다는 점에서 다른 평가 방법과 큰 차이가 있다. 서술형과 논술형에서 많이 쓰이는 행동 용어에는 설명하라, 논하라, 재분류하라, 해석하라, 비판하라, 서술하라, 분석하라, 제시하라 등이 있다.

그림 9-13은 서술형과 논술형 평가 문항과 평가 기준표 예시이다. 서술형과 논술형 평가의 차이점은 답안의 길이에 있는 것이 아니라 다음과 같이 평가의 주안점에 있다(교육인적자원부, 2001, p.50).

- 서술형 평가에서는 과학 지식이나 탐구 능력 평가가 주된 목적으로서 객관적인 정답이 존재한다. 그러나 논술형 평가에서는 과학 지식이나 탐구 능력도 평가 대상이지만 논리성, 창의력 등이 주요 평가 요소가 되므로 객관적인 정

서술형 평가 문항

1. 현무암과 화강암의 차이점을 생각그물(마인드맵)로 나타내 봅시다.

2. 현무암과 화강암의 알갱이 크기가 다른 까닭을 설명해 봅시다.

◈ 평가 기준표

현무암과 화강암의 차이점	3가지 이상이 구체적이고 바르게 표현되어 있다.	1~2가지만 구체적이고 바르게 표현되어 있다.	구체적이고 적절한 표현이 없다.
알갱이의 크기가 다른 까닭	생성 위치와 냉각 속도가 모두 포함된 바른 설명을 하였다.	생성 위치나 냉각 속도 중 어느 하나만 포함된 바른 설명을 하였다.	기타 응답
계	4점	2~3점	1점 이하

논술형 평가 문항

1. 왜 흙이 소중한지 이유를 들어가며 자신의 생각을 적어 봅시다.

◈ 평가 기준표

근거의 타당성	흙의 소중함에 대한 적절한 근거를 2가지 이상 제시하였다.	3
	흙의 소중함에 대한 적절한 근거를 1가지만 제시하였다.	2
	흙의 소중함에 대한 근거가 적절치 않다.	1
논리성	매우 논리적으로 표현하였다.	3
	비교적 논리적으로 표현하였다.	2
	논리적으로 표현하지 못하였다.	1
창의성	다른 학생들과 비교하여 독창적 근거를 제시하였다.	2
	다른 학생들과 비교하여 유사한 근거를 제시하였다.	1

	매우 우수	우수	양호	미흡

그림 9-13 서술형과 논술형 평가 문항의 예

답이 존재하지 않는다.

- 서술형 평가에서는 서술된 내용의 정확성과 깊이에 관심이 있는 반면, 논술형 평가는 글의 내용과 깊이뿐 아니라 글을 조직하고 구성하는 표현 능력이나 논리적 일관성 등에도 관심이 있다.

서술형과 논술형은 '분량 제한형', '내용범위 제한형', '서술방식 제한형'으로도 세분할 수 있다. 분량 제한형은 "화산 활동 모형과 실제 화산이 분출하는 모습의 차이점에 대해 100자 이내로 답하시오"와 같이 답안의 길이 등과 같은 물리적 제한이 가해져 있는 문항 형식인 반면, 내용범위 제한형은 "식물이 자라는 데 필요한 조건 중 햇빛의 영향을 알아보기 위한 실험 방법을 제안하시오"와 같이 내용의 범위를 가하는 문항 형식이다. 서술방식 제한형은 "전구의 직렬연결과 병렬연결의 차이점을 그림을 그려가며 설명하시오"와 같이 서술방식에 제한을 가하는 문항 형식이다.

서술형과 논술형 문항을 작성할 때는 다음과 같은 원리들을 참고하여 작성하도록 한다(진영은 등, 2002, pp.365~366).

- 지식보다는 고등 정신 능력을 평가하고자 할 때 활용한다.
- 구체적인 목적을 평가할 수 있도록 문항 내용을 구조화시키고 제한성을 갖도록 해야 한다.
- '5개 중 1개만 택하여 서술하라' 또는 '5개 중 2개만 택하여 논하라' 등으로 하지 말아야 한다. 이것은 학생들에게 요구하는 능력의 표현이 다르기 때문에 나타난 결과를 서로 비교할 수 없다는 결점이 있다.
- 미리 채점 기준을 마련해 놓는 것이 좋다. 채점 기준을 미리 제시하면 학생들이 문항의 점수를 고려하여 문항에 응답하는 전략을 세울 수 있다.
- 문항은 난이도의 순서에 따라 배열한다.

한편 서술형과 논술형 문항의 경우 채점에 있어서 채점자의 주관성이 개입될 가능성이 있다. 따라서 채점의 신뢰성을 높이기 위해서는 다음과 같은 방법을 고려해야 한다(성태제, 2009, p.209).

- 답안지를 일차적으로 한 번 읽고 난 뒤, 구체적으로 채점 기준에 의거하여 채점해야 한다. 이는 학생에 따라서 서술하는 방법이 다르므로 응답의 내용이 다른 순서에 의하여 기술될 수 있기 때문이다.
- 채점자가 피험자의 인상, 느낌에 따라 채점에 영향을 주는 '후광효과'를 없애기 위하여 학생의 이름을 가리고 채점을 해야 한다.
- 채점을 학생별로 채점한다면 앞에 있는 문항의 응답 결과가 다음 문항의 채점에 영향을 주는 '문항 간의 시행효과'가 발생할 수 있다. 이러한 효과를 없애기 위하여 학생별로 답안지를 채점하지 말고, 문항별로 채점해야 한다.
- 두 명 이상의 채점자가 필요하다. 이는 주관성을 배제하고 채점의 객관성을 유지하기 위해서다. 서술형과 논술형 평가에서 고려되는 것은 '채점자 간 신뢰도'로서, 채점자들의 채점이 얼마나 유사한가를 측정한다. 채점자 간 신뢰도를 추정하는 방법으로 간단히 채점자 간의 점수의 상관관계를 입증하는 방법이 있다.

그림 9-13은 평가 기준표에 따라 각 평가 항목별로 채점한 후 3단계 또는 4단계 평정법에 의하여 평가하는 방식이다. 교사의 판단에 따라 각 항목별 배점을 보다 세분화하여 평가하거나 각 항목의 배점표에 따라 합산한 점수로 평가할 수도 있다. 예를 들어, 각 항목별 배점을 5단계로 세분화하여 채점한 후 '매우 우수함', '우수함', '보통', '부족함', '매우 부족함'의 5단계로 평가할 수도 있다.

2. 수행평가

수행평가는 서술형 및 논술형 평가는 물론 학습 과정 중의 관찰이나 토론, 구술시험(면담), 실험 실습, 자기평가 및 동료평가, 보고서, 포트폴리오 등과 같은 다양한 방법을 통해 이루어진다.[5] 따라서 단순히 암기를 통해 문제를 해결하는 형태의 평가 방법, 즉 선택형이나 단답형 평가를 제외한 모든 평가 방식이 수행평가의 범주에 든다고 해도 과언이 아니다.

사실 내실 있는 수행평가를 제대로 하자면 현실적으로 여러 가지 어려움이

[5] 전술한 바와 같이, 서술형과 논술형 평가는 지필평가로 구분되기도 하고 수행평가로 구분되기도 한다.

있다. 예를 들어, 초등교사들은 '평가에 시간이 많이 걸린다(34.8%)', '학생 수준을 정확히 판별하기 어렵다(28.1%)', '원활한 수업의 진행이 어렵다(21.6%)', '평가자료 준비가 부담이 된다(14.3%)' 등으로 수행평가를 실시하는 데 어려움을 겪는다(윤현덕, 2007). 이와 같이 수행평가는 기존의 선택형이나 단답형 등의 지필평가와 비교하여 많은 현실적 어려움을 수반한다. 그럼에도 수행평가를 강조하는 이유는 기존의 평가 방식으로는 얻을 수 없는 학생들의 학습에 대한 보다 다양하고 상세한 정보를 얻을 수 있기 때문이다.

따라서 수행평가의 현실적인 어려움을 극복하고 보다 효율적이고 효과적으로 수행평가를 실행하기 위해, 교사는 다양한 수행평가 방법에 대한 이해 그리고 이를 바탕으로 학습 내용과 활동에 적절한 수행평가 방법을 선택하여 사용할 수 있는 능력을 갖추어야 한다.

(1) 수행평가 실행의 유의점

먼저 효과적인 과학과 수행평가를 실행하기 위해 일반적인 유의사항을 몇 가지 제시하면 다음과 같다.

- 수행평가가 아무리 교육적으로 바람직하다 하더라도 그 효율성이 너무 낮다면 수행평가를 무리하게 고집하는 것 또한 교육의 질을 떨어뜨릴 위험성이 있으며(이범홍, 1999), 교과서의 모든 내용에 수행평가를 적용하는 것도 불가능하며 그럴 필요도 없다.
- 효과적인 수행평가를 위해서는 적어도 단원 수준에서 과학과 수행평가를 위한 계획을 해야 한다(김찬종, 1999). 수행평가는 단순히 평가 자체만이 목적이 아니라 과학 수업과 유기적으로 관련되어 학생들의 학습에 기여해야 하므로 학기 초 또는 최소한 단원 수준에서 교육과정이나 교과서를 검토하면서 수행평가가 적합한 차시 선정과 그에 적합한 평가 방법이 모색되어야 한다.
- 학생들이 수행한 결과를 객관적이고 정확하게 채점하여 정량적으로 점수화할 수 있어야 한다(이인제와 김범기, 2004). 수행평가의 성패를 좌우하는 중요한 요소 중 하나는 채점의 객관성 확보이다. 수행평가에서 학생 응답은 매우 다양하고 정 · 오답을 명확하게 구분하기 어려운 경우도 많기 때문에 객관적

이고 정확한 평가를 하기 위해서는 어떤 수행평가 방법을 사용하더라도 '채점 기준(scoring rubric)'을 작성하고 평가를 실시해야 한다.

- 교사와 학생들이 함께 평가 기준을 결정하고 결정된 평가 기준에 따라 학생들이 스스로 또는 급우를 평가하는 기회를 제공할 필요가 있다(NRC, 1996). 이를 통해 학생들은 평가 기준을 자신과 다른 사람들의 과학 활동에 적용해 볼 수 있을 뿐 아니라 자신들의 학습 활동에 대한 목표를 이해할 수 있으며, 이러한 평가 기준의 내면화는 학생들의 과학 학습 성취에 결정적인 역할을 한다.
- 교사는 보다 효율적이고 정확하게 학생들을 평가하고 결과를 기록하기 위해 노력해야 한다(이화진 등, 2007). 이를 위해 수행평가 보조부를 만들어 활용하는 것도 좋은 방법이며, 수행평가를 실시할 때나 평소 관찰 내용을 수시로 보조부에 기록하도록 한다.
- 교사는 채점 과정에서 객관성을 갖춘 평가자가 되려고 노력해야 한다(이화진 등, 2007). 수행평가시 교사에게 많은 자율성이 부여되므로 교사의 전문적인 판단이 중요한 역할을 한다(교육부, 2014). 수행평가의 결과는 모두 교사의 관찰에 따른 의견을 바탕으로 이루어지기 때문에 평소 대상 학생에 대한 이미지로 인한 '후광효과'(어떤 대상이나 사람에 대한 일반적인 견해가 그 대상이나 사람의 구체적인 특성을 평가하는 데 영향을 미치는 현상), 교사 자신과 비슷한 유형의 학생을 더 높게 평가하는 심리적 기제, 평가 결과 산출시 '보통'에 집중되는 중간 지향성 등의 영향을 최대한 배제하려 노력해야 한다.

(2) 관찰평가

초등교사들이 과학 수업 시간에 가장 많이 활용하는 수행평가 방법은 '수업 중의 관찰평가'이다(윤현덕, 2007). '관찰평가'는 과학 수업이 이루어지는 동안 학생들이 눈치 채지 않도록 교사가 학생들의 관찰이나 실험, 토론 등의 활동 과정에서 행동을 주기적으로 관찰하여 평가하는 방법이다. 이와 같이 관찰평가는 학생들의 일상적인 학습 활동 상황에서 교사의 자연스러운 관찰을 통해 이루어지므로 평가를 위하여 시간을 별도로 배정할 필요가 없다.

과학 교과에서의 관찰평가는 과학 탐구 능력과 과학 관련 태도에 대한 평가 모두에 적용될 수 있다. 탐구 능력은 학생들의 실제 탐구 과정을 관찰하면서 평가하는 것이 바람직하다. 또한 관찰평가는 학생들의 발표나 토론, 역할놀이, 야외활동 등 다양한 활동에서 학생들의 수행 정도와 참여 태도 등을 평가하기에 적합하다. 특히 초등학교에서는 한 교사가 일 년 동안 학생들을 가르치므로, 관찰평가는 과학 관련 태도를 측정하는 데 가장 효과적인 평가 방법이 될 수 있다(권재술 등, 2012).

모든 수행평가가 그렇듯이 관찰평가는 평가자인 교사의 주관에 의존할 수밖에 없기 때문에 평가의 객관성이 결여되기 쉽다는 단점이 있다. 즉 관찰평가는 학생의 겉으로 드러나는 행동을 관찰하고, 이를 통해 내적 과정을 판단하는 것이므로 평가자가 관찰된 행동을 잘못 해석할 가능성이 있다. 이러한 한계를 극복하고 보다 객관적이고 정확한 관찰을 하기 위해서는 일회성으로 그치기보다는 비교적 장시간에 걸쳐 다양한 상황에서 여러 번의 관찰평가를 실시할 필요가 있다. 또한 무엇보다도 교사는 사전에 평가하려고 하는 구체적인 목표와 관련된 행동에 대하여 미리 평가 관점을 상세하게 설정하고, 이 평가 관점에 입각하여 평가하고 의미 있게 해석할 수 있어야 한다(이양락 등, 1998; 이선경, 1999에서 재인용). 사전에 구체적이고 명확한 평가 관점을 가지고 관찰평가를 실시하면 그렇지 않은 경우보다 더 많은 것을 더 상세히 관찰할 수 있다. 특히 많은 학생들을 관찰해야만 하는 상황에서도 도움이 된다.

초등학교 과학 수업에서 흔히 관찰평가 방법으로는 '점검표법(체크리스트법)', '평정척도법(리커트척도법)', '일화기록법' 등이 있다. 또한 직접 관찰이 아닌 간접 관찰(예:비디오 녹화 분석 기법)을 통해서도 평가를 할 수 있으며, 개별 학생 단위 또는 집단 단위로도 이루어질 수 있다.

가. 점검표법

점검표법(또는 체크리스트법)은 평가하려는 학생의 행동 단위를 미리 예측하여 자세히 분류하고 이것을 기초로 그런 행동이 나타났을 때 체크하거나 빈도로 표시하는 방법으로, 이때 사용되는 평가 관점을 '점검표(checklist)'라 부른다. **표 9-7**과 **표 9-8**은 각각 '실험 기구 조작 능력'과 '과학 관련 태도'에 대한 관찰평가를 위한 점검표의 예이다. **표 9-7**의 '알코올램프 다루기'와 같이 과제 수행에서 순서가 중요한 경우에는 점검표에 수행한 순서를 적어 놓는다. 〈**부록 9-1**〉에는 여러 가지 실

표 9-7 점검표의 예: 실험 기구 조작 능력(알코올램프 다루기)

평가 관점(항목)	예	아니오
1. 알코올램프를 삼발이 중앙에 안전하게 위치시켜 불을 붙이는가?	( )	( )
2. 알코올램프의 심지에 스치듯이 하여 불을 붙이는가?	( )	( )
3. 알코올램프 겉불꽃의 중심 부분에 물체가 닿도록 삼발이의 높이를 조절하는가?	( )	( )
4. 알코올램프를 끌 때 뚜껑을 이용하는가?	( )	( )
5. 불을 끈 후, 뚜껑을 벗겨 다시 씌우는 과정을 수행하는가?	( )	( )
합 계		

험 기구 조작 능력에 대한 점검표가 제시되어 있다.

일반적으로 점검표법은 관찰자가 특정 행동이나 특성의 유무만을 점검하고 표시하지만, 경우에 따라서는 점검표도 어떤 행동이나 특성의 질을 평정(등급화)하는 데 사용되기도 한다(진영은 등, 2002). 예를 들어, 학생의 관찰 행동의 빈도에 따라 미리 등급을 정해놓고 점검표를 작성하여 관찰하면 그 결과를 수량화 또는 등급화할 수 있다.

점검표법은 과정 중심 평가에서 흔히 사용되지만 실험 보고서 평가와 같이 학습 결과를 평가할 때도 활용될 수 있다(제4장의 연습문제 4번 참조). 이 방법을 사용하기 위해 교사는 학생들이 과제 수행을 성공적으로 할 때 나타날 주요 행동 특성을 상세화하고, 상세화된 항목 하나하나를 독립적인 항목으로 구성한 점검표를 만들고, 점검표에 관찰한 행동을 표시하면 된다.

일반적으로 여러 학생에 대하여 하나의 점검표를 사용하는 것보다는 각 학생에 대해 점검표를 달리 사용하는 것이 좋지만, 과학 수업에서 모둠별 실험이나 관찰 활동이 이루어지는 경우가 많으므로 **표 9-8**의 과학 관련 태도 점검표와 같이 모둠별로 구성할 수도 있다. **표 9-8**의 점검표와 같이, 과학 관련 태도는 학생이 매 과학 수업마다 그러한 모든 행동을 나타내리라 기대할 수는 없으나 같은 점검표를 일정 기간에 걸쳐 사용함으로써 교사는 학생의 행동에 대해 공정한 평가를 할 수 있다(김창식 등, 1991). 한편 교사가 관찰 대상 학생의 어떤 특성을 평가할 만한 정보를 충분히 얻지 못하였을 경우에는 점검표에 체크하는 것을 보류하고 관찰 기회가 부족하였다는 것을 명시하도록 한다(진영은 등, 2002).

점검표법의 단점으로는 평가가 장기간에 걸쳐 이루어져야 한다는 점, 교사가 수업 시간을 방해받지 않고 점검표를 사용하는 것이 쉽지 않다는 점 등을 들 수

표 9–8 점검표의 예: 과학 관련 태도(과학적 태도)

항목 및 준거 \ 학생명		김OO	이OO	박OO	장OO	정OO
호기심	사물이나 자연 현상에 대한 문제에 관심을 가지고 탐구하려고 한다.					
개방성	자신의 생각에 대한 다른 학생들의 평가와 비판에 귀 기울인다.					
객관성	자신의 생각에 반대하는 사람의 관찰과 의견도 고려한다.					
판단의 유보	결론을 내리기 전에 더 많은 자료를 수집하려고 한다.					
증거의 존중	주장을 할 때 주장을 뒷받침하는 증거를 제시한다.					
정직성	실험 결과가 예상과 다르더라도 실험이나 관찰 결과를 그대로 적는다.					
비판성	자신이나 다른 학생의 설명이나 주장이 타당한지 따져본다.					
협동성	소집단 활동시 다른 학생들과 협조를 잘한다.					
실패의 긍정적 수용	실험이 실패할 경우 다시 해보거나 대안적 방법을 시도한다.					

있다. 특히 후자의 어려움을 극복하기 위해 교사는 점검표를 이용한 평가 방법에 대한 사전 연습과 이에 대한 많은 경험을 해야 한다.

나. 평정척도법

평정척도법(또는 평정법, 리커트척도법)은 관찰에서 얻은 자료를 수량화하기 위해 고안한 것으로, 평가하고자 하는 어떤 행동 범주에 대하여 학생의 행동을 관찰한 후 수량화된 점수를 부여하는 방법이다. 평정척도법에는 3, 5, 7, 9단계의 척도가 사용되지만, 초등학교 과학 수업에서 사용하기 적합한 것은 3~5단계이다(표 9-9).

과학 탐구 과정 기능, 실험 기구 조작 능력, 과학과 관련된 사회 문제에 대한 토론에 참여하는 능력, 과학 관련 태도는 선택형이나 단답형 검사로 평가하기에는 적절하지 못하므로 점검표법이나 평정척도법을 이용하여 그 과정을 관찰하여 판단하는 것이 바람직하다. 점검표법과 마찬가지로, 평정척도법은 학습의 발달

표 9-9 과학 토의 · 토론 과정에 대한 평정척도표의 예

준거	그렇다	보통	아니다
1. 자신의 주장을 명료하게 제시하는가?			
2. 자신의 주장에 대한 타당한 근거를 제시하는가?			
3. 자신이 수행한 관찰이나 실험을 통해 얻은 자료를 제시하는가?			
4. 자신의 의견과 다른 사람의 의견을 구분하여 제시하는가?			
5. 상대방에 대한 비방이나 억지를 쓰지 않는가?			
6. 다른 사람의 주장과 반박에 귀를 기울이는가?			
7. 다른 사람의 설득력 있는 주장을 기꺼이 수용하는가?			
*그렇다: 3점, 보통: 2점, 아니다: 1점	총점	(	)점

과정이나 학생의 수행 절차에 대한 평가는 물론 학습의 결과로서 만들어낸 각종 결과물에 대해 폭넓게 활용할 수 있다(이인제와 김범기, 2004). 표 9-9는 토의 · 토론 수업에서 활용할 수 있는 평정척도표의 예이다. 초등학교의 경우 이러한 평가 관점을 학생들에게 미리 안내하고 토의 · 토론 과정에서 주의할 수 있도록 하는 것이 교육적으로도 효과적이다(강호감 등, 2007). 한편 학생들의 활동 과정에서 탐구 과정 기능의 모든 요소를 평가하기 어렵다면, 표 9-10과 같이 그 활동에서 사용되는 탐구 과정 기능 중 하나를 중점적으로 평가할 수도 있다.

평정척도법은 관찰과 동시에 행할 수 있는 것이 아니라 관찰을 충분히 한 후 그 결과를 요약하는 수단으로 사용된다(권재술 등, 2012). 따라서 평정척도법의 큰 문제점의 하나는 흔히 실제 행동이 일어날 때의 평정이 아니라 과거에 관찰된 행동의 기억이나 대략적인 인상에 의해 평정해야 하는 경우가 많다는 점이다. 이 때문

표 9-10 '결론 도출'에 대한 평정척도표의 예

관찰 관점	배점
결론 도출에 실패함	0점
자료의 뒷받침이 없는 결론을 도출함	1점
자료의 뒷받침을 받는 결론을 도출하였으나, 결론에 대한 증거를 제시하지 못함	2점
자료의 뒷받침을 받는 결론을 도출하고, 결론을 지지하는 증거를 제시함	3점

에 평정 결과는 학생의 실제 행동을 나타낸다기보다는 그 학생에 대한 일반적인 인상이나 교사의 편견을 나타낼 가능성이 많다(서울대학교 교육연구소, 1995). 어떤 학생의 평소 성실성에 대한 인상이 그 학생의 토론 능력에 대한 평정에 영향을 주는 것이 그 한 예이다. 이러한 것을 '편견의 오차'라 하는데, 평가자가 가지고 있는 정형적인 고정관념이나 실제적으로는 관련이 없는 배경 변인 및 개인적 특성들이 평정에 긍정적 또는 부정적으로 영향을 미치는 것을 의미한다(진영은 등, 2002).

다. 일화기록법

일화기록법은 비교적 장기간에 걸쳐 학생들의 학습 과정을 관찰하여 특정한 행동이 관찰될 때마다 사실적이고 정확하게 기록하는 관찰 기록 방법이다(표 9-11). 이 방법은 학생들의 활동 과정에서 나타난 실제 행동 등에 대해 언어적으로 간략하지만 사실적으로 기술하는 방법이다. 예상하지 않은 행동이 발생할 때 특히 유용하게 활용될 수 있으며, 매우 어린 학생이나 기본적 의사소통 능력이 다소 부족한 어린이들의 학습에 대한 정보 수집에 특히 유용하게 활용될 수 있다.

일화기록법은 간편하고 유용하게 쓰일 수 있지만 과학 교수-학습 과정에서 일어나는 학생들의 모든 행동을 관찰하고 기록할 수 없다는 점, 일화를 요약하고 기록을 축적하는 데 많은 시간과 노력이 들어간다는 점, 한 사건이 일어난 순서대로 기술한 기록에 불과하므로 그 행동의 원인을 체계적으로 찾기 어려운 경우가 많다는 점 등의 한계가 있다(이인제와 김범기, 2004; 진영은 등, 2002).

따라서 이 방법을 효과적으로 사용하기 위해서는 관찰하고자 하는 행동을 사전에 정하는 것이 좋다. 예를 들어, 과학적 태도 영역의 행동만을 관찰하는 것이다.

표 9-11 일화기록표 예시

일시	장소	학생	관찰 사실	교사 의견
2024. ○.○	과학실	김○○	퇴적암의 관찰 활동에서 다양한 관점에서 암석을 관찰하고 그 결과를 자세히 기록함.	관찰 능력이 우수함.
2024. ○.○	교실	한○○	자연보호와 관련된 토의 · 토론 활동에서 자신의 주장에 대한 ○○의 비판에 귀 기울이고 존중하려는 태도가 돋보임.	개방적인 태도를 보임.
2024. ○.○	식물원	최○○		

또한 일화기록법만을 사용하기보다는 점검표법이나 평정척도법을 함께 활용하여 각각의 단점을 보완하여 보다 신뢰로운 관찰평가가 이루어지도록 하는 것이 좋다.

(3) 면담평가

면담평가는 교사와 학생 사이의 대화를 통해 학생들의 학습과 관련된 정보를 얻는 유용한 평가 방법이다.[6] 종종 교사는 40가지 객관적 검사의 답보다는 2분의 대화 속에서 학생에 관해 더 많은 것을 발견하기도 한다(Burke, 2009).

면담평가는 핵심 개념에 대한 학생들의 이해 수준을 심층적으로 평가하거나, '과학 시간이 재미있고 즐겁니?', '왜 과학이 중요하다고 생각하니?'와 같은 질문을 통해 학생들의 과학 관련 태도를 평가할 수 있다. 많은 초등학생이 자신의 생각을 글로 표현하는 데 있어 많은 어려움을 가지고 있다. 따라서 특히 초등교사는 중등교사와는 달리 학생들과 직접 이야기하는 것이 학생들이 알고 느끼는 것을 가장 효과적으로 평가하는 방법이 될 때가 많다(Burke, 2009). 한편 면담평가 과정에서 그리기 방법을 이용할 수도 있다. 예를 들어 '계절의 변화 원인'에 대한 면담평가의 경우, 학생들이 언어적으로 '지구가 태양 주위를 돈다'는 표현을 그림으로 그려 보게 하면 **그림 9-14**와 같이 종종 오개념을 드러내기도 한다.

면담평가는 학생이 학습한 것에 대해 직접적이고 분명한 피드백이 가능할 뿐 아니라 교사-학생 사이의 친밀한 관계 형성과 학생들의 의사소통 능력을 키울 수 있는 기회를 제공해 준다는 장점이 있다. 면담평가는 개인 면담 또는 집단 면담의 형태로 진행할 수 있으며, 면담평가가 효율적이고 효과적으로 이루어지기 위해서는 무엇보다 사전에 충분한 시간을 가지고 계획을 세우고 필요한 것을 준비한다. 특히 학생들의 응답에 대한 채점 기준을 작성해야 한다(그림 9-15). 많은 교사들이 면담을 통해 수집된 정보를 활용하는 것을 불편하게 느끼는데, 그것은 이들이 점수화된 좀 더 형식적인 객관적 검사의 결과에 비해 '비형식적'이고 주관적이기 때문이다(Burke, 2009). 따라서 이러한 점을 해결하기 위해서는 채점 기준을 작성하

[6] 구술평가와 면담평가는 동일한 방식으로 이루어진다. 학자에 따라서는 인지적 영역에 대한 평가 방법으로 '구술평가'와 정의적 영역이나 신체적 영역에 대한 평가 방법으로 '면담평가'와 같이 구분하여 사용하기도 하고, 이를 혼용하여 사용하기도 한다. 여기에서는 면담평가를 구술평가를 포괄하는 용어로 사용한다.

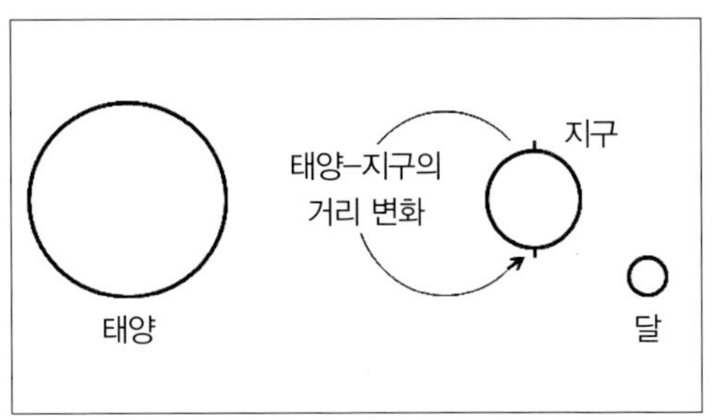

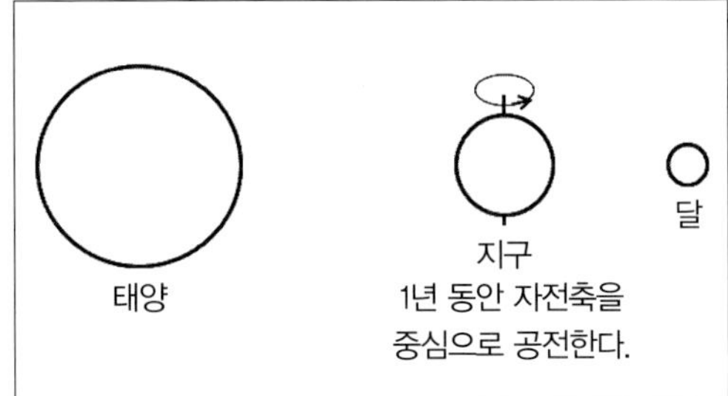

그림 9-14 지구의 공전에 대한 오개념의 예

단원	3~4학년군 과학 ① 2. 자석의 이용				
평가 목표	자석은 양극에서 세기가 가장 세다는 사실을 이용하여 자석과 자석이 아닌 것을 구분할 수 있다.				
평가 영역	지식(이해)	평가 방법	수행평가(면담)	난이도	중

〈문항〉

철 막대와 비슷한 크기의 자석을 모두 종이로 감싼 뒤 학생에게 제시하며 다음과 같이 질문한다.

(1) 두 물체 중에서 하나는 자석이고 하나는 자석이 아닙니다. 어느 것이 자석인지 어떻게 조사할 수 있을까요? 먼저 방법을 말해 보세요.

(2) [학생이 (1)의 방법을 말한 뒤] 그럼 실제로 그 방법을 사용하여 자석과 자석이 아닌 것을 구분해 보세요.

〈모범 답안〉

자석이 철을 끌어당기는 자기력은 자석의 양극에서 가장 세고 자석의 가운데 부분은 매우 약해 철이 잘 붙지 않는다. 두 개의 막대를 수직 방향으로 하여 가까이 하였을 때 막대의 가운데 부분에는 다른 막대가 붙지 않고 양쪽 끝에만 붙는 것이 자석이다.

〈채점 기준〉 4점 만점

- 4점: 자석의 경우 양쪽 끝이 자기력의 세기가 가장 세고 가운데 부분은 약하다는 것을 알고 있으며, 실제 자석을 올바르게 구분한다.
- 2점: 자석의 성질은 알고 있으나 자석과 철을 실제로 구분해내지 못한다.
- 0점: 자석의 성질을 바르게 설명하지 못하고 자석과 철을 구분하지 못한다.

그림 9-15 과학 지식의 이해에 대한 면담평가 문항의 예(교육부, 2014, pp.131~132)

는 것이 효과적이다. 또한 면담평가의 질문은 학생의 입장에서 이해하기 쉽고 분명하게 작성해야 하며, 미리 준비된 질문지에 따라 질문의 내용과 순서를 지키면서 진행하되 실제 면담 상황에서는 면담을 융통성 있게 진행해야 한다. 즉 면담평가는 불명확한 응답을 추가 질문을 통해 확실하게 이해할 수 있는 장점이 있으므로(교육인적자원부, 2001), 상황에 따라 학생들의 응답이 불명확한 경우 추가 질문을 실시한다.

(4) 실험실기 평가

실험실기 평가는 학생들의 실험 수행 능력이나 실험 기구 조작 능력을 평가하기 위한 것으로, 과학 교과에서 가장 많이 사용하는 대표적인 수행평가 방법이다. 이 평가 방법은 자연스러운 교수-학습 상황이 아니라 평가를 위해 별도로 주어진 평가 과제를 학생이 직접 수행하는 과정이나 결과를 평가한다는 점에서 '관찰평가'와 차이가 있다.

그림 9-16과 그림 9-17은 각각 실험실기 평가를 위한 학생용 평가 과제와 실험실기 평가를 위한 평가 시행 지침의 예(국립교육평가원, 1996, pp.434~435)로, 실험

과학과 실험 평가 (학생용)

(　　　) 초등학교 6학년 (　　)반 (　　)번 (남 · 여) 이름 (　　　　　　)

※ 선생님의 지시에 따라 다음 실험을 하시오.

〈문제 1〉 ① 다음 전기 회로도를 보고 전기 회로를 꾸미시오.

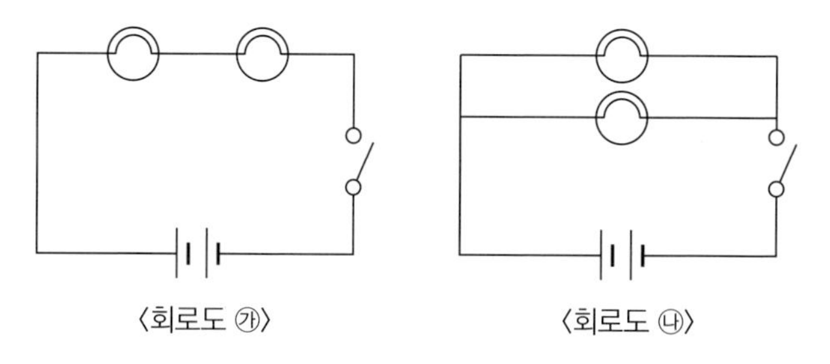

② 전지와 전구의 연결 방법을 알아보고 전구의 밝기를 실험 보고서에 기록하시오.

〈실험 보고서〉

1. 회로 ㉮의 전구 연결 방법은? (　　　) 연결이다.
2. 회로 ㉯의 전구 연결 방법은? (　　　) 연결이다.
3. 전구의 불 밝기가 밝은 것은 어느 것인가? 회로 (　　　)이다.
4. 전구의 불을 밝게 하려면 전구 두 개를 (　　　) 연결해야 한다.

그림 9-16　실험실기 평가를 위한 평가 과제의 예

6학년 실험 평가 시행 지침

실험 주제 : 전기 회로 꾸미기 [10점]

1. **평가 목표**

   전기 회로도를 보고 전기 회로를 꾸밀 수 있으며, 전구의 연결 방법과 전구의 밝기를 알아낼 수 있다.

2. **개인별 자료**

   전지(1.5V) 4개, 전지끼우개 4개, 소켓 4개, 전구(3V용) 4개, 스위치 2개, 집게 달린 전선 12개

3. **평가 방법**

   주어진 전기 회로도를 보고 전기 회로를 꾸며, 전지와 전구의 연결 방법과 전구의 밝기를 알아보게 한다.

* 감독 · 평정 교사는 실험이 끝난 후 꾸민 전기 회로를 분리해 놓도록 실험자에게 지시한다.

4. **평가 관점**

   (1) 전기 회로를 바르게 꾸밀 수 있는가?

   (2) 실험 보고서를 바르게 작성하는가?

5. **평가 기준**

〈관점 1〉 전기 회로 꾸미기 [6점]

① 전기 회로도를 먼저 살펴본 다음 전기 회로를 꾸민다.

〈②, ③은 전기 회로도 ㉮에 대한 것임〉

② 전기 회로도 ㉮에 맞게 전기 회로를 꾸민다.

③ 전구의 직렬 연결을 능숙하게 한다.

〈④, ⑤는 전기 회로도 ㉯에 대한 것임〉

④ 전기 회로도 ㉯에 맞게 전기 회로를 꾸민다.

⑤ 전구의 병렬 연결을 능숙하게 한다.

⑥ 두 전기 회로의 전구를 함께 켠 상태로 불의 밝기를 비교한 후 실험 보고서에 기록한다.

* 1개 항목에 1점씩 합산 평정한다.

〈관점 2〉 실험 보고서 [4점]

① 회로 ㉮의 전구 연결 방법은? (직렬) 연결이다.

② 회로 ㉯의 전구 연결 방법은? (병렬) 연결이다.

③ 전구의 불 밝기가 밝은 것은 어느 것인가? 회로 (㉯)이다.

④ 전구의 불을 밝게 하려면 전구 두 개를 (병렬) 연결해야 한다.

* 1개 항목에 1점씩 합산 평정한다.

그림 9-17 실험실기 평가 시행 지침의 예

실기 평가뿐 아니라 다음에 소개할 '보고서 평가'가 혼합되어 있다. 즉 학생들이 건전지와 꼬마전구를 연결하여 회로를 구성하는 능력을 알아보기 위해 학생들이 주어진 과제를 직접 수행하는 과정에 대한 관찰과 학생들이 작성한 실험 보고서

를 통해 결과를 평가할 수 있다. 실험실기 평가에서 학생들이 실험을 수행하거나 실험 기구를 조작하는 과정을 평가하기 위해 교사는 학생들의 활동 모습을 옆에서 관찰해야 한다. 따라서 앞서 설명한 점검표나 평정척도표를 작성해서 관찰하는 것이 효과적이다.

(5) 보고서 평가

보고서 평가는 학생들이 개별 또는 모둠별로 작성한 실험 보고서, 관찰 보고서 또는 조사 보고서를 미리 준비한 채점 기준에 의해 평가하는 방식이다. 학생의 실험이나 관찰 활동을 일일이 관찰하기 위해서는 교사가 1:1로 학생을 관찰해야 하기 때문에 많은 시간이 소요되므로, 많은 학생을 평가하기 위해서는 불가피하게 보고서에 의존하게 된다(김창식 등, 1991).

효과적인 보고서 평가를 하기 위해서는 사전에 학생들에게 잘 고안된 보고서 양식을 미리 만들어 주고 평가 준거를 알리는 것이 필요하다. 실험 보고서의 양식에는 실험 목적, 실험 방법, 실험 결과, 결론 등이 포함되어야 하며, 이러한 항목만 단순히 나열할 것이 아니라 각 항목에 구체적인 질문을 줄 경우 더욱 효과적이다. 예를 들어, 실험 목적의 경우 '이 실험을 통해 알고자 하는 것은 무엇인가?'와 같은 질문을, 실험 방법의 경우 '정확한 실험 결과를 얻기 위해 주의해야 할 점은 무엇인가?'와 같은 질문을, 실험 결과와 관련하여 '실험 결과를 어떤 형태(표나 그래프)로 제시할 것인가?'와 같은 질문을, 그리고 결론과 관련하여 '실험 결과가 의미하는 것은 무엇인가?'와 같은 질문을 주어야 한다. 이러한 구체적인 항목과 질문이 포함되지 않은 실험 보고서는 초등학생들이 작성하기 매우 어렵다. 실험 보고서 양식은 학생들의 학년과 능력이 낮을수록 더 구체적이어야 한다(교육인적자원부, 2001; 이인제와 김범기, 2004). 또한 실험 보고서 평가 도구를 개발할 때는 반드시 객관적 평가가 이루어지도록 점검표 또는 평정척도표와 세부 항목별 채점 기준을 함께 개발해야 한다.

실험 보고서 외에도 관찰 보고서나 조사 보고서를 통한 수행평가도 많이 활용되고 있는데, 관찰 보고서나 조사 보고서 평가는 여러 가지 측면에서 실험 보고서 평가와 유사하다. 한편 **표 9-12**와 같이 '실험 관찰' 책의 내용을 보고서 평가로 활용할 수 있다.

표 9-12 '실험 관찰'을 보고서 대용으로 사용하는 경우

실험 관찰 ○○쪽: 강낭콩씨와 옥수수씨가 싹터서 자라는 과정 관찰하기

평가 관점	척도
1. 두 씨앗이 싹이 트기 전과 후의 크기와 모양에 대한 관찰 결과가 정확한가?	2, 1, 0
2. 두 씨앗의 싹튼 모습에 대한 특징이 잘 드러나게 그렸는가?	2, 1, 0
3. 두 씨앗이 싹터서 자라는 과정을 순서대로 바르게 기술하였는가?	2, 1, 0
합 계	
※ 합계가 5~6점이면 상, 3~4이면 중, 2점 이하이면 하로 나타낼 수 있다.	

(6) 자기평가 또는 동료평가

'자기평가'는 개별 학생이 특정 주제나 교수-학습 영역에 대한 학습 과정이나 결과에 대해 자기평가 보고서를 작성하거나 교사가 만든 점검표나 평정척도표에 응답하는 방식이다(교육인적자원부, 2001). 자기평가는 학습자 자신의 학습 준비나 만족도, 성취 수준 등에 대하여 스스로 반성할 수 있는 기회를 제공하며, 교사에게는 자신의 관찰평가가 타당하였는지를 비교 · 분석할 수 있는 자료와 기회를 제공해 준다(진영은 등, 2002). 한편 '동료평가'는 학생이 다른 급우의 학습 과정이나 태도 등에 대하여 주어진 점검표, 평정척도표 등에 응답하는 방식이다.

대부분의 초등학생은 자신이나 자신의 모둠이 무엇을 성취했는지, 어떤 활동을 수행했는지, 이해하지 못하는 부분은 어느 것인지 등에 대해 자기평가나 동료평가에 대해 솔직하게 답한다는 경향이 있지만 일부 학생은 그렇지 못할 수도 있다. 따라서 교사는 학생들의 자기평가나 동료평가를 점수화하기보다는 학생들에게 그들의 과학 학습을 평가하고 반성적으로 사고하는 능력을 계발할 수 있는 기회를 제공한다는 측면에서 자기평가나 동료평가를 실시할 필요가 있다. 왜냐하면 자신들의 이해를 스스로 평가하는 능력은 자기 주도적 학습을 위해 없어서는 안 될 요소이기 때문이다(NRC, 1996). McDonald와 Boud(2003)는 학생들이 자기평가와 동료평가에 대한 훈련을 받을 때 시험에서 더 나은 성취를 보인다는 연구 결과를 보고하였다. 이러한 결과는 아직 일반화하기는 어렵지만 분명한 점은 이러한 평가 방식이 학생 자신의 과학 지식에 대한 이해, 탐구 과정, 태도 등을 비판적으로 반성할 수 있는 메타인지적 사고 능력을 키워 준다는 점이다.

표 9-13 단원의 내용 이해에 대한 자기평가 문항의 예

( ) 학년 ( ) 반 ( ) 번 이름: ( ) / 평가일시: 20( ) 년 ( ) 월 ( ) 일

항 목	그렇다	보통	아니다
1. 화산의 모양의 다양함을 아는가?			
2. 화산에서 나오는 고체, 액체, 기체 물질에 대해 설명할 수 있는가?			
3. 화성암의 대표적 암석인 현무암과 화강암의 특징을 설명할 수 있는가?			
4. 화성암의 생성 과정을 설명할 수 있는가?			
5. 화산활동이 우리 생활에 미치는 영향을 3가지 이상 제시할 수 있는가?			
6. 지진의 발생 원인을 설명할 수 있는가?			
7. 지진이 발생하였을 때 대처 방법을 설명할 수 있는가?			
* 위 결과를 통해 볼 때 '땅의 변화' 단원 학습에서 부족한 점은 무엇입니까? * '땅의 변화' 단원을 공부하면서 궁금한 점은 무엇이었습니까?			

표 9-13은 '화산과 지진' 단원을 학습한 후에 과학 지식에 대한 이해를 자기 스스로 평가할 수 있도록 구성한 문항의 예이고, **표 9-14**는 단위 차시 실험 활동 후의 자기평가 및 동료평가를 위한 평가 문항의 예이다. 한편 〈**부록 9-2**〉에는 과학 및 과학학습에 대한 자기평가 문항이 제시되어 있다. 각 표의 설문지 끝에는 학생 스스로 자신의 학습이나 활동에 대해 반성해 보는 개방적 질문이 제시되어 있다.

(7) 포트폴리오 평가

'포트폴리오(portfolio)'는 학생 스스로 자신의 학습이나 발달 등을 증명할 수 있는 각종 자료를 모아놓은 것을 말하며, '포트폴리오 평가'는 이러한 장기간에 걸쳐 누적된 자료에 근거하여 학생의 학습 등을 평가하는 방식을 말한다.

포트폴리오에 포함되는 자료에는 보고서, 그림, 다른 사람의 증언, 사진, 녹화 또는 녹음테이프, 신문 기사 스크랩 등이 있다(교육인적자원부, 2001). 이와 같이 포트폴리오에 포함되는 자료는 다양하며, 크게 '인공물', '증명서', '산물' 등으로 구분할 수 있다(조희형과 최경희, 2001). '인공물'은 과학 수업이나 창의적 체험 활동 과정에서 작성한 활동지, 보고서와 같은 각종 산물을 말하며, '증명서'는 시험지나

표 9-14 자기평가 및 동료평가 보고서 예시

이름			평가일자	
학습 주제				
1. 다음 표에 자신과 친구들의 실험 활동에 대한 평가를 해 볼까요?				
평가 관점	나	김OO	이OO	박OO
• 실험 준비에 적극적으로 참여했나요?				
• 실험 활동에 열심히 참여했나요?				
• 실험 결과가 예상과 다르더라도 그대로 적었나요?				
• 실험에서 얻은 자료를 근거로 결론을 내렸나요?				
• 친구들의 의견을 귀담아 들었나요?				
• 자신의 의견을 분명히 말했나요?				
• 실험 정리 활동에 참여했나요?				
★: 매우 잘함, ◎: 잘함, ○: 보통, △: 노력 요함				

2. 이번 실험을 하고 나서 느낀 점이나 고쳐야겠다고 생각한 점은 무엇인가요?

3. 실험 활동에 대한 태도에는 어떤 변화가 있었나요?

4. 실험 활동을 하면서 다른 친구들에게서 배운 점은 무엇인가요?

5. 오늘 여러분의 모둠 활동에 대해 종합 판정을 해 볼까요?
• 매우 잘함 (　　) / 잘함 (　　) / 보통 (　　) / 노력 요함 (　　)
• 위와 같이 평가한 이유:

6. 기타 의견을 써 봅시다.

성적표 등을 말하며,[7] '산물'은 학생들이 포트폴리오의 자료를 검토하면서 쓴 서술, 각 자료에 붙인 표제 등 학생들이 단지 포트폴리오만을 위해 만든 것을 말한다. 한편 포트폴리오 평가의 장점은 다음과 같다.

- 학생들 자신이 학습의 주인공이 될 수 있도록 권한을 부여하는 데 도움이 된다(Burke, 2009). 즉 학생 자신이 그들의 장기간에 걸친 발달 과정을 파악할 수 있으며, 학생 자신이 학습의 주체임을 인식시켜 준다.
- 학생의 능력과 태도에 대한 입증 자료나 학생들의 장기간에 걸친 발달 과정에 대한 증빙 자료로 이용될 수 있을 뿐 아니라, 각 증거에 대한 근거를 제시하게 함으로써 학생들에게 반성적 사고를 유도하고 학생들의 학습을 보다 심도 있게 이해할 수 있다(교육인적자원부, 2001; Burke, 2009). 예를 들어, 포트폴리오는 학생 자신이 선택한 내용에 대해 왜 선택하게 되었는지를 기록하여 자기반성의 과정을 갖게 한다.
- 교사와 학생, 학생과 학생, 학생과 학부모가 포트폴리오를 매개로 서로 상호작용하고 피드백을 주고받으며, 피드백을 바탕으로 학생들이 자기 발전을 도모할 수 있으며, 교사와 학부모 간 대화의 통로를 마련해 줄 수 있다(교육인적자원부, 2001; Burke, 2009).
- 포트폴리오 평가 방법은 교수-학습-평가를 더욱 가깝게 묶는 한 가지 유형이며, 구성주의 관점에서 볼 때 이러한 상호작용 과정을 통해 학습 과정과 평가 방법까지 더욱 개선될 수 있다(박수경, 1998).

효과적인 포트폴리오 평가를 위해 고려해야 할 사항은 다음과 같다.

- 포트폴리오 제작은 장기간 지속적으로 이루어지므로, 포트폴리오 평가는 한 단원이나 한 학기 과학 학습 목표나 내용에 대한 전체적인 계획과 수행을 전제로 해야 한다(교육인적자원부, 2001).
- 포트폴리오 평가의 목표, 포함할 자료, 채점 기준을 고려해야 한다. 이때 포

[7] 포트폴리오는 학생들이 목표 혹은 성취 기준을 충족했는지의 여부 혹은 얼마나 충족했는지를 보여주기 위한 증거의 수집이기 때문에 형성평가와 총괄평가를 모두 포함한다(Burke, 2009, p.12).

트폴리오에 포함할 자료, 채점 기준 등을 교사가 결정하고 제시할 수도 있지만 학생들과 토의와 합의 과정을 거쳐 결정할 수도 있다. 이때 교사는 신뢰롭고 타당한 채점 기준을 마련하고 그것을 토대로 학생들과 논의하는 것이 효과적이다.

- 포트폴리오에 들어가는 증거 자료는 수업 시간이나 방과 후에 학생이 직접 작성하거나 수집한 것으로, 학생들은 자신의 포트폴리오에 포함된 것이 정말 무엇인지 깊이 있게 이야기할 수 있어야 한다. 또한 각 항목에 있어 이 항목이 무엇인지, 왜 포함되었는지, 그것의 증거가 무엇인지를 설명하는 표제를 부착해야 한다.
- 포트폴리오 평가는 산출물뿐 아니라 그 과정에 대한 평가도 고려하는 것이 바람직하다. 포트폴리오 평가에서 최종 산출물이 중요하지만 그 과정도 똑같이 중요하며, 아마도 학생이 학습한 방법에 관하여 좀 더 많은 것을 알려줄 것이다. 이러한 이유로 어떤 학자는 학생들이 무엇을 학습하는지뿐 아니라 학습한 방법에 초점을 두기 위해 '과정-폴리오(process-folio)'라는 용어를 사용하기도 한다(Burke, 2009).
- 교사는 미리 준비한 채점 기준에 의하여 학생들의 포트폴리오를 주기적으로 평가한다(교육인적자원부, 2001).
- 여러 교과를 지도해야 하는 초등교사의 경우 모든 교과에 대해 포트폴리오 평가를 하기란 쉬운 일이 아니다. 따라서 보조 교과서 '실험 관찰'을 포트폴리오의 일부로, 나아가서는 그 자체를 포트폴리오화하는 방안을 고려할 수 있다.

9.6 평가의 절차

과학 학습 평가는 일련의 절차, 즉 '평가 계획 수립' → '평가 문항 및 도구 개발' → '평가의 시행' → '평가 결과의 처리' → '평가 결과의 활용'의 과정을 거쳐 실시된다(교육부, 2015e).

1. 평가 계획 수립

효과적이고 효율적인 과학 학습 평가가 이루어지기 위해서는 무엇보다 먼저 평가 계획을 세워야 한다. 평가 계획은 크게 두 수준으로 세울 수 있는데, 하나는 장기적인 평가 계획(예:학기 평가 계획)과 단기적인 평가 계획(예:단원 평가 계획)이다. 평가 계획은 대개 학기 초에 세우게 된다. 이때 이후 단계에 대한 구체적인 계획을 수립하는 것이 바람직하며, 평가에 관한 내용은 가능한 한 동학년 교사들과 공유하는 것이 필요하다.

또한 앞서 살펴본 바와 같이, 새로운 평가 패러다임에서는 교수-학습 활동과 평가가 서로 별개의 활동으로 구분되지 않으며, 평가는 교수-학습 활동의 일부로 간주된다. 따라서 평가의 수립은 제11장의 과학 수업 계획 수립 과정과 연계하여 이루어져야 한다. 평가 계획 수립 단계에서의 핵심적인 작업은 다음의 '필수 교육 목표와 학습 내용 확인' 그리고 '평가 방법의 결정'이라 할 수 있다.

(1) 필수 교육 목표와 학습 내용 확인

과학 학습 평가는 교육과정에 명시된 교육 '목표'와 학습 '내용'을 학교교육을 통해 어느 정도 실현했는지를 알아보기 위한 것이기 때문에 그 평가의 기준은 곧 과학 교과서를 포함한 과학과 교육과정이 되어야 한다(권치순 등, 1993).

먼저, 교육 목표는 포괄적인 일반 목표에서부터 구체적인 수업 목표에 이르기까지 여러 수준을 가진다(김찬종 등, 1999). 즉 과학과 교육과정에 명시된 과학 교과의 '교과 목표', '성취기준' 그리고 교사용 지도서에 제시된 '단원 학습 목표'와 '차시 학습 목표' 등이 있으며, 과학 학습 평가를 위해서는 이러한 교육 목표들을 종합적으로 검토해야 한다. 그런데 평가에 모든 교육 목표를 다 포함시킬 수 없기 때문에 교사는 우선 중요한 평가 목표를 결정해야 한다. 이와 같이 평가에 반드시 포함시킬 중요한 목표를 흔히 '필수 교육 목표'라 부른다. 과학과 교육과정 및 교사용 지도서의 목표 검토 작업을 통해 '필수 교육 목표'들이 추출되면 다음과 같은 관점에서 이들 목표를 검토한 다음 최종적으로 필요한 수의 교육 목표를 선정해야 한다(권치순 등, 1993, p.665).

각 목표는 평가가 가능한 형태로 서술되었는가? 만약 그렇지 않다면 이를 평가가 가능하도록 구체적인 행동 목표로 서술하는 것이 바람직하다.

- 각 목표는 학년 목표, 단원 학습 목표, 차시 학습 목표 사이에 개념의 위계와 논리적 일관성을 유지하고 있는가?
- 차시 학습 목표는 교과, 학년 및 단원 학습 목표를 충분히 구현할 수 있도록 적절하게 제시되었는가?
- 각 목표는 과학의 본성과 과학 교과의 성격에 비추어 볼 때 타당성이 있으며 꼭 필요한 학습 요소를 포함하고 있는가?

다음으로 과학 교과서의 '내용'에 대한 분석 작업이 이루어져야 한다. 학습 내용을 분석할 때는 학습 내용(개념)의 위계와 수준을 분명하게 하기 위해 내용의 구조도를 작성하는 것이 보통이다(권치순 등, 1993). 제6장의 그림 6-1은 단원의 과제 분석을 통한 내용 구조도의 예이다. 이를 통해 학습 내용과 학습 활동 요소들을 추출하고, 관련 요소들을 종합적으로 분석한 다음 내용의 위계를 정하게 된다.

이러한 교육 목표의 검토와 교육 내용의 분석 과정을 통하여 필수 교육 목표와 기초 학습 활동 요소를 확인하고 이들의 관계를 보다 의미 있게 정하면 평가 내용의 범위와 수준을 분명히 할 수 있다. 과학과 교육과정에는 과학 지식뿐 아니라 탐구 능력, 태도 등도 평가하도록 명시되어 있다. 따라서 교육과정에 충실한 바람직한 과학 학습 평가가 실시되기 위해서는 필수 교육 목표 추출 과정과 교육 내용의 분석 결과를 토대로 어느 특정 영역에 치우치지 않고 전 영역에 걸쳐 골고루 이루어지도록 평가틀(예:이원 분류표)을 만들어야 한다(권치순 등, 1993).

(2) 평가 방법의 결정

다음으로 필수 교육 목표와 학습 내용을 고려하여 가장 적절하다고 판단되는 평가 방식을 결정해야 한다. 앞 절에서 살펴본 바와 같이, 과학 학습 평가 방법은 크게 지필평가와 수행평가로 구분할 수 있으며 각각의 세부 유형은 매우 다양하다. 일반적으로 과학 지식의 평가에는 지필평가, 탐구 능력의 평가에는 지필평가와 관찰평가, 태도의 평가에는 관찰이나 면담평가, 실험 수행 능력의 평가에는 관찰평가와 실험실기 평가를 많이 활용하고 있다. 이러한 평가 방법을 적용하기 위해서 필요한 것이 '평가 도구'이다. 예를 들어, 표 9-7의 '알코올램프 다루기'에 대한 점검표는 수행평가 방법 중 관찰평가를 통해 학생들의 실험 기구 조작 능력을 평가하기 위한 평가 도구이다. 학기말 지필평가 문항은 학생들의 과학 지식이나 탐구 능력을 평가하기 위해 선택형, 단답형 또는 간단한 서술형 문항을 편집하여 만든 평가 도구이다. 이와 같이 과학 학습 평가 도구는 평가하고자 하는 과학 학습과 관련된 학생의 인지적, 정의적, 심체적 측면의 성취 수준 등을 측정할 경우에 사용되는 것이다.

평가 방식을 결정할 때는 현장의 교육 여건 등도 고려해야 한다. 특히 수행평가를 실시하고자 할 때는 학생들이 수행에 필요한 여러 가지 환경을 갖추는 것이 중요하다.

2. 평가 도구 및 문항 개발

과학 학습 평가 도구를 개발하는 일은 많은 시간과 노력을 요하는 매우 어려운 작업이다. 예컨대 좋은 평가 도구를 개발하기 위해 교사는 앞서 설명한 각 평가 방법의 특징, 평가 도구 개발 기법, 과학 교육과정에 대한 이해는 물론 문장력 등도 갖추어야 한다. 유능한 문항 제작자도 하루에 좋은 문항을 5~15개밖에 만들지 못한다는 조사 결과는 평가 문항을 제작하는 일이 얼마나 어려운지를 시사하는 좋은 예이다(국립교육평가원, 1996). 그럼에도 교사가 평가 도구를 직접 개발하는 것이 바람직한 이유는 학습과 평가의 분리가 아니라 평가가 학습의 일부분이 되도록 하는 것이다(Burke, 2009). 즉 교사는 그 자신이 가르친 것을 평가해야 하고 평가는 그 자체가 학습의 일부가 되어야 하기 때문이다. 교사 제작 검사를 개발하는 데는 많은 시간과 노력이 필요하기 때문에 가능하면 동료 교사들과 공동으로 개발하는 것이 효율적이다. 이러한 공동 작업을 통해 평가 도구를 개발하면 평가 도구의 타당도 등을 높이는 데 도움이 된다.

(1) 평가 문항 제작의 기본 방향

교육과정의 분석을 통하여 필수 교육 목표가 확인되고, 교과서의 관련 단원 분석을 통해 학습 활동의 요소가 추출되고, 구체적인 평가 방법까지 결정되면 이제 평가 문항을 만들기 위한 전략을 수립해야 한다. 이를 위해 먼저 좋은 평가 문항을 개발하기 위한 몇 가지 기준을 제시하면 다음과 같다(국립교육평가원, 1996; 권치순 등, 1993; 이화진 등, 2007).

- 문항의 내용은 필수 교육 목표에 근거해서 적절해야 한다. 이를 위해서는 문항이 목표에서 의도한 행동을 내보일 수 있도록 문항 장면이 옳게 선택되어야 한다. 즉 그 문항 장면에서의 성공과 실패가 곧 그 학생의 필수 교육 목표 달성 여부를 직접적으로 말해 줄 수 있도록 해야 한다는 것이다.
- 평가하려는 능력이나 특성 그 자체를 충실히 평가해야 한다. 예컨대 문제 해결 능력을 평가하고자 할 때, 평가는 학생이 고안해낸 해결책 그 자체의 질에 따라 이루어져야 할 뿐, 학생이 제출한 '문제 해결에 관한' 보고서의 양식이나 질에 영향을 받아서는 안 된다.
- 서술형과 논술형 그리고 수행평가의 경우 '평가의 객관성', 즉 평가자에 기인하는 오차를 줄이고 평가의 일관성을 확보하기 위해서는 해당 문항 혹은 과제에 대한 채점 기준을 명료히 해야 한다.
- 평가의 효율성과 실행 가능성을 고려해야 한다. 즉 평가를 위해 부과되는 부담이 교사나 학생 모두에게 너무 과중되지 않아야 한다.
- 문항은 내용과 형식에서 지나치게 진부하지 않은 참신성을 가져야 한다. 평가도 교육 활동의 일환이므로 참신한 형태의 평가 과제를 통해 학습자들의 흥미를 북돋우고 학습을 촉진할 수 있어야 한다. 또한 교과서 내용을 그대로 인용하면 '기계적 암기'를 목적으로 하는 검사가 될 가능성이 크다. 기본적 지식이나 기능의 평가에는 교과서의 내용이 그대로 이용될 수도 있으나, 고등 정신 능력의 측정을 위해서는 문제 장면을 새롭게 만들 필요가 있다.
- 검사 문항 자체가 교육적 효과가 있을 수 있도록 고려되어야 한다. 평가를 단지 지나간 학습의 결과를 측정하고 판단하는 일이라고 보는 것은 잘못이다. 학생들은 평가 문항을 통해 많은 내용을 배우게 될 뿐 아니라 평가 문항 자체가 앞으로의 학습 방향을 제시해 주는 역할을 하게 된다. 따라서 평가 문항에 비교육적 내용이나 부정적 시각을 제시하는 것은 피해야 하며, 문항 자체가 교육의 바람직한 방향을 제시해 줄 수 있도록 배려해야 한다.
- 문항의 형식은 평가 목표와 내용에 따라 달라져야 한다. 전체적으로 지필평가와 수행평가의 비율 또는 지필평가의 경우 선택형과 서답형의 비율은 균형을 고려하여 결정하되, 각각의 문항을 어떤 형식으로 할 것인가의 결정은 교육 목표와 관련된 기초 위에서 판단해야 한다.
- 문항 수는 교과별 평가 목적 특성에 따라 달라져야 한다. 예컨대, 지필평가

문항의 경우, 초등학교 학생의 수준은 20~25문항이 적당할 것이나 문항 수에 구애됨이 없이 점수의 배점을 달리할 수도 있다. 또한 문항 응답에 소요되는 시간은 충분히 주어야 한다.

(2) 평가 문항의 개발

이제 본격적으로 창의적 아이디어를 발휘하여 평가 목표에 따라 문항을 만드는 과정이다. 평가 문항의 초안은 개발하고자 하는 문항 수의 2~3배는 되어야 한다(한국교육평가학회, 2004). 평가 문항을 효과적이고 능률적으로 제작하기 위해서는 처음부터 평가 문항을 만들기보다는 기존의 다양한 평가 문항들을 수집하는 것이 좋다. 즉 평가하고자 하는 해당 단원과 관련된 기존의 평가 문항을 최대한 수집하고 이를 검토하는 과정을 거치는 것이 효율적이다. 이 과정에서 문제의 상황 등을 달리하는 방법을 통해 기존 문항을 재구성하여 사용할 수도 있다.

서술형과 논술형 그리고 수행평가의 경우에는 학생과 학부모가 이해할 수 있는 분명한 평가 기준을 제시하는 것이 중요하다(NRC, 1996). 이들 평가 방법은 채점이 교사의 주관에 영향을 받기 쉬우며, 기준 없는 채점은 막연한 주관에 휘말려 들기 마련이기 때문이다. 따라서 평가 문항을 작성한 후에는 수험자의 입장이 되어 문항을 해결해 보고 모범 답안이나 채점 기준을 미리 작성해야 한다. 채점 기준을 작성하는 과정을 통해 문항이 가지고 있는 문제점을 발견할 수도 있고 문항의 개선해야 할 점을 찾아낼 수도 있다(김찬종 등, 1999).

한편 문항 제작시 '문항 카드'를 만들면 편리하다(표 9-15). 문항 카드는 개발한 문항의 내용 및 특성을 기록한 용지로서, 일정한 양식이 있는 것은 아니다. 문항 카드를 작성하는 과정에서 문항의 오류를 발견할 수도 있고 개선해야 할 점을 찾아낼 수도 있다. 문항 카드에서 예상 난이도는 문항을 개발한 교사의 경험에 따른 주관적 판단으로 문항의 쉽고 어려움을 표시하는데, 일선 교육 현장에서는 일반적으로 상, 중, 하로 구분한다. 장기적으로 과학 평가 문항의 작성 기법을 향상시키고, 보다 타당한 검사지를 구성하기 위해서는 문항 카드를 작성하고 유지하는 것이 중요하다(김찬종 등, 1999).

표 9-15 평가 문항 카드 예시

<table>
<tr><td>학년-단원</td><td colspan="3"></td></tr>
<tr><td>출제 근거</td><td colspan="3"></td></tr>
<tr><td>평가 목표</td><td colspan="3"></td></tr>
<tr><td rowspan="2">평가 영역</td><td>지식</td><td>탐구</td><td>태도</td></tr>
<tr><td></td><td></td><td></td></tr>
<tr><td>평가 방법</td><td></td><td>예상 난이도</td><td></td></tr>
<tr><td>제작자</td><td></td><td>제작 일시</td><td></td></tr>
<tr><td colspan="4">〈문항〉</td></tr>
<tr><td>모범 답안</td><td colspan="3"></td></tr>
<tr><td>채점 기준</td><td colspan="3"></td></tr>
<tr><td>평가상의
유의점</td><td colspan="3"></td></tr>
<tr><td>실제
정답률</td><td colspan="3"></td></tr>
<tr><td>특이사항</td><td colspan="3"></td></tr>
</table>

(3) 평가 문항의 검토

일단 문항의 개발이 일차적으로 이루어지면, 그 문항에 대해 자신과 동료 교사 등에 의한 검토, 수정, 보완 작업이 이루어져야 한다. 이러한 과정에서 자신이 미처 보지 못했던 문제점을 발견하게 되는 경우가 많다. 문항 검토시 취해야 할 기본적 마음가짐은 반드시 수험자의 입장에서 문제를 보도록 노력하는 것 그리고 동료 교사가 자신이 출제한 문항에 대해 문제점을 제기할 때 방어적 태도를 취하기보다는 긍정적으로 수용하려는 열린 자세를 취하는 것이다. 문항 개발에서 중요한 것은 자신의 생각을 관철시키는 것이 아니라 좋은 문항을 개발하는 것이기 때문이다(권치순 등, 1993). 문항을 검토할 때는 그림 9-18과 같은 사항에 대해 유의하여 살펴볼 필요가 있다(국립교육평가원, 1996; 권치순 등, 1993).

출제 전반에 대한 검토
- 교육과정 목표에 부합되게 출제되었는가?
- 출제 계획표에 맞게 출제되었는가?
- 시중 문제지와 똑같은 문항은 없는가?
- 지나치게 세부적이고 특수한 지식을 묻는 문항은 없는가?
- 지나치게 쉽거나 어렵지 않은가?

문두나 지시문의 검토
- 정답 시비가 없도록 필요한 조건이 모두 포함되어 있는가?
- 문두에 정답에 대한 단서가 있지 않은가?
- 문두에 문항과 관계없는 군더더기 말은 없는가?
- 주관식 문항의 경우 지나치게 광범위한 내용을 묻고 있는 것은 아닌가?
- 부정문으로 표현된 경우, 긍정문으로 바꾸는 것이 좋은 경우는 아닌가?

답지의 검토
- 교과서 내에 정답의 근거가 분명하게 제시되어 있는가?
- 답이 없거나 두 개 이상이거나 정답의 시비 소지는 없는가?
- 답지가 질문의 내용과 모두 직접적인 관련이 있는 것인가?
- 답지의 구성이 잘못되어, 내용을 모르는 학생도 금방 정답을 알 수 있도록 되어 있지는 않은가?
- 답지의 길이는 서로 비슷한가?
- 답지의 배열이 논리적인가?
- 정답의 위치가 특정 답지에 편중되어 있지 않은가?

그림 9-18 **문항 검토의 관점**

(4) 평가 문항의 편집

평가 문항이 최종적으로 확정되면 편집 단계에 들어간다. 편집 단계에서 각 문항의 배열은 논리적 순서가 있으면 그 순서대로, 난이도가 낮은 문항에서 높은 문항 순으로, 선택형과 서답형이 혼합되어 있으나 서로 논리적 순서가 없을 때는 선택형부터, 그리고 시각적 사고의 단절 방지를 위해 하나의 문항은 같은 쪽에 위치하도록 한다.

3. 평가 결과의 처리

교사는 학생과 학부모, 동료, 정책 결정자에게 학생의 발달과 성취에 대해 알릴 책임이 있다(NRC, 1996). 따라서 어떠한 평가 방법을 사용하든 평가 결과를 객관적으로 분석하여 학생과 학부모에게 정확하게 보고할 수 있는 수준으로의 자료 처리가 필수적이다(이인제와 김범기, 2004).

이를 위해 교사는 평가를 실시하고 나면, 평가 결과 처리의 맨 처음 단계인 학생들의 수행 결과에 대한 채점을 하게 된다. 선택형이나 단답형의 문항은 채점 과정에서 주관성이 큰 문제가 되지 않지만 서술형과 논술형 그리고 수행평가는 채점 과정에서의 주관성 여부가 문제로 제기될 수 있다. 따라서 이러한 문항의 경우에는 채점의 공정성과 객관성을 확보하는 것이 평가 결과의 적절한 자료 처리를 위한 핵심적 관건이다(이인제와 김범기, 2004). 이를 위해서는 미리 작성한 채점 기준에 따라 채점하는 것은 물론 학생 개인별로 채점하지 말고 문항 단위별로 채점하는 등의 주의를 기울여야 한다.

위와 같은 채점 과정을 거치면 학생별 평가의 원점수 등의 결과를 얻게 된다. 학생들의 채점 결과 그 자체는 평가가 아니다. 예를 들어, 채점 결과 '100점 만점에 88점'이 측정이라면, 이러한 측정 자료에 근거하여 '평균 이상의 수행'으로 판정하는 것은 평가로, 측정과 평가는 서로 다르다.[8] 따라서 채점의 결과는 평가의 목적에 따라 적절히 해석되어야 한다. 학생들의 성적을 처리하는 방식에는 절대평가와 상대평가 방법이 있다. 평가의 목적에 따라 적절한 방법을 활용하도록 하

[8] '측정'은 평가를 위한 증거 수집 활동으로 수집된 증거의 수량화에 초점을 두는 반면 '평가'는 측정한 결과를 교육목표에 비추어 '달성되었다', '우수하다' 등의 가치 판단하는 행위이다.

A : 과학 학업 성적이 양호한 편임.
B : 혼합물의 예와 그것이 혼합물인 이유를 잘 설명하는 등 혼합물의 뜻을 잘 이해하고 있으나 전자석 실험에서 같게 해야 할 조건(통제 변인)을 잘 찾지 못함.
C : 여러 가지 물체를 다양한 분류 기준에 따라 분류할 수 있으며, 식물의 뿌리 관찰시 가능한 오감을 최대한 이용하고 그 특징을 자세히 기록하는 등 관찰과 분류 능력이 우수함.

그림 9-19 서술식 평가의 예

고 가급적이면 저학년의 경우에는 절대평가를 그리고 고학년에서는 절대평가와 상대평가를 함께 활용하도록 한다(권치순 등, 1993).

초등학교의 경우 내신 성적을 산출하지 않으며, 학기말이나 학년말 성적표기는 서술식으로 하고 있다. 즉 평가의 결과를 수량화하지 않고 학생의 행동 변화를 종합적으로 기술하되, 학생의 활동 상황과 진보의 정도, 특징 등을 문장으로 기술하고 있다. 이와 같이 학생의 평가 결과를 양적으로 기술하지 않고 문장으로 기술하는 경우, 학생의 과학 능력 등에 있어서의 강점과 약점을 구체적으로 명기하는 것이 바람직하다. 예컨대, 그림 9-19의 A와 같은 평가는 너무 추상적이고 포괄적이어서 학생들의 학습지도 등에 구체적인 시사점을 제공하는 데 부족한 면이 있다. 따라서 문장으로 기술할 경우 좀 더 구체적이고 현실적 평가를 할 필요가 있는데, B나 C와 같이 구체적으로 서술하는 것이 좋다. 이러한 구체적 정보를 제공하는 평가를 하기 위해 교사는 학생별로 이원 분류표에 정 · 오답의 항목을 체크하고 이를 토대로 해당 학생의 강점과 약점에 대한 진술문을 만들거나 수행평가의 채점 기준을 토대로 진술문을 만들 수도 있다. 한편 제4.1절에는 과학적 태도에 대한 평가 진술문이 제시되어 있다.

4. 평가 결과의 활용

〈부록 1-4〉의 '과학과 수업 전문성 기준' 중 한 영역이 '평가 결과의 활용 및 의사소통'이다. 따라서 전문성을 갖춘 초등교사라면 과학 학습 평가 결과에 대해 학생, 학부모, 교육청 등과 의사소통할 수 있어야 한다. 특히 학생들의 과학 학습 평가 결과는 학생과 학부모에게 큰 도움이 된다. 이와 관련하여 이인제와 김범기(2004)

가 제안한 과학 지식, 탐구 능력, 태도의 평가 결과 통지 및 학습 전략 제공하기에 대한 내용을 간략히 소개하면 다음과 같다(pp.144~145).

❋ 과학 지식

학생과 학부모의 입장에서 과학 지식 평가가 무엇을 위한 것이었고 어떤 결과를 나타냈으며 이후 학습을 위해서는 어떤 노력을 해야 하는지에 대해 교사의 의견을 전달하고 학습자와 함께 공동으로 강점을 조정하고 약점을 보완할 방안을 마련한다.

❋ 과학 탐구 과정 기능

실험, 관찰, 조사, 토의, 견학, 과제 연구 등과 같은 다양한 활동을 통하여 학생들의 과학 탐구 과정 기능에 대한 정보를 얻었을 경우에는 학생과 학부모에게 알리고 과학 학습 능력을 증진하기 위하여 전략을 제공할 수 있어야 한다. 아울러 탐구 능력의 증진을 위하여 필요한 교수 방법에 대한 정보도 가지고 있어야 하며 활용할 수 있는 능력도 갖추어야 한다.

❋ 과학 관련 태도

학교 안과 학교 밖의 과학 학습 모두에서 학생의 과학 학습 태도에 대한 평가가 이루어지게 된다. 교사는 이에 대한 평가 결과를 학생과 학부모가 알게 해야 함은 물론 학생의 과학 학습 태도에서 문제점이 노출되었을 경우에는 이를 개선하고 시정할 수 있는 전략을 안내할 수 있는 능력을 갖추어야 한다.

무엇보다도 과학 학습 평가 결과는 학생 각자의 능력뿐 아니라 가르치는 교사의 교수-학습 효과를 반영하고 있으므로(교육부, 2014), 교사 자신의 과학 수업 전문성 신장을 위한 자료로 활용해야 한다. 또한 과학 학습 평가 결과는 평가 방법이나 도구의 개선에도 활용해야 한다.

연습문제

1. 다음 표현의 의미와 교육적 시사점에 대해 논하시오.

오답은 정답보다 더 많은 정보를 제공한다.

2. 초등학교 3~6학년 과학 교과 단원 중 한 단원을 선택하여 지필평가를 위한 이원 분류표를 작성하시오.

3. 제8장의 연습문제 1번의 수업 상황에서 형성평가에 해당하는 부분을 찾으시오.

4. 다음은 지필평가 문항에 한 학생이 응답한 결과이다. 이 응답에 대한 서술식 평가 진술문을 만드시오.

다음은 철수가 맷돌 사진을 보고 적은 것입니다. 철수가 적은 내용 중에서 철수가 관찰한 것은 '관찰', 생각한 것은 '생각'이라고 써 봅시다.

- 대체로 검은색이다. (관찰)
- 현무암으로 만들었다. (관찰)
- 표면에 작은 구멍이 많이 있다. (관찰)
- 곡식을 가루로 만드는데 사용한다. (관찰)

5. 교육실습 기간 동안 관찰평가 방법 중 하나를 선택하여 자신이 배정된 학급 학생들의 과학 관련 태도를 평가하시오.

6. 다음은 초등학교 교사가 제작한 선다형 평가 문항의 예이다. 각 문항의 문제점과 그 개선 방안에 대해 논하시오.

■ 실제의 모습과 평면거울에 비친 모습의 다른 점은 어느 것인가? (　　　)[9]

① 비치는 물체의 상하　② 비치는 물체의 색깔　③ 비치는 물체의 크기
④ 비치는 물체의 좌우　⑤ 비치는 물체의 각도

■ 다음 중 액체의 성질을 구별하는 요소로 짝지어진 것은? (　　　)

① 맛, 모양　② 맛, 크기
③ 맛, 냄새　④ 모양, 크기

■ 다음 중 움직이지 않고 제자리에 있는 것은 어느 것인가? (　　　)

① 달리는 자동차　② 날아가는 비행기　③ 동상
④ 뛰어가는 어린이　⑤ 기어가는 달팽이

■ 용액의 진하기를 알아보는 방법으로 <u>바르지 못한 것</u>은 무엇인가? (　　　)

① 색깔　② 맛　③ 방울토마토가 뜨는 정도
④ 간이 비중계　⑤ 눈금실린더

[9] 이 문항들은 나종철(2006)의 논문에서 발췌한 것임.

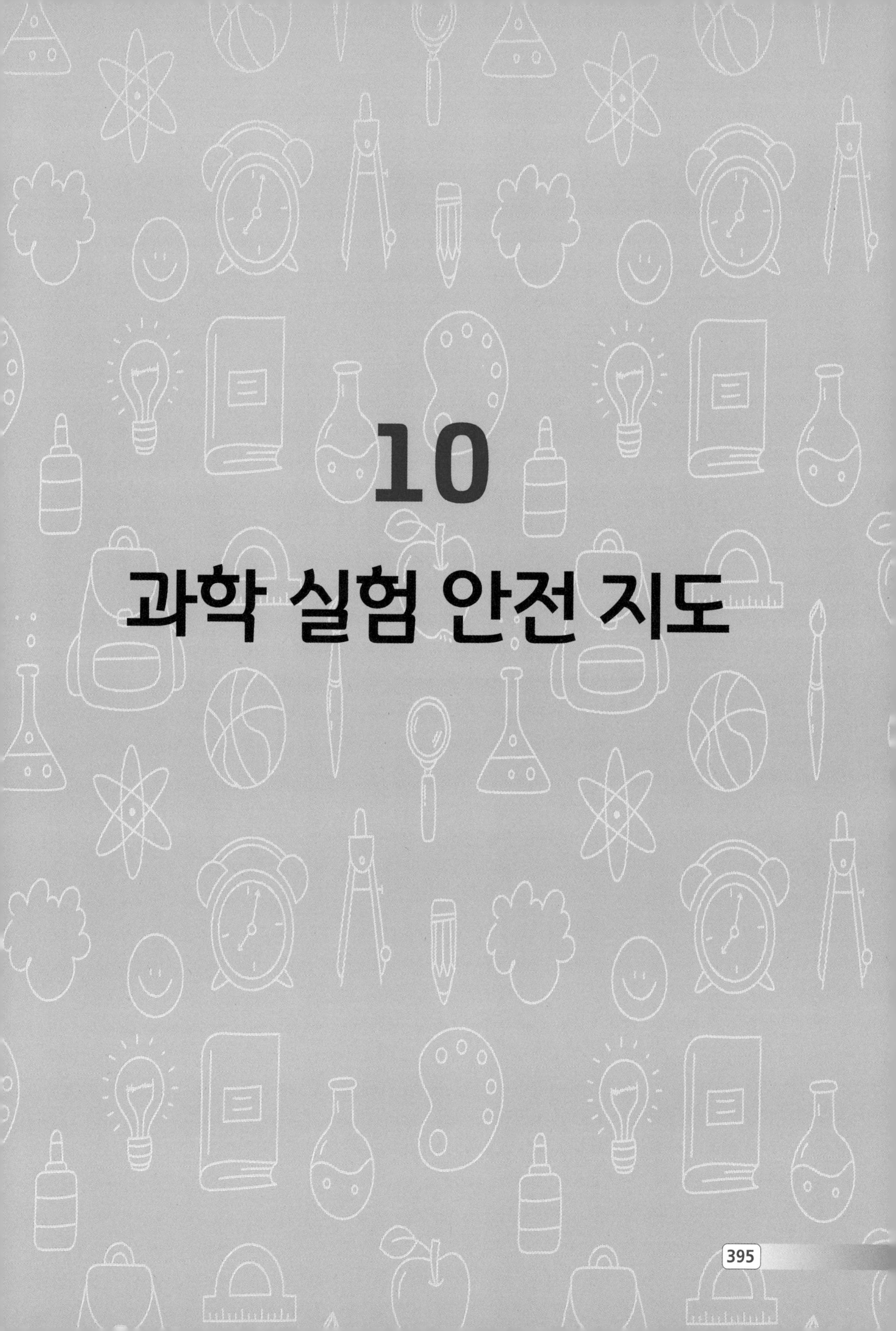

10

과학 실험 안전 지도

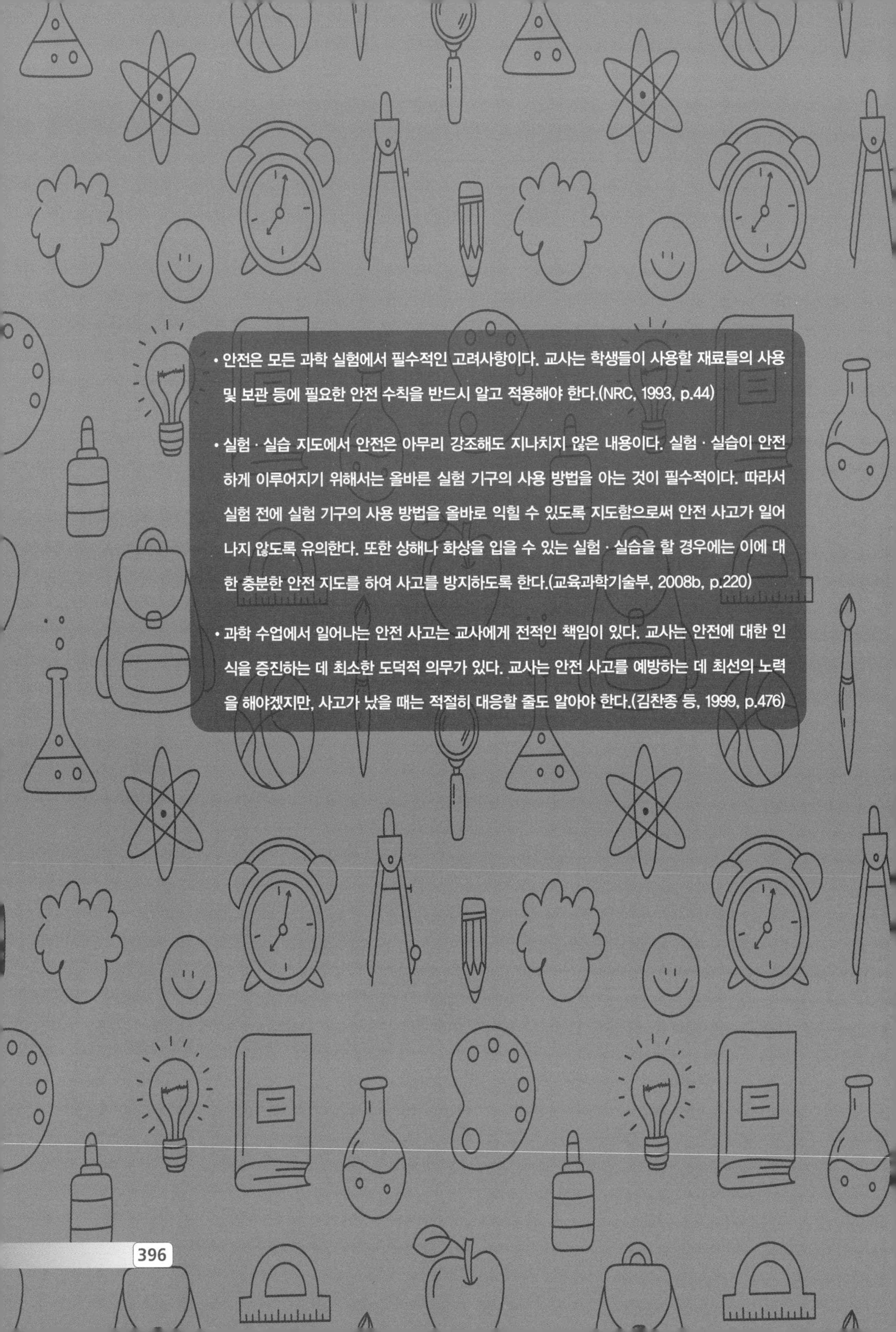

- 안전은 모든 과학 실험에서 필수적인 고려사항이다. 교사는 학생들이 사용할 재료들의 사용 및 보관 등에 필요한 안전 수칙을 반드시 알고 적용해야 한다.(NRC, 1993, p.44)
- 실험 · 실습 지도에서 안전은 아무리 강조해도 지나치지 않은 내용이다. 실험 · 실습이 안전하게 이루어지기 위해서는 올바른 실험 기구의 사용 방법을 아는 것이 필수적이다. 따라서 실험 전에 실험 기구의 사용 방법을 올바로 익힐 수 있도록 지도함으로써 안전 사고가 일어나지 않도록 유의한다. 또한 상해나 화상을 입을 수 있는 실험 · 실습을 할 경우에는 이에 대한 충분한 안전 지도를 하여 사고를 방지하도록 한다.(교육과학기술부, 2008b, p.220)
- 과학 수업에서 일어나는 안전 사고는 교사에게 전적인 책임이 있다. 교사는 안전에 대한 인식을 증진하는 데 최소한 도덕적 의무가 있다. 교사는 안전 사고를 예방하는 데 최선의 노력을 해야겠지만, 사고가 났을 때는 적절히 대응할 줄도 알아야 한다.(김찬종 등, 1999, p.476)

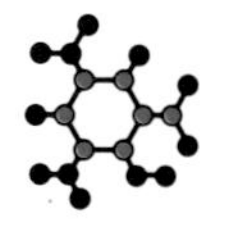

이 책에서 여러분은 “어떻게 하면 과학을 잘 가르칠 수 있을까?”라는 물음에 대한 답을 찾아가고 있다. 이와 관련하여 이 장에서는 과학 교수-학습 활동에서 그 무엇보다 우선시되어야 할 안전에 관한 내용을 살펴본다. 아무리 효과적인 교수-학습 방법이라도 안전이 전제되지 않으면 아무 소용이 없기 때문이다.

초등학생을 대상으로 한 박형민과 임채성(2023)의 연구에 의하면, 초등학생들은 과학 수업을 보통 이상 좋아하고, 과학 수업 방법으로 약 70%의 학생이 ‘실험 수업’, 약 20%의 학생이 ‘자연 탐구 수업’ 을 좋아한다고 응답하였다. 이와 같이 거의 대부분의 학생이 실험 또는 자연 탐구 활동에 의해 과학 학습에 대한 동기가 유발되고 과학에 흥미를 가지게 된다. 그러나 학생들이 좋아하는 ‘실험 수업’과 ‘자연 탐구 수업’이지만 교사들에게 부담이 되는 것은 바로 ‘안전’ 문제이다.

과학 실험 사고로 교사 등 1억 8천 손해배상

과학 실험 시간에 화상을 입은 학생에게 교사 등이 1억 8천여만 원을 배상하라는 판결이 나왔다. 서울지방법원 북부지원은 서울 모 초등학교 6학년 K군의 부모가 서울시와 L교사를 상대로 낸 손해배상 청구소송에서 서울시와 L교사는 K군의 치료비와 위자료, 간호비 등으로 1억 8천만 원을 배상하라고 판결했다. 재판부는 판결문에서 나이 어린 학생들을 데리고 실험하는 교사가 주의를 기울이지 않아 사고가 난 만큼 L교사와 L교사를 고용한 서울시측에 책임이 있다고 밝혔다. L교사는 지난 2001년 K군 등을 데리고 이산화탄소 발생 실험을 하다 알코올을 석회수로 잘못 알고 촛불에 부어 K군이 얼굴과 목 등에 3도 화상을 입었다.

-2013년 11월 9일 KBS 뉴스

초등학교 과학 수업에서 이루어지는 대부분의 실험은 별 어려움 없이 수행할 수 있을 만큼 간단한 자료들을 사용하며, 실험 활동 과정에서 일어나는 사고는 경미한 경우가 보통이다. 대부분의 초등학생들은 실험 수업시 안전 사고 발생의 부담을 느끼지 않고 있으나 일부 학생들은 실험 도구 및 재료의 부주의한 사용으로 안전 사고 발생에 대한 우려를 느끼고 있다(박형민과 임채성, 2023). 초등학생들은 실험 활동 경험이 부족하고 실험 기구를 다루는 능력이 미숙하기 때문에 실험 활동을 하다 보면 항상 안전 사고의 위험을 내포하고 있기 마련이다(권치순과 최은선, 2009). 이렇게 일어나는 뜻밖의 안전 사고는 학생들의 과학 학습에 대한 의욕과 흥미를 저하시키고, 극단적 경우에는 실험 활동 자체를 기피하는 현상까지 초래할 수 있다(한안진 등, 1997).

실제로 전국의 초등학생 687명을 대상으로 과학 선호도를 조사한 연구(전우수 등, 2003)에 의하면, 일부 초등학생 중에는 실험 때문에 과학을 싫어한다고 응답하였으며, 이러한 응답을 한 학생들은 주로 실험하다가 발생한 사고 때문인 것으로 나타났다. 한편 이미란(2002)의 연구에 참여한 초등교사들은 과학 실험을 할 때 부담이 되는 주된 요인 중 하나로 '안전 사고(32.9%)'를 들었으며, 이는 과학 실험 수업을 기피하게 되는 결과를 초래하는 원인으로 작용하기도 한다.

따라서 교사는 과학 실험 활동시 안전 교육을 체계적으로 그리고 주기적으로 실시하며, 교사 자신이 그 내용을 잘 숙지하고 있어야 한다. "안전 사고를 예방할 수 있는 여러 가지 조처들 가운데 하나는 학생들의 태도에 관한 것이다. 학생들은 실험에 대한 두려움보다는 자신감을 가지고 실험을 즐겨야 한다. 그리고 실험 기구와 화학 약품의 안전 취급, 실험시 안전 수칙 및 실험 절차를 숙지하고 있어야 한다"(조희형과 박승재, 1999, p.234). 또한 실험복과 보안경, 장갑 등 안전 장비 착용의 불편함을 최소화 할 수 있는 안전 장비 구비가 필요하다(박형민과 임채성, 2023)

10.1 과학 실험실의 효율적 활용

과학 수업은 실험 안전 장구와 설비가 갖추어진 과학 실험실(이하 과학실)에서 이루어지는 것이 바람직하다. 하지만 대부분의 초등학교가 1~2개의 과학실을 확보하고 있기 때문에 3~6학년의 모든 과학 수업이 과학실에서 이루어지기는 어려운 실정이다. 따라서 일선 학교에서는 과학실이 최대한 활용될 수 있도록 운영의 묘를 살려야 한다.

과학실의 효율적 활용을 위해 과학 부장교사(또는 과학 담당교사)는 연초 또는 학기 초에 각 학년마다 과학실을 사용하여야만 하는 실험 단원 등을 사전에 조사하고 이를 토대로 과학실 배정 시간표를 편성해야 한다. 이때 교과서 단원의 재배열이나 두 시간 연속으로 시간표를 편성하는 등의 방안을 다각도로 모색하여, 안전상 반드시 과학실에서 이루어져야 하는 수업은 반드시 과학실에서 진행될 수 있도록 해야 한다. 과학실 배정 시간표가 작성되면 이를 학년 부장교사에게 사전 통보하고, 학년 부장교사는 동학년 교사들과 과학실 배정 시간표를 점검하고 필요한 경우 시간 조정이 이루어지도록 한다.

또한 과학 부장교사는 과학 실험시 안전 사고를 미연에 방지하기 위한 많은 노력도 기울여야 한다. 과학실에는 실험 안전 수칙을 부착하고, 정기적으로 실험 안전 교육을 실시하며 실험복과 장갑, 보안경 등의 안전 장구를 수시로 점검하고 부족한 경우에는 반드시 확보하도록 한다. 또한 과학실 안전 점검표를 비치 · 활용하고, 화학 약품 관리 상태를 수시로 점검하는 등의 과학실 안전 관리에도 만전을 기해야 한다.

과학실 관리와 운영이 보다 효율적이고 합리적으로 이루어지기 위해서는 과학실 운영위원회(또는 과학소위원회 등 지역교육청별로 명칭이 다름)와 같은 기구를 조직 · 운영하는 것이 바람직하다. 이 운영위원회는 과학부장, 학년부장, 교장, 교감, 과학 실험 실무원(과학 보조교사), 행정실 직원이 포함되도록 구성하면 좋다. 과학실 운영위원회에서는 과학실 사용 계획, 과학 실험 안전 지도, 교육과정의 요구를 충족하는 실험 · 실습 기자재의 확충 및 보수, 실험 · 실습비의 예산 사용 등의 각종 사항에 대해 협의함으로써 과학실 관리와 운영이 보다 원활히 이루어지도록 한다.

10.2 실험 안전 교육과 안전 수칙

초등학교 과학 수업에서 실험 기구나 화학 약품을 이용하는 실험만이 위험한 것은 아니다. 사실 과학 수업에서 학생들의 모든 행동은 위험을 수반할 수 있다. 과학 실험에서 발생하는 안전 사고의 원인은 대부분 학생들의 호기심과 부주의, 안전 수칙에 대한 지식 부족, 실험 기구 조작 미숙 등이다. 따라서 과학 수업에서 교사는 학생들의 사소한 부주의나 안전 수칙을 무시함으로써 일어나는 안전 사고를 미연에 방지하기 위한 노력을 실험 활동 못지않게 중시해야 한다.

1. 실험 안전 교육

실험시 안전 교육은 학생들이 사소한 부주의 등으로 안전 수칙을 무시함으로써 일어날 수 있는 뜻밖의 사고를 미연에 방지하고 실험 중심의 탐구 학습의 효과를 극대화시키는 데 그 의의가 있다(권치순과 최은선, 2009).

실험 안전 교육은 교육(지원)청, 학교, 교사 차원에서 이루어져야 한다. 교육청 차원에서는 실험 안전 관련 교사 연수와 장학 지도를 실시해야 한다. 학교 차원에서는 실험 안전 교육을 위한 자체 교사 연수와 학생 교육 실시, 학교 실험 안전 계획 수립, 실험 안전 장비 및 설비 확충, 실험실 안전 점검표 비치 · 활용, 화학 약품 관리 상태 점검, 실험 안전 수칙 게시 및 준수, 비상사태 시 행동요령 숙지, 병원이나 소방서 등의 유관기관과 비상 연락망 구축 등의 방안을 마련해야 한다.

학급 담임교사는 유관기관 비상 연락망을 교실에 비치하고, 수시로 안전 교육을 실시하여야 한다. 또한 사전 실험 등을 통해 위험의 소지가 있는 부분을 파악하고, 실험 전 안전 교육을 실시하며, 위험도가 높은 실험의 경우에는 시범 실험 또는 동영상 자료로 대체하는 방안을 모색해야 한다. 무엇보다도 교사는 학생들의 관찰학습의 대상으로서 실험 안전 실천의 모범이 되어야 한다.

연구자: 실험할 때 실험복을 입니?

학생 A: 실험복이요? 없는데요.

학생들: 저희도 없는데요.

학생 B: 선생님도 안 입으세요.

연구자: 실험할 때 장갑이나 보안경 등을 착용하니?

학생 C: 알코올램프에 철판을 올릴 때 장갑을 선생님이 주세요.

학생 D: 보안경은 써 본 적 없는 것 같아요.

연구자: 왜 착용하지 않지?

학생 E: 실험 준비물에 포함되어 있지도 않고 착용하면 좋을 것 같기는 한데…[1]

모든 과학 활동에서 교사는 학생들에게 보안경을 끼고 실험복을 입히는 것이 바람직하다(Marin, 2000). 하지만 대학원에서 초등과학교육을 전공하고 있는 현장 교사들을 대상으로 실시한 두 연구(이미란, 2002; 김미연, 2009)의 결과를 비교해 보면, 실험복이나 보안경의 활용도가 점차 나아지고는 있으나 여전히 많은 교사가 '번거롭거나 귀찮아서' 또는 '시간에 쫓겨서' 등의 이유로 안전 장비 활용이 미흡한 것으로 나타났으며, 이에 대한 교사들의 실천 의지가 절실히 요구됨을 시사한다.

교사는 실험 기구의 올바른 사용법에 대해서도 수시로 알려주어야 한다. 초등학생, 예비교사, 교사들을 대상으로 과학 교과서에 제시된 실험 기구 사용법에 대한 이해를 조사한 김성규(2013)의 연구에 의하면, 초등학생, 예비교사 그리고 초등교사 모두 실험 기구의 사용법 교육을 받았으나 이들 모두 실험 기구를 잡는 방법과 사용 방법 그리고 측정 위치와 특별한 장치 사용에 대한 이해가 부족하였다. 특히 초등학생의 경우 눈금실린더, 온도계, 비커, 저울, 스포이트 등 실험 수업에 자주 사용하는 기구임에도 사용법에 관한 이해가 전반적으로 부족하였다.

초등학생, 예비교사 및 현장 교사를 대상으로 실험 기구의 명칭과 용도를 조사한 여상인과 이병문(2004)의 연구에 의하면, 초등학교 과학 교과서에서 비교적 많이 다루어지고 있는 13개의 실험 기구 중 예비교사의 80% 이상이 그 용도에 대한 바른 이해를 보인 것은 3개에 불과하였다. 이들의 연구에서 나타난 실험 기구의 용도에 대하여 잘못 알고 있는 대표적 유형으로는 비커가 부피를 측정하는 데 사용되는 실험 기구라는 응답, 약숟가락이 가루물질을 저을 때 사용되는 기구라는 응답, 윗접시저울이 무게를 측정하는 기구라는 응답이 있다. 또한 이소리 등(2011)의 연구에서도 초등 예비교사 중에는 알코올램프, 스포이트, 현미경 등의 사용법을 정확히 알지 못하는 경우가 많은 것으로 나타났다. 예를 들어, 알코올램프의 경우 스치듯 불 붙이기와 불꽃에 따라 삼발이의 높이를 조절하는 조작 기능이 매우 낮았으며 스포이트는 바르게 잡기를 제대로 수행하지 못하였다. 이러한 결과는 실험 기구의 명칭, 용도, 올바른 사용법 등 실험 기구의 기초적이고 기본적인 내용에 대한 이해를 갖추려는 예비교사의 노력이 필요함을 시사한다.

---

[1] 이 대화 내용은 김미연(2009)의 연구에서 연구자와 학생의 면담 내용을 인용한 것임.

전소연과 박종석(2020)은 초등학생들의 실험 기구 교육을 위해 TEP 활동(Trigger interest; 흥미 유발–Explore experimental apparatus; 실험 기구 탐색–Practice experimental apparatus; 실천적 사용)을 개발하고 이를 적용한 결과 단편적인 사용법이나 주의사항만을 알고 있던 학생들이 실험 기구의 생김새에 따른 특징과 연관 지어 실험 기구에 대한 설명을 할 수 있게 되었다. 또한 실제로 사용해보는 활동을 통해 실험 기구 사용 능력이 향상되었다. 초등학교에서 처음 배우게 되는 실험 기구에 대한 지식적 이해와 사용 능력은 초, 중, 고등학교를 지나 실험이 주로 이루어지게 되는 대학까지 영향을 미친다. 잘못된 용도와 사용법으로 실험을 하게 된다면 실험 결과의 신뢰도가 떨어질 뿐 아니라 안전 사고의 확률 또한 높아진다. 따라서 실험 기구에 대한 교육이 초등 과학 교육과정에서 더욱 중요하게 다루어져야 하며 실제 교육을 해야 하는 교사들을 위해 다양한 교육 자료나 교수법이 개발되어야 할 필요가 있다.

한편 **그림 10-1**과 같은 실험관찰 책에 수록된 실험실 안전 수칙 약속 카드를 읽은 후에 학생들이 서명하도록 하는 것은 실험 안전 수칙의 중요성을 인식하는데 도움을 줄 수 있으며, 교사가 안전 수칙에 대한 지도를 해왔다는 것을 보여주고 법적 보호를 받는 데도 도움이 된다(Martin, 2000).

2. 실험 안전 수칙

초등학교에서는 실험 활동을 통해 학생들이 과학에 대한 흥미와 호기심을 가지게 하는 것도 중요하지만, 안전한 학습이 그 무엇보다 중요하다. 다음은 미국과학교사협회(National Science Teachers Association) 홈페이지에 탑재된 '과학 활동 안전 수칙'[2]을 일부 수정한 것이다. 이를 활용하여 학생들이 실험실에서 안전 수칙을 지킬 수 있도록 유도할 수 있다. 그리고 한국과학창의재단에서는 과학실험 안전 매뉴얼을 초등학교, 중학교, 고등학교용으로 pdf 파일로 제작하여 홈페이지[3]에 게시해 두어 누구나 다운받아 사용할 수 있도록 하고 있다. 이 매뉴얼에는 응급상황 대응, 과학실험실 안전설비와 안전장구, 안전지도, 화학 약품 관리 및 상황별 대처 방안 등 과학실험 안전과 관련하여 다양한 내용을 다루고 있다.

---

[2] http://www.nsta.org/docs/SafetyInTheScienceClassroomLabAndField.pdf

[3] 과학실험안전매뉴얼(초등학교).pdf (gen.go.kr)

『과학』 2~3쪽에 사용하세요.

실험실 안전 수칙 약속 카드

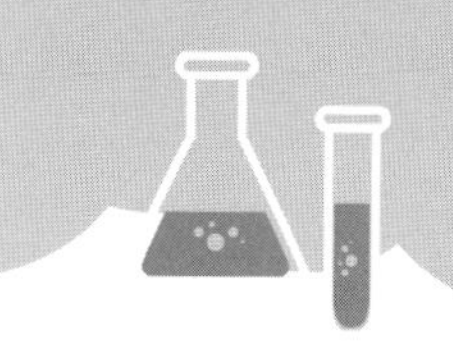

나, ____________ 은/는 실험실에서
다음의 안전 수칙을 꼭 지키겠습니다.

약속!

하나	나는 실험실에서 긴 머리를 잔정히 묶고 실험복을 입거나앞치마를 두르겠습니다	☐
둘	나는 실험실에서 보안경을 써서 눈을 보호하고, 약품을 사용하는 실험을 할 때는실험용 장갑을 끼겠습니다.	☐
셋	나는 실험 재료를 함부로 맛보지 않겠습니다.	☐
넷	나는 날카로운 물건을 조심히 겠습니다.	☐
다섯	나는 기체가 발생하는 실험을 할 때는 실험실의 창문을 열어 환기하겠습니다.	☐
여섯	나는 뜨거운 물체를 만들 때는 열에 견딜 수 있는 장갑을 끼거나 집게를 사용하겠습니다.	☐
일곱	나는 약품 냄새를 맡을 때는 손으로 바람을 일으켜 살짝 맡겠습니다.	☐
여덟	나는 시험관 입구가 사람을 향하지 않도록 하겠습니다.	☐
아홉	나는 실험하는 동안 장난치거나 뛰어다니지 않겠습니다. 실험실 밖으로 나가지 않겠습니다.	☐
열	나는 약품을 엎질렀을 때나 실험 기구가 깨졌을 때에는 함부로 만지지 않고 선생님께 알리겠습니다.	☐
열하나	나는 알코올램프가 넘어져 불이 났을 때는 뒤로 물러서서 큰소리로 선생님께 알리겠습니다.	☐
열둘	나는 실험 후 사용한 약품을 선생님의 안내에 따라 정해진 곳에 버리겠습니다.	☐
열셋	나는 사용한 실험 기구를 선생님의 안내에 따라 깨끗이 씻겠습니다.	☐

서 명	3학년 (　　　)반 ____________

그림 10-1 실험실 안전 수칙 약속 카드[4]

[4] 그림 10-1은 교육부(2018b)의 p.65 내용을 발췌한 것임.

(1) 교실과 과학실에서의 안전 수칙

1. 항상 신중하게 행동한다. 물건을 던지거나 뛰는 등의 경솔한 행동, 장난, 농담은 절대 하지 않는다.
2. 실험과 안전에 관한 정보와 절차는 미리 읽는다. 활동 전에 실험 기구의 점검이나 실험 기구의 정확한 사용법, 실험시 주의사항 등을 확인한다. 또한 선생님의 모든 지시사항은 반드시 지킨다.
3. 실험을 할 때는 음식을 먹는다든지 음료수를 마시지 않는다.
4. 선생님이 없으면 절대로 혼자 실험을 하지 않는다. 혼자 실험하다 위급한 상황이 닥쳤을 때 대처하기 어렵다.
5. 선생님이 허락하지 않는 실험은 하지 않는다.
6. 실험 준비실이나 화학 약품이 보관되어 있는 곳에는 함부로 들어가지 않는다.
7. 선생님의 허락 없이는 화학 약품이나 실험 기구를 교실이나 실험실 밖으로 옮기지 않는다.

(2) 개인 안전 수칙

8. 실험을 하는 동안 궁금한 것이 있으면 즉시 질문한다.
9. 아무리 사소한 사고일지라도 발생 즉시 선생님께 알리고 선생님의 치료 지시에 따른다.
10. 과학 수업을 하는 날에는 활동하기에 적합한 복장을 갖춘다. 긴 머리는 묶어 옷깃 속으로 넣고, 소매가 넓거나 헐렁한 옷을 입지 않으며, 귀걸이나 목걸이는 하지 않고, 샌들이나 앞이 트인 신발을 신지 않는다.
11. 실험복과 보안경을 착용해야 하는 실험을 할 때는 반드시 실험복과 보안경을 착용한다. 선생님이 보안경을 벗어도 된다고 할 때까지 반드시 보안경을 착용하고, 실험복은 활동하는 내내 입고 있는다.
12. 교실이나 과학실에 있는 모든 안전 장비의 위치를 미리 알아둔다. 예를 들어, 소화기, 안전 모포, 수도, 가스배출 후드, 가스 차단기나 전기 차단기의 위치를 알아둔다.
13. 선생님의 허락 없이는 살아있는 생물을 만지지 않는다. 만져야 할 경우에

는 만진 후 반드시 비누로 손을 깨끗이 씻는다.

14. 실험용 장갑을 껴야 하는 실험을 할 때는 반드시 장갑을 끼고 실험한다.
15. 실험 후에는 반드시 비누로 깨끗이 손을 씻는다.
16. 젖은 손으로 전기 기기 및 전선을 만지지 않는다.

(3) 화학 약품과 실험 기구 관련 주의사항

17. 실험 중 발생하는 기체는 들이마시지 않는다. 냄새를 맡아야 하는 실험을 할 때는 손으로 부채질하여 맡고 코를 직접 대고 맡지 않는다.
18. 화학 약품은 절대 맛을 보지 않으며, 실험 기구에는 절대 입을 대지 않는다. 또한 약품이 피부나 옷에 닿지 않도록 한다.
19. 실험 기구의 사용법을 미리 확인한 후 선생님의 지시에 따라 기구를 바르게 사용한다.
20. 유리관을 고무 마개에 강제로 끼워 넣지 않는다.
21. 알코올램프 등의 가열 기구는 실험이 끝나는 즉시 불을 끈다.
22. 뜨거운 유리는 찬 유리와 똑같이 보인다는 것을 명심한다. 뜨거운 유리는 식는 데 시간이 많이 걸린다. 또한 어떤 물체가 뜨거운지 알아볼 때는 물체를 손으로 직접 만지지 않고 손을 물체 가까이에 대어본다. 뜨거운 실험 기구를 만질 때는 반드시 장갑을 끼고 집게를 사용하도록 한다.
23. 실험 중 소방대피훈련이나 기타 비상사태가 발생하면 모든 가열 기구나 전기 기구를 끈다. 긴급히 대피해야 할 때는 선생님의 안내에 따라 대피한다.
24. 시약을 사용하기 전에 시약병의 라벨을 반드시 두 번 읽는다. 즉 사용하고자 하는 약품인지 철저히 확인한다.
25. 시약병에서 시약을 덜어낼 때는 깨끗한 용기에 필요한 양만큼 덜어낸다. 덜어낸 다음에는 바로 시약병의 마개를 닫는다. 사용하고 남은 시약은 시약병에 다시 넣지 않는다. 약품의 보관과 처리는 선생님의 지시에 따른다.

(4) 안전한 과학실 환경 유지

26. 실험장치 주변에 불필요한 물건을 두지 않는다. 실험대에 서랍이 있는 경우 서랍에 넣는다.

27. 실험 후에는 실험 기구와 실험대 주위를 항상 깨끗이 정리 정돈한다.
28. 고체 화학 약품, 금속, 성냥, 거름종이, 깨진 유리 및 기타 물질은 실험대 배수구에 버리지 않는다. 선생님의 지시에 따라 지정된 폐기물 처리 용기에 버린다.
29. 실험대 배수구에는 물이나 선생님이 지정한 용액만을 버리고 기타 용액은 지정된 폐수 처리 용기에 버린다.
30. 유리 기구는 따뜻한 비눗물로 적절한 모양과 크기의 솔로 닦고 물로 헹군 후 말려서 원래의 위치에 놓는다.
31. 보안경은 활동할 때뿐 아니라 청소할 때나 손을 씻을 때도 착용한다.

교육과정이 개정될 때마다 과학 실험 안전에 대한 중요성이 강조되었다. 2022 개정 교육과정에서는 안전교육을 더욱 강조하고 있으나 현재 2022 개정 교육과정에 따른 초등 과학 교과서는 개발 중에 있다. 따라서 여기서는 2015 개정 교육과정에 따른 초등학교 '과학' 검정 교과서에 나타난 실험 안전 수칙을 제시하였다. **그림 10-2**는 A 출판사 과학 3학년 1학기에 제시된 '실험 안전 수칙'이다. 출판사마다 과학 교과서의 앞쪽 부록에 2쪽 내외의 실험 안전 수칙을 제시하고 있다. 교사들은 이를 활용하여 매 학기 초 첫 과학 수업 시간뿐 아니라 수시로 학생들에게 안전 교육을 실시할 수 있다.

10.3 실험 기구 및 화학 약품의 안전 취급

실험 전, 교사는 실험 기구와 화학 약품을 다룰 때 주의할 사항을 학생들에게 미리 자세하게 안내해야 한다.[5] 일반적으로 실험 기구 및 화학 약품 취급 시 유의 사항은 크게 '가열 기구', '화학 약품', '유리 실험 기구(초자기구)', '전기 기구'의 안전

[5] 화학 약품과 관련하여 여러 가지 용어(예를 들어, 시약, 화학 물질, 실험 약품, 실험 시약 등)가 혼용되고 있다. 여기에서도 과학과 교육과정(2011a)에 명시된 용어인 '화학 약품'을 과학 실험에 사용하는 화학 물질로 정의하고 사용하지만 상황에 따라 시약이라는 용어도 혼용한다.

그림 10-2 초등 과학 교과서에 제시된 '실험 안전 수칙'[6]

취급으로 구분할 수 있다(권치순과 최은선, 2009). 과학 실험 안전 사고 발생률이 높은 실험은 가열 실험(67.1%), 화학 약품 취급(19%), 유리 실험 기구 취급(11.4%), 기타(2.5%)의 순이다(권재호, 2000).

1. 가열 기구의 안전 취급

초등학교 과학 수업에서 가열 실험은 가장 많은 주의를 기울여야 하는 실험이다. 일반적으로 가열 실험은 모둠별로 수행하게 되므로 가열 실험을 할 때마다 특별히 학생들의 주의를 환기시켜야 한다. 가열 기구로는 알코올램프(그림 10-3)를 주로 사용하나 최근에는 핫플레이트도 사용하고 있다. 교사는 학생들이 알코올램프 및 핫플레이트의 사용법을 몸에 익히도록 지도해야 하며, 학생 스스로 화재에 대처하는 방법을 숙지할 수 있도록 안내해야 한다.

가열 기구를 다룰 때 유의해야 할 사항은 다음과 같다(한국과학창의재단, 2021, pp.76-79).

---

[6] 그림 10-2는 A 출판사 초등 과학 3학년 1학기 과학 교과서(2023)의 pp.10~11 내용을 발췌한 것임.

(1) 알코올램프

① 사고 예방

✲ 알코올램프 점검하기

- 알코올램프에 금이 가지 않았는지, 심지 꽂이와 램프 입구 사이에 틈이 없는지, 심지의 길이(0.5~1㎝ 정도)는 적당한지 확인한다.
- 연료는 깔때기를 이용하여 보충하고, 알코올(에탄올)은 약 70~80% 정도 주입한다. 알코올램프 주변에 흐른 알코올은 닦아낸다.

✲ 안전한 가열 공간 확보하기

- 주변에 탈 물질이 없고, 바람이 직접 닿지 않는 안전한 공간을 확보한다.
- 햇빛이 강한 경우 불꽃을 확인하기 어려우니 주의한다.

✲ 안전하게 점화하기

- 알코올램프에 불을 붙일 때는 알코올램프와 조금 떨어진 곳에서 점화기를 켠 후, 심지를 스치듯이 옆으로 천천히 이동시켜 점화한다.
- 불을 붙인 후에는 알코올램프를 이동하지 않는다.

✲ 뚜껑을 덮어서 불끄기

- 알코올램프 사용 후 뚜껑을 옆에서 살며시 덮어서 끄고, 잠시 후 다시 열어 잘 꺼졌는지 확인하고 덮는다.

② 사고 대처

✲ 알코올램프가 넘어져 화재가 발생했을 때

- 물을 뿌리면 알코올이 퍼져 불이 커질 수 있기 때문에 방염담요로 덮거나 방화모래를 뿌려 불을 끈다.

❊ 가열하고 있던 물질에 불이 붙었을 때

- 방염담요로 덮거나 소화기를 이용하여 불을 끈다.
- 초기 진화가 어려운 경우 화재경보기를 울리고 119로 신고한다.

❊ 사람이 입고 있는 옷에 불이 붙었을 때

- 옷에 붙은 불을 끄기 위해 움직임이 커질 경우 산소공급이 활발해져 불이 더 번질 위험이 있으므로 바닥에 누운 뒤 방염담요나 젖은 실험복으로 덮어 신속하게 불을 끈다.

③ 알코올램프 관리

- 알코올램프에 손잡이를 끼워 사용하면 안전하고 편리하게 사용할 수 있다(그림 10-3).
- 알코올램프는 뚜껑이 연료와 외부를 차단하지 못하기 때문에 알코올을 채워 놓은 상태로 밀폐된 장에 장시간 보관하면 알코올 증기로 인해 화재 위험이 있다. 따라서 알코올램프를 사용한 후에는 연료를 제거하고 보관한다.

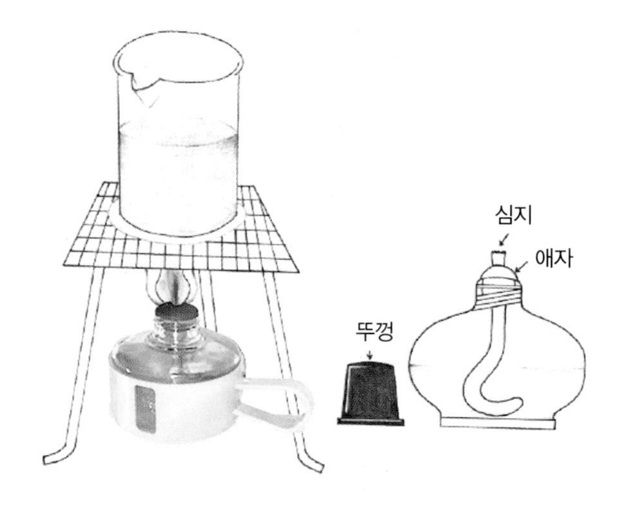

그림 10-3 **알코올램프**

(2) 핫플레이트

① 사고 예방

✲ 사용 전 상판 확인하기

- 핫플레이트 상판이 훼손되면 화학 물질이 스며들어 폭발할 위험이 있으므로 금이 가거나 깨진 곳이 없는지 확인하고 물기를 제거한다.

✲ 올바른 용기 사용하기

- 밀폐된 용기는 가열하지 않으며, 가열하는 물질이 튀거나 넘치지 않도록 한다.

✲ 사용 후 잔열 식히기

- 전원을 끈 후에도 잔열이 남아있으므로 열이 식을 때까지 만지거나 이동하지 않는다.

② 사고 대처

✲ 핫플레이트에 화상을 입었을 때

- 즉시 손을 떼고 흐르는 차가운 물로 통증이 현저히 감소할 때까지 열기를 제거한다.
- 화상 부위에 깨끗한 거즈를 대고 붕대로 감아주며, 물집이 생긴 경우 터트리지 않도록 주의한다.

✲ 핫플레이트에서 스파크나 연기가 발생할 때

- 전원을 즉시 차단하고 실험을 중지한다.

③ 핫플레이트 관리

- 핫플레이트는 종류와 제품이 다양하므로 구매 시에 안전성과 기술력이 입증된 제품(국내 인증 KC, 해외 인증 CE · CB · PSE 등)을 사용하는 것이 좋다.
- 핫플레이트는 잔열이 확인되지 않으면 접촉으로 인한 화상 위험이 높으므로 잔열 확인 램프가 부착된 것을 사용하는 것이 좋다.
- 자력식 핫플레이트나 교반기를 함께 사용하는 경우 신용카드, 휴대폰 등 자기장에 영향을 받는 물체는 멀리 둔다.

2. 화학 약품의 안전 취급

초등학교 과학 수업에서 사용되는 화학 약품은 다양하지만 대부분은 일상생활에서 쉽게 구할 수 있는 것들이고, 학년이 높아질수록 수산화나트륨, 염산, 과산화수소수 등의 약품이 사용된다. 〈부록 10-1〉에는 초등과학 실험에 쓰이는 화학 약품 중 사용시 주의해야 할 약품의 목록과 유의사항이 제시되어 있다.

화학 약품을 사용할 때는 언제나 실험복과 보안경, 실험용 장갑을 착용해야 한다. 콘택트렌즈는 화학 약품이 흡착되어 눈을 다칠 수 있으므로 실험을 할 때는 콘택트렌즈를 빼도록 한다. 안경을 쓴 경우에는 안경 위에 보안경을 착용해야 한다(김찬종 등, 1999; 한국과학창의재단, 2021; 한국교원대학교 과학교육연구소, 2002). 초등학교 과학실험에서 화학 약품에 의한 사고는 가열 실험 다음으로 자주 발생하므로 화학 약품을 다루는 실험을 할 때는 사전에 주의점을 충분히 지도하여 사고가 발생하지 않도록 한다(교육과학기술부, 2008b). 다음은 화약 약품을 다룰 때 주의할 점이다(교육부, 2014; 교육부 2018a; 한국과학창의재단, 2021; 한안진 등, 1997).

(1) 화학 약품의 냄새를 맡을 때

냄새를 맡을 때는 원액에 직접 코를 가까이 대지 않는다. 직접 가까이 대고 냄새를 맡으면 코나 피부에 손상을 일으킬 수 있기 때문에 원액에서 되도록 코를 멀리한 다음 손으로 바람을 일으켜 냄새를 맡는다. 또 농도가 진한 용액이거나 냄새가 심한 시약일 경우에는 원액을 희석하여 농도를 낮춘 후 위와 같은 방법으로 냄새를 맡는다.

(2) 화학 약품의 맛을 볼 때

화학 약품의 맛은 되도록 보지 않는 것이 원칙이다. 특히 어떤 물질인지 모를 경우에는 절대로 맛을 보지 않아야 한다. 꼭 맛을 보아야 할 경우에는 원액을 묽게 하여 유리 막대로 용액을 묻혀 종이에 흡수시킨 다음 혀끝으로 살짝 맛을 본 후 즉시 맑은 물로 혀를 씻어낸다. 그리고 음식물이라 하더라도 실험 재료로 사용될 때는 교사의 허락 없이 함부로 맛을 보지 않도록 한다.

(3) 시약병에서 액체 화학 약품을 따를 때

적은 양의 액체 시약을 따를 때는 반드시 라벨을 확인한 후 스포이트를 이용하여 따른다(그림 10-4의 첫 번째 그림). 비교적 많은 양의 약품을 따를 때는 누군가가 팔을 건드릴 때 발생할 수 있는 사고를 방지하기 위해 병을 눈보다 낮게 하고 따른다(그림 10-4의 두 번째 그림). 또한 액체 방울이 라벨 위에 떨어져 약품의 이름이 지워지는 일이 없도록 하기 위해 병에 붙은 라벨을 손으로 감싸고 따른다. 사용하고 남은 약품을 다시 시약병에 넣지 않는다.

(4) 시약병에서 고체 화학 약품을 덜어낼 때

시약병에서 시약을 덜어낼 때는 반드시 라벨을 확인한 후 약숟가락을 사용하여 깨끗한 용기에 덜어낸다. 이때 필요 이상의 양을 취하지 말고, 쓰고 남은 시약이 있을지라도 절대로 원래의 시약병에 다시 넣지 않도록 한다. 잘못해서 약품을 많이 떠냈어도 이미 옮겨진 약품은 제 그릇에 담지 않고 버린다.

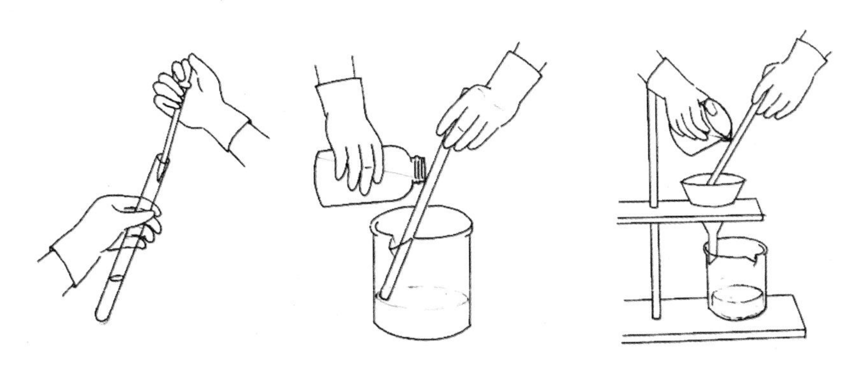

그림 10-4 액체를 따르는 방법

(5) 시약병을 옮길 때

시약병은 반드시 두 손으로 옮긴다. 한 손은 병의 몸통을 잡고 다른 한 손은 병 아래를 받쳐 든다. 시약병의 뚜껑만 잡고 들어 올리면 위험하다.

(6) 시약을 직접 만들었을 때

자주색 양배추 용액처럼 시약을 직접 만들어 보관하고자 할 때 제조한 시약은 시약병에 넣어 라벨(만든 사람, 약품 이름 및 농도, 제조 년-월-일)을 붙여 보관한다. 약품을 일반 음료수 병 등에 보관하면 일반 음료로 착각하여 마시는 경우가 있으므로, 반드시 시약 이름과 제조 일자 등이 기록된 라벨을 붙이고 시약병에 보관하거나 '위험' 등의 표시를 한다.

(7) 강산이나 강염기를 희석할 때

강산이나 강염기를 희석할 때는 반드시 다량의 증류수를 먼저 붓고 산이나 염기를 조금씩 부어가며 희석시킨다. 반대로 하면 위험한데, 예컨대 증류수가 강산의 표면에 떨어지면 높은 열이 발생하면서 산이 튀어 오르게 된다. 또한 희석하는 과정 중에 액체가 피부에 튀면 손상을 줄 수 있으므로 피부에 묻지 않도록 내화학장갑을 끼고 한다.

(8) 화학 약품에 상해를 입었을 때

✲ 용액이 옷이나 피부에 묻었을 때

- 염산, 수산화나트륨, 과산화수소수 등이 피부에 닿으면 피부가 상하므로 취급에 주의해야 한다.
- 옷이나 피부에 묻은 경우 흐르는 물로 충분히 씻어준다.
- 옷에 묻은 경우 옷을 벗기고 장신구도 제거한 후, 물로 충분히 씻어내야 한다.

✻ 화학 약품이 눈에 들어갔을 때

- 눈을 비비거나 압박하지 않는다.
- 눈 세척기의 수압을 알맞게 조절하여 부드러운 물줄기가 나오는 것을 확인한 후 눈과 그 주변을 씻어내고, 병원으로 이송한다.

✻ 화학 약품을 흡입(호흡)했을 때

- 신선한 공기가 있는 곳으로 옮기고 충분히 휴식을 취하게 한다.
- 두통이나 호흡곤란을 호소할 경우 병원으로 이송한다.

3. 유리 실험 기구의 안전 취급

초등학교 과학 실험에서 많이 사용되는 유리 실험 기구에는 비커, 스포이트, 페트리접시, 시험관, 집기병, 눈금실린더, 삼각 플라스크, 돋보기, 유리 막대 등이 있으며, 초자기 또는 초자기구라고도 한다.

유리 실험 기구를 사용하기 전에 금이 가거나 깨졌는지 확인하고, 가열 실험을 할 때는 경질 유리(내열성 유리)로 만들어진 유리 기구를 사용한다.[7] 금이 가거나 깨진 것은 아낌없이 버리고, 깨진 유리 기구를 치울 때는 반드시 장갑을 착용한다. 사용한 유리 실험 기구는 솔을 이용하여 깨끗이 닦아야 한다. 시험관이나 눈금실린더와 같이 주둥이가 작은 기구는 시험관 솔로, 비커나 집기병과 같이 주둥이가 큰 기구는 비커 솔로 닦는다. 유리 기구를 닦을 때는 부딪혀서 깨지지 않도록 안전한 장소에서 닦아야 하고, 닦을 때 너무 힘을 주거나 흔들지 않도록 한다. 세척할 때는 유리가 깨져 베이는 수가 있으므로 보호장갑을 낀다. 물로 잘 닦이지 않을 때는 비눗물이나 탄산수소나트륨을, 그래도 잘 닦이지 않을 때는 묽은 염산 용액 등의 약품을 솔에 묻혀서 닦거나 용액에 담가 두었다가 꺼내어 닦는다. 화학 약품으로 닦을 때는 손에 약품이 묻지 않게 실험용 장갑을 끼고 닦는다. 사용한 솔은 물에 여러 번 씻고 물기를 잘 뺀 다음 실험대 가까이에 걸어두어 보관

[7] 경질 유리는 보통 유리보다 굳기가 높은 유리로서 가열에 의해 쉽게 변형되지 않으며 열팽창 정도가 작아 온도의 급변에도 견딜 수 있는 특징이 있다. 반면 연질 유리는 용융온도 · 성형온도가 낮은 유리를 말한다.

한다.

한편 가열 실험 등이 아닌 경우에는 유리 대신 플라스틱 재질의 기구를 사용하면 좋다. 특히 소규모 과학 실험 키트(Small Scale Science)는 모든 실험 기구가 주로 플라스틱 기구(컵, 스포이트, 페트리접시, 빨대 등)로 구성되어 있어 비교적 간단하고 싸게 구입할 수 있으며, 화학 약품을 소량으로 사용함으로써 실험 소요 비용을 줄이고 폐기물을 줄일 수 있다는 장점이 있다(교육부, 2014).

각 유리 실험 기구별 용도와 올바른 사용법을 살펴보면 다음과 같다(교육부, 2014; 김찬종 등, 1999; 박종규 등, 1988; 한국교원대학교 과학교육연구소, 2002, 2003; 한안진 등, 1997).

(1) 비커

비커는 주로 액체를 가열하거나 따를 때, 액체를 잠시 보관할 때, 물질을 녹일 때 쓰이며, 용량에 따라 50~1000 mL 까지 여러 가지 종류가 있다.

가열 실험을 할 때는 경질 유리로 된 비커를 사용해야 하며, 액체를 완전히 증발시켜 결정을 얻으려 할 때는 증발접시를 사용해야 한다. 가열하기 전에 비커의 바깥에 묻은 물은 마른 헝겊 등으로 잘 닦아낸다. 가열하기 전에 바깥에 물기가 남아 있으면 깨질 수 있다. 알코올램프를 이용하여 비커에 든 액체를 가열할 때는 직접 비커의 바닥을 가열하지 않고, 반드시 세라믹망을 삼발이 위에 놓고 그 위에 비커를 올려 놓고 가열해야 한다. 가열된 비커나 세라믹망, 삼발이, 액체에 화상을 입지 않도록 주의한다.

비커에 액체를 넣을 때는 비커를 기울여 비커의 안쪽 벽을 따라 흘러내려 가게 붓고, 약품을 묽게 할 때는 항상 물을 먼저 붓고 약품이 서서히 유리 막대를 따라 흘러내리게 하여 섞는다. 고체를 넣을 때는 비커를 비스듬히 기울여 비커의 안쪽 벽을 따라 가볍게 미끄러지도록 넣는다. 고체 물질을 똑바로 세워서 넣으면 떨어질 때의 충격으로 비커가 깨질 수 있다.

사용한 약품은 정해진 곳에 버리고, 사용한 비커는 솔로 깨끗이 씻고, 얼룩지거나 잘 안 닦이는 부분은 비누칠을 하여 수세미로 닦는다. 깨끗이 씻은 후 유리 기구 건조대나 그물판 위에 엎어 놓아 물이 흘러내려 마르게 한 다음 실험 기구 보관장에 넣는다.

(2) 시험관

시험관은 소량의 용액을 가열할 때, 용액의 성질이나 반응을 알아보는 실험을 할 때 쓰인다. 시험관의 크기는 여러 가지이며, 경질 유리로 된 시험관을 많이 이용하지만 최근에는 플라스틱 시험관도 이용되고 있다. 시험관은 보통 밑이 둥글기 때문에 시험관대에 꽂아두고 사용한다.

시험관을 손으로 잡을 때는 엄지와 집게, 가운뎃손가락으로 시험관의 위쪽을 쥐고, 시험관 집게로 잡을 때는 시험관 집게를 벌려 시험관을 아래로 밀어 넣어 고정시킨다. 시험관 속의 물질을 섞을 때는 손목만 이용하여 시험관의 아랫부분을 원을 그리며 섞는다.

액체 시약을 시험관에 넣을 때는 시험관을 비스듬히 기울인 채, 시험관의 주둥이에 시약이 담긴 병을 가까이 대고 액체가 안쪽 벽을 따라 흘러내리게 하며 넣거나 스포이트를 이용해서 넣는다. 시약이 시험관 밖으로 흘러내리지 않도록 조심하며, 시험관의 1/4~2/5 정도 넣는다. 위험한 액체 시약을 넣을 때는 시험관을 시험관대에 꽂아 놓고 넣는다.

고체 시약을 넣을 때는 시험관을 조금 기울이고 약숟가락을 이용하여 시약 덩어리가 시험관의 깊은 곳에서부터 미끄러져 내려가도록 슬며시 밀어 넣는다. 덩어리 시약을 곧바로 떨어뜨리면 시험관의 아랫부분이 깨지는 경우가 있다. 가루 시약은 약포지를 접어서 이용하거나 시험관의 주둥이보다 작은 약숟가락을 사용하여 같은 방법으로 넣는다.

시험관의 물질을 가열할 때는 유리 시험관을 사용하고, 가열하기 전에 탈지면이나 화장지 등으로 시험관 겉의 물기를 없앤다. 가열하기 전에 시험관 바깥에 물기가 남아 있으면 시험관이 깨지기 쉽다. 가열할 액체의 양은 1/4 정도가 적당하다. 시험관을 가열할 때는 반드시 시험관 집게로 잡거나 스탠드 장치로 안전하게 고정시켜야 한다. 시험관 집게로 잡고 가열할 때는 시험관을 약간 기울여 주둥이를 사람이 없는 쪽을 향하게 한 다음, 아래쪽을 알코올램프의 불꽃 주위에서 원을 그리듯 돌리며 가열한다.

시험관을 가열할 때는 가열하는 물질에 따라 순간적으로 끓어 넘치는 물질이 있을 수도 있으므로 그 주둥이가 다른 사람을 향하게 해서는 안 된다. 시험관의 아랫부분에 알코올램프의 심지가 닿지 않도록 불꽃의 위에서부터 1/3 정도에 닿게 하는 것이 좋으며, 액체가 끓어서 넘칠 위험이 있을 때는 시험관을 불꽃에서 조금 멀리했다가 다시 가까이 하거나 시험관에 끓임쪽(비등석)을 넣고 가열한다. 가열된 시험관이나 액체, 고체에 화상을 입지 않도록 주의한다.

사용 후에는 시험관에 남은 시약은 안전한 그릇에 담고 시험관을 씻는다. 깨끗이 씻은 시험관은 속의 물기를 뺀 다음 호수에 맞는 시험관대에 꽂아 두거나 실험 기구 보관장에 보관한다.

(3) 페트리접시

페트리접시는 위 뚜껑과 아래 받침으로 되어 있으며, 관찰물의 관찰, 운반, 보관이 용이하다. 씨앗의 싹트기나 작은 생물(예: 곰팡이) 등의 관찰에 많이 사용된다.

페트리접시는 연질 유리나 플라스틱으로 되어 있어 열에 약하기 때문에 뜨거운 물을 붓거나 가열해서는 안 된다. 또한 유리로 만들어진 것은 깨지기 쉬우므로 항상 조심해서 다루어야 한다. 페트리접시를 주고받을 때나 옮길 때 위 뚜껑만 잡으면 아랫부분이 빠져 깨지게 된다. 반드시 두 손을 사용하여 한 손으로 아랫부분을 받치고 다른 손으로는 몸통을 붙잡아야만 한다.

사용 후에는 깨끗이 닦은 뒤 엎어 놓고 말린 후, 보관장에 보관하며, 여러 개 겹쳐 놓으면 미끄러져 깨질 염려가 있으므로 주의한다.

(4) 스포이트

스포이트는 소량의 액체 시약이나 용액을 떨어뜨릴 때와 일정한 양을 정확하게 넣을 때 사용하며, 일정한 양을 넣고자 할 때는 관에 눈금이 있는 것을 이용한다. 스포이트는 유리로 만든 것과 플라스틱으로 만든 것이 있다.

유리 스포이트를 잡을 때는 엄지와 검지로 고무주머니를 가볍게 쥐고 나머지 손가락으로 유리관 부분을 가볍게 감싸 쥔다. 액체를 빨아들일 때는 고무주머니를 누른 채로 스포이트를 액체에 넣은 후 천천히 놓으면 액체가 스포이트 안으로 빨려 들어간다. 빨려 들어온 액체를 다른 곳에 떨어뜨릴 때 액체가 새어 나올 것을 염려하여 스포이트를 거꾸로 세우면 안 된다. 액체 시약이나 용액이 들어 있는 스포이트를 거꾸로 세우면 시약이나 용액이 고무주머니를 상하게 할 수도 있다. 고무주머니는 뜨거운 열, 화학 약품 등에 잘 녹는다. 학생들에게 새어 나오지 않는다는 것을 알도록 물을 이용하여 실험해 보게 하면 좋다. 액체를 떨어뜨릴 때는 고무주머니를 살며시 눌러 필요한 양의 용액이 떨어지게 한다. 두 가지 이상의 용액을 다룰 때는 각각 다른 스포이트를 사용한다. 위험한 액체를 옮길 때는 비커나 시험관의 벽에 흘러내리게 한다.

사용하고 난 스포이트는 유리관을 물에 넣은 다음 고무주머니를 눌렀다 놓았다 하며 깨끗이 잘 씻어야 하고, 고무주머니를 분리하여 물로 깨끗이 씻는다. 스포이트의 유리관 끝부분은 잘 깨지므로 부딪히거나 충격을 주지 않도록 한다. 최근에는 플라스틱 재질의 일회용 스포이트를 이용하는 경우도 있는데, 일회용 스포이트는 사용하고 난 후 버리도록 한다.

(5) 플라스크

플라스크는 모양과 쓰임에 따라 여러 가지 종류가 있다. 초등에서는 주로 삼각플라스크를 사용하는데, 삼각 플라스크는 바닥이 넓고 편평하여 세워 놓기 좋아서 용액을 넣고 꺼내는 데 주로 쓰인다. 플라스크는 목 부분이 좁아 용액이 튀더라도 벽에 걸려 나가지 못하고 빗면을 따라 다시 용액 속으로 흘러 들어가게 된다.

큰 플라스크를 운반할 때는 한 손으로 목 부분을 잡고 다른 손으로 밑 부분을 받쳐 든다. 사용이 끝나면 플라스크를 플라스크 솔(시험관 솔)로 깨끗이 닦아 물기를 뺀 다음 보관한다.

(6) 눈금실린더

주로 액체의 부피를 측정하는 기구로, 모래와 같이 작은 고체의 부피를 재는 것도 가능하다. 눈금실린더는 유리 재질인 것과 플라스틱 재질인 것이 있다. 용량은 다양하며 부피를 측정하려고 하는 물질의 양보다 큰 눈금실린더를 사용한다.

액체나 고체를 넣을 때 시험관에 물질을 넣을 때와 마찬가지로 기울여서 넣는다. 액체의 부피를 잴 때는 액체의 높이(대부분의 액체는 오목한 부분, 수은의 경우 볼록한 부분)와 눈의 높이를 같게 하여 눈금을 읽는다. 고체의 부피를 잴 때는 눈금실린더에 든 고체를 조심스럽게 흔들어 평평하게 만든 후 눈금을 읽는다. 고체를 꺼낼 때도 눈금실린더를 기울여서 미끄러지듯 꺼낸다. 사용 후에는 깨끗이 씻어 말린 후 보관한다.

(7) 집기병

집기병은 산소나 이산화탄소 등의 기체를 모으거나 기체의 성질 등을 알아보는 실험을 할 때 사용한다. 열에 약한 연질 유리로 되어 있으므로 가열 실험에는 사용하지 않아야 하며, 주둥이 윗부분은 평평하게 갈린 것이 좋다.

기체를 모을 때 유리판은 집기병의 주둥이보다 큰 것을 사용하고, 병 속의 기체가 새어 나가지 못하도록 잘 덮어야 한다. 촛불 연소 실험의 경우 촛불의 불꽃에 오래 닿으면 병이 깨질 수 있으므로 주의해야 한다. 실험이 끝나면 병 속에 남은 물질을 빼내고 잘 씻어서 말린 후 보관한다.

(8) 깔때기

깔때기는 알코올램프에 알코올을 넣을 때와 같이 주둥이가 좁은 그릇에 용액을 넣을 때, 물에 녹지 않는 물질이 섞인 혼합물을 분리할 때 사용한다(그림 10-4의 세 번째 그림).

혼합물을 분리하는 실험을 할 때 깔때기의 크기는 거름종이를 접은 크기보다 큰 것이 좋다. 깔때기에 거름종이를 끼울 때는 깨끗한 물을 부어 거름종이가 깔때기의 안쪽 벽에 붙도록 한다. 거름종이의 아랫부분은 깔때기와 떨어져 있어야 걸러내는 부분이 커져서 잘 걸러진다. 용액을 부을 때는 용액이 든 기구가 깔때기에 직접 닿지 않도록 유리 막대로 흘러내리게 한다. 이때 한 손으로 유리 막대를 깔때기 안쪽으로 비스듬히 눕히고 다른 손으로 용액을 붓는다. 유리 막대를 잘못 사용하면 거름종이가 찢어지는 수도 있으므로 조심한다. 깔때기에 담을 수 있는 양의 2/3 정도를 넘지 않도록 깔때기에 부어 거른다. 사용한 깔때기와 유리 막대를 잘 씻고, 사용한 거름종이는 버린다.

(9) 수조

수조는 수상치환으로 기체를 모을 때 사용되는 물을 담아 둘 때나 물고기를 관찰하거나 개구리알 등 작은 생물의 사육 · 재배 관찰 때 사용하며, 모양에 따라 원형 수조와 사각 수조로 구분할 수 있다.

수조는 연질 유리나 플라스틱으로 되어 있으므로 가열하거나 뜨거운 물을 갑

자기 붓지 않도록 한다. 수조를 옮길 때는 윗부분만 잡거나 물을 채워서 옮기는 것은 위험하다. 두 손으로 밑바닥을 받쳐 들고 옮기도록 하고, 수조를 안전한 곳에 놓은 다음 주전자 등을 이용하여 물을 채운다. 사용한 수조는 씻고 엎어서 말린 후 실험 기구 보관장에 넣는다.

(10) 유리 막대

유리 막대와 유리관은 가늘고 긴 유리 기구로 그 쓰임새가 다르다. 유리 막대는 고체 물질을 액체 물질에 녹이거나 액체를 다른 액체에 조금씩 따라 부을 때 사용한다.

유리 막대로 여러 가지 액체를 다룰 때는 물에 잘 씻어서 쓰거나 각각 다른 막대를 사용한다. 또한 유리 막대를 함부로 입에 대거나 맛보지 않도록 한다. 유리 막대는 바닥에 떨어뜨리거나 굴러다니지 않게 조심하고, 끝이 날카로운 것은 사용하지 않도록 한다.

(11) 증발접시

증발접시는 소금물의 분리와 같이 액체를 증발시켜 결정을 얻는 데 쓰인다. 여러 종류의 증발접시가 있지만 보통 흰 사기로 된 것을 많이 사용한다.

증발접시에 액체를 부을 때는 튀지 않도록 비커를 기울여 증발접시의 벽을 따라 내려가게 붓는다. 알코올램프를 이용하여 가열할 때는 삼발이와 세라믹망 위에 증발접시를 올려놓고 가열한다. 소금물의 분리 실험에서 물이 거의 증발하여 소금이 튀기 시작하면 불이나 전원을 끄게 한다. 이때 소금이 증발접시 밖으로 튀거나 눈으로 들어오는 경우가 있기 때문에 반드시 보안경을 끼고 실험해야 한다. 결정체(소금)를 긁어낼 때는 증발접시가 어느 정도 식은 후에 약숟가락을 이용한다. 사용 후에는 깨끗이 씻어서 보관한다.

(12) 시약병

시약병은 실험에 필요한 여러 가지 시약을 넣어 보관하는 병이다. 시약병에 위험한 약품도 담겨 있으므로 주의해서 다루고 보관해야 한다. 시약병은 모양에 따라 주둥이가 넓은 '광구시약병'과 좁은 '세구시약병', 뚜껑에 스포이트가 달린 '스포이트시약병(점적시약병)'으로 구분되며, 시약병의 색깔은 무색투명한 것과 갈색이 있다.

고체 약품이나 가루 물질은 광구시약병에 넣고, 액체 시약은 세구시약병에 넣는다. 오래 보관하거나 햇빛을 받으면 성질이 변하는 화학 약품은 갈색 시약병에 담고, 자주 사용하는 약품은 스포이트시약병을 쓴다. 스포이트시약병의 스포이트는 끝이 잘 깨지므로 주의해서 다루고, 스포이트(마개)가 다른 병의 것과 바뀌지 않도록 하며, 스포이트의 고무가 상한 것은 새 것으로 바꾼다.

시약병은 함부로 만지지 말고 반드시 교사의 지도에 따라 조심해서 다루어야 한다. 시약병의 라벨에 기록된 내용을 꼭 확인한 뒤 사용하고 무슨 약품인지 모를 때는 사용하지 않는다. 시험관에 액체 시약을 따르기 위해 시약병의 마개를 열 때는 오른손으로 시약병의 라벨이 손바닥에 닿게 감싸 쥔 다음, 시험관을 쥔 왼손의 엄지와 검지, 가운뎃손가락으로 병마개를 잡아서 연다. 점적시약병은 왼손으로 시약병을 잡고 오른손으로 마개(스포이트)를 돌려서 연다. 시약병을 다룰 때는 실험용 장갑을 끼고 다룬다. 시약은 필요한 양만 덜어내고, 일단 꺼낸 시약은 시약병에 다시 넣지 않는다. 병에 시약이 묻으면 깨끗이 닦는다.

시약병에는 약품의 성질에 따라 약품의 이름, 농도, 제조 연월일을 기록한 라벨이 반드시 바르게 붙어 있어야 하며, 고무, 코르크, 유리마개로 구분해서 막는다. 보통 시약은 흰 종이에 검은 글씨로, 극약 종류는 붉은 글씨로 '위험'이라고 써 두어 사고를 막는다. 시약병은 약품의 성질에 따라 구분하여 햇빛, 열, 강한 충격 등을 받지 않도록 약품장에 안전하게 보관하고, 강산이나 강염기를 넣은 장은 잠금장치로 잠가 둔다.

빈 시약병을 그대로 버리면 학생들이 주워서 장난을 하다가 상처를 입는 경우가 있으므로 빈 시약병은 학생들의 손이 닿지 않는 일정 장소에 보관해 두었다가 처리한다.

(13) 온도계

적외선 온도계, 체온계, 알코올 온도계 등 온도계의 종류는 다양하다. 최근에 사용되는 대부분의 온도계는 디지털화되어 온도가 숫자로 표시되지만, 알코올 온도계의 경우 온도를 알기 위해서는 눈금을 읽어야 한다. 알코올 온도계는 유리 재질이고 알코올에 붉은 물감을 넣어 온도계의 기둥이 잘 보이게 한 것이다. 온도계 기둥의 붉은 부분과 눈높이를 같게 하여 눈금을 읽는다. 온도계는 떨어뜨리거나 고무마개에 끼울 때 깨지기 쉽다. 고무마개에 온도계를 끼울 때는 꼭 면장갑을 끼도록 한다.

4. 전기 기구의 안전 취급

전기에 의한 사고는 가벼운 화상에서 심지어 사망에까지 이를 수 있다. 따라서 과학 수업뿐 아니라 항상 전기에 의한 사고를 미연에 방지하기 위한 각별한 주의가 필요하다. 또한 각종 전기 기구를 안전하게 사용하기 위해 교사뿐 아니라 학생도 기본적인 주의사항을 알고 있어야 한다. 다음은 전기 기구를 다룰 때 주의할 점이다(한국과학창의재단, 2021, pp.88-89).

① 사고 예방

✲ 전기 기구 상태 확인하기

- 전기 기구 사용 전 플러그나 전선의 피복이 벗겨지지 않았는지 작동 여부를 확인한다.[8]

✲ 감전에 유의하기

- 물기가 있는 곳에서 전기 기구를 사용하지 않는다.

[8] 피복이 벗겨진 전선은 사용하지 않는다. 피복이 손상된 경우 합선 위험이 있다. 합선이란 두 가닥의 도선이 서로 닿아 저항이 매우 작아지면서 센 전류가 흐르는 현상이다. 합선이 되면 도선에서 열이 발생하면서 화재가 나거나 감전 사고의 원인이 될 수 있다. 한편 누전이란 도선을 감싼 피복이 손상되어 가까이에 있는 금속이나 다른 물체에 비정상적으로 전류가 흐르게 되는 것을 말한다. 합선과 마찬가지로 화재나 감전 사고의 원인이 된다.

✲ 전기포트를 사용할 때

- 전기포트 뚜껑을 열고 끓이면 과열로 인해 화재가 발생할 수 있으므로 반드시 뚜껑을 덮고 사용한다.

✲ 전등을 사용할 때

- 사용 중인 전구는 뜨거우므로 만지지 않으며 사용 후 전구가 식을 때까지 기다린다.
- 열 전구를 끼울 때 너무 많이 돌리면 소켓이 파손되어 합선이 일어날 수 있으므로 주의한다.
- 백열등형 전등은 발광다이오드(LED) 전구를 사용하면 화상 위험을 줄일 수 있다.

✲ 레이저 지시기를 사용할 때

- 레이저 지시기를 사용할 때는 레이저 보안경을 착용하고 사람을 향하거나 직접 눈으로 들여다보지 않는다.

✲ 전기회로 실험을 할 때

- 꼬마전구를 전구 끼우개에 끼울 때 무리하게 힘을 주어 꼬마전구가 깨지지 않도록 한다.
- 에나멜선을 칼로 벗기다가 베이거나 에나멜선에 찔리지 않도록 주의한다.

② 사고 대처

✲ 감전 사고가 발생했을 때

- 전원을 빠르게 차단하고 전기가 통하지 않는 도구로 환자를 전기 기구와 분리한다.
- 상태가 위독한 경우 응급구조대에 신고하며, 의식이 없을 경우 안전한 바닥

에 눕히고 필요한 경우 주변의 도움을 받아 심폐소생술을 실시한다.

✲ 전기 기구에서 연기가 났을 때

- 타는 냄새가 나거나 위험을 느꼈을 때는 즉시 실험을 중지하고 전원을 차단한다.

✲ 동전전지를 삼켰을 때

- 동전전지(리튬전지)를 삼킨 경우 성대, 식도, 혈관 등이 손상될 수 있으니 즉시 토해낸 후 병원에서 처치를 받는다.

③ 건전지 사용

- 건전지는 가열, 분해하지 않으며, 부풀어 있는 경우 사용하지 않는다.

5. 동식물의 안전 취급

과학 수업에서 다양한 동식물을 다루게 되는데 동식물의 경우 생명체이므로 조심히 다루어야 한다. 또한 학생들 중에는 알레르기를 가진 경우도 있어 각별한 주의를 요구한다. 따라서 동식물을 안전하게 취급하는 것에 대해 교사뿐 아니라 학생도 기본적인 주의사항을 알고 있어야 한다. 다음은 동식물을 다룰 때 주의할 점이다(한국과학창의재단, 2021, pp.90-91).

① 사고 예방

✲ 사전에 알레르기 여부 파악하기

- 학생들에게 동식물 알레르기 여부를 확인하고 알레르기가 있을 경우 동식물을 만지거나 꽃가루 등을 흡입하지 않도록 한다.
- 질병을 일으키거나 위험성이 있는 동식물은 관찰 대상에서 배제한다.

✲ 동식물 생명 존중하기

- 관찰을 위해 동식물을 채집하는 경우 필요한 만큼만 채집하여 함부로 동물에 해를 끼치거나 식물을 꺾지 않는다.

✲ 식물의 단면을 자를 때

- 식물을 자를 때는 코팅된 보호장갑을 착용 후 절단한다.
- 칼날을 길게 빼거나 무리한 힘을 주지 않는다.

✲ 야외 관찰활동을 할 때

- 야외 관찰활동 중에는 차양이 넓은 모자를 쓰고 긴바지, 긴소매 옷을 착용하며 잔디나 풀 위에 직접 앉지 않도록 한다.
- 야외 관찰활동 후에는 반드시 손을 씻도록 한다.

✲ 현미경을 사용할 때

- 조동나사는 조금씩 조절하여 프레파라트가 깨지지 않도록 주의한다.
- 현미경 광원에 의한 화상을 주의한다.

✲ 돋보기, 루페를 사용할 때

- 돋보기로 관찰할 때는 태양을 직접 보지 않도록 한다.
- 인화 물질 가까이에 돋보기나 루페를 두는 경우 화재 위험이 있으니 주의한다.

② 사고 대처

✲ 칼에 베었을 때

- 출혈 부위를 압박하여 지혈한 뒤 소독한다.
- 상처가 깊거나 벌어졌으면 병원으로 이송한다.

✻ 벌에 쏘였을 때

- 카드와 같이 얇고 단단한 물건으로 벌침을 제거한 후 상처를 씻고 얼음찜질 한다.
- 붓기를 막기 위해 쏘인 부분을 심장보다 높이 유지하고 병원 진료를 받는다.

✻ 가시에 찔렸을 때

- 찔린 부위를 만지거나 문지르지 않고 깨끗한 물로 씻고 소독한다.
- 가시가 얕게 박혔으면 가시를 제거한 후 소독을 하고, 깊게 박혔을 때는 병원으로 이송한다.

✻ 알레르기 증상이 나타난 경우

- 두통, 메스꺼움, 현기증, 구토, 발진, 가려움 등이 생긴 경우 즉시 실험을 중지하고 과학실험실 밖으로 나가 맑은 공기를 마시며 휴식을 취한다.
- 증세가 계속되는 경우 병원으로 이송한다.

10.4 안전 사고 대처 요령

교사는 안전한 과학 활동을 위해 많은 노력을 기울여야 한다. 교사는 과학실험실에서 안전용구(소화기, 눈세척기, 응급샤워부스, 방독면 등)의 위치 파악 및 사용 용법을 숙지해야 하고 정기적인 점검을 해야 한다. 교사는 수업 전에 사전 실험을 통해 위험의 소지가 있는 부분을 확인해야 하고, 수업 과정 중에는 항상 모든 학생을 볼 수 있는 자리에 위치하여 위험의 소지가 있는 부분에 대해서는 반드시 수업 전 안전교육을 실시하여야 한다. 또한 실험 과정에 생길 수 있는 안전 사고를 면밀히 살펴보아야 한다. 실험 기구 취급의 미숙으로 인한 파손 등의 어수선한 분위기가 되었을 때는 침착하게(물론 쉽지 않은 일이긴 하지만) 그 상황을 실험 기구 사용 방법에 대한 교육적 차원으로 연결시킬 수 있어야 한다.

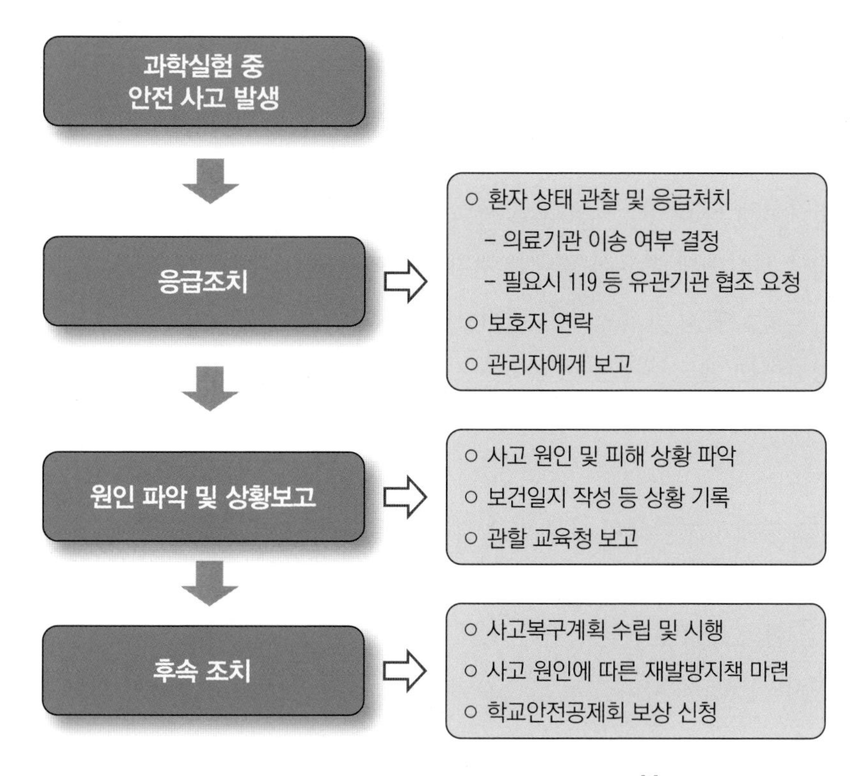

그림 10-5 과학실험 안전 사고 발생시 대응 체계[9]

교사는 뜻밖의 상황에 대비하여 기본적인 응급 처치 방법에 대해 숙지해야 하며, 안전 사고가 발생한 경우에는 신속하고 적절하게 대처도 해야 한다. 이 정도 되면 교직은 '참 고단한 직업이구나!' 하는 생각이 들 수도 있겠다.

수업 중에 안전 사고가 발생하면 신속하고 체계적인 사후 조치가 실시되어야 하며(그림 10-5), 사고 처리는 다음과 같은 절차를 따른다(교육부, 2018a; 김찬종 등, 1999).

화재, 폭발 등이 발생하였을 경우에는 학생들을 신속히 대피시키고, 상황을 전파하여 가까이에 있는 교직원에게 도움을 구한다. 이후에는 학교에 마련된 화재대피매뉴얼에 따라 조치한다. 부상을 당한 학생의 상처 부위와 정도를 조사하고, 부상자의 안색을 관찰한다. 머리와 얼굴, 목 등의 상처와 뇌, 배, 허리 등 눈에 보이지 않는 부분의 상처에 주의한다.

유리나 칼에 베이거나 뜨거운 물 또는 화학 물질에 데이는 정도의 경미한 사

[9] 교육청에서 매년 학교로 과학실험실 안전관리 계획을 수립하라는 공문이 발송된다. 그림 10-5는 한 지역교육청 공문에 제시된 과학실험 안전 사고 발생시 대응 체계 예시이다.

고의 경우에는 응급 처치를 실시하며, 필요한 경우 보건교사의 도움을 받는다. 상처의 정도에 따라 가까운 병원에 연락을 취하고, 구급을 요하는 경우에는 구급차를 요청한다.

침착하게 사고 내용과 정보를 파악한 후, 사고의 대소와 경중에 관계없이 학교장이나 교감에게 반드시 연락을 취하고 상황을 보고하며 지시를 기다린다. 즉 독단으로 판단하지 말고 지원을 의뢰한다.

병원에는 반드시 후송 담당 교사가 동참하며 상처의 치료 상황 등을 신속하게 파악하여 학교에 보고한다. 부상자를 보호자에게 인수할 때까지 옆에서 간호한다.

보호자에게는 학생의 사고 발생 장소와 시각, 상처의 종류와 상태, 응급 처치에 대하여 상세하게 알린다. 보고는 정확하고 상세하게 하며, 추측이나 과장된 표현, 책임 회피 등의 표현은 삼간다.

상처의 정도에 따라 그날 중으로 학교장, 교감, 부장교사 또는 담임교사(과학 수업을 한 교사)가 가정이나 병원으로 문병한다.

사고 발생 현황, 경과 관찰, 사후 처리에 대한 것을 면밀히 수업 일지에 기록하여 향후 학교안전공제회 보상 신청 및 사고복구계획을 수립 및 시행하고 사고 원인에 따른 재발방지책을 마련한다.

10.5 과학 실험 폐기물 처리

초등학교 과학 수업 중에 발생되는 실험 폐기물의 안전한 처리는 학생들에게 모범적이어야 하고, 환경교육의 사례로 강조하여 지도해야 한다(명재룡, 2001). "실험 후 폐액을 직접 하수구에 버리면 하수구를 오염되게 할 뿐 아니라 정화조에 흘러 들어가면 정화조 내의 pH 농도가 변하여 박테리아가 죽게 되어 정화능력이 떨어진다. 따라서 산성 및 염기성의 폐액을 무의식중에 직접 하수구에 버려서는 안 된다"(김찬종 등, 1999).

얼마 전까지 일선 교육 현장에서는 폐수 처리를 위한 통이 없거나 폐기물 처리 방법에 대한 이해 부족으로 실험 폐기물이 함부로 버려지는 실정이었다. 다행히 최근에는 교육(지원)청의 주관하에 일선 학교에서 발생한 과학 실험 폐기물이 폐수처리업체에 위탁 처리되고 있다.

일선 학교에서는 관할 시·도교육청의 과학 실험 폐수 및 폐시약 처리 지침에 따라 자체 계획을 수립하고 폐수의 발생 단계에서 처리 단계까지 폐수 관리 대장에 기록을 유지하고 그 결과를 시·도교육청에 보고해야 한다. 과학 수업에서 발생한 실험 폐수와 폐시약은 '발생', '분류 수집', '보관', '처리'의 과정을 거쳐 처리되며, 각 관리 단계에서 효과적이고 철저한 관리가 이루어져야 한다. 과학 수업에서의 실험 폐수와 폐시약의 발생 이후 처리 과정을 예시하면 다음과 같다(한국과학창의재단, 2021, pp.58-59).

(1) 분류 수집 단계

20L 정도의 유색 수집용기(두꺼운 합성수지제, 뚜껑 부착)를 4개 마련한다. 유색 용기가 아닌 경우에는 색깔이 있는 라벨을 부착하여 일반 용기와 구별될 수 있도록 하여 안전 사고를 예방한다. 또한 모든 용기에는 눈에 잘 띄는 색으로 '폐수통'이라는 표기를 하고, 4개의 용기에는 각각 '산계', '알칼리계', '무기계' 및 '유기계'로 구분하여 표시한다.

실험 후 발생한 폐수·폐액을 산계, 알칼리계, 무기계, 유기계로 분류하고 해당 수집용기에 넣는다(표 10-1 참조). 화학 약품의 화학 반응을 알아보는 실험의 경우에는 실험 후에 나오는 폐수를 종류별로 다시 분류하여 놓기는 어렵기 때문에 이때는 혼합된 약품이 많은 쪽으로 분류하여 버리는 방법을 택한다.

폐수·폐액을 용기에 넣을 때는 이미 용기에 있는 다른 폐수와 반응할 가능성이 있기 때문에 조금씩 천천히 붓고, 폐수가 새지 않도록 깔때기를 사용한다.

표 10-1 폐수·폐시약의 구분

구분	종류
산계	염산, 황산 등
알칼리계	수산화나트륨, 수산화칼륨, 수산화칼슘 등
무기계	구리, 철가루, 이산화망간, 염화나트륨, 염화칼륨, 염화코발트, 명반(백반), 탄산수소나트륨, 탄산칼슘 등
유기계	구연산(시트르산), 페놀프탈레인용액, 합성세제, 알코올, 초, 아세톤, 아세트산 등

실험에 사용한 유리 실험 기구를 1~2회 정도 세척한 물도 용기에 붓는다. 실험에 사용한 비커 등의 실험 기구는 시약이 묻어 있는 경우가 많으므로 세척시 시약 농도에 따라 1~2회 정도 세척한 물도 용기에 모은다.

폐시약병은 학생들의 손이 닿지 않는 안전한 곳에 따로 보관한다.

(2) 보관 단계

폐수 수집 용기를 보관하는 곳은 반드시 위험이나 경고 표시를 부착하고, 학생들이 쉽게 접근할 수 없는 곳을 정해 보관한다. 그리고 이중 잠금 장치를 설치하여 외부와 차단되도록 보관한다.

폐수 및 폐시약은 교육(지원)청에서 위탁 처리하므로 위탁 날짜가 될 때까지 담당 교사의 책임하에 일정 장소에 보관하고, 가급적 과학실에 오랫동안 보관하지 않는다.

(3) 처리 단계

학기말에 폐수 · 폐액의 양을 보고하는 공문이 내려오면 모아 놓은 폐수의 양을 보고한다.

폐수처리업체는 폐수 · 폐액을 수거해 가면서 폐수 인계 · 인수에 따른 관련 증빙서에 그 양을 써준다. 이를 일정 기간(예:3년) 잘 보관하도록 하며, 처리 결과를 시 · 도교육청에 보고한다.

연습문제

1. 대부분의 초등학교는 모든 과학 수업을 과학실에서 하기 어려운 상황이다. 만약 여러분이 6학년 담임교사를 맡았고, 1학기 과학 수업 시수 중 절반만 과학실에서 할 수 있는 상황이라고 가정하자. 6학년 1학기 단원 중 반드시 과학실에서 활동해야 하는 단원과 차시를 선정해 보자. 다른 학년을 하고 싶다면 다른 학년을 해도 좋다.

2. 여러분이 과학 담당교사로서 전교생을 대상으로 과학 실험 안전 교육을 실시해야 한다고 가정하고 이에 대한 교육 계획을 세워 보시오.

3. 유리 실험 기구 중 가열 실험에 사용할 수 있는 것의 특징을 설명하고 그 예를 제시하시오.

4. 유리 실험 기구와 플라스틱 실험 기구의 장점과 단점을 설명하시오.

5. 실험이 끝나면 실험 기구를 깨끗이 닦은 후 보관해야 한다. 그런데 많은 초등학생이 이러한 뒤처리를 하고 싶어하지 않는다. 이에 대한 교육적 해결 방법을 세 가지 제시하시오.

11

과학 수업 계획과 실행

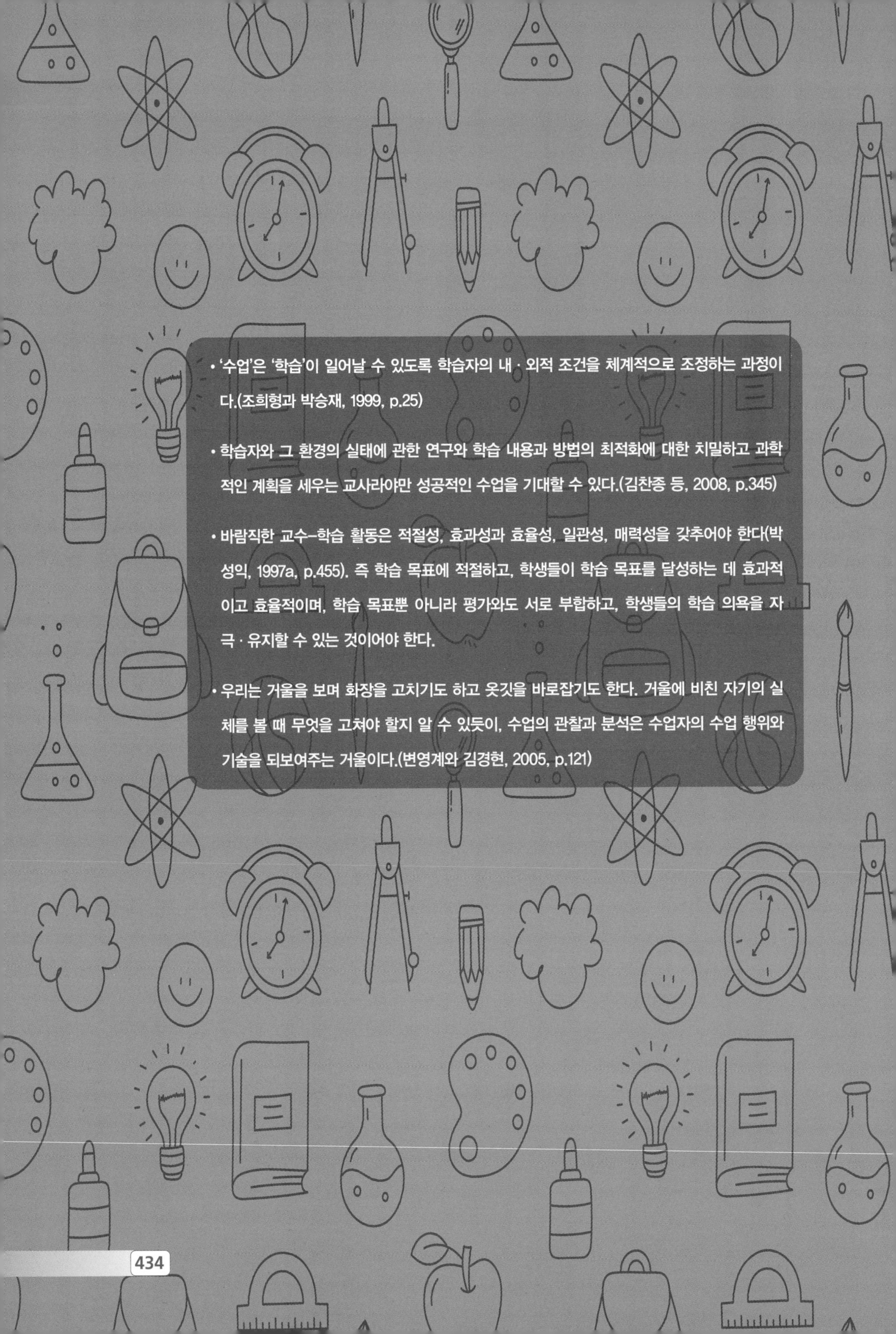

- '수업'은 '학습'이 일어날 수 있도록 학습자의 내 · 외적 조건을 체계적으로 조정하는 과정이다.(조희형과 박승재, 1999, p.25)
- 학습자와 그 환경의 실태에 관한 연구와 학습 내용과 방법의 최적화에 대한 치밀하고 과학적인 계획을 세우는 교사라야만 성공적인 수업을 기대할 수 있다.(김찬종 등, 2008, p.345)
- 바람직한 교수–학습 활동은 적절성, 효과성과 효율성, 일관성, 매력성을 갖추어야 한다(박성익, 1997a, p.455). 즉 학습 목표에 적절하고, 학생들이 학습 목표를 달성하는 데 효과적이고 효율적이며, 학습 목표뿐 아니라 평가와도 서로 부합하고, 학생들의 학습 의욕을 자극 · 유지할 수 있는 것이어야 한다.
- 우리는 거울을 보며 화장을 고치기도 하고 옷깃을 바로잡기도 한다. 거울에 비친 자기의 실체를 볼 때 무엇을 고쳐야 할지 알 수 있듯이, 수업의 관찰과 분석은 수업자의 수업 행위와 기술을 되보여주는 거울이다.(변영계와 김경현, 2005, p.121)

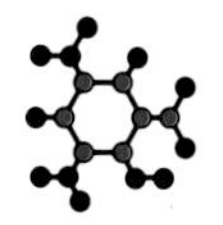

지금까지 살펴본 내용은 제11장 '과학 수업 계획과 실행'을 위한 기초가 되는 이론을 다지는 작업이라고 볼 수 있다. 이 장에서는 앞에서 다룬 이론들을 실제로 연결 짓는 내용이 소개된다. 교육이론이 실천되는 모습, 바로 과학 수업을 다룬다.

"과학과 교육과정에서는 학생의 능력, 자료의 준비나 계절 등을 고려하여 학습 내용의 수준과 영역(교과서의 단원)의 순서를 제시하고 있지만 이는 중간 수준 이상의 학생과 전국적인 학교 상황을 고려한 것이므로"(교육과학기술부, 2008b, p.212), 교사는 자신이 맡은 학급 학생들의 과학 학습 능력이나 학교와 지역적 특성 등을 파악하고 그에 따라 융통성 있는 연간 과학 수업 계획을 세워야 한다. 또 이러한 연간 지도 계획에 따라 교사는 매 단원 그리고 매 차시 학습 지도 계획도 수립해야 한다.

한편 바람직한 수업이란 '교수'와 '학습'이 동시에 일어나는 것이다. 즉 이상적인 수업은 교사가 가르친 것을 학생이 배우는 장면이 나타난다. 교수를 한다고 해서 반드시 학습이 일어나는 것은 아니며, 교수 없이도 학습은 일어날 수 있다(조희형과 박승재, 1999). 교사는 이러한 학습의 유동성과 자율성을 인지하되 교수와 학습이 이상적인 관계를 갖도록 수업을 계획해야 한다.

교사는 학생들이 효과적으로 학습하도록 교수하려는 목적 아래 짧게는 수분 길게는 수시간에 걸쳐 차시 수업을 구상한다. 구체적으로 살펴보면 교사는 무엇을 가르쳐야 할 것인지, 어떠한 자료를 사용할 것인지, 어떻게 학습 활동을 전개시킬 것인지 등을 구체화하게 된다. 그리고 이러한 교사의 수업구상은 교사의 머릿속에나(mindplan), 간단한 메모 형태, 또는 일정한 양식을 갖춘 교수-학습 과정안으로 구현되곤 한다.

교수-학습 과정안의 작성은 교육과정과 실제 수업의 중재 과정으로, 학습 목표, 학생들의 이해 수준과 흥미, 학습 내용과 활동, 평가 등을 종합적으로 고려해야 하는 매우 고차원적인 인지적 활동을 수반하는 과정이다(김인식 등, 2000; 임청환, 2003; Glick et al., 1992; So, 1997). 따라서 교사가 작성한 교수-학습 과정안은 교사의 구체적인 수업 계획을 드러내는 통로이자 그 자신의 전문성을 반영하는 거울이라 할 수 있다(장명덕, 2006). 그런 까닭에 초등 예비교사인 여러분이 교육실습 과정에서 겪게 되는 가장 곤혹스러운 경험 중 하나는 교수-학습 과정안의 작성일 것이다. 물론 이를 토대로 공개수업을 하는 것도 마찬가지이다.

이 장에서는 과학 수업 계획의 수립 방법, 공개수업을 위한 과학 교수-학습 과정안 작성 요령, 과학 수업의 실행 과정에서 유의할 점에 대해 살펴본다. 이와 더불어 지속적으로 과학교육에서 강조되는 융합교육(STEAM) 수업에 대해 이야기하며 마무리한다.

11.1 과학 수업 계획의 수립

과학 수업 계획의 수립은 효과적이고 효율적인 과학 교수-학습 활동 전개를 위한 사전 작업이다.[1] 수업에 대한 사전 계획을 세우는 이유는 수업을 실행하기 이전에 충분히 계획한 수업은 그렇지 않을 때보다 수업의 효과를 높이는 데 더 효과적이고 효율적이라는 기본 가정 때문이다(김인식 등, 2000).

과학 수업 계획은 '연간 또는 학기 지도 계획', '단원 지도 계획', '차시 지도 계획'의 세 수준으로 구분할 수 있다. 수업 계획은 그 수준에 관계없이 어느 것이나 수업을 진행할 방향을 지시하고, 수업이 진행되는 동안 내내 그 일관성과 체계성을 유지시켜 주는 기능을 한다(조희형과 박승재, 1999). 이 절에서는 세 가지 수준, 즉 학기, 단원 및 차시 수업 계획을 수립하는 방법을 각각 살펴본다. 그러나 수업 계획의 수준을 세 가지로 나눈다 해서 각각이 분리되어 존재하는 것은 아니다. 단지 연간/학기, 단원, 차시 수업 계획은 각자 역할이 다를 뿐이다. 물론 연간 또는 학기 지도 계획이 단원 지도 계획으로, 단원 지도 계획이 차시 지도 계획으로 영향을 주는 것이 이론적으로는 타당해보일 수 있다. 하지만 꼭 그러한 순서로 영향

[1] 수업 계획과 관련하여 '수업 설계'라는 용어가 현재 많이 사용되고 있다. 수업 설계는 단원 전개 계획이나 차시 학습 지도안 작성과 거의 같은 의미로 사용되기도 하지만, 일반적으로 한 차시 수업 계획의 경우에는 수업 설계란 말을 잘 쓰지 않으며 비교적 큼직한 학습 과제나 한 단원의 계획을 수립할 때 쓴다(김인식 등, 2000).

을 주지만은 않으며 때로는 역으로 혹은 순서를 건너뛰어 영향을 주기도 한다. 더불어 제3장에서 살펴본 바와 같이 과학적 방법에 단 하나의 유일한 방법이 없듯이 과학 수업 계획을 위한 유일한 모형이나 절차가 있을 수 없다는 점을 유념하길 바란다.

1. 연간(학기) 지도 계획

연간 또는 학기별 장기 수업 계획은 교과목 수준에서의 수업 계획을 수립하는 것으로서 일반적으로 교과용 도서 연구·개발 수준에서 이루어진다. 따라서 일선 학교에서는 과학 교과 수업을 위한 연간 또는 학기 수업 계획을 세울 때는 교사용 지도서에 제시된 연간 또는 학기별 지도 계획을 기초로 수립하는 것이 일반적이다.

초등학교의 경우에는 과학 교과서가 학기별로 나오기 때문에 연간 지도 계획을 학기별로 세우며, 학기별 과학 수업 계획을 세울 때는 해당 학년·학기 과학 교사용 지도서 총론에 제시된 '학기별 지도 계획'을 참고로 수립한다.

그런데 교사용 지도서에 제시된 학기별 지도 계획에는 다음과 같은 사항이 반영되어 있지 않으므로 이에 대한 수정 또는 보완이 필요하며, 이때 전년도 해당 학년의 학교 교육과정을 활용하면 실용적이다.

첫째, 교사용 지도서에 제시된 학기별 지도 계획은 각 학교의 상황을 고려한 것이 아니라는 점이다. 예를 들어 교과서 개발 과정에서 계절을 고려하여 학기별 단원의 순서가 배정되지만 각 학교에서의 과학실 사용 가능성에 대해서는 고려되어 있지 않다. 따라서 학교의 실정이나 지역의 특성, 학생의 능력, 자료의 준비 가능성 등을 고려하여 학습 내용과 지도의 시기를 조정할 필요가 있다(교육과학기술부, 2011a).

둘째, 한 학기 동안의 평가 방안에 대한 내용이 반영되어 있지 않다는 점이다. 평가 계획은 수업에서 빠져서는 안 되는 중요한 부분이다(NRC, 1996). 따라서 한 학기 동안 지필평가와 수행평가를 언제, 어떻게 실시할지 등에 대한 내용이 학기 지도 계획 수립시 반영되어야 한다. 이를 위해서는 한 학기 교과서와 교사용 지도서의 내용을 검토하는 작업이 필요하다. 또한 학생들의 특성을 반영하여 무엇을, 어떻게 평가할지에 대해 고민해야 한다.

셋째, 한 학기 동안 필요한 실험 기구나 준비물 등에 대한 내용이 학기 지도 계획 수립시 고려되어야 한다. 이를 위해 한 학기 수업에 필요한 실험 기구 등에 대한 보유 유무를 확인해야 하고, 사용가능한 여부를 확인해야 한다. 습기에 취약한 실험 도구나 연도가 오래된 화학 약품 등은 사용이 불가능한 경우가 종종 있다. 필요한 물품은 과학부장이나 담당교사에게 구입을 요청해야 한다.

넷째, 다른 단원 또는 다른 교과와 연계하여 학교 실정에 맞는 교육과정 재구성을 고려하여야 한다. 단원간, 교과간 교육과정 재구성은 교사 입장에서는 효율적인 수업 계획 수립이나 교과 지도를 가능하게 하고, 학생 입장에서는 개별적인 단원을 학습할 때보다 융합적으로 사고하고 활동할 수 있게 해준다. 실제 학교 현장에서는 과학의 날(4월 21일)이 있는 4월에 과학(융합) 교육 주간을 운영하는 경우가 있다. 이러한 학교 행사는 학교 교육과정의 중요한 부분이다. 따라서 과학을 다른 교과와 통합하여 가르칠 수 있는 학교 교육과정을 고려한다면 과학을 다른 교과와 통합한 수업을 계획할 때 도움이 된다.

이러한 교과 융합형 과학교육은 학생들에게 유의미한 교육경험을 제공한다. 예를 들어 과학을 미술과 연계하여 자신의 과학적 아이디어를 구체적인 그림으로 형상화하거나, 체육과 연계하여 자연의 모습을 신체 표현으로 나타내보는 등의 활동을 해본다면 전형적인 과학교과 활동의 범주를 확장함으로써 학생들이 직접적이고 감각적인 체험의 기회를 얻으며 능률적 학습을 가능하게 해줄 수 있다. 즉 과학 교육과정을 재구성함으로써 학생들이 인지적, 정의적 영역의 학습에 큰 효과를 기대할 수 있는 것이다(박일수, 2013).

이러한 교과 융합적인 재구성 외에도 학생 중심의, 혹은 학생이 참여하여 교육과정을 재구성하여 스스로 어떻게 배울지를 정하는 재구성 등도 존재한다. 이러한 학생 참여형 교육과정은 학생들의 수업에 대한 몰입도를 올리는 효과를 보여준다(김병영, 2020). 이러한 지도계획들이 기대되는 효과를 얻기 위해서는 학기별 지도 계획 수립 단계 때부터 세부적인 부분까지 준비되어야 한다.

2. 단원 지도 계획

단원 지도 계획을 수립할 때는 제7장의 '수업과정 일반모형'을 참고할 수 있다(그림 7-1). 제7장에서 설명한 바와 같이, '계획 단계' 중 '학습 과제 분석'과 '수업 계획'은 상당한 전문적 소양과 시간이 요구되므로 계획 단계에서 교사가 할 일은 교사용 지도서의 내용을 참고로 학교 실정에 맞게, 학생의 수준을 고려하여 수업의 실천 계획을 수립하는 것이다.

단원 지도 계획은 교사용 지도서의 각 단원에 상세하게 서술되어 있으나 지역이나 학교의 특성, 그리고 학생의 능력 등에 따라 차이가 있으므로 교사가 교과서, 교사용 지도서, 기타 관련 자료를 토대로 단원 지도 계획을 재구성하는 것이 바람직하다(변영계 등, 2000). 예를 들어, 실험, 관찰 등 과학 활동의 특성에 따라 연차시 학습으로 운영하거나 단원 차시별 내용 중 일부는 그 순서를 바꾸어 진행할 수도 있다. 예컨대 어떤 단원의 2차시와 3차시의 준비물이 같을 때 연차시로 구성하면 수업 준비물 등이 수월하며, 두 차시의 학습 내용이 서로 밀접한 관련이 있으나 별개의 차시로 분리되어 있는 경우 이를 연차시로 꾸며 수업을 하면 학생들이 서로의 관련성을 인식하는 데 도움이 된다.

단원 지도 계획을 수립하는 과정에서 교사는 학기 지도 계획에서보다 구체적이고 상세한 평가 계획도 수립해야 한다. 단원 수업 시작 전에 해당 단원의 핵심 개념들에 대한 학생의 오개념 등을 파악하기 위해 진단평가를 실시하고 단원 수업 후에는 단원평가를 실시해야 한다. 그러나 초등학교의 경우 매 단원마다 진단평가 문항을 개발하고 실시한다는 것은 현실적으로 매우 어려운 일이다. 따라서 교사용 지도서의 해당 단원에 학습 내용과 관련된 대표적 오개념이 제시되어 있다면, 진단평가 대신 이의 활용 방안도 모색할 수 있다. 단원평가의 경우에는 새 과학 교사용 지도서의 각 단원의 끝에는 단원평가를 위한 지필평가 문항과 수행평가 문항이 있으므로 이를 사용하거나 일부 수정하여 활용할 수 있다.

단원 지도 계획은 교사에 따라 요소가 다를 수 있지만 대체로 다음 절의 '교수-학습 과정안 작성 요령'에 제시된 '(1) 단원명', '(2) 단원의 개관', '(3) 단원 학습 목표', '(4) 단원 학습 계열', '(5) 단원 학습 체계', '(6) 단원 지도상의 유의점', '(7) 단원 학습 평가'와 같은 요소가 포함된다. 이때 단원 학습 지도에 필요한 수업 자료와 준비물도 상세히 기록한다. 하지만 여러 교과를 지도해야 하는 초등학교 교사의 경우 매 단원마다 단원 지도 계획을 수립하는 것은 현실적으로 많은 어려움이 있다. 따라서 평상시 단원 지도 계획은 과학 교사용 지도서에 제시된 단원의 내용을 검토하고 필요한 경우 조정하는 수준에서 이루어지는 것이 현실적이다.

3. 차시 지도 계획

차시 지도 계획은 차시별 과학 교수-학습 활동을 전개하기 위한 계획으로, 차시 학습 목표, 학습 내용, 학습 활동, 학생의 사전 지식이나 이해 수준, 교수-학습 방법, 형성평가 등을 고려해야 한다. 차시 지도 계획을 위한 세부적인 내용은 다음 절의 '11.2 교수-학습 과정안 작성 요령'에 제시된 '(8) 본시 수업 계획'에서 자세히 다룬다.

11.2 교수-학습 과정안 작성 요령

'교수-학습 과정안(이하 수업안과 혼용)'은 한 차시 또는 하나의 학습 주제의 수업 실행을 위한 절차와 내용을 구체적으로 설계한 교수 자료이다. 이와 같이 수업안은 수업의 청사진으로서 '수업 계획안', '교수안', '교안', '학습 지도안' 등의 다양한 이름으로 불리며, 그 대표적인 예가 바로 교사용 지도서이다. 정한호(2011)의 연구에 따르면, 초임교사들은 자신의 수업 아이디어를 구체화하여 표현하는 것에 어려움을 느끼고 있고, 수업 외의 요소(학교 행사, 학생의 능력 차이 등)로 인하여 수업 지도안 작성에 어려움을 겪고 있으나, 동시에 수업 준비를 위한 실제적 도구로서 수업지도안 작성은 필요하다고 인식하고 있었다. 이 절에서는 교수-학습 과정안 작성의 필요성, 일반적인 유의사항, 공개수업을 위한 세안의 작성 방법에 대해 살펴본다.

1. 교수-학습 과정안 작성의 필요성

'왜 수업안을 작성해야 하는가?' 이에 대한 몇 가지 답변을 제시하면 다음과 같다. 첫째, 교육과정의 내용을 탐색케 하는 좋은 기회를 제공한다. 둘째, 교사 자신의 수업에 대한 자신감을 가질 수 있다. 셋째, 수업 전에 동료 교사들이 수업안을 검토한 후 제공하는 피드백을 반영하여 더 나은 수업을 할 수 있다. 넷째, 계획적이고 체계적인 학습 지도를 가능하게 해 줌으로써 교육의 성과를 극대화할 수 있다. 다섯째, 실제 수업에서 발생할 가능성이 있는 변수들(학생들의 질문, 안전 사고 등)을 예상해보고 미리 대비하며 학습목표를 달성하는데 필요한 요소들을 추가하고 불필요한 요소들을 제거함으로써 매끄러운 수업의 흐름을 만들 수 있다.

하지만 수업안 작성의 불필요성을 주장하는 학자도 있다. 예컨대 빈틈없이 짜인 수업안은 교사의 탄력적인 교수 활동과 학생들의 자유로운 학습 활동을 방해한다는 것이다. 이와 같은 비판적 의견은 수업안을 융통성 있게 작성함으로써 극복될 수 있으며, 오히려 교사의 융통성 있는 교수 활동이나 학생의 필요나 요구에 부응하는 수업은 이러한 것들을 예견한 수업안이 갖추어졌을 때 가능하다(송진웅 등, 2003). 수업은 예술이자 과학이다. 인과의 과정으로 빈틈없이 짜여진 계획안에서 유연한 실행이 뒷받침될 때 그러한 실천을 교사의 전문성이라고 부를 수 있을 것이다.

한편 수업안 중에는 상세하게 작성된 것이 있는가 하면 간단하게 작성된 것도 있다. 수업안은 그 상세화 수준에 따라 간략하게 작성하는 '약안'과 보다 세밀하게 작성하는 '세안'으로 구분된다.[2] 세안은 보통 공개수업이나 연구수업 때만 작성하는 경우가 많은데, 이는 매 수업시간마다 세안으로 작성하여 수업한다는 것이 현실적으로 불가능하기 때문이다. 따라서 경험이 많은 교사인 경우에는 실제적으로 약안을 작성하는 것이 일반적이다. 하지만 예비교사나 초임교사는 가능한 한 세밀하게 작성하는 연습이 필요하다. 다만 학교 교육현장에서는 수업의 학생 참여가 강조됨에 따라 세안보다는 약안의 형식으로 대부분의 지도안이 대체되고 있다.

2. 일반적인 유의사항

수업안의 표준적인 틀이 존재하는가? 이 물음에 대한 답은 '아니오'이다. 수업안의 형식과 내용에 관해 교육학자나 교사들 사이에 합의된 견해는 없으며(조희형과 박승재, 1999), 다만 바람직한 수업안의 형식이 모색되고 있을 뿐이다(윤길수 등, 2001). 즉 교과나 주제의 특성, 수업 모형, 교수-학습 방법, 수업자의 창의성 등에 따라 다양하게 작성할 수 있다. 따라서 수업안의 형식과 내용은 수업에 혼란을 일으키지 않는 범위 내에서 간결하면서도 그 기능을 잘 발휘할 수 있도록 작성하면

[2] 제6장의 각 모형별 적용 예시와 〈부록 11-1〉이 약안에 해당한다.

된다(김찬종, 2008). 기타 수업안 작성과 관련하여 유의해야 할 일반적 사항을 몇 가지 제시하면 다음과 같다.

첫째, 학급 학생들의 능력이나 특성 등이 고려되어야 하므로 학생들이 활동하는 모습을 상상하면서 작성하는 것이 좋다.

둘째, 의도한 교수-학습 활동은 학습 목표에 적절하고, 학생들이 학습 목표를 달성하는 데 효과적이고 효율적이며, 학습 목표뿐 아니라 평가와도 서로 부합하고, 학생들의 학습 의욕을 자극 · 유지할 수 있는 것이어야 한다.

셋째, 지나친 언어 중심의 수업이나 단조로운 수업이 되지 않도록 발표나 토론 등의 다양한 수업 방법이 활용되도록 한다. 그러나 교수-학습 활동 시간이 너무 빡빡하지 않도록 한다. 예컨대 40분 수업이라면 30~35분 정도의 활동을 계획하여 시간적 여유를 확보하는 것이 좋다.

넷째, 수업안을 작성하는 과정에서 수시로 교수-학습 활동에 필요한 자료를 모두 나열하고 수업안의 마무리 단계에서 나열한 것을 최종 점검하도록 한다.

다섯째, 수업안은 말 그대로 계획이지 반드시 따라야 하는 지침이 아니므로 융통성을 고려하면서 작성하도록 한다. 교수-학습 활동은 매우 역동적 과정이기 때문에 수업이 계획된 대로 진행되지 않는 경우가 많으므로 이에 대한 대비책도 마련해야 한다. 또한 교과서에 제시된 모든 활동을 반드시 해봐야 하는 것은 아니며, 핵심 성취 기준과 학습 목표에 도달할 수 있는 활동을 선별하여 수업을 구성함으로써 학습 시간이나 분량을 적절하게 조절할 수 있다.

여섯째, 교사의 모호한 발문으로 인하여 학생들이 개념을 형성하는데 혼란을 느끼지 않도록 용어나 개념의 범주를 명확하게 설정하고 간결한 문장을 사용한 발문을 준비한다. 사전에 잘 준비된 교사의 발문은 학생들이 사고하는 방향을 제시해주고 어떻게 답변해야 하는지 결정하는데 영향을 준다(오세연, 2016). 따라서 학생들의 반응을 충분히 예측하고 이에 대한 피드백까지 고려한다면 더욱더 좋은 지도안이 될 수 있다.

일곱째, 교사는 자신이 지향하는 '좋은 수업'의 방향을 명확하게 설정하고, 교사의 입장에서뿐 아니라 학생의 입장에서도 좋은 수업이 될 수 있도록 수업안을 작성해야 한다. 교사들은 좋은 수업을 "학생중심의 수업으로서 학생들의 수준과 능력, 흥미와 관심, 그리고 실생활에 바탕을 둔 자기 주도적 학생과 협동학습, 수준별 학습, 창의적 학습을 강조하는 수업"이라고 생각하는 반면, 실제 수업에서는 교사에 의한 결과중심의 수업이 되는 모습이 자주 나타난다(고창규, 2013). 그러므로 좋은 수업이 실제로 구현되기 위해서는 학생들과의 상호작용 과정을 통하여 실제 수업맥락에서 구체화될 것을 감안하여 수업안을 작성해야 할 것이다.

여덟째, 학생의 자기 주도적 학습이 이루어지도록 수업안을 작성해야 한다. 학습자 중심의 자기 주도적 학습은 학생 스스로 자기가 학습할 내용을 결정하기 때문에 학습 내용에 보다 많은 관심과 흥미를 가지고 학습하게 된다. 그리고 이러한 학습에서는 학생들이 과학적 탐구 활동에 능동적이고 보다 적극적으로 참여하기 때문에 자신감을 가지고 학습함으로써 과학 교육의 효율성을 높일 수 있다(권치순 등, 2001).

아홉째, 수업 후에는 본 차시 지도안에 다음 수업 계획에 도움이 될 수 있는 내용을 간략하게 기록해 둔다. 예를 들어 예상치 못했던 학생의 질문이나 대답, 돌발 상황들, 학습목표 도달 상황, 학습에 어려움을 겪는 학생에 대한 행동을 기록할 수 있다. 이러한 기록들을 반영하여 다음 차시 수업 계획을 수립하여 수업안을 작성한다.

3. 세안 작성 방법

초등학교 과학 수업에서 차시 수업을 위한 '세안'을 작성할 때 일반적으로 포함되는 구성 요소와 요소별 작성 요령은 다음과 같다. 참고로 여기에 제시된 구성 요소는 예시이므로 교사는 학교의 상황 등에 따라 적절하게 재구성하여 사용할 수 있다.

(1) 단원명

단원명은 지도해야 할 어떤 주제나 내용을 중심으로 편의상 하나로 묶친 학습 단위의 명칭을 말한다. 단원명은 학생의 흥미와 관심을 끌 만한 것으로 재구성될 수도 있지만(변영계 등, 2000) 교과서에 제시된 단원명을 그대로 옮겨 쓰는 것이 일반적이다. 만약 단원이 여러 개의 중단원으로 구분되어 있으면 대단원명과 중단원명을 함께 나타낸다.

(2) 단원의 개관

단원의 개관은 해당 단원을 학생들에게 왜 가르쳐야 하는지 그 필요성을 근거로 정당성을 논리적으로 기술하는 요소이다(변영계 등, 2000). 즉 이 단원의 학습을 통해 학생들은 '국가 · 사회적 측면(사회관)'에서 어떠한 도움을 얻게 되고 가치가 있는지, '학습자 측면(학생관)'에서는 진단평가 등을 통해 학생들의 해당 단원의 사전 지식이나 경험, 관심과 흥미 등은 어떠한지, 그리고 '교재 측면(교재관)'에서는 선수학습 단원과 후속학습 단원 그리고 해당 단원의 구조와 주안점 등에 대해 기술한다.

위와 같이 단원의 개관을 기술하기 위해서는 해당 단원뿐 아니라 선수학습 단원과 후속학습 단원에 대한 분석 그리고 학급 학생들의 해당 단원 학습 이전 실태에 대한 조사가 이루어져야 한다. 그리고 이를 토대로 단원의 전반적인 특성을 쉽게 파악할 수 있도록 간단명료하게 기술해야 한다.

각 검정 지도서의 단원 앞에는 단원에 대해 간략하게 단원의 개관이 제시되어 있다. 이는 모든 초등학교와 학생의 실태를 조사하여 작성된 것은 아니다. 따라서 교사는 직접 교재를 분석하고 학급 학생 실태 조사 등을 통해, 그리고 교사용 지도서의 단원 개관 부분의 내용을 참고 재구성해야 한다.

(3) 단원 학습 목표

단원 학습 목표는 학생들이 단원 학습 후 성취해야 할 결과(알아야 할 것 또는 할 수 있는 것)를 서술해 놓은 것으로, 학생들의 성취 결과를 평가할 수 있는 준거가 된다.

단원 학습 목표를 너무 구체적이고 분석적으로 작성하면 많은 수의 학습 목표가 설정되며, 결국 모든 차시 학습 목표를 나열하는 것에 불과해진다. 또한 이들 사이의 상호 관련성과 위계적 관계를 볼 수 없으며, 교수나 평가의 지침이 되기에도 너무나 복잡해진다(서울대학교 교육연구소, 1995). 따라서 단원 학습 목표는 차시 학습 목표에 비해 상대적으로 포괄적이고 종합적으로 서술된다(변영계 등, 2000). 일반적으로 단원 학습 목표는 주어진 단원 체계를 포괄할 수 있도록 6~12개 정도로 서술하게 되며, 교사 중심의 문장이 아니라 학생 중심의 문장으로 서술한다.

일반적으로 단원 학습 목표는 단원에서 학습할 주요 '내용'과 그 내용을 다룸으로써 달성될 것으로 기대되는 '행동'의 이원적 요소를 포함하여 서술한다(변영계 등, 2000). 예를 들어, '일상생활에서 혼합물의 분리가 이용되는 예를 설명할 수 있다'에서 일상생활에서 혼합물의 분리가 이용되는 예는 '내용'이며, 설명하는 것은 '행동'이다. 단원 학습 목표의 서술은 이와 같이 '행동 목표'로 서술하는 것이 좋은데, 행동 목표란 학습자에게 성취되기를 기대하는 성취 목표를 행동으로 기술한 것이다.[3] 또한 가급적 단원 학습 목표는 학습한 결과로 나타나는 학습자의 행동 변화를 관찰하고 측정할 수 있도록 '명시적 동사'(예:설명할 수 있다, 분류할 수 있다)를 사용하여 구체적으로 서술하는 것이 좋으나, 차시 학습 목표보다 포괄적이고 종합적으로 서술되는 관계로 '암시적 동사'(예:이해한다, 인식한다, 가진다)를 사용하여 서술되기도 한다.

단원 학습 목표는 과학 교사용 지도서에 기술되어 있으나, 교사는 이를 참고로 하여 학교나 학급 학생의 특성에 맞게 수정해야 한다. 또한 교사용 지도서에 제시된 단원 학습 목표는 차시의 순서에 따라 배열되어 있으나 세안을 작성할 때는 일반적으로 '과학 지식', '과학 탐구', '과학 태도'와 같이 영역별로 구분하여 서술하는 경우가 많다.

(4) 단원 학습 계열

단원 학습 계열에서는 본시 학습과 관련되는 단원의 선수학습 단원과 후속학습 단원의 학습의 연계성을 기술하며, 대개 한눈에 보기 쉽게 그림(도표)의 형태로 표현한다. 단원 학습 계열의 기술은 교사용 지도서에 제시되어 있는 것을 참고하

[3] 교수-학습 과정은 역동적이며 복합적이어서 모든 교수 목표를 행동적 용어로 미리 세분화하여 명시할 수 없으며, 행동 목표에 의거한 수업은 구체적으로 명시된 행동에만 관심을 갖고 행동 목표로 서술되지 못하는 능력을 간과한다는 문제점이 지적되기도 한다(한국교육평가학회, 2004). 이에 따라 행동 목표의 대안으로 '표현 목표'가 사용되기도 한다. 표현 목표는 행동주의적 목표의 대안적 목표 개념의 하나로, 학생의 체험 세계를 교육 목표로서 표현한 것이라고 할 수 있다(박범석과 이찬주, 2006). 행동 목표가 무엇을, 어느 정도 학습(혹은 평가)할 것인가에 대한 명시성을 강조한다면, 표현 목표는 학습 활동 참여의 과정에 더 관심을 갖는 상황 목표라는 강점을 갖는다(교육과학기술부, 2009). 예를 들어, '조사 활동을 통하여 공기가 우리에게 주는 이로움을 설명할 수 있다'는 행동 목표와는 달리 '조사 활동을 통해서 공기가 우리에게 주는 이로움을 안다'는 표현 목표에서는 학생 개인의 성취 및 만족 정도를 평가한다.

여 작성하면 되는데, 앞서 '(2) 단원의 개관'에서 언급한 경우뿐 아니라 종종 교과용 도서 집필 과정에서 교육과정의 단원명이나 실제 교과서의 단원명이 달라지거나 그 순서가 바뀌는 경우도 있으므로 실제 해당 내용을 확인할 필요가 있다. 또한 선수학습 단원이나 후속학습 단원은 대부분 같은 교과 내의 단원이겠지만, 경우에 따라서는 타 교과의 특정 단원일 수도 있다(김찬종, 2008). 따라서 해당 단원의 학습 주제에 대한 과제 분석(그림 6-1 참조)을 통해 단원 학습 계열을 점검할 필요가 있다.

(5) 단원 학습 체계

이 구성 요소는 단원을 전개하는 전반적인 계획으로, '차시별 수업 계획', '단원 지도 계획', '단원의 체계', '단원의 구조'라고도 한다. 단원 학습 체계에서는 본 단원을 지도하는 데 소요되는 총 시간을 결정하며, 단원의 학습 내용을 차시별로 구분하여 지도 계획을 세운다. 단원 학습 체계는 단원이 2개 이상의 중단원으로 이루어져 있는 경우에는 중단원명, 차시, 차시명, 교과서 쪽, 학습 목표, 탐구 과정 요소, 준비물 등을 요약해 하나의 표로 체계화하여 기술된다.

단원 학습 체계는 단원의 전체 차시별 학습 주제와 각 주제의 종·횡적 관계 등을 한눈에 파악할 수 있도록 기술된다. 단원 학습 체계는 일반적으로 교사용 지도서에 제시되어 있는 것을 참고로 작성하게 되는데, 교사의 단원 지도 계획에 따라 그 내용을 수정하거나 재구성할 수 있다. 예컨대 실험, 관찰 등 과학 활동의 특성이나 실험 준비물에 따라 두 개 차시를 연차시로 구성하거나 표의 세부 항목 등을 달리할 수 있다.

(6) 단원 지도의 유의점

단원 지도의 유의점에서는 학습 내용의 지도 범위와 수준, 지도 방법, 활동 순서, 준비물, 장기 과제, 실험 안전사항 등 단원 수준에서 특별히 주의해야 할 사항을 요약하여 기술한다. 이 요소도 일반적으로 교사용 지도서에 제시된 내용을 참고로 작성하지만, 교사 자신이 해당 단원 학습 내용이나 활동을 분석하여 필요한 경우 수정해야 한다(변영계 등, 2000).

한편 각 검정체제를 통과한 출판사별로 단원 지도의 유의점이 지도서에 명시

가. 본시 교수-학습 개요

단 원		일 시		장 소	
차 시				지도교사	
학습주제				교 과 서	
				실험관찰	
학습목표					
교수-학습 자료				수업모형	
				학습형태 (집단조직)	

나. 지도 과정

단계	학습 내용	교수-학습 활동		시간 (분)	자료 및 유의점
		교사	학생		

다. 판서 계획

라. 형성평가 계획

평가 영역	평가 내용	평가 기준	평가척도	평가시기	평가방법
지식					
탐구					
태도					

그림 11-1 '본시 수업 계획' 양식 예시

되어 있다. 하지만 좀 더 상세한 단원 지도의 유의점을 작성하기 위해서는 차시별 학습 내용 및 지도의 유의점, 혹은 좋은 수업을 위한 지도서별로 제시된 제안들을 검토함이 중요하다.

(7) 단원 학습 평가

단원 학습 평가에서는 단원 학습 목표를 고려하여 단원 전체의 평가 방향, 주요 평가 목표와 평가 방법 등에 대해 기술한다. 단원 학습 이전의 진단평가, 단원 학습 과정에서의 형성평가, 단원 학습 후의 총괄평가 방법을 구체적으로 서술하도록 하며, 수행평가를 실시하고자 할 경우에는 평가 도구를 구체적으로 제시하는 것이 좋다.

한편 검정체제를 통과한 출판사들의 지도서에는 총괄평가 문항과 수행평가, 융합평가 등이 특징적으로 제시되어 있다. 뿐만 아니라 출판사별로 전자 저작물 파일을 추가로 제공하기도 함으로 이러한 요소들을 참고하되 학교, 반, 학생의 특성에 맞춰 진단평가, 총괄평가, 수행평가의 계획을 수립해야 할 것이다.

(8) 본시 수업 계획

본시 수업 계획(또는 본시 수업안)은 해당 차시 교수-학습 계획으로, 이를 흔히 '약안'이라 부르기도 한다. **그림 11-1**과 같이, 본시 수업 계획은 크게 '본시 교수-학습 개요', '지도 과정', '판서 계획', '형성평가 계획'으로 구분할 수 있으며, 각각에 포함되는 주된 몇 가지 세부 요소와 그 작성 방법은 다음과 같다(〈**부록 11-1**〉 참조).

가. 학습 목표

차시 학습 목표는 해당 차시 학습을 통해 학생들이 '알아야 할 것 또는 할 수 있어야 하는 것'에 대해 서술한 문장이다. 차시 수업 계획에서 학습 목표를 결정하는 일은 매우 중요한데, 차시 학습 목표는 교사의 수업 방법과 평가 방법을 계획하고 실행하는 준거가 되며, 학생의 학습 활동을 안내하는 역할을 하기 때문이다. 실제 지도 과정에서는 학습 목표를 학습 문제로 바꾸어 제시해야 하는 경우도 있다(이화진 등, 2007). **그림 11-2**는 학습 목표를 학습 주제로 나타낸 것이다.

좋은 차시 학습 목표를 설정하기 위해 유의할 점을 몇 가지 제시하면 다음과 같다.

첫째, 차시 학습 목표는, 앞서 설명한 단원 학습 목표와 마찬가지로, 일반적으로 차시의 주요 학습 '내용'과 이에 대한 학습의 결과로 학생들이 할 수 있는 '행

◎ 학습 주제: 구름을 관찰하여 봅시다.

〈학습 목표〉

- 구름의 모양, 색깔, 움직임을 설명할 수 있다.
- 구름의 양을 기호로 나타낼 수 있다.

〈학습 문제〉

- 구름의 모양, 색깔, 움직임은 어떠할까?
- 구름의 양은 어떻게 표시하면 좋을까?

그림 11-2 학습 목표와 학습 문제

동'을 관련 지은 행동 목표로 서술한다. 이때 '행동'은 관찰하고 측정할 수 있는 구체적인 명시적 행위 동사를 사용하여 학생의 입장에서 진술한다.

둘째, 차시 학습 목표는 모든 학생이 이해하기 쉽고 간단명료해야 한다. 즉 교사를 위한 수업 목표와 달리 학습 목표는 학생들을 위한 것으로, 학생들에게 제시하여 학생의 학습 활동을 이끄는 역할을 하기 때문에 본시 수업에서 무엇을 학습할 것인가가 학습자 입장에서 명확하고 구체적으로 나타나야 한다.

셋째, 차시 학습 목표의 수는 과학 지식, 탐구 기능, 태도의 영역을 고려하여 2~3개 서술하는 것이 좋다. 대개 차시 학습 목표는 최소한 과학의 기본 개념과 탐구 과정 기능이 학습 목표로 제시되는 것이 바람직하며, 과학 개념과 탐구 기능을 표현하는 경우 적절한 용어를 사용하도록 한다.

일반적으로 차시 학습 목표는 교사용 지도서 등에 제시된 것을 참고하여 설정하게 된다. 초등 예비교사들의 수업안 작성 과정을 분석한 장명덕(2006)의 연구에 의하면, 연구에 참여한 예비교사 대부분이 교사용 지도서나 월간교육지(예:새교실, 교육자료)에 제시된 차시 학습 목표를 비판적인 검토 없이 단순히 확인하고 그대로 수용하는 양상을 보였다. 그러나 차시 학습 목표는 지금 교사 앞에 놓인 학생들의 학습 상황이 아니라 일반화된 학생을 가정하여 개발된 것임을 양지할 필요가 있다. 따라서 제시된 차시 학습 목표를 그대로 수용하기보다는 학습할 내용이나 활동과 비교하여 잘 부합하는지 여부 등에 대해 비판적으로 검토하여야 한다.

나. 교수-학습 자료

교수-학습 자료는 교수-학습 활동 과정에 필요한 준비물을 말하며, 개인, 모둠, 학급으로 구분하여 수량과 함께 기술한다. 수업안의 작성 과정에서 학습 자료와 관련하여 유의할 점을 몇 가지 제시하면 다음과 같다.

첫째, 실제 활동에서 필요한 자료를 꼼꼼히 기록해야 한다. 과학 수업에서는 실험 기구, 화학 약품, 모형이나 표본, 동영상 자료 등 매우 다양한 자료가 사용된다. 필요한 자료를 모르고 빠뜨리는 일이 없도록 하기 위해서는 교수-학습 활동을 다 쓴 다음에 열거하는 것이 좋다(한안진, 1987). 즉 교사가 작성한 '지도 과정', '판서 계획', '형성평가 계획'을 세밀히 읽어 보면서 각 단계별로 필요한 교재와 교구 및 그 수량을 표시하고 이를 종합하여 필요한 학습 자료를 기록한다.

둘째, 다양한 학습 자료를 이용한다 해서 반드시 좋은 수업이 되는 것은 아니며, 자료는 잠깐 보여주기 위한 깜짝쇼를 위한 것이 아니라 학생들이 의도한 학습 목표에 도달하는 데 효과적인 것이어야 한다(이화진 등, 2007). 따라서 효과적이고 효율적인 자료와 매체의 활용을 위해서는 그것이 학습 목표 달성에 적절한지, 학생들의 능동적 참여를 유도하는 데 도움이 되는지 등에 대해 검토한 후 최적의 자료를 선정해야 한다.

셋째, 과학 교과의 경우 특별한 경우가 아니면 별도의 학습지(또는 활동지)를 만들지 않는 것이 좋다. 실험 관찰 책은 학생들이 과학 수업 시간에 글을 쓰는 시간을 줄이고 실험이나 관찰, 토의 등의 시간을 늘리기 위해 개발된 것이다. 따라서 교사가 교과서 내용을 재구성하거나 대체 활동을 할 경우에는 학습지 제작이 필요하겠지만 그렇지 않을 경우에는 실험 관찰을 적극적으로 활용하는 것이 좋다. 만약 학습지를 제작해야 하는 경우에는 그 양이 학습자에게 부담되지 않으면서, 단순히 쓰고 그리는 활동이 아니라 사고를 촉진하는 활동이 되도록 한다.

넷째, 새로운 또는 익숙지 않은 교재나 교구를 활용하는 경우에는 반드시 교사가 사전실험 또는 활동을 해 본 후 그 특성을 기록하여 실제 수업시 차질이 생기지 않도록 한다(한안진 등, 1997). 또한 실험시 안전 사고 발생의 가능성은 없는지를 확인하기 위하여 사전 실험이 반드시 이루어져야 하며, 사전 검토 후 위험 요소가 있다고 판단되는 실험 기구나 재료, 또는 과정은 적절히 변경하여 실험 실습을 하도록 한다. 특히 사전에 위험성을 어느 정도 예측할 수 있는 실험의 재료나 물질에 대해서는 미리 위험 요소를 제거해야 한다(홍미영, 2004).

다. 수업 모형

제7장에서 살펴본 바와 같이, 초등학교 과학 수업에서 활용할 수 있는 교수-학습 모형은 다양하다. 차시 과학 수업에서 의도한 목표 달성의 성공 여부는 차시 학습 활동과 내용에 적합한 교수-학습 모형의 선정에 좌우되므로, 그림 7-11의 수업 모형 선택 절차에 따라 최적의 모형을 선정하도록 한다. 그 밖의 교수-학습 모형과 관련하여 유의할 점을 몇 가지 제시하면 다음과 같다.

첫째, 교수-학습 모형의 단계는 절대적인 단계가 아니며 교사가 창의성을 발휘하여 융통성 있게 재구성할 수 있다. 예를 들어 순환학습모형을 적용하였다면 '탐색', '용어 도입', '개념 적용'의 단계적 순서로 구성하는 것이 일반적이지만, 제7장의 순환학습모형의 예시와 같이 일부 단계를 반복하는 등 재구성할 수도 있다.

둘째, 기존에 작성된 수업안을 참고할 때는 적용된 수업 모형에 대한 비판적 검토가 필요하다. 예컨대 〈새교실〉, 〈교육자료〉 등에 실린 수업안에서 활용된 수업 모형은 그 적합성에 대해 별도의 논의나 검증 과정을 거치지 않은 것이다(김찬종, 1996). 그런데 초등 예비교사들의 수업안 작성 과정을 분석한 연구(장명덕, 2006)에 참여한 예비교사 중에는 이들 자료에 제시된 수업 모형을 비판적으로 검토하기보다는 제시된 모형의 각 단계를 단순히 확인하거나 그대로 따르는 경우가 있었다.

라. 학습 형태

학습 형태(또는 집단 구성)에서는 차시 교수-학습 활동의 특성에 따라 적절한 학습 집단의 형태를 결정하여 기술한다. 차시 교수-학습 활동은 학급 전체 활동, 소집단 활동, 개별 활동으로 진행될 수 있다. 예컨대 교사의 설명이 이루어지는 경우에는 전체 활동이, 학생들의 실험이나 토의 활동의 경우에는 개별 또는 소집단 활동이 적절하다. 일반적으로 수업의 도입과 정리 단계에서는 전체 활동이 그리고 수업의 전개 단계에서는 개별 또는 소집단 활동이 주로 이루어진다.

마. 단계와 학습 내용

그림 11-1의 '지도 과정'에 대한 표에서 '단계'는 선정한 교수-학습 모형의 각 단계를 기술한다. 예를 들어 경험학습모형을 선정하였다면, 단계에는 '자유 탐색', '탐색 결과 발표', '교사의 안내에 따른 탐색', '탐색 결과 정리'의 네 단계로 기술한다. 물론 상황에 따라서는 일부 단계를 반복할 수도 있다. 예컨대 '자유 탐색'이나 '교사의 안내에 따른 탐색' 단계를 2회 반복할 수도 있다.

'단계'가 '지도 과정'의 기초 뼈대라면 '학습 내용'은 더 구체적이고 세분화된 뼈대이자 다음에 설명할 '교수-학습 활동'에서 이루어지는 활동의 제목이라 할 수 있다. 학습 내용은 '전시 학습 상기', '학습 동기 유발', '공부할 문제 확인', '[활동1] 구름 관찰하기', '정리', '형성평가', '차시예고'와 같이, '교수-학습 활동'에서 이루어지는 세부 활동을 쉽게 파악할 수 있게 기술한다.

바. 교수-학습 활동

그림 11-1의 '지도 과정'에서 '교수-학습 활동'은 차시 수업 중에 이루어질 세부 학습 활동에 대한 것으로, 일반적으로 교사의 활동과 학생의 활동으로 나누어 서술하며, 제8장에서 살펴본 과학 수업 방법 중 몇 가지가 사용된다.

앞서 설명한 '단계'와 '학습 내용'은 실제 교수-학습의 과정을 구현하기 위한 뼈대로서의 역할만 할 뿐이며, '교수-학습 활동'은 그 살을 입히는 과정으로 교사의 창의성과 통찰을 필요로 한다. 교수-학습 활동 구성과 관련하여 고려할 점을 몇 가지 제시하면 다음과 같다.

첫째, 활동을 구성할 때나 구성한 후에는 '학습 목표와 부합하는가?', '학습 목표 도달에 효과적인가?', '학생들의 사고를 자극하고 촉진하는가?', '학생들의 흥미와 동기에 부합하는가?', '학생들이 학습할 가치가 있다고 느낄 수 있는가?', '학생들이 시간 내에 충분히 소화해 낼 수 있는가?' '학생들이 이 수업이 끝난 후 무엇을 얻게 될 것인가?' 등의 측면에서 검토를 해야 한다. 예컨대 공개 수업을 계획할 때 겉보기에 '화려하고, 보기 좋은' 역동적 수업을 생각하기 쉽지만 수업 중에 이루어지는 모든 활동은 다른 사람들에게 보여주기 위한 활동이 아니라 학생들이 학습 목표에 도달할 수 있도록 돕는 활동이 되어야 한다(이화진 등, 2007). 또한 지나치게 많은 학습 활동을 선정함으로써 단위시간 내에 학습량을 충분히 소화하지 못하는 일이 없도록 한다.

둘째, 교수-학습 활동은 비계설정 전략으로서 교사의 질문으로 이끌어 가되, 꼭 필요하다고 생각되는 말 외에는 기술하지 않도록 한다. 교사의 질문에 대한 학생들의 예상 가능한 응답도 다양하게 진술한다. 학생들의 가능한 응답들을 서술하는 과정에서 교사의 질문은 정교화된다. 수업안의 마무리 단계에서도 질문이 적절한지, 수정하거나 추가할 질문이 없는지 등에 대한 검토의 과정을 거친다.

셋째, 교수-학습 활동 과정에서 교사의 개입은 어느 정도가 적절한지 고려해야 한다. 일반적으로 저학년일수록 아직 학습 능력이 부족하므로 교사의 개입이 많아야 하고, 학년이 높아질수록 교사의 개입이 줄어들고 학생들 스스로 하는 학습이 많은 것이 바람직하다.

넷째, 교과서에 제시된 실험이나 관찰 등의 활동보다 더 효과적인 활동이 있다면 교과서 활동을 그 활동으로 대체할 수도 있다.

사. 시간

그림 11-1의 '지도 과정' 표의 '시간'에는 교수-학습 활동의 각 단계에 쓰일 시간을 기록한다. 과학과 교수-학습 모형이 다양하므로 도입, 전개, 정착의 세 단계로 구분하여 살펴보면, 도입과 정착 단계는 수업 상황에 따라 약간의 차이가 있지만 통상적으로 전체 수업 시간의 약 10~15%, 전개 단계에서는 70~80% 정도가 적절하다(박완희, 1993; 변영계 등, 2000).

시간 배분과 관련하여, 학생 중심의 탐구 활동이 이루어지기 위해서는 '바. 교수-학습 활동' 중에서 생략해도 무리가 없는 활동은 삭제하거나 개별 실험은 모둠별 실험으로 대체하는 등의 최적화 방안을 모색해야 한다. 만약 그렇지 않으면 탐구 활동에 많은 시간이 소요되므로 조급한 나머지 교사 중심의 강의나 결론을 독단적으로 끌고 갈 가능성이 높다. 또한 교사들이 시간 관리를 잘못하여 정리 단계를 제대로 활용하지 못하는 경우가 많다(변영계 등, 2000)는 연구결과도 있다. 따라서 교사는 항상 시간 관리에 여유를 가지고, 본격적으로 탐구가 시작되는 전개 단계에서 학생들의 탐구를 관찰해야 한다. 만약 학생들이 탐구에 너무 열중한 나머지 혹은 그렇지 않아서 원하는 결과가 나오지 않았다면 교사는 빠르게 판단하여 정리 단계를 통해 학생들의 탐구를 성찰하도록 할지, 아니면 더욱더 탐구하고 다음 차시까지 넘겨 수업을 이끌어 나갈지 결정해야 한다.

아. 자료 및 유의점

'자료 및 유의점'에서는 각 단계별로 실험시 안전사항, 교수-학습 과정(예:자료 해석이나 결론 도출 등)에서 유의해야 할 사항, 필요한 기자재 등을 구체적으로 기록한다. 여기서 자료라 함은 실물 자료가 아닌 경우도 많이 있다. 특히 인터넷 자료를 활용하며 주소만 쓰는 경우도 있는데, 실시간 참고 자료가 아닌 경우에는 문서나 사진, 동영상 파일 등을 별도로 받아 저장해두는 것이 좋다. 물론 그 출처와 내용은 요약하여 기록해두어야 한다.

자. 판서 계획

판서는 학생들이 알아야 할 내용을 단순화해서 학생들이 이해할 수 있도록 칠판에 체계적으로 구조화하여 적어주는 교수-학습 활동이다. 학습 목표 안내, 실험이나 관찰 방법의 파악, 학습 내용의 요약 및 정리 등을 위한 교사의 판서는 학급 전체 구성원의 주의를 한 곳에 모음으로써 집단 사고의 장을 마련할 수 있다.

'판서 계획' 작성시 유의해야 할 사항과 실제 판서 과정에서의 유의할 사항을 몇 가지 제시하면 다음과 같다.

- 판서 계획은 본시 수업의 전개 과정에 포함시킬 수도 있지만, 학습의 요점만을 간명하게 구조화시켜 별도의 항목으로 독립시켜 계획해두는 것이 바람직하다(송진웅 등, 2003).
- 판서해야 할 내용, 판서 위치, 글자의 크기, 강조할 내용의 표시 등을 고려하면서 차시 수업 활동이 어떻게 진행되는지를 명료하게 알 수 있도록 작성해야 한다. 예를 들어 칠판은 크게 세 부분으로 나누고 각각의 도입, 전개, 정착에서 핵심 내용을 쓸 수 있으며, 알맞은 색분필로 강조하여 판서함으로써 학생들에게 지루하지 않게 판서하는 것이 좋다.
- 판서의 내용은 수업의 핵심 내용을 정리한 것으로서 학생들이 내용을 이해하기 쉽게 명료하고, 간결하면서도 정확해야 한다. 즉 학습한 내용을 핵심을 간추려 논리적으로 압축된 형태로 판서하면 학생들이 나중에 학습한 내용을 기

억해내는 데 도움이 된다. 이와 관련하여 〈부록 11-2〉에는 판서의 유형이 제시되어 있다.

- 학습 목표, 학생 활동 순서 등 핵심적 사항은 꼭 판서함으로써 학습의 효과성과 효율성을 높인다. 수업 시간에 핵심적 사항에 대해 판서를 해주지 않고 말로만 설명하면 학생들은 이를 이해하는 데 어려움을 겪을 수 있다. 예컨대 교과서에 활동 순서가 있어도 판서를 해주면서 설명하면 학생들은 머릿속에서 미리 한번 가보는 것이기 때문에 다음에 활동을 하면 훨씬 수월할 것이다(이화진 등, 2007).
- 판서는 학습자와 함께 만들어 나가면서 학생들의 사고를 자극할 수 있는 것이어야 한다. 교사 혼자 설명하면서 판서하기보다는 교사의 질문과 학생의 반응이 오가면서 만들어 나가는 판서여야 학생들의 관심과 주의를 모을 수 있을 뿐 아니라 판서한 내용도 오랫동안 기억된다.
- 학생들이 본보기가 될 수 있는 판서여야 한다. 맞춤법은 물론 글자의 획순도 지켜서 써야 한다. 특히 교사가 낙서하듯 대충 판서하면 학생들도 실험 관찰 등에 내용을 대충 정리하게 된다.
- 최근에 판서 대신 파워포인트 등 멀티미디어 기기를 이용하는 경우가 많은데, 초등학생들의 경우에는 가능한 한 판서를 하는 것이 좋다. 교사가 판서하는 동안 학생들은 판서 내용을 보고 생각하는 시간을 갖게 되며, 일반적으로 사라지는 멀티미디어 기기의 정보와 달리 칠판에 쓰인 내용은 지우기 전까지 그대로 남아 있다.
- 판서와 함께 교사의 적절한 안내가 제공되고 학생의 노트 정리 활동을 병행했을 때 학생의 학습 동기와 학업 성취도를 향상시키고 자발적인 수업 참여를 이끌어낼 수 있다(신은정, 2005). 이에 학교 현장에서는 배움공책이나 탐구일지 등 다양한 형태의 정리 활동을 응용하고 있다.

차. 형성평가 계획

형성평가 계획은 차시 수업의 전 과정에 걸쳐 학생들의 이해와 학습의 참여를 수시로 점검하고, 학생들에게 구체적인 피드백을 제공하기 위한 평가 계획이다. 형성평가는 학습 목표와 일치하여야 하므로 형성평가 계획은 차시 학습 목표 설정에서부터 시작된다고 할 수 있으며, 수업 과정 중에도 형성평가가 고려되어야 하므로 차시 학습 활동을 구상하는 과정에서도 항상 염두에 두어야 한다.

제9장에서 살펴본 바와 같이, 형성평가는 '계획된 형성평가'와 '상호작용 형성평가'로 구분할 수 있다. '계획된 형성평가'가 사전에 준비된 평가 계획에 따라 이루어지는 평가라면, '상호작용 형성평가'는 사전에 준비되지 않은 평가라 할 수 있다. 여기에서는 '계획된 형성평가'와 관련하여 몇 가지 유의할 점을 제시하면 다음과 같다.

첫째, 형성평가 문항은 차시 학습 목표와 관련 지어 2~3개 정도 개발한다. 주관식과 객관식 모두 가능하겠지만, 어느 경우이든 단순한 기억이나 재생을 요구하는 문항은 바람직하지 않으며(송진웅 등, 2003), 평가를 위해 부과되는 부담이 교사나 학생 모두에게 너무 과중되지 않아야 한다(이화진 등, 2007).

둘째, 형성평가는 교사의 질문, 토의, 발표, 역할놀이, 그림 및 글로 표현하는 활동 등 매우 다양한 방법으로 이루어질 수도 있다(**그림 11-3**). 즉 지필평가뿐 아니라 수행평가로 이루어질 수도 있다. 예를 들어, **그림 11-3**의【예시 2】와 같은 소집단 활동 과정에서 학생들의 자기평가나 동료평가, 교사의 관찰평가 방법을 이용하여 학생들의 태도나 참여도 등이 평가될 수 있다.

셋째, 형성평가의 시기는 교사가 지도 내용의 전후 관계를 분석하여 필요하다고 생각할 때 적당히 시행하면 된다. 그러나 차시 학습의 종료 직전에 형성평가를 실시한다면 학생들에게 피드백을 제공한다는 측면에서 유용성이 떨어지므로 유의해야 한다. 강대중 등(2014)에 따르면 많은 교사들이 형성평가를 수업 후반부에 실시하는 경향을 보이고 있는데, 형성평가는 수업 시간 후반부에 학습목표의 도달 정도를 확인하기 위한 일회성 평가의 성격을 갖기보다는 학습이 이루어지는 모든 과정에서 학생의 학습 향상을 돕는 평가로 인식되도록 계획할 필요가 있다. 방법적 측면에서는 시간이 많이 걸리고 획일적인 시험지에 의한 평가보다는 다양한 형성평가 방법을 활용하는 것이 좋다. 또한 학생 스스로가 자기의 과업을 평가하는 자기 평가, 모둠 활동 과정에서 모둠원에 의한 동료평가 등이 교사의 피드백과 함께 시행된다면 큰 효과를 기대할 수 있을 것이다.

넷째, 형성평가는 그 내용과 형식에서 지나치게 진부하지 않은 참신성을 가져야 한다(이화진 등, 2007). 이화진 등이 지적한 대로 평가도 교육 활동의 일환이므로 참신한 형태의 평가 과제를 통해 학습자들의 흥미를 북돋우고 학습을 촉진

【예시 1】 숨겨진 글자를 찾아요.[4]

○ 퍼즐판에 꽃식물(꽃이 피는 식물)은 빨간색으로, 민꽃식물(꽃이 피지 않는 식물)은 노란색으로 색칠해 봅시다.

봉숭아	개나리	불가사리	벚꽃	목련
도마뱀	진달래	올빼미	독수리	나팔꽃
사람	솔방울	장미	거북이	해파리
배(과일)	벼	옥수수	소나무	강낭콩
조개	갈매기	고사리	두루미	말미잘
우산이끼	솔이끼	해캄	파래	우뭇가사리
플라나리아	김	가재	곰팡이	잠자리
미역	지렁이	소라	거미	다시마

○ 퍼즐판에 어떤 글자가 나타났습니까? (   )

【예시 2】 인간 전기 회로

○ 이제부터 우리는 모두 전기 부품이 됩니다. 각 모둠에서 전기 부품의 역할을 정합니다.
1. 전기 부품 역할: 건전지 2명, 전선 2명, 전구 2명
2. 학생들이 모든 역할을 한 번씩 해 볼 수 있도록 역할을 순환시킵니다.

○ 다음 조건에 맞추어 전기가 통하도록 인간 전기 회로를 꾸며 봅시다.
1. 건전지 – 직렬연결, 전구 – 병렬연결
2. 건전지 – 병렬연결, 전구 – 직렬연결
3. 교사의 재량에 따라 다양한 경우를 제시합니다.

그림 11-3 형성평가 문항의 예

할 수 있어야 한다. 단, 학생들의 흥미를 일으킬 수 있되 지나치게 흥미 위주의 문항을 구성하여 평가하고자 하는 본질적 내용을 간과하는 일이 없도록 해야 한다. 학습목표에서 벗어난 형성평가는 오히려 학습 효과를 떨어뜨리고, 학습자들이 학습 내용과 관련성이 낮은 주제로 관심을 갖게 만들 수 있다. 또한 학습목표에 근거하여 형성평가의 방향을 진단평가와 일치시키는 것도 고려하여야 한다(손준호, 2015).

다섯째, 형성평가 문제는 교수-학습 과정을 계획한 교사가 직접 제작하는 것

이 바람직하지만, 교사용 지도서나 월간 교육지에 제시된 형성평가 문항을 활용할 수도 있다. 그러나 기존 평가 문항을 활용하기에 앞서 그 문항의 적절성을 비판적으로 검토하는 자세가 필요하며 필요한 경우 수정하는 것이 좋다.

11.3 과학 수업 실행 과정에서 유의사항

이 절에서는 실제 과학 수업 과정에서 나타나거나 나타날 가능성이 높은 문제점과 그 개선 방안을 도입, 전개, 정착의 단계로 구분하여 살펴본다. 이는 교사가 작성한 수업안을 정교화하거나 또는 실제 수업 참관 후에 수업자에게 피드백을 주기 위한 정보를 얻는 데 도움을 주기 위한 것이다. 참고로 여기에서는 각 단계별로 유의점을 제시하였지만 각 단계의 일부 교수 활동은 그 단계에만 적용되는 것이 아니다. 예컨대 동기 유발은 도입 단계에서 언급하였지만, 제6장의 Keller의 ARCS 모형에서 살펴본 바와 같이 수업의 전 과정에 걸쳐 이루어지는 것이다(그림 6-6 참조). 또한 교사의 안내 활동은 전개 단계에서 그리고 형성평가는 정착 단계에서 언급하였지만 동기 유발과 마찬가지로 수업의 전 과정에서 이루어질 수 있다.

1. 일반적인 유의사항

도입, 전개, 정착 단계에서의 유의점을 살펴보기에 앞서 수업의 전체 과정에서 고려해야 할 일반적인 유의사항을 몇 가지 제시하면 다음과 같다.

첫째, 작성한 수업안을 계속 보면서 수업을 진행하거나 수업안에 전적으로 의존하는 수업은 비효율적이기 때문에 실제 수업에서는 주요 질문이나 활동 과정 등을 기억했다가 필요한 경우에만 수업안을 참고하도록 한다(김찬종, 2008). 또한 수업안은 말 그대로 시안이므로 반드시 수업안에 따라 기계적으로 수업을 진행할 필요는 없다(정용부와 오성숙, 2001). 실제 교수-학습 상황은 매우 복잡하여 예상한 수업안대로 수업을 진행하기란 쉽지 않기 때문에 전개되는 상황에 맞게 융통성을 발휘해야 한다.

둘째, 학습자가 수업 내용에 몰입할 수 있도록 수업의 흐름은 자연스럽게 구성되어야 한다. 간혹 개별적인 수업 활동을 참신하게 준비하였으나, 전체적인 수업의 흐름 측면에서는 연관성이 결여된 수업 활동으로 인하여 부자연스러운 수업이 될 때가 있다. 이럴 경우 학습자는 오히려 수업에 몰입하지 못하고 어느 방향으로 사고를 전개해나가야 할지 방향을 잃어버리게 된다. 아이디어가 돋보이는 수업 요소들도 전체 수업 안에서 자연스러운 흐름을 유지하며 조화를 이룰 때 비로소 좋은 수업이 완성된다. 이숙정(2010)의 연구에 따르면 교사가 학생으로 하여금 몰입할 수 있는 수업을 했을 때 학생의 학업성취 또한 향상된다.

셋째, 학생들이 이해하기 어려운 용어나 표현은 사용하지 않도록 하며, 너무 많은 정보를 한꺼번에 설명하지 않도록 한다. 학생들의 눈높이에 맞춘 적절한 언어 선택이나 설명 수준을 조절하는 능력은 모든 교사가 갖추어야 할 기본 자질이다.

넷째, 교사는 질문 후에 적절한 대기시간을 두어 학생들이 생각할 수 있는 시간을 갖도록 해야 한다. 실제로 수업을 진행하는 과정에서 교사는 자신도 모르게 학생들이 생각할 수 있는 충분한 시간을 제공하지 못하는 경우가 생긴다.

다섯째, 수업 후에는 수업 계획 및 실행을 평가하여 피드백을 얻는 것이 좋다(김찬종, 2008). 일반적으로 공개수업이 끝나면 큰 부담거리를 해치웠다는 홀가분한 마음과 쉬고 싶은 마음이 들어 수업을 했다는 그 자체로 끝나는 경우가 많다. 그러나 교사 자신의 지속적인 수업 개선을 위해서는 수업을 하면서 얻은 중요한 경험을 수업 중에나 직후에 계획서에 간단히 기록해서 다음 수업에 참고할 수 있도록 한다. 또한 수업 후 협의회에서 제안된 여러 가지 의견도 잘 기록해 둔다.

다섯째, 활동 위주의 수업이 이루어지도록 한다. 초등학교 과학 수업에서는 학생들이 최대한 수업에 참여할 수 있도록 노력해야 하며, 참여를 이끌어내기 위해 활동 위주로 수업을 구성해야 한다. 즉 초등학교 과학수업은 과학 내용 지식을 전달하고 주입하는 것이 목적이 아니며, 학생들로 하여금 과학에 대한 흥미와 관심을 유발하는데 주력해야 한다는 것이다. 초등학생들은 스스로 조작하고 활동하는 과정에서 무언가를 했다는 성취감을 느낄 수 있으므로 이러한 활동이 없다면 과학에 대한 흥미를 금방 잃게 된다. 만약 지식 전달 위주의 수업이 이루어진다면 학생들은 점차 과학 수업에 흥미를 잃고 결과적으로 과학 공부를 지겨워하게 될 것이다(곽영순, 2011).

2. 도입 단계에서의 유의사항

도입 단계는 차시 학습의 준비 단계로, 이 단계에서 이루어지는 주요 활동은 '학습 동기 유발', '학습 목표 제시', '전시학습 상기'이다. 즉 이 단계에서 교사는 학생들로 하여금 본 차시 수업을 통해 무엇을 학습해야 하는지 알도록 하는 데 중점을 두고, 학생들의 흥미를 유발하여 학습 활동에 적극적으로 참여토록 유도함과 동시에 이전 차시 학습 내용과 본 차시 학습과 연계가 이루어지도록 안내해야 한다. 이 세부 활동들은 순서가 고정된 것이 아니라 수업의 상황 등에 따라 달라질 수 있으며 때로는 한꺼번에 이루어지거나 생략되기도 한다.

(1) 학습 동기 유발

학습 동기 유발은 학습 목표 도달을 위한 학습자의 행동을 발생시키거나 촉진, 유지하려는 학습자의 내적 상태를 이끌어내는 과정이다. 과학 수업에서는 그 출발점으로 학습 동기 유발을 통해 자연 현상이나 사물 등에 대한 호기심과 의문을 형성하게 하는 것이 중요하며, 탁월한 동기 유발로 시작하는 수업은 그 이후의 수업이 원활하게 진행되는 데 결정적 역할을 한다. 학습 동기 유발과 관련하여 유의할 점을 몇 가지 제시하면 다음과 같다.

첫째, 학습 동기 유발은 학생들의 흥미와 호기심을 자극하면서도 학습 목표와도 연계되도록 하며, 이를 통해 학생들이 자연스럽게 학습 목표와 관련된 의문을 생성하도록 고려해야 한다.

둘째, 판에 박힌 동기 유발 방법은 피하며, 가능한 다양한 방법을 활용하여 학습 동기를 유발시킨다. 예컨대 수업을 시작하기 전에 노래를 부르며 주의를 환기시키고 재미있게 접근하는 것은 좋은 방법이지만, 항상 노래로 일관된 동기 유발은 이 수업시간에 우리 선생님께서 우리에게 과연 무엇을 가르쳐 주시려나 하는 호기심과 기대를 유발시키지 못한다(이화진 등, 2007). 학습 동기 유발 방법은 노래뿐 아니라 게임, 인형극, 신문이나 잡지 기사, 사진이나 화보, 시청각 매체(예:지진 관련 동영상), 문학작품(예:동화)이나 속담, 교사나 학생이 실제 경험한 일에 대한 소개, 역할놀이, 학생들의 오개념에 반하는 실험 등을 통한 현상 제시 등 매우 다양하다.

셋째, 학습 동기 유발은 학생들이 생각하고 발견하는 기회를 제공해 주어야 한다(이화진 등, 2007). 예컨대 역할놀이에서 등장인물의 고민은 무엇인지, 그림자 연극을 통해 발견한 사실은 무엇인지 등에 대해 질문함으로써 학생들의 사고를 자극하도록 한다(제7장의 발견학습모형과 탐구학습모형의 적용 예시 참조).

넷째, 학습 동기를 유발하기 위해 너무 많은 시간을 소모해서도 안 된다(조희형과 박승재, 1999). 즉 동기 유발을 위한 활동이 학습량만 가중시키는 일이 없도록 해야 한다.

윤혜경 등(2012)의 연구에서 초등 예비교사들은 과학 수업에서 학생들의 호기심을 유발하기 위한 동기 유발 자료를 중요하게 생각하였고, 일상생활에서 학생들이 신기해하거나 궁금증을 유발할 만한 소재를 찾기 위해 많은 노력을 기울였다. 하지만 "교사교육자들은 이러한 동기 유발 자료가 단순히 흥미를 느끼도록 하는 것 외에 명확한 탐구 문제 역할을 하여 이어지는 수업 활동과 직접적으로 연계될 수 있도록 좀 더 보완이 필요하다고 지적하였다"(윤혜경 등, 2012). 일선 초등학교 과학 수업에서도 학습 동기 유발이 학습 내용과 직접적으로 관련되거나 호기심과 의문 형성으로 자연스럽게 이어지는 경우는 드물다(서형두, 2003). 따라서 최근에는 학생들이 가진 자원, 즉 그들의 관심과 지식을 파악하고 그들의 삶속에서 수업을 시작하는 방법과 효과가 연구되어지고 있다(오필석, 2015).

(2) 학습 목표 제시

학습 목표를 학생들에게 제시하는 것은 학습자들이 수행하기를 바라는 지식이나 기능에 대한 성취 기대치를 전달하는 것이다(Gagnet al., 2004). 즉 차시 학습 목표는 한 시간의 수업을 성공적으로 마쳤을 때 학생들이 성취해야 할 행동을 서술한 것이다. 또한 학습목표 확인하기는 학생의 학습 목표 달성 차원에서 수업에서 다루고자 하는 주요 내용과 활동을 학생들에게 각인시키는 기능을 하며, 학생의 필요성을 강조하는 역할을 한다(김주영, 2018). 학습 목표를 제시할 때 유의해야 할 점을 몇 가지 제시하면 다음과 같다.

첫째, 학습 목표를 학습자들에게 분명히 인지시킨 다음에 수업에 임해야 한다(변영계 등, 2000). 예컨대 학습 목표를 칠판에 판서하고 판서된 학습 목표를 전체 학생들이 1회 정도 읽게 하거나 제시된 학습 목표의 중점 사항과 이에 도달할 수 있는 절차를 강조해서 설명하는 것은 효과적인 수업 전개를 위해 필요하다. 한편 미완성으로 서술된 학습 목표의 제시는 학생들이 학습할 내용을 다시 한 번 생각해 볼 수 있는 기회를 제공할 수 있다. 예를 들어 학습 목표의 핵심 개념이 담긴 단어를 자음만으로 제시하거나 빈칸으로 제시하는 방법을 사용하여 학생들이 생각할 시간을 줄 수 있다. 학습 목표가 구체적으로 제시되어야(확인되어야) 교사와 학생이 불필요한 시간 낭비를 줄이며 학습 주의력을 높이게 된다. 또한 학생들이 학습 목표를 제대로 알고 있을 때 학생들의 '학습 성공의 경험'을 증가시켜 주며 자신감도 증진된다(박성익, 1997b).

둘째, 학습 목표는 의문문 형태의 학습 문제로 바꾸어 제시할 수도 있다(이화진 등, 2007). 예컨대 '중성 용액을 만드는 방법을 알고, 중성 용액을 만들 수 있다'를 '산성 용액과 염기성 용액을 섞으면 어떻게 될까?'라는 학습 문제의 형태로 제시하면 학생들의 사고를 자극할 수 있다. 간혹 학생들에게 학습 목표에 대해 생각해 볼 수 있는 기회를 제공하기 위해 학생들로 하여금 학습 목표를 찾게 하는 경우가 있다. 하지만 교사가 설정해 놓은 학습 목표를 학생들이 찾는다는 것은 쉽지 않은 일이므로 교사가 일방적으로 제시해도 문제는 없으며, 학생들에게 학습 목표에 대해 생각해 보게 하려는 의도라면 학습 문제 형태로 제시하는 것이 더 효과적일 수 있다(유택열, 2002).

셋째, 교사는 학습 목표와 연계하여 학습할 내용의 중요성과 실제 생활에서의 유용성을 학생들에게 알려줄 필요가 있다(이화진 등, 2007). 이화진 등이 지적한 대로, 과학 수업에서는 흥미와 재미도 필요하지만 보다 중요한 것은 활동 그 자체가 보상적 성격을 갖고 있는 내적 동기 유발이다. 이러한 내적 동기 유발은 학습 활동이 가치 있다는 확신을 갖게 하고, 학생들의 학습 활동이 능동적으로 이루어지게 한다.

넷째, 학습 목표는 차시 수업이 진행되는 내내 일정한 곳에 제시되어야 한다(이화진 등, 2007). 학습 목표는 수업이 이루어지는 내내 학생들의 학습의 방향에 대한 주의를 환기시켜 주는 역할을 하고, 정착 단계에서 학습 목표 도달을 확인시키는 데도 활용된다. 파워포인트를 이용하여 학습 목표를 제시할 경우에는 학생들이 수시로 학습 목표를 확인하는 데 어려움이 있을 수 있으며, 별도로 만든 학습 목표를 칠판에 붙이는 방법은 시간이나 효용성 측면에서 낭비가 될 가능성이 있다. 따라서 학습 목표는 수업시간 동안 계속 인지할 수 있도록 직접 판서하여 제시하는 것이 좋다.

(3) 전시 학습 상기

Ausubel에 의하면 '유의미학습'은 새로운 학습 과제가 학습자가 이미 알고 있는 것과 관련되어 학습자가 새로운 의미를 획득하는 학습을 말한다. 따라서 차시 수업이 유의미한 학습이 되기 위해서는 교사는 수업의 도입 단계에서 새로운 학습 내용을 제시하기에 앞서 관련된 학생의 사전 (또는 이전 차시의) 지식이나 배경 경험을 적절한 방식으로 점검하고 활성화할 필요가 있다. 교사는 전시학습 상기의 과정을 통해 선수학습과 현재 학습해야 할 과제를 연결시켜 학생들로 하여금 그 관계를 분명히 이해하게 하면 새로운 학습 과제의 해결이 용이해질 수 있다(변영계 등, 2000).

대부분의 새로운 학습은 우리가 이미 배웠던 것에 축적되는 것이고, 이전에 학습한 것을 회상하는 것은 재인 혹은 회상 질문을 통해 촉진할 수 있으며(Gagné et al., 2004), 가장 좋은 유형의 회상은 새롭게 학습하게 될 과제와 이전에 학습한 것이 자연스럽게 관련되는 경우이다(Gagné, 1985). 전시학습 상기는 이전 차시와 해당 차시를 유기적으로 연결해 주는 교수-학습 활동 요소로 교사와 학생 간의 질문과 대답을 통한 적극적 상호작용을 통해 이루어져야 한다. 그러나 서형두의 연구(2003)에서 18명의 초등교사 중 8명의 수업에서만 이 교수-학습 활동 요소가 관찰되었고 이러한 요소가 관찰된 수업의 대부분은 교사 중심으로 이루어지는 것으로 나타났다. 즉 학생의 전시 학습 상기라기보다는 교사의 전시 교수 상기에 가까운 활동이 이루어지고 있다. 그림 11-4는 서형두의 연구에서 '전시 학습 상기' 요소가 관찰된 두 교사의 수업 사례이다. 두 교사의 전시 학습 상기에는 어떠한 차이가 있는가?

김주영(2018)의 연구에 따르면, 전시 학습 상기를 포함한 도입단계에서 교사의 다양한 화법을 통해 여러 교육적 효과를 얻을 수 있다. 전시학습을 상기함으로써 수업의 연결성 차원에서 차시와 차시, 단원과 단원을 연계하도록 해주며, 본격적인 수업에 앞서 학생의 선수학습 정도를 파악하는 기능도 수행할 수 있다.

3. 전개 단계에서의 유의사항

전개 단계는 차시 수업 시간의 대부분을 차지하는 수업의 중심부이다. 이 단계의 활동은 크게 '학습 활동에 대한 안내'와 '학습 활동 수행'으로 구분할 수 있다. 물론

【수업 사례 1】

교 사: 자, 지금부터 과학 1단원 물속에서의 무게와 압력 두 번째 시간을 시작하도록 하겠습니다. 지난 시간에는 물속에서 물체가 뜨는 변화를 알아봤었는데, 이번 시간에는 어떤 걸 배워야 될지 화면을 보세요. 그리고 어떠한 차이점이 있는지를 생각한 후 발표해보도록 합시다.

【수업 사례 2】

교 사: 자, 이제 과학 시간인데, 저번 시간에 배웠던 내용을 짚어보고 넘어가겠어요. 자, 저번 시간에 무엇에 대해 배웠죠? 똑똑한 사람은 다 기억하겠지만, 우리 반 41명은 다 똑똑하니까 누가 한번 발표를 해볼까?

학생 1: 공기 중에서와 물속에서의 물체의 무게 비교였습니다.

교 사: 들렸어요? 그렇죠. ○○가 발표한 대로 공기 중에서와 물속에서의 물체의 무게를 비교하는 실험을 해 봤죠. 그 결과를 기억하겠죠?

학생들: 네

교 사: 결과에 대해 누가 한번 발표해볼까? 어, △△가 말해볼까?

학생 2: 물속에서 더 가벼워짐을 확인했어요.

교 사: 어, 물속에서 더 가벼워짐을 확인했어요. 맞아요?

그림 11-4 전시 학습 상기의 사례

이 세부 과정은 더 세분화될 수 있다. 예컨대 학습 활동 수행은 '실험(또는 관찰하기)', '토론하기', '결과 발표하기' 등의 단계로 세분화할 수 있다. 한편 '학습 활동에 대한 안내'가 비교적 교사 주도적으로 이루어지는 활동이라면 '학습 활동 수행'은 학생 주도적으로 이루어지는 활동이라 할 수 있다. 여기에서는 과학 수업의 주된 방법인 관찰과 실험 중심의 수업 상황에 한정하여 유의할 점에 대해 살펴본다.

(1) 학습 활동에 대한 안내

초등학교 과학 수업에서 교사는 학생들에게 학습 절차를 친절하게 안내해 주어야 한다. 실험이나 관찰 등의 학습 절차를 잘 알고 있다면 학생들은 학습에 더욱 주체적으로 참여할 수 있기 때문이다. 그러나 유념해야 할 점은 학습 절차, 즉 학생들이 학습해야 할 것에 대한 친절한 안내이지, 그림 11-5와 같이, 학생들이 해야 할 실험이나 관찰 방법 그 자체를 자세히 안내하라는 의미가 아니라는 점이다. 기타 학습 활동 안내와 관련하여 유의해야 할 점을 몇 가지 제시하면 다음과 같다.

첫째, 학습 활동 안내는 교사와 학생 간의 적극적인 상호작용을 통해 이루어교　사: (실험 방법에 대해 장황하다 싶을 정도의 상세한 교사 중심의 설명을 한 후) 지금부터 실험을 시작하는데 시간은 10분을 주겠습니다. 10분 동안 시작!!
학생들: (실험)
학생 1: 선생님이 자세히 설명을 하니 싱겁다.
학생 2: 그래도, 다 하려면 부지런히 해야지.

그림 11-5 실험 방법에 대한 안내 예시

져야 한다. 다음 세부 활동 단계인 '학습 활동 수행'과 비교하여 교사 중심적 경향이 있을 수밖에 없지만, '학습 활동 수행'에서 이루어질 활동에 대한 교사의 일방적인 정보 제시보다는 교사-학생 간의 상호작용을 통해 이후 이루어질 학습 활동에 대한 정보 교환이 필요하다. 학습 활동 안내의 본질은 학생이 알고 있는 것과 알아야 할 것을 서로 연결하도록 학습자를 지원해 주는 것이다(Gagné et al., 2004).

둘째, 세세한 사항까지 자세히 안내하기보다는 핵심적 사항에 집중하여 안내하도록 한다. 학습 활동 안내를 위하여 관심을 두어야 할 사항은 학습 목표와 관련된 학습 내용 및 학습을 보조해 주는 정보나 자료 중 본질적이고 중요한 부분에 학생들이 선택적으로 주의를 기울이도록 해야 한다는 것이다(박성익, 1997b).

셋째, 학생 개개인의 수준차를 고려하여 적절한 안내가 이루어지도록 해야 한다. 학습 활동 안내에 포함된 힌트나 조언의 양은 학습자의 유형에 따라 달라질 수 있다(Gagné et al., 2004). 예컨대 학습 능력이 우수한 학생에게는 한 가지 힌트만 필요하지만 그렇지 못한 학생에게는 서너 가지의 힌트가 도움이 된다.

넷째, 실험 기구 등의 학습 자료에 대한 설명을 할 때는 전체 학생들에게 잘 보일 수 있도록 해야 한다. 이를 위해 필요한 경우에는 실물화상기 등을 활용한다.

다섯째, 실험 자료나 관찰의 대상을 나누어 준 뒤에는 학생들이 교사의 안내에 집중하지 않는 경향이 있으므로, 실험이나 관찰 활동 등에 대한 충분한 안내를 한 후 나누어 준다.

여섯째, 제10장에서 살펴본 바와 같이, 안전 사고가 예상되는 실험이나 관찰의 경우에는 반드시 실험상의 유의점이나 실험 안전 수칙 등 필요한 안전 교육을 실시하도록 한다.

일곱째, 학급 전체가 동시에 같은 실험을 시작하더라도 모든 모둠(또는 개인)이 같은 시간에 활동을 마무리하는 것은 아니므로 먼저 실험 활동을 끝낸 학생들이 해야 할 다음 수행 과제를 미리 제시한다. 예를 들어 실험 기구를 정리하는 요령, 실험 후 기록해야 할 실험 관찰 문항, 다른 친구 도와주기 등을 미리 안내하면 실험을 먼저 끝낸 학생들이 무엇을 할지 몰라 시간을 낭비하는 일을 막고 수업을 차분하게 마무리하는 데도 도움을 준다.

여덟째, 교사는 학생들이 실험의 목적을 충분히 이해할 수 있도록 실험의 목적을 실험의 결과와 연관 지어 설명해야 한다. 임재근 등(2010)의 연구에서는 교사와 학생은 실험의 목적에 대해 다소 다르게 인식하는 것으로 나타나는데, 그 원인을 실험 목적의 미지도, 교사가 의도한 실험 목적과 다르게 운영되는 수업이라고 밝히고 있다. 따라서 교사는 실험의 목적을 충분히 안내하고, 실험을 통해 학생들이 학습해야 할 기능과 가치적인 부분도 고려하여 실험 활동을 안내해야 한다.

(2) 학습 활동 수행

학습 활동에 대한 안내 후, 학생들은 스스로 또는 모둠별로 자신들의 의문에 대한 답을 찾는 과정을 수행하게 된다. '학습 활동 수행' 과정에서는 학습자 중심의 학습 활동이 필수적이며, 이와 관련하여 몇 가지 유의할 점을 제시하면 다음과 같다.

첫째, 교사는 학생들이 주어진 또는 그들 스스로 생성한 의문에 대해 그들 스스로 해결해 나갈 수 있도록 안내자 또는 조력자 역할을 수행해야 한다. 즉 교사는 적절한 질문을 통해 학생들이 그들의 의문에 대한 답을 얻기 위해 실험을 설계하고, 실험을 수행하고, 이를 통해 자료를 수집하고, 수집한 자료에 근거하여 해석을 하고, 최종적으로는 그들 스스로 결론에 도달하도록 탐구 활동을 이끌어 가야 한다. 그러나 안타깝게도 여러 연구 결과는 교사가 지나치게 자세하게 실험 방법을 안내할 뿐 아니라 심지어 실험 결과를 해석하여 학생들에게 제시하는 등 교사 중심적인 과학 수업의 경향을 보인다. 예를 들어, 서형두(2003)의 연구 결과에 의하면, 연구에 참여한 교사들의 수업 유형을 교수-학습 방법에 따라 분류하였을 때, 18명의 교사 중 13명의 교사가 '교사 중심적' 유형에 해당한다. 과학교육의 목표는 경성과학을 변환시켜 학생들에게 통찰을 이끌어낼 구조를 체험시키는 것이다. 따라서 지나치게 교사가 개입하여 학생들의 통찰을 방해하지 말고 적절한 비계설정을 통해 근접 발달 영역에서의 학습 성공을 지원하는 역할을 해야 한다.

둘째, 제5장의 '과학 탐구 수업의 특징'에서 살펴본 바와 같이, 학생들이 서로의 생각과 의견을 공유하는 토의 · 토론의 기회가 제공되어야 한다. 예컨대 구성주의적 수업에서는 관찰 결과에 대한 합의 과정을 통해 각자가 구성한 지식의 타당성을 검증할 기회를 제공할 필요가 있다(박수경, 1998). 그러나 서형두(2003)의 연구 결과는 이러한 학생-학생뿐 아니라 교사-학생 사이의 적극적 상호작용이 활발하게 이루어지고 있지 않음을 보여준다. 이에 요즘 현장에서는 다양한 에듀테크 도구(구글 클래스룸, Padlet 등)를 활용하여 학생들의 의사소통을 촉진시키는 방법을 사용하고 있다.

셋째, 학생들이 학습 활동에서 어려움을 겪을 때 도움을 주기 위해 순회 지도를 해야 한다. 이 과정에서 교사는 학생들이 탐구 활동 과정에서 궁지에 몰려 있을 때 적절한 힌트가 포함된 질문을 하는 등의 방법으로 학생들이 탐구 문제에서 벗어나지 않도록 끊임없이 돌보아야 한다(한안진, 1987).

실제 수업의 과정은 매우 복잡다단하고 하나의 실험에도 다양한 탐구 과정 기능 요소가 반영되기 마련이다. 다음은 과학 탐구 과정 기능 중 예상에 대한 유의점에 관한 것이며, 기타 탐구 과정 기능에 대한 유의점은 제4장의 내용을 참고하길 바란다.

제3장 등에서 살펴본 바와 같이, 어떤 자연 현상이나 사건을 설명하거나 예상할 때 학생들은 그들이 이미 가지고 있는 생각을 토대로 한다. 따라서 교사는 적절한 질문을 통해 학생들이 자신의 생각을 드러내도록 하고, 이를 명확히 하는 기회를 제공해야 한다. 그림 11-6은 서형두(2003)의 연구에 참가한 두 교사의 수업 장면을 일부 수정한 것이다. 예상하기와 관련하여 어떠한 차이가 있는가?

초등 예비교사들의 과학 모의 수업 과정을 분석한 윤혜경 등(2012)의 연구에 참가한 예비교사들은 학생들에게 현상을 예상하고 발표하게 하였지만 학생들이 그렇게 예상한 '이유'를 묻거나 토론하도록 격려하지 않았으며, 또 예상한 것과 실험 결과가 같은지 다른지를 비교하고 발표하도록 하였지만 '왜 이런 결과가 나왔을까'에 대해서는 토론이 이루어지지 않았다. 이에 대해 '교사교육자들은 예상의 과정에서 예상의 이유에 대해 사고하는 과정, 결과를 확인하는 과정에서도 왜 그러한 결과가 나왔는지에 대해 사고하는 과정이 수반되어야 함을 중요하게 지적하였다'(윤혜경 등, 2012). 예상 과정에서 '왜'라는 질문은 학생들에게 정답을 요구하는 것이 아니라, 그들의 경험이나 증거에 기초한 추론을 증진시키기 위한 것임을 인식하고 수업에 반영될 수 있도록 한다.

【수업 사례 1】

교 사: 어떻게 하면 물속에서 더 가볍게 할 수 있을 것인지, 자 누가 발표해 볼까요? 어, ○○가 발표해 볼까?

학생 1: 물의 깊이에 따라. 물의 깊이를 더 깊게 한다면요?

교 사: 물의 깊이를 더 깊게 한다. 깊게 하면 더 가벼워진다. 가벼워질 것이다. 가벼워진다가 아니라 가벼워질 것이다. 좋아요. 한 가지 나왔어요. 또 누구, 그래 △△이.

학생 2: 물이 닿는 면적을 넓게 합니다.

교 사: 물이 닿는 면적을 크게 넓힌다. 그러면은 그림에서는…첫 번째 그림에서 보면 가로로 넣느냐 세로로 넣느냐에 따라 영향을 받는다. 그런 말이 되겠죠?

【수업 사례 2】

교 사: 가로가 더 가벼울 것 같다, 손 들어 보세요. (가로 방향 병을 가리키며) 난 이게 더 가벼울 것 같다? (여러 명의 학생이 손을 든다.)

교 사: 내리세요. 어, ○○. 왜 그렇게 생각했지요?

학생 1: 가로로 병을 눕혀 놓으면 물의 압력을 더 많이 받아서, 물의 압력을 더 많이 받을 거 같아서요.

교 사: 어, 아주 좋은 얘기였습니다. (병을 세워 보이며) 이렇게 있는 거보단 아마 (병을 눕혀 보이며) 이렇게 있는 것이 물의 압력이 … 더 물에 더 많이 있기 때문에 더 가벼워질 거 같다. 음, 있다가 물에 넣을 때 한번 확인해 보세요. 그 다음 깊이. 깊이는 지금 저 더 깊은 곳 1번, 2번.

학생들: 깊을수록, 1번.

교 사: 난 2번이 더 가벼울 거 같다. 2번이 더 가벼울 거 같다? (여러 명의 학생이 손을 든다)

교 사: 오케이. 내리세요. 그리고 설명 한번 해 보세요. 왜 그럴까? 어 △△.

학생 2: 깊이가 깊이 있으면요. 아무래도 밑에 있으니까요. 물이 더 세게 받혀주니까….

그림 11-6 예상과 관련된 수업 사례

4. 정착 단계에서의 유의사항

정착 단계는 Gagné의 수업 사태에서 '수행 평가하기'와 '파지 및 전이 촉진하기'에 해당하는 교수-학습의 마무리 단계이다(표 6-3 참조). 이 단계에서는 구체적으로 학생들이 지금까지 학습한 것을 정리하고, 핵심 개념 등을 상기하도록 하며, 학생들이 의도한 학습 목표에 도달했는지 확인하고, 학습한 내용을 새로운 상황이나 사태에 적용하여 일반화시키는 활동을 하며, 차시 학습 안내를 한다. 즉 학습한 내용의 '정리', '적용', '형성평가' 및 후속 학습을 안내하는 '차시예고'의 세부 활동이 이루어진다. 도입 단계에서의 세부 활동들과 마찬가지로 이 단계에서의 세부 활동들은 순서가 고정된 것이 아니라 수업의 상황 등에 따라 달라질 수 있으며, 일부 활동이 생략될 수도 있다.

(1) 정리

학습 내용의 '정리'는 차시 수업 내용을 살펴보면서 중요한 사항들을 요약하고 종합하는 단계이다. '요약'이란 중요한 하나하나의 지식을 정리하는 것이며, '종합'이란 학습자가 부분적으로 파악하고 있는 학습 내용을 전체적 맥락에서 이해시켜 하나의 완성된 학습 활동으로서 이해하게 하는 것이다(변영계 등, 2000).

이 과정에서 교사는 색분필을 이용하여 판서한 내용에 밑줄을 긋는 등의 방법을 통하여 학습 목표(또는 학습 문제)가 무엇이었는지 환기시키고, 학생들이 학습한 것을 정리하고, 주요 아이디어를 상기하도록 한다. 이러한 과정은 학생들이 이 수업에서 의도했던 것이 달성되었음을 인식시키는 데 도움을 준다. 이 과정에서 차시 학습 목표의 달성은 교사의 일방적 선언이 아니라 학생들의 참여를 통하여 자연스럽게 이루어지도록 해야 한다(이화진 등, 2007). 또한 교사는 활동 과정 등에 대해 학생들이 느낀 의문이나 궁금한 점에 대해 묻고 답하는 시간을 갖도록 한다.

서형두(2003)의 연구에서 총 18명의 교사 중 13명의 수업에서 '학습 정리 및 질의응답'에 대한 교수-학습 활동이 관찰되었지만, '수업 목표 재환기 및 확인'에 대해서는 18명의 교사 중 4명의 수업에서만 관찰되었다. 이러한 점은 학생들이 학습한 내용에 대한 정리가 이루어지기는 하지만 학생들에게 학습 목표를 환기시키거나 확인하는 과정은 잘 이루어지고 있지 않음을 시사한다.

(2) 적용

'적용'은 학생들이 차시 수업 과정에서 탐구 활동을 통해 구성한 과학 지식을 새로운 상황이나 실생활에 적용함으로써 실제적 문제 해결 능력을 습득할 수 있는 기회를 제공하는 단계이다. 이러한 실생활 등의 적용 경험은 학습의 일반화, 파지 및 전이의 효과가 있다.

흔히 학교에서 배운 것이 실제 상황에 자동적으로 전이될 것이라고 생각하지만, 학생들은 그것이 실제 상황에서 어떤 의미로 적용될 수 있는지 알 수 없기 때문에 학습한 것을 전이하지 못한다(박수경, 1998). 또한 노금자와 김효남(1996)의 연구에서 초등학생들은 동일한 개념이 적용되는 상황이라도 과학적 상황으로 문항이 구성되었을 때는 학교에서 배운 지식을 사용하여 설명하려는 성향을, 일상적 상황으로 제시된 문항에서는 감각적 경험을 통해 얻은 생각이나 개념을 사용하려는 성향을 보인다. 이러한 사실은 수업 시간에 학습한 개념과 학생들의 일상적인 생활 경험을 관련시켜 보는 충분한 기회 제공이 필요함을 시사한다. 따라서 적용의 과정을 통해 교사는 학생들이 학습한 내용을 생활 경험과 연계시켜 학습한 내용에 대한 깊은 이해와 사고를 촉진하는 기회를 제공해야 한다.

이와 같은 적용이 수업시간 내에 이루어진다면 이상적이겠으나 실제로 이러한 적용이 수업시간에 이루어지기는 어렵다. 따라서 요즘 현장에서는 융합수업이나 교과 간 재구성을 통해 이러한 적용의 단계를 수행하기도 하고 다양한 학교 행사를 통해 학생들이 학습한 개념을 파지 및 전이하는 경험을 가질 수 있도록 노력하고 있다.

(3) 형성평가

형성평가는 학생들의 학습 목표 달성 여부를 점검하고 필요시 이를 교정 또는 보충하는 기회 제공의 목적으로 이루어진다. 형성평가와 관련하여 몇 가지 유의할 점을 제시하면 다음과 같다.

첫째, 수업안에 계획된 형성평가와 실제 수업에서의 형성평가가 가능한 한 일치하도록 한다. 예컨대 수업안에는 태도 평가와 관련하여 자기평가나 동료평가를 한다고 계획하였지만 실제 수업에서는 이루어지지 않는 경우를 종종 볼 수 있다.

둘째, 형성평가시 평가 결과에 대한 피드백이 제공되어야 한다. 실제 과학 수업에서는 형성평가가 학생들의 학습 목표 도달 정도를 파악하는 데 사용되기는 하지만 그 결과에 대한 피드백이 이루어지지 않거나 거의 형식적으로 이루어지고 있다. 형성평가에 대한 피드백은 정오답에 대한 정보와 칭찬이나 격려가 함께 제시되어야 하며(변영계 등, 2000), 형성평가에서 과제를 수행하지 못한 학생들이 발생한다면 이에 대한 재평가 방안도 고려하는 것이 좋다.

셋째, '(2) 적용'을 위한 형성평가 문항은 학습한 과학 개념과 관련된 것이면서도 진부하지 않고 학생들에게 흥미로움과 도전감을 자극하는 일상생활의 문제가 바람직하다.

(4) 차시예고

차시예고는 후속 차시 수업에서 다루어질 학습에 대한 안내가 이루어지는 단계이다. 다음 시간에 학습할 내용이나 주제를 이번 수업시간에 배운 것과 관련지어 제시함으로써 학습의 계열성을 유지시키고, 후속 차시 수업에 대한 학습자의 준비와 기대 효과도 유도할 수 있도록 한다(변영계 등, 2000). 서형두(2003)의 연구에 참여한 총 18명의 교사 중 9명의 수업에서만 차시예고와 관련된 활동이 관찰되었으며, 차시예고가 관찰된 경우에도 형식적으로 이루어지거나 실제 후속 학습과 다른 안내가 이루어지기도 하였다. 이러한 결과는 진정한 의미의 차시예고가 이루어지도록 유의해야 함을 시사한다.

11.4 융합수업의 실재

1. 융합수업(STEAM)

STEAM은 과학(Science), 기술(Technology), 공학(Engineering), 예술(Art), 수학(Mathematics)의 머릿글자를 따서 만든 용어다. STEAM은 학생들로 하여금 과학 기술에 대한 흥미와 이해를 높이고, 과학 기술 기반의 융합적 사고력과 실생활 문제해결을 함양하기 위한 교육이다(한국과학창의재단). 2015 개정 교육과정에서 과학용 교과 도서의 개발 방향에서는 다양한 탐구 활동 및 융합인재교육(STEAM) 활동을 통해 실생활 문제를 과학적으로 탐구하는 능력을 기를 수 있도록 구성했다고 하며 또한 학생들이 과학의 유용성과 즐거움을 알 수 있도록 융합인재교육, STEAM 차시를 구성했다고 명시하였다(교육부, 2021). 검정 교과서의 체제에서도 그 이름은 다를지언정 STEAM과 관련된 융합차시가 집필진의 의도에 따라 융합교육 차시가 구성되어 있다.

이 절에서는 STEAM의 이론적 토대나 역사에 대해 다루기보다는 초등과학교육에서 실제로 운영되고 있는 STEAM 수업 구성에 대해 도움이 될 만한 조언을 서술한다.

2. STEAM 수업의 계획

2015 개정 이후 국정교과서에는 다양한 STEAM 요소가 이미 들어와 있었다. 하지만 이러한 교과서의 STEAM 요소에 대한 연구와 좀 더 다양한 각도의 연구가 필요하다고 제안된 바 있다(안신영, 2020). 현장에서는 다양한 STEAM 요소가 반영된 차시를 지도서 그대로 이용하기도 하고 각 학교, 학급, 학생들의 특성에 맞춰 프로젝트로 진행하기도 한다. 프로젝트 학습이란 학생들이 자신의 삶과 밀접한 문제나 상황을 해결할 방안을 마련하기 위해 탐구하는 학습을 의미한다. 한국과학창의재단에서 매년 발간하는 융합교육 성과발표회 자료집의 STEAM 수업은 프로젝트 학습의 형태를 띠고 있었으며, 1학년부터 6학년까지 학년을 가리지 않는 모습이었다. 따라서 여기에서는 프로젝트 학습 형태의 STEAM 수업의 계획과 실행을 살펴본다.

(1) 학교 상황에 맞는 STEAM 수업 계획

STEAM 프로젝트 학습은 학생들의 실생활과 밀접하고 학생들이 해결하고자 몰두할 수 있는 문제를 설정하는 것이 핵심이다. 수업의 중심이 될 실생활 문제를 설정할 때 연간 학교 교육과정(행사 및 학교의 교육목표)을 고려하는 것이 좋다. 이를테면 학교 교육과정에서 진행되는 다양한 일정들에 맞추어 프로젝트 문제를 설정하는 것이다. 예를 들어 학교의 연간 교육 계획에는 소방 교육이 필수로 포함된다. 이에 학교는 찾아오는 소방안전교육을 소방서와 협력하여 계획하곤 한다. 이렇게 소방교육이 실시될 시기를 미리 확인하여 6학년에서 연소와 소화 단원을 배치하고, 화재 관련 문제를 제시하여 탐구해본다면 학생들의 학교 생활과 밀접한 프로젝트 학습이 이루어질 수 있다.

(2) 학급 상황에 맞는 STEAM 수업 계획하기

학급 상황을 고려하여 STEAM 프로젝트의 주제를 개발할 때는 교사가 주제를 선정하는 교사 중심의 프로젝트 계획과 학생중심의 프로젝트 계획이 있다.

교사가 중심이 되어 주제를 선정하는 경우 STEAM으로 운영할 차시를 선정하고 융합할 교과를 선정한다. 이는 교육과정의 전문가인 교사가 진행하는 프로젝트기에 프로젝트의 억지스러움이 덜하고 계획된 프로젝트에 맞춰 학기 초에 준비를 미리 할 수 있다는 장점이 있다. 또한 교사가 자신있는 교과나 주제 위주로 프로젝트가 구성되기에 학생들의 돌발적 행동에 대처하기 쉽다는 장점이 있다.

학생 중심의 주제 선정은 학생들이 직접 교육과정을 분석하여 배울 내용을 확인하거나 학생들이 평소에 흥미있던 주제나 교과로 시작하여 프로젝트를 구성한다. 예를 들어 반 학생들이 음악을 좋아할 경우 음악의 파동에 관련된 단원을 선정하여 STEAM 프로젝트를 진행한다. 학생들이 선정한 교과나 주제가 학년의 교육과정에서 배워야 할 과학 개념과 융합교육을 진행하기 어렵다면 탐구기능 단원을 이용하여 프로젝트를 진행하는 것 또한 하나의 방법이다. 이러한 학생 중심의 프로젝트는 학생이 직접 프로젝트를 기획하고 구성해나가기에 학생의 몰입도가 높다는 장점이 있다.

이러한 프로젝트는 주제에 따라 학생들의 과학에 대한 흥미도와 성취도를 올리며 주인공이 되는 경험을 제공하지만 주제에서 소외되는, 관심없는 학생들은 오히려 역으로 흥미도가 떨어질 부작용이 있다. 이러한 점을 파악하여 교사는 프로젝트 주제를 선정하고 계획해야 한다. 추가로 프로젝트 학습은 실제로 학생들이 문제를 해결하기 위해 노력해보는 과정을 중시한다. 이에 학교 예산을 사용해야 하는 상황이 생길 때 학급에서 사용할 수 있는 예산을 고려하여 프로젝트 규모를 결정해야 한다.

(3) 활동 계획하기

적게는 이틀, 많게는 한달 이상으로 프로젝트를 기획한다. 교사중심의 주제 선정에서는 이러한 활동을 교사가 적절하게 조절하기 쉽지만 학생중심의 주제 선정에서는 학생들이 직접 활동을 계획하는 경우가 많아 이를 조절하기 어려울 때가 있다. 교육과정에 무리가 되지 않는 선에서 활동 기간을 정하고 이후 주제에 맞는 교과를 선정한다. 선정된 교과에서 성취해야 할 학습 목표들을 정리한 후에 이 목표들에 맞춰 활동을 계획하고 순서를 조정하도록 한다.

안전을 고려한 활동들을 선정, 조정하며 활동에 필요한 물품들을 정리하여 미리 구매하도록 한다.

기 연구되거나 정리된 다양한 STEAM 융합수업들을 참고하여 프로젝트를 진행하도록 한다. 처음에는 정리된 융합수업을 그냥 따라 해보는 것도 큰 도움이 된다. 이후 자신의 교육 철학이나 선호에 따라 프로젝트를 변형, 개발하여 진행하도록 한다.

3. STEAM 수업의 실행

프로젝트 학습으로 계획된 STEAM 수업을 실행할 때 교사는 학생들이 과학 개념을 제대로 학습하고 과학적 탐구 자세로 문제를 바라볼 수 있도록 주의를 기울여야 한다. 프로젝트 학습이 실생활에 밀접한 문제를 제시하고 실제로 학생들이 문제를 해결하는 것을 강조하기 때문에 학생들은 자신들이 실천할 수 있는 해결방안을 마련하고 행동하는 데 몰두하는 경향이 있다. 이 과정에서 종종 과학 교과의 개념이나 과학적 탐구자세를 놓치는 경우가 발생한다. 따라서 교사는 학생들이 문제 해결에 몰두하여 학습에 적극적으로 임하는 것을 격려하되 과학적 개념과 과학적 탐구 자세를 배울 수 있도록 안내해야 한다. 이때 과학 글쓰기나 배움노트를 활용하면 배움을 정리하는데 큰 도움이 된다.

연습문제

1. '단원 지도 계획'과 '차시 지도 계획'을 수립하지 않고 수업을 진행할 때 발생할 수 있는 문제점에 대해 구체적인 예를 들어가며 논하시오.

2. 다음 그림은 일선 현장에서 이루어지고 있는 교육과정, 수업, 학습의 관계를 나타낸 것이다. 여러분이 생각하는 이상적인 교육과정, 수업, 학습의 관계를 그림으로 나타내시오.

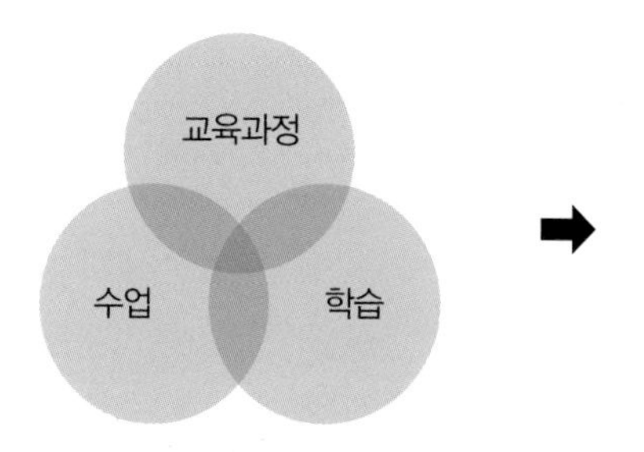

3. 초등학교 3~6학년 과학과 단원 중 차시를 선택하여 교수-학습 과정안 세안을 작성하시오.

4. 동료가 작성한 교수-학습 과정안을 비판적으로 검토하시오.

12

과학교육의 확장

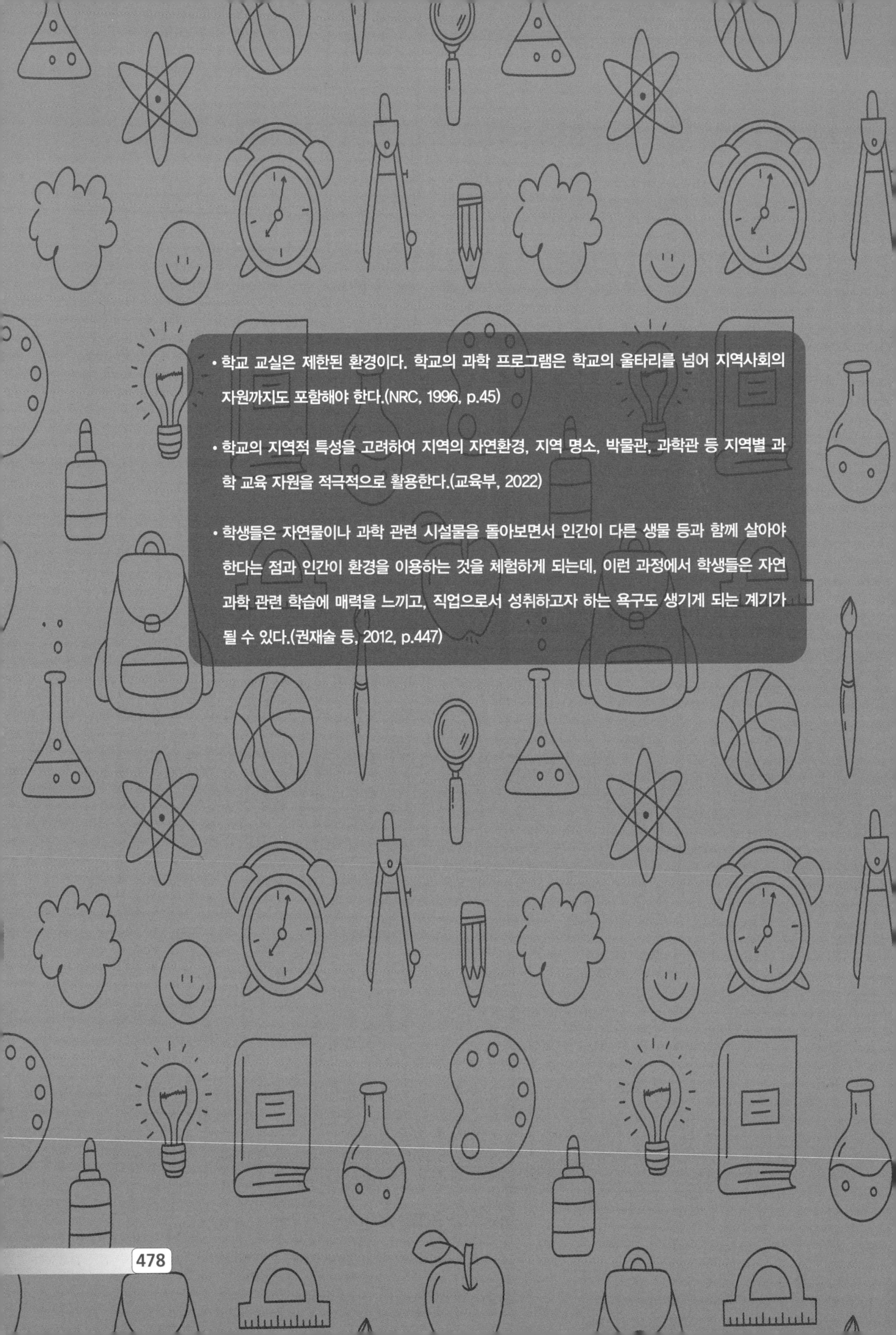

- 학교 교실은 제한된 환경이다. 학교의 과학 프로그램은 학교의 울타리를 넘어 지역사회의 자원까지도 포함해야 한다.(NRC, 1996, p.45)
- 학교의 지역적 특성을 고려하여 지역의 자연환경, 지역 명소, 박물관, 과학관 등 지역별 과학 교육 자원을 적극적으로 활용한다.(교육부, 2022)
- 학생들은 자연물이나 과학 관련 시설물을 돌아보면서 인간이 다른 생물 등과 함께 살아야 한다는 점과 인간이 환경을 이용하는 것을 체험하게 되는데, 이런 과정에서 학생들은 자연과학 관련 학습에 매력을 느끼고, 직업으로서 성취하고자 하는 욕구도 생기게 되는 계기가 될 수 있다.(권재술 등, 2012, p.447)

지금까지 정규 교과 시간에 교실이나 과학실에서 이루어지는 과학 학습 지도에 관한 내용을 살펴보았다. 오늘날 학교 과학교육은 정규 과학교육 외에 학생들에게 다양한 과학적 경험의 기회를 제공하는 것으로 그 의미가 확장되고 있다(이선경 등, 1997). 즉 모든 학생이 언제 어디서든 과학을 할 수 있고 그렇게 해야 한다(NRC, 1996). 정규 교과 시간 외의 과학 활동 경험은 학생들의 과학적 소양 함양에 기여할 수 있는 잠재력 때문에 일선 현장과 연구에서 많은 관심을 받고 있다. 과학과 교육과정(교육부, 2022)에서도 정기 과학 수업 외에 과학관 견학과 같은 여러 가지 과학 활동에 학생이 적극 참여할 수 있도록 계획할 것을 제안하고 있다(《부록 2-1》). 또 중장기적 안목에서 국내 과학교육의 방향성을 제시한 '미래세대 과학교육표준(KSES: Korean Science Education Standards)'(한국과학창의재단, 2019)에서도 과학적 소양의 3가지 차원에 '참여와 실천'을 포함시키고, 학교뿐 아니라 학교 밖에서도 다양한 과학교육 관련 활동이 이뤄질 필요가 있음을 안내하고 있다.

현재 일선 초등학교에서는 정규 교과수업뿐 아니라 야외관찰, 견학, 탐방, 과학캠프, 과학 동아리 활동, 각종 과학행사와 대회 등 학교 안과 밖에서 다양한 과학 활동이 이루어지고 있다. 과학교육 활동은 학기 중에 교실이나 과학실에서 교과서를 토대로 이루어지는 '정규 과학학습' 또는 '형식 과학교육' 그리고 그 외의 '비정규 과학학습' 또는 '비형식 과학교육'으로 구분된다(백소이 등, 2011; Wellington et al., 1994). 국가 수준의 교육과정에 의한 과학 수업 외의 학생들의 활동으로서 비정규 또는 비형식 과학 활동은 다음과 같은 측면에서 중요성을 찾을 수 있다(김소희, 2003, p.9). 첫째, 학교 밖 과학 활동은 인지적 측면에서 학교 과학 수업을 보충, 심화하는 기회를 제공하거나 과학에 대한 이해를 돕거나 첨단 과학 기술 정보를 제공하는 기회가 될 수 있다. 둘째, 정의적 측면에서 과학에 대한 흥미나 관심을 제고할 수 있다. 셋째, 사회적 측면으로는 다양한 활동을 통해 과학 직업에 대한 롤모델이 될 수 있는 사람들과 대면하는 기회를 가지게 되어 과학 진로 선택에 영향을 주기도 한다.

비정규 학습 또는 비형식 과학교육 활동의 유형은 학자들에 따라 여러 가지 유형으로 구분된다.[1] 이 장에서는 국가 수준의 교육과정에 의거하여 학기 중에 교실이나 과학실 등에서 교과서를 토대로 이루어지는 과학교육 활동 외의 창의적 체험활동 시간에 이루어질 수 있는 과학 활동의 유형을 크게 과학 현장학습과 기타 비정규 과학 활동으로 양분하고 각각에 대해 살펴본다.

12.1 과학 현장학습

학교에서 접할 수 없는 생생한 경험과 정보 수집을 위해 자연이나 과학 · 기술 현장으로 옮겨서 하는 수업을 야외실습, 야외실험, 현장견학, 현장학습 또는 야외조사라고 한다(권재술 등, 2012). 이들 용어는 그 의미에 차이가 있기는 하지만 여기에서는 과학 현장학습을 이들 용어를 포괄하는 의미로 사용한다. 즉 이 절에서 과학 현장학습은 학교 울타리를 벗어나 자연 환경이나 과학 관련 시설을 방문하여 교실에서 접할 수 없는 자연 현상이나 생물 등을 직접 관찰, 조사, 체험하는 모든 활동을 의미한다.

2009 개정 교육과정 이후 창의적 체험활동 시간으로 초등학교 3~6학년의 경우 연간 102시간(교육부, 2022c)이 확보됨에 따라 현장학습 등의 비정규 과학교육을 수행할 수 있는 기회가 증대되었다. 이를 위해 일선 학교에서는 창의적 체험활동이 실질적 체험학습이 되도록 지역사회의 유관기관과 적극적으로 연계 · 협력하여 프로그램을 운영해야 한다(교육부, 2015d). 현재 일선 초등학교에서는 학생들의 생생한 학습 경험을 제공하기 위해 자연사박물관, 과학관, 동물원, 식물원, 천문대, 과학 관련 연구소 등을 점점 더 많이 이용하고 있으며, 또한 이들 시설이나 기관은 전시물과 교육프로그램을 좀 더 효과적으로 구성하기 위한 많은 노력을 기울이고 있다. 따라서 교사는 동료 교사와 이들 시설이나 기관과 협력하여 이러

[1] 예를 들어, 강호감 등(2007)은 크게 여섯 가지, 즉 '과학 경연 및 축전을 통한 과학교육', '과학관 · 박물관 등 사회시설을 통한 과학교육', '대중 매체를 통한 과학교육', '과학 현장 및 과학자 대면 활동', '놀이와 공연을 통한 과학교육', '학생들의 과학 동아리 활동'으로 구분하고 있다.

한 자원들을 학생의 학습에 효과적으로 활용할 수 있도록 노력해야 한다.

1. 과학 현장학습의 교육적 효과

과학 현장학습은 학생들이 정규 과학 수업에서 교과서나 시청각 매체 등의 사진이나 영상으로만 접하던 자연 현상, 생물, 사물, 환경 등을 직접 대면하는 체험활동을 통해 다음과 같은 교수-학습 측면과 진로지도 측면에서 다양한 교육적 효과를 거둘 수 있다.

(1) 교수-학습 측면

제6장에서 살펴본 바와 같이, 초등 3~6학년 학생들의 대부분은 Piaget의 구체적 조작기에 해당하며, 이 단계의 학생들은 구체적인 경험에 의해 학습 효과를 높일 수 있다. 과학 현장학습은 학생들에게 자연 현상, 생물, 사물 등을 직접 눈으로 보고, 손으로 만져 보고, 귀로 소리를 듣고, 코로 냄새를 맡는 등의 구체적이고 실질적인 경험의 기회를 제공한다.

이러한 교수법적 측면의 이유뿐 아니라 과학 개념학습에도 현장학습은 효과적이다. 여러 연구 결과에 의하면 동일한 개념이나 원리가 적용되는 현상들에 대해 학생들은 상황에 따라 다르게 생각하는 상황 의존적 사고를 한다. 즉 학교 과학 수업에서 학습한 지식은 학교 울타리 안에서만 시험을 위해 사용되고, 일상생활에서는 이와 다른 지식을 사용한다는 것이다(강호감 등, 2007). 이러한 상황 의존적 사고 특성과 관련하여 과학 현장학습은 학생들이 학교에서 배운 지식을 학교 밖의 실제 상황에 적용할 수 있는 기회를 제공한다. 또한 현장학습에서의 경험은 학습자로 하여금 현장 상황과 이전의 지식을 연계하도록 할 뿐 아니라 그 맥락에 있어서 강한 기억 때문에 교실 안에서 책을 통해 보고 배우는 것보다 생생하게 각인되며 오랫동안 기억된다(Falk & Dierking, 2000; Hofstein & Rosenfeld, 1996).

과학 현장학습은 초등학생들의 탐구 능력과 과학 관련 태도에도 긍정적 효과를 제공하는 매우 좋은 교수-학습 방법이라 할 수 있다. 먼저 과학 탐구 능력과 관련하여 현장학습은 탐색과 발견의 경험을 위한 기회를 제공한다(DeWitt & Storksdieck, 2008). 예컨대 현장학습은 학생들에게 학교에서 벗어나 자연 속에서 탐구하는 기회를 제공함으로써 과학 시간에 배운 기본 지식 외에 수학, 사회, 미술 등의 타 교과 지식을 활용하여 문제를 융합적으로 해결하는 기회를 제공하기도 한다. 또한 과학 현장학습은 학생들에게 여행의 즐거움과 함께 자연 친화적인 생각, 대자연에 대한 경외심을 느끼는 소중한 경험 등을 통해 과학 그리고 과학 학습에 대한 긍정적 태도를 갖게 하는 좋은 기회를 제공할 수 있다.

과학 현장학습은 학생들의 과학의 본성에 대한 이해에도 도움이 된다. 예컨대 소집단 협동학습을 적용함으로써 학생들에게 스스로 협동하여 다 같이 노력하는 지혜를 터득하게 할 수 있으며, 그 결과에 대한 모둠별 발표 활동을 통해 동일한 탐구 주제라도 해결 방식이 다를 수 있음을 깨닫는 기회도 제공할 수 있다.

(2) 진로지도 측면

과학 현장학습은 창의적 체험활동의 '진로활동' 영역으로 활용될 수 있다(교육부, 2022c). 교사는 다양한 진로가 있는 직업으로서 과학에 대한 정보를 소개하는 기회를 계속 갖도록 해야 하며, 무엇보다 사춘기 초기의 어린이들은 과학 및 과학과 관련된 직업들을 알 필요가 있다(AAAS, 1993).

학생들의 과학자에 대한 인식을 조사한 연구들은 공통적으로 많은 학생들이 과학자에 대해 정형화되거나 심지어 왜곡된 이미지를 가지고 있음을 보고하고 있다. 예를 들어 학생들에게 과학자의 모습을 그려 보라고 했을 때, 많은 학생들이 머리카락이 헝클어지거나 대머리에 안경을 쓰고 실험복을 입은 중년이나 노년의 남성 과학자를 그린다는 것이다. 심지어는 보통 사람들과는 달리 지저분하고 괴이한 분위기의 사람으로 연상하는 경우도 많다고 한다(임희준과 여상인, 2001). 또한 많은 초등학생들이 과학자의 작업 공간을 집이라고 생각하거나, 과학자가 하는 일을 만물박사로 생각하는 등 직업인으로서의 과학자에 대해 왜곡된 이미지를 가지기도 한다(장명덕과 이명제, 2004).

과학 기술 관련 각종 연구소 견학 등의 현장학습을 통해 학생들이 과학자를 직접 만나거나 과학 연구가 실제 이루어지는 현장을 접하는 일은 과학뿐 아니라 과학자에 대한 올바른 이미지 형성과 과학 진로에 대한 관심에 많은 영향을 미칠 수 있다. 예컨대 어린이들은 과학자가 보통 사람과는 다른 특별한 사람이 아니라 단지 과학을 전문적으로 깊이 있게 연구하는 사람일 뿐 보통의 직장인과 마찬가지로 평범한 생활인이라는 인식을 갖도록 하는 데 도움이 될 수 있다. 또한 과학자가 들려주는 첨단 과학기술에 대한 정보와 이해를 통해 과학자로서의 꿈을 키우는 좋은 기회를 제공할 수도 있으며, 비록 과학자가 되지 않더라도 이러한 경험들은 모든 학생들이 성인이 되었을 때 합리적 의사결정을 하는 데 매우 유용할 수 있다.

'생명'과 '지구와 우주' 영역 단원의 경우 교실이나 과학실에서보다 현장이나 자연에서 이루어지는 현장학습이 효과적인 경우가 많다. 그러나 한 가지 유념해야 할 점은 현장학습이 과학의 모든 주제에 효과적인 것은 아니라는 사실이다(김찬종 등, 1999; 조희형과 박승재, 1999; DeWitt & Storksdieck, 2008). 즉 어떤 주제는 교실 수업보다 현장학습을 통해 더 의미 있게 학습할 수 있지만, 어떤 주제는 그 반대일 수도 있다(조희형과 박승재, 1999). 예컨대 복잡한 개념을 학습해야 하는 상황에서는 현장학습이 이상적인 방법이 아닐 수 있다(DeWitt & Storksdieck, 2008). 따라서 실내에서 가장 잘 학습될 수 있는 것은 실내에서 공부하고, 야외에서 가장 잘 학습될 수 있는 것은 야외에서 공부하도록 해야 한다(김찬종 등, 1999).

2. 과학 현장학습 실행의 어려움

과학 현장학습이 초등학생들의 과학 학습에 도움이 된다는 것에 대해서는 많은 교사들이 공감하면서도 여러 가지 이유로 잘 이루어지지 않는 실정이다. 이와 같이 현장학습이 잘 이루어지지 않는 이유는 학교 일정 및 교육과정 운영의 어려움, 관리자의 이해 부족, 교사의 업무 부담, 현장학습 장소에 대한 정보 부족, 적절한 교수-학습 자료의 부족, 인솔의 어려움, 안전에 대한 우려, 시간의 부족, 비용 등 다양하다(강호감 등, 2004; 장현숙과 최경희, 2005).

이러한 교사 외적인 요인에 의한 어려움 외에 교사 내적인 요인도 과학 현장학습이 원활히 운영되는 데 저해 요인으로 작용하고 있다. 표 12-1은 초등 예비교사와 현직교사를 대상으로 과학 현장학습의 내용적인 측면에서 어려운 점을 조사한 강호감 등(2004)의 연구 결과이다. 표 12-1과 같이 현장학습을 전개할 때 예비교사와 현직교사 모두 '과학 지식의 부족', '식물명과 암석 지식의 부족', '채집 방법에 대한 지식 부족' 등 교사 자신이 느끼는 과학 지식의 부족이 현장학습을 실시하는 데 있어서 가장 주된 저해 요인으로 작용함을 알 수 있다.

과학 지식 부족으로 인한 어려움은 지역사회의 유관기관과 적극적으로 연

표 12-1 현장학습 실시의 내용적 측면에서의 어려움(강호감 등, 2004)

항목	예비교사(%)	현직교사(%)	계(%)
① 과학 지식의 부족	129(31.4)	116(33.7)	245(32.4)
② 식물명 및 암석 지식의 부족	76(18.4)	60(17.4)	136(18.0)
③ 장소 선택의 어려움	19(4.6)	28(8.1)	47(6.2)
④ 진행의 어려움	36(8.7)	18(5.2)	54(7.1)
⑤ 학생 인솔의 어려움	54(13.1)	78(22.7)	132(17.5)
⑥ 채집 방법에 대한 지식 부족	5(1.2)	0(0.0)	5(0.7)
⑦ 야외학습에 대한 두려움	86(20.9)	32(9.3)	118(15.6)
무응답	7(1.7)	12(3.6)	19(2.5)
계	412	344	756

계 · 협력해서 프로그램을 운영하면 많은 부분 해소될 수 있다. 예컨대 해당 방문지의 안내자(예:숲해설가)를 활용하는 것이 그 한 가지 해결책이다. 안내자의 설명을 들으면서 학생들뿐 아니라 교사 자신도 미처 몰랐던 사실 등을 배울 수 있으며, 이러한 배움의 경험은 해당 장소에 대한 교사 자신의 지도 능력을 키우는 데도 도움이 된다. 백소이 등(2011)의 연구 결과에 의하면, 비정규 과학교육 활동의 경험은 교사들 자신에게도 과학 태도에 긍정적 영향을 미치는 것으로 나타났다. 백소이 등의 연구에 참여한 278명의 초등교사들 중 73.4%가 긍정적 영향을 미쳤다고 응답한 반면 부정적 영향을 미쳤다고 응답한 교사는 1.1%, 아무 영향 없었다고 생각한다는 응답이 8.3%, 잘 모르겠다는 응답이 11.9%였다.

한편 초등 예비교사의 경우에는 현직교사보다 '야외학습에 대한 두려움'이 과학 현장학습을 실시하는 데 어려움을 준다고 응답한 비율이 높은 편이다. 이는 아마도 과학 현장학습에 대한 경험 부족이나 현장학습에 대한 교수법에 익숙하지 못한 점 등이 그 원인일 것이다.

3. 과학 현장학습의 유형

과학 현장학습을 위한 장소는 학교 교실과는 다른 점이 많기 때문에 현장학습을 실시하기 위해서는 특별한 계획과 준비가 필요하며, 교실 수업과 다른 특별한 방

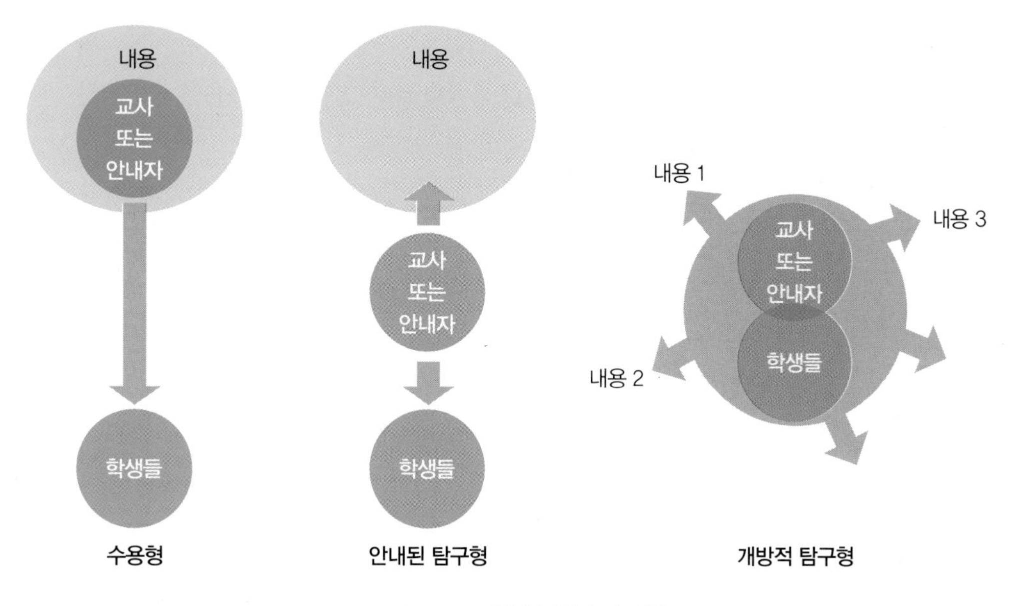

그림 12-1 과학 현장학습의 유형

법과 절차가 필요하다(서울대학교 교육연구소, 1995). 또한 현장학습의 효과는 동일한 주제일지라도 수업 방법과 절차에 따라 달라질 수 있다(조희형과 박승재, 1999). 즉 초등학생들을 대상으로 현장학습을 실시하는 경우에는 탐구 주제와 학생들의 지적 능력 등에 따라 여러 가지 지도 방법이 있을 수 있다. 정완호 등(1996)은 현장학습에서 교사와 학생 사이에 일어날 수 있는 상호작용의 유형을 크게 '전통적 접근법', '개방적 접근법', '탐구적 접근법'의 세 가지로 구분하였다. 그림 12-1은 정완호 등(1996)이 제안한 것을 재구성한 것으로, 교사(또는 안내자)와 학생 사이에 일어날 수 있는 상호작용의 유형에 따라 과학 현장학습의 유형을 '수용형', '안내된 탐구형', '개방적 탐구형'으로 구분하여 나타낸 것이다.

그림 12-1에서 첫 번째 유형인 '수용형'은 현장학습에서 학습할 내용을 교사(또는 안내자)가 체계적으로 구조화하여 학생들에게 제시해 주는 방식이다. 이러한 방식은 초등학교 저학년 학생들이나 학습 내용이 학생들 스스로 수행하기 어려운 경우에 사용할 수 있다. 두 번째 유형인 '안내된 탐구형'은 교사(또는 안내자)가 학습할 탐구 과제에 대하여 학생들과 상호작용을 하면서 학생들에게 도움이 필요하다고 판단될 때 적절히 안내해 주는 방식이다. 세 번째 '개방적 탐구형'은 첫 번째와 두 번째 방식과는 달리 학습할 탐구 과제는 상황 등에 따라 달라지며, 학생들과 마찬가지로 교사도 적극적으로 학습 과정에 참여하며 함께 탐구해 나가

는 방식이다. 교사는 이러한 현장학습 유형 중에서 탐구 장소, 학습 내용, 학생들의 지적 능력 등에 따라 적절한 유형을 선택하거나 조합하여 사용할 수 있다.

4. 과학 현장학습의 절차

과학 현장학습이 성공적으로 이루어지기 위해 교사는 많은 시간과 노력을 들여야 한다. 예컨대 교사는 (1) 현장학습 전에 방문지에 익숙해야 하고, (2) 학생들에게 방문지에 대한 오리엔테이션과 함께 현장에서의 활동목표를 명확히 하고, (3) 교육과정과 연계된 활동을 계획하고, (4) 학생들이 현장학습 장소에서의 활동 시간을 고려하고, (5) 현장학습 후에는 학생들이 서로의 경험을 공유하고 피드백을 제공할 수 있는 교실 활동을 계획하고 실행해야 한다(DeWitt & Storksdieck, 2008). 즉 현장학습 프로그램을 성공적으로 운영하기 위해서는 학생들이 학교를 출발하기 이전부터 현장학습 후의 결과 처리 과정까지 사전에 철저한 준비가 필수적이다.

하지만 Kisiel(2005)은 현장학습에 참가하는 많은 학생들이 구체적인 활동 목적에 대해 전혀 알지 못하고, 교사는 학생들의 현장학습 과정에서 자신의 역할에 대해 알지 못하며, 현장학습 이후의 학습을 위한 준비도 되어 있지 않은 것 같다고 지적하였다. 사전에 철저한 준비와 계획이 없는 현장학습은 그 효과가 반감되기 쉽기 때문에 의미 있는 현장학습이 되도록 하기 위해서는 사전답사나 관련 자료조사 등 철저한 사전 준비가 필수적이다(교육과학기술부, 2008b).

(1) 현장학습 계획 수립

과학 현장학습의 질은 교사의 사전 준비에 의하여 크게 좌우되므로 성공적인 현장학습을 위해 교사는 사전에 체계적이고 치밀한 계획을 세워야 한다. 이와 관련하여 고려할 점을 제시하면 다음과 같다.

첫째, 과학 현장학습 계획은 학년 또는 학기 초 지도 계획을 수립할 때 이루어지는 것이 바람직하다. 실제 교육현장에서는 교육과정과 연계한 현장학습이 많이 이루어지고 있지 않으며, 대부분 일회성에 그치는 경우가 많다(장현숙과 최경희, 2005). 양질의 과학 현장학습을 실시하기 위해서는 교육과정과 연계되어야 하며, 이를 위해서는 해당 학년 또는 학기 과학 교과용 도서에 대한 검토를 통해 현장학습이 필요한 단원이나 주제, 현장학습 시기 등을 학교 교육과정을 만들 때 결정해야 한다.

둘째, 학교가 이용할 수 있는 현장학습 장소, 이용 방법, 안내자의 유무 등에 대해 미리 상세히 조사 · 기록해 두어야 한다. 우리나라의 각 시도에는 각종 과학관, 박물관, 연구소, 산업체 등 다양한 현장학습 장소가 있다. 현재 일부 시도교육(지원)청 홈페이지에는 '창의적 체험 자원 지도(CRM, Creative activity Resource Map)'라는 자료가 탑재되고 있다. 이 자료는 해당 지역에 있는 다양한 학교 밖 시설이나 프로그램 등을 체계적으로 소개하는 등 창의적 체험활동을 설계 · 운영하기 위한 매뉴얼이다. 특히 교육부와 한국과학창의재단이 운영하는 '창의인성교육넷(www.crezone.net)'은 창의적 체험활동에 관한 다양한 정보를 제공하고 있는 사이트로, 전국의 각종 현장학습 장소 등에 대한 다양한 정보를 제공하고 있다(그림 12-2).

그림 12-2 크레존 창의인성교육넷(https://www.crezone.net/main)

셋째, 현장학습을 위한 단원이나 주제, 시기 및 장소가 결정되면 그 장소에서의 활동을 위한 치밀한 계획을 세워야 한다. 이를 위해 교사는 정확한 일정 수립과 안전 사항을 점검하기 위한 사전답사를 반드시 실시해야 한다. 사전답사 과정에서 필요한 경우 현장학습 장소의 개략적인 지도를 작성하고 주요 위치를 표시하거나 학생들의 흥미를 끄는 장소나 관람물 등을 메모해 둔다. 과학관 등의 대규모 시설을 이용할 경우에는 전체를 다 견학시키기보다는 특정 전시물에 한정하여 중점적으로 견학시키는 것이 좋다(정완호 등, 1996). 사전예약이 필요한 경우에는 미리 예약을 하고, 안내자를 활용하는 경우에는 안내자에게 과학 교과 내용과 관련성에 대한 정보를 제공하도록 한다.

넷째, 현장학습을 위해서는 학교 내의 행정적 절차가 필요하다. 교사는 사전에 현장학습의 목적, 위치, 출발 시간, 귀교 시간, 학생 명단 등을 서면으로 제출하고 학교장의 허가를 받아야 하고, 연구소 등을 견학할 경우에는 해당 기관의 허가를 받아야 하며, 가정통신문을 통해 학부모의 동의서도 받아야 한다.

다섯째, 교내 행정적 절차가 마무리되면, 만약의 위험에 대한 안전 대책을 정교하게 수립하여 실행해야 한다(권재술 등, 2012). 현장학습은 어느 교수-학습 형태보다도 종합적 활동을 통해 이루어지며, 그만큼 수행하기도 어렵고 복잡하며 위험을 수반하기도 한다(조희형과 최경희, 2001). 따라서 교사는 안전 수칙을 만들어 안전 교육을 실시하고, 필요하다고 판단될 때마다 안전에 관하여 주의를 환기시켜야 한다(교육과학기술부, 2008b). 또한 교사는 안전이 보장된 교통편을 이용해야 하며, 학생들은 예기치 못한 상황에서 사고를 당할 수 있으므로 사고 발생 시 신속하게 조치할 수 있어야 한다.

(2) 현장학습의 실행

과학 현장학습은 기본적으로 표 12-2와 같이 '현장학습 전 활동', '현장학습 중 활동', '현장학습 후 활동'의 세 단계로 이루어지는 것이 바람직하다.

가. 현장학습 전 활동

현장학습의 교육적 효과는 학생들의 현장학습 장소에 대한 사전 지식이나 흥미 등의 영향을 받는다(Dewitt & Storksdieck, 2008). '현장학습 전 활동'의 기본 목적은

표 12-2 과학 현장학습 실행 절차 예시 : 식물원

구분	현장학습 전 활동	현장학습 중 활동	현장학습 후 활동
개요	• 방문지 소개 • 현장학습 계획 안내 • 사전 조사 활동 실시	• 활동 중 유의사항 안내 • 탐구 활동 수행 • 관찰, 측정, 토론	• 현장학습 결과 발표 • 토론 • 평가
목표	• 현장학습 장소에 친숙해지는 경험 제공 • 무계획적인 현장학습 지양 • 안전하고 효과적인 활동을 위한 사전 준비	• 탐구 능력의 신장 • 식물의 다양성 인식 • 모둠별 협동적 탐구 수행을 통한 협동심 배양	• 현장학습에 대한 올바른 인식의 기회 제공 • 의사소통 기능, 반성적 사고 능력 증진 • 성취감 고취
내용	• 방문할 식물원 소개하기 • 현장학습 목적 및 일정, 위치, 교통, 준비물 등 안내하기 • 식물원 탐방 중 주의할 사항 안내하기 [학생 활동] 1. 나무가 우리에게 주는 혜택에 대해 생각하기 2. 인터넷을 통한 사이버 탐방하기 3. 조사(관찰)할 식물에 대해 조사하기 4. 개별 또는 모둠별 탐구 계획 세우기	• 활동시 유의사항 안내하기 • 현장학습 후 활동 안내하기 [학생 활동] 1. 식물원 안내도를 통해 식물원의 전체적인 지리 익히기 2. 탐방 주제와 이동 경로, 집결 장소 숙지하기 3. 활동지에 제시된 식물의 키 재어보기, 나뭇잎 탁본 등의 공통과제 수행하기 4. 개별 또는 모둠별 과제 수행하기 및 활동지 정리하기 5. 과제 수행 후 모둠별 식물원 관람하기	• 현장학습 활동과 교과서 내용 연계하기 • 학생들의 현장학습 활동에 대해 평가하기 [학생 활동] 1. 개별 또는 모둠별 활동 결과 발표하기 2. 발표 결과에 대해 토론하기 3. 현장학습 활동에 대해 반성하기 4. 현장학습 후 느낀 점에 대한 감상문 쓰기
기타	• 현장학습 안내와 사전 활동을 위한 학생용 활동지	• 학생용 활동지 • 학생 활동 관찰기록지	• 활동 결과 보고서 • 학생 활동 평가서

현장학습 장소에 대한 흥미와 호기심을 유발하고, 현장학습 활동과 관련된 기본적 사항에 대한 사전 이해를 도모하여 이후 이루어지는 현장학습 중 · 후 활동의 효과를 극대화시키는 데 있다. 이 단계에서 교사는 무엇보다도 학생들에게 현장학습 활동 내용과 교실에서 이루어지는 과학 수업이 유의미하게 연결되도록 그 관련성을 이해시키고, 현장학습이 단순히 놀이나 여행이 아니라 과학 수업의 일환이라는 인식을 갖게 하는 것이 중요하다.

효과적인 현장학습을 위해서는 학생용 활동지를 제작하는 것이 좋다. 활동지에는 현장학습의 목적, 장소와 일정, 활동 장소에서 해야 할 과제뿐 아니라 현장학습 장소에서의 행동이나 안전 수칙, 준비물, 복장, 가져올 음식, 현장에서 필요한 장비 등에 대한 구체적이고 상세한 안내를 해 주어야 한다. 또한 활동지에는 현장학습의 활동과 관련된 사전조사(예:현장학습 장소의 누리집 방문 조사) 등의 과제를 부과하고 해결하도록 함으로써 현장학습에 대한 학생들의 배경 지식을 갖추도록 하면 좋다. '현장학습 후 활동'에 대한 안내도 포함하는 것이 좋으며, 이를 위해 현장학습 활동 후의 보고서나 감상문 쓰기 등의 양식을 활동지에 포함할 수도 있다. 현장학습 활동 결과를 교과 활동이나 창의적 체험활동에 대한 평가 자료로 활용할 경우에는 이에 대한 평가 방안이 수립되어야 하며 활동지에도 안내하도록 한다.

학생들의 활동 단위는 개별 또는 모둠별 활동이 가능하나 안전이나 인솔의 문제 등을 고려하여 개별보다는 모둠별로 편성하는 것이 좋다. 만약 모둠별 활동을 하고 현장학습 장소가 과학관이라면 집중 탐구하고자 하는 것을 모둠별로 결정하도록 하고 이에 대한 사전조사 활동을 하도록 안내한다.

나. 현장학습 중 활동

'현장학습 중 활동'은 현장에서 활동 계획에 따라 체험이나 자료 수집 등의 활동을 수행하는 단계이다. 이 활동 과정에서는 시간이 제한되어 있기 때문에 모든 것이 계획대로 순조롭게 진행되어야 한다. 현장학습 장소에 도착하면 즉시 학생들을 집합시켜 오리엔테이션을 실시한다. 이때 다시 한 번 더 학생들에게 현장학습의 목적, 하게 될 활동, 행동이나 안전 수칙 등을 주지시켜 주어야 한다. 만약 현장학습 장소의 안내자(예:기업체나 공공기관의 홍보담당자)를 활용한다면 안내자에 대한 소개와 함께 안내자의 설명을 듣도록 한다.

'현장학습 중 활동'은 학교로 돌아가 수행할 '현장학습 후 활동'으로 이어지므로 이를 위하여 다양한 체험 활동이나 최대한 체계적인 자료 수집 등의 활동을 수행하게 하며, 수행 과정에서 궁금한 점, 더 알고 싶은 점 등을 기록하도록 안내한다. 현장학습 장소에서의 학생들의 활동 과정에 대한 교사의 관찰은 학생들의 관심 분야나 과학 관련 태도 등에 대한 평가를 위한 유용한 정보를 제공한다. 따라서 교사는 필요한 경우 학생들의 행동과 대화 내용을 기록하도록 한다. 학생들이 활동지를 완성한 후, 시간적 여유가 있을 경우에는 현장학습 장소의 다른 곳을 자유롭게 관람하도록 안내한다.

다. 현장학습 후 활동

'현장학습 후 활동'은 앞 단계에서 수행한 활동을 토대로 현장학습 결과를 정리하고 교과 학습 내용과 연계하여 이해시키는 현장학습의 마무리 단계이다. 현장학습을 마치고 교실로 돌아온 후에는 그에 관련된 후속 활동들을 통해 현장학습 경험의 효과를 극대화시켜야 한다(김찬종 등, 1999). 이 단계에서는 현장학습 보고서나 감상문 쓰기, 신문 만들기, 퀴즈대회 등의 활동으로 현장학습 결과를 정리하도록 하는데, 이러한 활동은 서로의 정보를 공유하고 피드백을 제공하는 데 도움이 된다.

현장학습에서 학생들이 개별 또는 모둠별로 서로 다른 주제에 대한 활동을 수행한 경우에는 각 학생들의 활동 결과를 정확하게 비교 · 평가하는 데 한계가 있다. 하지만 학생들이 현장학습의 참뜻을 알게 한다는 교육적 측면에서 보면 현장학습 후의 평가는 소홀히 다루어져서는 안 될 중요한 과정이다.

12.2 기타 비정규 과학교육 활동

초등학생들은 정규 교과수업과 현장학습뿐 아니라 매년 실시되는 다양한 교내외 과학 행사나 경연대회, 과학 캠프, 과학 동아리 등의 비정규 과학교육 활동에 참여함으로써 과학 학습을 할 수 있다. 이러한 과학교육 프로그램 참여 경험은 학생들의 과학에 대한 인식과 태도에 영향을 미치며 과학 · 기술 분야 진로선택에도 긍정적 효과를 준다(박형민과 임채성, 2017; 이수영, 2011; 정진우 등, 2003). 특히 비정규 과학교육 프로그램은 정규 교과수업이나 현장학습과는 달리 비교적 학생들의 자유의지에 의한 참여를 통해 이루어지며, 평소 과학에 관심이 부족한 학생에게는 재미있는 과학 활동을 통하여 과학에 흥미를 가지는 기회를 제공하고, 과학에 높은 흥미와 재능을 가진 학생에게 학습 욕구를 충족시켜 주는 기회를 제공한다. 초등학생들이 참여할 수 있는 비정규 과학교육 프로그램은 매우 다양하며, 그중 몇 가지를 소개하면 다음과 같다.

1. 교내 과학의 달 행사

매년 4월이면 실시되는 '과학의 달' 행사는 과학의 저변을 확대하고 국민들의 과학에 대한 관심을 증대시킬 목적으로 실시된다. 특히 각 시·도교육청 주도하에 전국의 초등학교에서 치러지는 과학의 달 행사는 과학 교과 활동은 아니지만 초등학생들의 과학에 대한 관심과 흥미를 높이고 과학·기술과 관련된 능력을 신장시키는 좋은 기회를 제공한다(이정아 등, 2007).

표 12-3은 일선 초등학교에서 이루어지는 과학의 달 행사의 예시이다. 초등학생들은 이러한 행사에 자율적이고 선택적인 참여를 통하여 평소 가지고 있는 잠재력을 계발하고, 과학에 대한 흥미와 과학적 태도를 향상시키는 기회를 가질 수 있다(이은지, 2002). 이러한 교내 과학 행사 중 일부 행사의 경우 선발된 학생은 전국 규모 또는 지역 시·도교육청 규모의 경연에 참가하게 된다.

표 12-3 초등학교 교내 과학의 달 행사 계획 예시

대회명(종목)	참가 학년	주관 교사	추진 일정		비 고
			대회날짜	장소	
1. 과학 상상화 그리기 대회	1~3	학년부장	4월 11~15일	각 교실	세부 내용 학년별 게시판 게시
2. 과학 독후감 쓰기 대회	4	학년부장	4월 11~15일	각 교실	
3. 과학 표어·포스터 대회	5	학년부장	4월 11~15일	각 교실	
4. 과학 그림 그리기 대회	6	학년부장	4월 11일~15일	각 교실	
5. 전자과학 탐구대회	5~6	장○○ 홍○○	4월 14일(목) 오후 2시 40분	과학실	부품 및 공구 일체
6. 로켓과학 탐구대회 (물로켓)	4~6	과학부장 장○○ 홍○○ 김○○	4월 13일(수) 오후 1시 30분	과학실 및 운동장	60m 원 들어오기 (압력100 이하) (발사각도40° 이상)
7. 기계과학 탐구대회 (과학상자)	3~6	과학부장 장○○ 홍○○ 송○○ 박○○	4월 14일(목) 오후 2시 40분	4-2교실 6-5교실	과학상자 2~6호 과학상자 3~6호
8. 과학탐구 토론대회 (탐구계획서)	6	최○○ 이○○	4월 11~15일	6-3교실	탐구 주제에 맞는 계획서 작성

2. 과학 동아리 활동

과학 동아리 활동은 창의적 체험활동의 일환이나 방과 후 활동의 한 형태로 운영될 수 있다. 창의적 체험의 일환으로 실시할 경우, 개별 학급이나 동학년 단위로 또는 2~4개 학년이 공동으로 운영될 수 있다. 교내 과학 동아리 활동(예:과학 탐구반, 과학교실, 과학 클럽 등)은 과학에 관심과 흥미를 가진 또는 소질을 가진 학생을 대상으로 정규 과학 수업시간에 실시하기 어려운 다양한 실험 등의 탐구 활동을 통해 학생들의 과학에 대한 관심과 흥미 유발 및 과학 탐구 능력 신장 등을 위한 비정규 과학 활동이다. 과학 동아리 활동은 기존의 정규 과학교과에서의 학습과는 달리 시간과 학업에 대한 부담, 공간적 제약 등에서 탈피할 수 있기 때문에 다양한 형태의 탐구 학습 활동을 수행할 수 있는 장점이 있으며, 정규 과학 수업과 연계된 활동을 통하여 심화된 과학 학습을 촉진할 수도 있다(심규철 등, 2005). 임청환 등(2005b)의 연구에 의하면 대부분의 초등학교에 비록 형태는 다양하더라도 과학 관련 부서가 조직되어 운영되고 있다.

3. 과학 캠프

교내에서 이루어지는 과학 캠프(또는 과학 동산)는 여름방학과 겨울방학 기간을 활용하여 초등학교 4~6학년을 대상으로 정규 교과 과정에서 하기 어려운 과학 실험을 하거나 과학 영화, 과학 강연, 과학 공작, 야외 학습, 컴퓨터 교실, 산업체 견학 등을 실시하여 과학적 탐구심을 고취하고 체험학습을 통해 과학기술 소양을 조기에 계발하기 위한 활동이다(채동현과 이수영, 2002). 한편 학생들은 교육청, 과학 관련 단체, 대학 등에서 운영하는 과학탐구놀이캠프, 생명과학캠프, 자연생태캠프, 우주항공천문캠프 등의 각종 과학 캠프에 참여할 수도 있다(권난주 등, 2010). 이러한 교내・외 과학 캠프는 학생들의 과학에 대한 흥미 유발과 과학에 대한 긍정적 태도뿐 아니라 과학 탐구 능력이나 창의성, 자율 학습과 집단 사고의 능력을 기를 수 있는 기회를 제공하며, 과학에 대한 자질과 적성의 조기 발견에도 도움이 된다.

4. 과학 체험 행사

과학축전이나 과학싹잔치와 같은 과학 체험 행사는 과학 현상과 놀이를 직접 실행해 보고, 그 속의 과학적 원리를 체험해 보는 장으로서 비정규 과학교육의 중요한 축을 차지하고 있다(전영석과 임미량, 2012). 이러한 행사는 원래 과학기술에 대한 국민적 이해를 촉진시키려는 목적으로 개최되는 것으로, 전시, 시범, 쇼, 강연 등을 통하여 일반인들이 이해하기 어려운 과학기술의 내용을 알기 쉽게 다양한 방식으로 설명해 준다.

한국과학창의재단에서 주관하는 '대한민국 과학축제'는 매년 열리는 국내 최대 규모의 체험형 과학 축제로, 생생한 과학 체험의 장을 마련하여 전 국민의 과학적 소양의 함양을 목표로 치러진다. 한편 매년 10월경에 열리는 '과학 싹 큰 잔치'는 한국과학교육단체총연합회와 한국과학창의재단이 주관하는 전국 규모의 행사로, 초 · 중 · 고등학생 및 일반인을 대상으로 체험 중심의 실험 활동을 경험할 수 있는 기회를 제공하고 있다. 이외에도 각 시도교육청에서도 다양한 과학 체험 행사를 실시하며, 초등학생들에게 직접 해 보는 활동을 통해 교과서 속의 원리를 이해하고 생활에 응용할 수 있는 좋은 기회를 제공한다.

5. 과학 경연

과학 경연은 참가 학생들이 과학 관련 과제를 해결하는 과정과 그 결과에 대한 평가 및 보상을 하는 과학 행사의 일종이다(이남희, 2011). 과학 경연은 학생들 사이의 선의의 경쟁을 통해 과학에 대한 관심과 재능이 있는 학생들을 발굴하는 것을 일차적인 목적으로 하지만 과학 경연의 참가를 통한 학생들의 과학과 과학 학습에 대한 흥미 증진 및 과학 활동의 직접 체험을 통한 과학 관련 직업 선택에 대한 자극을 제공할 수 있다. 이러한 목적으로 국내에서 실시되고 있는 과학 경연은 그 대상과 형태, 규모가 매우 다양하다.

일선 초등학교에서 참가 가능한 대회로는 '과학전람회', '청소년과학페어 전국대회', '자연관찰탐구대회', '과학탐구실험대회', '학생발명품경진대회', 각종 과학올림피아드 등이 있다. 이들 과학 경연 대회는 전국 규모 또는 지역 규모의 행사로 치러진다.

연습문제

1. 자신의 임용 희망지역의 과학 현장학습 장소를 찾아 그림과 같이 지도로 나타내 보시오.

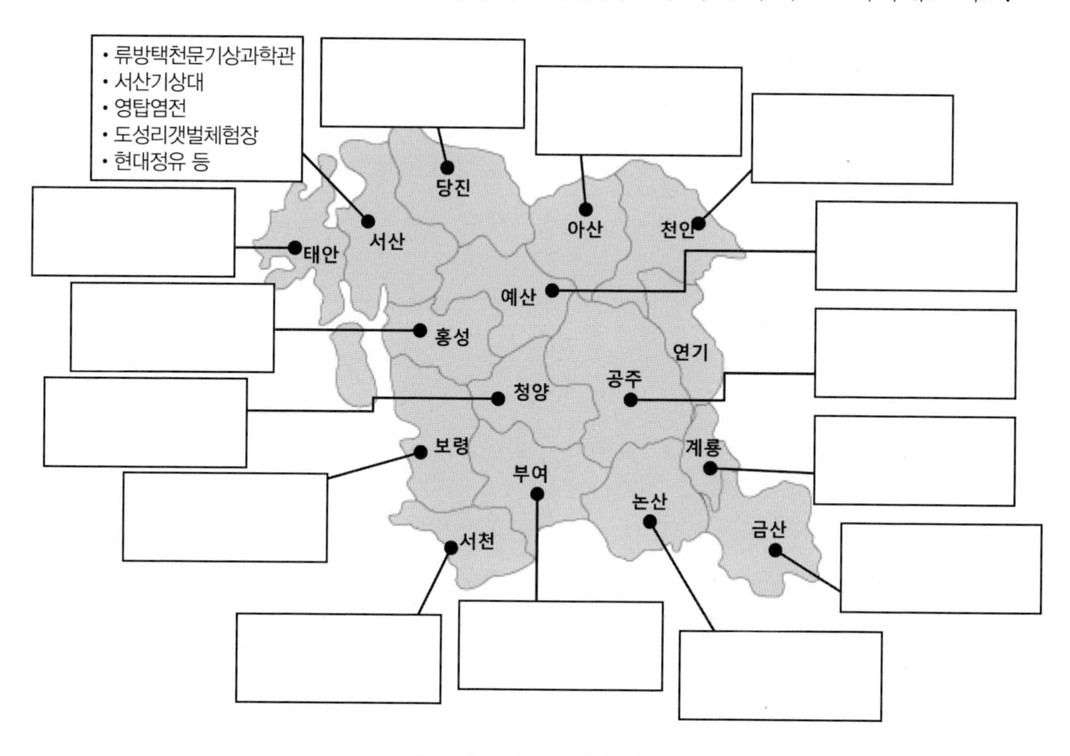

충남지역 과학 현장학습 장소

2. 초등 과학 교과서 한 단원의 과학 현장학습 실시를 위한 계획서를 작성하시오. [계획서에는 현장학습 장소 소개, 초등 과학교과 내용과 연계 방안, 현장학습 전 · 중 · 후 단계별 활동, 학생용 보고서 양식, 가정 통신문이 포함되도록 한다.]

3. 여러분이 과학부장 또는 과학 담당교사라고 가정하고 교내 과학의 달 행사를 위한 계획서를 작성하시오. [계획서에는 행사의 목적과 방침, 행사계획, 시상계획, 심사계획, 종목별 세부 요강, 항목별 심사기준표 등이 포함되어야 하며, 일선 초등학교에서 실시한 과학 행사에 대한 계획서를 구할 수 있으면 참고하도록 한다.]

부록

<부록 1-1> 과학에 대한 나의 태도 498
<부록 1-2> 나의 과학 교수효능감은? 499
<부록 1-3> 나의 과학 교수-학습관 알아보기 500
<부록 1-4> 과학과 수업 전문성 기준 502
<부록 2-1> 공통교육과정 '과학' 교과의 '교수-학습 방법'과 '평가' 504
<부록 3-1> 과학의 본성에 대한 이해 509
<부록 5-1> 자유 탐구 활동 계획서 양식 511
<부록 5-2> 자유 탐구 보고서 작성 방법 512
<부록 6-1> 개념도 작성 방법 519
<부록 8-1> 역할놀이로서 과학 연극 521
<부록 9-1> 실험 기구 조작 능력에 대한 점검표의 예 523
<부록 9-2> 과학 및 과학 학습에 대한 자기평가 문항 524
<부록 10-1> 초등 과학 실험에서 사용되는 주요 화학 약품 525
<부록 11-1> 차시 수업 계획 예시 526
<부록 11-2> 판서의 유형 531

부록 1-1 과학에 대한 나의 태도[1]

※ 다음 각 항목마다 제시된 한 쌍의 동사 사이에 과학에 대한 여러분의 생각을 잘 나타내는 쪽에 표한다. A는 왼쪽 동사에 대한 동의를, E는 오른쪽 동사에 대한 동의를, 그리고 C는 불분명한 입장을 의미한다.

"과학은?"

	A	B	C	D	E	
1. 좋다						싫다
2. 중요하다						중요하지 않다
3. 단순하다						복잡하다
4. 흥미롭다						따분하다
5. 쉽다						어렵다
6. 안전하다						위험하다
7. 유용하다						쓸모없다
8. 힘들지 않다						힘들다
9. 체계적이다						체계적이지 않다

채점과 해석

A는 5점, B는 4점, C는 3점, D는 2점, E는 1점으로 채점한다. 만약 총점이 긍정적인 쪽(36~45)으로 점수를 얻었다면 여러분은 과학에 대한 긍정적인 태도를 가지고 있다고 판정할 수 있다. 만약 점수가 낮다면 부정적 태도를 나타낸다. 또한 개별 항목들, 특히 D나 E에 표시한 항목은 어느 것인지, 불분명해서 C를 표시한 항목은 어떤 것인지에 대해 살펴볼 필요가 있다. 이것은 여러분이 과학을 가르치는 능력을 발달시키기 위해 관심을 가져야 할 부분을 의미한다.

[1] Martin(2000, p.29)이 개발한 총 20개 문항을 참고로 재구성한 것임.

부록 1-2 나의 과학 교수효능감은?[2]

※ 다음 각 문항에 대해 자신의 생각과 일치하는 번호에 ◯표 하세요.

문 항		전혀 아니다	아니다	보통이다	그렇다	매우 그렇다
1	나는 효과적인 과학 교수 방법을 찾기 위해 끊임없이 노력할 것이다.	1	2	3	4	5
2	나는 아무리 노력을 해도, 과학을 잘 가르칠 자신이 없을 것 같다. (R)	1	2	3	4	5
3	나는 과학 개념을 효과적으로 가르치는 데 필요한 방법들을 알고 있다.	1	2	3	4	5
4	나는 학생들의 과학 실험을 지도하는 능력이 부족한 것 같다. (R)	1	2	3	4	5
5	나는 초등 과학을 가르치는 데 필요한 과학적 개념을 충분히 이해하고 있다.	1	2	3	4	5
6	나는 과학에 대한 학생들의 질문에 대부분 답할 수 있을 것 같다.	1	2	3	4	5
7	나는 과학을 가르치는 데 필요한 능력을 갖추고 있는지 염려된다. (R)	1	2	3	4	5
8	나는 나의 과학 교수 능력을 교장이나 다른 교사에게 평가받는 것을 가능한 한 피할 것 같다. (R)	1	2	3	4	5
9	나는 과학을 가르칠 때, 학생들이 질문하는 것을 반기고 격려할 것이다.	1	2	3	4	5
10	나는 학생들을 과학 수업에 집중시키기 위해 어떻게 해야 하는지를 모르겠다. (R)	1	2	3	4	5

채점과 해석

'전혀 아니다'는 1점, '아니다'는 2점, '보통이다'는 3점, '그렇다'는 4점, '매우 그렇다'는 5점으로 채점한다. 문항 뒤에 '(R)' 표시가 있는 문항은 반대로 채점한다. 전체 평균점수가 4점 이상이면 과학 교수효능감이 높다고 판정할 수 있다.

[2] Bleicher(2004)의 논문 부록에 실린 총 23문항 중 10문항을 발췌한 것임.

부록 1-3 나의 과학 교수-학습관 알아보기[3]

A	A에 매우 동의	A에 동의	중립	B에 동의	B에 매우 동의	B
과학은 사실, 개념, 이론, 법칙 등의 집합체이다.	1	2	3	4	5	과학은 문제를 해결해 나가는 한 방법이다.
초등과학 교육의 주된 목적은 기초적인 사실, 개념 등을 익히는 것이다.	1	2	3	4	5	초등 과학교육의 주된 목적은 과학적인 이해와 사고를 계발하는 것이다.
정보를 축적함으로써 지식이 성장한다.	1	2	3	4	5	새로운 통찰과 시각을 습득하고 자신의 사고 체계를 재조직함으로써 지식이 성장한다.
학습이란 정보를 암기하는 수용적이고 수동적인 과정이다.	1	2	3	4	5	학습은 이해를 통해 지식과 전략을 구성하는 활동적 과정이다.
강의와 반복 연습이 학생들의 과학 학습에 효과적인 방법이다.	1	2	3	4	5	학생들이 탐구 활동에 직접 참여하는 것이 과학 학습에 효과적이다.
교사는 정보의 전달자이다.	1	2	3	4	5	교사는 주로 학생 스스로의 발견과 사고를 돕는 역할을 한다.
학생들은 과학학습에 본래 흥미가 없으므로, 교사는 학습을 자극할 수 있는 방법을 반드시 찾아야 한다.	1	2	3	4	5	학생들은 무엇인가를 탐구하고 이해하려 하는 선천적 관심을 지니고 있으므로 과학을 재미있어 할 것이다.

[3] 홍미영 등(2002a)의 pp.288~289의 내용을 연구자의 동의하에 원문을 인용하였음.

나는 어디에 속할까요?

◎ 합산한 수치 30 이상

이 유형에 속하는 교사는 과학을 우리 주변의 사물에 대한 새로운 사고 방법이라고 생각하며, 학생들을 어린 과학자라는 견지에서 바라본다. 따라서 교사로서 학생들로 하여금 그들이 알고 있는 것을 다시 생각해 보고, 반성해 보고, 재조직할 수 있는 기회를 제공하려고 노력한다. 이러한 관점을 지니고 있는 과학 교사는 가급적이면 학생 스스로 과학 지식을 발견해 나가도록 수업을 구성하는 것이 바람직하다고 생각한다.

◎ 합산한 수치 19~29

이 유형에 속하는 교사는 개념들 사이의 연관성을 쉽게 찾기 위해서 단순 암기보다는 이해를 강조하는 것이 효과적이라고 믿는다. 과학이란 정해진 지식체이므로, 학생들이 노력하여 불변의 진리를 발견할 수는 있지만, 초등학생들 수준에서 교사의 도움 없이 과학 개념을 스스로 발견하는 것은 매우 어렵다고 생각하고 있으므로 다소 교사 주도적으로 수업하는 경향이 있다.

◎ 합산한 수치 18 이하

이 유형에 속하는 교사는 학생들이 과학을 재미있게 학습하는 것이 중요하다고 생각하며, 교사 주도적으로 수업하는 유형이다. 과학 교과서에 실린 내용을 하나라도 빠트리거나 벗어나지 않으려고 노력한다. 과학적 개념이나 원리는 돌에 새겨진 것과 같이 우리 수준에서는 이유를 따질 수 없는 것들이라고 생각한다. 교육과정과 교과서에 미리 규정되어 있는 과학 내용에 대하여 왜 그럴까 또는 왜 배워야 하는가를 따지기보다는 숙달할 수 있도록 노력하는 것이 더 중요하다고 생각한다. 과학적 사실, 이론 및 방법들을 초등학교 수준에서 학생들에게 이해시키기는 어렵지만, 사회적으로 유용한 것들이므로 학생들이 배워야 한다고 생각한다.

부록 1-4 과학과 수업 전문성 기준[4]

대영역	중영역	기준 요소
영역1: 전문적 지식	Ⅰ. 과학 내용 및 교육과정에 대한 지식	Ⅰ-1. [교과 내용에 대한 이해] 과학의 본성, 탐구 과정, 기본 개념 등을 이해하고 있으며, 의사소통할 수 있다. Ⅰ-2. [과학과 교육과정에 대한 지식] 교육과정을 숙지하고 있으며, 교육과정을 재구성할 수 있다.
	Ⅱ. 과학 교수 방법 및 평가에 대한 지식	Ⅱ-1. [다양한 교수학습 방법에 대한 지식] 학생들에게 유의미한 학습이 일어날 수 있도록 교과 내용을 효과적으로 지도하는 방법을 숙지하고 있다. Ⅱ-2. [수업에 활용할 수 있는 자원들에 대한 지식] 교수 활동 및 학생들의 학습 경험을 지원할 수 있는 다양한 자원을 파악하고 있다. Ⅱ-3. [과학 학습 평가에 대한 지식] 학생들의 발달을 평가할 수 있는 다양한 평가 방법의 이론과 실제에 대한 지식을 가지고 있다.
	Ⅲ. 학생에 대한 지식	Ⅲ-1. [학생의 학습과 발달에 대한 지식] 학생의 지적 발달과 학습 방법에 대한 지식, 학생의 학습과 성취에 영향을 미치는 요인들에 대한 지식 등을 가지고 있다. Ⅲ-2. [학생의 배경 지식과 경험에 대한 지식] 학생들의 사전 과학 지식과 경험을 파악하고 있으며, 학생들에게 유의미한 학습이 일어날 수 있도록 이러한 변인을 효과적으로 고려하는 방법을 안다. Ⅲ-3. [학생의 다양한 개인차 존중: 수준별 학습] 학생들의 강점과 약점, 흥미, 관심, 학습 방식, 속도, 능력 등을 이해하고, 이러한 변인들을 고려하여 수업을 설계하고 실행하는 방법을 안다.
영역2: 지식과 실천의 연계	Ⅳ. 수업 설계	Ⅳ-1. [수업 목표 선정] 교과 내용 및 학생에 대한 이해에 기초하여 수업 목표를 명료하게 설정한다. Ⅳ-2. [유의미한 학습 프로그램 설계] 교과 내용 및 다양한 학습자의 특성(개인차 포함)을 고려하여 학생들에게 유의미한 학습이 이루어지도록 수업을 설계한다(수업 전략, 학습 활동 및 과제, 수업 자료, 집단 구성, 단원의 연계성 등). Ⅳ-3. [학생 평가 계획] 수업 목표와 일치하는 평가 기준과 방법을 수립하고, 학생의 이해 수준과 발전 정도를 확인할 수 있는 평가 계획을 마련한다.
영역3: 실천	Ⅴ. 교실 환경 (수업 분위기 조성)	Ⅴ-1. [상호작용과 존중] 교사와 학생, 학생과 학생 간의 상호작용이 활발하고, 학생 개개인이 존중을 받으며, 교사와 학생 간에 신뢰가 형성되는 교실 분위기를 조성한다. Ⅴ-2. [과학 학습 문화 조성] 학생들의 학습을 자극하고 격려하는 환경을 조성하고, 각 학생의 과학 학습에 대한 높은 기대 수준을 이끌어 주고, 학생들이 이러한 환경 속에서 과학적 실천에 내재된 가치들을 경험하고 내면화할 수 있게 한다.

[4] 이 기준은 한국교육과정평가원(임찬빈과 곽영순, 2006)에서 개발한 것을 초등교사에게 맞게 수정한 것임.

영역3: 실천	Ⅴ. 교실 환경 (수업 분위기 조성)		Ⅴ-3. [학급 운영] 수업이 효과적으로 이루어질 수 있도록 시간, 공간, 수업 집단, 자료 등을 효율적으로 관리한다. Ⅴ-4. [학생 행동 관리(학생의 잘못된 행동에 대한 대처)] 일정한 행동 기준에 기초하여 일관되고 공평하게 학생 행동을 지도하고, 문제 행동에 대처한다. Ⅴ-5. [안전한 환경 유지] 과학 실험 활동시 안전 수칙과 사고 발생시 대처 요령을 숙지하고 있으며, 안전 교육을 주기적으로 실시한다.
	Ⅵ. 과학 수업 실제	수업 방법	Ⅵ-1. [다양하고 적절한 교수 학습 방법의 활용] 교과 내용 및 학생들의 발달 수준과 다양한 개인차(학습 방식, 학습 속도, 흥미, 관심 등)를 고려하여 적절한 수업 방법과 전략을 적용한다. Ⅵ-2. [학생들에게 효과적인 피드백 제공] 학생들의 학습 효과를 높이기 위해 적시에, 정확하고, 구체적이며 실질적인 피드백을 제공한다. Ⅵ-3. [탄력적인 수업 운영] 수업에서 요구되는 계획 수정을 성공적으로 이루어내며, 예기치 않게 발생한 학습 기회를 적극 활용한다.
		수업 내용	Ⅵ-4. [과학 개념 이해] 주요 과학 개념들에 대한 이해를 촉진하고 과학 개념간의 연관성을 파악할 수 있도록 지원한다. Ⅵ-5. [과학적 탐구(능력) 촉진] 다양한 수업에서 과학적 탐구 활동과 과학의 본성을 체험할 기회를 제공하고, 과학적 의사소통 능력을 개발할 수 있도록 지원한다. Ⅵ-6. [과학에서의 연계성 짓기(통합된 수업)] 과학, 기술, 사회의 상호관련성, 다른 교과와의 연계성, 삶과의 연계성 등을 탐색하며, 학생들이 합리적인 의사결정 능력을 개발할 수 있도록 지원한다.
	Ⅶ. 학습 결과의 평가		Ⅶ-1. [평가 실행] 평가계획에 따라 학생들의 학습을 향상시키고, 다양한 평가 전략(예: 관찰, 포트폴리오, 자기평가, 동료평가 등)을 적절히 활용하며, 학생들에게 유용한 피드백을 제공한다. Ⅶ-2. [평가 결과 활용 및 의사소통] 평가결과를 기초로 교수 활동을 반성하고, 차후 계획 수립에 활용하며, 관련된 사람들과 적절하게 의사소통을 한다.
영역4: 전문적 책임감	Ⅷ. 전문성 발달		Ⅷ-1. [교수 활동에 대한 반성과 개선을 위한 노력] 자신의 전문 지식과 수업 설계 및 교수 활동의 결과를 정확하게 평가, 반성하며, 그 결과를 향후 교수 활동 개선을 위한 자료로 활용하며, 평생 학습자의 자세로 전문성 개발을 위해 노력한다. Ⅷ-2. [동료 교사와 협력(교직 공동체에 기여)] 과학교육의 수준과 효과성을 높이기 위하여 학교 내 공동체나 과학교육 전문가 집단에 소속되어 동료 교사와 협력하여 활동한다. Ⅷ-3. [학부모 및 지역사회와의 관계] 학부모에게 교육과정 및 수업 활동, 그리고 개별 학생의 발달과 성취에 대하여 지속적으로 의사소통을 하며, 필요한 경우 수업 프로그램 운영에도 참여시킨다.

부록 2-1

공통 교육과정 '과학' 교과의 '교수-학습 방법'과 '평가'

3. 교수 · 학습 및 평가

가. 교수 · 학습

(1) 교수 학습의 방향

(가) '과학' 관련 다양한 활동을 통해 '과학' 교육과정에서 제시한 목표를 달성하고, '과학' 관련 기초 소양 및 미래 사회에 필요한 역량을 함양하기 위한 교수 · 학습 계획을 수립하여 지도한다.

(나) '과학' 교육과정의 내용 체계표에 제시된 핵심 개념인 지식 · 이해뿐만 아니라 과정 · 기능, 가치 · 태도를 균형 있게 발달시킬 수 있도록 지도한다.

(다) 역량 함양을 위한 깊이 있는 학습이 이루어지도록 적절하고 다양한 일상생활 소재나 실험 · 실습의 기회를 학생들에게 제공하여 실제적인 맥락에서 문제를 해결하는 경험을 할 수 있도록 한다.

(라) 학생의 발달과 성장을 지원할 수 있도록 학생의 능력 및 수준에 적합한 '과학' 과목의 교수 · 학습 계획을 수립하고, 학생이 능동적인 학습자로서 수업에 참여할 수 있도록 한다.

(마) 디지털 교육 환경 변화에 따른 온 · 오프라인 연계 수업을 실시하고, 다양한 디지털 플랫폼과 기술 및 도구를 적극적으로 활용한다.

(2) 교수 · 학습 방법

(가) 학년이나 학기 초에 교과협의회를 열어 교육과정-교수 · 학습-평가가 일관되게 이루어질 수 있도록 '과학' 과목의 교수 · 학습 계획을 수립한다.

- 교수 · 학습 계획 수립이나 학습 자료 개발 시 학교 여건, 지역 특성, 학습 내용의 특성과 난이도, 학생 수준, 자료의 준비 가능성 등을 고려하여 교육과정의 내용, 순서 등을 재구성할 수 있다.
- 학생이 과제 연구, 과학관 견학과 같은 여러 가지 과학 활동에 참여할 수 있도록 계획

한다.

- 실험 · 실습에서 지속적인 관찰이 요구되는 내용을 지도할 때는 자료 준비, 관찰자, 관찰 내용 등에 관한 세부 계획을 미리 세운다.
- 학교급 전환에 따른 학교급 간 교육내용 연계 및 진로연계교육을 고려하여 지도계획을 수립한다.
- 융합적 사고와 과학적 창의성을 계발하기 위해 내용 연계성을 고려하여 과목 내 영역이나 수학, 기술, 공학, 예술 등 다른 교과와 통합 및 연계하여 지도할 수 있도록 계획한다.

(나) 강의, 실험, 토의 · 토론, 발표, 조사, 역할 놀이, 프로젝트, 과제 연구, 과학관 견학과 같은 학교 밖 과학 활동 등 다양한 교수 · 학습 방법을 적절히 활용하고, 학생이 능동적으로 수업에 참여할 수 있도록 한다.

- 학생의 지적 호기심과 학습 동기를 유발할 수 있도록 발문하고, 개방형 질문을 적극적으로 활용한다.
- 교사 중심의 실험보다 학생 중심의 탐구 활동을 설계하고, 동료들과의 협업을 통해 과제를 해결하는 과정에서 상호 협력이 중요함을 인식하도록 지도한다.
- 탐구 수행 과정에서 자신의 의견을 명확히 표현하고 다른 사람의 의견을 존중하는 태도를 가지며, 과학적인 근거에 기초하여 의사소통하도록 지도한다.
- 모형을 사용할 때는 모형과 실제 자연 현상 사이에 차이가 있음을 이해할 수 있도록 한다.
- 과학 및 과학과 관련된 사회적 쟁점을 주제로 과학 글쓰기와 토론을 실시하여 과학적 사고력, 과학적 의사소통 능력 등을 함양할 수 있도록 지도한다.

(다) 학생의 디지털 소양 함양과 교수 · 학습 환경의 변화를 고려하여 교수 · 학습을 지원하는 다양한 디지털 기기 및 환경을 적극적으로 활용한다.

- '과학' 학습에 대한 학생의 이해를 돕고 흥미를 유발하며 구체적 조작 경험과 활동을 제공하기 위해 모형이나 시청각 자료, 가상 현실이나 증강 현실 자료, 소프트웨어, 컴퓨터 및 스마트 기기, 인터넷 등의 최신 정보 통신 기술과 기기 등을 실험과 탐구에 적절히 활용한다.
- 온라인 학습 지원 도구를 적극적으로 활용하여 대면 수업의 한계를 극복하고, 다양한 교수 · 학습 활동이 온라인 학습 환경에서도 이루어질 수 있도록 한다.
- 지능정보기술 등 첨단 과학기술 기반의 과학 교육이 이루어질 수 있도록 지능형 과학

실을 활용한 탐구 실험 · 실습 중심의 교수 · 학습 활동 계획을 수립하여 실행한다.

- '과학' 관련 탐구 활동에서 다양한 센서나 기기 등 디지털 탐구 도구를 활용하여 실시간으로 자료를 측정하거나 기상청 등 공공기관에서 제공한 자료를 활용하여 자료를 수집하고 처리하는 기회를 제공한다.
- 학교 및 학생의 디지털 활용 수준 등을 고려하여 디지털 격차가 발생하지 않도록 유의한다.

(라) 학생의 과학에 대한 흥미, 즐거움, 자신감 등 정의적 영역에 관한 성취를 높이고 과학 관련 진로를 탐색할 수 있는 교수 · 학습 방안을 강구한다.

- 과학 지식의 잠정성, 과학적 방법의 다양성, 과학 윤리, 과학 · 기술 · 사회의 상호 관련성, 과학적 모델의 특성, 과학의 본성과 관련된 내용을 적절한 소재를 활용하여 지도한다.
- 학습 내용과 관련된 첨단 과학기술을 다양한 형태의 자료로 제시함으로써 현대 생활에서 첨단 과학이 갖는 가치와 잠재력을 인식하도록 지도한다.
- 과학자 이야기, 과학사, 시사성 있는 과학 내용 등을 도입하여 과학에 대한 호기심과 흥미를 유발한다.
- 학교의 지역적 특성을 고려하여 지역의 자연 환경, 지역 명소, 박물관, 과학관 등 지역별 과학 교육 자원을 적극적으로 활용한다.
- '과학' 관련 직업이나 다양한 활용 사례를 통해 학습과 진로에 대한 동기를 부여한다.

(마) 학생이 '과학' 교육과정에 제시된 탐구 및 실험 · 실습 활동을 안전하게 진행할 수 있는 환경을 조성한다.

- 실험 기구의 사용 방법, 화학 약품을 다룰 때 주의할 점과 안전 사항을 사전에 지도하여 사고가 발생하지 않도록 유의한다.
- 야외 탐구 활동 및 현장 학습 시에는 사전 답사를 하거나 관련 자료를 조사하여 안전한 활동을 실행한다.
- 실험 기구나 재료는 수업 이전에 충분히 준비하되, 실험 후 발생하는 폐기물은 적법한 절차에 따라 처리하여 환경을 오염시키지 않도록 유의한다.
- 생물을 다룰 때는 생명을 아끼고 존중하는 태도를 가질 수 있도록 지도한다.

(바) 범교과 학습, 생태전환교육, 디지털 · 인공지능 기초 소양 함양과 관련한 교육내용 중 해당 주제와 연계하여 지도할 수 있는 내용을 선정하여 함께 학습할 수 있도록 지도한다.

(사) 학습 부진 학생, 특정 분야에서 탁월한 재능을 보이는 학생, 특수교육 대상 학생 등 모두를 위한 교육을 위해 학습자가 지닌 교육적 요구에 적합한 교수・학습 계획을 수립하여 지도한다.

- 학생의 능력과 흥미 등 개인차를 고려하여 학습 내용과 실험・실습 활동 등을 수정하거나 대체 활동을 마련하여 제공할 수 있다.
- 특수교육 대상 학생의 학습 참여도를 높이기 위해 학습자의 장애 및 발달 특성을 고려하여 교과 내용이나 실험・실습 활동을 보다 자세히 안내하거나 학생이 이해할 수 있도록 적합한 대안을 제시할 수 있다.

나. 평가

(1) 평가의 방향

(가) '과학'에서 평가는 교육과정 성취기준에 근거하여 실시하되, 평가 결과에 대한 환류를 통해 학생의 학습과 성장을 도울 수 있도록 계획하여 실시한다.

(나) '과학' 교육과정상의 내용 체계와의 관련성을 고려하여 지식・이해, 과정・기능, 가치・태도를 균형 있게 평가하되, 지식・이해 중심의 평가를 지양한다.

(다) 학습 부진 학생, 특정 분야에서 탁월한 재능을 보이는 학생, 특수교육 대상 학생 등의 경우 적절한 평가 방법을 제공하여 교육적 요구에 맞는 평가가 이루어질 수 있도록 한다.

(라) '과학' 학습 내용을 평가할 때, 온라인 학습 지원 도구 등 디지털 교육 환경을 활용한 평가 방안이나 평가 도구를 활용한다.

(2) 평가 방법

(가) '과학' 과목의 평가는 평가 계획 수립, 평가 문항과 도구 개발, 평가의 시행, 평가 결과의 처리, 평가 결과의 활용 등의 절차를 거쳐 실시한다.

(나) 교수・학습 계획을 수립할 때, '과학' 교육과정 성취기준을 고려하여 평가의 시기나 방법을 포함한 평가 계획을 함께 수립한다.

- 교수・학습과 평가를 유기적으로 연결하여, 학습 결과에 대한 평가뿐만 아니라 평가 과정이 학생 자신의 학습 과정이나 결과를 성찰할 기회가 되도록 한다.
- 평가의 시기와 목적에 맞게 진단 평가, 형성 평가, 총괄 평가 등을 계획하여 실시한다.

- 평가는 교수 · 학습의 목표와 성취기준에 근거하여 실시하고, 그 결과를 후속 학습 지도 계획 수립과 지도 방법 개선, 진로 지도 등에 활용한다.
- 평가 결과를 바탕으로 학생 개별 맞춤형 환류를 제공하여 학생 스스로 평가 결과를 해석하고 학습 계획을 세울 수 있도록 한다.

(다) 지식 · 이해, 과정 · 기능, 가치 · 태도를 고르게 평가함으로써 '과학'의 교수 · 학습 목표 도달 여부를 종합적으로 파악할 수 있도록 한다. 또한, 학습의 결과뿐만 아니라 학습의 과정도 함께 평가한다.

- '과학'의 핵심 개념을 이해하고 적용하는 능력을 평가한다.
- '과학'의 과학적 탐구에 필요한 문제 인식 및 가설 설정, 탐구 설계 및 수행, 자료 수집 · 분석 및 해석, 결론 도출 및 일반화, 의사소통과 협업 등과 관련된 과정 · 기능을 평가한다.
- '과학'에 대한 흥미와 가치 인식, 학습 참여의 적극성, 협동성, 과학적으로 문제를 해결하는 태도, 창의성 등을 평가한다.

(라) 학생의 학습 과정과 결과를 평가하기 위해 지필 평가(선택형, 서술형, 논술형 등), 관찰, 실험 · 실습, 보고서, 면담, 구술, 포트폴리오, 자기 평가, 동료 평가 등의 다양한 방법을 활용한다.

- 성취기준에 근거하여 평가 요소에 적합한 평가 상황을 설정하고, 타당한 평가 방법을 선정한다.
- 타당도와 신뢰도가 높은 평가를 위하여 가능하면 공동으로 평가 도구를 개발하여 활용한다.
- 평가 도구를 개발할 때는 창의융합적 문제해결력 및 인성과 감성 함양에 도움이 되는 소재나 상황들을 적극적으로 발굴하여 활용한다.
- 평가 요소에 따라 개별 평가와 모둠 평가를 실시하고, 자기 평가와 동료 평가도 활용할 수 있다.
- 디지털 교수 · 학습 환경을 고려하여 온라인 학습 지원 도구 등을 활용한 온라인 평가를 병행하여 활용할 수 있다.

부록 3-1 과학의 본성에 대한 이해[5]

1. 과학자는 과학을 하는 사람이다. 과학자가 하는 일을 한마디로 나타내 본다면?
   ① 새로운 사실을 발견하여 자연에 대한 지식을 늘려간다.
   ② 자연 현상을 탐구하여 그 현상이 일어나는 과정과 이유를 설명한다.
   ③ 더 살기 좋은 세상을 만들기 위해 새로운 것을 발명한다.
   ④ 기타 :

2. 과학 이론은 무엇일까?
   ① 그럴듯하지만 아직까지는 확실히 증명되지 않은 사실이다.
   ② 어떤 현상이 왜 일어나는지 설명한 것이다.
   ③ 실험이나 관찰을 통해 사실로 증명된 것이다.
   ④ 기타 :

3. 과학자들은 모든 물질(고체, 액체, 기체)이 작은 입자(알갱이)로 이루어져 있다고 생각한다. 과학자들이 이렇게 생각하는 이유는?
   ① 현미경으로 입자를 볼 수 있기 때문이다.
   ② 실험을 통해 입자가 존재한다는 것이 증명되었기 때문이다.
   ③ 입자로 이루어져 있다고 상상하면, 여러 현상을 설명할 수 있기 때문이다.
   ④ 기타 :

[5] 이 검사 문항은 노태희 등(2002)이 초등학생들의 과학의 본성 중 과학의 목적과 과학 지식의 특성에 관한 생각을 조사하기 위해 개발한 것으로 연구자의 동의하에 원문을 인용하였음.

4. 예전의 과학 이론 중에는 오늘날 새로운 이론으로 바뀐 것이 많다. 그 이유는?
   ① 하나의 현상에 대해 설명하는 방식이 예전과 달라졌기 때문이다.
   ② 기술이 발달하고 과학 지식이 많아져 예전 이론이 틀렸다는 것이 증명되었기 때문이다.
   ③ 예전 이론에 많은 과학 지식이 추가되었기 때문에 새로운 이론처럼 보이는 것이다.
   ④ 기타 :

5. 광부는 금을 '발견한다.' 왜냐하면 광부가 찾아내는 금은 원래부터 땅속에 묻혀 있었기 때문이다. 반대로 작곡가는 음악을 '창조한다.' 왜냐하면 음악은 작곡가의 상상력을 통해 처음으로 만들어졌기 때문이다. 그렇다면 과학자는 과학 이론을 발견하는 것일까? 아니면 창조하는 것일까?
   ① 과학 이론을 발견한다. 왜냐하면 과학 이론은 우리가 이제까지 모르고 있었을 뿐 원래부터 존재하고 있었기 때문이다.
   ② 과학 이론을 발견하는 경우도 있고, 창조하는 경우도 있다.
   ③ 과학 이론을 창조한다. 왜냐하면 과학 이론은 과학자의 상상력에서 나왔기 때문이다.
   ④ 기타 :

부록 5-1 자유 탐구 활동 계획서 양식

자유 탐구 활동 계획서

모둠명 :		제출일 : 년 월 일
탐구 주제 (탐구 문제)		
탐구 방법	실험( ) / 관찰( ) / 조사( ) / 기르기( ) / 만들기( ) / 탐사 · 탐방( )	
수집해야 할 자료		
자료 수집 방법		
준비물		
단계	탐구 기간	구체적인 내용
탐구 수행하기		
보고서 작성하기		
보고서 발표하기		

역할 분담표

이름	역할	준비물

부록 5-2 자유 탐구 보고서 작성 방법

탐구 보고서는 자신 또는 자신의 모둠에서 수행한 탐구 활동의 전체 과정을 자세히 알 수 있도록 정리한 최종 결과물이다. 따라서 수행한 탐구 내용이 다른 사람이 쉽게 이해할 수 있도록 작성한다. 아래 설명된 탐구 보고서 작성 방법은 절대적인 것이 아니며, 탐구 주제에 따라 작성 방법을 다르게 할 수 있다.

겉표지

- 겉표지에는 탐구 주제(또는 탐구 제목), 탐구 기간, 탐구 장소, 탐구한 사람을 쓴다.
- 탐구 주제는 전체적인 탐구 내용이나 탐구 목표를 포함하도록 한다.
- 탐구 주제는 눈에 잘 띄게 글자 크기나 색깔을 달리한다.
- 탐구 기간은 탐구를 시작한 날부터 탐구 보고서를 쓴 날까지 적는다.
- 탐구 장소는 탐구 활동을 한 장소를 적는다.
- 탐구한 사람의 학교, 학년, 반, 모둠원의 이름을 적는다. 혼자 탐구를 수행한 경우에는 모둠원의 이름 대신 자신의 이름만 적는다.
- 보고서 전체 내용을 한눈에 알아보는 데 도움이 되도록 목차를 적는다.

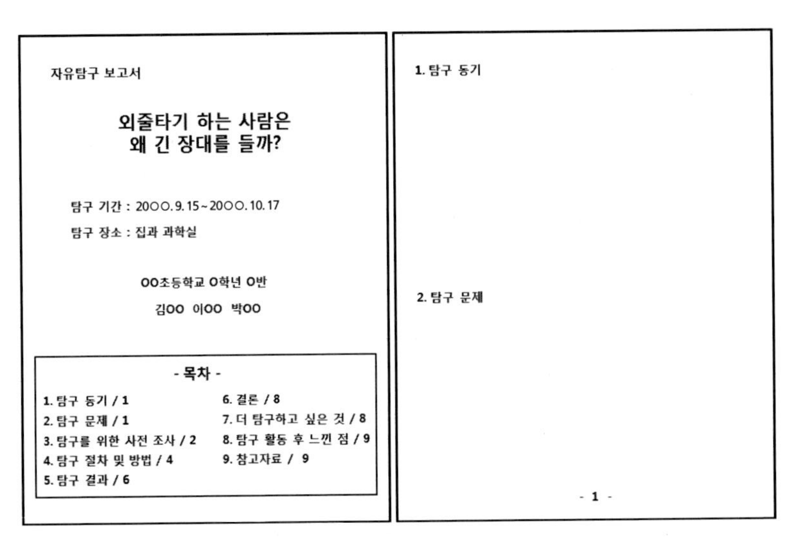
자유탐구 보고서

외줄타기 하는 사람은
왜 긴 장대를 들까?

탐구 기간 : 20○○. 9. 15 ~ 20○○. 10. 17
탐구 장소 : 집과 과학실

OO초등학교 O학년 O반
김OO 이OO 박OO

- 목차 -

1. 탐구 동기 / 1
2. 탐구 문제 / 1
3. 탐구를 위한 사전 조사 / 2
4. 탐구 절차 및 방법 / 4
5. 탐구 결과 / 6
6. 결론 / 8
7. 더 탐구하고 싶은 것 / 8
8. 탐구 활동 후 느낀 점 / 9
9. 참고자료 / 9

1. 탐구 동기

2. 탐구 문제

- 1 -

〈탐구 보고서〉 양식 예시

탐구 동기

- 탐구 동기는 탐구 주제를 선정하게 된 계기를 구체적으로 적는다. 예를 들어, 수업시간이나 일상생활에서 겪은 경험과 관련지어 자신이 궁금했던 내용을 적는다.
- 다음은 '외떡잎식물과 쌍떡잎식물 중 어느 것의 잎이 더 강할까?'라는 탐구 주제에 대해 탐구 동기를 쓴 예이다.

> 과학 수업시간에 우리는 선생님과 함께 한 달 동안 자유 탐구 활동을 하기로 하였다. 무엇에 대해 조사할지 고민하다가 문득 예전에 강아지풀을 뽑다가 그 잎에 손을 살짝 다친 경험이 생각 났다. 쉽게 끊어질 줄 알았던 잎이 생각보다 질기고 강하다는 느낌을 받았었다. 식물은 잎의 모양에 따라 외떡잎식물과 쌍떡잎식물로 구분된다는 것이 떠오르면서 순간 외떡잎식물과 쌍떡잎식물의 잎맥 모양은 어떻게 다를까 그리고 외떡잎식물과 쌍떡잎식물 중 어떤 식물의 잎이 더 강할까 하는 궁금증이 생겼다.

탐구 문제

- 탐구 문제에는 탐구 활동을 통해 알아보고자 하는 것을 의문(또는 가설) 형태로 적는다.
- 탐구 문제가 두 개 이상인 경우에는 번호를 붙여가며 적는다.
- 다음은 '꽃병의 장미꽃은 어떤 조건에서 천천히 시들까?'라는 주제에 대한 탐구 문제를 쓴 예이다.

> 꽃병에 꽂아둔 장미꽃을 오랫동안 볼 수 있는 방법을 알아보기 위해 장미꽃의 구조와 식물이 자라는 데 필요한 조건에 대해 조사하고, 잎의 유무와 물을 갈아주는 빈도에 따라 장미꽃이 시드는 정도를 비교해 보기로 하였다. 이를 위한 구체적인 탐구 문제(또는 탐구 가설)는 다음과 같다.
>
> 〈의문 형태〉
> 가. 잎이 있는 장미꽃과 잎이 없는 장미꽃 중 어느 것이 더 빠르게 시들까?
> 나. 꽃병의 물을 갈아주는 횟수에 따라 장미꽃이 시드는 빠르기는 차이가 있을까?
>
> 〈가설 형태〉
> 가. 장미꽃은 잎이 있을 때보다 없을 때 더 천천히 시들 것이다.
> 나. 장미꽃은 물을 자주 갈아줄수록 더 천천히 시들 것이다.

탐구를 위한 사전 조사

- 탐구하고자 하는 것과 직접적 관련이 있는 정보를 책이나 사전, 인터넷 사이트 등에서 찾아서 정리한다.
- 예를 들어 '우리 마을에서 공기오염이 가장 심한 곳은 어디일까?'라는 주제의 경우에는 우리 마을에 대한 소개, 공기오염, 공기오염을 측정하는 방법에 대해 조사하고 그 내용을 요약해서 적는다. '곤충 표본 만들기'의 경우에는 곤충, 표본을 만드는 방법 등에 대한 조사를 하고 그 내용을 정리해서 적는다.

탐구 절차 및 방법

- 탐구 문제를 해결하기 위한 과정과 방법을 가능한 한 구체적으로 적는다. 예를 들어, 준비물, 탐구 장소, 탐구 기간, 탐구 방법, 역할 분담 등을 적는다.
- 다음은 각각 실험 중심 탐구(꽃병의 장미꽃은 어떤 조건에서 천천히 시들까?)와 조사 중심 탐구(우리 학교 화단에는 어떤 식물과 동물이 살고 있을까?)의 탐구 절차 및 방법을 쓴 예시이다.

가. 가설 1. 장미꽃은 잎이 있을 때보다 없을 때 더 천천히 시들 것이다.

1) 실험 설계
  - 다르게 해야 할 조건 : 잎의 유무
  - 같게 해야 할 조건 : 물의 온도와 양, 꽃이 핀 정도, 꽃을 놓아 둘 장소 등
  - 측정해야 할 조건 : 꽃의 시든 정도

2) 준비물

  꽃이 핀 정도가 비슷한 장미꽃 여러 송이, 1.5리터 페트병(꽃병), 가위

3) 실험 방법

  ① 페트병 4개에 같은 양의 물을 담는다.

  ② 두 개의 페트병에는 잎이 없는 장미 그리고 다른 두 개의 페트병에는 잎이 있는 장미를 넣는다.

  ③ 장미꽃이 든 4개의 페트병을 같은 장소에 둔다.

  ④ 10일 동안 매일 같은 시각에 각각의 장미를 관찰하고 사진을 찍는다.

  ⑤ 관찰과 사진 자료를 통해 어느 곳의 장미꽃이 더 천천히 시들었는지 비교한다.

나. 가설 2. 장미꽃은 물을 자주 갈아줄수록 더 천천히 시들 것이다.

(중략)

다. 역할 분담

날짜	탐구 활동 내용		역할 분담
9월 15일 ~ 9월 21일	관련 자료 조사하기	장미꽃의 종류	김OO
		장미꽃의 구조	이OO
		식물이 살아가는 데 필요한 조건	박OO
9월 22일 ~ 10월 2일	실험하기		모두
10월 6일 ~ 10월 12일	탐구한 자료 정리 및 결과 토의하기		모두
10월 13일 ~ 10월 17일	탐구 보고서 쓰기 및 발표 자료 만들기		실험 1: 김OO / 실험 2: 박OO 종합: 이OO
10월 20일 ~ 10월 22일	발표 자료 검토 및 연습하기		자료검토: 김OO/박OO 발표: 이OO

가. 탐구 문제 1 : 우리 학교 화단에는 어떤 식물이 살고 있을까?

① 학교 화단 지도에 식물이 발견된 곳을 표시한다.
② 식물의 잎과 줄기, 꽃의 모양과 크기 등의 특징을 관찰하고 기록한다.
③ 사진 촬영을 한다.
④ 관찰 기록, 사진, 식물도감을 이용하여 어떤 식물인지 확인한다.
⑤ 관찰 기록한 것을 정리한다.

나. 탐구 문제 2 : 우리 학교 화단에는 어떤 동물이 살고 있을까?

① 학교 화단 지도에 동물이 발견된 곳을 표시한다.
② 발견한 동물의 생김새와 크기 등의 특징을 관찰하고 기록한다.
③ 사진 촬영을 한다.
④ 관찰 기록, 사진, 동물도감을 이용하여 어떤 동물인지 확인한다.
⑤ 관찰 기록한 것을 정리한다.

다. 준비물

학교 화단 지도, 식물도감, 동물도감, 카메라

라. 역할 분담 (생략)

탐구 결과

- 탐구 결과에는 표, 그래프, 사진, 그림, 탐구 일지 등을 활용하여 탐구 활동의 결과를 정리한다. 예를 들어, 실험 중심 탐구의 경우에는 실험 과정에 대한 사진, 실험 결과에 대한 표나 그래프와 함께 자세히 적는다. 만들기 중심 탐구의 경우에는 만들기 재료와 만드는 과정을 사진이나 그림과 함께 자세히 적는다. 탐사 · 탐방 중심 탐구의 경우에는 기간과 일시, 현장의 약도, 만난 사람 등을 기록하고 현장의 모습과 활동 장면이 담긴 사진을 제시하며 적는다.
- 다음 예시와 같이 탐구 결과에 대한 해석도 제시한다.

나. 탐구 문제 2 : 외떡잎식물과 쌍떡잎식물 중 어느 것의 잎이 더 강할까?

표 2. 식물 잎의 인장력 측정 결과(단위: N)

구분		1회	2회	3회	평균
외떡잎식물	벼	35	35	38	36
	대나무	82	70	74	75
	강아지풀	32	35	38	35
쌍떡잎식물	봉숭아	5.2	4.8	4.4	4.8
	석류나무	2.4	3.2	3.8	3.1
	단풍나무	8.4	9.4	9.6	9.1

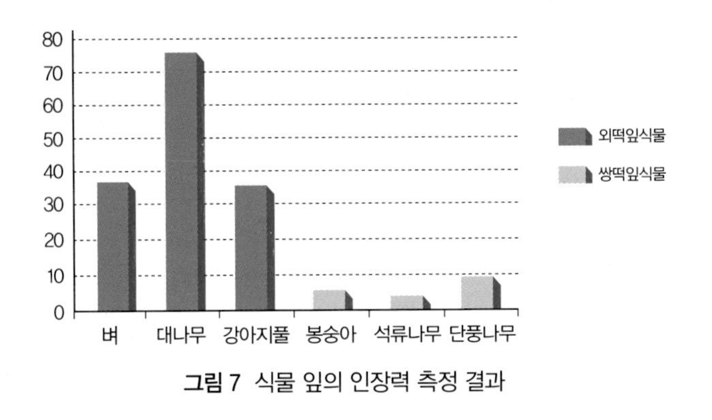

그림 7 식물 잎의 인장력 측정 결과

- 외떡잎식물인 벼 잎, 대나무 잎, 강아지풀 잎의 인장력을 실험한 결과 대나무 잎의 인장력이 가장 세며 벼 잎과 강아지풀 잎의 인장력은 비슷했다.
- 쌍떡잎식물인 봉숭아 잎, 석류나무 잎, 단풍나무 잎의 인장력을 실험한 결과 단풍나무 잎이 인장력이 가장 세며 다음으로 봉숭아 잎, 석류나무 잎 순이었다.
- 외떡잎식물(벼, 대나무, 강아지풀)과 쌍떡잎식물(봉숭아, 석류나무, 단풍나무) 잎의 인장력을 비교한 결과 외떡잎식물이 쌍떡잎식물보다 훨씬 더 컸다.

결론

탐구를 통해 알게 된 것, 즉 탐구 결과를 바탕으로 탐구 문제에 대한 최종적인 답을 쓴다.

<예 1>

나. 외떡잎식물과 쌍떡잎식물 중 어느 것의 잎이 더 강할까?

외떡잎식물의 잎이 쌍떡잎식물의 잎보다 더 강하다. 그 이유는 외떡잎식물의 잎은 나란히맥이라서 힘을 받으면 힘이 분산되어 더 많은 힘을 버틸 수 있지만 쌍떡잎식물의 잎은 그물맥이라서 힘이 가해질 경우 힘을 외떡잎식물의 잎보다 분산하지 못해 많이 버틸 수 없기 때문인 것으로 생각된다.

<예 2>

가. 우리 학교 화단에는 어떤 식물이 살고 있을까?

우리 학교 화단에는 봉숭아, 해바라기, 민들레, 나팔꽃, 소나무, 단풍나무 등이 있다.

더 탐구하는 싶은 것

탐구 활동을 하면서 궁금했던 점이나 더 탐구하고 싶은 내용을 적는다. 다음은 이에 대한 몇 가지 예시이다.

김OO : 꽃병의 물을 갈아주는 횟수를 달리했을 때 장미꽃은 '매일>이틀에 한 번>갈아주지 않음' 순으로 천천히 시들었다. 그런데 실험 과정에서 물의 온도를 같게 하지 못했는데 이것이 미치는 영향도 조사하고 싶다.

최OO : 잎의 끊어지는 것이 순식간에 일어났다. 다음에는 동영상으로 찍어 좀 더 정확히 수치를 알아내고 굵은 잎맥을 제외한 다른 부분의 인장력을 비교하는 실험을 하고 싶다. 그리고 외떡잎식물의 인장력이 더 큰 이유에 대해 정확히 알고 싶다.

홍OO : 얼마 전에 다른 학교 화단을 보았는데, 우리 학교 화단에 살고 있는 식물들과는 다른 것들이 있었다. 다음에는 여러 학교의 화단에 살고 있는 식물들을 비교하는 탐구를 해 보고 싶다.

탐구 활동 후 느낀 점

탐구 활동을 수행하는 과정에서 어려웠던 점이나 즐거웠던 점 등의 느낀 점을 솔직하게 쓴다. 다음은 이에 대한 예시이다.

최OO : 처음에는 숙제라는 생각이 들어 하고 싶지 않았다. 어떤 주제로 해야 할까 많은 고민을 하면서 더욱 하기 싫었다. 그런데 선생님과 함께 상의하여 탐구 주제를 정하고, 직접 실험해 보고 그 결과를 정리하면서 점점 재미를 느끼게 되었다. 꼭 과학자가 된 것 같은 기분이었다.

정OO : 조사활동을 하면서 많은 것을 알게 되었고 궁금했던 것들에 대해 답을 알아냈을 때 매우 뿌듯했다. 간단한 실험조차도 생각해야 할 것이 매우 많다는 것을 알게 되었다. 친구들과 함께 탐구해서 즐거웠고, 다음에는 더 잘 할 수 있을 것 같다는 생각이 들었다.

참고자료

참고도서의 제목, 지은이, 출판사, 출판 연도 등을 자세히 기록하며, 참고한 인터넷 사이트 주소 등도 기록한다.

〈도 서〉

남상호(1998). 세밀화로 그린 보리 어린이 동물도감. ㈜ 도서출판 보리.

임영득 등(2003). 선생님들이 직접 만든 이야기 식물도감. 교학사.

정지숙(2010). 초등과학 개념 사전. ㈜북이십일 아울북.

〈인터넷〉

두산백과사전(http://terms.naver.com/entry.nhn?docId=1062743&cid=40942)

부록 6-1 개념도 작성 방법

개념도(concept map)

Ausubel에 의하면 구체적인 개념(하위 개념)들이 일반적이고 포괄적인 개념(상위 개념)에 포섭되거나 통합되는 유의미 학습을 통해 효과적인 학습이 일어난다. 개념도는 이러한 Ausubel의 유의미 학습을 과학교육에 적용하기 위해 Novak과 그의 동료들이 개발한 것이다. 아래 그림과 같이 개념도는 여러 개념들 사이의 위계적 관계를 나타낸 이차원적 그림으로, 각 개념은 연결어를 통해 연결되어 명제를 이룬다. 따라서 개념도의 작성은 개념들과 명제들을 시각화하는 기법이다.

일반적으로 개념도는 포괄적 상위 개념이 가장 위에 위치하며, 단편적이고 구체적인 개념이 아래에 위치하도록 작성된다. 상위 개념과 하위 개념 간의 연결은 선으로 표시하고, 교차연결에서 일방적인 관계는 '→'로 나타낸다. 개념도는 과학교육의 현장에서 다방면으로 활용 가능하다. 예를 들어, 교사가 교과 내용의 논리적 구조를 파악하거나 학생들의 사전 지식의 확인이나 수행 평가의 수단 등으로 활용 가능하다.

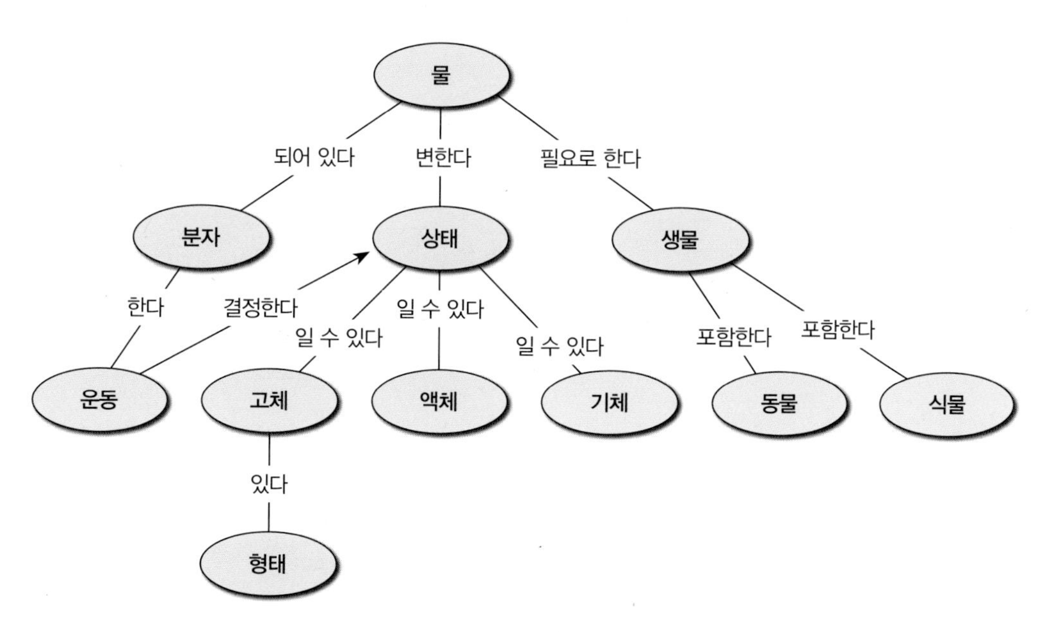

〈물에 대한 개념도〉

개념도의 작성 방법

1. 작성하고자 하는 개념도의 주제를 정한다.
2. 주제와 관련된 주요 개념들을 생각해낸다. 이때 주요 개념은 학생 스스로 생각해낼 수도 있고 교사가 몇 가지 주요 개념을 제시해 줄 수도 있다. 또는 교과서에 제시된 개념만을 이용할 수도 있다.
3. 개념들을 가장 일반적인 것(가장 포괄적인 것)에서 가장 구체적인 것(가장 덜 포괄적인 것)까지 위계적으로 서열을 매기고 관련된 개념을 묶는다.
4. 개념도의 맨 위쪽에 가장 포괄적인 개념부터 타원을 그리고 그 명칭을 써 넣는다. 이어 그 다음으로 포괄적인 개념부터 가장 구체적인 개념까지 아래쪽으로 차례대로 타원을 그리고 해당 개념의 명칭을 써 넣는다.
5. 각 개념을 연결하는 선을 그린다.
6. 각 개념의 관계를 기술하는 연결어를 선 위에 기입한다.
7. 작성한 개념도를 검토하고 필요하면 수정한다.

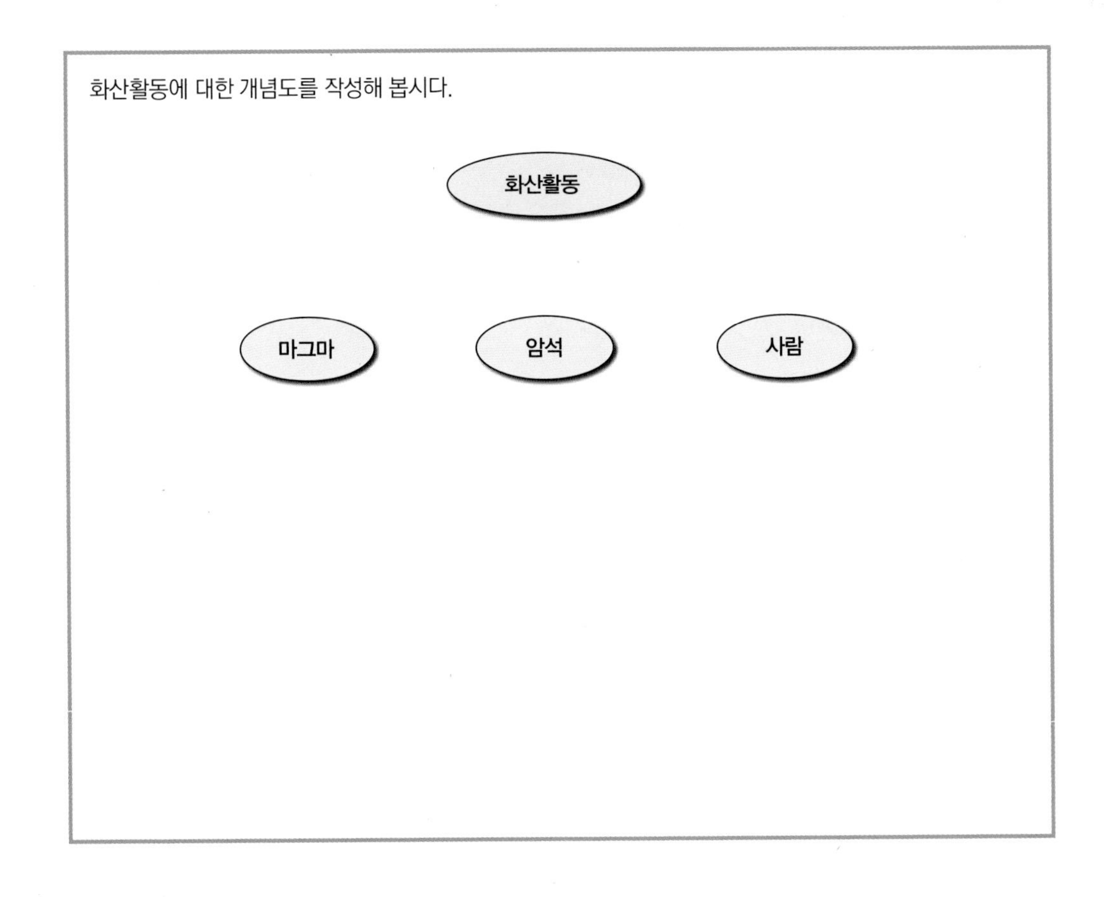

부록 8-1 역할놀이로서 과학 연극

다음은 새 과학 교과서 4학년 1학기 '4. 혼합물의 분리' 단원의 정리 활동으로서 과학 연극을 위한 대본이다.

혼합물의 분리

나오는 사람

해설(백○○), 콩쥐(김○○), 두꺼비(이○○), 쥐 할아버지(오○○), 물(박○○), 기름(최○○), 자석(장○○), 철가루(정○○), 체(홍○○), 콩(조○○), 좁쌀(권○○), 소금(주○○)

#1 배경 소개

해 설 : 팥쥐는 콩쥐를 골탕 먹이기 위해 항아리에 물과 기름을 넣고 콩과 좁쌀, 철가루, 소금을 부어 섞었어요. 팥쥐는 콩쥐에게 마을에서 열리는 잔치에 가고 싶으면 이들을 모두 따로 분리해 놓으라고 했어요.

#2 물과 기름 분리

콩 쥐 : (상심한 목소리로) 아, 어떻게 이것을 분리할까? (깜짝 놀라며) 어! 물과 기름이 섞이지 않고 기름이 물위에 떠있네.

두꺼비 : 콩쥐야, 물위에 떠있는 기름을 어떻게 분리하면 좋을까?

콩 쥐 : 음, 국자로 한번 기름을 떠볼까? (국자로 기름을 뜬다)

두꺼비 : 위의 기름은 분리했는데 얇게 남아 있는 기름은 어떻게 하지?

콩 쥐 : 한지를 이용하거나 면 헝겊을 이용해서 한번 분리해 보면 어떨까?

두꺼비 : 내가 해볼게. 와, 기름이 한지에 스며들면서 분리되네. 콩쥐야, 물과 기름을 분리하는 데 성공했어!

#3 자석을 이용한 철가루 분리

콩 쥐 : 물과 기름은 분리했는데 철가루는 어떻게 분리할까?

두꺼비 : 콩쥐야, 내가 쥐 할아버지한테 한번 물어볼게. 쥐 할아버지는 곳곳을 다녀서 아마 알 수 있을지도 몰라.

해 설 : 잠시 후 두꺼비와 쥐가 자석을 물고 나타나 콩쥐에게 주었어요.

콩 쥐 : 쥐 할아버지 고마워요. 그런데 이 자석으로 어떻게 철가루를 분리하지요?

쥐 할아버지 : 두꺼비가 물속에 들어갈 수 있으니까 두꺼비가 자석을 들고 물속에서 헤엄쳐 보렴.

해 설 : 두꺼비가 자석을 들고 물속을 헤엄쳐 다니자 철가루가 자석에 붙는다.

콩 쥐 : 우와~ 철가루가 자석에 붙어요. 쥐 할아버지 고맙습니다.

#4 체를 이용한 콩과 좁쌀 분리

콩 쥐 : 콩과 좁쌀은 나도 분리할 수 있어.

두꺼비 : 어떻게 분리하는 거야?

콩 쥐 : (부엌으로 가 눈 크기가 다른 두 개의 체를 가져온다) 우선 이렇게 눈의 크기가 큰 체로 콩을 건지면 될 거야.

두꺼비 : 정말 콩이 건져졌네. 다음에는 작은 눈의 체로 좁쌀을 건지면 되겠네.

콩 쥐 : 역시 똑똑한 두꺼비야. 하나를 가르쳐 주면 열을 아는구나. (작은 눈의 체로 좁쌀을 건지며) 콩과 좁쌀을 물에서부터 각각 분리 끝.

#5 증발을 통한 소금 얻기

두꺼비 : 그런데 소금은 어디에 있는 거지? 아무리 살펴봐도 없는데.

콩 쥐 : 걱정하지 마. 눈에는 안 보이지만 물에 녹아 있거든. 항아리를 부엌으로 가져가자.

해 설 : 두꺼비와 콩쥐는 물이 든 항아리를 부엌으로 가져간다.

콩 쥐 : 두꺼비야, 밖에서 장작 좀 가져올래. 계속 불을 때면 물이 없어지고 무언가가 보일 거야.

두꺼비 : 와, 물이 다 없어지고 하얀 소금이 나왔네. 역시 콩쥐가 최고야!

해 설 : 마지막으로 콩쥐는 물속 소금을 분리하기 위해 소금물을 가열해 항아리의 물을 증발시켜 소금을 얻어낼 수 있었어요. 덕분에 콩쥐는 마을 잔치에 놀러갈 수 있었답니다. -끝-

부록 9-1 실험 기구 조작 능력에 대한 점검표의 예[6]

실험 기구	평가 관점	예	아니오
온도계	1. 온도계를 잡는 손의 위치가 바른가?		
	2. 온도계와 눈과의 거리가 적당한가?		
	3. 온도계를 보는 눈의 높이가 적당한가?		
	4. 온도계의 구부가 온도를 재려고 하는 물질 속에 들어 있는가?		
	5. 온도계를 설치한 후 빨간 기둥이 멈출 때까지 기다리는가?		
거름장치 꾸미기	1. 거름종이를 두 번 접어 원추형으로 만든다.		
	2. 물을 사용하여 거름종이를 깔때기에 밀착시킨다.		
	3. 거름종이의 위쪽은 깔때기에 붙이고, 아래쪽은 떨어지게 조절한다.		
	4. 깔때기대의 높이를 알맞게 조절한다.		
	5. 깔때기의 뾰족한 끝이 비커의 벽면에 닿게 한다.		
스포이트	1. 스포이트를 엄지와 검지로 고무 부분을 잡고 나머지 손가락으로 유리 부분을 감아서 잡는가?		
	2. 스포이트의 고무를 누른 상태에서 용액에 넣어 빨아올리는가?		
	3. 스포이트로 교사가 지시한 만큼의 용액을 떨어뜨릴 수 있는가?		
	4. 용액이 다를 경우 스포이트를 다른 것으로 바꾸어서 사용하는가?		
	5. 스포이트를 기울이거나 거꾸로 드는 행동을 하지 않아 고무 속으로 용액이 들어가지 않게 사용하는가?		
현미경	1. 현미경을 옮길 때 한 손은 받침대를, 다른 한 손은 손잡이를 잡는가?		
	2. 대물렌즈를 저배율에 맞추고 시작하는가?		
	3. 프레파라트를 재물대에 고정한 후, 옆에서 보면서 조동 나사로 재물대를 올려 대물렌즈와 프레파라트 사이의 거리를 최대한 가깝게 하고 시작하는가?		
	4. 조동 나사로 대강의 초점을 맞춘 후, 미동 나사로 정확한 초점을 맞추는가?		
	5. 정확한 초점을 맞출 수 있는가?		
프레파라트	1. 관찰 재료를 얇게 벗겨내는가?		
	2. 관찰 재료를 받침 유리 위에 얹은 후, 스포이트로 물을 한 방울 떨어뜨리는가?		
	3. 덮개 유리를 덮을 때 한쪽 끝부터 비스듬히 대고 덮어 기포가 생기지 않도록 하는가?		
	4. 관찰재료와 덮개유리를 조작하는 과정에서 기구(핀셋 등)를 사용하는가?		
	5. 거름종이로 덮개 유리 주변에 있는 물을 닦는가?		

평가 방법

- '예'일 경우 1점, '아니오'일 경우 0점으로 채점한다.
- 각 실험 기구별로 합계가 4~5점이면 '상', 2~3이면 '중', 1점 이하면 '하'로 평가한다.

[6] 이 내용은 교육인적자원부(2001)와 이소리 등(2011)의 해당 내용을 재구성한 것임.

부록 9-2 과학 및 과학 학습에 대한 자기평가 문항

( )학년 ( )반 ( )번 이름 : ( ) / 평가일시 : 20( )년 ( )월 ( )일

문항	매우 그렇다	그렇다	보통이다	아니다	전혀 아니다
1. 나는 과학과 관련된 책 읽기를 좋아한다.					
2. 나는 TV에서 과학 영화나 다큐멘터리 보기를 좋아한다.					
3. 나는 과학 시간이 기다려진다.					
4. 나는 새로운 과학 지식을 배우고 싶다.					
5. 나는 창의적 체험활동 시간에 과학반에서 활동하고 싶다.					
6. 나는 과학과 관련된 놀이나 활동을 좋아한다.					
7. 나는 과학과 관련된 직업에 흥미를 느낀다.					
* 선생님께서 알려주시는 방법대로 평가한 후 느낀 점을 적어 봅시다.					

채점과 해석

1. '매우 그렇다'는 5점, '그렇다'는 4점, '보통이다'는 3점, '아니다'는 2점, '전혀 아니다'는 1점으로 채점한다.
2. 전체 점수가 29~35점이면 매우 긍정적, 22~28점이면 긍정적, 21점 미만이면 과학과 과학 학습에 대해 긍정적 태도를 가지도록 노력해야 한다.

부록 10-1 초등 과학 실험에서 사용되는 주요 화학 약품[7]

화학 약품명	특성과 주의사항
과산화수소수 (H_2O_2)	보통 소독약으로 판매되는 제품은 과산화수소 2.5~3%의 수용액이다. 산소 발생 실험에서 사용하는 과산화수소수의 적절한 농도는 5~6%정도이며, 실험용 약품으로 사용되는 과산화수소수의 농도는 30%정도이다. 농도가 높은 과산화수소수는 피부가 하얗게 산화되며 화상을 입을 수 있으므로 소독용으로 절대 사용하지 않으며, 장갑과 보안경 등을 착용하고 취급하여야 한다. 과산화수소수를 용기에 밀폐하여 보관하면 서서히 분해하여 발생하는 산소 기체 때문에 용기 내의 압력이 커져 용기가 파열되거나 마개를 열 때 과산화수소수가 쏟아져 나오는 일이 있을 수 있으므로 유의한다. 과산화수소수를 보관할 때는 갈색병에 넣고 폴리에틸렌 뚜껑의 중앙에 바늘구멍을 뚫은 후 온도가 낮고 어두운 곳에 보관하는 것이 좋다. 산소 발생 실험을 위한 5~6%의 과산화수소수의 제조 방법은 30%의 과산화수소수(20ml)를 물(80~100ml)에 부어 희석하면 된다.
염산 (HCl)	염화수소의 수용액으로 보통 무색이고 농도 35% 이상의 것을 진한 염산이라 한다. 또 10% 이하를 묽은 염산이라 한다. 진한 염산은 극약이므로 주의하여야 한다. 맹독성이 있으므로 증기를 마시거나 피부에 닿지 않도록 한다. 묽은 염산을 만들 때는 물을 먼저 붓고 진한 염산을 조금씩 부어 희석시켜 준다.
황산 (H_2SO_4)	진한 황산은 물과 친화력이 강하여 물과 혼합할 때 열이 많이 발생한다. 진한 황산이 피부에 묻을 경우 피부가 검게 변하면서 심각한 손상을 입게 되므로 피부에 닿지 않도록 유의한다. 묽은 황산은 대부분의 금속을 부식시키면서 인화성 기체인 수소를 발생시킨다. 진한 황산을 희석시킬 경우 반드시 물을 먼저 붓고 소량의 진한 황산을 부어준다. 반대로 하는 경우 진한 황산이 튈 수 있어 위험하다.
수산화나트륨 (NaOH)	수산화나트륨은 물에 잘 녹으며, 녹을 때 다량의 열이 발생한다. 수용액은 강한 염기성이며 부식성이 강하므로 취급에 유의한다.
석회수	석회분(수산화칼슘)을 물과 잘 섞어 여과시킨 용액으로 수산화칼슘의 포화 수용액이다. 무색 투명하고 강한 염기성을 나타내므로 먹을 경우 인체에 유해하다.
암모니아수	암모니아 기체(NH_3)의 수용액으로 기체의 경우 가연성이 있다. 무색투명한 액체로 자극적인 냄새가 나고 염기성을 보인다. 가열하면 암모니아 기체의 용해도가 감소하여 암모니아를 잃는다. 여름철에는 마개를 열 때 가스가 분출하여 눈에 들어가는 경우가 있으므로 주의한다.
에탄올 (C_2H_5OH)	알코올램프에 사용하는 것으로 에틸알코올이라고도 한다. 보통 알코올이라고 하면 술의 성분인 이 에탄올을 말한다. 인화성 용매이며 휘발성이 강하고 가연성이 크므로 불에서 멀리 둔다.
아세톤	물에 잘 녹으며, 유기용매로서 다른 유기물질과도 잘 섞인다. 그래서 물로 세척이 되지 않는 물질을 아세톤으로 처리하면 쉽게 세척할 수 있어 일상생활에 많이 사용된다. 예를 들어, 페인트를 지우는 데 쓰이며, 손톱에 바른 에나멜을 지우는 데도 많이 쓰인다. 그렇지만 인화성이 강해 불이 잘 붙으며, 폭발의 위험이 있기 때문에 불에 가까이 두어서는 안 된다.
아이오딘-아이오딘화칼륨 용액	요오드 용액이라고 불리던 것으로 아이오딘화칼륨(KI) 수용액에 아이오딘(I_2)을 녹여 만든 갈색의 용액으로 녹말 검출 반응에 사용된다. 의약품인 요오드팅크는 3.8~4.2%의 요오드화칼륨을 포함하는 요오드 5.7~6.3% 용액으로서, 국소 소독약으로 사용한다. 고체 상태의 아이오딘은 승화성이 강하고 아이오딘 기체는 유독하기 때문에 기체 상태로 흡입하지 않도록 한다.
황산구리	구리이온도 중금속이온으로 인체 내에 축적될 수 있으므로 인체 내에 침투되지 않도록 한다. 황산구리 결정은 아름답기 때문에 학생들이 입에 넣는 경우가 있으므로 주의한다.

[7] 이 내용은 교육부(2018a)와 한안진 등(1997)에서 해당 내용을 요약 정리한 것임.

부록 11-1 차시 수업 계획 예시

가. 본시 교수 · 학습 개요

<table>
<tr><td>단 원</td><td>4. 날씨와 우리 생활</td><td>일 시</td><td>20○○. ○. ○ (수) 2교시</td><td>장 소</td><td>○-○교실</td></tr>
<tr><td>차 시</td><td>5/11</td><td>소요시간</td><td>40분</td><td>지도교사</td><td>○○○</td></tr>
<tr><td>학습 목표</td><td colspan="5">• 구름을 보고 다양한 특징을 관찰할 수 있다.
• 구름의 양을 기호로 나타낼 수 있다.
• 구름 관찰 활동에 호기심을 가지고 적극 참여한다.</td></tr>
<tr><td rowspan="3">수업 전략</td><td colspan="2">최적 학습 모형</td><td colspan="3">• 경험학습모형</td></tr>
<tr><td colspan="2">학습 집단 조직</td><td colspan="3">• 대집단 활동 → 모둠별 활동 → 대집단 활동</td></tr>
<tr><td colspan="2">중심 학습 활동</td><td colspan="3">• 구름 관찰하기
• 구름의 양을 기호로 나타내기</td></tr>
<tr><td rowspan="3">교수-학습 자료</td><td rowspan="2">일반자료</td><td>교사</td><td colspan="3">공부할 문제 카드, 학습 안내 카드, 확대 괘도</td></tr>
<tr><td>학생</td><td colspan="3">• 개인 : 구름 카드(실험 관찰 91쪽), 색연필, 가위, 풀
• 모둠 : 사진기</td></tr>
<tr><td colspan="2">멀티미디어 자료</td><td colspan="3">프로젝션 TV, 다양한 구름사진 자료(PPT 자료)</td></tr>
</table>

나. 지도 과정

<table>
<tr><th rowspan="2">단계</th><th rowspan="2">학습 내용</th><th colspan="2">교수-학습 활동</th><th rowspan="2">시간</th><th rowspan="2">자료 및 유의점</th></tr>
<tr><th>교사</th><th>학생</th></tr>
<tr><td rowspan="2">자유 탐색</td><td>전시학습 상기</td><td>지난 시간에 학습한 내용에 대해 질문한다.</td><td>지난 시간 학습한 내용에 대해 발표한다.
• 간이풍향풍속계를 만들었다.
• 바람의 방향과 세기를 조사하였다.</td><td rowspan="2">5'</td><td rowspan="2">• PPT 자료</td></tr>
<tr><td>학습동기 유발</td><td>학습 동기를 유발시킨다.
• 다양한 종류의 구름 사진(ppt 자료) 제시하기
• 구름을 본 경험 이야기하기
– 산에 올라갔을 때의 구름 모습을 이야기해 볼까?
– 비가 오는 날 본 구름의 모습을 이야기해 볼까? 등</td><td>생각을 열고 학습에 참여한다.
• 제시되는 자료를 보고 느낀 점 이야기하기
• 구름을 보았던 경험에 대해 발표한다 .
– 산에 올라갔을 때 보았는데 안개 같았다.
– 비가 오는 날 구름은 어두운 색이었다.</td></tr>
</table>

단계	학습 내용	교수-학습 활동		시간	자료 및 유의점
		교사	학생		
자유 탐색	공부할 문제 확인	**공부할 문제를 안내한다.**	**공부할 문제를 확인한다.**		
		• 구름의 모양, 색깔, 양 그리고 움직임은 어떠할까? • 구름의 양은 어떻게 나타내면 좋을까?			
		학습 활동 순서 [활동 1] 운동장에서 구름 관찰하기 [활동 2] 구름의 양을 기호로 나타내기			
	[활동 1] 구름 관찰하기	**운동장에 나가 구름을 자유롭게 관찰하고 사진을 찍게 한다.** • 구름의 모양, 색깔 및 양을 관찰하게 한다.	**운동장에서 구름을 관찰하고 그림을 그리거나 사진을 찍는다.** • 구름의 모양 – 새털모양이다. – 솜사탕모양이다. – 로켓이 발사된 모양이다. 등 • 구름의 색깔 – 흰색이다. – 옅은 회색이다. – 아주 밝다. 등 • 구름의 양 – 하늘의 절반이 구름이다. – 구름이 많다. – 구름이 적다. 등	15'	• 사진기 • 자유로운 구름 관찰이 이루어지도록 특별한 관점을 학생들에게 제시하지 않는다.
	형성평가	• 구름의 움직임을 관찰하고 그리거나 사진을 찍게 한다. (구름의 움직임을 관찰하고 그리거나 사진을 찍을 때, 건물이나 나무를 함께 그리거나 사진을 찍게 한다.)	• 구름의 움직임을 관찰하고 그리거나 사진으로 찍는다. – 천천히 흘러간다. – 빠르게 움직인다. – 움직임이 거의 없다. 등		• 학생들의 활동 태도 관찰평가
탐색 결과 발표		**모둠별로 관찰한 결과를 발표하게 한다.**	**모둠별로 발표한다.** – 구름의 모양은 솜사탕, 슈퍼맨과 비슷하다. – 구름의 색깔은 흰색이고 하늘은 푸른색이다. – 전체 하늘의 반 정도 구름이 차지하고 있다. – 구름이 학교 건물 뒤쪽으로 천천히 움직였다.		

단계	학습 내용	교수-학습 활동		시간	자료 및 유의점
		교사	학생		
	관찰 결과 발표하기	**모둠별로 관찰한 사실의 공통점과 차이점을 발표하게 한다.**	**모둠별 관찰 사실의 공통점과 차이점을 발표한다.** – 모둠별로 구름의 모양에 차이가 있었다. 우리는 솜사탕 모양이라고 하였는데, 다른 모둠에서는 부메랑모양, 다리모양이라고 하였다. 등	5'	
교사의 안내에 따른 탐색	구름 카드 관찰하기	**구름 카드(실험 관찰 91쪽의 구름 카드)를 놓고 구름의 양, 모양, 색깔을 관찰하게 한다.** • 구름의 양은 어떠한가? • 구름의 모양은 어떠한가? • 구름의 색깔은 어떠한가?	**구름 카드(가~바)를 보며 구름의 양, 모양, 색깔을 관찰한다.** • (가) 카드 – 양 : 전체 하늘의 반 정도 – 모양 : 솜사탕 모양 – 색깔 : 흰색 • (나)~(바) 카드		• 학생들의 관찰이 미숙했거나 미처 생각하지 못한 부분을 파악하여 구름 관찰 관점을 제시한다.
		운동장에서 관찰한 구름의 움직임에 대해 발표하게 한다.	**운동장에서 관찰한 구름의 움직임에 대해 발표한다.**		
		교과서 137쪽의 인공위성에서 찍은 사진 3장을 관찰하게 한 후, 다음 질문을 한다. • 구름은 가만히 있나요? • 구름의 모양은 어떻게 변하나요? • 구름이 움직여 가는 지역의 날씨는 어떨까요?	**인공위성에서 찍은 구름 사진을 관찰한다.** • 구름은 가만히 있지 않고 움직인다. • 모양이 계속해서 변한다. • 구름이 움직여 가는 지역의 날씨는 점점 흐려질 것이다.		
	[활동 2] 구름의 양을 기호로 나타내기	**교과서 136쪽을 보며 구름의 양을 기호로 나타내는 방법에 대해 발표하게 한다.**	**교과서 그림을 보고 구름의 양을 기호로 나타내는 방법에 대해 발표한다.** 맑음 / 구름 조금 / 구름 많음 / 흐림 • 맑음 : 하늘에 구름이 조금 있거나 없다. • 구름 조금 : 하늘에 구름이 반만큼 있다. • 구름 많음 : 하늘에 구름이 반보다 더 많다. • 흐림 : 하늘에 구름이 거의 가득 있다.	10'	

단계	학습 내용	교수-학습 활동		시간	자료 및 유의점
		교사	학생		
		운동장에서 관찰한 구름의 양을 기호로 나타내게 한다.	**운동장에서 관찰한 구름의 양을 기호로 나타낸다.**		
탐색 결과 정리	정리	**오늘 학습한 내용을 정리하여 발표해 본다.** • 구름의 모양은 어떤가? • 구름의 색깔은 어떤가? • 구름의 움직임은 어떤가? • 오늘 구름의 양을 기호로 나타낸다면? • 하늘에 구름이 없다면 날씨가 어떨까? 반대로 구름이 잔뜩 끼어 있다면 날씨는 어떨까?	• 구름의 모양은 다양하다. • 구름의 색깔은 흰색이나 회색이다. • 구름은 계속해서 움직인다. • (예시) 맑음 • 하늘에 구름이 없으면 날씨가 맑고, 반대로 구름이 잔뜩 끼어 있다면 날씨가 흐릴 것이다.	5'	
	형성평가	**구름의 양을 기호로 나타내는 형성평가 문항을 제시한다.**	**형성평가 문제를 푼다.**		• PPT를 이용하여 평가문항을 제시한다.
	차시예고	**다음 시간에 공부할 내용을 예고한다.**	**다음 시간에 공부할 것을 생각하면서 준비물을 알아본다.**		
		비의 양은 어떻게 알 수 있을까요? (비의 양 측정하기)			

다. 판서 계획

4. 날씨와 우리 생활

◎ 구름을 관찰해 봅시다.

〈학습 문제〉
- 구름의 모양, 색깔, 양 그리고 움직임을 어떠할까?
- 구름의 양은 어떻게 나타내면 좋을까?

[활동 1]
- 운동장에서 구름 관찰하기
  - 구름의 모양
  - 구름의 색깔
  - 구름의 양
  - 구름의 움직임

[활동 2]
- 구름의 양을 기호로 나타내기

- 맑음 : 하늘에 구름이 조금 있거나 없다.
- 구름 조금 : 하늘에 구름이 반만큼 있다.
- 구름 많음 : 하늘에 구름이 반보다 더 많다.
- 흐림 : 하늘에 구름이 거의 가득 있다.

라. 형성평가 계획

<table>
<tr><th>평가 영역</th><th>평가 내용</th><th>평가 기준</th><th>평가 척도</th><th>평가 시기</th><th>평가 방법</th></tr>
<tr><td rowspan="6">탐구</td><td rowspan="3">구름 관찰하기</td><td>구름의 모양, 색깔, 움직임, 양에 대해 관찰 결과를 기록하였다.</td><td>상</td><td rowspan="3">수업 중</td><td rowspan="3">실험 관찰 책 검사</td></tr>
<tr><td>위 3가지에 대한 관찰 결과를 기록하였다.</td><td>중</td></tr>
<tr><td>위 2가지 이하에 대한 관찰 결과를 기록하였다.</td><td>하</td></tr>
<tr><td rowspan="3">구름의 양을 기호로 나타내기</td><td>제시된 2개의 사진을 보고 구름의 양을 기호로 정확히 나타내었다.</td><td>상</td><td rowspan="3">수업 중</td><td rowspan="3">지필</td></tr>
<tr><td>1개의 사진에 대해서만 구름의 양을 정확히 나타내었다.</td><td>중</td></tr>
<tr><td>모두 정확히 나타내지 못하였다.</td><td>하</td></tr>
<tr><td rowspan="3">태도</td><td rowspan="3">구름 관찰 태도</td><td>호기심을 가지고 관찰 활동에 적극 참여한다.</td><td>상</td><td rowspan="3">수업 중</td><td rowspan="3">관찰</td></tr>
<tr><td>관찰 활동에 다소 소극적이다.</td><td>중</td></tr>
<tr><td>관찰 활동에 관심이 부족하여 활동 또한 소극적이다.</td><td>하</td></tr>
</table>

부록 11-2 판서의 유형

판서의 유형은 여러 가지 방식으로 분류되며(박완희, 1987), 그중 '표시 형태에 따른 판서의 유형'에 대해 살펴보면 다음과 같이 (1) 병렬형, (2) 대조형, (3) 구조형, (4) 귀납형과 연역형 판서로 구분할 수 있다.

(1) 병렬형 판서: 학습 내용을 순서대로 그 요점을 간단하게 제시하는 것으로서 교실 수업에서 가장 흔히 볼 수 있는 판서 유형이다.

태양계

1. 태양의 가족 구성원
   - 태양과 8개의 행성
   - 행성의 주위를 도는 위성
   - 소행성과 혜성
2. 태양 주위를 공전하는 행성
   - 태양과 지구 사이에 있는 행성 : 수성, 금성
   - 지구보다 먼 곳에서 있는 행성 : 화성, 목성, 토성, 천왕성, 해왕성

(2) 대조형 판서: 대상 물질이나 물체를 각 기준에 따라 비교하고 서로 대조적인 것을 가지런히 써 내려가는 유형이다.

구분	운동장 흙	화단 흙
색깔	밝은 갈색이다.	어두운 갈색이다.
알갱이의 크기	화단 흙보다 큰 편이다.	운동장 흙보다 작은 편이다.
만져본 느낌	까끌까끌하다.	부드럽다.
냄새	먼지 냄새가 많이 난다.	약간 비릿한 냄새가 난다.
기타	잘 뭉쳐지지 않는다.	잘 뭉쳐진다.

(3) 구조형 판서: 학습 내용을 계통화하고 체계화해서 수업의 요점을 구조화하는 판서의 유형이다.

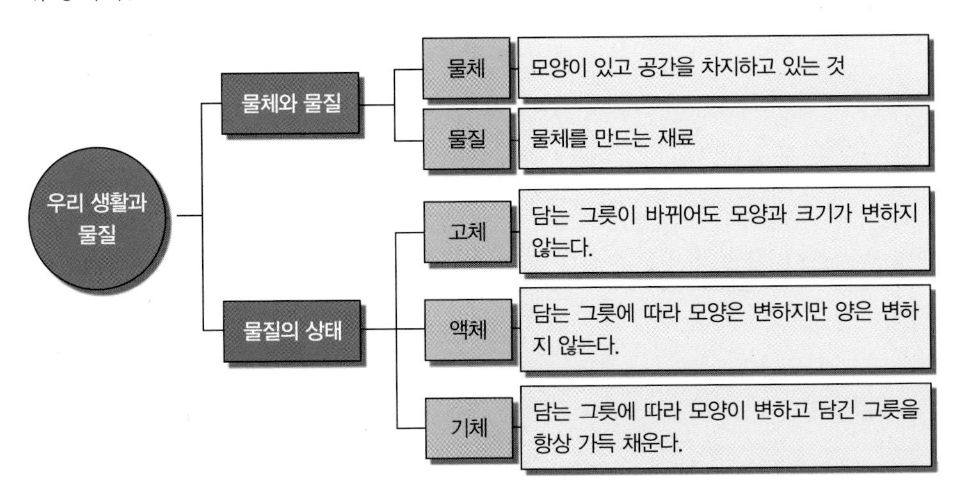

(4) 귀납형과 연역형 판서: 부분을 묶어 전체를 이해시키기 위하여 쓰이는 방법이다. 귀납형은 하나하나의 사례를 묶어 결론을 적어가는 방법이며, 연역형은 결론부터 적고 그에 따른 사례를 하나하나 열거하는 방법이다.

① 귀납형 판서의 예

전류가 흐르는 전선 주위에서 일어나는 현상은 무엇 때문일까요?

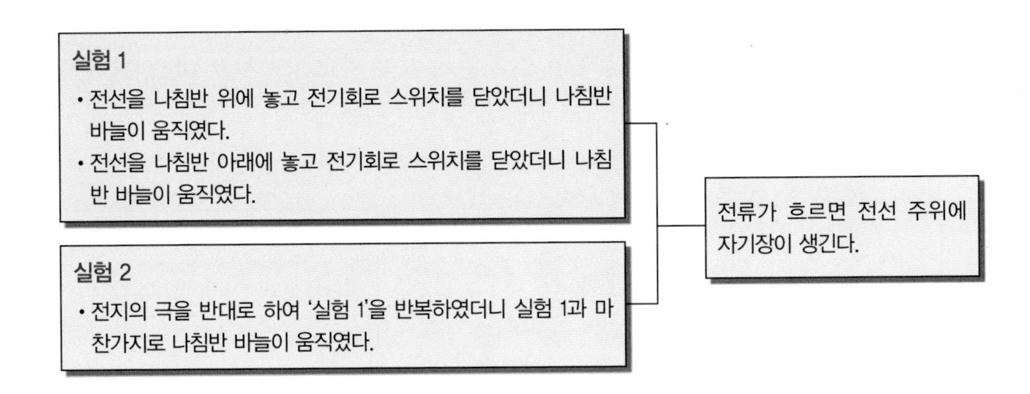

② 연역형 판서의 예

지시약으로 용액을 분류해 볼까요?

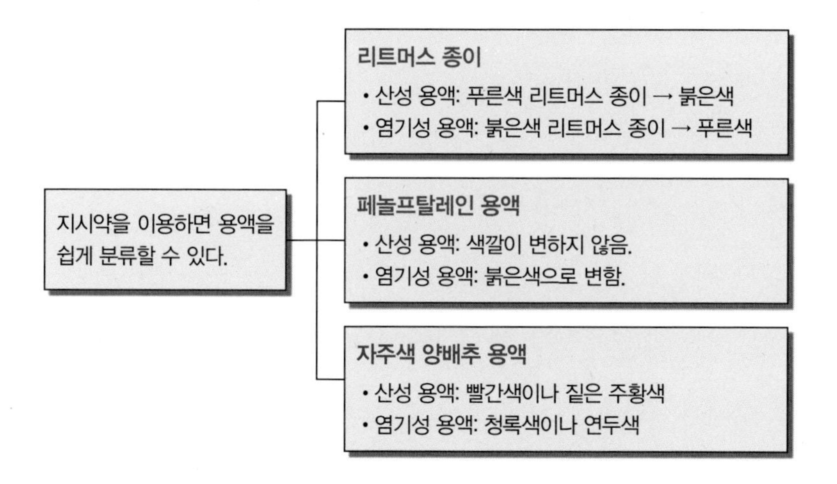

참고문헌

강대중, 염시창(2014). 초등학교 교사들의 형성평가에 대한 인식 및 실태 분석. **학습자중심교과교육연구**, 14(2), 27-43.

강순희 · 우애자 · 정영란 · 최경희(2001). 第7차 교육과정에 따른 성취 기준 및 평가 기준 개발: 고등학교 과학 1학년. **교육인적자원부 정책과제 연구보고서**.

강인애(1997). 객관주의와 구성주의: 대립에서 대화로. **교육공학연구**, 13(1), 3-19.

강호감 · 강호구 · 손중달(1996). 주제3: 생물교육에 있어서 정의적 영역의 평가. 한국과학교육학회 「과학 교육 평가의 문제점 및 개선 방안」 **학술심포지움 자료집**.

강호감 · 공영태 · 권혁순 · 김재영 · 배진호 · 송명섭 · 신영준 · 양일호 · 이대형 · 이명제 · 임채성 · 임희준 · 장신호 · 전영석 · 채동현(2007). **초등과학교육론**. 서울: 교육과학사.

강호감 · 김명환 · 노석구 · 박종욱 · 이면우 · 최선영(2004). **초등교사 교육을 위한 과학 교과교육 프로그램 개발. 교육인적자원부 교사교육프로그램 개발 과제 2003-9-5**.

강훈식 · 서지혜(2012). 포화 용액 개념 학습에서 비유 표현 방식과 언어적 학습 양식에 따른 비유 사용 수업의 효과. **한국과학교육학회지**, 32(2), 402-414.

고성자, 최선영, 여상인 (2007). 과학 수업에서 초등 교사가 사용하는 비유 유형에 대한 사례 연구. **초등과학교육**, 26(3), 276-285.

고재천(2001). 초등교사의 전문성 탐색. **초등교육연구**, 14(2), 159-179.

고창규(2013). 초등교사들이 교수-학습지도안 작성 시 고려하는 "좋은" 수업 특성. **인문논총**, 31, 183-213. 경남대학교 인문과학연구소.

곽영순(2003). 과학과 수업 분석에 대한 사례 연구. **한국과학교육학회지**, 23(5), 484-493.

곽영순(2004). 제7차 초등 과학과 교육과정 운영 실태 분석. **한국과학교육학회지**, 24(5), 1028-

1038.

곽영순(2007). **과학과 내용 교수 지식(PCK) 및 수업 컨설팅 연수**. 한국교육과정평가원 연구자료 ORM 2007-18-2.

곽영순(2011). 초등 과학 수업 실태 점검 및 개선 방안 연구. **한국지구과학회지**, 32(4), 422-434.

곽영순 · 김주훈(2002). 좋은 수업 방법에 대한 질적 분석: 과학과를 중심으로. **교육과정평가연구**, 5(1), 207-220.

곽영순, 김찬종, 이양락, 정득실(2006). 초, 중등 학생들의 과학 흥미도 조사. **한국지구과학회지**, 27(3), 260-268.

곽영순 · 은지용 · 김경주(2009). **수업전문성 제고를 위한 멘토링 체제 연구: 국어, 사회, 과학 교과를 중심으로**. 한국교육과정평가원 연구보고 RRI 2009-7.

곽희관, 신동훈(2023). 메타버스 플랫폼을 활용한 '생물과 환경'수업이 초등학생의 과학 흥미및 과학에 대한 태도에 미치는 영향. **초등과학교육**, 42(2), 385-397.

교육과학기술부(2008a). **초등학교 교육과정 해설 I : 총론, 재량활동**. 서울: 대한교과서주식회사.

교육과학기술부(2008b). **초등학교 교육과정 해설**IV: **수학, 과학, 실과**. 서울: 대한교과서주식회사.

교육과학기술부(2009). **초등학교 교사용지도서 슬기로운 생활 2-1**. 서울: ㈜두산.

교육과학기술부(2010). **초등학교 교사용지도서 과학 4-2**. 서울: 금성출판사.

교육과학기술부(2011a). **과학과 교육과정**. 교육과학기술부 고시 제2011-361호[별책 9].

교육과학기술부(2011b). **초등학교 교사용지도서 과학 5-2**. 서울: 금성출판사.

교육과학기술부(2012a). **창의적 체험활동 교육과정**. 교육과학기술부 고시 제2011-361호[별책 26].

교육과학기술부(2012b). **초 · 중등학교 교육과정 총론**. 교육과학기술부 고시 제2012-31호[별책 1].

교육부(2014). **초등학교 교사용지도서 과학 3-1**. 서울: 미래엔.

교육부(2015a). **초 · 중등학교 교육과정 총론**. 교육부 고시 제2015-74호. [별책 1].

교육부(2015b). **2015 개정 교육과정 총론 및 각론 확정 · 발표**. 2015.9.23. 교육부 보도자료.

교육부(2015c). **초등학교 교육과정**. 교육부 고시 제2015-80호. [별책 2].

교육부(2015d). **창의적 체험활동 교육과정(안전한 생활 포함)**. 교육부 고시 제2015-74호. [별책 42].

교육부(2015e). **과학과 교육과정**. 교육부 고시 제2015-74호. [별책 9].

교육부(2018). **초등학교 교사용지도서 과학 3-1**. 서울: ㈜비상교육.

교육부(2018a). **초등학교 교사용 지도서 과학 3-2**. 서울: ㈜비상교육.

교육부(2018b). **초등학교 실험관찰 3-2**. 서울: ㈜비상교육.

교육부(2018c). **초등학교 과학 3-2**. 서울: ㈜비상교육.

교육부(2019). **초등학교 교사용지도서 과학 5-1**. 서울: 비상교육.

교육부(2020). **초등학교 교사용지도서 과학 5-2**. 서울: 비상교육.

교육부(2022a). **더 나은 미래를 위한 교육**, 2022 개정 교육과정. 교육부 홍보자료.

교육부(2022b). **과학과 교육과정**. 교육부 고시 제2022-33호. [별책 9].

교육부(2022c). **초등학교 교육과정**. 교육부 고시 제2022-33호. [별책 2].

교육부(2022d). **초ㆍ중등학교 교육과정 총론**. 교육부 고시 제2022-33호. [별책 1].

교육부, 한국교육학술정보원(2022). **에듀테크 수업 활용 가이드북**. 교육부와 한국교육학술정보원 (https://www.keris.or.kr/).

교육과학기술부(2021). **교사용 지도서 과학 6-2**. 교육부.

교육인적자원부(2001). **초등학교 교사용 지도서 과학 3-1**. 서울: 대한교과서주식회사.

국립교육평가원(1996). **학업성취도 평가 우수문집**. 국립교육평가원

권기(2001). **Bruner와 Ausubel의 수업이론 비교ㆍ고찰**. 신라대학교 교육과학연구소 교육과학연구, 6, 39-52.

권난주(1994). **과학 개념학습을 위한 수업 모형의 비교와 일반 모형 탐색**. 한국교원대학교 석사학위논문.

권난주(2007). **마냥 즐겁고 신나는 과학글쓰기: 과학동시**. 이치출판사.

권난주, 안재홍(2012). 융합 및 통합 과학교육 관련 국내 연구 동향 분석. **한국과학교육학회지**, 32(2), 265-278.

권난주ㆍ김상용ㆍ나상훈(2010). 초등과학캠프의 운영 실태와 선호도 조사를 통한 활성화 방안. **과학교육연구지**, 34(2), 306-319.

권영민(2004). **국가 수준 교육과정의 개발 체제 분석: 1954년~1997년 초ㆍ중등학교 교육과정 개발 과정을 중심으로**. 인하대학교 박사학위논문.

권용주ㆍ정진수ㆍ강민정ㆍ박윤복(2005). 생명현상에 대한 초ㆍ중등 과학교사의 관찰에서 나타난 과학적 관찰의 유형. **한국과학교육학회지**, 25(3), 431-439.

권용주ㆍ정진수ㆍ박윤복ㆍ강민정(2003). 선언적 과학 지식의 생성 과정에 대한 과학 철학적 연구: 귀납적, 귀추적, 연역적 과정을 중심으로. **한국과학교육학회지**, 23(3), 215-228.

권인자(2001). **조사ㆍ발표학습이 초등학생의 과학탐구능력과 자기주도적 학습특성에 미치는 효과**. 서울교육대학교 석사학위논문.

권재술(1992). 과학 개념학습을 위한 수업 절차와 전략. **한국과학교육학회지**, 12(2), 19-29.

권재술 · 김범기(1993). **과학 오개념 편람(역학편)**. 한국교원대학교 물리교육연구실.

권재술 · 김범기(1994). 초 · 중학생들의 과학탐구능력 측정도구의 개발. **한국과학교육학회지**, 14(3), 251-264.

권재술 · 김범기 · 강남화 · 최병순 · 김효남 · 백성혜 · 양일호 · 권용주 · 차희영 · 우종옥 · 정진우(2012). **과학교육론**. 서울: 교육과학사.

권재술 · 김범기 · 우종옥 · 정완호 · 정진우 · 최병순(1998). **과학교육론**. 서울: 교육과학사.

권재호(2000), **초등학교 자연과 실험에서의 안전에 관한 실태 조사**. 한국교원대학교 석사학위논문.

권종미(1999). **자연과 교사용 지도서에 대한 교사의 인식과 개선 방향**. 한국교원대학교 석사학위논문.

권치순, 김재영(2001). 제7차 초등학교 과학과 수준별 교육과정의 효율적 운영. **과학과 수학교육 논문집**, 27(1), 3-24. 서울교육대학교 과학교육연구소.

권치순 · 우종옥 · 한안진 · 김효남 · 강호감 · 이재혁(1993). **국민학교 자연교과의 교수모형, 교수방법, 평가방법 및 평가도구 개발에 관한 연구**. 한국교원대학교 교과교육공동연구소.

권치순 · 정은숙(2011). 과학수업에서 실험관찰 교과서에 대한 교사들의 인식과 활용 방안. **대한지구과학교육학회지**, 4(1), 12-19.

권치순 · 최은선(2009). 초등학교 과학 실험에서의 안전사고 최소화 방안. **대한지구과학교육학회지**, 2(1), 13-22.

권혁재, 권난주(2015). 과학예술 융합프로그램이 초등학생의 창의적 인성에 미치는 영향: 키네틱 아트를 중심으로. **교사교육연구**, 54(1), 17-30.

김기상 · 이선경 · 김찬종(2009). 자연사박물관에서 일어나는 또래 아동간의 상호작용적 학습 양상. **한국지구과학회지**, 30(1), 127-140.

김미숙 · 김은경 · 박명화 · 이영규 · 장명익 · 황재옥(2010). **초등국어 개념사전**, 경기: (주)북이십일 아울북.

김미연(2009). **초등학교 과학 실험 수업에서 실험 안전에 관한 교사와 학생들의 인식과 태도 조사**. 한국교원대학교 석사학위논문.

김병영(2020). **초등학교 과학과 학생참여교육과정의 개발과 적용 효과**. 국내박사학위논문 중부대학교, 충청남도.

김분숙 · 임채성 · 김은진(2006). 초등과학 실험 수업에서 탐구 요구 수준에 따른 초등학생의 정의적 영역 학습의 특성. **초등과학교육**, 25(4), 396-406.

김석우(1999). 수행평가의 이론 및 현장 적용 사례. **한국교원대학교 부설 교과교육공동연구소 교과교육 학술세미나 자료집**. 3-18.

김선자 · 최병순(2005). 변인통제 문제해결 과정에서 나타난 초등학생의 실험설계 및 증거제시 특성. **한국과학교육학회지**, 25(2), 111-121.

김성규(2013.) 초등학생, 예비교사와 교사의 실험기구 사용 방법에 대한 이해. **한국초등교육**, 24(2), 129-150.

김성원, 정영란, 우애자, 이현주(2012). 융합 인재 교육(STEAM)을 위한 이론적 모형의 제안. **한국과학교육학회지**, 32(2), 388-403.

김소희(2003). **과학관 전시물의 특성과 학생들의 전시물에 대한 인식**. 서울대학교 석사학위논문.

김영민 · 박승재(2001). **비유론과 과학교육**. 서울: 원미사.

김영채(2007). **창의력의 이론과 개발**. 서울: 교육과학사.

김옥주(1992). 파블로프의 조건반사이론의 형성과정. **한국과학사학회지**, 14(2), 255-258.

김윤태 · 김형립 · 류안진 · 권재술 · 노종희 · 서정화 · 장석민 · 정무일 · 이원조(1976). **새 교육체제 개발을 위한 중학교 제1차 소규모시범 연구결과보고서**. 한국교육개발원 보고서 RR-52.

김은주(2001). **동기적 선행조직자 활용 교수방법 실험연구**. 연세대학교 박사학위논문.

김은진 · 임채성(2003). 제7차 교육과정기의 초등 과학교과 현장학습 실태조사. **초등과학교육**, 22(2), 173-180.

김은희(2013). **중학교 과학 교과의 지필평가와 수행평가의 상관관계**. 충남대학교 석사학위논문.

김인식 · 최호성 · 최병옥(2000). **수업설계의 원리와 모형 적용**. 서울: 교육과학사.

김인환 · 이승민 · 차정호(2006). 중학교 과학 수업에서 협동을 위한 협동학습 모형의 적용 방안 연구. **대구대학교 학술논문집**, 1(2), 403-421.

김재희(2012). **설득 심리 이론**. 커뮤니케이션북스.

김정길 · 장병주 · 이영란(1989). '실험 · 관찰' 보조 교과서의 효율적인 활용 방안. **초등과학교육**, **8**, 33-48.

김정인 · 윤혜경(2013). 초등 교사의 과학 교수, 과학 학습, 과학의 본성에 대한 신념. **과학교육연구**, 37(2), 389-404.

김종서 · 이영덕 · 정원식(1988). **교육학개론**. 서울: 교육과학사.

김주영(2018). 초등교사의 도입단계 교수화법 양상과 인식. **한국어문교육**, 24, 93-127, 고려대학교 한국어문교육연구소.

김지나(2008). **과학교과에서 과학의 본성에 대한 명시적 교수효과 분석**. 한국교원대학교 석사학위논문.

김지나 · 김선경 · 김동욱 · 김현경 · 백성혜(2008). 초등학생들의 과학의 본성에 대한 명시적 교수 효과 분석. **초등과학교육**, 27(3), 261-272.

김지현(2000). **비고츠키의 지식점유과정과 언어매개기능에 관한 교육학적 고찰**. 서울대학교 박사학위논문.

김지혜 · 민병미 · 이유미 · 손영아 · 김동렬 · 김태훈(2013). 한국, 일본, 미국의 초등 과학 교과서에 반영된 과학의 본성 내용 비교 분석. **교과교육학연구**, 17(2), 619-644.

김진수(2011). STEAM 교육을 위한 큐빅 모형. **한국기술교육학회지**, 11(2), 124-139.

김찬종(1996). 수업 내용이나 활동에 적합한 과학과 교수학습 모형 선택을 위한 절차 개발 연구. **과학과 수학 교육논문집, 제17집**, 143-170, 청주교육대학교 과학교육연구소.

김찬종(1999). 과학과 수행평가의 특성과 적용. **한국교원대학교 부설 교과교육공동연구소 교과교육 학술세미나 자료집**. 329-344.

김찬종(2008). **지구과학 교재 연구 및 지도**. 경기: 자유아카데미.

김찬종 · 채동현 · 임채성(1999). **과학교육학개론**. 서울: 북스힐.

김창식 · 이화국 · 권재술 · 김영수 · 김찬종(1991). **과학학습 평가**. 교육과학사.

김학수(1998). 과학축전과 과학커뮤니케이션: 1997년 4월 "과학의 달" 행사를 중심으로. **기술혁신연구**, 6(1), 99-127.

김한호(1995). 과학수업모형들의 특성에 관한 이론적 분석. 한국과학교육학회지, 15(2), 201-212.

김호권(1984). **현대교수이론**. 서울: 교육출판사.

김효남(1990). 초등학교 아동의 과학 개념에 대한 실태 조사 및 교정을 위한 방법 연구. **한국과학교육학회지**, 10, 11-24.

김효남(2002). 제7차 교육과정 적용에 따른 초등과학의 문제점과 개선점. **교과공동연구학술세미나 자료집**. 한국교원대학교 부설 교과교육공동연구소.

김효남 · 정완호 · 정진우(1998). 국가 수준의 과학에 관련된 정의적 특성의 평가체제 개발. **한국과학교육학회지**, 18(3), 357-369.

김희경(2007). 과학 교사의 전문성 계발 프로그램의 조건과 모형. **초등과학교육**, 26(3), 295-308.

나종철(2006). **초등학교 과학과 지필평가 문항 분석**. 한국교원대학교 석사학위논문.

남정희 · 성을선 · 엄재호 · 김경희 · 최병순(1999). 형성평가에 대한 과학교사들의 인식 및 실태. **대학화학회지**, 43(6), 720-727.

노금자 · 김효남(1996). 과학적 상황과 일상적 상황에 따른 초등학생들의 용해 개념. **한국초등과학교육학회지**, 15(2), 233-250.

노태희 · 김영희 · 한수진 · 강석진(2002). 과학의 본성에 대한 초등학생들의 견해. **한국과학교육**

학회지, 22(4), 882-891.

노태희 · 박수연 · 임희준 · 차정호(1998). 협동학습 전략에서 소집단 구성 방법의 효과. **한국과학교육학회지**, 18(1), 61-70.

대한지구과학교육학회(2009). **지구과학 교수-학습론**. 서울: 교육과학사.

류택열(2002). **수업연구와 실제**. 서울: 교육과학사.

명재룡(2001). **과학 실험 폐기물의 정화 처리 방법 개선에 관한 연구: 초등학교를 중심으로**. 연세대학교 석사학위논문.

문금희(2003). **초등학교 교사용 지도서 활용 실태에 관한 연구**. 경남대학교 석사학위논문.

문명숙(1999). **초등학생의 공기와 물의 순환개념변화에 대한 협동학습의 효과**. 한국교원대학교 석사학위논문.

문선희(2017). **초등 과학영재와 일반학생의 과학 선호도에 따른 과학 진로 지향도 비교**. 경인교육대학교 교육전문대학원 석사학위논문.

민용성 · 최승현 · 오은순 · 양정실 · 김현미 · 한혜정 · 박기화 · 성기련 · 정은영 · 최의창 · 최지연(2012). **2009 개정 교육과정에 따른 초 · 중학교 교과 교육과정의 적용과 질 관리 방안**. 한국교육과정평가원 연구보고 RRC 2012-1.

박강은 · 김덕구(2002). 초파리의 한살이 단원에 대한 발견식 관찰 수업과 설명식 관찰 수업이 초등학생의 학습 흥미도에 미치는 영향. **초등과학교육**, 21(1), 135-142.

박경은(2011). **Ausubel의 유의미 수용학습 이론에 근거한 수학 수업 모델 개발 및 적용**. 성균관대학교 박사학위논문.

박범석 · 이찬주(2006). 교육목표로서 '표현' 개념의 교육과정적 해석. **교육과정연구**, 24(1), 41-60.

박성익(1997a). **교수 · 학습 방법의 이론과 실제**(I). 교육과학사.

박성익(1997b). **교수 · 학습 방법의 이론과 실제**(II). 교육과학사.

박성익 · 권낙원 편역(1989). **수업 모형의 적용 기술**. 서울: 성원사.

박수경(1998). **ARCS전략을 적용한 구성주의적 수업이 과학개념 획득과 동기유발에 미치는 효과**. 부산대학교 박사학위논문.

박순경 · 백경선 · 한혜정 · 한춘희 · 정지영(2010). **2009 개정 교육과정에 따른 초등학교 교육과정 편성 · 운영 방안 연구**. 한국교육과정평가원 연구보고 RRC 2010-21-1.

박승재 · 조희형(1994). **학습론과 과학교육**. 서울: 교육과학사.

박완희(1987). 수업과정에서의 판서활동. **교육연구**, 7(8), 한국교육생산성연구소, 77-82. [재인용. 임재수(1991). 판서 방법이 학습효과에 미치는 영향. 경성대학교 석사학위논문.].

박완희(1993). **교과교재 연구 및 지도법: 교육실습의 이론과 실제**. 경성대학교출판부. [재인용. 조희형 · 박승재(1999). 과학 교수-학습(제2판). 서울: 교육과학사.]

박일수(2013). 교육과정 재구성의 학습 효과에 관한 메타분석. **교육과정연구**, 31(4), 141-164.

박정희 · 김정률 · 박예리(2004). 탐구 학습에 관한 중등 교사들의 인식. **한국지구과학회지**, 25(8), 731-738.

박종규 · 최종찬 · 김명욱 · 이인철(1988). **국민학교 자연교과에 따른 과학실험기구 다루기**. 서울: 대교출판.

박종선 · 송영욱 · 김범기(2011). 초등학생들이 선정한 자유탐구활동 주제 분석. **한국과학교육학회지**, 31(2), 143-152.

박종욱 · 김선자(1996). 초등학교 교사들이 자연과 실험수업에서 겪는 문제 조사. **한국초등과학교육학회지**, 15(2), 263-282.

박지연 · 이경호(2004). 과학개념변화 연구에서 학생의 개념에 대한 이해: 오개념에서 정신모형까지. **한국과학교육학회지**, 24(3), 621-637.

박지현, 진경애, 김수진, 이상아(2018). **과정 중심 평가 적용에 따른 학교수준 학생평가 체제 개선 방안 연구자료 ORM 2018-39-7**. 한국교육과정평가원.

박채형(2004). 브루너의 발견학습에 대한 인식론적 고찰. **교육학연구**, 42(4), 35-34.

박현주, 김영민, 노석구, 이주연, 정진수, 최유현, 한혜숙, 백윤수(2012). STEAM교육의 구성 요소와 수업설계를 위한 준거틀의 개발. **학습자중심교과교육연구**, 12(4), 533-557.

박현주, 백윤수, 한혜숙(2013). 초 **· 중등 교육에서의 STEAM : 이슈와 제약. 2013 융합인재교육 STEAM 학술대회**, 코엑스, 12월 7일. 한국과학창의재단.

박형민, 임채성(2017). 과학 현장 학습이 초등학교 영재 학생들의 과학 관련 태도에 미치는 영향. **한국생물교육학회**, 45(3), 319-330.

박형민, 임채성(2023). 초등학생들의 과학 학습과 실험 안전에 대한 인식 분석. **초등과학교육**, 42(1), 82-92.

방강임(2010). **과학과「실험 관찰」보조 교과서에 대한 교과와 학생 인식 비교**. 한국교원대학교 석사학위논문.

방미정 · 김효남(2010). 초등학생의 인지 수준에 따른 과학의 본성에 대한 명시적 교수 효과 분석. **초등과학교육**, 29(3), 277-291.

방선욱(2005). 인지적 구성주의와 사회적 구성주의에 대한 비교고찰. **한국사회과학연구**, 27(3), 181-198.

백소이 · 노석구 · 신명경(2011). 초등교사의 비형식 과학교육에 대한 인식. **교과교육학연구**,

15(3), 737-755.

백순근(1999). 수행평가에 대한 이론적인 기초. 백순근 편저. **중학교 각 교과별 수행평가의 이론과 실제**(pp. 17-75). 서울: 원미사.

백윤수, 박현주, 김영민, 노석구, 박종윤, 이주연, 정진수, 최유현, 한혜숙(2011). 우리나라 STEAM 교육의 방향. **학습자중심교과교육연구**, 11(4), 149-171

백윤수, 박현주, 김영민, 노석구, 이주연, 정진수, 최유현, 한혜숙, 최종현(2012). **융합인재교육(STEAM) 실행방향 정립을 위한 기초연구**. (연구보고 2012-12). 서울: 한국과학창의재단.

변영계(2005). **교수 · 학습 이론의 이해**. 서울: 학지사.

변영계 · 김경현(2005). **수업장학과 수업분석**. 서울: 학지사.

변영계 · 김영환 · 손미(2000). **교육방법 및 교육공학**. 서울: 학지사.

서영환, 남윤신, 최태희, 青柳領, 池田孝博 5, 한남익(2017). 한국과 일본 초등학생의 체육교과 선호도, 영역별 선호도, 방과 후 놀이 선호도 및 운동의 즐거움 요인 비교 연구. **한국발육발달학회지**, 25(2), 179-186.

서울대학교 교육연구소(1995). **교육학 용어 사전**. 서울: 하우동설.

서형두(2003). **물속에서 물체의 무게에 대한 과학 수업의 탐색적 사례**. 한국교원대학교 박사학위 논문.

성을선 · 남정희 · 최병순(2000). 중학교 과학수업에서 형성평가의 실제: 구성주의적 관점에서의 형성평가를 중심으로. **한국과학교육학회지**, 20(3), 455-467.

성태제(2009). **교육평가의 기초**. 서울: 학지사.

손준호(2015). 동형검사를 활용한 진단 및 형성평가가 초등과학 수업에 미치는 효과 : “지구와 달” 단원을 중심으로. **한국과학교육학회지**, 35(4), 619-628.

송석재(2002). 반두라(Bandura)의 도덕발달 이론에 관한 연구. **도덕교육학연구**, 3, 85-109.

송진웅 · 권성기 · 김인환 · 윤성규 · 임청환(2003). **과학과 교재연구 및 지도**. 시그마프레스.

송진웅 · 김익균 · 김영민 · 권성기 · 오원근 · 박종원(2004). **학생의 물리 오개념지도**. 서울:(주)북스힐.

신동훈 · 신정주 · 권용주(2006). 생명 현상에 관한 초등학교 관찰 수업 과정과 관찰 유형 분석. **초등과학교육**, 25(4), 339-351.

신명희 · 박명순 · 권영심 · 강소연(1998). **교육심리학의 이해**. 서울: 학지사.

신영준 · 장명덕 · 배진호 · 권난주 · 여상인 · 이희순 · 노석구(2005). 초등과학 탐구수업 지도자료의 활용 실태. **초등과학교육**, 24(2), 160-173.

신영준 외 56명(2022). **2022 개정 과학과 교육과정 시안(최종안) 개발 정책연구**, 교육부/한국과학창의재단 연구보고서.

신은정(2005). **학습내용 노트방식이 학업성취도 및 학습동기에 미치는 영향**. 고려대학교 석사학위논문.

신현화 · 김효남(2010). 초등학교 과학과 자유탐구 활동에서 교사와 학생이 겪는 어려움 분석. **초등과학교육**, 29(3), 262-276.

심규철 · 김희수 · 이희복 · 류해일(2005). 중등학교 과학 교실 및 동아리 운영 실태 및 과학 교사의 인식. **한국과학교육학회지**, 25(7), 794-800.

심재호 · 신명경 · 박선화(2009). **학교 교육 경쟁력 강화를 위한 교육과정 실행 방안 연구: 과학과**. 한국교육과정평가원 연구보고 RRC 2009-4-2.

안미정, 유미현(2012). 초등 과학 영재학생과 일반학생의 진로인식, 과학 선호도 및 과학자의 정형화된 이미지 비교. **영재교육연구**, 22(3), 527-550.

안신영(2020). **2015 개정교육과정 초등학교 통합교과서에 나타난 STEAM 요소 분석**. 석사학위논문 서울교육대학교, 서울.

양일호(2010). **한 권으로 끝내는 초등과학 자유탐구**. 경기: ㈜ 북이십일 아울북.

양일호 · 권용주 · 정지숙(2006). **초등학교 과학 탐구과정 요소별 지도자료: 사다리 타고 오르는 기초 탐구 여행**. 한국교원대학교 과학교육연구소.

양일호 · 정진수 · 권용주 · 정진우 · 허명 · 오창호(2006). 과학자의 과학지식 생성 과정에 대한 심층 면담 연구. **한국과학교육학회지**, 26(1), 88-98.

여상인 · 이병문(2004). 초등학교 학생 · 예비 교사 · 현직 교사의 실험 기구 명칭과 용도에 대한 이해. **초등과학교육**, 23(1), 45-50.

오세연(2016). 초등학교 영재학급 학생들의 형식적 정당화를 돕기 위한 교사 발문의 역할. **한국초등수학교육학회지**, 20(1), 131-148.

오필석(2011). "채워지지 않는 잔(盞)": 초등 교사들에게 있어 과학 수업의 의미. **한국과학교육학회지**, 31(2), 271-294.

오필석(2015). 대안적 인지 이론으로서 '자원 기반 관점'에 대한 이론적 고찰과 시험 적용. **한국과학교육학회지**, 35(6), 971-984.

온정덕, 김경자, 박희경, 홍은숙, 황규호, 박남정, 이현주(2015). **2015 개정 교육과정 총론 해설서(초등학교) 개발 연구**. 교육부.

원민정(2003). **교사용 지도서 활용에 대한 초등학교 교사의 인식.** 이화여자대학교 석사학위논문.

유승희 · 이은경(2010). 모둠학습활동에서 또래 간 스캐폴딩 탐구. **초등교육연구**, 23(4), 483-507.

윤길수 · 전우수 · 이명제 · 김경호 · 김도욱(2001). **초등과학교육**. 서울: 형설출판사.

윤지영 · 백성혜(2016). 과학의 본성을 적용한 융합수업이 초등학생의 산과 염기 개념 형성에 미치는 영향. **융합교육연구**, 2(1), 23-40.

윤현덕(2007). **초등학교 과학수업의 운영 실태에 관한 연구**. 전주교육대학교 석사학위논문.

윤현진 · 박선화 · 이근호(2008). **교육과정에서의 성취기준 연구**. 한국교육과정평가원 연구보고 RRC 2008-2.

윤혜경(2004). 초등 예비교사들이 과학 수업에서 겪는 어려움. **초등과학교육**, 23(1), 74-84.

윤혜경 · 정용재 · 김미정 · 박영신 · 김병석(2012). 모의 수업 실행 과정에서 나타난 초등 예비교사의 과학 탐구 수업에 대한 인식. **초등과학교육**, 31(3), 334-346.

이남희(2011). **과학경연대회에 대한 초등 교사들의 인식 및 실태 분석**. 경인교육대학교 석사학위논문.

이대형 · 이환기 · 이도형 · 김홍래 · 박승규 · 서동엽 · 서순식 · 이기서(2004). **예비교사를 위한 How to ICT: ICT 활용 교육 교재**. 한국교육학술정보원 연구보고 KR 2004-21-별책 1.

이덕환(2004). 과학을 공부해야 하는 이유. **조선일보** 1월 16일자 '과학컬럼'.

이덕환(2006). 과학교육 활성화와 교육전문직의 역할. **과학문화교육**, 3(4), http://seer.snu.ac.kr/zine/article.php?waid=655

이동형(2011). 학교자문에서의 저항에 대한 사회인지이론적 고찰. **한국심리학회지: 학교**, 8(2), 111-132.

이명제(2009). '과학적 소양'의 정의를 향하여. **초등과학교육**, 28(4), 487-494.

이미경 · 정은영(2003). 학교 과학 교육에서 과학에 대한 태도에 영향을 미치는 요인 조사. **한국과학교육학회지**, 24(5), 946-958.

이미란(2002). **초등학교 과학실험에서 안전에 관한 초등교사들의 인식 조사**. 한국교원대학교 석사학위논문.

이미화 · 백성혜(2005). Keller의 ARCS전략을 적용한 수업이 초등학생의 과학 학습동기 향상에 미치는 효과. **초등과학교육**, 24(4), 380-390.

이범홍(1999). 과학과 수행평가. **한국과학교육학회 제36차 학술 세미나 및 하계 논문 발표회 자료집**. 23-37.

이봉우(2005). 외국 과학교육과정의 탐구기준 비교 분석. **한국과학교육학회지**, 25(7), 873-884.

이선경(1999). 과학과 수행평가. 백순근 편저. **중학교 각 교과별 수행평가의 이론과 실제** (pp. 297-351). 서울: 원미사.

이선경 · 김우희 · 박현주(1997). 초등학교 방과 후 과학 활동의 실태 및 교육적 의미, **초등과학교**

육학회지, 16(2), 309-316.

이성호(1999). **교수방법론**. 학지사.

이세정 · 임청환(2011). 초등교사의 과학 교수효능감이 학생의 과학 탐구 능력과 과학적 태도에 미치는 영향. **초등과학교육**, 30(4), 459-467.

이소리 · 최현동 · 임재근 · 신세영 · 양일호(2011). 초등 예비교사의 실험 기구 조작 능력에 대한 연구. **과학교육연구지**, 35(1), 80-90.

이수아 · 전영석 · 홍준의 · 신영준 · 최정훈 · 이인호(2007). 초등 교사들이 과학 수업에서 겪는 어려움 분석. **초등과학교육**, 26(1), 97-107.

이수영(2011). 초등학생의 과학-수학 교과에 대한 인식과 경험이 과학기술분야 진로 선택에 미치는 영향 분석. **서울교육대학교 한국초등교육**, 22(1), 99-117.

이숙정(2010). 초등학생의 학업성취에 영향을 미치는 교사-학생 관계와 학급풍토 및 학습몰입의 경로 분석. **초등교육연구**, 23(4), 207-227.

이순진(2010). **초등과학교육에서 소집단 자유탐구의 효과와 상호작용 양상**. 경인교육대학교 석사 학위논문.

이양락, 이선경, 홍미영, 이미경(1998). 고등학교 공통과학 절대평가를 위한 예시 문항 및 도구 개발 방향. **고등학교 공통필수 10개 교과의 절대평가 예시 문항 및 도구 개발 방향에 관한 세미나 자료집**. 한국교육과정평가원.

이용섭(2004). **초등학교 과학과 '지구'분야의 ICT 활용 수업 모듈 개발과 그 효과**. 부산대학교 박사 학위논문.

이응인(1986). 사회학습에 대한 연구: Bandura의 이론을 중심으로. **동대논총**, 16, 305-321.

이인제 · 김범기(2004). **과학과 교사의 학생평가 전문성 신장 모형과 기준**. 한국교육과정평가원 연구보고 RRE-2004-5-5.

이인화, 박상복, 심현표(2017). **핵심역량 신장을 위한 교과별 평가자료 개발 및 적용 – 의사소통 역량과 공동체 역량을 중심으로 –** 연구자료 ORM 2017-66-12. 한국교육과정평가원.

이정아 · 맹승호 · 이선경 · 김찬종(2007). 과학의 달 행사에 대한 다섯 목소리. **한국과학교육학회지**, 27(7), 609-622.

이종일 (1996). 사회과 학습평가의 새로운 경향: 수행평가를 중심으로. **대구교육대학교 초등교육 연구 논총 제8집**, 151-191.

이창덕(2003), 교사 화법 연구와 교육의 필요성과 그 과제, **한국초등국어교육학회**, 5, 9-48.

이현정(2012). **과학전람회를 지도하는 교사들의 경험에 관한 현상학적 연구**. 청주교육대학교 석사 학위논문.

이현청(2018). 기술과 교육의 만남: 에듀테크. **교육부행복한교육누리잡지**, 2018(12).

이혜정 · 정진수 · 박국태 · 권용주(2004). 초등학생들과 초등예비교사들이 관찰활동에서 생성한 과학적 의문의 유형. **한국과학교육학회지**, 24(5), 1018-1027.

이홍우(1992). **교육과정탐구**. 서울: 박영사.

이홍우 · 유한구 · 장성모(2003). **교육과정이론**. 서울: 교육과학사.

이화진 · 권점례 · 홍선주 · 상경아(2007). **초등 초임교사 발달 지원 자료집**. 한국교육과정평가원 연구자료 ORM 2007-23.

임선영(1994). 현대의 사상: 스키너의 행동주의 – 상자 속에 숨어 있는 희망을 찾아 떠나는 모험. **한국논단**, 53, 208-212.

임성만 · 양일호 · 김순미 · 홍은주 · 임재근(2010). 초등 예비교사들이 자유 탐구 활동 중에 겪는 어려움 조사. **한국과학교육학회지**, 30(2), 291-303.

임영득 · 조혜경 · 한안진 · 박현주 · 송민영 · 김은진 · 홍석인 · 강호감 · 노석구(1999). 초등학생의 자연과 수행평가 실태조사 및 초등학교 자연과 수행평가도구의 개발 Ⅰ. **한국초등과학교육학회지**, 18(1), 41-51.

임재근, 이소리, 김주영, 양일호(2010). 초등학교 과학 수업에서 교사와 학생 간에 과학 실험 목적 인식의 차이가 발생하는 원인 분석. **과학교육연구지**, 34(2), 359-368. 경북대학교 과학교육연구소.

임찬빈 · 곽영순(2006). **수업평가 매뉴얼: 과학과 수업 평가 기준**. 한국교육과정평가원 연구자료 ORM 2006-24-7.

임채성 · 김분숙 · 김은진(2005). 초등과학실험수업에서 탐구요구수준에 따른 학습의 효과: 인지적 영역을 중심으로. **초등과학교육**, 24(4), 321-328.

임청환(2003). 과학 교과교육학 지식의 본질과 발달. **한국지구과학회지**, 24(4), 235-249.

임청환 · 강석진 · 배진호 · 이성호(2005a). **생각을 열어가는 재미있는 과학 수업: 5~6학년**. 한국교원대학교 과학교육연구소.

임청환 · 김남일 · 권성기 · 고한중 · 이성호(2005b). 초등학교 과학교실 및 과학동아리 관련 현장 조사 및 프로그램 개발 모형 설정. **한국과학교육학회지**, 25(2), 209-220.

임청환 · 최종식(1999). 교사의 과학 불안이 학생들의 과학성취도 및 과학에 관련된 태도에 미치는 영향. **한국초등과학교육학회지**, 18(1), 87-94.

임희준(2007). 초등 예비 교사들의 일반 교수 효능감과 과학 교수효능감 비교. **초등과학교육**, 26(1), 131-139.

임희준(2014). 초등학생들의 과학 학습에 대한 인식과 과학 진로에 대한 인식과의 관계. **서울교**

육대학교 한국초등교육, 25(3), 227-238.

임희준 · 김재윤(2007). 과학 탐구 수업에 관한 초등학교 교사들의 인식. **경인교육대학교 과학교육논총**, 20(1), 73-81.

장남기 · 임영득 · 강호감(1989). **과학교육심리학**. 서울: 교육과학사.

장명덕(2006). 초등 예비 과학교사들의 과학 수업지도안 작성 전략 분석. **초등과학교육**, 25(2), 191-205.

장명덕(2018). 초등예비교사들의 과학학습의 필요성에 대한 인식. **대한지구과학교육학회지**, 11(1), 55-62

장명덕 · 이명제(2004). 초등학교 6학년생들의 과학자들의 생활시간에 대한 인식. **한국과학교육학회지**, 24(6), 1118-1130.

장병기(2004). 과학의 본성에 대한 학생의 생각을 조사하기. **초등과학교육**, 23(2), 159-171.

장현숙 · 최경희(2005). 초등 과학교과서에 제시된 현장학습의 분석. **초등과학교육**, 24(4), 337-344.

전소연, 박종석(2020). 초등학생의 실험기구 교육을 위한 TEP 활동의 개발 및 적용. **대한화학회지**, 64(6), 379-388.

전영석 · 임미량(2012). 과학체험행사 참가 팀의 활동 형태 및 도우미 학생의 역할 분석. **초등과학교육**, 31(2), 188-196.

전영석 · 전민지(2009). 과학 자유탐구를 지도할 때 발생하는 어려움. **서울교육대학교 한국초등교육**, 20(1), 105-115.

전우수(1993). 국민학생의 과학 오개념 조사 연구: 물리 개념을 중심으로. **한국초등과학교육학회지**, 12(2), 145-166.

전우수 · 임성민 · 윤진(2003). 초등학생의 과학선호도. **초등과학교육**, 22(1), 81-96.

정문성(2013). 시대가 요구하는 수업방법과 교과서의 활용. **2013년도 2학기 국정도서 연구학교 워크숍 자료집**.

정완호 · 권재술 · 정진우 · 김효남 · 최병순 · 허명(1997). **과학과 수업모형**. 서울: 교육과학사.

정완호 · 권치순 · 김재영 · 임채성(1996). 초등학교 자연과에서의 야외 수업 실태와 개선 방안 및 지도 방략. **한국초등과학교육학회지**, 15(1), 151-165.

정용부 · 오성숙(2001). **교과교재연구 및 지도법**. 서울: 학지사.

정용재 · 송진웅(2002). 계통도 분석법을 통한 초등학생과 초등교사의 '과학학습의 필요성'에 대한 관점 조사. **한국과학교육학회지**, 22(4), 806-819.

정은영(2012). 2009 개정 교육과정에 따른 과학과 교육과정 적용과 질 관리 방안에 관한 초 · 중학교 교사의 인식. **과학교육연구지**, 36(2), 354-368.

정은영 · 홍미영(2004). 초등학교 과학과 실험 및 관찰 수업 사례에서 나타난 수업의 문제점: 도시 지역 수업 사례를 중심으로. **초등과학교육**, 23(4), 287-296.

정진수(2004). **과학적 가설 생성에 대한 삼원 귀추 모형의 개발과 적용**. 한국교원대학교 박사학위 논문.

정진우, 경재복, 성태기(2003). 초등학교 4학년 지층 · 화석 단원의 현장학습이 과학개념 형성 및 과학적 태도에 미치는 영향. **청람과학교육연구논총**, 13(1), 52-76.

정진우 · 정진표(1995). 자연과에서 개념에 대한 학생들의 심리적 위계 분석. **한국초등과학교육학회지**, 14(1), 63-72.

정한호(2011). 수업지도안 작성에 대한 초임교사들의 인식 분석. **한국교육**, 38(2), 29-53. 한국교육개발원.

조영남(2003). 초등교사를 위한 구성주의 교수: 학습환경 개발에 관한 연구. **초등교육연구**, 16(1), 179-205.

조현준 · 한인경 · 김효남 · 양일호(2008). 초등학교 과학 탐구 수업 실행의 저해 요인에 대한 교사들의 인식 분석. **한국과학교육학회지**, 28(8), 901-921.

조희형(1994). **잘못 알기 쉬운 과학개념**. 서울: 전파과학사.

조희형 · 고영자(2008). 과학교사 교수내용지식(PCK)의 재구성과 적용 방법. **한국과학교육학회지**, 28(6), 618-632.

조희형 · 박승재(1994). **과학론과 과학교육**. 서울: 교육과학사.

조희형 · 박승재(1999). **과학 교수-학습(제2판)**. 서울: 교육과학사.

조희형 · 최경희(2001). **과학교육 총론**. 서울: 교육과학사.

조희형 · 최경희(2002). 구성주의와 과학교육. **한국과학교육학회지**, 22(4), 820-836.

진순희 · 장신호(2007). 과학 탐구에 대한 초등 교사들의 지도 경험. **초등과학교육**, 26(2), 181-191.

진영은(2003). **교육과정: 이론과 실제**. 서울: 학지사.

진영은 · 조인진 · 김봉석(2002). **교육과정과 교육평가의 탐구**. 서울: 학지사.

차현정, 윤혜경, 박정우(2022). 과학 수업에서의 실감형 콘텐츠 활용에 대한 초등 교사의 인식과 요구. **초등과학교육**, 41(3), 480-500.

채동현 · 이수영(2002). 과학동산 운영에 관한 질적 연구. **초등과학교육**, 21(2), 263-288.

최경희(1997). **STS교육의 이해와 적용**. 서울: ㈜교학사.

최경희 · 조희형(2002). 구성주의 특성에 따른 과학교육. **과학기술학연구**, 2(2), 91-122.

최민자(2010). **통섭의 기술**. 서울: 도서출판 모시는 사람들.

최병순(1990). Learning Cycle Model을 이용한 화학실험이 학생들의 탐구능력 신장에 미치는 영향. **화학교육**, 17(1), 6-11.

최선미 · 차희영(2006). 초등학교 과학 탐구 및 실험 학습 실태 조사. **청람과학교육연구논총**, 16(1), 17-30.

최성연(2009). **과학 교사 효능감 관련 범주와 형성 과정 탐색**. 이화여자대학교 박사학위논문.

최영신(2006). **과학 연극을 통한 단원정리가 초등학생의 과학 태도에 미치는 영향**. 경인교육대학교 석사학위논문.

최호성(1996). 학습평가의 패러다임 전환: 수행평가의 의미와 평가과제의 유형. **대구교육대학교 초등교육연구 논총**, **제8집**, 13-31.

태진미(2011). 창의적 융합인재양성 왜 예술교육에 주목하는가?. **영재교육연구**, 21(4), 1011-1032.

한국과학교육학회(2005). **과학교육학 용어 해설**. 서울: 교육과학사.

한국과학창의재단(2011). **2009 개정 교육과정에 따른 과학과 교육과정 연구**. 교육과학기술부 정책연구 2011-10.

한국과학창의재단(2015). **2015 개정 과학과 교육과정 시안 개발 연구 I**. 연구보고서 BD15070002.

한국과학창의재단(2019). **미래세대 과학교육표준(단계별 수행기대) 개발, 현장적용 실행방안 도출 및 지표 개발 연구**. 한국과학창의재단 연구보고서.

한국과학창의재단(2021). **과학실험 안전 매뉴얼(초등학교)**.

한국과학창의재단(2023). 융합교육에 대하여. https://steam.kofac.re.kr/?page_id=11267.

한국교원대학교 과학교육연구소(2002). **과학 실험실 안전**.

한국교원대학교 과학교육연구소(2003). **과학실험 안전 및 실험기구 사용법**.

한국교원대학교 과학교육연구소(2008). **초등학교 과학과 교수법 · 평가 방법 개발(3학년용)**. 2008년도 초등학교 과학과 교수법 · 평가방법 개발 연수자료.

한국교육심리학회(2000). **교육심리학 용어사전**. 서울: 학지사.

한국교육평가학회(2004). **교육평가용어사전**. 학지사.

한국교육학술정보원(2001). **ICT 활용 교수-학습 과정안 자료집(초등교원 연구용 교재, Ver 2.0)**. 한국교육학술정보원 교육자료 TM 2001-1.

한안진(1987). **현대탐구과학교육**. 서울: 교육과학사.

한안진 · 강호감 · 권치순 · 김효남(1997). **새 초등과학 교재 연구**. 서울: 교육과학사.

허경미(2011). **협동학습을 활용한 초등학교 과학 자유탐구의 지도방안**. 서울교육대학교 석사학위 논문.

허병훈 · 김경동 · 박우자 · 한희숙 · 강연옥 · 민부자 · 안보현(2010). **2009 개정 초등학교 교육과정 편성 · 운영 방안**. 한국교육과정평가원 연구보고 RRC 2010-4-1.

홍미영(2004). 초등학교 과학 수업에서의 실험실 안전 교육 내용 분석. **교육과정평가연구**, 7(2), 267-283. 한국교육과정평가원.

홍미영 · 정은영 · 맹희주(2002a). **과학 수업이 어렵다구요? – 왕신참 선생님의 좌충우돌 수업기**. 한국교육과정평가원 연구개발자료 RDM 2002-3.

홍미영 · 정은영 · 맹희주(2002b). **초등학교 과학과 교수 · 학습 방법과 자료 개발 연구**. 한국교육과정평가원 연구보고 RRC 2002-18.

황석종(2011). **초등학교 시 수업을 위한 교수 비계설정 연구: 교사의 질문 전략을 중심으로**. 영남대학교 박사학위논문.

Abd-El-Khalick, F., Bell, R. L., & Lederman, N. G. (1998). The nature of science and instructional practice: Making the unnatural. *Science Education, 82*(4), 417-436.

Abd-El-Khalick, F., & Lederman, N. G. (2000). Improving science teachers' conception of the nature of science: A critical review of the literature. *International Journal of Science Education, 22*(7), 665-701.

Abruscato, J. (1995). *Teaching children science: A discovery approach*. Boston: Allyn & Bacon.

American Association for the Advancement of Science. (1993). *Benchmarks for science literacy: A Project 2061 report*. New York: Oxford University Press.

Adey, P., & Shayer, M. (1994). Really raising standards: Cognitive intervention and academic achievement. London: Routledge. [재인용 Krnel, D., Glažar. S. S., & Waston. R. (2003). The development of the concept of "Matter": A cross-age study of how children classify materials. *Science Education, 87*(5), 621-639.].

Akerson, A. L. (2005). How do elementary teachers compensate for incomplete science content knowledge?, *Research in Science Education, 35*, 245-268.

Al-khalifah, A., & McCrindle, R. (2006). Student perceptions of virtual reality as an education medium. In *Proceedings of world conference on educational multimedia, hypermedia and telecommunications 2006* (pp. 2749-2756). Chesapeake, VA: AACE.

Anderson, L. W., Krathwohl, D. R., Airiasian, W., Cruikshank, K. A., Mayer, R. E., Pintrich, P.

R., Raths, J., & Wittrock, M. C. (2001). A *taxonomy for learning, teaching and assessing: A revision of Bloom's Taxonomy of educational objectives: Abridged edition*. New York: Longman.

Ausubel, D. P. (1968). *Educational psychology: A cognitive view*. New York: Holt, Rinehart & Winston. vi.

Ausubel, D. P., Novak, J. D., & Hanesian, H. (1978). *Educational psychology: A cognitive view (2nd ed.)*. New York: Holt, Rinehart, and Winston.

Ausubel, D. P., & Robinson, F. G. (1969). *School learning: An introduction to educational psychology*. New York: Holt, Rinehart and winston.

Ausubel, D. P. (2000). *The acquisition and retention of knowledge: A cognitive view*. Boston: Kluwer Academic Publishers.

Bandura, A. (1977a). Self-efficacy: Toward a unifying theory of behavioral change, *Psychological Review, 84*, 191-215.

Bandura, A. (1977b). *Social learning theory*. Englewood Cliffs, NJ: Prentice-Hall.

Bandura, A. (1997). *Self-efficacy: The exercise of control*. New York: Freeman. [김의철·박영신·양계민(역)(1999). 자기효능감과 인간행동: 이론적 기초와 발달적 분석. 서울: 교육과학사.]

Bell, B., & Cowie, B. (1997). Formative assessment and science education: Research report of the learning in science project(Assessment). University of Waikato. [재인용: 성을선·남정희·최병순(2000). 중학교 과학수업에서 형성평가의 실제: 구성주의적 관점에서의 형성평가를 중심으로. 한국과학교육학회지, 20(3), 455-467.]

Bennett, J. (2003). *Teaching and learning science: A guide to recent research and its applications*. London: Continuum.

Bentley, M., Ebert, C., & Ebert E. S. (2000). *The natural investigator: A constructivist approach to teaching elementary and middle school science*. Belmont: Wadsworth/Thomson Learning.

Berg, T., & Brouwer, W. (1991). Teacher awareness of student alternate conceptions about rotational motion and gravity. *Journal of Research in Science Teaching, 28*(1), 3-18.

Black, P., & Wiliam, D. (1998). Assessment and classroom learning. *Assessment in Education, 5*(1), 1-74.

Bleicher, R. E. (2004). Revisiting the STEBI-B: Measuring self-efficacy in preservice elementary teachers. *School Science and Mathematics, 104*(8), 383-391.

Bloom, B. S., & Krathwohl, D. R. (1956). *Taxonomy of educational objectives: The classification of educational goals, by a committee of college and university examiners. Handbook I: Cognitive Domain*. New York: Longmans.

Britner, S. B., & Pajares, F. (2006). Sources of science self-efficacy beliefs of middle school students. *Journal of Research in Science Teaching, 43*(5), 485-499.

Brown, P. L., Abell, S. K., Demir, A., & Schmidt, F. J. (2006). College science teachers' views of classroom inquiry. *Science Education, 90*(5), 784-802.

Bruner, J. S. (1960). *The process of education*. Cambridge, Mass.: Harvard University Press.

Bruner, J. S. (1961). The act of discovery. *Harvard Educational Review, 31*, 21-32.

Bruner, J. S. (1966). *Toward a theory of instruction*, Cambridge, Mass.: Harvard University Press.

Bruner, J. S. (1972). *The relevance of education*, George Allen and Unwin.

Bruner, J. S. (1985). *Vygotsky: a historical and conceptual perspective*. In J. V. Wertsch, Culture communication and cognition: Vygotsky perspectives. Cambridge University Press. 21-33.

Bruner, J. S. (1996). *The culture of education*. Cambridge, Mass.: Harvard University Press.

Burke, K. (2009). *How to assess authentic learning (5th ed.)*. Thousand Oaks, CA: Corwin [정종진·성용구·임청환·류성림·박세원 역(2012). 학습평가의 방법 (제5판). 서울: 시그마프레스.]

Bybee, R. W., & DeBoer, C. E. (1993). *Research on goals for science curriculum*. In D. Gabel (Ed.), Handbook of research on science teaching and learning (pp. 357-387). New York: National Science Teachers Association.

Byrness, J. P. (2007). *Cognitive development and learning in instructional contexts (3rd ed.)*. Boston, MA: Allyn and Bacon. [강영하 역(2011). 교과수업 맥락에서의 인지발달과 학습. 서울: 아카데미프레스.]

Carlsen, W.(1999). Domains of teacher knowledge. In J. Gess-Newsome and N. G. Lederman (Eds.). *Examining pedagogical content knowledge* (pp.133-144). Boston: Kluwer Academic Publisher.

Carin, A. A., & Sund, R. B. (1989). *Teaching science through discovery (6th Ed)*. New Jersey: Merrill Publishing Company.

Carin, A. A., Bass, J. E., & Contant, T. L. (2005). *Methods for teaching science as inquiry*. Upper Saddle River, NJ: Pearson Education, Inc.

Choi, S.-Y. & Kim, S.-W. (2008). Assessment of Korean Preservice Elementary Teachers' Science Teaching-anxiety and Science Teaching-efficacy. *Journal of the Korean association for science education, 28*(7), 713-723.

Clough, M., & Olson, J. (2008). Teaching and assessing the nature of science: An introduction. *Science & Education*, 7(6), 511-532.

Cole, M., & Griffin, P. (1987). Contextual factors in education. Madison: Wisconsin Center for Education Research, University of Wisconsin [재인용: Bentley, M., Ebert, C., & Ebert E. S. (2000). *The natural investigator: A constructivist approach to teaching elementary and middle school science*. Belmont: Wadsworth/Thomson Learning.]

Craciun, D. (2010). Role-playing as a creative method in science education. *Journal of Science and Arts, 1*(12), 175-182.

Day, J. D., & Cordon, L. A. (1993). Static and dynamic measures of ability: An experimental comparison. *Journal of Educational Psychology, 85*, 75-82.

DeWitt, J., & Storksdieck, M.(2008). A short review of school field trips: Key findings from the past and implications for the future. *Visitor Studies, 11*(2), 505-519.

Driver, R., Leach, J., Millar, R., & Scott, P. (1996). *Young people's images of science*. Buckingham, England: Open University Press.

Duit, R. (1991). Students' conceptual frameworks: Consequences for learning science. In S. M., Glynn, R. H. Yeany, & B. K. Britton, *The Psychology of learning science* (pp. 65-85). Hilldale, NJ: Lawrence Erlbaum Associates.

Eggen, P. D., & Kauchak, D. P. (2001). *Strategies for teachers: Teaching content and thinking skills*. Boston, MA: Pearson Education, Inc. [임청환·권성기 역(2006). 교사를 위한 수업전략. 서울: 시그마프레스.]

Esler, W. K., & Esler, M. K. (1993). *Teaching elementary science(6th ed.)*. Belmont, California: Wadsworth Publishing Company.

Falk, J. H., & Dierking, L. D. (2000). Learning from museums: Visitor experiences and the making of meaning. Walnut Creek, CA: Altamira. [재인용: Kisiel, J. (2005). Understanding elementary teacher motivations for science fieldtrips, *Science Education, 89*(6), 936-955.]

Francom, G., & Reeves, T. C. (2010). John M. Keller: A significant contributor to the field of educational technology. *Educational Technology, 50*(3), 55-58.

Friedler, Y., Nachmias, R., & Linn, M. C. (1990). Learning scientific reasoning skills in microcomputer-based laboratories. *Journal of Research in Science Teaching, 27*(2), 173-191.

Gagné, R. M. (1968). Contributions of learning to human development. *Psychological Review, 75*(3), 177-191.

Gagné, R. M. (1985). *The conditions of learning and theory of instruction (4th ed.).* New York, NY: Holt, Rinehart & Winston.

Gagné, R. M., & Briggs, L. J. (1979). *Principles of instructional design (2nd ed.).* New York, NY: Holt, Rinehart & Winston.

Gagné, R. M., Wager, W. W., Golas, K. C., Keller, J. M. (2004). *Principles of instructional design (5th Ed.).* Belmont, California: Wadsworth Publishing. [송상호·박인우·엄우용·이상수 역(2007). 수업설계의 원리. 서울: 아카데미프레스.]

Gardner, P. (1975). Attitudes to science: A review. *Studies in Science Education, 2*(1), 1-41.

Garrison, M. R. (2000). Literacy science. *The Science Teacher, November, 27-29.*

Gejda, L. M., & LaRocco, D. J. (2006). *Inquiry-based instruction in secondary science classrooms: A survey of teacher practice.* Research pater presented at the 37th annual Northeast Educational Research Association Conference, Kerhonkson, NY. [재인용: 한국과학창의재단(2011). 2009 개정 교육과정에 따른 과학과 교육과정 연구. 교육과학기술부 정책연구 2011-10.]

Germann, P. J., Aram, R., Odom, A. L., & Burke, G. (1996). Student performance on asking questions, identifying variables, and formulating hypotheses. *School Science and Mathematics, 96*(4), 192-201.

Glick, J. G., Ahmed, A. M., Cave, L. M., & Chang, H. P. (1992). *Sources used by students teaching in lesson planning.* Paper presented at National Science Teacher Association. ED 350289.

Gomez-Zwiep, S. (2008). Elementary teachers' understanding of students' science misconceptions: Implications for practice and teacher education. *Journal of Science Teacher Education, 19*(5), 437-454.

Gredler, M. E. (2001). Learning and instruction: Theory into practice (4th ed.). Upper Saddle River, NJ: Prentice-Hall, Inc.

Hanuscin, D. L., Lee, M. H., & Akerson, V. L. (2010). Elementary teachers' pedagogical content knowledge for teaching the nature of science. *Science Education, 95*(1), 145-167.

Harms, N., & Yager, R. E. (1981). What research says to the science teacher, Vol. 3. Washington, DC: National Science Teachers Association. [재인용: NRC (National Research Council), 2000, *Inquiry and the national science education standards.* Wasington, DC: National Academy Press.]

Hart, D. (1994). *Authentic assessment: A handbook for educators.* ED 447179.

Harlen, W. (2001). *Primary science: Taking the plunge (2nd ed.).* Portsmouth, NH: Heinemann. [장병기·윤혜경 공역, 초등 과학교육에 뛰어들기, 서울: 북스힐.]

Hein, G. E., & Price, S. (1994). *Active assessment for a active science: A guide for elementary school teachers.* Portsmouth, NH: Heinemann.

Hergenhahn, B. R., & Olson, M. H. (2001). An introduction to theories of learning (6th ed.). Upper Saddle River, NJ: Prentice Hall, Inc. [재인용: 김영채 역(2002). 학습심리학(제6판). 서울: 박영사.]

Herron, M. D. (1971). The nature of scientific inquiry. *School Review, 79*(2), 171-212.

Hewitt, P. G., Lyons, S., Suchocki, J., & Yeh, J. (2007). *Conceptual integrated science.* San Francisco, CA: Pearson Education, Inc.

Hofstein, A., & Rosenfeld, S. (1996). Bridging the gap between formal and informal science learning. *Studies in Science Education, 28*(1), 87-112.

Hogan, K., & Pressley, M. (1997). Scaffolding scientific competencies within classroom communities of inquiry. In K. Hogan, & M. Pressley (Eds.). *Scaffolding student learning* (74-107). Cambridge, Massachusettes: Brookline Books.

Holbrook, J., & Rannikmae, M. (2009). The meaning of scientific literacy. *International Journal of Environmental and Science Education, 4*(3), 275-288.

Howe, A. C., & Jones, L. (1999). *Engaging children in science.* New Jersey: Macmillan Publishing Company.

Ivie, S. D. (1998). Ausubel's learning theory: An approach to teaching higher order thinking skills. *High School Journal, 82*(1), 35-42.

Johnson, D. W., & Johnson, R. T. (1999). Making cooperative learning work. *Theory into Practice, 38*(2), 67-73.

Johnson, D. W., Johnson, R. T., & E. J. Holubec(1993). *Circles of learning: Cooperation in the classroom (4th ed.)*, Edina, MN: Interaction Book.

Joyce, B., Weil, M., & Calhoun, E. (2004). *Models of teaching (7th ed.)*. New York: Pearson Education, Inc. [재인용: 한국교원대학교 과학교육연구소(2008). 초등학교 과학과 교수법·평가 방법 개발(3학년용). 2008년도 초등학교 과학과 교수법·평가방법 개발 연수자료.]

Keeley, P. (2011). With a purpose. *Science and Children, 48*(9), 22-25.

Keller, J. M. (1979). Motivation and instructional design: A theoretical perspective. *Journal of Instructional Development, 2*(4), 26-34.

Keller, J. M. (1983). Motivational design of instruction. In C. M. Reigeluth (Ed.), *Instructional design theories and models* (pp.386-433). Hillsdale, NJ: Lawrence Erlbaum Associates. [재인용: 박수경(1998). ARCS전략을 적용한 구성주의적 수업이 과학개념 획득과 동기유발에 미치는 효과. 부산대학교 박사학위논문.]

Keller, J. M. (1987). Development and use of the ARCS model of instructional design. *Journal of Instructional Development, 10*(3), 2-10.

Kisiel, J. (2005). Understanding elementary teacher motivations for science fieldtrips, *Science Education, 89*(6), 936-955.

Kauchak, D., & Eggen, P. (1980). Exploring science in the elementary schools. Boston: Houghton Mifflin [최돈형 역(1989), 과학과 학습모형의 이론과 실제. 서울: 교육과학사.]

Krnel, D., Glažar, S. S., & Waston, R. (2003). The development of the concept of "Matter": A cross-age study of how children classify materials. *Science Education, 87*(5), 621-639.

Kuhn, T. S. (1962). *The structure of scientific revolutions*. Chicago: University of Chicago Press.

Lawson, A. E. (1995). *Science teaching and the development of thinking*. Wadsworth Publishing Company.

Lederman, N. G. (1992). Students' and teachers' conceptions of the nature of science: A review of the literature. *Journal of Research in Science Teaching, 29*(4), 331-360.

Lederman, N. G., Abd-El-Khalick, F., Bell, R. L., & Schwartz, E. S. (2002). Views of nature of science questionnaire: Toward valid and meaningful assessment of learners' conceptions of nature of science. *Journal of Research in Science Teaching, 39*(6). 497-521.

Lemke, J. (1990). Talking science, New York: Ablex Publishing Corporation. [재인용: Bennett, J. (2003). *Teaching and learning science: A guide to recent research and its applications.* London: Continuum.]

Linn, N. C. (1980). When do adolescents reason? *European Journal of Science Education, 2*(4), 429-440. [재인용: 한효순·최병순·강순민·박종윤(2002). '생각하는 과학' 프로그램의 변인활동이 초등학생의 변인통제 능력에 미치는 효과. 한국과학교육학회지, 22(3), 571-585.]

Linn, R. L., & Gronlund, N. E. (1995). *Measurement and Assessment in Teaching (7th ed.).* New Jersey: Prentice Hall.

Magnusson, S., Krajcik, J., & Borko, H.(1999). Nature, sources, and development of pedagogical content knowledge for science teaching. In J. Gess-Newsome and N. G. Lederman (Eds.). *Examining pedagogical content knowledge* (pp.95-132). Boston: Kluwer Academic Publisher.

Martin, D. J. (2000). *Elementary science methods: A constructivist approach* (2nd ed.). Wadsworth/Thomson Learning.

McComas, W., Clough, M., & Almazroa, H. (1998). The role and character of nature of science. In W. F. McComas (Ed.), *The nature of science in science education: Rationales and strategies* (pp. 3-40). Dordrecht: Kluwer Academic Publishers.

McComas, W. F., & Olson, J. K. (1998). The nature of science in international science education standards documents. In W. F. McComas (Ed.), *The nature of science in science education: Rationales and strategies* (pp. 41-52). Dordrecht: Kluwer Academic Publishers.

McDonald, B., & Boud, D. (2003). The impact of self assessment on achievement: the effects of self assessment training on performance in external examinations. *Assessment in Education, 10*(2), 209-220.

McSharry, G., & Jones, S. (2000). Role-play in science teaching and learning. *School Science Review, 82*(298), 73-82.

Michelsohn, A. M., & Hawkins, S.(1994). Current practice in science education of prospective elementary school teachers. In S. Raizen, & A. Michelsohn (Eds.). *The future of science in elementary schools: Educating prospective teachers.* San Francisco: Jossey-Bass.

Millar, R. (2006). Twenty first century science insights from the design and implementation of a scientific literacy approach in school science. *International Journal of Science*

Education, 28(13), 1499-1521.

Moss, D. M., Abrams, E. D., & Robb, J. (2001). Examining student conceptions of the nature of science. *International Journal of Science Education, 23*(8), 771-790.

National Research Council. (1996). *National science education standards.* Washington, D.C.: National Academic Press.

National Research Council. (2000). *Inquiry and the National Science Education Standards: A guide for teaching and learning.* Washington, D.C.: National Academy Press.

National Research Council. (2012). *A framework for K-12 science education.* Washington, DC: National Academy Press.

Newman, D., Griffin, P., & Cole, M. (1989). *The construction zone: Working for cognitive change in school.* New York: Cambridge University Press.

Newton, O., Driver, R., & Osborne, J. (1999). The place of argumentation in the pedagogy of school science, *International Journal of Science Education, 21*(5), 553-576.

Nott, M., & Wellington, J. (1994). Science teachers, the nature of science, and the National Science Curriculum. In J. Wellington, J. Henderson, V. Lally, J. Scaife, S. Knutton, & M. Nott, *Secondary science: Contemporary issues and practical approaches* (pp. 32-43). New York: Routledge.

Ogborn, J., Kress, G., Martins, I., & McGillicuddy, K. (1996). *Explaining science in the classroom.* Buckingham England: Opem University Press.

Olson, J. K., & Appleton, K. (2006). Considering curriculum for elementary science methods courses. In K. Appleton (Ed.), *Elementary science teacher education: international perspectives on contemporary issue and practice* (pp. 127-152). Mahwah, NJ: Erlbaum.

Organisation for Economic Cooperation and Development. (2007). Assessing scientific, reading and mathematical literacy: A framework for PISA 2006. Retrieved November 2008 from http://www.oecd.org/dataoecd/63/35/37464175.pdf.

Orgill, M. K., & Bodner, G. (2007). Locks and keys: An analysis of biochemistry students' use of analogies. *Biochemistry and Molecular Biology Education, 35*(4), 244-254.

Ozgelen, S. (2012). Students' science process skills within a cognitive domain framework. *Eurasia Journal of Mathematics, Science & Technology Education, 8*(4), 283-292.

Park, S., & Oliver, J. S. (2008). Revisiting the conceptualisation of pedagogical content knowledge (PCK): PCK as a conceptual tool to understand teachers as professionals.

Research in Science Education, 38(3), 261~284.

Peters, J. M., & Stout, D, L.(2006). *Methods for teaching elementary school science (5th ed.)*. NJ: Pearson Prentice Hall.

Powell, K. C., & Kalina, C. J. (2009). Cognitive and social constructivism: Developing tools for an effective classroom. *Education, 130*(2), 241-250.

Posner, G. J. (2004). *Analyzing the curriculum (3rd ed.)*. New York: McGraw-Hill Companies, Inc. [권낙원·최화숙·한현숙 역(2012). 교육과정 분석. 서울: 교육과학사.]

Posner, G. J., Strike, K. A., Hewson, P. W., & Gertzog, W. A. (1982). Accommodation of a scientific conception: Toward a theory of conceptual change. *Science Education, 66*(2), 211-227.

Pritchard, A. (2009). *Ways of learning: Learning theories and learning styles in the classroom (2nd ed.)*. Madison Avenue, New York: Routledge.

Pulaski, M. A. S. (1980). Understanding Piaget: An introduction to children's cognitive development, New York: Harper and Row. [이기숙·주영희 역(1990). 어린이를 위한 피아제 이해. 서울: 창지사.]

Rogoff, B. (1990). *Apprenticeship in thinking: Cognitive development in social context*. New York: Oxford University Press.

Root-Bernstein, R., & Root-Bernstein, M. (1999). Spark of genius. New York : Houghton Mifflin Company. /「생각의 탄생」, 방종성 역, 에코의 서재, 2007.

Rossner, V. F. (1982). *A description and critique of David P. Ausubel's model of learning. Thesis (M.A. (Ed.))*, Simon Fraser University.

Ryder, J., Hind, A., & Leach, J.(2001). *The design of materials and strategies for teaching about the epistemology of science*. Paper presented at the European Science Education Research Association Conference, Thessaloniki, Greece, August 21-25, 2001.

Sagan, C. (1980). *Cosmos*. Carl Sagan Production, Inc. [홍승수 역(2006). **코스모스**. 서울: 사이언스북스.]

Schoon, K. J., & Boone, W. J. (1998). Self-efficacy and alternative conceptions of science of preservice elementary teachers. *Science Education, 82*(5), 553-568.

Shapiro, B. L. (1996). A case study of change in elementary student teacher thinking during an independent investigation in science: Learning about "the face of science that does not yet know". *Science Education, 80*(5), 535-560.

Shapiro, B. L. (1998). Reading the furniture: the semiotic interpretations of science learning environments. In B. J. Fraser and K. G. Tobin (Eds). *International Handbook of Science Education* (pp. 609-621). Dordrecht, The Netherlands: Kluwer Academic.

Shayer, M. and P. Adey. (1981). *Toward a science of science teaching*. London: Heinemann Educational Books.

Simpson, R. D., & Anderson, N. D. (1981). *Science, students, and schools: A guide for the middle and secondary school teacher*. New York: John Wiley & Sons, Inc.

Slavin, R. E. (1994). *Educational psychology: theory and practice (4th ed.)*. Boston: Allyn and Bacon.

So, W. W. (1997). A study of teacher cognition in planning elementary science lessons, *Research in Science Education, 27*(1), 71-86.

Stone, C. A. (1993). What is missing in the metaphor of scaffolding? In E. A. Forman, N. Minick, & C. A. Stone(Eds.), *Contexts for learning: Sociocultural dynamics in children's development* (pp.169-183). New York: Oxford University Press.

Shulman, L. S. (1986). Those who understand: Knowledge growth in teaching. *Educational Researcher, 15*(2), 4-14.

Shulman, L. S. (1987). Knowledge and teaching: Foundations of the new reform. *Harvard Educational Review, 57*(1), 1-22.

Sung-Youn, Choi., & Sung-Won, Kim. (2008). Assessment of korean preservice elementary teachers' science teaching-anxiety and science teaching-efficacy. *Journal of the Korea Association for Research in Science Education, 28*(7), 713-723.

Tai, R. H., Qi Liu C., Maltese, A. V., & Fan, X. (2006). Career choice. Planning early for careers in science. *Science, 312*(5777), 1143-1144.

Tao, P. K. (2003). Eliciting and developing junior secondary students' understanding of the nature of science through a peer collaboration instruction in science stories. *International Journal of Science Education, 25*(2), 147-171.

Vosniadou, S. (2001). How children learn. *Educational practice series-7*. International Academy of Education. [재인용: 서형두(2003). 물 속에서 물체의 무게에 대한 과학 수업의 탐색적 사례. 한국교원대학교 박사학위논문.]

Vygotsky, L. S. (1978). *Mind in society. The development of higher order psychological processes*. Cambridge, MA: Harvard University Press.

Wandersee, J. H., Mintzes, J. J., & Novak, J. D. (1994). Research on alternative conceptions in science. In D. L. Gabel (Ed.), *Handbook of research on science teaching and learning* (pp.177-210). New York: Macmillan.

Weininger, S. (1990). Science and "the humanities" are wedded, not divorced. *The scientists, 4*(1), 15-17.

Weiss, I. R. (1987). Report of the 1985-1986 National Survey of Science and Mathematics Education. Research Triangle Park, NC: Research Triangle Institute. [재인용: NRC (National Research Council), 2000, Inquiry and the National Science Education Standards. Washington, DC: National Academy Press.]

Wellington, J., Henderson, J., Lally, V., Scaife, J., Knutton, S., & Nott, M. (1994). *Secondery Science: Contemporary issues and practical approaches*. Routledge: London and New York, 284-294.

Wertsch, J. W. (1984). The zone of proximal development: Some conceptual issues. In B. Rogoff, & J. V. Wertsch (Eds.), *New directions for child development: No. 23. Children's learning in the "zone of proximal development"* (pp. 7-18). San Francisco: Jossey-Bass. [재인용: 김기상·이선경·김찬종(2009). 자연사박물관에서 일어나는 또래 아동간의 상호작용적 학습 양상. 한국지구과학회지, 30(1), 127-140.]

Wertsch, J. V. (1985). *Vygotsky and social formation of mind*. Harvard University Press. [한양대 사회인지발달연구모임 역(1995). 비고츠키: 마음의 사회적 형성. 정민사.]

Wolman, B. B. (1982). *Handbook of developmental psychology*. Englewood Cliffs, NJ: Prentice-Hall, Inc.

Wood, D. A. (1974). The Piaget-process matrix, *School Science and mathematics, 74*(5), 407-412.

Woolfolk, A. E., Winne, P. H., Perry, N. E., & Shapka, J. (2010). *Educational psychology (4th ed.)*. Toronto: Pearson Canada.

Wynn, K. (1992). Addition and subtraction by human infants, *Nature, 358*(6389), 749-750.

Yeager, R. (1990). Science student teaching centers. *Journal of Science Teacher Education, 1*, 61-65.

찾아보기

[ㄱ]

가상현실 … 317
가설 … 275
가설검증학습모형 … 241
가설 설정 … 104
가열 기구 … 407
가치 · 태도 … 48
감성적 체험 … 314
강화 … 161
개념 … 113
개념 도입 … 245
개념변화 검토 … 252
개념변화 조건 … 219
개념변화학습모형 … 231
개념변화학습모형의 단계 … 253
개념 응용 … 252
개념 재구성 … 252
개념 적용 … 245
개념적 탐구 … 131
개념 표현 … 252
개방된 탐구 … 129
개방성 … 90
개방적 질문 … 301
개방적 탐구 … 135
개별적 책무성 … 290
객관성 … 72, 89
객관주의 … 213
검증 … 141
견학 … 267
결과중심 … 443
결론 도출 … 110
겸손과 회의 … 91
경험적 … 67
경험학습모형 … 231, 267
경험학습모형의 단계 … 234
고교학점제 … 40
고전적 조건형성 … 158
공개수업 … 459
과산화수소수 … 411, 413, 525
과정 · 기능 … 48
과정 중심 평가 … 330
과제분석 … 165
과학 경연 … 494
과학과 교과용 도서 … 36
과학과 교사용 지도서 … 55
과학 관련 태도 … 86, 337
과학 교과서 … 53, 437
과학 글쓰기 … 474
과학-기술-사회 상호관계 … 295
과학-기술-사회(STS) 교육 운동 … 231
과학 동시 … 309
과학 동아리 활동 … 493
과학사 … 62
과학사회학 … 62
과학수업 … 459

과학 수업 계획 … 436
과학실 … 275
과학심리학 … 62
과학싹잔치 … 494
과학에 대한 태도 … 86
과학 연극 … 295, 521
과학의 달 … 492
과학의 본성(nature of science: NOS) … 60
과학 이론 … 64
과학 자아효능감 … 172
과학적 개념 … 190
과학적 방법 … 76
과학적 상황 … 470
과학적 소양 … 19, 64, 125
과학적 탐구 능력 … 148
과학적 태도 … 86
과학 지식 … 111, 127, 333
과학철학 … 62
과학 체험 행사 … 494
과학축전 … 494
과학 캠프 … 493
과학 탐구 … 123, 126, 132, 140
과학 탐구 과정 기능 … 92
과학 탐구 수업 … 126, 132, 133
과학 학습에 대한 태도 … 92
과학혁명 … 75
관계 분석형 … 356
관련성 … 176
관리적 질문 … 301
관찰 … 93, 94, 144, 267
관찰의 이론 의존성 … 71
관찰 중심 탐구 … 130
관찰 평가 … 148, 367
관찰학습 … 170, 267, 269
괄호형 … 360
교과 교육학 지식 … 22, 25
교과서 … 35
교사용 지도서 … 437, 445, 446
교사용 지도서 총론 … 61
교사의 안내에 따른 탐색 … 233
교수이론 … 156
교수-학습 과정안 … 440, 435
교수-학습 모형 … 227, 451
교수-학습 방법 … 268
교수-학습 자료 … 450
교수-학습 활동 … 397, 450, 452
교수 활동 … 167
교육과정 … 35
교육과정 개정 절차 … 37
교육과정 설계의 개요 … 42
구성주의 … 212
구성주의적 관점 … 268
구성주의적 수업 … 467
구성주의학습모형 … 252
구체적 조작 … 268
구체적 조작기 … 67, 182, 184, 237
국가과학교육기준 … 65
국가 수준 교육과정 … 35
권위적 … 307
규칙성 발견 및 개념 정리 … 237
그래프 … 277
근접 발달 영역 … 188, 466
기르기 중심 탐구 … 130
기초 탐구 과정 기능 … 93, 335
깔때기 … 419

[ㄴ]

나선형 교육과정 … 198
내면화 … 183, 188

내용 체계 및 성취기준 … 46
눈금실린더 … 401, 414, 418

[ㄷ]

단계 … 452
단답형 … 359
단순 배합형 … 355
단원의 개관 … 444
단원 지도의 유의점 … 446
단원평가 … 230, 439
단원 학습 계열 … 445
단원 학습 목표 … 444
단원 학습 체계 … 446
단원 학습 평가 … 448
대기시간 … 459
대리학습 … 170
대상 영속성 … 183
도식 … 180
도입 단계 … 460
독립 변인 … 142
동료 평가 … 148, 150
동료평가 … 378, 456
동화 … 180
동화이론 … 208
드라이버(Driver) … 252

[ㄹ]

리커트척도법 … 370

[ㅁ]

마인드맵 … 320
만들기 중심 탐구 … 130
만족감 … 176
멀티미디어 … 268
메이커 교육 … 314
면담 평가 … 148
면대면(face-to-face) 촉진적 상호작용 … 290
명왕성 … 75
모델링 … 170
모형 … 115
문제로의 초대 … 257
문제 인식 … 103
문제 해결 능력 … 469
문제 해결력 … 135, 314
문항 … 456
문항 카드 … 387

[ㅂ]

반성적 모형 … 252
발견학습 … 197
발견학습모형 … 231
발견학습모형의 단계 … 238
발문 … 298
발표 방법 … 146
발표 형식 … 146
배열형 … 358
배움노트 … 474
배합형 … 355
법칙 … 113
변인 … 141
변인 통제 … 105
보고서 … 282
보고서 평가 … 148, 377
복배합형 … 355
본시 수업 계획 … 447, 448
분류 … 93, 96

분류 배합형 … 356
분석적 사고 … 199
비계설정 … 192, 301, 466
비교조직자 … 210
비유 … 308
비정규 과학학습 … 479
비커 … 401, 414, 415, 418, 420, 430
비판성 … 88
비평 … 147
비형식 과학교육 … 479

[ㅅ]

사실 … 112
사전실험 … 450
사회인지이론 … 170
사회적 구성주의 … 214
사회적 기술 … 290
사회적 상호작용 … 195
사회학습이론 … 169
산물 … 381
상징적 표현 … 198
상호의존성 … 290
상호작용 … 286, 443, 464, 467
상호주관성 … 192
상황 의존적 사고 … 218
상황 제시 … 313
서답형 … 358
석회수 … 397, 525
선다형 … 351
선다형 문항 … 351
선수학습 … 463
선언적 지식 … 111
선택적 보상 … 161
선행조직자 … 209
설명 및 해결방안 제시 … 257
설명식 수업 … 307
설명조직자 … 210
설명(explanation) … 250
성격과 목표 … 45
성취기준 적용 시 고려 사항 … 49
성취기준 해설 … 49
성취기준 … 49
세안 … 443
소집단 학습 … 288
소집단 협동학습 … 288, 291
손수 제작물 … 146
손수 제작물(UCC) … 148
수동적 … 307
수사적 질문 … 301
수산화나트륨 … 411, 413, 429, 525
수업 계획 … 229, 443
수업모형 … 226, 227, 267, 441, 451
수업 목표 … 449
수업 방법 … 267
수업안 … 441, 458
수업의 실천계획 … 229
수용학습 … 206
수조 … 419, 420
수행평가 … 328, 448, 456
순환학습모형 … 231, 267
순환학습모형의 단계 … 247
순환학습변형모형 … 231
순회 지도 … 467
스포이트 … 401, 412, 414, 416, 417, 418, 421
시간 … 453
시범 실험 … 279
시약 … 279, 406, 411, 412, 413, 416, 417, 421, 430
시약병 … 405, 412, 413, 420, 421

시연 · 시범 … 146, 147
시청각 … 146
시청각 설명 … 147
시험관 … 414, 416, 417, 418, 421
신 교육목표분류학 … 334
실감형 콘텐츠 … 317
실재적 발달 수준 … 189
실패의 긍정적 수용 … 91
실행 … 257
실험 … 267, 273
실험 관찰 … 54
실험 기구 … 278, 279, 309, 399, 401, 402, 404, 405, 406, 407, 414, 415, 426, 430, 450, 465, 466
실험 수업 … 397, 398
실험시 안전 교육 … 400
실험실 … 403
실험 안전 교육 … 399
실험 안전 수칙 … 399, 400, 402, 406
실험의 목적 … 466
실험 중심 … 142
실험 중심 탐구 … 130
실험 폐기물 … 428, 429
실험학습 … 273, 275
실험 활동 … 67

[ㅇ]

아세톤 … 429, 525
아이오와주립대학교 … 257
안내된 발견학습 … 206
안내된 탐구 … 129, 133
안내된 탐구 활동 … 128
안전교육 … 426
안전 사고 … 279, 397, 398, 399, 400, 407, 426, 427, 429, 465
안전 수칙 … 403
알레르기 … 424, 426
알코올 … 397, 421, 422
알코올램프 … 400, 401, 405, 407, 408, 415, 416, 419, 420
알코올(에탄올) … 408
암기학습 … 207
암모니아수 … 525
야외실습 … 480
야외실험 … 480
야외조사 … 480
언어적 상호작용 … 137
에듀테크 … 316
에듀테크 도구 … 467
에탄올 … 525
역량 … 38
역할놀이 … 290, 295, 521
역할 분담 … 291
연결형 … 355
연결형 문항 … 355
염산 … 411, 413, 429, 525
영상적 표현 … 198
예상 … 93, 99, 467
오개념 … 17, 216, 261, 309, 439
온도계 … 401, 421
완성형 … 360
요약 … 469
용어 도입 … 245
원자 모형 … 70
웹 … 281
위계학습 … 165
유리관 … 418
유리 막대 … 414, 415, 419, 420
유의미학습 … 203, 463

유의미학습 이론 … 308
융합교육 … 472, 473
융합수업 … 470, 474
융합인재교육 … 312, 471
의사소통 … 93, 101, 137, 146, 147, 467
이론 … 114
인지갈등학습모형 … 252
인지구조 … 180, 204
인지기능 … 180
인지내용 … 181
인지발달 … 178
인지 발달 이론 … 231
인지적 간극 … 189, 192
인지적 갈등 … 182, 252
인지적 구성주의 … 214
인지적 비평형 상태 … 182
인지적 영역 … 334
인터뷰 … 282
인터페이스 … 317
일반화 … 110, 469
일화기록법 … 372

[ㅈ]

자기 주도적 … 280, 443
자기 주도적 학습 습관 … 314
자기 평가 … 148, 150
자기평가 … 378
자료 및 유의점 … 454
자료 변환 … 107, 145
자료 제시 및 관찰 탐색 … 237
자료 해석 … 109, 277
자발적 개념 … 190
자신감 … 176
자아효능감 … 171
자유 탐구 … 123, 134, 135, 136, 137, 139, 141, 142, 144, 145, 146, 148, 149, 290, 511, 512
자유 탐구 지도 … 140
자유 탐색 … 233
잠재적 발달 수준 … 189
적용 … 469
적용 및 응용 … 237
적응 … 180
전개 단계 … 463
전기 기구 … 422, 424
전등 … 423
전시 학습 상기 … 463
전시회 … 146
전시회 발표 … 147
전이 … 469
전조작기 … 184, 237
전체적인(holistic) 학습 … 296
절차적 지식 … 111
점검표 … 368
점검표법 … 368
정교화 … 304
정교화(elaboration) … 250
정량적 … 278
정리 … 469
정보처리이론 … 162
정상과학 … 75
정성적 … 278
정직성 … 89
정착 개념 … 205
정착 단계 … 468
제시 … 461
조건반사 … 158
조력자 … 286
조사 … 280
조사 보고서 … 282

조사 중심 탐구 … 130
조작적 정의 … 106
조작적 조건형성 … 160
조절 … 180
조정자 … 285
조직화 … 180
종속 변인 … 142
좌석 배치 … 292
주의집중 … 176
중재 … 291
증강현실 … 317
증거의 존중 … 88
증발접시 … 415, 420
지식의 구조 … 196, 197
지식 · 이해 … 46
지식 체계 … 85
지적 기능 … 164
지필평가 … 350, 456
직관적 사고 … 199
진단평가 … 229, 344, 439, 448
진로연계교육 … 40
진위형 … 353
진위형 문항 … 353
질문 … 147, 299
집기병 … 419
집단 과정 … 290

[ㅊ]

차시예고 … 471
차시 지도 계획 … 440
참여(engagement) … 250
창의성 … 135
창의적 사고 … 71
창의적 설계 … 313
체크리스트법 … 368
총괄평가 … 230, 348, 448
추가 자료 제시 및 관찰 탐색 … 237
추리 … 93, 100
출처 … 281
측정 … 93, 98, 141

[ㅋ]

칼 세이건 … 74

[ㅌ]

타당성 … 291
탐구 결과 … 136, 138, 146, 516
탐구 계획 … 136, 138, 142
탐구 과정 기능 … 127, 467
탐구 과정 요소 … 335
탐구 문제 … 136, 140, 141, 142, 280, 513, 514, 517
탐구 방법 … 85, 142
탐구 보고서 … 138, 144, 145, 512, 515
탐구 수행 … 138, 144
탐구 실행 … 136
탐구 유형 … 129, 130
탐구 주제 … 138, 139, 140
탐구학습모형 … 131, 231
탐구학습모형의 단계 … 242
탐구 활동 … 49, 128, 129, 134, 144, 146, 148, 443, 515, 517, 518
탐구 활동 평가 … 138, 148
탐사 · 탐방 중심 탐구 … 130
탐색 … 245, 257, 267
탐색 결과 발표 … 233
탐색 결과 정리 … 233

탐색 및 문제 파악 … 237
탐색(exploration) … 250
토론 … 267, 467
토의 … 267
토의 · 토론 … 467
토의 · 토론 학습 … 284
통합 탐구 과정 기능 … 103, 335

[ㅍ]

파워포인트 … 455
파지 … 469
판서 … 462
판서 계획 … 454
패러다임(paradigm) … 72
페트리접시 … 414, 417
평가의 객관성 … 386
평가 준거 … 148, 149
평가(evaluation) … 250
평정척도법 … 370
평형화 … 181
폐쇄적 질문 … 301
포섭 … 203, 208
포스터 … 146
포스터 발표 … 147
포트폴리오 … 379
포트폴리오 평가 … 148
표 … 277
표현양식 … 198
프로젝트 … 473
프로젝트 학습 … 472, 474
플라스크 … 414, 418
피드백 … 148, 278, 301, 456

[ㅎ]

학교 교육과정 … 472
학교자율시간 … 41
학문중심 교육사조 … 256
학습 … 163
학습과제 분석 … 229
학습동기 … 175
학습 동기 유발 … 460
학습모형 … 227
학습 목표 … 448, 449, 461, 469
학습 목표 제시 … 461
학습 문제 … 462
학습위계 … 165
학습이론 … 155, 156
학습 자료 … 450
학습자 중심형 … 261
학습자 지원형 … 261
학습지 … 450
학습 형태 … 451
학습 활동 … 466
합리성 … 88
합리적인 의사결정 능력 … 256
핫플레이트 … 407, 410, 411
핵심 아이디어 … 46
행동 목표 … 449
행동적 표현 … 198
행동주의 … 157
현미경 … 401
현장견학 … 480
현장학습 … 480
협동심 … 90
협동학습 … 289, 290
협의회 … 459
형성평가 … 345, 448, 455, 470

형식적 조작기 … 184, 237
호기심 … 87, 270
화학 약품 … 398, 399, 402, 404, 405, 406, 407, 411, 412, 414, 415, 417, 421, 429, 525
황산 … 429, 525
회상 … 299, 463
후광효과 … 367

[기타]

2차원 평가틀 … 339
3차원 평가틀 … 339
4E … 231, 250
5E … 231, 250
7E … 231, 250
2022 개정 과학과 교육과정 … 36
2022 개정 초등학교 교육과정 … 36
Ausubel … 308, 463
Eggen … 231
Gagné … 463, 468
Jigsaw … 293
Kauchak … 231
Kuhn … 75
MBL 실험 … 317
PEOE … 231
PEOE 모형 … 250
Piaget … 231
POE … 231, 250
STEAM … 471
STEAM 수업 … 474
STEAM 요소 … 472
STEAM 프로젝트 … 473
STS교육 … 74, 257
STS 수업 … 288
STS학습모형 … 231
STS학습모형의 단계 … 258
SW교육 … 320